KB055229

한국의 전통주 주방문 5

세월을 담는 술

한국의 전통주 주방문 ❺

세월을 담는 술

2쇄 발행 : 2023년 4월 5일
초판 발행 : 2015년 11월 10일

지은이 : 박록담
펴낸이 : 김세권

펴낸곳 : 바룸출판사
출판등록 : 2013년 4월 18일(제2013-000121호)
주소 : 121-840 서울시 마포구 양화로 8길 15 (301호)
전화 : 02)333-1225
팩스 : 02)332-5763
이메일 : bonbook@daum.net

ISBN 979-11-87048-14-5
ISBN 979-11-87048-09-1(set)

* 잘못 만들어진 책은 구입하신 서점에서 바꾸어 드립니다.
* 책값은 뒤표지에 있습니다.

한국의 전통주 주방문 5

세월을 담는 술

증류주류

혼양주류

양주잡방

주방문 없는 주품

누룩방문

박록담 著

바름

일러두기

1. 한글 표제 〈양주방〉과 한문 표제 〈양주방(釀酒方)〉은 각기 다른 문헌이다. 한글 표제 〈양주방〉은 1800년대에 쓰인 한글 필사본으로 전라도 지방의 문헌으로 알려져 있으며, 한문 표제 〈양주방(釀酒方)〉은 1700년대 말엽에 쓰인 한글 필사본으로 '연민 선생 소장본' 이다. 이 둘이 혼동될 우려가 있어 한글 표제의 경우 〈양주방〉*으로 구분하여 표기하였다.

2. 전통주가 수록된 문헌 중에 〈주방(酒方)〉으로 표기된 것이 두 가지이다. 하나는 1800년대 초엽에 쓰인 한글 필사본이며, 다른 하나는 1827년(또는 1887년)에 쓰인 한글 한문 혼용 필사본으로 임용기 소장본이다. 이를 구분하기 위해 한글 필사본인 경우 〈주방(酒方)〉*, 또는 〈주방〉*으로 표기하였다.

3. 〈주식방문〉과 〈쥬식방문〉은 별개의 문헌이다. 〈주식방문〉은 한글 붓글씨본이고, 〈쥬식방문〉은 한문 활자본이다.

〈한국의 전통주 주방문〉 출간에 부쳐

윤서석 ㅣ 중앙대학교 명예교수

한국 전통주 양조의 명인 박록담 선생께서 <한국의 전통주 주방문>을 출간하였음을 충심으로 축하드리고, <한국의 전통주 주방문>의 출간이 큰 동기가 되어 한국 전통주가 세계를 향한 비약적인 발전으로 격상하기를 기대해 마지않습니다.

<한국의 전통주 주방문>은 한국 전통주 주방문이 수록되어 있는 고문서 80여 책과 선생께서 직접 조사한 문헌을 근거 자료로 총 62개 항목으로 구성되었으며, 이 내용을 5,000여 쪽에 제5권으로 나누어 편집한 방대한 연구 업적입니다.

한국 전통주 양주총론을 시작으로 각 항목은 누룩방문 43품, 주방문으로 탁주 64품, 청주 214품, 혼양주 10품, 증류주 52품, 그리고 향을 가해서 빚는 가향주 37품, 약용약주와 과실주 72품 외에 주방문이 없는 술 51품, 양주잡방 24품 등 총 570여 품에 달합니다. 그처럼 상세한 한국 전통주 주방문 기록에 선생의 해설과 소견을 보태어 체계정연하게 서술되어 있습니다. 이 방대한 연구를 착안하고 다년간의 각고를 지속하신 선생의 소신과 열정에 감동하고, 그간의 연구와 경험으로 축적된 선생의 양주지식이 이 방대한 작업을 지속하게 한 동력이었음을 감탄합니다.

한편 수많은 한국 전통주 목록을 읽으면서 이토록 다양한 명주를 개발하여 한국 전통주 문화를 형성하고 그 한 가지 한 가지를 상세하고 정확한 기록으로 남겨 전수할 수 있게 한 우리 선조들의 철저한 생활규범과 질서에 고개 숙여 존경

했습니다. 이러한 생활관행과 철학이 굴곡 많던 우리의 역사를 극복하게 한 저력이었음을 새삼 깨닫게 되었습니다.

<한국의 전통주 주방문>의 성취는 비단 한국 전통주의 재현·발전뿐 아니라, 우리 생활문화 역정을 다시 인식하게 하는 큰 동기입니다. 크나큰 공헌을 이룩하셨습니다. 이제 한국 전래 전통주 주방문을 알기 쉽게 해설한 문헌이 탄생하였으니 한국 전통주의 연구가 심화될 것이고, 한국의 명주 생산은 탄탄대로를 향하리라 믿습니다.

술은 인류와 역사를 함께한 의미 깊은 문화입니다. 의례행위에서 신에게 올리는 술은 인간의 염원을 전하는 매체이고, 혼례절차에서 행하는 합환주는 부부의 연을 맹세하는 상징이며, 인간사를 경륜하는 자리에서는 술이 합의와 화합을 이끄는 고리가 됩니다.

이같이 술은 인류생활의 요긴한 문화이므로 세계 여러 민족은 각각 그들의 자연과 조화를 이룬 전통주를 가지고 있습니다. 한국은 벼 농사국이어서 쌀로 빚은 술이 전통주로 이어오는데, 고대로부터 한국인의 양주기술은 탁월하였습니다. 고구려가 술 빚기, 장 담기 등 장양을 잘한다고 <삼국지> '위지동이전'에 기술되어 있고, 압록강 건너 옛 곡아(曲阿) 지방의 명주인 곡아주(曲阿酒)는 고구려 여인의 솜씨라 전합니다. 4세기경 백제 사람 인번(仁番)이 일본으로 건너갔을 때 그곳에 처음으로 누룩으로 술 빚는 기술을 전수한 사실이 일본 고문서 <고사기(古事記)>에 명기되어 있습니다.

중국 당나라의 시인 이상은(李商隱)은 "신라의 술은 한 잔으로 취한다."고 한국 술이 발효도가 높은 명주임을 알리고 있는데, 고려에서 원나라로부터 증류주법을 도입하여 한국 전통주의 양주법 체계가 한층 더 확대되었습니다. 이같이 일찍 발달한 양주기술이 역대로 발전하였는데, 조선시대에 이르면 동의학의 발달 환경에서 양주원리의 인식이 고양되어 약용약주의 효용이 생활화하였습니다. 이어서 의례행위를 존중하는 대가족 생활이 엄수되면서 한 가문의 가양주 기술이 가문의 성쇠를 가늠한다 할 정도로 가양주 문화를 존중했으므로 가양주 기술은 더욱 발전했습니다.

한편 한반도는 좁은 국토이면서 기후구가 다양했으므로 여러 고장에서 그 고장만이 자랑하는 향토명주를 개발하게 되어 한국 전통주는 더욱 확대되었던 것입니다.

이같이 고대로부터 발달한 한국 전통주 문화가 20세기 초 일제 통치기관이 시행한 철저한 '가양주금지령'과 '주세법' 시행 등으로 한동안 잠재되었습니다. 광복 후에 동란 시기와 양곡 생산량 부족 환경에서 전통주류의 활발한 복원이 지연되었지만, 다행히 1980년대 중기 이후로 문화재관리국의 선도로 한국 전통주 발굴조사를 실시하고 몇 가지 명주를 중요무형문화재로 지정하였는데, 이 시점은 한국 전통주 복원발전의 봉아기입니다.

이후로 한국 전통주 복원을 전담하는 연구가 활발해지고 관계 행정당국의 전통주 발전 시책도 촉진되어, 일부 품목이지만 전통주 생산이 확대되어 국내외로 애호하게 되었습니다.

이러한 시기에 <한국의 전통주 주방문>이 출간되었으니 이 공헌이 동기가 되어 학계에서는 한국 전통주 연구를 활발하게 심화할 것이며, 관계 행정당국은 보다 적극적으로 전통주 발전 시책을 지원할 것입니다. 또한 모두가 한국 전통주 문화에 대한 가치를 깨닫고 인식을 새롭게 할 것입니다.

이제 선생께서는 한국 전통주 연구복원에 보다 적극 매진하시고 선생께서 스토리텔링에서 말씀한 대로 한국 가양주 연구업계와 함께 한국 전통주 양조를 위한 구체적이고 현실적인 공동연구와 여러 세칙에 관한 합의를 성취하여 한국 전통주가 세계적인 명주 대열에서 빛나도록 선도하시기 바랍니다. <한국의 전통주 주방문>의 출간을 다시 축하드립니다.

전통주 연구의 입문서

조재선 | 경기대학교 명예교수

술이 이 지구상에서 언제부터 만들어졌는지는 아무도 모른다. 과실이 익어 땅에 떨어진 것이 야생 효모(酵母)의 작용으로 당분이 알코올로 변화하는 자연발효에 의해서 술이 된 것이 최초의 술의 탄생이라고 추정하고 있다.

인류의 역사를 기록한 신화나 전설에 술이 등장한 것은 5,000년 전부터이다. 우리나라의 최초의 기록은 고구려의 건국신화에 등장하니, 적어도 3,000년 전부터 만들어 이용되었을 것이다.

술의 원료는 당분(糖分)이나 전분(澱粉)이 들어 있는 과실이나 곡류인데, 과실주가 먼저 만들어지고 그 이후 농경이 시작되면서 곡류를 원료로 한 술들이 만들어졌을 것이다. 우리나라는 쌀이나 잡곡 등의 곡류 생산을 주로 하였기 때문에 이들을 원료로 한 술이 개발되어 농민의 애환을 달래고, 관혼상제(冠婚喪祭)나 세시풍속(歲時風俗)의 의례음식(儀禮飮食)으로 이용하는 등 우리의 일상생활과 밀착하여 문화상품이 되어 왔다.

처음에는 잡곡을 원료로 하던 것이 쌀농사가 시작되면서 쌀을 이용하였고, 여기에 주변에서 얻기 쉬운 솔잎, 각종 향초류(香草類), 약초(藥草) 등 그 지역의 특산물 등을 가미하여 다채로운 술을 만들어 즐겨 이용하여 왔다. 그 중에서 여러 사람들의 기호에 맞는 것이 널리 이용되어 전통주(傳統酒)나 민속주(民俗酒)

라는 이름으로 전해 내려오고 있는 것이다.

곡류를 원료로 하는 술은 과실주와는 달리 만드는 과정에서 전분을 당분으로 하는 당화과정을 거쳐야 하는데, 이때 사용되는 것이 누룩이고, 이 누룩 중에 들어 있는 곰팡이는 당화작용뿐만 아니라 여러 가지 독특한 향기 성분을 생성하므로, 맛 좋은 술을 위해서는 누룩이 좋아야 함은 물론이다. 또한 숙성조건에 따라서도 술의 성분이 달라진다.

이와 같이 사용하는 원료, 누룩의 특성, 집집마다 담그는 숙성조건(熟成條件) 등에 따라 각양각색의 술이 만들어지므로 알려진 술만 해도 수백 종에 달한다.

옛날에는 정부의 간섭이 적어서 집집마다 자유롭게 술을 빚어서 다양한 가양주(家釀酒)가 만들어져 찬란한 술 문화를 즐겨왔지만, 일제강점기의 수탈정책의 일환으로 주세(酒稅) 징수(徵收)를 위해서 획일화된 제조법으로 통제하여 단순화되었으며, 해방 후 식량난으로 양조용으로 쌀을 사용하지 못하게 함으로써 좋은 술을 만들 수가 없었다. 이제는 경제형편이 좋아지고 쌀의 사용이 자유로워 여러 가지 술도 만들 수 있어서 그동안 숨겨져 있던 다양한 전통주를 복원하는 운동이 전개되고 있다.

그동안 어려운 여건을 이겨내면서 사라져가는 전통주의 복원연구와 후진양성에 정진해 오고 있는 박록담 선생은 고문헌에 나오는 500여 종의 주방문을 주종별로 탁주(濁酒), 청주(淸酒), 가향주(佳香酒), 증류주(蒸溜酒), 혼양주(混釀酒) 등으로 구분하여 수록하고, 저자가 직접 복원연구한 결과들을 해설 형식으로 첨부하였다.

우리나라의 각종 옛날 요리서에는 술에 관한 종류와 주방문이 비교적 많이 수록되어 있는데, 문헌마다 다소 다르게 설명되어 있는 것도 있고 여기저기 산재되어 있는 실정이다. 이것들을 비교하기 쉽게 한데 모아놓고 복원 결과를 설명하고 있다.

요컨대 지금까지 간행된 고요리서 중 주방문(酒方文)을 발췌 수록하여 집대성하였으며, 저자의 복원연구 결과를 첨부하였기에 전통주 연구의 요긴한 입문서로서 추천한다.

저자의 말

<한국의 전통주 주방문>은 국내 최고의 양주 관련 기록인 <산가요록(山家要錄)>과 <언서주찬방(諺書酒饌方)>, <수운잡방(需雲雜方)>, <고사촬요(故事撮要)>, <산림경제(山林經濟)>, <증보산림경제(增補山林經濟)>, <음식디미방>, <임원십육지(林園十六志)>와 <양주방>*, <주찬(酒饌)>, <주정(酒政)> 등 한문과 한글 기록에서부터 최근 발굴된 <봉접요람>, <양주(釀酒)>, <술방> 등에 이르기까지 80여 종의 문헌에 부분적으로 수록된 주품명과 그에 따른 주방문을 총망라한 것이다.
특히 조선시대 600년간의 기록을 통해서 520가지가 넘는 주품들의 양주경향과 특징, 시대별 양주기법의 변화, 양주기술의 발달과정 등 우리나라 양주문화 전반을 추적해 보고, 전통주에 대한 새로운 의미 부여와 해설 등 스토리텔링을 통해서 우리 술의 가치를 재조명하였다. 이로써 전통주의 대중화는 물론 세계화에 대한 단초와 차별화 전략을 세울 수 있기를 바란다.

필자의 우리 술에 대한 연구는 1987년 11월로 거슬러 올라간다. 처음에는 애주가인 아버지의 반주(飯酒)를 직접 빚어드려야겠다는 조촐한 생각으로 시작했던 가양주(家釀酒) 빚기가 전국의 전승가양주 조사와 기록화 작업이라는 전통주 연구활동으로 이어졌고, 민간에 전승되어 오던 숱한 가양주 발굴이라는 커다란 성과와 더불어 그간 배우게 된 전승가양주가 133가지에 이르면서, 가양주에 대한 관심과 생각은 양주도구와 술독은 물론이고, 심지어 안주를 만드는 데 사용되는 조리도구에 이르기까지 확대되었다.

그런데 이때부터 필자의 불행이 시작된 듯하다. 이 땅에서는 전통을 바탕으로 하는 어떠한 연구와 노력도 결코 밥이 되지 않는다는 사실을 몰랐던 것이다.

주변의 만류에도 불구하고 고서(古書)에 활자로 박제된 우리의 양주비법을 밝혀 대중화의 길로 이끌어보고자 <명가명주(名家名酒)>를 비롯하여 <우리 술 빚는 법>과 <우리 술 103가지>를 출간하게 되었고, 이를 보완한 <다시 쓰는 주방문(酒方文)>을 펴내게 되었다. 그리고 조선시대 양주 관련 고문헌에 수록된 전통 주방문에 근거하여 술 빚는 방법들을 풀어 쓴 <전통주 비법 211가지>, 고문헌의 기록과 가양주법의 누룩(麯子, 麴子)들을 망라한 <버선발로 디딘 누룩>을 펴내게 되었다. 전통주의 대중화를 위해서는 시급한 일이었다고 판단되었기 때문이다.

그리고 내친김에 우리나라만의 독특하면서도 차별화된 음주문화라고 할 수 있는 가향주문화(佳香酒文化)의 가치를 재인식해 보자는 취지에서 <꽃으로 빚는 가향주 101가지>, 발굴 기록인 <양주집(釀酒集)>에는 재현 전통주의 격에 맞는 주안상 차림까지를 곁들이는 등 여러 가지 방법의 다양한 시도를 하게 되었으나, 저간의 노력에도 불구하고 전통주의 대중화는 요원하게만 느껴지고, 지금 내게 남은 것은 고질병이 된 어깨통증을 비롯하여 뼈 마디마디 관절통, 그리고 빚뿐이다.

그럼에도 불구하고 <한국의 전통주 주방문>을 다시 엮게 된 동기와 배경 먼저 밝히고자 한다.

그간 우리 술에 대한 편견을 없애려고 갖은 노력을 다해 오면서 가장 빠른 지름길이 무엇일까를 생각하게 되었고, 그 결론으로 술 빚는 기술과 방법의 교육을 통해 가양주문화를 되살려 보고자 '전통주 교실'을 열었다. 국내 처음으로 개관한 '전통주 교실'을 통해 배출된 전문가들이 지금은 전국 각지에서 각종 전통주 강좌를 진행하고 있고, 2012년부터는 국가 지원을 받는 교육기관만도 13곳에 이를 정도로 가양주문화에 대한 관심이 고조되었다.

'전통주 교실'을 통해 배출된 전문가들이 각자의 독립된 위치에서 전통주 강좌를 시작하기까지 숱한 우여곡절이 많았다. 전통 양주방법에 대한 시각차와 곡해, 폄훼에 따른 갈등이 그것이었다.

사실 그간 우리나라의 학계와 양주업계는 전통주 제조법에 대한 이론도, 체계화된 양주공정도 끌어내지 못한 채, 100여 년간 일본에서 들여온 입국식(粒麴式) 양주기법을 보급했다. 국적 없는 이들 술이 국내 시장을 점유하고 있는 것도 전통주에 대한 폄훼와 부정적인 시각을 갖게 된 배경이기도 하다.

특히 입국식 양주기법은 국가기관을 중심으로 보급되고 있어, 필자의 전통 양주방법의 교육과 보급은 '미신적인 방법'과 '주먹구구식'으로, 그리고 '비과학적인 방법'으로 매도되기도 하고, '미생물학'이나 '발효학'을 전공하지도 않은 사람이 전통주 양주학을 교육한다는 사실에 비아냥거림이 있었음도 주지의 사실이다.

이에 필자는 전통 양주방법의 체계를 세우기 위해 우리 술의 우수성과 합리성, 과학적 근거를 수집하기에 이르렀고, 그 해답을 <산가요록> 등 80여 권에 이르는 조선시대 양주 관련 고서와 옛 기록을 근거로 한 우리 술 빚는 방법으로 채택하였다. 즉, 조선시대 고문헌의 기록에 따른 주방문(酒方文)으로 양주된 전통술에 대하여 미생물학과 발효학을 바탕으로 양주기술의 체계를 확립할 수 있었다.

그리고 전통 방식의 양주기술을 통해 복원 및 재현된 '우리 술'의 향기와 맛, 색상 등 관능시험평가를 통한 주질 비교에서 우리 술의 우수성과 합리성, 차별성, 그리고 세계화의 가능성을 찾을 수 있었다.

처음에는 전승가양주를 중심으로 양주방법의 원형을 찾고자 주방문의 비교와 차이점 등을 살펴보던 단순한 방법에서 벗어나 직접 술을 빚어보면서 전승가양주에 대한 문제의식을 갖게 되었고, 그때부터 본격적인 양주방법을 연구하고 양주실험을 해보게 된 것인데, 우리 술 빚는 법에 대한 걷잡을 수 없는 묘한 매력에 빠져 헤어날 수 없게 되었다.

지난 100여 년간 단절되고 맥이 끊어진 채 활자 속에 갇혀만 있던 주방문들에 대한 복원과 재현은, 무엇보다 죽어 있는 전통주들에 대한 생명을 불어넣는 작업이었다. 이러한 작업의 배경은 저마다의 주품들에서 전승가양주와는 다른 맛과 색깔, 특히 와인에 비견되는 아름다운 향기로서의 방향(芳香)을 발견하게 되면서부터이다.

그리고 고문헌에 수록된 주방문에 대한 관심을 갖기 시작한 지 28년이 지난 지금, 고문헌 속의 주방문들은 들여다보면 볼수록 그 해석이 바뀔 수 있다는 것을 뼈저리게 느꼈다. 왜냐하면 한글 조리서이든 한문 조리서이든 깊이 들여다볼수록 당시 그 주방문을 썼던 사람의 입장이 되어 들여다보기 마련이어서, 어제의 눈과 생각이 오늘에 와서는 달라지곤 하는 것이었다. 소위 "아는 만큼 보인다."는 말이 가장 적합한 표현이라는 생각도 하게 되었다.

그간 수많은 고문헌이 한글로 번역, 출판되어 보급된 것은 사실이지만, 특히 고문헌 속의 전통주를 연구하는 전문가가 없다 보니 학자들이 번역해 놓은 주방문 역시도 직역 정도의 수준에 머물렀던 것이 사실이다.

고문헌에 수록된 주방문과 관련해서는 필자의 <다시 쓰는 주방문(酒方文)>이 등장하기 전까지는 전통주의 양주기술에 대한 어떤 전문서적도 없었다. 특히 처음으로 고문헌에 수록된 전통주를 복원해 보겠다고 덤볐던 당시의 기억들은 참담함 그것이었다. 번역된 고조리서의 술 빚는 방법을 재현하면서 부딪쳤던 실패와 좌절감, 궁극의 참담함을 혼자만의 추억으로 간직하기에는 너무나 안타까운 생각이 들었다.

이에 나름 30년에 가까운 세월 동안 술을 빚어보았던 경험을 바탕으로 고문헌 속의 주방문을 다시 찬찬히 들여다보게 되었고, 그 결과물인 <한국의 전통주 주방문>은 기본적인 술 빚는 법을 지득하고 있는 사람이라면 누구나 보다 쉽게 접근할 수 있도록 주방문마다의 해석과 술 빚는 데 따른 주의사항 등 구체적인 접근방법, 시대별 주방문의 변화과정에 대해서도 언급하였다.

특히 주품명에 얽힌 스토리텔링을 통하여 우리 술의 가치를 재조명하고, 새로운 의미부여를 통해 양주문화와 음주문화의 수준, 술을 빚는 사람의 자세와 철학, 가문마다의 가양주 제조방법에 깃든 이야기들을 재조명해 보고자 하였음을 밝혀둔다.

예를 들어 <산림경제>의 한 가지 주방문이 다른 기록인 <증보산림경제>로 옮겨지고, 다시 <임원십육지>로 옮겨져 재해석되는 과정에서 심지어 주품명이 바뀌는가 하면, 재료 배합비율이 바뀌기도 하고, 주재료의 가공법이 바뀌고, 더러는 양주과정이 생략되기도 하면서 전혀 다른 명칭의 주품명으로 등장하는 등 다양한 변화를 거치는 사실을 목도하게 되었다.

이러한 사실에서 보다 정확한 문헌 조사의 필요성과 함께 고문헌 속의 주방문에 담겨진 우리나라 전통주의 원형을 찾아보고, 역사성과 전통성, 문화성을 바탕으로 한 양주문화와 보다 체계적이고 과학적인 양주기술의 축적, 그리고 앞으로 전개될 우리나라 술의 세계화를 위한 합리적 접근방법을 모색하는 자료가 되었으면 하는 바람이다.

<한국의 전통주 주방문>은 1400년대 초 이퇴계(李退溪) 선생의 수적본(手蹟本)으로 알려진 <활인심방(活人心方)>을 시작으로, 국내 최고의 양주 관련 기록이라고 할 수 있는 <산가요록>과 <언서주찬방>, <수운잡방>, <고사촬요>, <산림경제>, <증보산림경제>, <음식디미방>, <임원십육지>와 <양주방>*, <주찬>, <주정> 등 한문과 한글 기록에서부터 최근 발굴된 <봉접요람>, <양주>, <술방> 등에 이르기까지 80여 권의 문헌에 부분적으로 수록된 주품명과 그에 따른 주방문을 총망라한 것이다.

한 나라의 문화는 시대에 맞게 변화와 수용을 거쳐 개선되고 발전해 왔다는 것이 정설이지만, 우리나라 술의 역사는 1907년 '주세령(酒稅令)' 발포를 시작으로 단절과 말살의 역사로 점철되었고, 그 사이 국적 없는 양주기술이 도입, 뿌리를 내리면서 우리 술의 정체성 위기를 초래하게 되었던 것이 사실이다.

1980년대 접어들면서 정부가 전승가양주에 대한 자원조사를 시작으로 몇몇 가양주에 대한 무형문화재 지정으로 전통주 양성화의 계기를 마련하였지만, 전통주의 대중화에는 성공하지 못하였다.

1987년도 접어들면서 필자에 의해 본격적인 가양주 조사와 발굴 작업이 이뤄졌고, 그 연속선상에서 사라지고 맥이 끊긴 조선시대 가양주에 대한 복원과 재현작업이 시작되었는데, 조선시대 600년간의 양주문화와 양주기술은 물론이고, 전통주에 대한 본격적인 조명이 이뤄졌다고 생각한다.

일반인들이 그간 알지 못했던 '석탄향(惜呑香)'을 비롯하여 '이화주(梨花酒)', '백하주(白霞酒)', '하향주(荷香酒)', '감향주(甘香酒)', '과하주(過夏酒)', '동양주(冬陽酒)', '백화주(白花酒)', '백화주(百花酒)', '동정춘(洞庭春)', '호산춘(壺山春)', '감홍로(甘紅露)', '이강고(梨薑膏)', '죽력고(竹瀝膏)' 등 사라지고 맥이 끊겼던 전통 주품들에 대해 새로이 인식하기 시작했고, 특히 우리 고유의 술맛과 향기에 대한 깊은 애정과 관심을 갖게 된 것이 그 예이다.

<한국의 전통주 주방문>은 7년여에 걸친 조선시대 가양주의 종류와 그에 따른 주방문, 그리고 양주기법, 조선시대 궁중과 사대부들의 제주(祭酒)와 반주(飯酒), 접대주(接待酒)에서 일반 여염집의 가양주에 이르기까지 우리 술의 진정한 맛과 향기, 고유의 색깔에 대한 진면목을 엿볼 수 있다고 판단되며, 이러한 양주문화가 향촌(鄕村)과 민간에 어떠한 영향을 미쳤고, 주막이나 농가의 대중주로 뿌리 내리게 되었는지를 판단할 수 있는 중요한 기초자료가 될 수 있을 것이라고 확신한다.

필자는 1450년대 문헌 <산가요록>에 수록된 주방문에서 일본의 '사케(Sake)' 제조방법의 원형을 찾을 수 있었으며, 1500년대 문헌 <수운잡방>에서 프랑스의 '와인(wine)'을 공부했으며, 시대 불명의 조선 아낙이 쓴 한글 필사본 <양주집(釀酒集)>에서 독일의 '맥주(麥酒)'를 공부했다.

우리나라 술의 뿌리도 모른 채, 타의에 의한 입국식 양주방법에 따른 저가주(底價酒)와 속성주(速成酒) 중심의 양주문화와 유통으로 인해 맥주와 와인, 사케에 우리의 입맛을 저당 잡히고 있는 한, 우리나라 양주산업의 미래와 전통주의 정체성을 확보하기 힘들 것이라 확신한다.

그간 '전통주 육성법'이 제정 발포되었지만 아직까지 이렇다 할 우리 전통주에 대한 정체성을 확보하기에는 어려움이 많고, 특히 현재 국내의 전통주 자원에 대한 기초조사마저도 이루어지지 않은 상황이다.

사실, 그간 수차례에 걸쳐 전국의 가양주 조사와 발굴은 물론이고 고문헌에 수록된 전통주에 대한 자료수집과 번역 등 '국내 전통주 자원조사'를 제안했지만, 관심 밖의 일로 외면당했던 입장이었다.

그리하여 개인적으로나마 힘닿는 데까지, 그리고 누가 시켜서 한 일도 아니고 혼자 미쳐서 해왔던 일인 만큼 미칠 수 있는 데까지 미쳐보자는 생각이 이 방대한 작업 <한국의 전통주 주방문>을 끝낼 수 있었던 동기라고 할 수 있다.

조선시대 고문헌에 수록된 전통주에 대한 연구조사 작업인 <한국의 전통주 주방문>은 올해로 7년째인데, 주품명에 따른 분류 작업이 쉽지가 않았다. 특히 2014년에 새로 발굴된 <잡지(雜誌)>, <주방문조과법(造果法)>, <약방>, <양주>, <규중세화> 등에 수록된 주품에 대한 주방문까지를 추가하다 보니, 주품명에 따른 주방문의 분류 작업이 계속 혼돈을 초래했다. 특히 한글 문헌 속의 주품명들은 동일한 주품명인데도 순곡주와 가향주가 존재하고, 전라도와 경상도의 방언에 의한 주품명은 전혀 다른 주품으로 오인하게 만들기도 했다.

바로 이러한 이유 때문에 주방문 해설은 계속해서 수정을 해야만 했고, 탈고 시기는 자꾸만 지연되어 스스로에게 "무엇 때문에 나는 이 작업을 하는가?"고 하루에도 수십 번씩 되묻곤 하는 버릇이 생겼다.

그리고 그때마다 처음 주방문 정리와 해설을 쓰기 시작했을 때, 아니 처음 술 빚기를 시작했을 때 마음으로 돌아가자는 다짐으로 스스로를 다독여 보지만, 괜스레 짜증이 나고 손가락 마디마디 통증이 어깨까지 확대되어 고개를 돌릴 수 없을 때면 이번 집필을 마지막으로 다시는 책을 쓰지 않겠다는 작정을 하기도 했다.

사실 무엇을 이루자고 시작했던 일이 아니었다. 또 어떤 목적이나 이유가 있어서가 아니라, 그냥 호기심 때문에 시작했던 일이 점차 재미있고, 그래서 그 매력에 빠져들다 보면 나중에는 습관이나 버릇 같은 것이 되고, 결국에는 나이 때문에 잊어버리지 않기 위해서, 아니 어쩌면 더 늙어서 자신을 추억하기 위해서 쓰는 글이어야 한다고 생각하면서도 자꾸만 어떤 목적과 의도를 담기 시작하면서부터 글을 잘 써야 한다는 강박관념에서 비롯된 것이리라.

<한국의 전통주 주방문>은 최초의 시도이지만 부족한 부분이 너무 많으리라는 것을 인정하지 않을 수 없다. 특히 <산가요록>을 비롯하여 <수운잡방>, <산림경제>, <증보산림경제>, <임원십육지> 등 수십 종에 달하는 한문 기록의 주방문 번역과 주방문의 현대화 작업은 여러 가지 견해와 이견(異見)이 있을 수 있고, 술 빚는 방법에의 접근도 각각의 주장이 있을 수 있다.

하지만 <한국의 전통주 주방문>은 30년간 전통주를 빚어온 사람으로서, 그리고 처음으로 고문헌 속의 주품들을 복원하고 재현하면서 경험했던 시행착오와 반복실습, 술 빚는 방법에 따른 주의사항 등에 대한 선험적 기록이라는 점에서, 또한 15년간 가양주 가꾸기 운동과 전통주의 대중화를 위한 전통주 교육을 해오면서 교육현장에서 숱한 사람들을 대상으로 가졌던 시음평가를 토대로 한 기록이라는 점에서 그 의미와 가치를 부여하고 싶다.

특히 조선시대 600년간의 기록을 통해서 520가지가 넘는 주품들의 양주경향과 특징, 시대별 양주기법의 변화, 양주기술의 발달과정 등 우리나라 양주문화 전반을 추적해 봄으로써, 전통주에 대한 새로운 의미부여와 해설 등 스토리텔링을 통해서 우리 술의 가치를 재조명하고, 대중화는 물론 세계화에 대한 단초와 차별화 전략을 찾을 수 있기를 희망한다.

끝으로 <한국의 전통주 주방문>의 출판을 감내해 주신 바룸출판사의 김세권 대표님과 출판을 지원해 준 농림축산식품부 이동필 장관님께 진심 어린 감사의 말씀을 드리고, 이 원고의 교정에 참여해 준 제자 김태훈, 김인애, 조태경, 홍태기 씨에게 고마움을 전한다.

2015년 11월 1일

죽성재(竹城齋)에서
지은이 박록담(朴碌潭)

차례

제1부
증류주류

감저소주

스토리텔링 및 술 빚는 법

전통적으로 고구마를 이용한 술은 흔치 않다. 고구마의 주성분은 수분 68.5%, 탄수화물 26.4%, 단백질 1.8%, 지방 0.6%이고, 프로비타민 A인 카로틴을 많이 함유하고 있으며, 그 밖에 비타민 B1, B2, C, 니아신 등을 함유하고 있다.

고구마는 단백질과 지방이 적어 찌거나 구워서 먹고, 녹말, 물엿, 과자, 술, 알코올, 각종 화학약품 등의 재료나 사료로도 쓰여 왔다.

요즘에는 고구마의 항암작용과 황산화작용 및 혈중 콜레스테롤 수치의 강화작용 등 약리적인 효과가 속속 발표되면서, 성인병 예방 건강식품으로 크게 각광받고 있다. 특히 칼륨은 혈압을 내리고, 스트레스를 줄이며 피로를 막는 작용을 한다. 또한 고구마의 삶은 즙 속에는 판토텐산(비타민 B 복합체)이 있는데, 혈압상승 작용을 방지한다.

우리 몸 안에는 인지질이 있어, 인지질이 산화되면 괴산화지질이 생성되는데, 이 괴산화지질의 생성을 억제하여 피부나 혈관을 젊게 유지해 성인병 예방에 기여한다고 알려져 왔다. 칼슘은 사람의 뼈나 이를 형성하는 중요한 성분이며, 상처를 입었을 때 출혈을 방지하고 근육이나 신경의 흥분을 억제하는 역할을 한다.

또한 양질의 식이섬유는 변비 해소에 도움을 주고, 특히 생고구마를 자르면 하얀 유액이 나오는데, 이것은 고구마의 상처를 보호하는 '얄라핀'으로서 변비가 있는 경우 변통을 돕는다고 알려졌다.

이렇듯 고구마는 훌륭한 식품으로 인식되고 있지만, 고구마로 술을 빚기가 어렵다고 하는 까닭은, 고구마 성분 중의 단백질과 칼슘이 알코올 발효를 억제시키기 때문이다. 또한 풍부한 식이섬유는 발효 중에 전분의 당화를 방해하며, 이외에도 '얄라핀'이라는 성분은 산소와 결합하여 갈변현상을 촉진시키기 때문이다.

이 때문에 특히 자연균을 이용한 전통방식의 재래누룩을 사용하여 양조한 고구마술은 공통적으로 알코올 도수가 낮고 상온에서 쉽게 재발효를 일으키게 되는 까닭에 단기간에 소비해야 하는 경우에나 양주되었고, 일반적으로는 당화효소와 배양효모를 이용한 발효를 거쳐 연속식 증류를 통한 주정이나 증류식 소주로 이용되고 있다.

이러한 문제점을 극복하기 위한 수단으로 고구마를 잘게 썰어 하루 동안 햇볕에 내어 말려서 반건(半乾)한 후 익힘으로써, 고구마 성분의 화학적 변화를 통해 발효조건을 좋게 하기 위함이다.

그리고 고구마를 절구에 짓찧어 당화를 촉진시키는 방법이 동원되는 것을 볼 수 있다.

이와 같은 양주(釀酒) 방법을 <임원십육지(林園十六志)>에서도 찾아볼 수 있는데, 고구마로 빚은 술을 증류하여 만든 '감저소주방(甘藷燒酒方)'이 그것으로, 양주 관련 문헌으로는 유일한 기록이다.

고구마술을 빚을 때 특히 주의할 일은, 납작하게 썰어서 반건조시킨 고구마를 시루에 안쳐서 무르게 푹 쪄서 차게 식혔다가, 절구에 넣고 한 차례 짓찧어서 인절미처럼 만든 후, 다시 누룩가루를 합하고 재차 치대어 곤죽이 되도록 술밑을 만드는 일이다.

이렇게 하여 술밑이 곤죽처럼 된 후에 끓여서 차게 식힌 물을 합하고, 고루 버무려 술독에 담아 안치면 좋다는 것이다.

물론 이와 같은 방법은 주방문과는 다소 다르지만, 쪄서 식힌 고구마를 찧어서 누룩을 섞고 다시 쳐서 곤죽처럼 만들어 물을 섞어 안친 술에서는 발효가 잘 일어나고, 특히 발효 중 술덧이 술독 밖으로 괴어 넘치거나 누룩가루가 술독 밑바닥에 앙금이 가라앉는 일이 없어지므로, 술맛과 향기 또한 좋아진다는 것이 필자의 경험이다.

대개 고구마술은 완전발효를 끝내기 어려울 정도로 발효상태가 좋지 못하다는 것이고, 발효가 끝났다고 판단하여 술을 거른 후에도 발효가 계속되거나 시중의 막걸리처럼 병 밖으로 괴어 넘치는 현상을 나타낸다는 것이다.

이와 같은 단점을 보완하기 위한 조치가 고구마를 한 차례 짓찧은 후, 누룩을 섞고 다시 찧어서 발효가 원활하게 이루어지도록 해주는 일이다.

그리고 소주로 증류하고자 한다면, 주발효가 끝난 즉시 증류해야 조금이라도 더 많은 소주를 얻을 수 있는데, 탄 냄새가 나지 않고 보다 풍미가 좋은 소주를 얻고자 하면, 고구마술을 고운체에 걸러서 술찌꺼기를 제거한 탁주를 사용하고, 탁주가 너무 걸쭉하면 타기 쉬우므로 물을 섞어서 막걸리를 만든 다음에 증류해야 한다.

소주를 내리는 방법에 대해서는 '소주(燒酒)' 주방문을 참고하면 된다.

감저소주방 <임원십육지(林園十六志, 高麗大本)>

술 재료 : 고구마(1말), 누룩(2되), (끓여 식힌 물 4~6되)

술 빚는 법 :

1. 고구마(1말)를 (물에 깨끗하게 씻어 흙과 이물질을 제거한 뒤) 잘게 썰어 하루 동안 햇볕에 내어 말려서 반건(半乾)한다.
2. 반건조시킨 고구마를 시루에 안쳐서 무르게 푹 찐 다음, 차게 식기를 기다린다.
3. 찐 고구마를 절구에 넣고, 오랫동안 찧어서 인절미처럼 만든다.

4. 고구마 찧은 것에 곱게 가루로 빻은 누룩(2되)과 끓여서 차게 식힌 물(2~3되)을 합하고, 고루 버무려 술밑을 빚는다.
5. 술밑을 술독에 담아 안치고, 한가운데를 오목하게 파놓는다.
6. 술독은 예의 방법대로 하여 밀봉하여 발효시키고, 오목한 곳에 물기가 고이고 발효가 되었는지를 살핀다.
7. 방법대로 (끓여서 차게 식힌) 물(2~3되)을 술독 안 가장자리로 돌려가면서 붓는다.
8. 술을 명주 주머니로 걸러서 생주로 마시거나, 혹은 끓여서 소주를 내린다.

* 소주 내리기 :
1. 솥에 불을 지피고, 물 2사발을 붓고 끓이다가, 술 2사발을 붓고 끓인다.
2. 술 3사발을 솥에 붓고 저어준 뒤, 끓으면 다시 술을 붓는 방법으로 술을 다 안친 후, 소줏고리를 얹고, 소줏고리 위에 냉각수 그릇을 얹는다.
3. 솥과 소줏고리, 소줏고리와 냉각수 그릇의 틈새를 소줏번을 붙여 막는다.
4. 냉각수 그릇에 찬물을 채우고, 소줏고리 귀때 밑에 수기를 받쳐놓는다.
5. 불을 알맞게 조절하여 소주를 받되, 첫술 1컵 정도는 버리거나 다음에 증류할 술에 섞어 사용한다.

甘藷燒酒方

用甘藷酒入鍋如法滴露成頭子燒酒或用藷糟造常用燒酒亦與酒糟造燒酒同. <徐玄扈甘藷疏>.

계당주

스토리텔링 및 술 빚는 법

'계당주(桂糖酒)'는 <고사신서(攷事新書)>와 <온주법(醞酒法)>에서 찾아볼 수 있다. 물론 다른 문헌이나 기록에서 "소주를 내릴 때 계피와 당귀를 소줏고리의 귀때 밑에 받쳐두면 계당주가 된다."고 하였지만, 술을 빚는 구체적인 주방문은 다른 문헌에서 찾기 힘들다. 다만, '노주소독방(露酒消毒方)'에 꿀과 함께 계피와 당귀, 지초 등을 사용하는 방법을 찾아볼 수 있을 뿐이다.

<고사신서>의 '계당주' 주방문보다 <온주법>의 '계당주'가 더 구체적인데, 이는 진도 지방의 '홍주(紅酒)'나 <음식책(飮食冊)>과 <조선무쌍신식요리제법(朝鮮無雙新式料理製法)> 등의 '감홍로'의 제조 방법을 응용한 주품이자 주방문이라고 할 수 있다.

<산림경제(山林經濟)>와 <증보산림경제(增補山林經濟)>에 '노주소독방 속방(俗方)', '노주소독방 우방(又方)'이라고 하고, 부제로 '계당주'라고 하였다.

<산림경제>와 <증보산림경제>의 '노주소독방 속방'은 <고사촬요(故事撮要)>를 인용하여 "계핏가루 · 사탕가루를 병 주둥이에 두어도 술맛이 유난히 좋

게 된다(攷事又以桂皮末 砂糖末置缸口 則酒味殊絶)."고 한 것을 볼 수 있다.

또 <온주법>의 '계당주' 주방문을 그대로 옮기면, "소주 2병을 건지술에 타 고으면 소주 한 병 나니 이는 '환소주'라, 한 병에 계피작말하고 사탕작말하여 넣으면 주독을 치고, 노인과 사람에게 유익하고 맛이 비상하나이라."고 하였다.

결국, <온주법>의 '계당주' 주방문은 품질이 좋지 못한 소주를 술찌꺼기와 함께 섞고 재차 증류하여 중품의 소주를 얻는데 이 소주를 '환소주(還燒酒)'라고 한다는 것이다. 이때 소주를 받는 수기(受器)에 계핏가루와 사탕가루를 섞어 받쳐놓아, 소주가 흘러내리면서 계핏가루와 사탕가루를 통과하여 계핏가루의 향과 성분을 우려내게 되므로 계피의 맛과 향, 효능을 기대할 수 있으며, 동시에 사탕가루도 녹아 소주의 독한 맛을 희석하여 주므로 달고 부드러우면서 향기로운 소주 '계당주'가 되는 것이다.

이와 같은 증류 방식과 응용은 '감홍로'를 비롯하여 '죽력고', '이강고' 등 2차 증류주에서 엿볼 수 있으며, 알코올 도수가 높은 소주는 향취가 좋기는 하지만 마시기 힘든 단점이 있으므로 그 맛을 부드럽게 할 필요가 있는 것이다.

특히 알코올 도수가 높은 소주를 음용하는 데 따른 주독과 건강 폐해 등을 염려하게 되므로, 벌꿀이나 사탕을 사용한다는 공통점을 찾을 수 있다. 때문에 <온주법>의 '계당주'는 2차 증류주라는 뜻의 '환소주'로 부르기도 한다.

우리가 <온주법>의 '계당주' 주방문에서 배우게 되는 것은 다름 아니라, "소주 2병을 건지술에 타 고으면 소주 한 병 나니"라고 하는 부분으로, 소주를 재차 증류할 때 발효주나 술찌꺼기를 섞어 증류함으로써 소주의 향과 맛을 부드럽게 하는 기술이다. 이와 같은 방법으로 좋지 못한 소주를 재증류하여 순도 높고 품질이 뛰어난 도수 높은 소주를 얻기도 하고, 소주의 거친 맛을 없앨 수 있다는 사실이다.

또한 '계당주'의 주방문을 토대로 '장미', '생강', '당귀', '지초' 등 여러 가지 부재료를 사용한 '장미로', '생강로', '당귀로', '홍로'를 얻을 수 있다는 점에서 중요한 자료가 된다고 할 수 있다.

물론, 소주를 내릴 때 솥의 불을 잘 조절하여 술덧 탄 냄새가 나지 않아야 하고, 또 메탄올이 남지 않아야 하는 것은 기본이다. 또 불이 강하여 백탁액이 섞이지 않도록 하는 것도 증류에 따른 기본적인 기술이다.

1. 노주소독방(계당주) <고사신서(攷事新書)>

술 재료 : 술덧 또는 청주(탁주, 막걸리), 계피 2냥, 사탕 1~2돈, 냉각수

소주 내리기 :

1. 솥에 불을 지피고, 물 1사발을 붓고 끓이다가, 술 1사발을 붓고 끓인다.
2. 술 2사발을 솥에 붓고 끓으면 술 4사발을 붓는 방법으로, 점차 양을 늘려 안친다.
3. 솥 위에 소줏고리를 얹고, 소줏고리 위에 냉각수 그릇을 얹는다.
4. 솥과 소줏고리, 소줏고리와 냉각수 그릇의 틈새를 소줏번을 붙여 막는다.
5. 냉각수 그릇에 찬물을 채우고, 소줏고리 귀때 밑에 병을 놓고 소주를 받는데, 첫술 1컵 정도는 버리거나 다음에 증류할 술에 섞어 사용한다.
6. 불을 땔 때 참나무 및 보릿대 등을 사용하여, 불의 세기가 한결같아야 한다.
7. 소주를 받는 그릇 바닥에 계피와 사탕을 밭쳐놓는다.
8. 냉각수 그릇의 물이 따뜻하면 즉시 퍼내고 다시 찬물을 갈아주는데, 12차례 갈아주면 소주 맛이 평순하고, 8~9회 갈아주면 매우 독하다.

* <고사십이집>에는 '관서계당주(關西桂糖酒)'로 수록되어 있다.

露酒消毒方(桂糖酒)

以桂皮砂糖末置缸口味殊絶.

2. 노주소독방 속방 <산림경제(山林經濟)>

–계당주(桂糖酒)

술 재료 : 술(1말), 사탕가루, 계핏가루

술 빚는 법 :

1. 솥에 불을 지피고, 물 2사발을 붓고 끓이다가, 술 2사발을 붓고 끓인다.
2. 술 3~4사발을 솥에 붓고 저어준 뒤, 끓으면 다시 술 6~8사발을 붓는 방법으로 술을 다 안친 후, 소줏고리를 얹고, 소줏고리 위에 냉각수 그릇을 얹는다.
3. 솥과 소줏고리, 소줏고리와 냉각수 그릇의 틈새를 소줏번을 붙여 막는다.
4. 냉각수 그릇에 찬물을 채우고, 소줏고리 귀때 밑에 병(수기)을 받쳐놓는다.
5. 소주를 받을 병에 계핏가루와 사탕가루를 놓는데, 그 양이 너무 많거나 너무 적어서는 안 된다.
6. 뽕나무나 밤나무 불을 알맞게 조절하여 소주를 받되, 첫술 1컵 정도는 버리거나 다음에 증류할 술에 섞어 사용한다.
7. 냉각수 그릇의 물이 따뜻하면 즉시 퍼내고 다시 찬물을 갈아준다.

* 본 문헌에서는 <속방>이라고 하였지만, 다른 문헌에서는 '계당주'라고 하였다.

露酒消毒方 俗方

攷事又以桂皮末 砂糖末置缸口 則酒味殊絶. <俗方>.

3. 계당주 <온주법(醞酒法)>

술 재료 : 소주 2병, 계피, 사탕

술 빚는 법 :

1. (탁하고 깨끗하지 못하거나, 탄내가 나거나, 백탁액이 있어 좋지 못한) 소주 2병을 준비한다.
2. 맑은 술을 뜨고 더 이상 나오지 않은 술찌꺼기, 또는 아직 거르지 않은 술덧을 준비한 소주 2병에 섞어 소주밑을 준비해 놓는다.
3. 소주밑을 가마솥에 예의 방법대로 하여 담아 안치는데, 처음부터 불을 지펴 물을 끓이고, 소주밑을 안치는 방법으로 한다.
4. 솥 위에 소줏고리를 앉히고, 그 위에 냉각수 그릇을 앉힌다.
5. 솥과 소줏고리, 소줏고리와 냉각수 그릇을 소줏번으로 돌려 붙여서 김이 새지 않게 막는다.
6. 냉각수 그릇에 냉각수를 가득 채우고 불을 중불 또는 약불로 조절한다.
7. 소줏고리 귀때 밑에 수기를 놓는데, 초류가 나오면 한두 컵을 받아 버리거나 다음에 증류할 때 다시 사용한다.
8. 계피와 사탕을 가루 내어 소주를 받을 수기에 밭쳐놓는다.
9. 소줏고리 귀때에서 떨어지는 소주 방울이 계핏가루와 사탕가루를 통과하도록 하고, 귀때에서 떨어지는 소주가 물맛이 나기 전에 증류를 끝낸다.

계당듀

쇼듀 두 병을 건지술의 타 고으면 쇼쥬 흔 병 나니 이는 환쇼쥬라 한 병의 계피 작말ᄒᆞ고 사당 작말ᄒᆞ여 여흐면 듀독을 치고 노인과 ᄉᆞ롬의게 유익ᄒᆞ고 마시 비샹ᄒᆞ니라.

4. 노주소독방 우방(계당주) <증보산림경제(增補山林經濟)>

술 재료 : 술(1말), 사탕가루, 계핏가루

소주 내리기 :

1. 솥에 불을 지피고, 물 2사발을 붓고 끓이다가, 술 2사발을 붓고 끓인다.
2. 술 3~4사발을 솥에 붓고 저어준 뒤, 끓으면 다시 술 6~8사발을 붓는 방법으로 술을 다 안친다.
3. 솥 위에 소줏고리를 얹고, 소줏고리 위에 냉각수 그릇을 얹는다.
4. 솥과 소줏고리, 소줏고리와 냉각수 그릇의 틈새를 소줏번을 붙여 막는다.
5. 냉각수 그릇에 찬물을 채우고, 소줏고리 귀때 밑에 병(수기)을 받쳐놓는다.
6. 소주를 받을 병 주둥이에 모시조각을 대고, 그 위에 계피·사탕가루를 놓는다.
7. 계핏가루와 사탕가루가 너무 많으면 너무 달고, 적으면 효과가 적으므로, 적당량을 바르면 독성이 없어져 맛이 좋다.

* 본 문헌에서는 '노주소독방 우방'라고 하였지만 다른 문헌에서는 '계당주'라고 하였다.

露酒消毒方

承露瓶口安苧片以桂皮砂糖末置於苧上則味殊絶色欲紫可芝根欲黃加梔子於苧片上. 又以新好當歸剉置瓶內而承露則烈性稍緩味亦佳.

과하주

스토리텔링 및 술 빚는 법

'과하주(過夏酒)'는 발효 중인 술에 증류식 소주를 넣어 알코올 도수를 높이고, 그 결과로 상온에서도 유통과 저장성을 높은 술을 가리킨다.

이른바 혼양주법(混釀酒法)인데, 서양의 알코올 강화 와인이나 일본의 사케가 바로 우리의 '과하주' 양주 원리를 이용하고 있다.

서양의 알코올 강화 와인과 사케가 우리의 '과하주' 양주 원리를 이용하고 있다는 배경에는, 서양의 알코올 강화 와인의 등장 시기가 17세기 중엽, 일본의 사케는 20세기(1900년대 초엽)로 '과하주'의 등장 시기(1600년대 초기~중기)보다 늦기 때문이라는 사실에 근거한 것이다.

국내 양주 관련 문헌은 80여 종에 달하는데, 이들 문헌에 가장 높은 수록 빈도수를 자랑(65회)하는 술이 '과하주'로, 특히 사대부와 부유층 등 당시의 상류층에서 널리 사랑을 받았다는 증거이기도 하다. 그러다 보니 '과하주'의 명성에 편승하거나 이름을 본 딴 주품들도 등장하게 되었던 것 같다.

이른바 이름뿐인 '과하주'가 제조되고, '과하주'를 모방한 주품의 등장을 볼 수 있다. 대표적인 예로, 혼양주법이 아닌 증류식 소주로서 주품명이 '과하주'인 경우와 '과하주'의 양주법을 응용한 별법(別法)이나 우방(又方)으로서 발효주인 '과하주'가 눈에 띈다는 것이다.

여기서 다루는 '과하주'는 <조선무쌍신식요리제법(朝鮮無雙新式料理製法)>에 등장하는데, 주방문을 보면 증류식 소주라는 것을 알 수 있다.

<조선무쌍신식요리제법>에 수록된 이 주방문은 '과하주 또'라고 하여 "소주 두 말에 찹쌀과 멥쌀 각 한 되를 불려 곱게 가루 만들고 누룩 아홉 되와 끓는 물 여덟 되를 더하는 것이 (옳)을지니 석거 비저서 밋흘 삼아 사흘 후에 찹쌀 두 말을 불려서 밥 지여 식거든 밋과 함께 비진 지 사니례 후에 고게 되나니 물을 열두 번 가라내면 맛이 평평하고 순하며 팔구 번 가라내면 맛이 극히 독하니, 고을 때에 참나무나 보리째나 집히 조흐니, 더듸게나 급하게 째지 말지니라. 소주가 만이 나는 법은 찹쌀과 흔쌀 한 되를 씨서 찌고 식거든 전에 한 밋과 합하야 독에 느은 지 닷세만 지내면 맛이 맵고 스무 복자를 쓰면 맛이 평평하니라."고 하였다.

주방문에서 보듯 밑술의 쌀을 중품소주에 담가 불리는 방법이어서, 매우 이채로운 방법이라고 할 수 있다.

그 이유를 잘 알지 못하겠거니와 이와 같은 방법은 <조선무쌍신식요리제법>이 유일한 것으로 생각되는데, 추측이지만 주방문이 잘못 쓰여진 것이 아닐까 하는 판단이다.

그 이유로, 밑술 쌀을 가루로 빻고 끓는 물로 개서 범벅을 쑤는 일반적인 방법으로 이루어지는데 굳이 소주 2말에 불려서 사용할 하등의 이유가 없다는 것이고, 쌀을 담갔던 소주에 대한 사용 방법이 언급되어 있지 않다는 점이다. 쌀을 불린 소주의 양이 2말이나 되는 데다 증류할 술의 침지용으로 사용하기에는 그 비용이 너무나 많고, 또한 이 주품이 발효주가 아닌 증류식 소주 주방문이라는 사실에서 그 이유를 찾을 수 있겠다.

따라서 <조선무쌍신식요리제법>의 '과하주' 주방문을 통해서 얻을 수 있는 중품소주의 양이 2말이 된다는 것으로 해석하면 좋을 것 같다는 것이다. 그 단초를 주방문 말미의 "독에 느은 지 닷세만 지내면 맛이 맵고, 스무 복자를 쓰면 맛이 평평하니라."고 하였다는 점이다.

주지하다시피 <주찬(酒饌)>에 "선의승야(鐥疑升也)"라고 하였으므로, 복자를 되(升)의 분량으로 환산하면 20복자는 곧 2말의 중품소주가 되기 때문이다.

필자의 해석이 이러하나 확신할 수는 없다. 다만 <조선무쌍신식요리제법>의 '과하주' 주방문이 맞다고 한다면, 증류식 소주로서는 가장 비싼 술이 될 수도 있겠다는 생각을 하게 된다.

'과하주'를 빚는 방법에서 중요한 점은, 밑술은 발효시킨 지 2~3일 내에 발효가 정점에 도달하는데 누룩의 양이 9되나 된다는 사실을 감안하여 범벅과 누룩이 잘 섞이도록 버무려주되, 술독을 지나치게 따뜻한 곳에 두지 않아야 한다. 또한 덧술도 쌀 양이 2말이라고는 하나 밑술의 끓는 힘이 매우 강하므로, 고두밥을 반드시 차게 식혀서 사용하고, 덧술의 발효가 정점에 도달하는 시간도 상법의 술과는 다를 것이므로 냉각 시간을 놓치지 않도록 관리해야만 한다.

과하주 또 <조선무쌍신식요리제법(朝鮮無雙新式料理製法)>

술 재료 : 밑술 : 찹쌀 1되, 멥쌀 1되, 누룩 9되, 끓는 물 8되, 중품소주 2말(되)
덧술 : 찹쌀 2말

술 빚는 법 :

* 밑술 :

1. 찹쌀 1되와 멥쌀 1되를 (함께 백세하여) 물기를 빼서 건져놓는다.
2. 물기를 뺀 쌀을 중품소주 2말(되)에 담가 불렸다가 (이튿날 불린 찹쌀을 다시 씻어 건져서 물기를 뺀다.)
3. 소주에 불린 쌀을 건져서 가루로 빻는다.
4. 쌀가루에 끓는 물 8되를 섞고, 주걱으로 고루 개어 범벅을 만들고, 뚜껑을 덮어 차디차게 식기를 기다린다.
5. 범벅에 누룩 9되를 섞고, 고루 버무려 술밑을 빚는다.

6. 술밑을 술독에 담아 안치고, 예의 방법대로 하여 3일간 발효시킨다.

* 덧술 :

1. 찹쌀 2말을 (백세하여) 물에 담가 불렸다가 (이튿날 불린 찹쌀을 다시 씻어 건져서 물기를 뺀 후) 시루에 안쳐서 고두밥을 짓는다.
2. (시루에서 한김 나면 주걱으로 고두밥을 뒤집어주고, 찬물을 뿌려 고두밥을 무르게 찌고, 익었으면 고루 펼쳐서 얼음같이 차게) 식기를 기다린다.
3. 고두밥에 거른 밑술을 합하고, 고루 버무려 술밑을 빚는다.
4. 소독하여 마련해 둔 독에 술밑을 담아 안친 다음, 예의 방법대로 하여 (단단히 봉하고) 춥지도 덥지도 않은 곳에 두고 3~4일간 발효시킨다.
5. 술덧을 체에 걸러 탁주를 만든 후, 예의 방법대로 하여 소주를 내린다.
6. 수기의 소주 양이 20복자 정도 되었을 때 증류를 중단하면 맛이 평평한 중품소주가 된다.

* 주품명이 '과하주'라고 되어 있으나, '소주 빚는 법'이라고 할 수 있다. 다만, 밑술의 쌀을 중품소주에 담가 불리는 방법이어서, 매우 이채로운 방법이라고 할 수 있다. 이와 같은 방법은 <조선무쌍신식요리제법>이 유일한 것으로 생각된다.

과하주(過夏酒) 또

소주 두 말에 찹쌀과 멥쌀 각 한 되를 불려 곱게 가루 만들고 누룩 아홉 되와 끓는 물 여덟 되를 더하는 것이 을지니 석거 비저서 밋흘 삼아 사흘 후에 찹쌀 두 말을 불려서 밥 지여 식거든 밋과 함께 비진 지 사니레 후에 고게 되나니 물을 열두 번 가라내면 맛이 평평하고 순하며 팔구 번 가라내면 맛이 극히 독하니, 고을 때에 참나무나 보리때나 집히 조흐니, 더듸게나 급하게 때지 말지니라. 소주가 만이 나는 법은 찹쌀과 흔쌀 한 되를 씨서 찌고 식거든 전에 한 밋과 합하야 독에 느은 지 닷세만 지내면 맛이 맵고 스무 복자를 쓰면 맛이 평평하니라.

관서감홍로

스토리텔링 및 술 빚는 법

'관서감홍로(關西甘紅露)'에 대한 필자의 애정은 각별하다. 전통주를 공부하면서 진도 지방에 전승되고 있는 '홍주'를 찾아 나섰을 때가 1988년 여름이었는데, 당시 밀주 형태로 맥을 이어오고 있는 터여서 취재가 쉽지 않았다.

'진도홍주'를 가장 잘 빚는다는 (고) 허화자 여사를 뵙기가 여간 까다롭지 않다는 소문을 들었던 터여서 부득이 인근 사찰의 주지스님을 모시고 가서야 면담이 이뤄졌다.

허화자 여사는 불자였기 때문이었는데, 첫 대면부터 수인사 대신 놋대접으로 '진도홍주' 한 잔을 권했다. 술잔을 마주 대하는 순간, 허화자 여사와의 첫 인사는 많은 생각을 불러일으켰다.

한 잔의 연지빛 홍주. "홍주를 빚는 일만큼은 자신 있다."는 뜻이기도 한 것 같고, "술맛부터 보아야 이야기할 거리가 있지 않겠냐?" 하는 암시가 깔려 있을 것도 같다는 생각이 들었다.

반주 석 잔이면 쓰러져 자는 필자의 처지로서는 난감하기 짝이 없었으나, 술잔을 거절한다는 것 자체가 예의가 아니라는 생각에 두 눈 꼭 감고 단번에 들이켰다.

어쩐 일인지 허화자 여사는 더 이상의 얘기도 설명도 들을 것 없다는 식으로 "내일 새벽 4시에 오라."는 한 마디를 던지고는 부엌으로 들어가 버렸다. 부득이 그길로 스님과 함께 절에 가서 저녁 공양을 마치고, 별다른 이야기도 나누지 못한 채 이내 여관으로 향했는데 그만 경찰의 불시 음주단속에 걸렸다. 놋대접으로 한 잔의 '홍주'를 단숨에 들이켜 홍당무가 된 까닭에 누구라도 술을 마셨다는 것을 눈치챌 수 있는 상황이었지만, 음주측정기는 '정상'을 가리켰다.

그 후 집에 돌아와 '홍주'에 대한 공부를 시작하게 되었는데, 그 종착점이 '관서감홍로'였다. 필자는 아직도 '관서감홍로'를 즐겨 빚고 주변의 지인들과 술잔을 나누는데, 한겨울의 눈밭에서 마시는 술자리를 가장 즐긴다.

특히 주원료 가운데 가장 중요한 것으로 지초(芝草)의 선택에 정성을 쏟고 있다. 한약 전문상가에서 파는 지초를 비롯하여 중국산 지초를 사용해 보았지만, 역시 '관서감홍로'의 특징이자 매력적인 술 빛깔은 우리나라 산에서 직접 채취하여 사용한 '관서감홍로'의 화려하면서도 매력적인 술 빛깔에 미치지 못하다는 것을 알기 때문이다.

그래서 지금도 한겨울이면 지초 산행을 나간다. 하루 종일 캔다고 해봤자 20뿌리 정도가 고작인데, 밤늦게 집에 돌아와서도 손수 흙을 털고 법제(法製)를 하여 사용하는 일을 마다하지 않는다.

그리고 흥이 나서 짓게 된 시조(時調)가 '설화(雪夜)에 감홍로(甘紅露)를 마시며'이다.

함박눈 내리는 밤 나 홀로 깨어 있고,
꽃처럼 붉은 이슬 술잔 속에 떨어질 때,
취하매
구름 위를 소요(逍遙)하는 신선의 풍류(風流)가 있네.

설야(雪夜)에 마시는 술 취흥(醉興)이 이러한가,

유행(流行)에 어두워서 구습(舊習)을 쫒는대도
진심(眞心)은
비어 있어 맑은 마음 백 년(百年)에도 구할 수 없네.
—졸시

'홍주'는 '홍소주(紅燒酒)', '홍로주(紅露酒)', ' 내국홍로주', '감홍주', '감홍로(甘紅露)', '관서감홍로' 또는 '평양감홍로(平壤甘紅露)'로 발전한 것을 볼 수 있다.

<동의보감(東醫寶鑑)>에서는 소주를 사용한 주중침지법(酒中浸漬法)의 '홍소주' 주방문을 싣고 있으며, <고사촬요(故事撮要)>와 <민천집설(民天集說)>, <의방합편(醫方合編)>, <주찬(酒饌)>, <치생요람(治生要覽)> 등에서는 "빚는 법을 향온(香醞)과 같이 하되, 누룩을 두 말로 하야, 향온은 세 병 두 대야로서 한 병 되게 고으되, 이 술 받을 제 지초 한 냥을 가늘게 썰으라. 병부리에 넣으면 붉은빛이 농난히 깊다. 내국에서는 청주를 걸러 은그릇에 달이므로 외쳐 효주(酵酒)와 같지 아니하니라."고 하여 '홍로주'라는 주품명과 주방문을 수록하고 있는 것을 볼 수 있는데, 다른 기록에는 '홍소주', '내국홍로주', '홍주'라 하였고, 각각의 문헌마다 약간씩 차이가 있다.

그런데 '홍로주'와 유사한 <침주법(浸酒法)>의 '홍소주' 주방문을 보면, <고사촬요>의 '홍로주'와 동일한 주방문을 싣고 있는 것으로 미루어 '홍로주'와 '홍소주'가 같은 주품이면서도 다르게 불렸을 것이라는 생각을 하기에 이른다.

다시 말하면, '홍소주'가 단순히 '소주'에 '지초'의 붉은색을 입힌 술이었다면, '홍로주'는 상품의 발효주를 사용하여 '홍소주'보다 알코올 도수를 높인 술이라는 것이다.

'홍로주'에 대해 기록한 문헌은 1613년의 <고사촬요>와 이후의 <민천집설>, <의방합편>, <주찬>, <치생요람> 등 모두 한문 기록으로, 이들 문헌의 주방문을 보면, "술 빚는 법은 향온주 빚는 법과 같다. 누룩은 20(되)이 한정이다. 향온주 3병 2사발을 얻는데, 소주로 내리면 소주 1병을 얻는다. 소주를 내릴 때 지초 1냥을 세절하여 귀때 밑에 받치면 홍색의 물이 들어, 내국(內局) 법(法)인 즉, 청주를 쓰고 은기(銀器)로 끓이면 외처의 소주 같지 않다."고 한 사실에서도 확인할 수 있다.

그리고 '관서감홍로'는 <동의보감>이나 <고사촬요>보다 훨씬 후기의 문헌인 1737년의 <고사십이집(攷事十二集)>과 1823년간 <임원십육지(林園十六志)>에서 볼 수 있는데, "화주(火酒)의 3배(倍)로 오래 달여서 내린다. 소주를 받는 그릇(收器)에 꿀을 바르고, 안에 지초 1냥을 넣고 받으면, 술맛이 매우 달고 매우며, 색이 연지와 같고 '홍로주' 중의 상품이다."고 하였다.

'관서감홍로'가 '홍로주'와 다른 점은 벌꿀의 사용 여부이다. 조선 초기 삼양주(三釀酒) '소주 삼해주'가 애용되는 기현상 등 '소주'의 음용이 늘어나면서 선홍색의 '홍소주'가 더욱 인기를 끌게 되었을 것이고, 소주 애호가들 사이에서 밋밋한 '소주'보다 자극적이고 강렬한 맛을 주는 '홍로주'를 비롯하여 '죽력고'와 '계당주' 등 보다 도수가 높은 주품들을 탄생시켰을 것이라는 추측이다.

그리고 '홍로주'의 '거친 맛을 보완하는 한편으로, 소주의 독(毒)에 대한 관심이 커지면서 벌꿀의 사용을 통해 마시기도 편하고 주독에 대한 불안감을 떨치려는 노력이 '감홍로'를 낳게 되었을 것이라는 확신을 갖게 된다.

그리고 이러한 '감홍로'는 평양을 중심으로 한 관서 지방이 명산지로 알려지게 되면서 '관서감홍로' 또는 '평양감홍로'로 불려졌으며, <고사십이집>을 비롯하여 <음식책(飮食冊)>, <임원십육지>, <조선무쌍신식요리제법(朝鮮無雙新式料理製法)>, <한국민속대관(韓國民俗大觀)> 등의 문헌에서 '감홍로' 또는 '관서감홍로'의 주방문을 찾을 수 있다.

중요한 사실은, 이미 기대승(奇大升, 1527~1572)의 <고봉선생속집(高峯先生續集)>에 '유두일에 호당(湖堂)에서 술을 하사하다(流頭日湖堂 宣醞)'라는 시 가운데 '홍로주'가 등장하고 있고, 1611년의 <동의보감>에서는 소주를 사용한 주중침지법의 '홍소주' 주방문이 수록되어 있는 것으로 미루어 '관서감홍로' 발달 과정을 짐작할 수 있다.

'관서감홍로'에 대한 기록 가운데 시대적으로 가장 앞선 것으로 여겨지는 <고사십이집>이라는 사실을 감안하면, <한국민속대관>에서도 "소주를 한두 번 다시 고아서 마지막 고리(承露缸)의 바닥에 꿀과 자초(紫草)를 깔고 이슬을 받아낸 것인데, 빛깔이 연지와 같고 맛이 달며 독한 것으로 이름난 술이다."고 하였다.

한편, <음식책>에서는 "감홍로는 좋은 소주에 홍곡 · 정향 · 계피 · 건강 · 귤병 · 용안육 · 소합원 · 설탕 · 백청 · 흰엿은 조금만 잔에 붓듯 타고 넣는 것이니, 합십 가지 넣느니라."고 하여 침출방식의 '감홍로' 주방문을 수록하고 있는 것을 볼 수 있는데, '관서감홍로' 또는 '감홍로'의 특징이라고 할 수 있는 붉은색을 내는 방법에서 '지초'와 '홍국(紅麴)'이 각각 사용된 것을 알 수 있다.

'관서감홍로'는 어떠한 방법이든지 한눈에 알아차릴 정도로 선홍색의 술 빛깔 때문에 더욱 회자되기도 하는데, 두 차례 이상 증류하여 알코올 도수 55% 이상이 되었을 때 더욱 진가를 발휘한다. 알코올 도수가 높은 술이 술 빛깔이나 향취가 좋고, 음주 후의 부담을 덜 수 있는 것이다.

물론, 음주량이 문제이지만 완전발효된 술을 기주로 하여 증류하도록 하고, 가능한 청주를 만들어 사용하는 것이 좋은 '관서감홍로'를 빚을 수 있는 비결이다. 또 증류 시에는 불의 세기를 조절하는 일과 냉각수를 자주 교환하여 줌으로써, 술밑이 지나치게 끓지 않도록 해야만 청쾌하면서도 향기가 좋은 '관서감홍로'를 얻을 수 있다.

지초의 사용량은 증류한 '관서감홍로'가 1말이라고 가정할 때, 야생의 말린 지초 500~600g 정도면 색깔이 매우 좋은데, 채취했을 때 가능한 한 흙을 깨끗하게 털어내고, 증류식 소주를 분무하여 흙냄새를 제거한 후 사용하는 것이 좋다. 한 번 사용하고 남은 지초는 바람이 부는 그늘진 곳에서 말려두었다가 다음에 사용할 지초와 함께 섞어 재차 사용해도 좋다.

꿀은 마실 사람의 취향에 따라 달리하는데, 술맛을 가릴 정도로 많은 양을 사용하지 않도록 해야 한다.

증류가 끝나 완성된 '관서감홍로'는 오지병이나 자기 등 햇볕이나 형광등 같은 불빛이 투과되지 않는 용기에 보관하여 상온에 두고 찌꺼기를 가라앉혀서 상등액의 맑은 술을 따로 따라두었다가 마시는데, 숙성시키고자 한다면 공기가 들어가지 않도록 밀봉하고, 서늘한 곳에 보관하면 좋다. 단, 숙성기간이 길어지면 술 빛깔이 검게 변하는 까닭에 상품가치가 떨어진다는 데 문제가 있다.

때문에 '관서감홍로'를 비롯하여 '진도홍주'의 특징이랄 수 있는 술 색깔의 산화를 방지하기 위한 여러 가지 시도와 연구가 진행되고 있지만, 현재까지는 이렇다

할 성과가 없는 실정이다.

하지만 술 색깔이 검게 변했다고 하더라도 음용하는 데는 아무런 문제가 없으므로 걱정할 일은 아니다.

이 밖에 '관서감홍로'의 효능에 대해서는 '홍로주'나 '홍소주'편에서 자세하게 다루었으니 참고하기 바란다.

문제는 이러한 명주들이 생활상의 불편과 함께 지난 78년간의 '자가양주(自家釀酒) 금지'와 '밀주 단속'으로 인해 우리 술에 대한 인식이 부정적으로 흐르면서, 주변에서 멀어지고 잊혀지고 말았다는 것이다.

그리고 우리가 다시금 대한민국 명주의 부활을 다시금 꿈꾸고 있는 이유이기도 하다.

1. 홍(로)주 <고사십이집(攷事十二集)>

술 재료 : 멥쌀 10말, 찹쌀 1말, 누룩가루 2말, 지초 5냥

술 빚는 법 :

1. 누룩은 향온주의 향온곡 제조법으로 디뎌서 띄우고, 그 양은 2말로 한정한다.
2. 향온주를 빚어(멥쌀 10말과 찹쌀 1말을 한데 섞어 물에 깨끗이 씻은 뒤, 하룻밤 불렸다가 다시 씻어 건져서 물기를 뺀 뒤, 시루에 안쳐 고두밥을 짓는다. 솥에 물 15병을 붓고 끓이다가, 고두밥이 익었으면 퍼내어 넓은 그릇에 담아 놓고, 끓는 물을 고루 붓고, 주걱으로 골고루 헤쳐서 밤재워 놓는다. 고두밥이 물을 다 먹고 차게 식었으면, 누룩 2말, 부본 1병을 한데 합하고, 고루 버무려 술밑을 빚는다. 술독에 술밑을 담아 안치고, 예의 방법대로 하여 15일 가량 발효시킨 뒤) 용수 박아 채주하면, 이 술을 '향온주'라 하며, 3병 2복자 분량을 기준으로 증류한다.

3. 솥에 불을 지피고, 물 2사발을 붓고 끓이다가, 향온주 2사발을 붓고 끓인다.
4. 향온주 3사발을 솥에 붓고 저어준 뒤, 끓으면 다시 향온주 6사발을 붓는 방법으로 점차 양을 늘려서 안치는 방법으로 술을 다 안친다.
5. 솥 위에 소줏고리를 얹고, 소줏고리 위에 냉각수 그릇을 얹는다.
6. 솥과 소줏고리, 소줏고리와 냉각수 그릇의 틈새를 소줏번을 붙여 막는다.
7. 냉각수 그릇에 찬물을 채우고, 소줏고리 귀때 밑에 병(수기)을 놓고, 그 위에 지초 잘게 썰어 병 입구에 밭쳐놓는데, 술 2사발을 내리는 데 지초 1냥을 쓴다.
8. 뽕나무나 밤나무 장작으로 불을 알맞게 조절하여 소주를 받되, 첫술 1컵 정도는 버리거나 다음에 증류할 술에 섞어 사용한다.
9. 냉각수 그릇의 물이 따뜻하면 즉시 퍼내고 다시 찬물을 갈아준다.
10. 소주가 떨어지면서 지초를 통과하는 즉시 진홍색으로 된 소주(홍주)를 얻는다.

紅(露)酒
燒酒釀法如香醞而麴則以二斗爲限香醞三瓶二鐥燒出一瓶承露時以芝草一兩細切置于瓶口則紅色濃(深).

2. 관서감홍로 <고사십이집(攷事十二集)>

술 재료 : (발효된 술 1말), 지초 1냥, 꿀(1돈)

술 빚는 법 :
1. (술이 익으면 예의 방법대로 용수 박아 청주를 뜨거나, 체에 걸러 탁주를 준비한다.)
2. (가마솥에 불을 세게 지핀 다음, 예의 방법대로 물과 술을 순서대로 담아

안친다.)
3. (솥 위에 소줏고리를 얹고, 소줏번을 바른다.)
4. (소줏고리 위의 냉각수 그릇에 냉각수를 채운다.)
5. (소줏고리의 귀때 밑에 수기를 받쳐놓는다.)
6. (예의 방법대로 불을 조절하는데, 첫술 1컵 정도는 버리거나 다음에 증류할 술에 섞어 사용한다.)
7. (술 방울이 진주목걸이처럼 방울방울 떨어지도록 화력을 조절하여 소주를 받고, 시간이 지나 귀때에서 밍밍한 물맛이 느껴지면 증류를 중단한다.)
8. (솥과 소줏고리를 분리하고, 솥 안의 잔유물을 제거한다.)
9. 가마솥에 불을 지핀 다음, 예의 방법대로 받아둔 소주를 다시 안친다.
10. 솥 위에 소줏고리를 얹고, 소줏번을 바른다.
11. 소줏고리 위의 냉각수 그릇에 냉각수를 채운다.
12. 소줏고리의 귀때 밑에 수기를 받쳐놓는다.
13. 수기의 밑바닥에 준비한 분량의 꿀을 발라둔다.
14. 준비한 지초를 잘게 썰어 삼베 주머니에 담고, 수기에 걸쳐놓는다.
15. 불은 귀때에서 술 방울이 방울방울 떨어지도록 화력을 조절한다.
16. 술맛이 단맛이 나고 붉은 빛이 돌면, 베주머니를 건져내고 맑고 붉은 술을 여과하여 마신다.

* <조선무쌍신식요리제법>의 '관서감홍로'도 동일한 방법으로 이루어진다.

關西甘紅露
以火酒三倍煎熟以成以蜂蜜塗于承露瓶底味極甘烈色如臙脂醍酒中上品也.

3. 감홍로 하는 법 <음식책(飮食冊)>

감홍쥬 ᄒᆞ는 법이라

조흔 쇼주를 홍곡 졍향 계피 건강 용안육 쇼흐원 셜쌍 빅쳥 힌 엿션 조곰만 잔의 부르라고 넌난 거시니 합 열 가지 너허라.

4. 관서감홍로방 <임원십육지(林園十六志)>

술 재료 : 술덧(주배) 임의 양(1말), 지초 1냥, 벌꿀(3~2숟가락)

소주 내리기 :

1. 상법(常法)으로 술을 빚어서 숙성된 술덧을 준비한다(술을 잘못 보관하여 시어진 술을 사용해도 좋다).
2. 술이 익었으면 체로 걸러서 탁주를 만든 뒤 가라앉혀서 맑은 술을 취하여 증류하면 더욱 좋다.)
3. 솥에 불을 지피고, 물 2사발을 붓고 끓이다가, 술 2사발을 붓고 끓인다.
4. 술 4사발을 솥에 붓고 저어준 뒤, 끓으면 다시 술을 붓는 방법으로 술을 다 안친 후, 소줏고리를 얹고, 소줏고리 위에 냉각수 그릇을 얹는다.
5. 솥과 소줏고리, 소줏고리와 냉각수 그릇의 틈새를 소줏번을 붙여 막는다.
6. 냉각수 그릇에 찬물을 채우고, 소줏고리 귀때 밑에 수기를 받쳐놓는다.
7. 참나무나 보릿짚 등으로 불을 알맞게 조절하여 소주를 받는다.
8. 냉각수 그릇의 물이 따뜻하면 즉시 퍼내고 다시 찬물을 갈아주길 11~12차례 바꿔주면서 소주를 내린다.
9. 받아낸 소주를 재차 증류하거나 끓여서, 그릇 바닥에 꿀을 바르고 지초를 잘게 썰어서 넣어둔 그릇에 붓는다.
10. 술맛이 단맛이 나고 붉은빛이 돌면, 지초를 건져내고 맑은 술을 여과하여 마신다.

* 주방문에 "화주(火酒)의 3배로 오래 달여서 내린다."고 하고, "술맛이 매우 감

렬하고 색이 연지와 같으며, '홍로주' 중의 상품이다."고 하였다.

* 술맛이 달고 색이 연지와 같아 평양 등 관서 지방의 명주로 알려졌다.

關西甘紅露方

以火酒三倍煎熬以成而蜂蜜塗于承露缸底更入紫草一兩味極甘烈色如臙脂紅露酒中上品也. <攷事十二集>.

5. 관서감홍로 <조선무쌍신식요리제법(朝鮮無雙新式料理製法)>

술 재료 : (발효된 술 1말), 지초(2냥), 꿀(1돈)

술 빚는 법 :

1. (술이 익으면 예의 방법대로 용수 박아 청주를 뜨거나, 체에 걸러 탁주를 준비한다.)
2. (가마솥에 불을 세게 지핀 다음, 예의 방법대로 물과 술을 순서대로 담아 안친다.)
3. (솥 위에 소줏고리를 얹고, 소줏번을 바른다.)
4. (소줏고리 위의 냉각수 그릇에 냉각수를 채운다.)
5. (소줏고리의 귀때 밑에 수기를 받쳐놓는다.)
6. (예의 방법대로 불을 조절하는데, 술 방울이 진주목걸이처럼 방울방울 떨어지도록 화력을 조절한다.)
7. (귀때에서 밍밍한 물맛이 느껴지면 증류를 중단한다.)
8. (솥과 소줏고리를 분리하고, 솥 안의 잔유물을 제거한다.)
9. 가마솥에 불을 지핀 다음, 예의 방법대로 받아둔 소주를 다시 안친다.
10. 솥 위에 소줏고리를 얹고, 소줏번을 바른다.
11. 소줏고리 위의 냉각수 그릇에 냉각수를 채운다.

12. 소줏고리의 귀때 밑에 수기를 받쳐놓는다.
13. 수기의 밑바닥에 준비한 분량의 꿀을 발라둔다.
14. 준비한 지초를 삼베 주머니에 담고, 주둥이를 묶어 수기에 걸쳐놓는다.
15. 귀때에서 술 방울이 방울방울 떨어지도록 화력을 조절한다.
16. 술맛이 단맛이 나고 붉은빛이 돌면, 베주머니를 건져내고 맑고 붉은 술을 여과하여 마신다.

* <조선무쌍신식요리제법>의 '관서감홍로'는 중탕하지 않고, 위와 같이 두세 차례 증류하고 소주 방울이 떨어질 때 술을 받는 수기에 꿀과 지초를 놓아 단맛과 붉은색을 입혀서 만들어진다.

관서감홍로(關西甘紅露)

이 슐은 화쥬의 삼배나 되게 고아 만드는 것인데 술 밧는 항아리 밋헷 샐을 발으고 다시 지치(紫草)를 느으면 맛이 극히 달고 맹렬하며 빗이 연지와 갓트니 홍로쥬 중에 상품이니라.

6. 감홍로 <조선무쌍신식요리제법(朝鮮無雙新式料理製法)>

술 재료 : 소주 1고리, 관계(1냥), 용안육(1냥), 진피(1돈), 방풍(5푼), 정향(3푼)

술 빚는 법 :
1. 준비한 소주 1고리(동이)를 독에 담아놓는다.
2. 소주 담긴 독에 홍국을 분정(粉定)하여 넣는다.
3. 관계와 준비한 분량의 관계(1냥), 용안육(1냥), 진피(1돈), 방풍(5푼), 정향(3푼)을 명주 베주머니에 담고, 주둥이를 묶어서 술독에 넣고 우려낸다.

* 술이 숙성되어 연지처럼 붉은빛이 나면 베주머니를 건져내고 맑은 술을 떠서 마신다.
* <조선고유색사전>의 '감홍주법'과 유사하다.

감홍로(甘紅露)

감홍로는 소쥬 조흔 걸로 한 고리에다가 홍국을 분정하야 너코 관게나 용안육 각 한 량중과 진피 한 돈중과 방풍 오 푼중과 정향 서 푼중을 모다 주머니에 너서 울려 내나니라.

7. 노주소독방 우방(홍로주) <증보산림경제(增補山林經濟)>

–감홍로, 치자주(梔子酒)

술 재료 : 술(1말), 꿀, 지초 또는 치자

소주 내리기 :

1. 솥에 불을 지피고, 물 2사발을 붓고 끓이다가, 술 2사발을 붓고 끓인다.
2. 술 3~4사발을 솥에 붓고 저어준 뒤, 끓으면 다시 술 6~8사발을 붓는 방법으로 술을 다 안친다.
3. 솥 위에 소줏고리를 얹고, 소줏고리 위에 냉각수 그릇을 얹는다.
4. 솥과 소줏고리, 소줏고리와 냉각수 그릇의 틈새를 소줏번을 붙여 막는다.
5. 냉각수 그릇에 찬물을 채우고, 소줏고리 귀때 밑에 병(수기)을 받쳐놓는다.
6. 소주를 받을 병 주둥이에 모시조각을 대고, 그 위에 지초나 치자를 놓는다.
7. 치자를 놓을 경우 그 양이 너무 많으면 술맛이 좋지 못하므로, 적당량을 놓으면 색깔과 맛이 좋다.

* 본 문헌에서는 '노주소독방 우방'라고 하였지만 다른 문헌에서는 '홍로주'또

는 '감홍로'라고 하였으므로, 치자를 사용한 경우 '치자주(梔子酒)라고 해야 한다.

露酒消毒方

承露瓶口安苧片以桂皮砂糖末置於苧上則味殊絶色欲紫可芝根欲黃加梔子於苧片上. 又以新好當歸剉置瓶內而承露則烈性稍緩味亦佳.

8. 감홍로 <한국민속대관(韓國民俗大觀)>

술 재료 : 술덧(주배) 임의 양(1말), 지초 1냥, 벌꿀(3~2숟가락)

소주 내리기 :

1. 상법(常法)으로 술을 빚어서 숙성된 술덧을 준비한다(술을 잘못 보관하여 시어진 술을 사용해도 좋다).
2. 술이 익었으면 체로 걸러서 탁주를 만든다(가라앉혀서 맑은 술을 취하여 증류하면 더욱 좋다).
3. 솥에 불을 지피고, 물 2사발을 붓고 끓이다가, 술 2사발을 붓고 끓인다.
4. 술 4사발을 솥에 붓고 저어준 뒤, 끓으면 다시 술을 붓는 방법으로 술을 다 안친 후, 소줏고리를 얹고, 소줏고리 위에 냉각수 그릇을 얹는다.
5. 솥과 소줏고리, 소줏고리와 냉각수 그릇의 틈새를 소줏번을 붙여 막는다.
6. 냉각수 그릇에 찬물을 채우고, 소줏고리 귀때 밑에 수기를 받쳐놓는다.
7. 참나무나 보릿짚 등으로 불을 알맞게 조절하여 소주를 받는다.
8. 냉각수 그릇의 물이 따뜻하면 즉시 퍼내고 다시 찬물을 갈아주길 11~12차례 바꿔주면서 소주를 내린다.
9. 받아낸 소주를 재차 증류하는데, 소주를 받는 그릇 바닥에 꿀을 바르고 지초를 잘게 썰어서 넣어둔 그릇에 붓는다.

10. 술맛이 단맛이 나고 붉은빛이 돌면, 지초를 건져내고 맑은 술을 여과하여 마신다.

감홍로(甘紅露)

소주를 한두 번 다시 고아서 마지막 고리(승로항, 承露缸)의 바닥에 꿀과 자초(紫草)를 깔고 이슬을 받아낸 것인데, 빛깔이 연지와 같고 맛이 달며 독한 것으로 이름난 술이다.

관서계당주

스토리텔링 및 술 빚는 법

'관서계당주(關西桂糖酒)'는 평안남도의 평양과 개성을 중심으로 한 관서 지방의 특산주로 알려져 왔으며, 주재료로 '소주' 외에 계피와 사탕이 사용되는 까닭에 '관서계당주'라는 주품명을 붙이게 된 것이다. 주방문이 문헌에 수록되어 있는 것은 매우 드물다.

'관서계당주'는 <고사십이집(攷事十二集)>에 수록된 것을 시작으로, 1823년에 간행된 <임원십육지(林園十六志)>에도 수록된 주품이다. <고사십이집>은 1611년 어숙권에 의해 편찬된 <고사촬요(故事撮要)>를 저자 서명응(徐命膺)이 개정 증보하여 1737년경 발간하게 된 문헌이다. 그리고 <고사십이집>을 다시 개정한 <고사신서(攷事新書)>를 1771년에 발간하게 되고, 이후 <고사신서>는 그의 후손 서유구에 의해 <임원십육지>라는 방대한 저술로 집약되었다.

그러한 까닭인지 <고사십이집>이나 <고사신서>에 수록된 주품들의 대부분이 <임원십육지>에 수록되어 있는 것을 볼 수 있으며, '관서계당주' 또한 "<고사십이집>을 인용하였다."는 설명을 달았다.

그리고 <고사십이집>의 모태가 되는 <고사촬요>에는 '관서계당주'가 수록되어 있지 않고, <고사십이집>을 인용한 <고사신서>에도 보이지 않는다. 이러한 연유로 <고사십이집>의 '관서계당주 양법(釀法)'에 대해 "<본초강목(本草綱目)>에 이르기를, '섬라주(暹羅酒)'는 소주를 두 차례 내려 진보이향(珍寶異香)이 나는 고도주로, 소주를 담을 단지에 수십 근의 단향을 넣고 태워 그 연기를 칠을 한 것처럼 두껍게 입힌 후, 소주를 담고 밀봉하여 2~3년씩 땅에 묻어 소주 기운이 빠져나가게 하여 마신다. 휴대하여 가지고 다니면서도 마신다고 하는데, 3~4잔 마시면 바로 취하고 적병(체증)이 있는 사람도 1~2잔을 마시면 병이 낫게 되며, 살충작용을 한다. 우리나라의 '감홍로'나 '계당주'와 거의 같은 술이다."고 하여 '관서계당주'가 '섬라주'와는 다른, 우리나라의 술이라는 사실을 밝히고 있다.

<고사십이집> 이전의 다른 문헌에서는 '관서계당주'를 찾을 수 없다. 그리고 <고사십이집>을 개정 · 증보한 <임원십육지>에서는 "<식물본초>에 이르기를, '섬라주'는 소주를 두 차례 내려 진보이향이 나는 고도주로, 소주를 담을 단지에 수십 근의 단향을 넣고 태워 그 연기를 칠을 한 것처럼 두껍게 입힌 후……"라고 하여 <고사십이집>의 기록과는 '섬라주'에 대한 출전이 다르다.

문제는 '관서계당주'를 설명하면서 왜 굳이 중국 문헌 <본초강목>이나 <식물본초(食物本草)>에 수록된 '섬라주'를 언급하였을까 하는 의문이다. 따라서 '관서계당주'는 '섬라주'를 모방한 주방문이 아닐까 하는 생각을 해보게 된다.

이유야 여하튼, 술 빚는 방법으로 보면 '관서계당주'는 '관서감홍로'의 모방이라고 할 수 있을 만큼, 등장 시기나 그 과정이 유사하다는 사실이다.

특히 '관서계당주'와 '관서감홍로'가 같은 지역에서 생산된 토속주라는 사실과 함께 <고사십이집>에서 처음 수록되어 있고, <임원십육지>에도 동일한 방문이 수록되어 있다는 사실에 근거한다.

'관서계당주'와 '관서감홍로'가 다른 점은 부재료에 따른 것으로, '관서계당주'는 '계핏가루(桂皮末)와 사탕가루'를 사용하는 대신, '관서감홍로'는 '지초(芝草)와 꿀'을 사용한다는 점이다. 결국, 계핏가루와 지초의 차이에서 두 가지 주품이 생겨나게 된 것으로 볼 수 있으며, 원료 조건에서 보면 '관서감홍로'가 '관서계당주' 보다 앞서 개발되었을 것이라는 추측을 할 수가 있다.

즉, 꿀은 자연에서 채취한 자연식품이고, 사탕은 가공식품이라는 점에서 꿀보다 사탕가루가 훨씬 뒤에 개발되었기 때문이다.

'관서계당주'를 빚을 때 주의할 사항은, 먼저 계피를 가루로 빻은 것을 사용할 것인지, 아니면 잘게 썰어서 사용할 것인지를 결정해야 한다. 계피의 형태와 양에 따라 사탕의 사용량이 달라지고, 그에 따라 '관서계당주'의 맛과 향은 천차만별이다.

'관서감홍로'의 경우도 마찬가지이지만, 계핏가루를 사용하면 진한 향기와 함께 풍부한 계피 맛을 즐길 수 있겠으나 자칫 거부감을 불러일으킬 수 있고, 사탕가루도 지나치게 많은 양을 사용하면 술맛을 떨어뜨리기 때문에 취향에 따라 가감할 것을 권하며, 알코올 도수가 높은 술일수록 가능한 한 그 양을 적게 사용하는 것이 좋다.

1. 관서계당주 <고사십이집(攷事十二集)>

술 재료 : (발효된 술 1말), 계피(2냥), 사탕가루(1돈)

술 빚는 법 :

1. (술이 익으면 예의 방법대로 용수 박아 청주를 뜨거나, 체에 걸러 탁주를 준비한다.)
2. (가마솥에 불을 세게 지핀 다음, 예의 방법대로 물과 술을 순서대로 담아 안친다.)
3. (솥 위에 소줏고리를 얹고, 소줏번을 바른다.)
4. (소줏고리 위의 냉각수 그릇에 냉각수를 채운다.)
5. (소줏고리의 귀때 밑에 수기를 받쳐놓는다.)
6. (예의 방법대로 불을 조절하는데, 술 방울이 진주목걸이처럼 방울방울 떨어지도록 화력을 조절한다.)

7. 증류를 시작하여 첫술 1컵 정도는 버리거나 다음에 증류할 술에 섞어 사용한다.
8. 수기의 입구에 준비한 분량의 계피와 사탕가루를 받쳐놓는다.
9. 증류 시 불의 세기는 소줏고리의 귀때에서 술 방울이 방울방울 떨어지도록 화력을 조절한다.
10. 술맛이 단맛이 나고 붉은빛이 돌면, 베주머니를 건져내고 맑고 붉은 술을 여과하여 마신다.

* <임원십육지>에서는 "<식물본초>에 이르기를" 이라고 하여 <고사십이집>의 기록과는 출전이 다르다. 또 <동의보감>과 <지봉유설>에는 '섬라주'가 16세기에 태국산 술이 유입된 것이라고 하였다.
* <고사신서>에는 '노주소독방'으로 수록되어 있다.

關西桂糖酒

釀法(前)法承露法同上而以桂皮砂糖末置缸口味殊絶. (本草綱目曰 暹羅酒以燒酒復燒二次入珍寶異香其甕以檀香十數斤燒薰如漆然後入酒後封埋上中二三年絶去燒氣取出用之. 曾有人携至舶能飮三四盃卽醉價數倍有積病飮一二盃卽愈且殺蠱我國甘紅露桂糖酒近之.

2. 관서계당주방 <임원십육지(林園十六志)>

술 재료 : 찹쌀(멥쌀, 기장, 차조, 보리), 누룩, 물, 계핏가루, 사탕

술 빚는 법 :

1. 찹쌀(또는 멥쌀)이나 기장, 차조, 보리쌀을 준비한다(백세하여 물에 담가 불린 후, 다시 씻어 헹궈서 물기를 뺀다).

2. 불린 찹쌀(또는 멥쌀)이나 기장, 차조, 보리쌀(1말)을 시루에 안치고, 가장 익게 쪄서 무른 고두밥을 짓는다.
3. 물을 팔팔 끓여 식히고, 고두밥도 익었으면 고루 펼쳐서 차게 식기를 기다린다.
4. 고두밥에 끓여 식힌 물과 누룩을 한데 섞고, 고루 버무려 술밑을 빚는다.
5. 술밑을 술독에 담고, 예의 방법대로 하여 7일간 발효시켜 익기를 기다린다.

* 소주 내리기 :
1. 솥에 물 2사발을 붓고 끓인 후, 술 2사발을 붓고, 고루 저어준다.
3. 솥 안의 술과 물이 끓으면, 다시 술 4사발을 붓고 저어준다.
4. 솥 안의 술이 끓으면 다시 술 6사발을 붓고, 다시 끓으면 술 12사발을 붓고, 고루 저어주면서 앞서와 같은 비율로 계속해서 술을 다 안친다.
5. 술을 다 안쳤으면, 솥에 소줏고리를 얹고, 그 틈 사이에 소줏번을 붙여 메운다.
6. 소줏고리 위에 물그릇을 얹고, 그 틈 사이에 소줏번을 붙여 메운다.
7. 소줏고리 귀때 밑에 수기를 놓고, 수기 주둥이에 계핏가루와 사탕을 발라 놓는다.
8. 불을 땔 때 세기를 잘 조절하여 증류를 하는데, 냉각수 그릇의 물이 따뜻하면 즉시 퍼내고, 다시 찬물을 갈아주길 11~12차례 바꿔주면서 소주를 내린다.
9. 술을 한지나 여러 겹의 면보자기에 밭쳐 찌꺼기를 제거한 후에 마신다.

關西桂糖酒方

釀法煎法. 承露法同上而以桂皮末砂糖屑置缸口味殊絶(食物本草云暹羅酒以燒酒復燒二次入珍寶異香其壜每箇以檀香十數斤燒(煙)薰冷如漆然後入酒蠟封埋土中二三年絶去燒氣取出用之曾有人携至舶能飮三四盃卽醉價直數倍有積病人飮一二盃卽愈且殺蟲我國甘紅露桂糖酒近之) <攷事十二集>.

교맥로주

스토리텔링 및 술 빚는 법

우리나라 전통주의 원료는 몇 가지나 될까?

조선시대 양주 관련 고문헌을 바탕으로 조사한, 아니 이제까지 밝혀진 주원료의 종류는 생각했던 것보다는 훨씬 다양하다는 결론에 도달한다.

가장 널리 사용된 원료로는 찹쌀과 멥쌀을 중심으로 하여 찰보리쌀과 메보리쌀, 차조쌀과 메조쌀, 찰수수쌀과 메수수쌀, 찰기장쌀과 메기장쌀, 고구마, 그리고 밀을 비롯하여 도정하지 않은 귀리와 겉보리, 벼, 개고기, 염소고기, 양고기, 고라니 뼈, 호랑이 뼈, 무, 포도 등 그 종류와 수를 헤아리기 힘들 정도로 다양하다.

그런데 <임원십육지(林園十六志)>에 수록된 주품명 가운데 '교맥로주방(蕎麥露酒方)'이 등장한다. '교맥로주방'은 처음 목격하는 주품명이어서 관심을 가졌는데, 주원료가 메밀이라는 것을 확인할 수 있었다. 그리고 '교맥로주'가 '목맥소주(木麥燒酒)'라고 하여 <산가요록(山家要錄)>에 기록되어 있는 소주 주방문과 동일하다는 사실도 알게 되었다. <임원십육지>에 수록된 '교맥로주방'의 주방문을 보면 "메밀 4~5말을 보통 방법으로 술을 빚는다. 술이 막 익으려고 하면 또 보리 1말 5되로 죽을 쑤어 항아리에 붓는다. 표면이 등황색이 되면 자루에 담아서 짠 후, 술지게미는 버리고 소주를 내려 맑은 술을 취하면 탄내가 나지 않는다."고 하였다.

<산가요록>의 '목맥소주'는 "木麥四五斗 作酒. 酒方熟. 又用大麥一斗半 造粥. 下酒瓮. 候面澄黃 以布帒壓槽. 酒色如古 其滓. 卽造燒酒 頓無烟氣(메밀 4~5말로 술을 빚는다. 술이 막 익으려고 하면 또 보리 1말 반을 씻어서 죽을 쑤어 술 항아리에 붓는다. 표면이 등황색이 되면 베자루에 담아서 술주자에 거른다. 술색이 그대로이면 그 지게미는 버리고 소주를 고면 화기가 나지 않는다)"고 하여 두 문헌의 주방문이 동일하다는 것을 확인할 수 있다.

물론, 구체적인 재료 배합비율이나 가공방법이 언급되어 있지 않아 확신할 수는 없지만, <임원십육지>의 '교맥로주방'은 "<삼산방>을 인용하였다."고 하였으나, <산가요록>의 '목맥소주' 주방문을 차용한 것으로밖에 볼 수가 없다.

<임원십육지>의 '교맥로주방' 주방문을 통해서 알 수 있는 한 가지 분명한 사실은, 우리나라 술의 주원료가 한 가지 더 늘었다는 것이며, 그 방법에 있어서는 메밀 한 가지를 단독으로 사용하여서는 알코올 도수가 높은 술을 만들 수가 없었던지 보리죽을 만들어 덧술을 한 후 증류하는 방법으로 주방문이 이루어졌다는 것이다. 위의 '교맥로주' 주방문은 <산가요록>을 바탕으로 하고, 보리나 수수, 귀리 등 잡곡으로 빚는 주방문을 참고하여 기본적인 방법을 택하였고, 메밀과 보리의 양을 감안하여 물과 누룩 양을 산정하여 주방문을 작성하였음을 밝혀둔다.

그리고 '교맥노주'의 '특징 및 술 빚는 법'에 대해서는 이미 '목맥소주' 편에서 다루었으므로, 이를 참조하기 바란다.

교맥로주방 <임원십육지(林園十六志)>

술 재료 : 밑술 : 메밀 4~5말, 누룩가루(5되), 물(6~8말)
덧술 : 보리 1말 5되, 물(3말)

술 빚는 법 :

* 밑술 :

1. 메밀 4~5말을 백세하여 물에 담가 불렸다가 (다시 씻어 말갛게 헹궈 건져서) 물기를 뺀다.
2. 시루에 불린 쌀을 안치고 쪄서 고두밥을 짓고, 익었으면 펴서 넓은 그릇 여러 개에 나눠 담아 차게 식기를 기다린다.
3. 메밀고두밥에 누룩가루(5되)와 물(6~8말)을 섞고, 고루 버무려 술밑을 빚는다.
4. 술밑을 술독에 담아 안치고 예의 방법대로 하여 (1~2일간) 발효시킨다.

* 덧술 :

1. 보리 1말 5되를 (물에 깨끗하게 씻어 물에 담가 하룻밤 불렸다가, 다시 씻어 헹궈서 물기를 빼서 말렸다가 가루로 빻아) 넓은 그릇에 담아놓는다.
2. 솥에 물(3말)을 붓고 끓이다가, 물이 뜨거워지면 보릿가루를 풀어 넣고 끓여서 죽을 쑨다.
3. 보리죽을 넓은 그릇에 펴서 차게 식기를 기다린다.
4. 밑술에 보리죽을 합하고, 고루 버무려 술밑을 빚는다.
5. 술밑을 술독에 담아 안치고 예의 방법대로 하여 (5~7일간) 발효시킨다.
6. 술이 익어 빛깔이 등황색이 되면, 술자루에 담아서 눌러 짜서 주박을 제거한 탁주를 만들어놓는다.

* 소주 내리기 :

1. 솥에 불을 지피고, 물 2사발을 붓고 끓이다가, 술 2사발을 붓고 끓인다.
2. 술 4사발을 솥에 붓고 저어준 뒤, 끓으면 다시 술 8사발을 붓는 방법으로 술을 다 안친 후, 소줏고리를 얹고, 소줏고리 위에 냉각수 그릇을 얹는다.
3. 솥과 소줏고리, 소줏고리와 냉각수 그릇의 틈새를 소줏번을 붙여 막는다.
4. 냉각수 그릇에 찬물을 채우고, 소줏고리 귀때 밑에 수기를 받쳐놓는다.
5. 불을 알맞게 조절하여 소주를 받되, 첫술 1컵 정도는 버리거나 다음에 증류

할 술에 섞어 사용한다.

蕎麥露酒方

木麥四五斗依常法釀酒方熟又以麰米一斗五升作粥注之待瓮面澄黃盛帒漉去滓燒取淸露頓無烟臭. <三山方>.

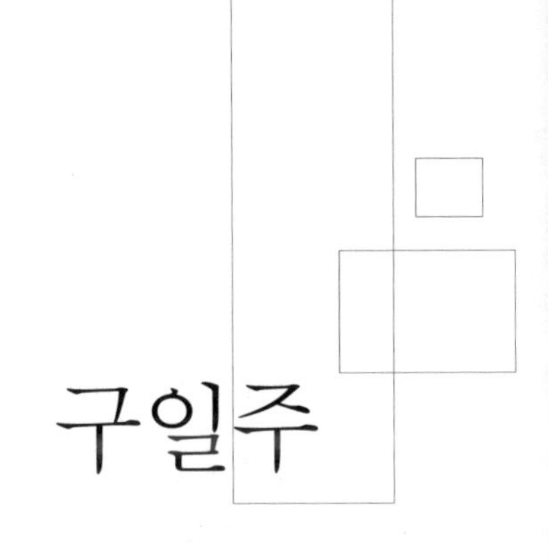

구일주

스토리텔링 및 술 빚는 법

'구일주(九日酒)'는 <역주방문(曆酒方文)>과 <우음제방(禹飮諸方)>에 2차례 등장하는데, <역주방문>의 '구일주'와 <우음제방>의 '구일주'는 전혀 다르다.

'구일주'는 동일한 주품명에도 불구하고 <우음제방>에는 쌀로 빚는 발효주를 기록하고 있는 반면, <역주방문>의 '구일주'는 보리가 주원료인 증류주이기 때문이다.

'구일주'와 같은 '보리소주'는 '모소주'를 비롯하여 '추모소주', '피모소주(皮牟燒酒)', '겉보리소주' 등과 같은 주품으로 분류되는데, 굳이 '구일주'라는 주품명을 붙이게 된 배경을 보니, 발효기간에 따른 명칭이라는 것을 알 수 있다.

'구일주'의 특징은, '모소주'를 비롯하여 '추모소주', '피모소주', '겉보리소주' 등과 같이 오랜 시간 물에 담가 불려서 찐 보리밥을 방아에 찧어 인절미와 같은 떡을 만들고, 누룩을 섞어 빚은 술을 증류하는데, '모소주'를 비롯하여 '추모소주', '피모소주', '겉보리소주' 등은 술덧이 괴어올랐다가 가라앉으면 바로 걸러서 소주를 내리는 공통점을 나타내고 있다.

그리고 '구일주'의 주방문에도 덧술을 빚은 지 "3일이면 익는다. 끓여서 소주를 거르는데 12복자 정도 얻으면 맛이 매우 좋다."고 한 것을 볼 수 있어, 다른 주품들과 같이 동일한 과정과 방법으로 이루어지는 주품으로 여겨진다.

그런데 '구일주'는 밑술과 덧술의 발효기간이 각각 3일로서, '육일주'라고 하여야 함에도 불구하고 '구일주'라고 하였으므로, 3일이라는 기간의 공백이 생긴다는 것이다. 때문에 이 3일을 덧술 발효 3일 후, 3일이라는 숙성기간을 거친다고 가정하면 '구일주'라는 주품명이 타당하다고 생각된다.

따라서 '구일주'를 기존의 보리를 사용하여 빚는 '모소주'를 비롯하여 '추모소주', '피모소주', '겉보리소주' 등과 차별화할 수 있는 방법은 3일이라는 공백 기간을 술덧의 숙성 또는 후발효 기간으로 생각해 볼 수 있다는 것이다.

우리나라를 비롯하여 동양 문화권에서는 삼(三)이라는 숫자를 '완전수(完全數)'로 인식하는 경향이 짙고, 특히 구(九)는 '완전수' 삼의 곱이 되는 까닭에 '우주수(宇宙數)'라는 개념을 갖고 있어서 '완벽함' 또는 '완벽한 질서'를 뜻한다고 볼 수 있어, '구일주'라는 주품명의 의미는 매우 특별하다고 할 수 있다.

그리고 '구일주'와 같은 양주방법은 <증보산림경제(增補山林經濟)>의 '추모주(秋麰酒)'를 비롯하여 <임원십육지(林園十六志)>의 '소맥로주(小麥露酒)', '이모로주방(耳麰露酒方)', <수운잡방(需雲雜方)>의 '진맥소주(眞麥燒酒)' 등 도정하지 않은 작물을 이용한 주류의 등장과 무관하지 않다.

그리고 '추모주'를 비롯하여 '진맥소주', '이모로주' 등은 최소한 5~7일 정도의 주발효와 후발효 기간을 거친 후에 증류한다는 점에서 이러한 추론을 가능케 한다.

또한 <역주방문>의 '구일주' 주방문과 같이 덧술에 사용되는 쌀은 밑술보다는 그 양을 적게 사용하고, 죽 형태로 하여 넣는 것은 매우 일반적 방법이라고 할 수 있으며, 그 목적이 부드럽고 향기로운 소주를 얻기 위한 방법이라는 점에서 주목할 만하다.

끝으로 '구일주'와 같은 '보리소주'가 독특한 향기와 함께 구수한 맛을 자랑하는 반면, 도수가 낮아 그 맛이 싱겁고 단조롭기 때문에 이를 보완하기 위한 지혜라는 것도 잊지 말아야 한다.

또한 '구일주'와 같이 보리를 주원료로 한 증류주가 일반화되지 못한 배경이 중류 방법에서 탄 냄새 등 이취를 초래하기 쉽다는 데 있기 때문이다. 지금이야 감압식 증류기가 일반화되어 있고, 간편한 증류기도 많이 개발되어 있긴 하지만, 가마솥과 소줏고리를 이용한 전통 방식의 소주 맛에 비할 바가 못 된다는 것이 기정사실이고 보면, 증류 방법에 대해 연구할 필요가 있다는 생각이 든다.

필자가 경험한 바로는 현재 전라도 등 남부 지방에서 '보리소주'를 즐겼는데, 증류할 때 먼저 물을 붓고 물이 끓으면 술밑을 붓고 끓이는 과정에 조그만 접시 같은 사기그릇을 솥에 넣어두는 것을 볼 수 있었다.

소주를 안치는 솥에 사기그릇을 넣는 이유를 물었더니, "불을 때는 과정에서 불의 세기를 조절하는 척도로 삼기 위한 것이다."는 얘길 들었다. 즉, 보리를 주원료로 한 술은 쌀술과는 달리 술덧이 질척하고 점성이 있어서 불이 싸면 솥에 눋는 현상이 심하여 자칫 탄 냄새가 나기 십상인데, 솥에 사기그릇을 넣어두면 술덧이 심하게 끓었을 때 더불어 사기그릇이 움직여 '달그락'거리는 소리가 난다.

따라서 이때는 불이 세다는 것을 알 수 있으므로, 사기그릇이 움직이는 소리를 통해서 불의 세기를 조절할 수가 있다.

이러한 방법은 실로 오랜 경험에서 온 지혜가 아닐 수 없어, 필자는 어른들에게서 빌려온 지혜를 지금도 곧잘 활용함으로써 이취가 없는 소주를 얻고 있으므로, 누구라도 이러한 방법을 활용해 보기 바란다.

'보리소주'만이 갖는 향취를 즐길 수 있을 것이다.

구일주 <역주방문(曆酒方文)>

술 재료 : 밑술 : 겉보리 1말, 누룩 3되, 물 2말 5되
덧술 : 멥쌀 3되, 물(1말 5되 정도)

술 빚는 법 :

1. 가을보리 1말을 방아를 찧어서 거친 껍질을 벗겨내고 2말 5되의 물에 담가

불렸다가, 3일 만에 (다시 백세하여 헹궈서) 건져서 물기를 뺀다.
2. 보리를 담갔던 물을 솥에 팔팔 끓인 후, 넓은 그릇에 펴서 차게 식힌다.
3. 불린 보리를 시루에 안쳐서 고두밥을 쪄낸 후, 다시 방아에 넣고 짓찧는데, 이때 누룩가루 4되를 넣고 함께 찧어 떡처럼 술밑을 만든다.
4. 술밑에 식혀둔 물을 한데 합하여 고루 버무린 다음, 술독에 담아 안치고, 예의 방법대로 하여 3일간 발효시킨다.
5. 술밑에 붉은색이 돌면 덧술을 준비한다.

* 덧술 :
1. 멥쌀 3되를 (백세하여 물에 담가 불렸다가, 다시 씻어 헹궈) 건져놓는다.
2. 솥에 물을 (1말 5되 정도) 붓고 끓이다가, 불린 쌀을 넣고 푹 끓여 죽을 쑨다.
3. (죽이 퍼지게 익었으면, 넓은 그릇에 펴서 차게 식기를 기다린다.)
4. 쌀죽에 밑술을 한데 합하고, 고루 버무려 술밑을 빚는다.
5. 술밑을 술독에 담아 안치고, 예의 방법대로 하여 3일간 발효시킨다.
6. 술밑이 끓었으면 (다시 30일이 지난 후) 술밑을 걸러 증류하는데, 12복자를 얻으면 맛이 매우 좋다.

* 주방문 말미에 "9일주라 한다."고 하였으므로, 덧술의 발효 3일 후, 숙성기간 3일을 지낸 후 증류하는 것으로 주방문을 작성하였다.

九日酒

秋牟一斗春去其黃灌水二斗五升過三日後待其極潤極出而蒸之另春於碓中而以曲末四升和合同春又以浸牟水猛煎候冷以所春牟潤和釀之三日後出見有赤色將白米三升作粥注之三日而熟成煮燒酒取十二卜子最旨香烈名曰九日酒.

남번소주 아라길

스토리텔링 및 술 빚는 법

'남번소주 번명 아라길(南番燒酒 番名 阿里乞)'은 '남반소주 반명 아라킬(南番燒酒 番名 阿里乞)'이라고도 하는데, "남번 지방의 소주로서 그 지방을 '아라길'이라고 한다."는 데서 유래한 명칭이다.

대개의 다른 문헌과 가록에서는 '남번소주'나 '아라길주' 또는 '아라길' '아락킬' 또는 '아랑주'라고도 하는데, <오주연문장전산고(五洲衍文長箋散稿)>에서는 '아라길'의 생산 지명까지를 언급하면서 '남번소주 번명 아라길'로 명칭한 것으로 이해된다.

따라서 '남번소주'나 '아라길주' '아라길' '아락킬' 또는 '아랑주'라고도 칭하는 '남번소주 번명 아라길'에 대한 기록은 현재까지 <오주연문장전산고>가 유일한 것으로 밝혀지고 있으며, 이 주품은 특별한 방법으로 빚는 술이 아닌, 양조과정에서 산패한 술이나 변질, 감패된 술을 사용하여 소주를 얻는다는 점에서 증류기술과 실용성을 높이 살 만하다고 할 것이다.

'남번소주 번명 아라길'은 증류 기술이 개발되었을 당시나 초기의 증류 기술과 그 과정을 살펴볼 수 있는 자료가 된다는 점에서 눈길을 끈다.

소주를 얻는 증류 방법으로써 병 하나에 증류하여 소주를 내릴 술덧을 담고, 대나무관을 증류관으로 사용하며, 증류관은 술덧을 담은 병과 다른 빈 병으로 연결된다. 술덧을 담은 병에 대나무관을 끼우고 그 틈새를 사발 쪼가리로 둘러막고, 석회를 바른 종이끈으로 감아서 증기가 새지 않게 한 후, 다른 병에 연결된 부분까지를 칭칭 감아서 늘어뜨리는데, 남은 끈으로 항아리를 기득 채운다. 석회를 바른 종이끈을 항아리에 가득 담고 냉각수를 가득 채워놓으면 종이끈이 심지 역할을 하면서 증류관을 적시어 냉각관의 역할을 하게 되는 것이다.

이어 술덧을 담은 병 주변에 참숯을 둘러놓고 숯에 불을 붙이면 시간이 경과하여 술이 끓게 되고 기화한 알코올은 대나무관을 통과하는데, 냉수를 빨아올리는 종이끈이 대나무관에 둘러져 있으므로, 수증기 형태의 알코올은 이때 냉각되어 액체 상태로 변하게 되고, 관을 따라 빈 병 안으로 고이게 된다.

<오주연문장전산고>의 저자 이규경(李圭景)도 방문 말미에 이르기를, "지금 만드는 법과 같지 않으나, 또한 고증할 만한 것이 있다. 이것에 의하면, 이 소주 내리는 법은 매우 졸렬하다. 이것은 수화기제로(水化氣劑露)를 이해하지 못하였기 때문이다. 처음으로 소주 내리는 법이 시작되었을 때에 이슬을 이어 받는 그릇을 만들었기 때문에 그것을 변증했다."고 하였듯이 이러한 방법은 증류기가 개발되지 못하였을 당시의 증류 방법을 설명한 것으로 이해된다.

이른바 증류 기술의 원형을 살피고, 그 원형을 고증하기 위한 기록이라는 점에서 주의 깊게 살필 필요가 있다는 것이다.

주지하다시피 원시 형태의 이러한 증류 기술은 심각한 위험성을 안고 있다.

첫째는, 산패나 변질된 술을 증류하게 될 경우, 메탄올에 대한 지식이 없었던 당시의 인식으로 주독에 따른 폐해가 매우 컸을 것이다.

둘째는, 술덧을 담는 병의 재질이 당시 기술로 미루어 토기류나 주물 형태였을 것이므로, 토기류의 경우 숯불의 과열에 의한 파손의 우려가 컸을 것이고, 주물 형태였다면 산패된 술과 공기의 접촉에 의해 산화(酸化)된 녹의 유입이 많았을 것이다. 이 두 가지 문제점 때문이다.

근래에 이르러 소주가 순수하고 깨끗한 뒷맛 때문에 인기를 끌고 있지만, 국내에 소주가 유입되면서 소주 제조에 따른 폐해로 식량의 부족을 명분으로 삼은 상소가 많았던 세종대 기록의 이면에는, 이처럼 메탄올로 인한 폐해가 더 컸을지도 모를 일이다.

남번소주 아라길 <오주연문장전산고(五洲衍文長箋散稿)>

술 재료 : 일체의 술맛이 잘못된 술(8되), 술병(1말들이), 종이끈, 석회 반죽

술 빚는 법 :

1. 시고 달고 싱겁고 박한 일체의 술맛이 잘못된 술이라도 상관없이 1말들이 술병에 8할 정도를 채운다.
2. 병 위에다 병 주둥이가 서로 마주 보이도록 빈 병을 비스듬히 놓는다.
3. 먼저 빈병 주변의 구멍을 살펴서 대나무 대롱을 새 부리처럼 아래로 향하게 하고, 빈 병의 주둥이가 위에 있는 대롱관을 향하게 한다.
4. 병 주변에 백자사발 쪼가리로 빽빽하게 막고 가린다.
5. 종이끈을 석회로 두껍게 바르되, 손가락 네 개 정도로 두껍게 발라서 봉하고, 큰항아리 안에 넣는다.
6. 석회 바른 종이끈(지회)으로 항아리 안을 꽉 채운 후, 경목탄(참숯) 불을 2~3근 정도를 밑의 술 담은 병 주변에 넣는다.
7. 병 안에 든 술이 끓어오르도록 하고, 위에 빈 병의 위뿐만 아니라 주위까지 싸맨다.
8. 찬물에 적신 종이로 그것을 덮으면, 안은 뜨겁고 밖은 차서 술이 끓었다가 이슬이 맺혀 아래로 떨어지게 된다.

* 주방문 말미에 “신 것은 맛이 맵고 달고, 싱거운 것은 맛이 달다. 삼분지일

(1/3)의 좋은 술을 얻을 수 있다. 이 법은 섣달에 끓이는 술 등과 같이 다 끓일 수 있다."고 하였다.

南番燒酒 番名 阿里乞 辨證說

전당 땅에 전여성이라는 사람이 <거가필용(居家必用)>을 쓰면서 '남번소주법'이 있었는데, 그 이름이 '아리걸(아락길)'이다. 그 방법에 의하면, 시고 달고 싱겁고 박한 일체의 술맛이 잘못된 술임에도 상관없이 술병에 8할 정도를 채우고 위에다 병 주둥이가 서로 마주 보이도록 빈 병을 비스듬히 놓는다. 먼저 빈 병 주변의 구멍을 살펴서 대나무 대롱을 새 부리처럼 아래로 향하게 하고, 다시 빈 병을 놓고 그 주둥이가 위에 있는 대롱관을 향하게 하여, 병 주변에 백자사발 쪼가리로 빽빽하게 막고 가린다. 혹은 기와 조각도 또한 괜찮다. 종이끈을 석회로 두껍게 발라 손가락 네 개 정도로 두껍게 발라서 봉하고 큰항아리 안에 넣는다. 이 지회(석회 바른 종이끈)로 항아리 안을 꽉 채운 후 경목탄(참숯) 불을 2~3근 정도를 밑에 병 주변에 넣어서 병 안에 든 술이 끓어오르도록 하고, 위에 빈 병의 위뿐만 아니라 주위까지 싸맨다. 찬물에 적신 종이로 그것을 덮은 연 후에 안은 뜨겁고 밖은 차서 술이 끓었다가 이슬이 맺혀 아래로 떨어지게 된다. 본문에는 말이 없어서 내가 이제 그걸 위해서 보충을 했는데, 그것은 냉수로 연결한 회를 바른 종이끈은 옳다. 왜냐하면, 그 땀이 위의 빈 병으로 올라가서 다시 빈 병의 대롱관을 타고 내려와 이슬방울이 맺혀서 밑의 빈 병 안으로 떨어지는데, 그 색이 흰 것이 맑은 물과 다름이 없다. 신 것은 맛이 맵고 달고, 싱거운 것은 맛이 달다. 삼분의 일의 좋은 술을 얻을 수 있다. 이 법은 섣달에 끓이는 술 등과 같이 다 끓일 수 있다. 지금 만드는 법과 같지 않으나, 또한 고증할 만한 것이 있다. 이것에 의하면, 이 소주 내리는 법은 매우 졸렬하다. 이것은 수화기제로를 이해하지 못하였기 때문이다. 처음으로 소주 내리는 법이 시작되었을 때에 이슬을 이어받는 그릇을 만들었기 때문에 그것을 변증했다.

내국홍로주

스토리텔링 및 술 빚는 법

증류식 소주류 가운데 매우 특별한 술을 꼽을 때 '내국홍로주(內局紅露酒)'를 빼놓을 수 없다.

물론, '내국홍로주'가 궁중의 술 가운데 유일하게 알려지고 있는 증류주란 점에서도 특별하지만, 무엇보다 독특한 맛과 향기, 특히 빛깔 때문이다.

'내국홍로주'가 궁중의 술로 임금이 마시던 술이란 사실은 주품명과 그 독특한 방문에 기인한다.

먼저 '내국홍로주'가 궁중술이라는 근거는 그 이름에서 찾을 수 있다. 과거 고려시대와 조선시대에는 왕궁(대궐)의 약국(藥局)을 가리키는 명칭으로 '내국(內局)'이 있었다.

따라서 내국은 술을 빚게 된 장소를 암시하고, '홍로주(紅露酒)'는 붉은 이슬방울 같은 술이라는 데에서 유래한 주품명이다.

과거 궁중에서는 임금이 마시는 술(御酒)은 찬간(饌間)이 아닌 '양온서(釀醞署)' 또는 '사옹원(司饔院)' 소속의 '내국'에서 빚었던 까닭에 특별히 내국을 주품명 앞에 붙이게 된 것이다. 또 주품명에 이슬 '로(露)' 자를 붙이게 되면, 증류하여 이슬처럼 받아낸 술이라는 뜻이니, 곧 소주를 가리킨다.

이로써 '내국홍로주'는 '대궐의 내국에서 빚은 붉은색의 소주'라는 뜻으로 풀이되는데, '내국홍로주는 증류주이므로 소주를 증류하기 위해서는 먼저 술을 빚어야 한다. 그리고 다른 증류주에 있어서는 어떤 술이든 증류하여 소주를 만들고, 이 소주의 원료가 되는 주품명을 붙이는 것이 일반적이다.

그런데 '내국홍로주'는 특별히 빚은 '향온(香醞)'을 원료로 하여 증류를 하게 된다. '향온'이라는 주품명에서 보듯 '삼해주', '청명주', '소곡주' 등 일반 술과는 표기가 다른 것을 알 수가 있다.

'향온'이라는 명칭에서 가운뎃자의 '온(醞)'이라는 글자는 내국을 거느리고 있는 궁중의 관청을 지칭한다. 고려시대에는 '양온서'이다가 조선시대에는 '사온서'라고 고쳐 부르게 되었으므로, '향온'은 "양온서(내국)에서 술 빚는 법식(法式)대로 빚은 술" 또는 "임금이 마시는 술"이란 뜻을 담고 있다.

기대승의 <고봉선생속집(高峯先生續集)> 1권의 '유두일에 호당에서 술을 하사하다(流頭日湖堂 宣醞)'이라는 시에 '홍로주'에 관한 내용이 나오는데 내용은 대략 이렇다.

六月十五日 俗號爲流頭(6월 15일을 세속에서 유두라 부르네.)
流頭義珷徵 傳說何謬悠(유두의 뜻은 증빙할 수 없으나, 전해 오는 이야기는 어찌 그리 황당무계한가?)
佳辰且可惜 行樂良有由(아름다운 때라 또한 아낄 만하니, 행락이 실로 그 까닭이 있네.)
一年此將半 陰陽相錯揉(한 해가 여기에서 절반이 되는 때라, 음양이 서로 어울려 섞여 있네.)
(…중략…)
整冠欽拜賜 列席集良儔(의관을 정제하여 공경히 은사에 절하며, 자리를 펴고 좋은 벗을 모으네.)
銀杯瀉紅露 雕俎羅珍羞(은잔에 '홍로'를 따르고, 아로새긴 도마에 진기한 음

식을 벌여놓았네.)

醉飽泊恬靜 偃仰何所求(취하고 배부름에 만족하여 편안하니, 천지간에 어찌 구할 것이 있겠는가?)

이로써 '내국홍로주'는 임금이 마시고, 사신 접대나 유두절을 비롯하여 명절에 신하들에게 선온하는 것으로 충성을 언약 받았다고 하는 사실을 엿볼 수 있다.

주방문을 보면, 찹쌀과 멥쌀을 1:10의 비율로 섞어 지은 고두밥에 별도로 빚어둔 부본(腐本)과 녹두를 넣어 만든 특수누룩인 향온곡과 물을 혼합하여 빚은 술이다.

'향온'은 단양주(單釀酒)이면서도 일반 주품에서는 느낄 수 없는 독특한 방향을 띠어 고급술로 평가받고 있는데, 이 '향온'을 원료주로 하여 증류한 소주 역시 특별한 맛과 향을 간직하게 된다.

'내국홍로주'는 <산림경제(山林經濟)>를 비롯하여 <고사신서(攷事新書)>와 <임원십육지(林園十六志)>, <해동농서(海東農書)> 등 4권의 한문 기록인 문헌에서 목격된다. 이들 문헌에 수록된 주방문을 보면, 일반적으로 '감홍로'나 소주 증류는 원료주를 가마솥에 쏟아 붓고 가열하여 소줏고리로 받아내는데, '내국홍로주'는 특별히 '향온'을 원료주로 하여 증류하고, 은으로 만든 그릇(銀器)인 솥에 담아 증류를 하고, 증류된 소주가 소줏고리에서 흘러내려 올 때 지초(芝草)라고 하는 붉은 색소를 함유한 약재를 얇게 썰어서 소줏고리의 귀때 밑에 놓음으로써, 소주 방울이 방울방울 떨어지면서 이 지초에 닿게 되고, 순간적으로 홍옥색의 물이 들게 되므로 '내국홍로주'라고 이르게 된 것이다.

따라서 '내국홍로주'는 '향온'을 원료주로 하여 증류한 만큼, 일반 '홍로주'나 '관서감홍로(關西甘紅露)'와 분명하게 차별화되는 점이다.

여기서 한 걸음 더 나아가 '내국홍로주'는 임금이 마시는 술인 만큼, 소주의 원료가 되는 술의 발효 또는 증류 시에 발생될지도 모르는 독성의 생성 여부를 확인하기 위해 술을 끓이는 솥이나 증류된 소주를 받아내는 그릇(受器)을 은기(銀器)를 사용함으로써, 독성(毒性)으로 인한 건강상의 문제를 예방하고 있다. '향온'이나 이를 증류한 '내국홍로주'가 어주(御酒)로 사용되었기 때문이다.

다만 안타까운 것은 색상에 따른 호감도는 매우 좋았으나, 알코올 도수가 지나치게 높은 50~60%로서, 건강을 위해서는 과음을 해서는 안 된다는 것이다.

아무리 좋은 명주(名酒)라도 '내국홍로주'처럼 고도주를 과음하게 되면 건강을 해칠 수밖에 없기 때문이다.

한편, '내국홍로주'의 특징을 부여하는 중요한 재료로 지초는 그 효능이 산삼(山蔘)에 버금가는 것으로 알려지고 있는데, '홍소주'에서 구체적으로 언급하였으므로, 이를 참고하면 좋겠다.

1. 내국홍로주 <고사신서(攷事新書)>

술 재료 : 멥쌀 10말, 찹쌀 1말, 누룩가루 2말, 지초 5냥

술 빚는 법 :

1. 누룩은 향온주의 향온곡 제조법으로 디뎌서 띄우고, 그 양은 2말로 한정한다.
2. 향온주를 빚어(멥쌀 10말과 찹쌀 1말을 한데 섞어 물에 깨끗이 씻은 뒤, 하룻밤 불렸다가 다시 씻어 건져서 물기를 뺀 뒤, 시루에 안쳐 고두밥을 짓는다. 솥에 물 15병을 붓고 끓이다가, 고두밥이 익었으면 퍼내어 넓은 그릇에 담아놓고, 끓는 물을 고루 붓고, 주걱으로 골고루 헤쳐서 밤재워 놓는다. 고두밥이 물을 다 먹고 차게 식었으면 누룩 2말, 부본 1병을 한데 합하고, 고루 버무려 술밑을 빚는다. 술독에 술밑을 담아 안치고, 예의 방법대로 15일가량 발효시킨 뒤) 용수 박아 채주한다.
3. 발효가 끝난 술을 '향온주'라 하며, 이 향온주 3병 2복자를 기준으로 증류한다.
4. 솥에 불을 지피고, 물 2사발을 붓고 끓이다가, 향온주 2사발을 붓고 끓인다.
5. 향온주 3사발을 솥에 붓고 저어준 뒤, 끓으면 다시 향온주 6사발을 붓는 방

법으로 점차 양을 늘려서 안치는 방법으로 술을 다 안친다.
6. 솥 위에 소줏고리를 얹고, 소줏고리 위에 냉각수 그릇을 얹는다.
7. 솥과 소줏고리, 소줏고리와 냉각수 그릇의 틈새를 소줏번을 붙여 막는다.
8. 냉각수 그릇에 찬물을 채우고, 소줏고리 귀때 밑에 병(수기)을 놓고, 그 위에 지초 잘게 썰어 병 입구에 밭쳐놓는데, 술 2사발을 내리는데 지초 1냥을 쓴다.
9. 뽕나무나 밤나무 장작으로 불을 알맞게 조절하여 소주를 받되, 첫술 1컵 정도는 버리거나 다음에 증류할 술에 섞어 사용한다.
10. 냉각수 그릇의 물이 따뜻하면 즉시 퍼내고 다시 찬물을 갈아준다.
11. 소주가 떨어지면서 지초를 통과하는 즉시 진홍색으로 된 소주(홍주)를 얻는다.

內局紅露酒

釀法如香醞而麴則以二斗爲限香醞三瓶二鐥燒出一瓶承露時以芝草一兩細切置于瓶口則紅色濃深內局則淸酒用銀器煮取故與外處燒酒不同.

2. 내국홍로주 <산림경제(山林經濟)>

술 재료 : 향온주 3병 2복자(멥쌀 10말, 찹쌀 1말, 누룩가루 2말, 부본, 1병, 끓는 물 15병), 지초 1냥

술 빚는 법 :
1. 멥쌀 10말과 찹쌀 1말을 한데 섞어 물에 깨끗이 씻은 뒤, 하룻밤 불렸다가 다시 씻어 건져서 물기를 뺀 뒤, 시루에 안쳐 고두밥을 짓는다.
2. 솥에 물 15병을 붓고 끓이다가, 고두밥이 익었으면 퍼내어 넓은 그릇에 담아 놓고, 끓는 물을 고루 붓고, 주걱으로 골고루 헤쳐서 밤재워 놓는다.

3. 고두밥이 물을 다 먹고 차게 식었으면 누룩 2말, 부본 1병을 한데 합하고, 고루 버무려 술밑을 빚는다.
4. 술독에 술밑을 담아 안치고, 예의 방법대로 하여 15일가량 발효시킨 뒤, 용수 박아 채주한다.
5. 발효가 끝난 술을 '향온주(香醞酒)'라 하며, 이 향온주 3병 2복자 분량을 기준으로 증류한다.

* 소주 내리기 :
1. 솥에 불을 지피고, 물 2사발을 붓고 끓이다가, 향온주 2사발을 붓고 끓인다.
2. 향온주 4사발을 솥에 붓고 저어준 뒤, 끓으면 다시 향온주 8사발을 붓는 방법으로 다 안친 후, 소줏고리를 얹고, 소줏고리 위에 냉각수 그릇을 얹는다.
3. 솥과 소줏고리, 소줏고리와 냉각수 그릇의 틈새를 소줏번을 붙여 막는다.
4. 냉각수 그릇에 찬물을 채우고, 소줏고리 귀때 밑에 수기를 놓고, 그 위에 지초 1냥을 받쳐놓는다.
5. 뽕나무나 밤나무 불을 알맞게 조절하여 소주를 받되, 첫술 1컵 정도는 버리거나 다음에 증류할 술에 섞어 사용한다.
6. 냉각수 그릇의 물이 따뜻하면 즉시 퍼내고 다시 찬물을 갈아준다.

* 내국(內局) : 왕궁의 약국. 궁중에서는 술을 빚는 관청으로 사옹원 내 내의원을 두었다. 내국홍로주는 향온주를 은기(銀器)에 담아 끓이므로, 여느 소주와는 다른 술맛과 향이 있다.

內局紅露酒

釀法如香醞 而麪則以二斗爲限 香醞三瓶 二鐥燒出 一瓶承露時 以芝草一兩細切 置于瓶口 則紅色濃深 內局, 則以淸酒 用銀器煮取 故與外處燒酒不同. <聞見方>.

3. 내국홍로방 <임원십육지(林園十六志)>

술 재료 : 향온주 3병 2복자(멥쌀 10말, 찹쌀 1말, 누룩가루 2말, 부본, 1병, 끓는 물 15병), 지초 1냥

술 빚는 법 :

1. 멥쌀 10말과 찹쌀 1말을 한데 섞어 백세하여 물에 담가 하룻밤 불렸다가 (다시 씻어 건져서 물기를 뺀 뒤) 시루에 안쳐 고두밥을 짓는다.
2. 솥에 물 15병을 붓고 끓이다가, 고두밥이 익었으면 퍼내어 넓은 그릇에 담아놓고, 끓는 물을 고루 부으면서 주걱으로 골고루 헤쳐서 밤재워 놓는다.
3. 고두밥이 물을 다 먹고 차게 식었으면 누룩 2말, 부본 1병을 한데 합하고, 고루 버무려 술밑을 빚는다.
4. 술독에 술밑을 담아 안치고, 예의 방법대로 15일가량 발효시킨 뒤 채주한다.
5. 발효가 끝난 술을 '향온주(香醞酒)'라 하며, 이 향온주 3병을 2복자 분량 기준으로 나누어 증류한다.

* 소주 내리기 :

1. 은솥에 불을 지피고, 물 2사발을 붓고 끓이다가, 향온주 2사발을 붓고 끓인다.
2. 향온주 4사발을 은솥에 붓고 저어준 뒤, 끓으면 다시 향온주를 붓는 방법으로 2복자를 다 안친 후 소줏고리를 얹고, 소줏고리 위에 냉각수 그릇을 얹는다.
3. 은솥과 소줏고리, 소줏고리와 냉각수 그릇의 틈새를 소줏번을 붙여 막는다.
4. 냉각수 그릇에 찬물을 채우고, 소줏고리 귀때 밑에 수기를 놓고, 그 위에 향온주 2복자당 지초 1냥씩을 받쳐놓는다.
5. (뽕나무나 밤나무를) 태운 장작불을 알맞게 조절하여 소주를 받되, 첫술 1컵 정도는 버리거나 다음에 증류할 술에 섞어 사용한다.

6. 냉각수 그릇의 물이 따뜻하면 즉시 퍼내고 다시 찬물을 갈아준다.

* 내국(內局) : 왕궁의 내국(약국)은 술을 빚는 관청으로, 사옹원에 내의원을 두었다.

內局紅露方

釀法如香醞而麪則二斗爲限香醞三瓶燒出二鐥承露時以紫草一兩細切置于瓶口則紅色濃深. 且內局則以淸酒用銀器煮取故與外處燒酒不同. <聞見方>.

4. 내국홍로주 <해동신서(海東農書)>

술 재료 : 멥쌀 10말, 찹쌀 1말, 누룩가루 2말, 지초 5냥

술 빚는 법 :

1. 누룩은 '향온주'의 향온곡 제조법으로 디뎌서 띄우고, 그 양은 2말로 한정한다.
2. '향온주'를 빚어(멥쌀 10말과 찹쌀 1말을 한데 섞어 물에 깨끗이 씻은 뒤, 하룻밤 불렸다가 다시 씻어 건져서 물기를 뺀 뒤, 시루에 안쳐 고두밥을 짓는다. 솥에 물 15병을 붓고 끓이다가, 고두밥이 익었으면 퍼내어 넓은 그릇에 담아놓고, 끓는 물을 고루 붓고, 주걱으로 골고루 헤쳐서 밤재워 놓는다. 고두밥이 물을 다 먹고 차게 식었으면 누룩 2말, 부본 1병을 한데 합하고, 고루 버무려 술밑을 빚는다. 술독에 술밑을 담아 안치고, 예의 방법대로 하여 15일가량 발효시킨 뒤) 채주한다.
3. 발효가 끝난 향온주 3병 2복자 분량을 기준으로 증류한다.
4. 솥에 불을 지피고, 물 2사발을 붓고 끓이다가, 향온주 2사발을 붓고 끓인다.
5. 향온주 3사발을 솥에 붓고 저어준 뒤, 끓으면 다시 향온주 6사발을 붓는 방

법으로 점차 양을 늘려서 안치는 방법으로 술을 다 안친다.

6. 솥 위에 소줏고리를 얹고, 소줏고리 위에 냉각수 그릇을 얹는다.
7. 솥과 소줏고리, 소줏고리와 냉각수 그릇의 틈새를 소줏번을 붙여 막는다.
8. 냉각수 그릇에 찬물을 채우고, 소줏고리 귀때 밑에 병(수기)을 놓고, 그 위에 지초 잘게 썰어 병 입구에 받쳐놓는데, 술 2사발을 내리는데 지초 1냥을 쓴다.
9. 뽕나무나 밤나무 장작으로 불을 알맞게 조절하여 소주를 받되, 첫술 1컵 정도는 버리거나 다음에 증류할 술에 섞어 사용한다.
10. 냉각수 그릇의 물이 따뜻하면 즉시 퍼내고 다시 찬물을 갈아준다.
11. 소주가 떨어지면서 지초를 통과하는 즉시 진홍색으로 된 '소주(홍주)'를 얻는데, 소주 1병이 나온다.

* 주방문에 "술을 내릴 때 지초 1냥을 잘게 썰어 병 입구에 두면 홍색이 점점 진해진다. 내국(內局)에서는 청주를 은그릇에 끓여 받는다. 따라서 외지 소주와 같지 않다."고 하였다.

內局紅露酒

釀法如香醞而麯則二斗爲限香醞三瓶二鐥燒出承露時以芝草一兩細切置于瓶口則紅色濃深內局則以淸酒用銀器煮取故與外處燒酒不同(聞見方).

노주소독법

스토리텔링 및 술 빚는 법

우리나라에 '소주(燒酒)'가 유입된 시기를 고려 충렬왕 때로 기록하고 있다.

고려 말기 몽고군이 일본 원정을 빌미로 고려에 침입, 개성과 안동, 제주에 군사 주둔지를 설치하게 되었고, 고려의 추운 겨울을 견디기 위한 방편의 하나로 '소주'를 증류하여 마시게 된 것이 고려에 전파되었다는 것이다.

이후 조선시대에 들어서면서 부유층과 사대부들 사이에서 '소주'가 널리 인기를 얻게 되었으며, 특히 세종 대에는 '소주'의 유행과 더불어 그 폐해가 심했던 것으로 기록되고 있음을 볼 수 있다.

그 예로, "술맛이 깨끗하고 청쾌하면서 빨리 취하고 빨리 깨며, 비교적 숙취가 적다."는 장점 때문에 '소주'를 즐겨 마시던 사람들 사이에서 갑자기 죽거나 실명(失明)하는 등 여러 가지 폐단이 생겨나기 시작한 것이다.

이 땅에 '소주'가 전파된 지 오래지 않은 당시에는 '소주독(燒酒毒)'에 대해 잘 몰랐을 것이므로, '소주' 음주를 경계하는 것으로 방편을 삼았을 것이고, 후일에야 '소주독'에 대한 해소 방법을 찾기에 이르렀을 것으로 추측된다.

여러 가지 방편 가운데 '노주소독방(露酒消毒方)'이란 것이 있다. '노주소독방'은 자전 풀이 그대로 "노주(露酒) 곧 소주의 주독(酒毒)을 해소시키는 주방문"이다. 추측하건대 '노주소독방'은 그와 같은 배경에서 그 주방문이 생겨났을 것으로 여겨진다.

'노주소독방'은 1613년경에 간행된 <고사촬요(故事撮要)>에 처음 등장하는 것을 볼 수 있고, 이후 1716년의 <산림경제(山林經濟)>와 1766년의 <증보산림경제(增補山林經濟)>, 1771년의 <고사신서(攷事新書)>, 1799년의 <해동농서(海東農書)>, 1800년대 초엽에서 중엽의 <고려대규합총서(高麗大閨閤叢書, 異本)>, <군학회등(群學會騰)>과 연대 미상의 <의방합편(醫方合編)>에서도 '노주소독방'을 찾아볼 수 있다.

한편, <고려대규합총서(이본)>과 <부인필지(夫人必知)>에서는 '여름에 소주 마실 때'와 '소주 고을 때'에 주의사항으로 꿀을 사용하는 방법을 수록하고 있어 '노주소독방'에 포함시켰다.

가장 오래된 기록인 <고사촬요>의 주방문을 보면, "소주를 내릴 때 소주 받을 병 밑에 벌꿀을 바르면 소독이 되고 맛이 몹시 좋다. 만약 꿀을 많이 바르면 너무 달고, 그렇다고 살짝 바르면 효과가 없다. 술의 양에 따라서 적당히 바른다."고 하였고, 의학 관련 문헌인 <의방합편>에도 "소주를 받을 병(수기) 바닥에 꿀을 바르는데, 많으면 크게 달고, 너무 적으면 효과가 없으니 적당량을 발라야 한다."라고 한 것을 볼 수 있다.

또한 <군학회등>에서는 "맨 처음에 받은 노주는 맛이 너무 독해 사람의 몸을 몹시 손상시키고 맛도 좋지 않다. 정화수를 적당량 타, 조금 있다가 마시면 좋다. 맛이 좋지 않은 술로 소주를 받고자 할 경우에는 반드시 다른 노주 약간을 섞고 받아낸다. 그러면 맛도 제법 진하고 몹시 취하게 하지도 않는다. 노주를 받고 나서는 밀봉하여 기운이 새나가지 않게 하고, 항상 따뜻한 곳에 놓아둔다. 노주를 담은 병 주둥이는 날오이나 비름나물로 막지 말아야 한다. 하룻밤 지나면 맛이 싱거워진다. 여름에 꿀을 탄 맛이 독한 노주에다 얼음 조각을 넣고 급하게 저어 차게 해서 마시면 맛이 아주 맑고 시원하다. 노주에 초를 타서 마시면 한 잔만 마셔도 대번에 몹시 취한다."고 하여, '소주'를 마실 때의 여러 가지 요령과 함께 좋은 '소주'

를 얻는 방법, 보관하는 법 등에 대해 언급한 것을 살펴볼 수 있다.

결국 '노주소독방'이란 '소주'를 증류할 때 꿀이나 사탕을 녹여 마시는 방법이며, 꿀이 '소주독'을 해소시켜 준다고 하는 사실적인 한의학적 처방을 읽을 수 있다.

그리고 '소주'가 독하여 마시기 어려운 만큼, 지초나 계피, 치자 등을 첨가하여 특별한 향이나 색을 부여하기도 하며, 기호를 좋게 하는 여러 가지 사례들을 살펴볼 수 있다.

이처럼 여러 가지 '노주소독방'이 생겨난 배경을 직시하자면, '소주'와 같이 도수가 높은 술은 그만큼 해독이 심하므로 경계해야 한다는 얘기에 다름 아니다 할 것이다.

1. 소주를 여름에 먹거든 <고려대규합총서(高麗大閨閤叢書, 異本)>

여름에 소주를 마실 때는 꿀을 타고 얼음 한 조각을 넣어 급히 저어 먹으면 맛이 좋을뿐더러 또한 독이 없다.

* 여름에 소주 마시는 법이나 소주의 독을 없애는 방법이 같으므로, '노주소독방'에 함께 수록하였다.

소주를 여름에 먹거든
꿀을 타고 얼음 한 조각을 넣어 급히 저어 먹으면 맛이 좋을뿐더러 또한 독이 없다.

2. 노주소독 <고사신서(攷事新書)>

술 재료 : 술덧 또는 청주(탁주, 막걸리), 꿀 1~2돈, 냉각수

소주 내리기 :

1. 솥에 불을 지피고, 물 1사발을 붓고 끓이다가, 술 1사발을 붓고 끓인다.
2. 술 2사발을 솥에 붓고 끓으면 술 4사발을 붓는 방법으로, 점차 양을 늘려 안친다.
3. 솥 위에 소줏고리를 얹고, 소줏고리 위에 냉각수 그릇을 얹는다.
4. 솥과 소줏고리, 소줏고리와 냉각수 그릇의 틈새를 소줏번을 붙여 막는다.
5. 냉각수 그릇에 찬물을 채우고, 소줏고리 귀때 밑에 병을 놓고 소주를 받는데, 첫술 1컵 정도는 버리거나 다음에 증류할 술에 섞어 사용한다.
6. 불을 땔 때 참나무 및 보릿대 등을 사용하여, 불의 세기가 한결같아야 한다.
7. 소주를 받는 그릇 바닥에 꿀을 발라놓는다.
8. 냉각수 그릇의 물이 따뜻하면 즉시 퍼내고 다시 찬물을 갈아주는데, 12차례 갈아주면 소주 맛이 평순하고, 8~9회 갈아주면 매우 독하다.

* 주방문 말미에 "마땅히 술의 적고 많음에 따라 양을 조절한다."고 하였으나, 오히려 소주의 도수에 따라 벌꿀의 양을 조절하는 것이 옳을 것으로 판단된다.

露酒消毒方

燒出時以蜂蜜塗于承露缸瓶底則消毒味甚佳煮蜂蜜多則太甘少則無效隨酒多寡量宜塗之.

3. 노주소독 <고사십이집(攷事十二集)>

술 재료 : 술(1말), 벌꿀

술 빚는 법 :

1. 솥에 불을 지피고, 물 2사발을 붓고 끓이다가, 술 2사발을 붓고 끓인다.
2. 술 3~4사발을 솥에 붓고 저어준 뒤, 끓으면 다시 술 6~8사발을 붓는 방법으로 술을 다 안친 후, 소줏고리를 얹고, 소줏고리 위에 냉각수 그릇을 얹는다.
3. 솥과 소줏고리, 소줏고리와 냉각수 그릇의 틈새를 소줏번을 붙여 막는다.
4. 냉각수 그릇에 찬물을 채우고, 소줏고리 귀때 밑에 병(수기)을 받쳐놓는다.
5. 소주를 받을 병에 꿀을 바르는데, 그 양이 너무 많거나 너무 적어서는 안 된다.
6. 냉각수 그릇의 물이 따뜻하면 즉시 퍼내고 다시 찬물을 갈아준다.

* 주방문 말미에 "마땅히 술의 적고 많음에 따라 양을 조절한다."고 하였으나, 오히려 소주의 도수에 따라 벌꿀의 양을 조절하는 것이 옳을 것으로 판단된다.

露酒消毒

燒出時以蜂蜜塗于承露缸瓶底則消毒味甚佳煮蜂蜜多則太甘少則無效隨酒多寡量宜塗之.

4. 노주소독방 <고사촬요(故事撮要)>

술 재료 : 술(1말), 벌꿀

술 빚는 법 :
1. 솥에 불을 지피고, 물 2사발을 붓고 끓이다가, 술 2사발을 붓고 끓인다.
2. 술 3~4사발을 솥에 붓고 저어준 뒤, 끓으면 다시 술 6~8사발을 붓는 방법으로 술을 다 안친 후, 소줏고리를 얹고, 소줏고리 위에 냉각수 그릇을 얹는다.
3. 솥과 소줏고리, 소줏고리와 냉각수 그릇의 틈새를 소줏번을 붙여 막는다.

4. 냉각수 그릇에 찬물을 채우고, 소줏고리 귀때 밑에 병(수기)을 받쳐놓는다.
5. 소주를 받을 병에 꿀을 바르는데, 그 양이 너무 많거나 너무 적어서는 안 된다.
6. 뽕나무나 밤나무 불을 알맞게 조절하여 소주를 받되, 첫술 1컵 정도는 버리거나 다음에 증류할 술에 섞어 사용한다.
7. 냉각수 그릇의 물이 따뜻하면 즉시 퍼내고 다시 찬물을 갈아준다.

* 주방문 말미에 "마땅히 술의 적고 많음에 따라 양을 조절한다."고 하였으나, 오히려 소주의 도수에 따라 벌꿀의 양을 조절하는 것이 옳을 것으로 판단된다.

露酒消毒方
燒出時以蜂蜜塗于承露瓶底則消毒味甚佳若蜂蜜多則太甘小則無效隨酒多寡量宜塗之.

5. 노주소독법 <군학회등(群學會騰)>

술 재료 : 술(1말), 벌꿀, (사탕가루, 계핏가루)

소주 내리기 :
1. 솥에 술을 붓는 방법으로 술을 다 안친 후, 소줏고리를 얹고, 소줏고리 위에 냉각수 그릇을 얹는다.
2. 솥과 소줏고리, 소줏고리와 냉각수 그릇의 틈새를 소줏번을 붙여 막는다.
3. 냉각수 그릇에 찬물을 채우고, 소줏고리 귀때 밑에 병(수기)을 받쳐놓는다.
4. 소주를 받을 병(수기) 바닥에 꿀을 바르는데, 많으면 크게 달고, 너무 적으면 효과가 없으니 적당량을 바르도록 한다.
5. 불을 알맞게 조절하여 소주를 받되, 첫술 1컵 정도는 버리거나 다음에 증류

할 술에 섞어 사용한다.
6. 냉각수가 따뜻하면 즉시 퍼내고 다시 찬물을 갈아주길 여러 차례 반복한다.

* 주방문 말미에 기록된 유의 사항 :
1. 맨 처음에 받은 노주는 맛이 너무 독해 사람의 몸을 몹시 손상시키고 맛도 좋지 않다. 정화수를 적당량 타, 조금 있다가 마시면 좋다.
2. 맛이 좋지 않은 술로 소주를 받고자 할 경우에는 반드시 다른 노주 약간을 섞고 받아낸다. 그러면 맛도 제법 진하고 몹시 취하게 하지도 않는다.
3. 노주를 받아 밀봉하여 기운이 새나가지 않게 하고, 항상 따뜻한 곳에 놓아 둔다.
4. 노주 병 주둥이는 날오이나 비름나물로 막지 말아야 한다. 하룻밤 지나면 맛이 싱거워진다.
5. 여름에, 꿀을 탄 맛이 독한 노주에다 얼음 조각을 넣고 급하게 저어 차게 해서 마시면 맛이 아주 맑고 시원하다.
6. 노주에 초를 타서 마시면 한 잔만 마셔도 대번에 몹시 취한다.

露酒消毒方

燒出時以蜜塗于承露甁底則消毒味佳 若蜜多則太甘少則無效量意塗之. 承露甁口安苧片以桂皮砂糖末置於苧上則味殊絶色欲紫可芝根欲黃加梔子於苧片上. 又以新好當歸剉置甁內而承露則烈性稍緩味亦佳. 凡露酒頭適者味太烈甚損人味亦不好取井華水사斟量調之 少頃飮之佳. 欲以劣酒燒露酒則必先以他露酒少許灌合而燒之則味頗烈不甚醉人. 取露酒堅封勿泄氣常置溫處凡露酒甁口勿以生瓜及莧菜塞之經夜味則淡矣. 取味烈露酒調蜜者夏月投氷片急手攪冷而飮之味絶淸爽 露酒和醋飮之一盃輒大醉.

6. 노주소독방 <농정회요(農政會要)>

술 재료 : 술(1말), 벌꿀, (사탕가루, 계핏가루, 지초, 치자 등)

소주 내리기 :

1. 솥에 불을 지피고, 물 2사발을 붓고 끓이다가, 술 2사발을 붓고 끓인다.
2. 술 3사발을 솥에 붓고 저어준 뒤, 끓으면 다시 술을 붓는 방법으로 술을 다 안친 후, 소줏고리를 얹고, 소줏고리 위에 냉각수 그릇을 얹는다.
3. 솥과 소줏고리, 소줏고리와 냉각수 그릇의 틈새를 소줏번을 붙여 막는다.
4. 냉각수 그릇에 찬물을 채우고, 소줏고리 귀때 밑에 병(수기)을 받쳐놓는다.
5. 소주를 받을 병 바닥에 꿀을 발라놓는데, 많으면 너무 달고, 적으면 효과가 적으므로 적당량을 바르면 독성이 없어져 맛이 좋다.
6. 또 수기 위에 사탕이나 계피, 지초, 치자를 올려놓으면 황색 등 여러 가지 좋은 색깔의 소주를 얻을 수 있다.

* 주방문 말미에 "술을 받는 병 주둥이에 모시 조각을 대고 그 위에 계피 · 사탕가루를 놓아두면 맛이 일품이다. 자줏빛을 내려면 지초 뿌리를, 노란빛을 내려면 치자를 모시 조각 위에 올려놓는다." 고 하였다. 또 "새로 나온 좋은 당귀를 썰어 병에 넣고 술을 받으면 독성이 좀 누그러지고 맛도 좋다."고 하였다. 또 "맨 처음에 받은 노주는 맛이 너무 독해 사람의 몸을 몹시 손상시키고 맛도 좋지 않다."고 하였다. 정화수를 적당량 타, 조금 있다가 마시면 좋다. 맛이 좋지 않은 술로 소주를 받고자 할 경우에는 반드시 다른 노주 약간을 섞고 받아낸다. 그러면 맛도 제법 진하고 몹시 취하게 하지도 않는다.
* 또 "노주를 받고 나서는 밀봉하여 기운이 새나가지 않게 하고, 항상 따뜻한 곳에 놓아둔다. 노주를 담은 병 주둥이는 날오이나 비름나물로 막지 말아야 한다. 하룻밤 지나면 맛이 싱거워진다."고 하였다. 여름에, 꿀을 탄 맛이 독한 노주에다 얼음 조각을 넣고 급하게 저어 차게 해서 마시면 맛이 아주 맑

고 시원하다.
* "노주에 초를 타서 마시면 한 잔만 마셔도 대번에 몹시 취한다." 하여, 여러 가지 소주를 마실 때 주의할 일을 기록하였다.

露酒消毒方
燒出時以蜜塗于承露甁底則消毒味佳 若蜜多則太甘少則無效量意塗蜜 承露甁口安苧片以桂皮砂糖末置於苧上則味殊絶色欲紫可芝根欲黃如梔子於苧片上. 又以新好當歸剉置甁內而承露則烈性稍緩味亦佳. 凡露酒頭適者味太烈甚損人味亦不好取井華水사斟量調之少頃飮之佳. 欲以劣酒燒露酒則必先以他露酒少許灌合而燒之則味頗烈不甚醉人. 取露酒堅封勿泄氣常置溫處凡露酒甁口勿以生瓜及莧菜塞之經夜味則淡矣. 取味烈露酒調蜜者夏月投氷片急手攪冷而飮之味絶淸爽 露酒和醋飮之一盃輒大醉

7. 소주 고을 때 <부인필지(夫人必知)>

소쥬 고을 ᄯᅢ
ᄉᆞᆯ을 소쥬 밧는 그릇 밋헤 발나 밧으면 독이 업고 ᄆᆡ양 쥬독이 치아에 들어가는 고로 ᄒᆞᆫ 잔 먹은 후 ᄒᆞᆫ 번식 양치질ᄒᆞ면 치통이 업ᄂᆞ니라.

8. 노주소독방 <산림경제(山林經濟)>

술 재료 : 술(1말), 벌꿀

술 빚는 법 :
1. 솥에 불을 지피고, 물 2사발을 붓고 끓이다가, 술 2사발을 붓고 끓인다.

2. 술 3~4사발을 솥에 붓고 저어준 뒤, 끓으면 다시 술 6~8사발을 붓는 방법으로 술을 다 안친 후, 소줏고리를 얹고, 소줏고리 위에 냉각수 그릇을 얹는다.
3. 솥과 소줏고리, 소줏고리와 냉각수 그릇의 틈새를 소줏번을 붙여 막는다.
4. 냉각수 그릇에 찬물을 채우고, 소줏고리 귀때 밑에 병(수기)을 받쳐놓는다.
5. 소주를 받을 병에 꿀을 바르는데, 그 양이 너무 많거나 너무 적어서는 안 된다.
6. 뽕나무나 밤나무 불을 알맞게 조절하여 소주를 받되, 첫술 1컵 정도는 버리거나 다음에 증류할 술에 섞어 사용한다.
7. 냉각수 그릇의 물이 따뜻하면 즉시 퍼내고 다시 찬물을 갈아준다.

露酒消毒方

燒出時 以蜂蜜 塗于承露瓶底 則消毒味甚佳 若蜂蜜多則太甘 少則無效 隨酒多寡 量意塗之.

9. 노주소독방 <의방합편(醫方合編)>

술 재료 : 술(1말), 벌꿀

소주 내리기 :

1. 솥에 술을 안치는 방법으로 술을 다 안친 후, 소줏고리를 얹고, 소줏고리 위에 냉각수 그릇을 얹는다.
2. 솥과 소줏고리, 소줏고리와 냉각수 그릇의 틈새를 소줏번을 붙여 막는다.
3. 냉각수 그릇에 찬물을 채우고, 소줏고리 귀때 밑에 병(수기)을 받쳐놓는다.
4. 소주를 받을 병(수기) 바닥에 꿀을 바르는데, 많으면 크게 달고, 너무 적으면 효과가 없으니 적당량을 바르도록 한다.
5. 불을 알맞게 조절하여 소주를 받되, 첫술 1컵 정도는 버리거나 다음에 증류할 술에 섞어 사용한다.

6. 냉각수 그릇의 물이 따뜻하면 즉시 퍼내고 다시 찬물을 갈아주길 여러 차례 반복한다.

露酒消毒方

燒出時以蜂蜜塗于丞露瓶底則消毒煉甚佳若蜂蜜多則大甘少則無效隨酒多寡量宜塗之.

10. 소로잡법 <임원십육지(林園十六志)>

1. 좋은 꿀로 소주를 담는 항아리를 닦으면 독을 없애고 맛이 좋아진다. 꿀이 너무 많으면 술이 달기 때문에 적량을 넣어야 한다. <증보산림경제>를 인용하였다.
2. 소주를 담는 병 주둥이에 모시를 놓고 그 위에 계핏가루, 설탕 등을 놓고 술을 받으면 술맛이 달고 향기롭다.
3. 술색을 붉게 하려면 모시 위에 자초, 노랗게 하려면 치자를 놓는다. <증보산림경제>를 인용하였다.
4. 좋은 생당귀를 썰어 병에 넣고 소주를 받으면 술이 독하지 않고 맛이 좋다. <증보산림경제>를 인용하였다.

* <임원십육지>의 '소로잡법'은 <산림경제> 등 다른 문헌의 '노주소독법'과 동일하다. 따라서 '노주소독법'에 함께 묶었음을 밝혀둔다.

燒露雜法

用好蜜塗承露缸底則毒消味佳蜜多則太甘少則無效斟量用之. <增補山林經濟>. 承露瓶口安苧片以桂皮末(沙/砂)糖屑置苧上則酒味甘香欲色紫則加紫草欲色黃則加梔子於苧片上. <同上>. 以新好當歸剉置瓶內而承露則烈性稍緩味亦佳. <同上>.

11. 노주소독방 <증보산림경제(增補山林經濟)>

1. 솥에 불을 지피고, 물 2사발을 붓고 끓이다가, 술 2사발을 붓고 끓인다.
2. 술 3~4사발을 솥에 붓고 저어준 뒤, 끓으면 다시 술 6~8사발을 붓는 방법으로 술을 다 안친 후, 소줏고리를 얹고, 소줏고리 위에 냉각수 그릇을 얹는다.
3. 솥과 소줏고리, 소줏고리와 냉각수 그릇의 틈새를 소줏번을 붙여 막는다.
4. 냉각수 그릇에 찬물을 채우고, 소줏고리 귀때 밑에 병(수기)을 받쳐놓는다.
5. 소주를 받을 병 바닥에 꿀을 발라놓는데, 많으면 너무 달고, 적으면 효과가 적으므로, 적당량을 바르면 독성이 없어져 맛이 좋다.
6. 소주를 받는 병 주둥이 위에 모시조각을 대고 그 위에 계피 · 사탕가루를 받쳐두면 맛이 일품이다. 또 새로 나온 좋은 당귀를 썰어 병에 넣고 술을 받으면 독성이 좀 누그러지고 맛도 좋다.
7. 맨 처음에 받은 노주는 맛이 너무 독해 사람의 몸을 몹시 손상시키고 맛도 좋지 않다. 정화수를 적당량 타, 조금 있다가 마시면 좋다.
8. 맛이 좋지 않은 술로 소주를 받고자 할 경우에는 반드시 다른 노주 약간을 섞고 받아낸다. 그러면 맛도 제법 진하고 몹시 취하게 하지도 않는다.
9. 노주를 받고 나서는 밀봉하여 기운이 새나가지 않게 하고, 항상 따뜻한 곳에 놓아둔다.

* 주방문 말미에 "노주를 담은 병 주둥이는 날오이나 비름나물로 막지 말아야 한다. 하룻밤 지나면 맛이 싱거워진다. 여름에, 꿀을 탄 맛이 독한 노주에다 얼음 조각을 넣고 급하게 저어 차게 해서 마시면 맛이 아주 맑고 시원하다. 노주에 초를 타서 마시면 한 잔만 마셔도 대번에 몹시 취한다."고 하여 주의사항을 열거하고 있음을 볼 수 있다.

露酒消毒方

燒出時以蜜塗于承露瓶底則消毒味佳若蜜多則太甘少則無效量意塗之. 承露瓶口安苧片以桂皮砂糖末置於苧上則味殊絶色欲紫可芝根欲黃加梔子於苧片

上. 又以新好當歸剉置瓶內而承露則烈性稍緩味亦佳. 凡露酒頭適者味太烈甚損人味亦不好取井華水사斟量調之 少頃飮之佳. 欲以劣酒燒露酒則必先以他露酒少許灌合而燒之則味頗烈不甚醉人. 取露酒堅封勿泄氣常置溫處凡露酒瓶口勿以生瓜及莧菜塞之經夜味則淡矣. 取味烈露酒調蜜者夏月投氷片急手攪冷而飮之味絶淸爽 露酒和醋飮之一盃輒大醉.

12. 노주소독방 <해동농서(海東農書)>

술 재료 : 술덧 또는 청주(탁주, 막걸리), 꿀 1~2돈

소주 내리기 :

1. 솥에 불을 지피고, 물 1사발을 붓고 끓이다가, 술 1사발을 붓고 끓인다.
2. 술 2사발을 솥에 붓고 끓으면 술 4사발을 붓는 방법으로, 점차 양을 늘려 안친다.
3. 솥 위에 소줏고리를 얹고, 소줏고리 위에 냉각수 그릇을 얹는다.
4. 솥과 소줏고리, 소줏고리와 냉각수 그릇의 틈새를 소줏번을 붙여 막는다.
5. 냉각수 그릇에 찬물을 채우고, 소줏고리 귀때 밑에 병을 놓고 소주를 받는데, 병 에 꿀을 발라놓는다.
6. 불을 땔 때 참나무 및 보릿대 등을 사용하여, 불의 세기가 한결같아야 한다.
7. 냉각수 그릇의 물이 따뜻하면 즉시 퍼내고 다시 찬물을 갈아주는데, 12차례 갈아주면 소주 맛이 평순하고, 8~9회 갈아주면 매우 독하다.

* 주방문 말미에 "또 소주를 받는 병 주둥이 위에 모시조각을 대고 그 위에 계피 · 사탕가루를 받쳐두면 맛이 일품이다."고 하였는데, 이는 '계당주' 주방문이기도 하다는 것을 알 수 있다.

露酒消毒方

燒出時以蜂蜜塗于丞露瓶底則消毒味佳若蜂蜜多則大甘少則無效隨酒多寡量宜塗之. <古事>. 又 以桂皮砂糖末置缸口則味殊絶. (釀方).

노주이두방

스토리텔링 및 술 빚는 법

'노주이두방(露酒二斗方)'이란 주품은, 술을 빚는 데 사용되는 쌀의 양이 이두(二斗)가 사용된 데서 유래한 이름이다. 자칫 "소주가 2말 난다(얻는다)."는 뜻으로 해석할 수 있으나, 이 방문으로 술을 빚었을 때 얻을 수 있는 술의 양은 기껏해야 7되를 넘지 않기 때문이다.

어떻든 '노주이두방'이란 주품은, 농경종합백과사전이라고 할 수 있는 1716년간 <산림경제(山林經濟)>의 기록을 시작으로, 이를 증보한 <증보산림경제(增補山林經濟)>, 그리고 <임원십육지(林園十六志)>와 <해동농서(海東農書)>, <농정회요(農政會要)>에서 그 주방문을 찾아볼 수 있다.

문제는 이들 문헌이 모두 한문본의 농업전문서적이라는 사실과 관련하여 반가의 여성이 아니면 일반 주부나 일반인이 '노주이두방'이란 주품의 주방문을 해석, 민간에서 이를 가양주로 하기가 그리 용이하지 않았을 것이라는 추측을 할 수가 있다. 이러한 배경에서 '노주이두방'이란 주품이 <산림경제>를 비롯한 몇몇 한문 기록의 문헌에만 등장하는 이유라고 할 수 있다.

'노주이두방'이란 주품에 대한 최초의 기록이라고 할 수 있는 <산림경제>의 주방문을 보면, "멥쌀과 찹쌀 각각 1되씩을 물에 담가 가루로 만들고, 고운 누룩 9되에 끓는 물 8말을 치면 섞어 빚을 만하다. 사흘이 지나거든 찹쌀 2말을 쪄서 식은 뒤에 술밑에 첨가하면 7일 만에 소주를 고아 내릴 수 있다. 위의 물은 11~12차례 바꾸면 맛이 순하고, 8~9차례 바꿔주면 맛이 극히 독하다. 땔감은 참나무 및 보릿짚, 볏짚 등을 써서 쐈다 끄느름(꺼질 듯 약하게)했다 하는 일 없이 일정하도록 해야 한다."고 하였다.

'노주이두방'의 주방문을 분석하여 보면, 밑술은 범벅을 만들어 빚는데, 쌀 2되 분량에 대하여 물 8말과 누룩 9되가 사용되고, 덧술은 찹쌀 2말을 고두밥을 쪄서 합해 넣는다. 그리고 소주를 내릴 때 불의 세기를 조절하기 쉽도록 보릿짚이나 볏짚을 사용한다고 하였다.

그런데 61년이나 지난 후에 <산림경제>를 증보한 1767년간 <증보산림경제>를 보면, 술을 빚는 과정은 동일하면서도 술 빚기에 사용되는 물의 양이 8되로 급격히 감소한 것을 볼 수 있으며, 이로부터 57년 후의 1823년간 기록인 <임원십육지>에는 다시 <증보산림경제>의 주방문을 그대로 수록하고 있다. 그러다가 1799년간 <해동농서>와 1830년간 <농정회요>의 기록에는 <증보산림경제>의 주방문이 그대로 옮겨져 있는 것을 볼 수 있다.

이러한 사실로 미루어, <임원십육지>는 <산림경제>의 기록을 토대로 하고, <해동농서>와 <농정회요>는 <증보산림경제>의 가록을 인용한 것으로 보아도 무리가 없을 것 같다.

이러한 사실로 미루어 '노주이두방'은 두 가지 방문이 존재한다고 할 수 있으며, '노주이두방'이란 주품명은 최초의 기록인 <산림경제>의 주방문에 따른 주원료의 양, 곧 덧술의 쌀 양에서 유래한 것으로 추측해 볼 수 있다.

'노주이두방'을 빚는 데 따른 유의사항이나 그 특징은 특별하다고 할 것이 없으나, 덧술의 발효기간을 7일 이내로 끝내도록 하는 것인데, 다시 말해서 끓어오르던 술밑이 잦아들면 바로 증류를 해야 '노주(露酒)'의 수율이 높아진다는 사실만 염두에 둘 필요가 있다.

그리고 주방문에도 언급되어 있듯이 "물은 11~12차례 바꾸면 맛이 순하고,

8~9차례 바꿔주면 맛이 극히 독하다."고 하였듯이 냉각수 교환을 자주 해주어서 증류 시 백탁현상이 일어나지 않아야 하고, 또 "땔감은 참나무 및 보릿짚, 볏짚 등을 써서 쐈다 끄느름(꺼질 듯 약하게)했다 하는 일 없이 일정하도록 해야 한다."는 지적에서처럼 불의 세기를 일정하게 잘 조절하여 노주에서 탄 냄새(누룽지 냄새, 이취)가 발생하지 않도록 하는 일이다.

<산림경제>와 <해동농서>에 수록된 '노주이두방'의 주방문대로 술을 빚었을 때 얻을 수 있는 '노주'의 양은 원주의 30% 정도인 7되 정도로, 알코올 도수는 대략 30%를 조금 넘는다. <산림경제>와 <해동농서>의 '노주이두방'에 대한 주질에 대해서는 논하기 주저된다. 썩 좋다고 말할 수 없기 때문이다.

다만 <증보산림경제>와 <임원십육지>, <농정회요>에 수록된 '노주이두방'의 주질이 훨씬 뛰어난데, '노주'의 양은 원주의 35% 정도인 7되 정도이나 알코올 도수는 대략 38%를 조금 넘었으며, 특히 단맛과 함께 부드러운 향취를 느낄 수 있었다.

1. 노주이두방 <농정회요(農政會要)>

술 재료 : 밑술 : 찹쌀 1말, 멥쌀 1말, 누룩가루 9되, 끓인 물 8되
덧술 : 찹쌀 1말

술 빚는 법 :

* 밑술 :

1. 찹쌀 1말, 멥쌀 1말을 섞어 (백세하여) 물에 담가 윤이 나게 불렸다가 (다시 씻어 물기를 뺀 뒤) 작말한다.
2. (솥에 물 8되를 넣고 끓여 쌀가루에 합하고, 주걱으로 고루 개어 범벅을 쑨 뒤, 말갛게 익으면 넓은 그릇에 퍼서 차게 식기를 기다린다.)
3. (식은 죽에) 누룩가루 9되를 섞고, 고루 버무려 술밑을 빚는다.

4. 술독에 술밑을 담아 안치고, 예의 방법대로 하여 3일간 발효시킨다.

* 덧술 :

1. 찹쌀 2말을 (백세하여) 물에 담가 윤이 나게 불렸다가 (다시 씻어 헹궈서 물기를 뺀 뒤) 시루에 안쳐 고두밥을 짓는다.
2. 고두밥이 익었으면 퍼내고, 고루 펼쳐서 차게 식기를 기다린다.
3. 고두밥에 밑술을 합하고, 고루 버무려 술밑을 빚는다.
4. 술독에 술밑을 담아 안치고, 예의 방법대로 하여 7일간 발효시킨다.

* 소주 내리기 :

1. 솥에 불을 지피고 (물 2사발을 붓고 끓이다가, 술 2사발을 붓고 끓인다. 술 4사발을 솥에 붓고 저어준 뒤, 끓으면 다시 술 8사발을 붓는 방법으로 술을 다 안친 후, 소줏고리를 얹고, 소줏고리 위에 냉각수 그릇을 얹고, 솥과 소줏고리, 소줏고리와 냉각수 그릇의 틈새를 소줏번을 붙여 막는다. 소줏고리 귀때 밑에 수기를 받쳐놓고, 참나무나 보릿짚으로 불을 때되, 불을 알맞게 조절하여 소주를 받는다.)
2. 냉각수 그릇에 물을 채우고, 물이 따뜻하면 즉시 퍼내고 다시 찬물을 갈아주길 12차례 하면 그 맛이 평순하고, 8~9차례 하면 맛이 아주 독하다.

* 주방문 말미에 "소주를 뽑을 때 참나무나 보릿짚으로 불을 때되 불의 세기를 일정하게 한다."고 하였다. <증보산림경제>에는 밑술의 쌀이 각 1되씩으로 본 방문과 차이가 있다.

露酒二斗方

粳米粘米各一升沈潤作末細麯九升湯水八斗加之亦可交釀作本過三日 粘米二斗浸潤蒸飯待冷 與本合釀. 七日後燒出而易上水十二次則其味平順八九次則味極烈燒時用眞木或麥稈藁等火勿使緩急.

2. 노주이두방 <산림경제(山林經濟)>

술 재료 : 밑술 : 찹쌀 1되, 멥쌀 1되, 누룩가루 9되, 물 8말
덧술 : 찹쌀 2말

술 빚는 법 :

* 밑술 :

1. 찹쌀 1되, 멥쌀 1되를 섞어 백세하여 물에 담가 불렸다가, 다시 씻어 물기를 뺀 뒤 작말한다.
2. 솥에 물 8말을 넣고 끓여 쌀가루에 합하고 (주걱으로 고루 개어 죽/범벅을 쑨 뒤, 말갛게 익으면 넓은 그릇에 퍼서) 차게 식기를 기다린다.
3. 식은 죽에 누룩가루 9되를 섞고, 고루 버무려 술밑을 빚는다.
4. 술독에 술밑을 담아 안치고, 예의 방법대로 하여 3일간 발효시킨다.

* 덧술 :

1. 찹쌀 2말을 백세하여 (물에 담가 불렸다가, 다시 씻어 헹궈서 물기를 뺀 뒤) 시루에 안쳐 고두밥을 짓는다.
2. 고두밥이 익었으면 퍼내고, 고루 펼쳐서 차게 식기를 기다린다.
3. 고두밥에 밑술을 합하고, 고루 버무려 술밑을 빚는다.
4. 술독에 술밑을 담아 안치고, 예의 방법대로 하여 7일간 발효시킨다.

* 소주 내리기 :

1. 솥에 불을 지피고, 물 2사발을 붓고 끓이다가, 술 2사발을 붓고 끓인다.
2. 술 4사발을 솥에 붓고 저어준 뒤, 끓으면 다시 술 8사발을 붓는 방법으로 술을 다 안친 후, 소줏고리를 얹고, 소줏고리 위에 냉각수 그릇을 얹는다.
3. 솥과 소줏고리, 소줏고리와 냉각수 그릇의 틈새를 소줏번을 붙여 막는다.
4. 냉각수 그릇에 찬물을 채우고, 소줏고리 귀때 밑에 수기를 받쳐놓는다.

5. 뽕나무나 밤나무 불을 알맞게 조절하여 소주를 받되, 첫술 1컵 정도는 버리거나 다음에 증류할 술에 섞어 사용한다.
6. 냉각수 그릇의 물이 따뜻하면 즉시 퍼내고 다시 찬물을 갈아준다.

* <임원십육지>의 '소주다취로법'과 비슷한 방문으로, 이름만 다를 뿐이다. 주방문 말미에 "땔감은 참나무 및 보릿짚, 볏짚 등을 써서 쌌다 끄느름(꺼질 듯 약하게)했다 하는 일 없이 일정하도록 해야 한다." 고 하여 증류시의 연료와 증류방법에 대해 자세히 언급하였다.

露酒二斗方

露酒二斗方 粳米粘米各一升 沈水作末 細麴九升 湯水八斗 加之亦可 交釀過三日. 粘米二斗 蒸飯待冷 與本合釀. 七日後燒出 易上水十一二次 則其味平順. 八九次 則味極烈 取火 用眞木及麥稈藁等 而勿使緩急. <纂要補>.

3. 노주이두방 <임원십육지(林園十六志)>

술 재료 : 밑술 : 찹쌀 1되, 멥쌀 1되, 누룩가루 9되, 끓는 물 8되
덧술 : 찹쌀 2말

술 빚는 법 :

* 밑술 :

1. 찹쌀 1되와 멥쌀 1되를 백세하여 물에 담가 불렸다가 (다시 씻어 헹궈) 작말한다.
2. 솥에 물 8되를 넣고 끓여 쌀가루에 합하고 (주걱으로 고루 개어 범벅을 쑨다. 쌀가루가 말갛게 익으면 넓은 그릇에 퍼서) 차게 식기를 기다린다.
3. 식은 죽(범벅)에 누룩가루 9되를 섞고, 고루 버무려 술밑을 빚는다.

4. 술독에 술밑을 담아 안치고, 예의 방법대로 하여 3일간 발효시킨다.

＊ 덧술 :

1. 찹쌀 2말을 (백세하여) 물에 담가 불렸다가 (다시 씻어 헹궈서 물기를 뺀 뒤) 시루에 안쳐 고두밥을 짓는다.
2. 고두밥이 익었으면 퍼내고, 고루 펼쳐서 차게 식기를 기다린다.
3. 고두밥에 밑술을 합하고, 고루 버무려 술밑을 빚는다.
4. 술독에 술밑을 담아 안치고, 예의 방법대로 하여 7일간 발효시킨다.

＊ 소주 내리기 :

1. 솥에 불을 지피고, 물 2사발을 붓고 끓이다가, 술 2사발을 붓고 끓인다.
2. 술 4사발을 솥에 붓고 저어준 뒤, 끓으면 다시 술 8사발을 붓는 방법으로 술을 다 안친 후, 소줏고리를 얹고, 소줏고리 위에 냉각수 그릇을 얹는다.
3. 솥과 소줏고리, 소줏고리와 냉각수 그릇의 틈새를 소줏번을 붙여 막는다.
4. 냉각수 그릇에 찬물을 채우고, 소줏고리 귀때 밑에 수기를 받쳐놓는다.
5. 참나무나 보릿짚 등으로 불을 알맞게 조절하여 소주를 받는다.
6. 냉각수 그릇의 물이 따뜻하면 즉시 퍼내고 다시 찬물을 갈아주길 11~12차례 바꾸면 맛이 순하고, 8~9차례 바꿔주면 맛이 극히 독하다.

露酒二斗方

粳米粘米各一升沈潤作末細麴九升湯水八升和釀過三日. 糯米二斗浸潤烝飯待冷與本合釀七日後燒之易上水十二次則其味平順八九次則味極. <四時纂要補>.

4. 노주이두방 <증보산림경제(增補山林經濟)>

술 재료 : 밑술 : 찹쌀 1되, 멥쌀 1되, 누룩가루 9되, 끓인 물 8되
덧술 : 찹쌀 2말

술 빚는 법 :

* 밑술 :

1. 찹쌀 1되, 멥쌀 1되를 섞어 (백세하여) 물에 담가 불렸다가 (다시 씻어 물기를 뺀 뒤) 작말한다.
2. (솥에 물 8되를 넣고 끓여 쌀가루에 합하고, 주걱으로 고루 개어 범벅을 쑨 뒤, 말갛게 익으면 넓은 그릇에 퍼서 차게 식기를 기다린다.)
3. (식은) 범벅에 누룩가루 9되를 섞고, 고루 버무려 술밑을 빚는다.
4. 술독에 술밑을 담아 안치고, 예의 방법대로 하여 3일간 발효시킨다.

* 덧술 :

1. 찹쌀 2말을 (백세하여) 물에 담가 불렸다가 (다시 씻어 헹궈서 물기를 뺀 뒤) 시루에 안쳐 고두밥을 짓는다.
2. 고두밥이 익었으면 퍼내고, 고루 펼쳐서 차게 식기를 기다린다.
3. 고두밥에 밑술을 합하고, 고루 버무려 술밑을 빚는다.
4. 술독에 술밑을 담아 안치고, 예의 방법대로 하여 7일간 발효시킨다.

* 소주 내리기 :

1. 솥에 불을 지피고, 물 2사발을 붓고 끓이다가, 술 2사발을 붓고 끓인다.
2. 술 4사발을 솥에 붓고 저어준 뒤, 끓으면 다시 술 8사발을 붓는 방법으로 술을 다 안친 후, 소줏고리를 얹고, 소줏고리 위에 냉각수 그릇을 얹고, 솥과 소줏고리, 소줏고리와 냉각수 그릇의 틈새를 소줏번을 붙여 막는다.
3. 냉각수 그릇에 찬물을 채우고, 소줏고리 귀때 밑에 수기를 받쳐놓고, 참나무

나 보릿짚으로 불을 알맞게 조절하여 소주를 받되, 첫술 1컵 정도는 버린다.
4. 냉각수 그릇의 물이 따뜻하면 즉시 퍼내고 다시 찬물을 갈아주길 12차례 하면 그 맛이 평순하고, 8~9차례 하면 맛이 아주 독하다.

* <산림경제>를 인용한 것으로 여겨지며, 그 과정에서 밑술의 물 양이 8되로 줄어든 것을 알 수 있다.
* 주방문 말미에 "소주를 뽑을 때 참나무나 보릿짚으로 불을 때되 불의 세기를 일정하게 한다."고 하였다.

露酒二斗方

粳米粘米各一升沈潤作末細麯九升湯水八斗加之亦可交釀作本過三日. 粘米二斗浸潤蒸飯待冷 與本合釀.七日後燒出而易上水十二次則其味平順八九次則味極烈燒時用眞木及麥稈藁等火勿使緩急.

5. 노주이두방 <해동농서(海東農書)>

술 재료 : 밑술 : 찹쌀 1되, 멥쌀 1되, 누룩가루 9되, 끓인 물 8되
덧술 : 찹쌀 2말

술 빚는 법 :
* 밑술 :
1. 찹쌀 1되, 멥쌀 1되를 섞어 물에 담가 불렸다가 (다시 씻어 물기 뺀 뒤) 작말한다.
2. 솥에 물 8되를 넣고 끓여 쌀가루에 합하고, 주걱으로 고루 개어 범벅을 쑨 뒤 (말갛게 익으면 넓은 그릇에 퍼서 차게 식기를 기다린다.)
3. (식은 죽에) 누룩가루 9되를 섞고, 고루 버무려 술밑을 빚는다.

4. 술독에 술밑을 담아 안치고, 예의 방법대로 하여 3일간 발효시킨다.

* 덧술 :

1. 찹쌀 2말을 (백세하여 물에 담가 불렸다가, 다시 씻어 헹궈서 물기를 뺀 뒤) 시루에 안쳐 고두밥을 짓는다.
2. 고두밥이 익었으면 퍼내고, 고루 펼쳐서 차게 식기를 기다린다.
3. 고두밥에 밑술을 합하고, 고루 버무려 술밑을 빚는다.
4. 술독에 술밑을 담아 안치고, 예의 방법대로 하여 7일간 발효시킨다.

* 소주 내리기 :

1. 솥에 불을 지피고, 물 2사발을 붓고 끓이다가, 술 2사발을 붓고 끓인다.
2. 술 3사발을 솥에 붓고 저어준 뒤, 끓으면 다시 술을 붓는 방법으로 술을 다 안친 후, 소줏고리를 얹고, 소줏고리 위에 냉각수 그릇을 얹고, 솥과 소줏고리, 소줏고리와 냉각수 그릇의 틈새를 소줏번을 붙여 막는다.
3. 냉각수 그릇에 찬물을 채우고, 소줏고리 귀때 밑에 수기를 받쳐놓고, 참나무나 보리짚으로 불을 알맞게 조절하여 소주를 받되, 첫술 1컵 정도는 버린다.
4. 냉각수 그릇의 물이 따뜻하면 즉시 퍼내고 다시 찬물을 갈아주길 12차례 하면 그 맛이 평순하고, 8~9차례 하면 맛이 아주 독하다.

露酒二斗方

粳米粘米各一升沈水作末細麯九升湯水八斗加之亦可交釀過三日粘米二斗蒸飯待冷與本合釀七日後燒出而易上水十二次則其味平順八九次則味極烈取火用眞木及麥稈藁等火勿使緩急. <纂要補>.

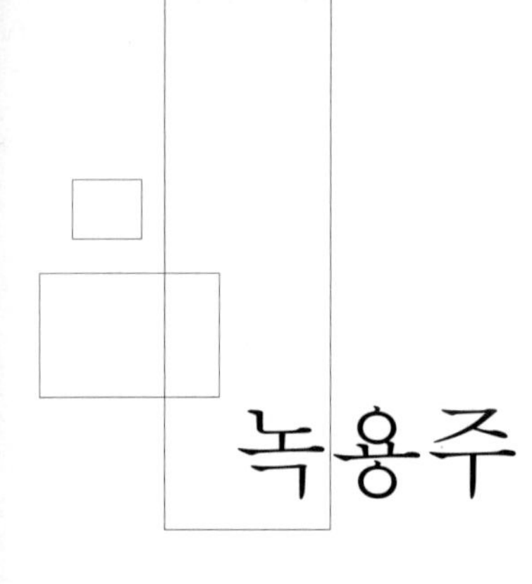

녹용주

스토리텔링 및 술 빚는 법

술 빚는 방법 가운데 민간에서 가장 널리 이루어지는 양주 방법이 바로 혼성주(混成酒)이다.

술을 빚어 마시는 나라에서는 공통적으로 나타나는 현상이거니와, 우리나라 가정에는 최소 한두 가지는 상비하고 있을 정도이고, 주로 초근목피(草根木皮) 등의 한약재와 꽃 등의 가향재(加香材)가 주류를 이루는데, 그 가짓수가 헤아릴 수 없을 정도로 많은 종류를 차지하고 있다는 점에서 특징을 이룬다고 할 것이다.

일반 가정에서 목격하기는 힘들지만 '녹용주(鹿茸酒)'도 그 중 한 가지에 속한다. '녹용주'는 <임원십육지(林園十六志)>와 <주찬(酒饌)>에 등장하는 것을 볼 수 있는데, <임원십육지>에는 주방문 대신 '녹용주'의 효능에 대해 언급하고 있으며, <주찬>에서는 발효주 방법이 아닌, 소주를 사용한 '녹용주' 주방문을 볼 수 있다.

"뿔이 있는 동물 중에서 뿔에 피가 흐르는 것은 사슴밖에 없다."고 하는데, 옛 의학 서적인 <동의보감(東醫寶鑑)>에 따르면 "녹용은 등뼈와 허리가 아픈 것을 치료해 준다. 또한 인체의 양기와 정혈을 아주 빨리 보충해 준다."고 하고, <본초비요(本草秘要)>에서는 "보혈 빈혈에 특효가 있고 양기를 보호해 준다."고 하였으며, <본초강목(本草綱目)>에서는 "정과 수, 음과 혈을 보하며 병후 원기회복 허약한 사람 폐결핵 폐기능 저하에 좋다."고 하였고, <의방유취(醫方類聚)>에서는 "남녀의 모든 허약증 영양실조 허리나 다리의 통증 피부소양감 등을 낫게 한다."고 하여 보양식품으로 널리 알려져 왔다.

일반적으로 녹용은 인체의 콜레스테롤의 양을 줄이며, 지질이 달라붙는 현상을 줄여주어 간세포의 손상을 억제하고, 회복을 촉진시키는 효능과 함께 꾸준히 섭취하면 인슐린 조절능력이 개선되어 당뇨병 치료에 효과적이라고 한다.

또 뛰어난 조혈기능이 있어 적혈구 생성을 촉진시켜 주기 때문에 빈혈에 매우 좋으며, 그 밖에도 생리불순 · 수족냉증 등의 증상을 완화해 주는 효능과 함께 근골을 튼튼하게 하고 골수를 보충해 주기 때문에 뼈와 치아 그리고 힘줄을 튼튼히 하는 데 좋으며, 원기가 허약해지는 것을 예방해 준다.

그 밖에도 간장과 신장을 보하여 남성은 정력을 강화시켜 주며, 여성의 자궁을 튼튼하게 해주고, 만성피로를 회복시켜 주는 효능도 있다.

한편 최근의 학술 연구 결과에 따르면, 녹용은 뇌 조직 내의 RNA 단백질 생성과 합성량을 증가시켜 뇌의 발달을 돕기 때문에 건망증, 치매 등의 증상에 효능이 좋다는 사실이 확인되었다.

이러한 이유로 녹용이 보약으로까지 인식되고 있는데, 실질적인 녹용의 성분은 조단백질을 비롯하여 조지방, 조회분, 조섬유, 무기질(칼슘 · 인 · 망간 · 구리 · 마그네슘 등)과 필수아미노산을 포함하여 약 16개 이상의 아미노산 등으로 구성되어 있는 것으로 밝혀져 있다.

이들 성분은 인체의 성장발육과 질병 예방에 필수 불가결한 것으로서, 생체의 활력 증가와 심근운동 개선, 피로 회복, 상처나 궤양의 치유 촉진 및 신체의 저항력 증강 등의 작용을 한다.

또한 인체의 면역기능을 담당하는 여러 세포 중 외부에서 침입하는 항원에 직접 작용하는 대신 세포의 양적 증가를 가져와 면역 능력을 증가시켜 준다고 한다.

그 외 여러 임상실험에서도 간장 및 심혈관 질환 개선에 탁월한 효과는 물론,

간장을 비롯한 실질 장기조직의 지방간 등 방지에 뚜렷한 효과를 나타낸다는 사실이 확인되었다.

이러한 녹용의 효능을 최대한 살리는 방법이 '녹용주'의 비법이라고 할 수 있겠는데, 그 요령은 녹용과 동량의 산약가루를 섞어서 사용하는 것이다. <주찬>의 주방문이 그것인데, 소주의 양이 언급되어 있지 않다.

일반적으로 혼성주는 주원료의 3배 이상의 '소주'를 사용해야 하고, 무엇보다 알코올 도수가 43% 이상인 순곡증류주 가운데서도 찹쌀로 빚은 술을 증류한 찹쌀소주라야 좋으며, 따뜻한 곳에서 오랫동안 숙성시킨 '소주'이면 더욱 좋다는 것이다.

또 술을 담은 주병이나 단지는 옹기로 된 도기가 좋고, 주둥이는 좁으며 목이 길고 가을에 빚어 잘 구운 것으로, 쇳소리가 길게 나고 단단하며 윤이 나는 것이라야 한다.

'녹용주'를 담은 그릇은 그늘지고 서늘하며 온도 변화가 적은 지하나 땅속에 묻어두면 더욱 좋은데, 7일이 지나면 찌꺼기를 제거한 뒤 다시 병이나 단지에 담아두고 마시면 좋다.

그리고 <주찬>의 주방문에도 언급하였듯, "산약 찌꺼기는 찹쌀풀이나 꿀에 개어 환약을 만들어두고 복용하면 좋다."고 한 것을 볼 수 있는데, 비린 냄새가 많아 그 맛이 썩 아름답지는 않다.

1. 녹용주 <임원십육지(林園十六志)>

鹿茸酒

(又)治陽虛痿弱小便頻數勞損諸虛. (案) <方見 葆養志>.

2. 녹용주 <주찬(酒饌)>

술 재료 : 여린 녹용 1냥, 산약가루 1냥, 명주자루 1개, 소주 (?)병

술 빚는 법 :

1. 여린 녹용 1냥을 털을 뽑고 잘게 잘라서 놓는다.
2. 산약도 1냥을 가루로 만들어놓는다.
3. 녹용과 산약가루를 명주자루에 담고 묶어둔다.
4. 주병(단지)에 약재 넣은 자루를 넣고 소주를 붓는다.
5. 주병의 주둥이를 밀봉하여 7일간 숙성시킨다.
6. 7일 지나 뚜껑을 열고 하루에 3잔씩 마신다.

* 녹용과 산약 찌꺼기는 버리지 말고 풀에 개서 둥그런 환을 만들어 복용한다.

鹿茸酒

治陽事虛痿小便頻數面色無光 用嫩鹿茸一兩去毛切片山藥末一兩絹袋裹置酒壜中七日開瓶一日飮三盃將茸焙作丸服. <普湯>.

뉴객주(뉴직주)

스토리텔링 및 술 빚는 법

'뉴객주법'은 어떤 의미로 이러한 주품명을 붙이게 되었는지 정확히 알 수 없다. 매우 세련되면서도 단정한 붓글씨로 쓰여진 한글본의 <양주방(釀酒方)>에 유일하기 기록되어 있는 주방문이다.

'뉴객주법'이란 주품에 대한 의미를 찾기 위하여 유객(誘客), 유객(遊客), 유객(留客)을 옥편에서 찾아보니, 그 표기를 '유직(庾稙)'으로 할 수도 있을 것 같다는 생각이 들었다.

따라서 주품명을 '유직주(庾稙酒)'로 한다고 가정한다면, 그 까닭은 주방문에서 찾을 수 있겠다 싶었다.

'뉴직주법'의 주방문을 보면, 주원료가 쌀이 아닌 마른 벼(稙)로, "마른 벼 1말 2되를 까불러서, 이물질과 죽정이 등을 제거한 후, 물에 깨끗이 씻어 물에 담가 불렸다가, 볍씨를 살금살금 쓿어 키로 쳐서 겨를 제거한 후에, 쌀을 절구에 넣고 짓찧는다."고 하였다. 주지하다시피 벼는 뒤주가 아닌 '곳간'이나 마당의 '곳집'에 보관하는 것으로, '곳집'을 유(庾)로 표기하는 까닭에 '뉴직주'는 '유직주'의 한글 표기라는 사실을 확인할 수 있게 된다.

이러한 의미의 '뉴직주'는 이른바 벼를 물에 깨끗이 씻어 물에 담가 불렸다가 살금살금 찧어 키로 쳐서 왕겨를 제거한 현미(玄米)로 빚는다는 사실을 특징으로 꼽을 수 있겠는데, 그 방법이 매우 독특하다.

밑술 방문을 보면 "벼를 물에 깨끗이 씻어 물에 담가 불렸다가, 살금살금 찧어 키로 쳐서 겨를 제거한 짓찧은 쌀을 어레미에 쳐서, 굳어질 만하면 반죽한 쌀을 시루에 안치고 밥을 쪄서 퍼낸 후에 가루누룩 2되를 섞고, 너무 무르게 하지 말고 예삿술 빚듯이 하여 술밑을 술독에 담아 안치고, 하루 동안 발효시킨다."고 하였다.

또 덧술은 "이튿날 멥쌀 1되를 물과 함께 솥에 안쳐서 끓여 죽을 쑤고, 가루누룩 1되를 섞어 밑술에 들이붓고 하루 동안 발효시킨다."고 하였다.

이로써 '뉴직주'는 밑술과 덧술의 발효기간이 단 하루 동안에 그친다는 사실이다. 특히 밑술은 쌀 양이 많다는 사실과 관련하여, 하루 동안에 발효를 마치기 위해서는 쪄낸 밥을 차게 식혀서는 안 된다. 밑술의 쪄낸 밥은 따뜻한 기운이 남게 하여 분량의 누룩과 물을 섞는데, "너무 무르게 하지 말고" 하였으므로 물의 양은 적당량(5~8되) 섞어주는 것이 좋을 듯하다.

덧술도 단 하루 동안에 술밑의 발효가 왕성하게 일어나야 하므로, 죽과 밑술을 다 같이 차게 식히지 말고 합하여 안치되, 뚜껑을 덮지 말고 면보자기만 씌워 따뜻한 실내에 두고 발효시켜야 한다는 것이 전제된다.

이상의 주방문을 살펴본 결과 '뉴직주'는 겉보리를 사용하여 빚는 <양주집(釀酒集)>의 '피모소주'와 매우 유사하다는 것을 알 수 있다.

물론 <양주집>과 <양주방> 두 문헌의 발간 연대가 미상이라는 사실과 관련하여 단언할 수는 없지만, '모미주'나 '모미소주', 그리고 가장 유사한 '피모소주'에 이르기까지 보리쌀과 겉보리를 사용하여 빚는 술은 여러 문헌에서 목격된다.

그러나 '뉴직주'는 <양주방>의 기록이 유일하기 때문에 '뉴직주'는 <양주집>의 '피모소주' 등 '모미소주'를 차용한 방문이라는 생각을 떨칠 수가 없다.

사실 여부는 차치하더라도 '뉴직주'도 증류식 소주라는 점에서 주목할 필요가 있고, '피모소주'와의 비교를 해볼 가치가 있다는 생각이다.

주방문대로 하자면, 술밑을 하루 동안에 발효시켜야 증류가 가능하다는 결론이고, "이튿날 술밑을 퍼내어 솥에 안치고, 소줏고리를 이용하여 증류하되, 불을 잘 때야 좋고 많이 난다."고 하였으므로, 술덧이 끓어올랐다가 다시 잦아들면 바로 술밑을 퍼내어 솥에 안쳐 증류를 하여야 한다.

이는 술덧을 거르지 않고 그대로 안쳐서 증류하는 방법이다. 그러나 주방문에서는 그렇다고 하더라도 가능하다면 술덧을 체에 걸러서 술찌꺼기를 제거한 탁주를 만들어서 증류하면 탄 냄새를 줄일 수 있어 더욱 좋다.

탄 냄새는 증류식 소주에서 지극히 당연하다고 생각할지도 모르겠으나, 탄 냄새는 엄정하게 이취(異臭)이자 악취(惡臭)로서 주질을 떨어뜨리고 주향(酒香)을 반감시키는 주원인으로 지적되는 만큼, 탄 냄새가 나지 않게 하는 것이 좋은 소주를 얻는 비결이다.

뉴객주법 <양주방(釀酒方)>

술 재료 : 밑술 : 마른 벼 1말 2되, 누룩 2되, 물(5~8되)
덧술 : 멥쌀 1되, 가루누룩 1되, 물 (2되)

술 빚는 법 :

* 밑술 :

1. 마른 벼 1말 2되를 까불러서, 이물질과 죽정이 등을 제거한 것으로 준비한다.
2. 볍씨를 물에 깨끗이 씻어 물에 담가 불렸다가, 소쿠리에 건져서 물기를 뺀다.
3. 볍씨를 살금살금 쓿어 키로 쳐서 겨를 제거한 후에, 쌀을 절구에 넣고 짓찧는다.
4. 짓찧은 쌀을 어레미에 쳐서 굳어질(뭉쳐질) 만하게 반죽한다.
5. 반죽한 쌀을 시루에 안치고, 밥을 쪄서 퍼낸다(따뜻하게 식힌다).
6. 쪄낸 밥에 가루누룩 2되를 섞고, 너무 무르게 하지 말고(물을 너무 많지 않

게) 예삿술 빚듯이 하여 술밑을 빚는다.

7. 술독에 술밑을 담아 안치고, 예의 방법대로 하여 (따뜻한 곳에서) 하루 동안 발효시킨다.

* 덧술 :

1. 이튿날 멥쌀 1되를 (백세하여 물에 담가 불렸다가, 다시 씻어 헹궈서) 물기를 빼놓는다.
2. (불린) 쌀을 물(2되)과 함께 솥에 안쳐서 끓여 죽을 쑨다(차게 식힌다).
3. 죽에 가루누룩 1되를 섞어 넣고, 밑술에 들이붓는다(휘저어준다).
4. 술독은 예의 방법대로 하여 (따뜻한 곳에서) 하루 동안 발효시킨다.
5. 이튿날 술밑을 퍼내어 (체에 걸러 막걸리를 만들어) 솥에 안치고, 소줏고리를 이용하여 증류한다.
6. 증류할 때 불을 잘 때야(불의 세기 조절을 잘해야) 좋고 많이 난다.

* 주방문 말미에 "너무 찬 곳에 두지 말고"는 발효시킬 장소를, "불을 잘 때야 좋고 많이 나느니라."고 한 것은 증류 방법을 말하는 것으로 판단된다. 방문을 보면, 도정하지 않은 나락(쌀)으로 빚는 술로 증류한 소주인데, '뉴객주법'으로 되어 있다. '뉴객주법'은 <양주방>에서 처음 보는 주품명이다.

뉴ᄀᆡᆨ쥬법

ᄆᆞ란 벼 말 두 되 ᄉᆞᆨ불러 물의 담갓다가 붓거든 건저 물 섀지거든 ᄉᆞᆯ금〻〻 ᄲᆞᆯ 허저 ᄉᆞᆨ불러 바리고 ᄶᅵ허 어러미로 쳐 구더질 만ᄒᆞ게 반쥭ᄒᆞ야 ᄂᆡᆨ게 쪄 ᄀᆞᄅᆞ누록 두 되 섯거 너모 물 누게 말고 예ᄉᆞ 샹술로 비즈라. 이튼(ᄂᆞᆯ) ᄲᆞᆯ 한 되 쥭 ᄲᅮ어 ᄀᆞᄅᆞ누록 한 되 드러 부엇다가 이튼날 고으라. 너모 찬 대 두지 말고 불을 잘 ᄠᅵ더야 죠코 만히 ᄂᆞ느니라.

당귀주

스토리텔링 및 술 빚는 법

한약재 가운데 가장 널리 사용되는 것으로 당귀를 빼놓을 수 없다.

특히 당귀는 피가 부족할 때는 피를 만들어주고, 피가 뭉쳤을 때는 풀어주는 '보혈화혈(補血和血)' 작용과 메마른 곳을 적셔주고 장을 매끄럽게 해주는 '윤조활장(潤燥滑腸)' 작용, 월경을 조화롭게 하고 통증을 그치게 하는 '조경지통(調經止痛)' 작용 외에도 만성화농증에 사용하면 순환을 개선시키고 체내의 저항력을 증강시키며, 변비에 복용하면 장관운동을 원활하게 해주어 배변을 용이하게 한다고 알려지고 있다.

이러한 당귀는 몇 가지 재미있는 설화가 전해 온다.

첫째 얘기는, 결혼한 신부가 냉병이 있어 소박을 맞고 친정으로 쫓겨 가는데 허기가 져서 어떤 풀을 뜯어먹고 허기를 면하게 되었는데, 어쩐 일인지 냉병이 호전되어 시집으로 돌아갔다는 이야기에서 "집으로 돌아간다."라는 뜻에서 당귀라고 부르게 되었다는 것이다.

둘째 얘기는, 전쟁에 나가는 남편에게 무사히 돌아오기를 기원하면서 당귀를 보따리에 넣어주었다는 이야기로, 당귀가 피를 만들어주는 효능이 뛰어나므로, 전쟁에 나가는 남편에게는 필요한 약초였다는 것이다.

당귀는 사용 부위에 따라 효과가 다른 약재로도 널리 알려져 있다. 당귀의 몸통(當歸身)은 피를 만드는 보혈작용을 하고, 당귀의 잔뿌리(當歸尾)는 피를 풀어주는 화혈작용이 뛰어나고, 전체적으로 피를 이롭게 할 때는 전초(全草)를 사용한다는 것이다.

이 밖에 당귀편(當歸片)에 황주(黃酒)를 뿌리고 4시간쯤 지나서 술이 흡수되어 약간 부풀면 약한 불에 담황색이 되도록 볶은 후 그늘에서 식힌 '주당귀(酒當歸)'는 화혈(和血) · 보혈(補血) · 조경(調經) 작용이 강화되어 풍습비통(風濕痺痛) 치료에 사용되고, 혈액순환과 피를 만드는 효과와 12경백을 도와주는 작용이 강화되어 풍습이 원인이 되어 팔이 아파 쓰지 못하는 증상의 치료에도 사용된다.

<동의보감(東醫寶鑑)>에 당귀를 술과 함께 사용하면 "음저(陰疽)를 치료한다." 하고, <임원십육지(林園十六志)>에는" 혈액순환을 돕고 근육과 골격을 튼튼히 하며 여러 가지 통증을 가볍게 하는 효능이 있다."고 하였다.

당귀를 이용한 술로 '당귀주'와 '당귀소주'가 <동의보감>과 <임원십육지>, <증보산림경제(增補山林經濟)> 등에 수록되어 있는데, 당귀를 주재료로 한 탕약을 술과 함께 복용하는 방법, 소주를 증류할 때 당귀를 놓아 소주로 하여금 당귀의 향과 성분을 우려내게 하여 마시는 방법이다.

특히 <임원십육지>와 <증보산림경제>의 주방문은 '노주소독법' 또는 '감홍로'를 응용한 것에 불과하여 큰 의미를 부여하기 그렇지만, 당귀의 독특한 방향은 특히 여성들을 위한 술로 개발할 가치가 있다는 점에서 주목할 필요가 있다.

1. 당귀주 <동의보감(東醫寶鑑)>

음저를 치료한다. 매운 육계 5돈, 당귀 4돈, 목향 · 백지 각 2돈을 썰어 2첩으로 나눈 후, 매번 1첩씩 달이고 찌꺼기를 제거한 후에 유향가루 반 돈을 타서 먹는다. <직지>를 인용하였다. <옹저>에 나온다.

當歸酒

治陰疽, 辣桂五錢, 當歸四錢, 木香 · 白芷 各二錢. 右剉 分二貼, 每取一貼, 酒煎去滓, 入乳香末半錢調服.

2. 당귀주 <임원십육지(林園十六志)>

혈액순환을 돕고 근육과 골격을 튼튼히 하며 여러 가지 통증을 가볍게 하는 효능이 있다. 당귀와 물을 달여 술을 빚든지 또 당귀를 술에 넣는 방법도 있다.

當歸酒

<本草綱目> 和血脉堅筋骨止諸痛調經水當歸煎汁或釀或浸並如他法.

3. 당귀소주법 <임원십육지(林園十六志)>

좋은 꿀로 소주를 담는 항아리를 닦으면 독을 없애고 맛이 좋아진다. 꿀이 너무 많으면 술이 달기 때문에 적량을 넣어야 한다. <증보산림경제>를 인용하였다. 소주를 담는 병 주둥이에 모시를 놓고 그 위에 계핏가루, 설탕 등을 놓고 술을 받으면 술맛이 달고 향기롭다. 술색을 붉게 하려면 모시 위에 자초, 노랗게 하려면 치자를 놓는다. <증보산림경제>를 인용하였다. 생당귀를 썰어 병에 넣고 소주를 받으면 술이 독하지 않고 맛이 좋다. <증보산림경제>를 인용하였다.

'당귀소주법'은 당귀 뿌리, 잎을 잘게 썰어 소줏고리에 올려서 증류시켜 꿀 약간을 넣고 밀봉한다. 며칠 후에 뚜껑을 열면 달고 향기가 극히 좋다. 관동(關東) 탄읍(炭邑)에는 당귀가 많이 생산되므로 이 술을 많이 담근다. <본초강목>을 인용하였다.

* 당귀와 물을 달여 술을 빚든지 또 당귀를 술에 넣는 방법도 있다.

燒露雜法

用好蜜塗承露缸底則毒消味佳蜜多則太甘少則無效斟量用之. <增補山林經濟>. 承露瓶口安苧片以桂皮末(沙/砂)糖屑置苧上則酒味甘香欲色紫則加紫草欲色黃則加梔子於苧片上. <同上>. 以新好當歸剉置瓶內而承露則烈性 稍緩味亦佳. <同上>.

當歸燒酒法

<本草綱目> (案)當歸燒酒法當歸幷根葉細剉入承露缸中以承露更入白蜜少許密封口數日開飮極甘香關東峽邑產當歸處多造之.

4. 노주소독방 우방(당귀주) <증보산림경제(增補山林經濟)>

술 재료 : 술(1말), 꿀, 당귀

술 빚는 법 :

1. 솥에 불을 지피고, 물 2사발을 붓고 끓이다가, 술 2사발을 붓고 끓인다.
2. 술 3~4사발을 솥에 붓고 저어준 뒤, 끓으면 다시 술 6~8사발을 붓는 방법으로 술을 다 안친다.
3. 솥 위에 소줏고리를 얹고, 소줏고리 위에 냉각수 그릇을 얹는다.
4. 솥과 소줏고리, 소줏고리와 냉각수 그릇의 틈새를 소줏번을 붙여 막는다.
5. 냉각수 그릇에 찬물을 채우고, 소줏고리 귀때 밑에 병(수기)을 받쳐놓는다.
6. 소주를 받을 병에 꿀을 약간 넣고, 병 주둥이에는 모시조각을 대고, 그 위에 당귀를 썰어놓는다.
7. 당귀가 너무 많으면 향이 진하여 맛이 거북할 수 있으므로, 적당량을 놓으

면 독성이 좀 누그러지고 향기와 맛이 좋다.

* 본 주방문에서는 '노주소독방 우방'라고 하였지만, 당귀를 사용한 경우 '당귀주' 또는 '당귀로(當歸露)'라고 해야 한다.

露酒消毒方

承露瓶口安苧片以桂皮砂糖末置於苧上則味殊絶色欲紫可芝根欲黃加梔子於苧片上. 又以新好當歸剉置瓶內而承露則烈性稍緩味亦佳.

모미소주·쌀보리소주

스토리텔링 및 술 빚는 법

"보리쌀로 빚은 술을 증류한 소주"라고 하여 이름 붙여진 '모미소주(麰米燒酒)'는 '모소주(麰燒酒)', '보리소주', '보리쌀소주법'으로 불린다.

<김승지댁주방문(金承旨宅廚方文)>을 비롯하여 <농정회요(農政會要)>, <양주방(釀酒方)>, <역주방문(曆酒方文)>, <우음제방(禹飮諸方)>, <임원십육지(林園十六志, 高麗大本)>, <주방(酒方)>*, <주방문(酒方文)>, <주방문조과법(造果法)>, <증보산림경제(增補山林經濟)>, <침주법(浸酒法)> 등 10종의 문헌에 '보리소주', '모소주', '모미로주(麰米露酒)' '쌀보리소주법'이라는 주품명으로 13차례나 등장한다.

'모미소주'는 우리말로 '보리소주'라고 할 수 있어, 이들 주품이 한 종류의 술이라는 것을 짐작할 수 있으며, 보리쌀을 사용한 증류주로 조상들이 매우 즐겼던 술이었다는 것을 알 수 있다.

'모미소주' 또는 '보리소주'는 단양주법(單釀酒法)이 3차례, 이양주법(二釀酒法)이 4차례, 삼양주법(三釀酒法)이 5차례 등장하는 것으로 미루어 다양한 주방문이 존재한다는 것을 알 수 있다.

한편 제주 지방에서는 '보리쌀로 빚은 술'을 '강술'이라고 부르는 것을 볼 수 있는데, '강술' 역시 증류식 소주이다.

따라서 먼저, <주방문>을 비롯한 문헌에 수록된 '보리소주', '모소주' '모미로주'를 이해하기 위해서는 <산가요록(山家要錄)>을 비롯하여 <농정회요>, <언서주찬방(諺書酒饌方)>, <양주집(釀酒集)>, <침주법>, <임원십육지>, <증보산림경제>, <주식방(酒食方, 高大閨壼要覽)>의 '보리술법'이나 '모미주'와는 어떻게 다른지 살펴볼 필요가 있다.

왜냐하면 보리를 주원료로 하여 빚는 전통주에 대한 보다 분명한 이해와 양주법의 확실한 기준을 모색할 수 있다고 생각하기 때문이다.

그 예로 <언서주찬방>의 '모미주' 주방문을 보면, "보리쌀을 백세하여 솥에 안쳐서 밥을 짓고, 익었으면 퍼내어 찬물에 담가 3일간 불려놓았다가, 햇볕에 많이 말려서 돌확에 넣고, 다시 고쳐 대껴서 껍질이 다 벗겨지도록 한 후에 다시 말갛게 물에 헹궈서 물기를 뺀다. 보리쌀을 니쌀(멥쌀)과 같은 방법으로 술밑을 빚는다."고 하고, 방문 말미에 "그 맛이 니술(쌀술)과 분별하지 못하느니라."고 하였다.

또 <침주법>의 '모미주' 주방문은 "보리쌀을 밥 익게 지어 펴 물에 담가 사흘만에 체에 밭쳐 건져 물기 (없이 하여) 엷게 널어 말뇌어 가장 마르거든 (방아에 찧어 햇볕에 바래어 버리고) 술 빚으면, 니술(멥쌀술)이나 (다르지 아)니 하니라." 고 하여 그 방법이 동일하다는 것을 알 수 있다.

이외 '모미주' 또는 '보리주'를 수록하고 있는 여러 문헌에 나타난 주방문의 공통점은 '보리소주' 또는 '모미소주'와 같이 보리쌀은 오랫동안 불려서 부식시킨 후, 고두밥 등 여러 가지 형태로 만들어 술을 빚는다는 점과, 술밑의 발효가 일어나는 즉시 거르거나 채주하여 마신다는 점에서 공통점을 찾을 수 있다.

또한 술을 빚는 사람의 솜씨나 멥쌀의 혼합 여부에 따라서 약간씩 방문이나 재료 양의 변화와 가공방법의 차이를 나타낸다고 할 수 있을 것 같다.

보리쌀로 술을 빚게 되면 발효가 용이하지 않기 때문에, 특히 한 번 빚는 단양주에서는 발효력을 높이기 위해 누룩의 양을 많이 사용하는 것이 일반적이다.

따라서 소주의 경우 멥쌀 등으로 밑술을 빚고, 보리쌀은 고두밥을 지어 덧술을 하는 것이 합리적일 것이라는, 다시 말해서 도수 높은 소주의 양을 늘리려는 생각에서 이양주법 또는 삼양주법의 주방문이 개발되었을 것으로 여겨진다.

<주방문조과법>의 '쌀보리소주법' 중 단양주법에서 보듯 "쌀보리들(를) 남거(남겨) 샹해(평상시) 밥가치 지오되 가장 므론(무르)고 즐거(질게) 지여 날물을 무치지 말고 차게 채와, 수들(술을) 하더(되) 누록들(을) 샹해 보리술 하는 누록애셔 두 블(두번) 들(덜) 녀허 듁을 쑤어 부서 누되(두되) 쓰거든 사흘 만의 일즈시(일찍이) 쇼쥬들(를) 꼬흐면 두 말애 한 병 한 식기나 넉넉이 나고, 수리 쓰지 아니하면 잘 나지 아니하나니라."고 하여 소주의 양이 매우 적다는 것을 알 수 있다.

<증보산림경제>의 '모미로주'와 <임원십육지>의 '모미소주'는 주방문이 동일한데, "보리쌀을 3~4일간 침지하였다가 건져서 건조시키고, 다시 쪄서 고두밥을 지은 후, 식으면 누룩을 섞고 쳐서 인절미 같은 떡 형태의 술밑을 만들어 발효시킨다."는 점에서 <주방문조과법>과 다르다는 것을 알 수 있다.

이양주법의 경우는 상대적으로 주방문이 다양하다는 것을 알 수 있다. 시대적으로 가장 앞선 기록인 <주방문>의 경우, '멥쌀가루를 익반죽하여 삶은 구멍떡을 만들어 누룩과 섞고, 술밑을 닥잎으로 싸서 발효시킨 다음, 보리쌀은 3~4일간 침지하여 부식시킨 후 고두밥을 짓는데, 보리쌀을 담근 물을 술 빚는 물로 사용하여 덧술을 빚는다.'고 하였다.

<역주방문>의 이양주법은 '멥쌀가루를 익반죽하여 만든 구멍떡을 쪄서 식혀 사용하고, 누룩과 섞은 술밑을 솔잎에 묻어서 발효시키며, 덧술은 보리쌀을 3일간 불린 후 건져서 고두밥을 찌고, 쌀 담갔던 물을 끓여서 술 빚는 물로 사용하여 덧술을 빚는다.' 고 하여 <주방문>과는 밑술 빚는 법이 다르다.

한편 <주방>*의 경우 <역주방문>과 유사한데, 밑술의 술밑을 솔잎이 아닌 닥잎으로 싸서 발효시킨다는 점에서 <역주방문>과 다르고, <침주법>의 '보리소주(麥燒酒)' 주방문은 "백미 두 되를 밥 익게 지어 솥에서 더운 이를 물 골화 식거든 누룩 한 되 섞어 항에 넣고 그날로 가을보리쌀 한 말을 남거 좋이 지어 물에 담가 사흘 만에 건져 물기 없이 익게 쪄 가장 차게 식혀 너 되를 섞어 그 담가둔 물을 버리지 말고 두었다가 먼저 밑술과 섞어 넣어 이레 만에 고으되 만물이란 홋 솥

에 넣어 고으라."고 하여 <주방>*과도 다르다는 것을 알 수 있다.

한편 가장 빈도가 높으면서 일관된 주방문을 보여주고 있는 경우가, <김승지댁주방문>과 <역주방문>, <양주방>, <우음제방>, <주방문조과법>에서 찾아볼 수 있는 삼양주법 주방문이다.

이들 문헌에 수록되어 있는 '보리소주' 주방문은 앞서의 다른 기록과는 또 다른 방법을 수록하고 있다. 즉, <김승지댁주방문>의 경우 밑술을 멥쌀로 익반죽한 구멍떡을 만들고 삶은 후, 식혀서 누룩가루와 혼화하여 빚은 술밑을 '닥나무잎'으로 싸서 발효시키고, 있어, 덧술 빚는 법은 이양주법의 과정과 동일하다. 2차 덧술은 멥쌀죽을 만들어 누룩과 덧술을 합하고 고루 버무려 빚는 방법으로 마무리를 한다.

<양주방>은 밑술을 바구니에 담아 매달아 발효시킨다는 점에서 차이가 있고, <역주방문>은 흰무리떡을 만들어 밑술을 빚는데, 작은 감 크기 정도로 반대기를 지어 술밑 한 개 한 개씩 닥나무잎으로 망개떡처럼 꼭 감싸고, 즉시 찬 곳에 메주처럼 매달아놓기도 하고 솔잎에 묻어 광주리에 담아 발효시키는 독특한 방법을 수록하고 있다.

한편 <우음제방>의 경우는 밑술을 구멍떡을 사용하여 빚는데, '닥나무잎'이나 '바구니', '솔잎'도 아닌, 술독에 안쳐서 발효시키는, 가장 일반적인 방법을 보여주고 있다. 그런데 다른 어떤 주방문보다 누룩의 양이 많이 사용된다는 점에서 큰 차이를 나타내고 있다.

또한 <주방문조과법>은 "닙쌀 한 되늘(를) 가른(루) 지허 구멍떡 하여 무근 누록 작말하여 한 되를 섯거 밋술하고, 보리쌀 한 말을 찌허 물에 담갓다가 사흘만의 밥을 실뢰(시루에) 쪄 밥을 실의 두 재는(둘 때는) 시든(루) 우희(위에) 어뢰미(어레미)를 남긔(나무, 쳇다리) 밧쳐 노코 어뢰미예 찬므롤(물을) 브서(부어서) 밥애 고돈(로) 토지게(흐지게) 하여 밥이 채 식거든 그 밋술에 섯거 녀헛다가 사흘 만의 또 닙쌀 반 되를 작말하여 죽을 우여(쑤어) 븟고 두근(묵은) 누록 작말하여 반 되들(를) 섯거 녀헛다가 또 사흘 만의 새배(벽) 가장 일즈시(일찍이) 쇼쥬들(를) 꼬흐면(고으면) 삿(네) 쥬발이 나나니라. 꼬흔(고을) 적의 찬물을 타셔 고코(고으고) 그 수(술) 되(승, 升) 보야(아) 하고 괼 대예(술밑이 끓을 때에) 꼬흐라(고으라)."고 하여 <우음제방>과 동일한 과정을 보여주고 있는데 덧술 방문에서 차이가 있다는 것을 알 수 있다.

따라서 삼양주법의 '모미소주' 또는 '보리소주'는 단양주법이나 이양주법보다 소량의 쌀을 추가하되, 술 빚는 횟수를 달리한 결과 소주의 수율에서 많은 차이가 난다는 것을 알 수 있다.

이로써 '모미소주' 또는 '보리소주'의 경우 보리쌀로만 빚는 소주와 멥쌀과 보리쌀을 섞어서 빚는 두 가지 방법이 거의 같은 비율로 나타나고 있어, 두 가지 방법이 조화를 이룬다는 것을 엿볼 수 있으며, <주방문>의 주방문을 바탕으로 변화와 발전된 주방문으로 이해할 수 있을 것 같다.

'모미소주' 또는 '모소주', '보리소주'의 원형을 담고 있는 <주방문>의 '모미소주'는 이양주법인 반면, 보다 후기의 기록인 <역주방문> 등 다른 문헌에는 삼양주법과 이양주법이 수록되어 있고, <임원십육지>와 <증보산림경제>에는 단양주법이 수록되어 있다는 점에서 이러한 추측을 할 수 있으며, 특히 보리쌀의 경우 3일간 물에 담가 부식시킨 보리쌀을 건조시켜 다시 찧고, 재차 물에 불려서 고두밥을 짓고, 식으면 누룩과 함께 화합하여 절구에 넣고 인절미를 치듯 절굿공이로 쳐서 술밑을 빚는다는 점에서 그 특징을 찾을 수 있다.

주지하다시피 보리쌀은 당화가 용이하지 않아, 오랜 시간 침지하여 부식시킨 뒤 익혀서 누룩과 함께 절구에 넣고 찧으면 당화를 촉진할 수가 있다는 점에서, 조상들의 지혜로움을 엿보게 된다.

결론적으로 '모미소주' 또는 '모소주방(牟燒酒方)', '보리소주방'은 문헌마다 각기 다른 주방문으로 나타나고 있어, 그 다양성과 함께 공통점도 찾을 수 있으며, 이러한 다양성과 공통점은 무엇보다 주원료인 보리(쌀)의 특성에 따른 양조기술의 반영이라고 생각된다.

다시 말해서 소주는 도수 높은 술밑을 만들어 증류하였을 때 맛이나 향기도 좋고 양이 많은 소주를 얻는 데 있는 만큼, 주원료의 보리를 어떻게 가공하여 발효를 원활하게 일으킬 것인가 하는 방법 모색이라고 할 수 있겠다.

이러한 '모미소주' 또는 '모소주방', '보리소주방'은 체에 밭쳐 탁주로 거른 뒤에 증류하는 것이 이취를 줄일 수 있으며, 쌀술에 비해 알코올 도수가 낮은 편이나 구수한 맛이 강하고, 무엇보다 다른 종류의 소주류에 비해 주독(酒毒)이 덜하다는 것을 장점으로 꼽을 수 있다.

1. 보리소주법 <김승지댁주방문(金承旨宅廚方文)>

술 재료 : 밑술 : 멥쌀 1되, 누룩가루 1되
덧술 : 가을보리 1말, 묵은 누룩가루 1홉, 물 1동이
2차 덧술 : 멥쌀 1되, 누룩가루 1되(홉)

술 빚는 법 :

* 밑술 :

1. 보리쌀 담근 날 멥쌀 1되를 백세하여 (물에 담가 불렸다가, 다시 씻어 건져서 물기를 뺀 후) 작말한다.
2. (쌀가루에 뜨거운 물을 뿌리고, 익반죽하여 둥글납작한 구멍떡을 빚는다.)
3. 구멍떡을 빚어 끓는 물에 넣고 삶아 (떡이 익어 물 위로 떠오르면 건져서 넓은 그릇에 담고 뚜껑을 덮어서) 차게 식기를 기다린다.
4. 차게 식은 떡에 누룩 1되를 합하고, 힘껏 치대어 술밑을 빚는다.
5. 술밑을 닥잎으로 싸서 술독에 담아 안친 후, 단단히 밀봉하여 2일간 발효시킨다.

* 덧술 :

1. 밑술 빚는 날 가을보리를 도정을 많이 하여 보리쌀을 만든 뒤, 1말을 백세하여 물 1동이에 담가 불린다.
2. 3일째 되는 날 보리 담갔던 물을 다른 그릇에 따라 두고, 보리는 (새 물에 다시 씻어 말갛게 건져서) 시루에 안쳐서 고두밥을 짓는다.
3. 보리밥이 익었으면 찬물을 부어가면서 차게 식을 때까지 헹궈낸다.

4. 보리밥에 밑술을 한데 합하여 술밑을 빚고, 술독에 담아 안친다.
5. 보리 담갔던 물을 백비탕으로 끓이되, 소주 냄새와 누룩 냄새가 나도록 끓여서 차게 식힌 후 덧술독에 붓고, 예의 방법대로 하여 3일간 발효시킨다.

* 2차 덧술 :
1. 쌀 1되(또는 1말)를 (백세하여 물에 담가 불렸다가, 다시 씻어 건져서 물기를 뺀 후) 보리물과 함께 끓여서 죽을 쑨 후, 차게 식힌다.
2. 죽에 누룩가루(1홉 또는 1되)를 합하고 고루 버무려 술밑을 빚는다.
3. 발효가 끝난 덧술에 술밑을 담아 안치고, 종이로 단단히 밀봉하여 서늘한 곳에서 3일간 발효시킨다.
4. 술독 뚜껑을 열어보아, 향기가 가득하고 맛이 좋으면 채주하고, 예의 방법대로 하여 소주를 내린다.

* 주방문 말미에 "또 사흘 만에 소주를 고으면, 열네 복자 나면 먹을 만하고, 열두 복자 나면 극히 맵고, 많이 하려 하면 여느 되쌀 한 말 되 넣는 것과 같이 하나니라."고 하였다. '보리소주'는 한국식 위스키라고도 할 수 있으며, <임원십육지> 외 <오주연문장전산고> 등에도 '모소주' 또는 '보리소주'가 수록되어 있는데, 방문이 전혀 다른 것으로 미루어 다양한 방법이 있음을 알 수 있다.

보리쇼쥬법

ᄀᆞ을보리를 무송히 쓸허 ᄊᆞᆯ이 ᄒᆞᆫ 말이면 물 ᄒᆞᆫ 동희로 ᄒᆞᄂᆞ니라. 부어 두고 그 ᄂᆞᆯ로서 ᄇᆡᆨ미 ᄒᆞᆫ 되를 작말ᄒᆞ여 구무력 ᄆᆡᆫ다(러) 닉게 ᄉᆞᆯ마 ᄎᆡ와 누룩 ᄒᆞᆫ 되를 ᄒᆞᆫᄃᆡ 버므려 닷닙히 싸서 항의에 너허 두엇다가 사흘 지ᄂᆞ거든 젼의 듀갓던 보리물을 다른 그릇에 ᄊᆞᆯ와 보리고 그 보리ᄊᆞᆯ을 닉게 쪄 찬물 부어 밥의 더운 김 업게 실ᄂᆡ셔 ᄂᆞ리오고 그 보리 ᄃᆞᆷ갓던 물을 ᄇᆡᆨ 번이나 ᄭᅳᆯ혀 그 물의서 쇼쥬 ᄂᆡ나 누룩 고와 ᄎᆡ와 구무력ᄒᆞᆫ 찐 밥 ᄒᆞᆫ 되 버므려 독의 너허 그 ᄭᅳᆯ힌 물 부어 사흘 만 ᄊᆞᆯ ᄒᆞᆫ 되를 흰쥭 슈어 ᄎᆡ와 누룩을 버므려 ᄯᅩ 사흘 만의

쇼쥬를 고ᄋᆞ면 열네 복ᄌᆞ도 ᄂᆞ면 먹을 만ᄒᆞᆫ 열두 복ᄌᆞ도 나면 국히 밉고 만히 ᄒᆞ랴 ᄒᆞ면 여느 되 ᄊᆞᆯ ᄒᆞᆫ 말 되엿는 것과 갓치 ᄒᆞᄂᆞ니라.

2. 모미주법 <농정회요(農政會要)>

–노주법(露酒法)

술 재료 : 보리 1말, 누룩가루 2~4되, 물(4~5되)

술 빚는 법 :

1. 보리로 (도정을 많이 하여) 만든 보리쌀을 (백세하여 물에 담가 불렸다가, 다시 씻어 건져서 물기를 뺀 뒤) 시루에 안쳐서 고두밥을 짓는다.
2. 보리고두밥을 퍼내서 찬물에 담가 3일간 불린 후 (다시 씻어 말갛게 헹궈 건진 뒤) 햇볕에 말렸다가, 다시 절구에 찧어 남아 있는 껍질을 제거한 후, 물에 담가 불린다.
3. 불린 보리쌀을 (재차 씻어 건져서 물기를 뺀 후) 시루에 안쳐서 무른 고두밥을 짓는다.
4. 고두밥이 익었으면, 골고루 펼쳐서 차게 식기를 기다린다.
5. 보리쌀 1말로 지은 고두밥에 누룩가루 2~4되의 비율로 섞고 (절구에 찧어 인절미 같은) 술밑을 빚는다.
6. 물기가 없는 술독에 술밑을 담아 안치고 (물 4~5되를 붓고 고루 휘저어준 뒤, 종이로 단단히 밀봉하여 서늘한 곳에서 15일간) 발효시킨다.

* 소주 내리기 :

1. 예의 방법대로 술을 걸러 탁주를 만들어놓는다.
2. 거른 탁주를 솥에 안치고, 소줏고리를 사용하여 소주를 내린다.

* 방문 말미에 "다시 절구에 찧어 남아 있는 껍질을 깨끗이 제거하고 담그는데, 쌀로 담근 술처럼 제법 맛이 좋다. '노주(露酒)'를 만들 수도 있다. '노주'를 만들려면 보리쌀 1말당 누룩가루 4되를 넣는다."고 하였으므로, 이에 주방문을 완성하였다.

麰米酒法

麰米炊作飯取出浸冷水三日後漉出晒乾改舂淨盡餘皮釀如米(美)酒頗好亦可燒作露酒(要燒每米一斗入麯末四升).

3. 보리소주법 <양주방(釀酒方)>

술 재료 : 밑술 : 멥쌀 1되, 가루누룩 1되
덧술 : 보리쌀 1말
2차 덧술 : 멥쌀 1되, 누룩 1되, 물(2되)

술 빚는 법 :

* 밑술 :

1. 멥쌀 1되를 (백세하여 물에 담가 불렸다가 다시 씻어 헹궈서) 작말한다(가루로 빻는다).
2. 멥쌀가루에 뜨거운 물을 붓고 익반죽하여 구멍떡을 빚는다.
3. 끓는 물솥에 구멍떡을 넣고 삶아서 떠오르면 건져서 차게 식기를 기다린다.
4. 구멍떡에 가루누룩 1되를 섞고, 고루 치대어 술밑을 빚는다.
5. 술밑을 바구니에 담아 시렁에 매달아 놓는다.

* 덧술 :

1. 밑술 빚는 날 보리 1말을 돌확에 많이 닦은 후, 백세하여 밥물 안치듯 물에

담가 불려서 햇볕에 내어 3일간 불려놓는다.
2. 불려둔 보리를 (다시 씻어 헹궈서) 건져서 솥에 안쳐서 밥을 익게 짓는다.
3. 보리밥을 방아에 넣고 인절미떡처럼 치고, 보리쌀 담갔던 물을 끓여 차게 식힌다.
4. 보리떡에 끓여 식혀둔 물과 밑술을 한데 섞고, 고루 버무려 술밑을 빚는다.
5. 술밑을 술독에 담아 안치고, 3일간 발효시킨다.

* 2차 덧술 :
1. 멥쌀 1되를 (백세하여 물에 담가 불렸다가 다시 씻어 헹궈서 건져내어) 물(2되)과 합하여 죽을 쑨다.
2. 죽이 퍼지게 익었으면, 넓은 그릇에 퍼서 차게 식기를 기다린다.
3. 덧술에 차게 식은 죽과 누룩 1되를 합하고, 고루 버무려 술밑을 빚는다.
4. 술밑을 술독에 담아 안치고, 예의 방법대로 하여 3일간 발효시킨다.
5. 3일 만에 술덧을 체에 걸러서 솥에 안치고, 소줏고리를 사용하여 소주를 내린다.

* 주방문에 "불을 잘 때고 고으면 많이 난다. 극한 더위 아니면 술밑(밑술) 항에 넣어도 좋으니라."고 하였다. 또 "밑하여 넣는 날 보리쌀 다 무난하니라."고 하여 멥쌀 아닌 보리쌀로도 가능하다는 것을 알 수 있다.

보리쇼쥬법

보리ᄡᆞᆯ 한 말 ᄆᆞ이 닷겨 빅세ᄒᆞ야 밥 안치ᄂᆞᆫ 물만치 ᄒᆞ야 담가 볏히 노코 ᄡᆞᆯ 한 되 작말ᄒᆞ야 구무ᄠᅥᆨ 만드러 닉게 살마 식거든 ᄀᆞᄅᆞ누록 한 되 쳐 바고니의 담아 ᄃᆞᆺ다가 ᄉᆞ흘 만의 그 ᄡᆞᆯ 건저 닉게 져 밋죠ᄎᆞ 방하의 ᄢᅵ허 담갓다가던 물 ᄭᅳᆯ혀 ᄎᆡ와 한대 쳐 너헛다가 ᄉᆞ흘 만의 ᄡᆞᆯ 한 되 쥭 ᄡᅮ어 누록 한 되 푸러 너헛다가 ᄉᆞ흘 만의 건져 고을아불을 잘 ᄶᅵ더 고으면 만히 나ᄂᆞ니라. 극ᄒᆞᆫ 더위 아니면 술밋항의 너허도 죠흐니라. 밋ᄒᆞ야 너ᄂᆞᆫ 날 보리ᄡᆞᆯ 다무ᄂᆞ니라.

4. 모소주방 <역주방문(曆酒方文)>

술 재료 : 밑술 : 멥쌀 1되 5홉, 누룩가루 1되 5홉, 닥잎 30여 장, (끓인 물 1되)
덧술 : 보리쌀 1말, 물(1말)
2차 덧술 : 멥쌀 5홉, 누룩가루 5홉, 물(1되 5홉)

술 빚는 법 :

* 밑술 :

1. 멥쌀 1되 5홉을 백세(물에 백 번 씻어 매우 깨끗하게 헹군 뒤, 새 물에 담가 불렸다가, 다시 씻어 말갛게 헹궈서 물기를 뺀 뒤) 작말한다(가루로 빻는다).
2. 쌀가루를 시루에 안쳐서 흰떡을 찌고, 익었으면 퍼내서 한김 나가게 식기를 기다린다.
3. 설기떡에 누룩가루 1되 5홉을 골고루 섞고, 물러지게 많이 치대서 작은 감 크기 정도로 반대기를 지어 술밑을 빚는다.
4. 술밑을 한 개 한 개 닥나무잎으로 망개떡처럼 꼭 감싸고, 즉시 찬 곳에 메주처럼 매달아 놓는다.

* 덧술 :

1. 밑술을 빚는 날 보리쌀 1말을 씻지 말고 물에 담가 불린다.
2. 물에 담가 불린 보리쌀을 살짝 씻어 헹군 후, 건져서 시루에 안치고 쪄서 보리고두밥이 잘 익었으면 퍼낸다.
3. 물(1말)에 보리쌀고두밥을 풀어 넣고, 팔팔 끓여 차게 식기를 기다린다.
4. 보리죽에 위의 밑술을 합하고, 고루 버무려서 술밑을 빚는다.
5. 술밑을 술독에 담아 안치고 (술독 주둥이에 묻은 것을 깨끗하게 씻어내고 베보자기와 뚜껑을 덮어) 발효시켜 익기를 기다린다.

* 2차 덧술 :

1. 멥쌀 5홉을 백세(물에 백 번 씻어 매우 깨끗하게 헹군 뒤, 새 물에 담가 불렸다가, 다시 씻어 말갛게 헹궈서) 물기를 뺀다.
2. 불린 쌀을 (물 1되 5홉을 합하고 끓여서) 죽을 쑨 뒤, 차게 식기를 기다린다.
3. 쌀죽에 덧술과 누룩가루 5홉을 한데 합하고, 고루 버무려서 술밑을 빚는다.
4. 술밑을 술독에 담아 안친 후, 하룻밤 발효시킨 후에 채주하여 소주를 내린다.

* 주방문에 보리쌀로 죽을 쑬 때 사용되는 물의 양도, 멥쌀 죽을 쑬 때의 물의 양도 언급되어 있지 않아 상법의 비율대로 정량하여 방문을 작성하였다. 그리고 방문 말미에 "끓여서 소주를 내리면 그 맛이 매우 극렬하며, 큰 잔으로 30잔 정도 얻을 수 있을 것이다."고 하였다.

牟燒酒方

白米一升五合作末蒸餠入曲末一升爲挼磨作塊若小(㧵)樣筒筒(饔/褁)之於楮葉急懸於冷處其日以牟米一斗浸水勿洗以置上酒本釀熟出酒味臭後以上浸水牟米極出濃蒸飯又收浸水猛沸候冷取上酒本調合於牟米飯釀熟後又收白米五合作粥曲末五合和勻經一宿後煮成燒酒(則)味甚烈以大杯得三十杯.

5. 모소주방 <역주방문(曆酒方文)>

술 재료 : 밑술 : 보리 1되, 누룩가루 1되, 솔잎
덧술 : 보리(1말)

술 빚는 법 :

* 밑술 :

1. 보리 1되를 물에 씻어 (불렸다가) 이물질과 흙을 제거한 뒤, 팔팔 끓는 물에 넣어 쪄낸다(삶는다)

2. 쪄낸 보리를 절구에 넣고 사정없이 쳐서 보리떡을 만든다(온기가 남게 식힌다).
3. 친 보리떡에 누룩가루 1되를 섞어가면서 다시 치대어 작은 덩어리(개떡) 형태의 술밑을 만들어놓는다.
4. 술밑을 알맞은 광주리에 안치는데, 솔잎을 깔고 그 위에 술밑을 안치고, 술밑 사이사이에 솔잎을 끼워 넣는다(다시 솔잎으로 덮은 다음, 뚜껑을 덮는다).
5. 술밑을 안친 광주리는 차지도 덥지도 않은 곳에 놓아 발효시킨다.

* 덧술 :
1. 떡 만드는(밑술 빚는) 날, 가을보리(1말)를 거칠게 찧어서 키질을 하여 까불러 껍질을 제거한 다음, 물에 담가놓는다.
2. 3일이 된 보리를 다시 살짝 씻어서 소쿠리에 밭쳐서 물기가 빠지면, 보리를 담갔던 물을 몇 차례 끓여서 다른 그릇에 담아 차게 식혀놓는다.
3. 물을 뺀 보리를 시루에 안쳐서 고두밥을 짓고, 익었으면 퍼내서 차게 식기를 기다린다.
4. 보리고두밥과 끓여 식혀둔 물, 밑술을 한데 합하고, 고루 버무려서 술밑을 빚는다.
5. 술밑을 술독에 담아 안친 후, 하룻밤 발효시켜서 술이 끓은 후에 온도가 내려가면 채주하여 소주를 내린다.
6. 소주를 내리는 방법은 에의 방법대로 한다.

* 주방문 말미에 “술이 새로 익어갈 때 끓여서 소주를 걸러 내리면 술도 많이 나고 맛이 매우 준열하다.”고 하였다.

牟燒酒方

牟一升作末作餠入於百沸水蒸成以曲末一升調勻挼磨作小塊以松葉間隔安盛於筐奩之置之於不寒不熱之處又取秋牟

春而另(歎)之作餠日間時浸之三日後極置竹器倒下右水置他器以右牟米作飯又以浸牟水三四沸兩種候冷取前松葉隔置之餠調均於上浸牟水和合於上牟飯釀於瓮中及其新熟煮成燒酒多出而

味其烈.

6. 보리소주 <우음제방(禹飮諸方)>

–3말 빚이

술 재료 : 밑술 : 멥쌀 1되 5홉, 누룩가루 1되 5홉, 닥나무잎 적당량
덧술 : 보리쌀 1말, 누룩 1말 5되, 보리쌀 담갔던 물
2차 덧술 : 멥쌀(1~2되), 누룩 적당량(1되), 물(5되)

술 빚는 법 :

* 밑술 :

1. 보리쌀 3말을 깨끗하게 닦아(대껴) 씻기를 많이 씻는다.
2. 불린 보리쌀을 밥 안치듯이 다시 새 물에 담가 햇볕에 놓아 쌀이 부식되도록 불려놓는다.
3. 멥쌀 1되 5홉을 (백세하여 물에 담가 불렸다가, 다시 씻어 건져서 물기를 뺀 후) 작말한다(가루로 빻는다).
4. 쌀가루를 뜨거운 물로 익반죽하여 구메떡(구멍떡) 만들어 익게 삶아 건져서 차게 식기를 기다린다.
5. 구멍떡에 누룩가루 1되 5홉을 합하고, 고루 치대어 멍우리 없는 술밑을 빚는다.
6. 술밑을 술독에 담아 안치고, 닥나무잎으로 덮어 날물기 없이 하여 (3~4일간) 발효시켜 익기를 기다린다.

* 덧술 :

1. 밑술 빚는 날 불려둔 보리쌀을 건져서 (다시 씻어 새 물에 말갛게 헹궈서) 시루에 안쳐서 고두밥을 짓는다.

2. 보리쌀 담갔던 물에 밑술을 합하고 고루 풀어놓는다.
3. 고두밥이 익었으면 퍼내고, 고루 펼쳐서 차게 식기를 기다린다.
4. 밑술을 풀어놓은 물에 고두밥과 누룩 1말 5되를 합하고, 고루 버무려 술밑을 빚는다.
5. 술밑을 술독에 담아 안치고, 예의 방법대로 하여 (4일간) 발효시킨다.

* 2차 덧술 :
1. 입쌀(멥쌀 또는 잡곡을 많고 적은 것에 관계없이 되는 대로 1~2되)을 준비한다(백세하여 물에 담가 불렸다가, 다시 씻어 건져서 물기를 빼놓는다).
2. 불린 쌀에 물(5되)을 합하고, 끓여서 죽을 쑨다(온기가 남게 식힌다).
3. 죽에 누룩을 짐작하여 적당량(1되)을 합하고, 고루 버무려 술밑을 빚는다.
4. 술밑을 덧술독에 합하고(고루 저어준다), 예의 방법대로 하여 2일간 발효시켜 술이 괴어오르기를 기다린다.

* 소주 내리기 :
1. 솥에 불을 지피고, 물 2사발을 붓고 끓이다가, 술 2사발을 붓고 끓인다.
2. 솥에 술 4사발을 붓고 저어준 뒤, 끓으면 다시 술을 붓는 방법으로 술을 다 안친 후, 소줏고리를 얹고 소줏고리 위에 냉각수 그릇을 얹는다.
3. 솥과 소줏고리, 소줏고리와 냉각수 그릇의 틈새를 소줏번을 붙여 막는다.
4. 냉각수 그릇에 찬물을 채우고, 소줏고리 귀때 밑에 수기를 받쳐놓는다.
5. 불을 알맞게 조절하여 소주를 받되, 첫술 1컵 정도는 버리거나 다음에 증류할 술에 섞어 사용한다.

* <증보산림경제>의 '모미로주법' 주방문을 참고 하여 2차 덧술의 쌀과 물, 누룩 양을 산정하였다.

보리소쥬

서 말 비ᄌᆞ려 ᄒᆞ면 보리쏠 고이 닥겨 씻기로 ᄆᆞ이 씨셔 밥 안치ᄂᆞᆫ 물만치 부어 담으고 볏희 노화 쉬도록 됴코 니ᄊᆞᆯ 되가옷 ᄀᆞ로 ᄆᆞᆫᄃᆞ라 구메떡쳐로 닉게 ᄉᆞᆯ마 식거든 누록 되옷만 너허 항의 너코 닥닙흐로 덥허 늘물긔 업시 ᄒᆞ야 두고 닉거든 보리ᄊᆞᆯ ᄃᆞᆷ은 거ᄉᆞᆯ 건져 찌고 ᄃᆞᆷ갓던 물의 술밋출 죄 풀어 누록 말가오ᄉᆞᆯ 그 술밋과 ᄒᆞᆫᄃᆡ 섯거 너헛다가 닷새 되거든 니ᄊᆞᆯ 다쇼를 혜아려 쥭 쓰어 누록 짐작ᄒᆞ여 너허 부어 ᄒᆞᆫ 이틀 지나거든 쇼쥬를 고으면 만히 나고 보리 ᄂᆡ도 업ᄂᆞ니라 보리밥을 식여 버므려야 됴흐니라.

7. 모미소주방 <임원십육지(林園十六志, 高麗大本)>

술 재료 : 보리쌀 1말, 누룩가루 4되

술 빚는 법 :

1. (보리를 도정을 많이 하여) 만든 보리쌀을 백세하여 찬물에 담가 3일간 불린다.
2. 보리쌀을 (다시 씻어 말갛게 헹궈 건진 뒤) 햇볕에 말렸다가, 다시 절구에 찧어 남아 있는 껍질을 제거한 후, 물에 담가 불린다.
3. 불린 보리쌀을 (재차 씻어 건져서 물기를 뺀 후, 솥에 안쳐서 무른 보리밥을 짓는다.)
4. (보리밥이 익었으면, 골고루 펼쳐서 차게 식기를 기다린다.)
5. 보리쌀 1말(고두밥)에 누룩가루 4되의 비율로 섞고, 절구에 찧어 인절미 같은 술밑을 빚는다.
6. 물기가 없는 술독에 술밑을 담아 안치고 (종이로 단단히 밀봉하여 서늘한 곳에서 15일간) 발효시킨다.

* 소주 내리기 :

1. 술이 익었으면 술덧을 펴서 준비한다(체에 걸러 탁주로 증류하면 더욱 좋다).

2. 솥에 술덧을 담아 안치고, 예의 방법대로 하여 소주를 내린다.

* 주방문 말미에 "노주(露酒)를 만들려면 보리쌀 1말당 누룩가루 4되를 넣는다."고 하였다.

麰米燒酒方

麰米炊作飯取出浸冷水三日後漉出晒乾改舂令粒上餘麩淨盡每米一斗入麴末四升釀如常法燒作露酒. <增補山林經濟>.

8. 보리소주방문 <주방(酒方)>*

술 재료 : 밑술 : 멥쌀 1되, 누룩 1되, 닥나무잎 여러 장
덧술 : 보리쌀 1말

술 빚는 법 :

* 밑술 :

1. 보리쌀 1말을 (백세하여) 물 2말에 담가 불려놓는다.
2. 보리쌀 물에 담그는 날 멥쌀 1되를 (백세하여 물에 담가 불렸다가, 다시 씻어 건져서) 가루로 빻고, (시루에 안쳐서) 김만 쐰 듯하게 (흰무리떡을) 찐다.
3. 쪄낸 (떡)에 누룩 1되를 섞고, 고루 치대서 메주처럼 만들고, 닥잎으로 싸서 단지에 담아 따뜻한 곳에 두고 3일간 삭힌다.

* 덧술 :

1. 3일 후에 담가두었던 보리쌀을 다시 씻어 헹군 후, 시루에 안쳐서 고두밥을 짓는다.
2. 보리쌀 담갔던 물을 버리지 말고, 잠깐 끓여서 식기를 기다린다.

3. 보리밥이 익었으면 시루에서 퍼내고 차게 식기를 기다린다.
4. 식혀둔 보리쌀 담근 물에 보리밥과 밑술을 합하고, 고루 치대어 술밑을 빚는다.
5. 술밑을 술독에 담아 안치고, 예의 방법대로 하여 (5일간) 발효시킨다.
6. 술이 익었으면 술체에 밭쳐 탁주를 거르되, 물 사발씩 부어 막걸리를 만든다.
7. 탁주를 솥에 담아 안친 후, 예의 방법대로 하여 소주를 내린다.

* 소주 내리기 :
1. 솥에 불을 지피고, 물 2사발을 붓고 끓이다가, 술 2사발을 붓고 끓인다.
2. 술 3사발을 솥에 붓고 저어준 뒤, 끓으면 다시 술을 붓는 방법으로 술을 다 안친 후, 소줏고리를 얹고, 소줏고리 위에 냉각수 그릇을 얹는다.
3. 솥과 소줏고리, 소줏고리와 냉각수 그릇의 틈새를 소줏번을 붙여 막는다.
4. 냉각수 그릇에 찬물을 채우고, 소줏고리 귀때 밑에 수기를 받쳐놓는다.
5. 불을 알맞게 조절하여 소주를 받는데 12보시기가 난다.

* 주방문 말미에 "물 덜 붓거나 더 붓거나 방문을 어기면 그릇되느니라."고 하고, "소주 12보아(보시기)가 난다.'고 하였다.

보리쇼듀방문

보리ᄡᆞᆯ ᄒᆞᆫ 말을 물 두 말 되어 ᄃᆞᄆᆞ되 보리ᄡᆞᆯ ᄃᆞ모ᄂᆞᆫ 날 니ᄡᆞᆯ ᄒᆞᆫ 되를 ᄀᆞᄅᆞ 모아 강반 찌덧 ᄒᆞ야 누록 ᄒᆞᆫ 되(를) 강반 찌덧 한 니ᄡᆞᆯ ᄀᆞᆯᄅᆡ 섯거 며조 쥐ᄃᆞ시 ᄒᆞ야 닥닙외 싸 그ᄅᆞᆺ시 다마 ᄃᆞᄉᆞᆫ ᄃᆡ 두엇다가 사ᄒᆞᆯ만 지내거든 ᄡᆞᆯ ᄃᆞ믄 물을 들리지 말고 다ᄅᆞᆫ 그ᄅᆞᆺ싀 부엇다가 ᄡᆞᆯ 뼈 비즐 제 ᄡᆞᆯ ᄃᆞᆷ갓던 물만 부어 비ᄌᆞ되 그 물을 잠간 ᄭᅳᆯ혀 식거든 빗고 비ᄌᆞᆫ 날 닐웨 지내가ᄃᆞᆫ 술을 거ᄅᆞ되 술 ᄒᆞᆫ 사발의 물 두 사발식 부어 걸러 소쥬 고으면 열두 보ᄋᆞ 나ᄂᆞ니와 물 덜 붓거나 더 붓거나 방문을 어긔오면 그(ᄅᆞᆺ)되ᄂᆞ니라.

9. 보리소주(麰燒酒) <주방문(酒方文)>

술 재료 : 밑술 : 멥쌀 1되, 누룩가루 1되, 닥나무잎 8~10장
덧술 : 보리쌀 1말, 냉수 1놋동이

술 빚는 법 :

* 밑술 :

1. 멥쌀 1되를 (백세하여 담가 불렸다 건져서) 가루로 빻는다.
2. 쌀가루에 뜨거운 물을 쳐서 되직한 익반죽을 만든다.
3. 쌀가루 반죽은 구멍떡을 얇게 빚어 끓는 물에 삶고, 익어 떠오르면 건져서 차갑지 않게 식힌다.
4. 떡 식힌 것에 누룩 1되를 합하고, 멍우리 없이 매우 치대어(혹은 돌확에 넣고 고루 다져) 술밑을 빚는다.
5. 술독에 술밑을 알맞은 크기로 떼어 주물러서 닥나무잎에 싸서 그릇(단지나 술독)에 담아 안치고, 예의 방법대로 하여 서늘한 데 두고 3~4일간 발효시킨다.

* 덧술 :

1. 밑술 빚는 날 고른(고르게 잘 익은) 보리쌀 1말을 (백세하여) 물 한 놋동이에 담가 불려놓는다.
2. 3~4일간 물에 담가 불렸던 보리쌀을 다시 씻어 건져 물기를 뺀다.
3. 보리쌀을 시루에 안쳐 고두밥을 짓고, 쌀 담갔던 놋동이의 물을 끓여 식히는데, 온기가 남게 식힌다.
4. 누룩을 끓여 식힌 물에 넣고 덩어리가 없게 풀어 물누룩을 만들어놓는다.
5. 고두밥이 익었으면 퍼낸다(고루 펼쳐서 차게 식기를 기다린다).
6. 고두밥에 거른 밑술과 물누룩을 합하고,, 고루 버무려 술밑을 빚는다.
7. 술독에 술밑을 담아 안치고, 예의 방법대로 하여 5일간 발효시킨 후, 소줏고

리에 안쳐 소주를 내린다.

* 방문 말미에 "닷샛 만의 고으면 네 행기 나고 됴흐니라. 누록이 만히 더수록 더 됴흐니라. 물이 한 사발이나 더 하여도 됴흐니라. 무근 누록은 한 되 하라."고 하였는바, 증류할 소주의 독한 정도를 가늠하여 누록이나 물 양을 조절하는 것을 볼 수 있다.
* 행기 : 식기의 하나

보리쇼쥬(麰燒酒)

고ᄅᆞᆫ 보리ᄡᆞᆯ ᄒᆞᆫ 말을 믈 ᄒᆞᆫ 놋동ᄒᆡ에 ᄃᆞᄆᆞ고 그날 니ᄡᆞᆯ ᄒᆞᆫ 되 ᄃᆞᆷ가 작말ᄒᆞ여 되즈기 반쥭ᄒᆞ여 구무떡 엷즈기 ᄆᆡᆫᄃᆞ라 닉게 ᄉᆞᆯ마 온긔 채 업디 아녀서 누록 ᄒᆞᆫ 되 섯거 ᄆᆞᄃᆞ락 업시 ᄆᆡ오 쳐 흑 도고의 ᄃᆡ허 도로 ᄃᆞᆰ의 알마곰 쥐여 닥닙픠 ᄃᆞᆫᄃᆞᆫ이 싸 그ᄅᆞᄉᆡ 다마 서늘ᄒᆞᆫ ᄃᆡ 연저 ᄃᆞᆺ다가 사ᄒᆞᆯ 만의 그 보리ᄡᆞᆯ을 시어 닉게 ᄡᅵ고 그 믈을 ᄉᆞᆯ혀 ᄎᆡ와 잠간 온긔 이신제 그 누록을 ᄆᆞᄃᆞ락 업시 프러 밥과 ᄒᆞᆫᄃᆡ 비저 닷새 만의 고으면 네 힝긔 나고 됴ᄒᆞ니라. 누록이 만ᄒᆞᆯ소록 더 됴ᄒᆞ니라. 믈이 ᄒᆞᆫ 사발이나 더ᄒᆞ여도 됴흐니라. ᄆᆞ근 누록은 ᄒᆞᆫ 되 ᄒᆞ라.

10. 쌀보리소주법 <주방문조과법(造果法)>

술 재료 : 밑술 : 멥쌀 1되, 묵은 누룩 1되, 떡 삶을 물(4~5ℓ 정도)
덧술 : 보리쌀 1말, 냉수
2차 덧술 : 멥쌀 5홉, 누룩 5홉, 물(2되 5홉 정도)

술 빚는 법 :

* 밑술 :

1. 멥쌀 1되를 백세하여 (물에 담가 불렸다가, 다시 씻어 헹궈서) 작말한다.

2. 솥에 물을 넉넉히(4~5ℓ 정도) 붓고 끓이다가, 따뜻해지면 2~3홉 정도를 뿌려가면서 고두 치대어 익반죽을 한다.
3. 솥의 물이 팔팔 끓으면 구멍떡을 넣고 삶아, 떡이 익어서 물 위로 떠오르면 그대로 차게 식기를 기다린다.
4. 차게 식은 구멍떡에 묵은 누룩 1되를 섞고, 고루 치대어 멍우리 없이 늘어지는 떡처럼 술밑을 빚는다.
5. 술밑을 술독에 담아 안치고, 예의 방법대로 하여 3일간 발효시킨다.

* 덧술 :
1. 보리쌀 1말을 찧어 (백세하여) 물에 담가 3일간 불렸다가 (다시 씻어 헹궈 건져서) 시루에 안쳐서 고두밥을 짓는다.
2. 보리밥이 익었으면, 시루째 떼어 위에 쳇다리와 어레미를 받쳐놓고, 어레미에 찬물을 골고루 흠씬 뿌려서 보리밥이 차게 식기를 기다린다.
3. 보리밥에 밑술을 합하고, 고루 치대어서 찰흙 같은 술밑을 빚는다.
4. 술밑을 술독에 담아 안치고, 예의 방법대로 하여 3일간 발효시킨다.

* 2차 덧술 :
1. 멥쌀 5홉을 백세하여 (물에 담가 불렸다가, 다시 씻어 헹궈서) 작말한다.
2. 솥에 물을 (2되 5홉 정도) 붓고 끓이다가, 따뜻해지면 쌀가루를 풀어 넣고 천천히 저어가면서 팔팔 끓는 죽을 쑨다.
3. 죽이 끓었으면 넓은 그릇에 퍼서 차게 식기를 기다린다.
4. 누룩을 찧어 어레미로 쳐서 5홉을 준비한다.
5. 차게 식은 죽에 누룩 5홉과 덧술을 한데 합하고, 고루 버무려 술밑을 빚는다,
6. 술밑을 술독에 담아 안치고, 예의 방법대로 하여 3일간 발효시킨다.

* 소주 내리기 :
1. 2차 덧술을 빚은 지 3일이 지나면 새벽에 일찍 술밑을 걸러 탁주를 준비한다.
2. 솥에 물을 한 바가지 붓고 끓기를 기다렸다가, 걸러둔 보리술 한 바가지를

붓는다.

3. 솥 안의 술이 끓기를 기다렸다가, 다시 물 2바가지를 붓고 끓기를 기다렸다가, 술 4바가지를 붓는다.
4. 계속해서 앞서와 같은 방법으로 술밑을 채워 양을 늘리는데, 물은 넣지 않는다.
5. 술밑을 솥의 85% 정도 채웠으면, 소줏고리를 안치고 소줏번을 붙인다.
6. 소줏고리 위의 냉각수 그릇에 냉각수를 가득 채워 붓는다(냉각수 그릇이 없으면 양푼이나 자배기를 올리고 시룻번을 붙인다).
7. 불을 약하게 줄이고, 소줏고리 귀때 밑에 소주 받을 그릇을 놓고 소주를 받는데, 초류는 한 컵 정도 받아서 버리거나 재차 증류할 때 넣어 사용한다.

* 주방문 말미에 "사흘 만의 새벽 가장 일찍이 쇼주를 고으면 네 쥬발이 나나니라."고 하고, 또 "고을 적의 찬물을 타셔 고으고, 그 술의 양(승, 升)을 보아 하고, 술밑이 끓을 때에 고으라."고 하여 주의사항을 열거해 놓았다.

쌀보리소주법

닙쌀 한 되늘 가른 지허 구멍떡 하여 무근 누록 작말하여 한 되를 섯거 밋술하고 보리쌀 한 말을 찌허 물에 담갓다가 사흘 만의 밥을 실릐 쪄 밥을 실의 두재는 시루 우희 어릐미를 남긔 밧쳐 노코 어릐미예 찬므를 브서 밥애 고른 토지게(흐지게) 하여 밥이 채 식거든 그 밋술에 섯거 녀헛다가 사흘 만의 또 닙쌀 반 되를 작말하여 쥭을 우여(쑤어) 붓고 무근 누록 작말하여 반 되를 섯거 녀헛다가 또 사흘 만의 새배 가장 일즈시 쇼쥬를 꼬흐면 삿 쥬발이 나나니라. 꼬흔 적의 찬물을 타셔 고코 그 수 되 보야 하고 필 대예 꼬흐라.

11. 쌀보리소주법 <주방문조과법(造果法)>

술 재료 : 쌀보리(2말), 묵은 누룩(또는 흰누룩) 2되

술 빚는 법 :

1. 쌀보리(2말)을 남겨 평상시 밥같이 밥을 짓되, 가장 무르고 질게 짓는다.
2. 밥이 익었으면 날물이 들어가지 않게 하여 차게 식기를 기다린다.
3. 누룩은 묵은 누룩을 쓰되, 없으면 흰누룩이라도 법제를 많이 하여 사용하는데, 평상시 보리술 할 때 두 차례 넣는다면 한 번만 사용하는데 그 양은 2되로 한다.
4. 보리밥에 묵은 누룩 2되를 넣고, 고루 치대어 술밑을 빚는다.
5. 술밑을 술독에 담아 안치고, 예의 방법대로 하여 3일간 발효시킨다.

* 소주 내리기 :

1. 2차 덧술을 빚은 지 3일이 지나면 새벽에 일찍 술밑을 걸러 탁주를 준비한다.
2. 솥에 물을 한 바가지 붓고 끓기를 기다렸다가, 걸러둔 보리술 한 바가지를 붓는다.
3. 솥 안의 술이 끓기를 기다렸다가, 다시 물 2바가지를 붓고 끓기를 기다렸다가, 술 4바가지를 붓는다.
4. 계속해서 앞서와 같은 방법으로 술밑을 채워 양을 늘리는데, 물은 넣지 않는다.
5. 술밑을 솥의 85% 정도 채웠으면, 소줏고리를 안치고 소줏번을 붙인다.
6. 소줏고리 위의 냉각수 그릇에 냉각수를 가득 채워 붓는다(냉각수 그릇이 없으면 양푼이나 자배기를 올리고 시룻번을 붙인다).
7. 불을 약하게 줄이고, 소줏고리 귀때 밑에 소주 받을 그릇을 놓고 소주를 받는데, 초류는 한 컵 정도 받아서 버리거나 재차 증류할 때 넣어 사용한다.

* 주방문 말미에 "쇼주를 고으면 두 말에 한 병 한 식기나 넉넉이 나고, 술이 쓰지 아니하면 잘 나지 아니하나니라."고 하였다. 또 "묵은 누록이 좋거니와 없으면 흰누록이라도 이슬을 맛쳐 많이 바래여 묵은 누록 섞어서 하면 됴흐니라."고 하였다.

쌀보리쇼쥬법

쌀보리들 남거 샹해 밥가치 지오되 가장 므른고 즐거 지여 날물을 무치지 말고 차게 채와 수를 하더 누록를 샹해 보리술 하는 누록애셔 두 블 들 녀허 듁을 쑤어 부서 누되 쓰거든 사흘만의 일즈시 쇼쥬를 꼬흐면 두 말애 한 병한 식기나 넉넉이 나고, 수리 쓰지 아니하면 잘 나지 아니하나니라. 무근 누록이 죠커니와 업스면 흿 누록이라도 이슬을 맛쳐 ᄆᆞ이 바래여 므근 누록 어서서 하면 됴흐니라.

12. 모미주법 <증보산림경제(增補山林經濟)>

술 재료 : 보리쌀 1말, 누룩가루 4되, 물(4~5되)

술 빚는 법 :

1. (보리를 도정을 많이 하여 만든) 보리쌀을 백세하여 찬물에 담가 3일간 불린다.
2. 보리쌀을 (다시 씻어 말갛게 헹궈 건진 뒤) 햇볕에 말렸다가, 다시 절구에 찧어 남아 있는 껍질을 제거한 후, 물에 담가 불린다.
3. 불린 보리쌀을 (재차 씻어 건져서 물기를 뺀 후, 솥에 안쳐서 무른) 보리밥을 짓는다.
4. 보리밥이 익었으면, 골고루 펼쳐서 차게 식기를 기다린다.
5. 보리쌀 1말로 지은 고두밥에 누룩가루 4되, 물(4~5되)의 비율로 섞고, 절구에 찧어 인절미 같은 술밑을 빚는다.
6. 물기가 없는 술독에 술밑을 담아 안치고 (종이로 단단히 밀봉하여 서늘한 곳에서 15일간) 발효시킨다.
7. 술덧을 걸러 탁주를 만든 후, 예의 방법대로 증류한다.

* 주방문 말미에 "다시 절구에 찧어 남아 있는 껍질을 깨끗이 제거하고 담그는데, 쌀로 담근 술처럼 제법 맛이 좋다. 노주(露酒)를 만들 수도 있다. 노주를 만들려면 보리쌀 1말당 누룩가루 4되를 넣는다."고 하였다.

麰米酒法

麰米炊作飯取出浸冷水三日後灑出晒乾改舂淨盡餘皮釀如美酒頗好亦可燒作露酒要燒每米一斗入麯末四升.

13. 보리소주(麥燒酒) <침주법(浸酒法)>

술 재료 : 밑술 : 멥쌀 2되, 누룩 1되, 물(되)
덧술 : 보리쌀 1말, 물 4되

술 빚는 법 :

* 밑술 :

1. 멥쌀 2되를 (백세하여 물에 담가 불렸다가, 다시 씻어 건져서) 솥에 안치고, 끓여서 밥을 짓는다.
2. 익은 밥에 물(되)을 고루 섞고, 차게 식기를 기다린다.
3. 밥을 펴내고 누룩 1되를 섞고, 고루 버무려 술밑을 빚는다.
4. 술밑을 술독에 담아 안치고, 예의 방법대로 하여 발효시킨다.

* 덧술 :

1. 밑술을 빚은 날 가을보리쌀 1말을 백세하여 물에 담가 불렸다가, 끓인 밥을 잘 지어서 찬물에 담가 3일간 불린다.
2. 불린 보리밥을 헹궈 건져서 물기를 뺀 후, 시루에 안치고 쪄서 차게 식기를 기다린다.

3. 물 4되를 보리밥에 섞고, 먼저 보리밥 담갔던 물을 버리지 말고 두었다가, 밑술과 합하여 놓는다.
4. 밑술과 고두밥을 한데 합하고, 고루 버무려 술밑을 빚는다.
5. 술밑을 술독에 담아 안치고, 예의 방법대로 하여 7일간 발효시킨다.
6. 술이 익었으면 (체에 걸러 탁주를 만들어) 소주 내린다.

* 증류 : 소주 주방문 참조할 것.

보리쇼쥬(麥燒酒)—ᄒᆞᆫ 말 두 되

빅미 두 되ᄅᆞᆯ 밥 닉게 지어 소틔셔 더온이ᄅᆞᆯ믈 골라 식거든 누록 ᄒᆞᆫ 되 섯거 항의 녀코 그 날로 ᄀᆞ올보리빨 ᄒᆞᆫ 말을 늠거 조히 지어 믈에 ᄃᆞᆷ가 사흘 만의 건져 믈 ᄡᅵ업시 닉게 ᄲᅧ ᄀᆞ장 ᄎᆞ게 시겨 너 되ᄅᆞᆯ 섯거 그 ᄃᆞᆷ가ᄃᆞᆫ 믈을 ᄇᆞ리지 말고 ᄃᆞᆺ다가 몬져 밋술과 섯거 녀허 닐웨 만의 고오되 만믈으란 ᄒᆞᆺ소틔 녀허 고오라.

목맥소주

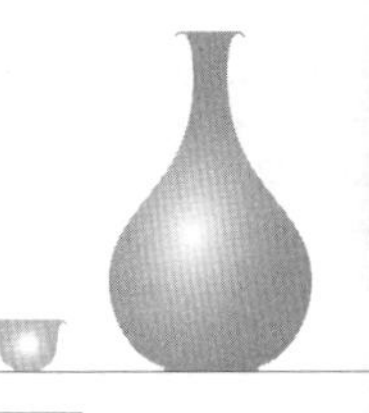

스토리텔링 및 술 빚는 법

우리의 전통주는 주원료가 다양하다는 특징을 띠고 있다.

와인이나 맥주를 즐기는 서양문화권에서는 찾아보기 힘든 일이지만, 쌀 위주의 식생활을 추구해 오고 있는 아시아문화권에서는 전분질이 주성분인 곡물이면 다 술을 빚을 수 있었고, 특히 우리나라에서는 지방마다 지리적 기후와 풍토에 따른 여러 가지 작물을 사용한 양조를 즐겨왔음을 볼 수 있다.

일테면 돼지감자나 고구마, 도토리, 밤, 심지어 호박으로도 술을 빚었고, 흔치는 않지만 피나 귀리, 메밀까지도 술을 빚었다.

그 중 메밀은 과거 구황작물로 널리 애용되었는데, 현대에 와서는 건강식과 기능식품으로도 각광을 받고 있다. 메밀은 한자어로 '교맥(蕎麥)'이라고도 하는데, 이 메밀을 사용한 전통주가 문헌에 기록되어 전해지고 있다.

국내 최초의 양조 관련 서적으로 평가받고 있는 문헌이 1450년경 발간된 것으로 추정되는 <산가요록(山家要錄)>인데, '목맥소주(木麥燒酒)'라고 하여 소주방문이 기록되어 있다.

그리고 이 '목맥소주'는 <산가요록>보다 373년이나 뒤늦은 1823년에 발간된 <임원십육지(林園十六志)>에도 등장하는데, 명칭이 다르긴 하지만 '교맥소주방(蕎麥露酒方)'도 <산가요록>의 '목맥소주'와 동일한 주방문이라는 것을 알 수 있다.

그런데 이들 두 문헌에서 나타나는 공통점은 주방문도 동일하지만, 두 기록의 주품이 다 같이 '소주(燒酒)'라고 하는 사실이다.

메밀 역시 주성분이 전분으로 구성되어 있는 만큼, '탁주(濁酒)'나 '청주(淸酒)'로도 빚어졌을 법한데, '소주' 주방문만이 기록되어 있는 것이다.

사실 <임원십육지>에만 '교맥소주방'이 수록되어 있다고 한다면 다른 이유를 찾을 필요가 없겠지만, 국내 최고의 기록인 <산가요록>에도 동일한 주방문인 '목맥소주'가 등장하는 만큼 여러 가지 다른 이유를 찾아야만 했다.

왜냐하면 <임원십육지>의 경우 <본초강목(本草綱目)>을 비롯하여, <구선신은서>, <제민요술(齊民要術)> 등 여러 중국 문헌을 인용한 사례가 많고, '교맥소주방' 또한 중국의 기록인 <삼산방>을 인용한 까닭에서다.

또한 메밀 외에도 보리와 밀, 옥수수, 귀리 같은 곡물도 발효주보다는 '진맥소주', '모미소주', '피모소주' '옥촉서소주' '이모로주' 등 소주 주방문이 많다는 사실을 확인할 수가 있고, 가양주나 현재까지도 전승되고 있는 전통주나 토속주 가운데 '진도홍주'를 비롯하여 '전주이강주' 등은 보리가 주원료인 증류주류이고, 강원도의 '옥선주'는 옥수수가 주원료인 증류주라는 공통점을 나타내고 있다는 사실에서 그 이유를 찾을 수 있다.

따라서 <산가요록>의 '목맥소주'나 <임원십육지>에 등장하는 '교맥소주방' 주방문에서 그 답을 찾을 수 있다고 생각된다.

두 문헌의 '목맥소주'와 '교맥소주방' 주방문에 "메밀 4~5말을 보통 방법으로 술을 빚는다. 술이 막 익으려고 하면 또 보리 1말 5되로 죽을 쑤어 항아리에 붓는다. 표면이 등황색이 되면 자루에 담아서 짠 후 술지게미는 버리고 소주를 내려 맑은 술을 취하면 탄내가 나지 않는다."고 하였다.

술 빚는 방법을 보자면, 두 문헌에서 다 같이 구체적인 재료 배합비율이나 가공방법이 언급되어 있지 않아, 잡곡인 메밀은 고두밥을 지어 사용하는 기본적인 방법을 취하였고, 메밀과 보리의 양을 감안하여 물과 누룩 양을 산정하여 방문을 작성하였다. 확신할 수는 없지만, 밑술은 메밀을 사용하고 덧술은 보리죽으로 하여 술을 빚는다는 사실과 함께, 밑술의 발효가 시작될 때 덧술을 해 넣는데, 그것도 원료를 죽 형태로 하여 술을 빚는다는 공통점을 목격할 수가 있다는 사실이다.

주지하다시피 전통주는 전통적으로 누룩이라고 하는 자연 발효·효소제를 사용하여 양주를 해야 했던 까닭에 발효가 용이하지 않았다.

그래서 전분 외의 섬유질이나 다른 여러 가지 영양성분이 풍부한 원료의 완전 발효가 힘들었으므로, 당화가 용이한 죽 형태로 발효시키고, 발효 중에 또는 숙성을 거치지 않은 미숙주를 증류하여 소주를 만들어 즐기는 양주방법을 추구해 왔던 것이다.

이로써 옛 조상들의 술을 빚는 기술이 얼마나 과학적이고 체계적이며 합리적이었는지를 다시 한 번 확인할 수 있는 기회를 얻었다.

이하 자세한 내용은 '목맥주'에서 구체적으로 언급하였으므로, 본고에서는 생략한다.

목맥소주 <산가요록(山家要錄)>

–메밀 4~5말, 보리 1말 5되 빚이

술 재료 : 밑술 : 메밀 4~5말, 누룩가루(4~5되), 물(6~8말)
덧술 : 보리쌀 1말 5되, 물(3말)

술 빚는 법 :

* 밑술 :

1. 메밀 4~5말을 백세하여 물에 담가 불렸다가 (다시 씻어 건져서) 물기를 뺀다.
2. 시루에 불린 쌀을 안치고 쪄서 고두밥을 짓고, 익었으면 퍼서 넓은 그릇 여러 개에 나눠 담고, 차게 식기를 기다린다.
3. 메밀고두밥에 누룩가루(5되)와 물(6~8말)을 섞고, 고루 버무려 술밑을 빚

는다.

4. 술밑을 술독에 담아 안치고 예의 방법대로 하여 (1~2일간) 발효시킨다.

* 덧술 :

1. 밑술이 막 익으려 하면, 보리쌀 1말 5되를 백세하여 3~4일 동안 물에 담가 불렸다가, 다시 씻어 건져서 물기를 뺀다.
2. 솥에 물(3말)을 끓이다가, 불린 보리를 넣고 죽을 쑨 후 (넓은 그릇에 퍼서) 차갑게 식기를 기다린다.
3. 보리죽에 밑술을 함께 섞고, 고루 버무려 술밑을 빚는다.
4. 술밑을 술독에 담아 안치고 예의 방법대로 하여 발효시킨 다음, 술덧 표면이 등황색으로 변하면, 베자루에 담아서 술주자에 거른다.

* 소주 내리기 :

1. 가마솥에 거른 술을 담아 안치고, 소줏고리를 얹는다.
2. 소줏고리에 냉각수를 붓고, 예의 방법대로 하여 소주를 받는다.

木麥燒酒

木麥四五斗 作酒. 酒方熟. 又用大麥一斗半 造粥. 下酒瓮. 候面澄黃 以布俗壓槽. 酒色如古 其滓. 卽造燒酒 頓無烟氣.

밀소주·소맥소주·소맥로주·진맥소주

스토리텔링 및 술 빚는 법

모든 술은 원료의 당질(糖質)이 무엇이냐에 따라 구분하는 것이 일반화되어 있으므로, '소맥소주(小麥燒酒)'는 "참밀로 빚은 술을 증류한 소주"라는 뜻이다.

밀을 진맥(眞麥) 또는 소맥(小麥)이라고 하므로, 참밀로 빚은 술을 증류한 소주는 '밀소주' 또는 '진맥소주(眞麥燒酒)' 그리고 '소맥소주'라고도 한다.

밀을 주원료로 한 전통소주는 <수운잡방(需雲雜方)>과 <음식디미방>, <언서주찬방(諺書酒饌方)>, <농정회요(農政會要)>, <임원십육지(林園十六志)>, <증보산림경제(增補山林經濟)> 등 6종의 문헌에서 찾아볼 수 있는데, 시대적으로는 <언서주찬방>의 '밀소주' 주방문과 <수운잡방>의 '진맥소주' 주방문이 가장 앞선 것이다.

이후의 <음식디미방>, <증보산림경제>, <임원십육지>, <농정회요> 등의 문헌에서는 '밀소주', '소맥소주' 또는 '소맥노주(小麥露酒)' 등으로 기록되어 있는 것을 볼 수 있다.

<언서주찬방>의 '밀소주' 주방문을 비롯하여 <증보산림경제>, <임원십육지>,

<농정회요> 등의 '소맥소주' 또는 '소맥노주'는 <수운잡방>과 <음식디미방>에 수록된 '진맥소주' 또는 '밀소주'와 주원료의 배합비율과 술을 빚는 과정이 유사하면서도 다르다는 것을 알 수 있다.

<언서주찬방>의 '밀소주'를 비롯하여 <증보산림경제>, <임원십육지>, <농정회요>에는 '밀소주'를 비롯하여 '소맥소주' 또는 '소맥노주'라 하였고, 밀 1말에 대하여 누룩 4되와 함께 물 1말(바리)이 사용되는데, "밀 1말을 잘 씻어 시루에 안쳐서 무르게 푹 쪄낸 후, 절구에 넣고 아주 곱게 찧어 인절미 모양으로 둥글게 뭉쳐서 햇볕에 말리는데, 밀떡이 반쯤 꾸들꾸들하게 되면 누룩가루 4되를 합하고, 다시 찧어 물러지게 떡을 친 다음, 물 1말을 끓여서 차게 식혀서 인절미처럼 만든 밀떡과 함께 섞어 술밑을 빚는다."고 하여, <수운잡방>과 <음식디미방>의 "쪄낸 밀밥에 누룩을 섞어 함께 찧고 항아리에 담아 안친 후 물을 붓고 섞어준다."고 하는 방법과는 약간 다른 과정으로 술 빚기가 이뤄진다는 것을 알 수 있다.

다만, <수운잡방>의 '진맥소주' 주방문은 밀 1말에 대하여 누룩 5되와 물 1바리이고, <음식디미방>의 '밀소주' 주방문은 밀 1말에 대하여 누룩 5되, 냉수 1동이로서 물의 양에서 차이가 있다.

따라서 <언서주찬방>의 '밀소주'를 비롯하여 <증보산림경제>와 <농정회요>의 '소맥소주', <임원십육지>의 '소맥노주'를 빚는 방법과 <수운잡방>의 '진맥소주'나 <음식디미방>의 '밀소주'는 술 빚는 과정에서 약간의 차이가 있다고도 할 수 있겠다.

그런데 중요한 사실은 <수운잡방>의 '진맥소주' 주방문에 언급한 내용을 보면, "술을 고면(증류하면) 소주 4복자가 나오는데, 그 맛이 매우 독하다."고 하였고, <음식디미방>에서는 "소주 4대야가 난다."고 한 것으로 미루어, <음식디미방>의 '밀소주'가 <수운잡방>의 '진맥소주'보다 술밑의 알코올 도수가 매우 낮거나, 알코올 도수가 비교적 낮은 '소주'가 만들어진다는 생각을 할 수도 있다.

소위 '복자'와 '대야'의 차이가 있기 때문이다. 특히 <언서주찬방>을 비롯하여 <증보산림경제>, <임원십육지>, <농정회요>의 기록에는 '소주'의 양에 대한 언급이 없기 때문에, 또 다른 양의 '소주'를 얻을 수 있을 것이라는 생각을 할 수도 있겠지만 이는 착각일 수도 있다.

단언할 수는 없지만, <언서주찬방>을 비롯하여 <증보산림경제>, <임원십육지>, <농정회요>의 '소주' 수율(收率)도 <수운잡방>이나 <음식디미방>의 수율과 다를 바 없기 때문이다.

왜냐하면 소주 증류를 통해 얻을 수 있는 알코올 양은 당질의 원료로 사용되는 밀의 양이 1말로서, 1말의 밀을 발효시켜서 얻을 수 있는 알코올 양은 한계가 있다는 사실이다.

때문에 수율이라는 것은, 술덧의 발효상태에 따라 알코올 도수가 어느 정도 되는 소주인가가 중요한 것이지, 주원료의 양이나 소주의 양이 중요한 것은 아니라는 것이다.

도수가 낮은 '소주'를 얻고자 하면 당연히 양은 많아지고, 도수가 높은 '소주'를 얻고자 하면 그 양은 자연스럽게 적을 수밖에 없다.

실제 문헌마다의 주방문대로 '밀소주'를 비롯하여 '진맥소주'와 '소맥소주', '소맥노주'를 빚어본 결과, 재미있는 사실을 발견할 수가 있었다.

먼저, 술을 빚을 때 통밀을 매우 무르게 쪄야 하고, 누룩을 곱게 빻아 사용하도록 하여야 발효가 잘 이뤄진다는 사실이다. 특히 증자한 밀과 누룩을 섞어 절구에 찧는 방법인데, 밀고두밥이 뜨거울 때 누룩과 섞어 찧게 되면 작업을 빨리 끝낼 수 있다는 장점이 있기는 하지만, 발효된 술에서 산미를 많이 느낄 수 있고, '소주'의 수율도 떨어진다는 것이다.

따라서 밀고두밥은 반드시 차게 식힌 다음에 오랫동안 찧어서 떡처럼 되었을 때 덩어리를 만들어 약간 건조시킨 후에 다시 누룩가루와 섞고, 재차 떡메로 쳐서 빚은 술밑에 물과 섞어 술독에 담아 안치고 발효시키는, <언서주찬방> 외의 문헌에 수록된 방법이 <음식디미방>이나 <수운잡방>의 주방문보다 수율이 좋았다는 사실이다.

끝으로 발효된 술덧은 가능한 한 걸러서 찌꺼기를 제거한 탁주를 만들어 사용하거나 탁주를 가라앉혀서 맑은 술을 떠서 증류할 것을 권하고 싶다.

물론, 증류가 끝날 때까지 냉각수 교환에 신경을 써야 한다는 것은 불문가지이다.

'진맥소주'를 증류하면서 냉각수를 18회 정도 갈아주었는데, 그 방법은 찬물을 들였다가 곧 퍼내고 다시 찬물로 갈아주는 방법으로 증류를 끝냈다.

그리고 증류가 끝났을 때의 '소주'의 양과 알코올 도수를 측정한 결과 '소주' 4복자가 못 얻어졌으며, 이때의 알코올 도수는 34%이었다. 기록대로 4복자를 얻은 결과 알코올 도수는 28%로 떨어졌는데, 그 맛이 매우 부드럽고 구수한 맛을 주어 보리쌀로 빚는 '홍주'나 '이강주'와 같은 구수한 향취를 주었다.

한편, <음식디미방>과 <언서주찬방>의 '밀소주'를 빚어 증류한 결과, 기록과는 달리 알코올 도수 33%의 소주 3대야가 못 되었으며, 4대야를 얻은 결과 알코올 도수 22%로 떨어졌다.

필자가 수백 가지 전통주의 주방문에서 목격했던 여러 가지 특징 가운데 하나가, 밀을 주원료로 하여 빚은 술은 다섯 손가락 안에 들 정도로 밀의 사용을 꺼린다는 것이다.

특히 '밀소주' 또는 '진맥소주'와 같이 통밀을 주원료로 하는 경우는 있어도, 통밀을 도정, 분쇄하여 만든 밀가루를 주원료로 발효시킨 전통주는 단 한 가지도 없다는 사실이다.

그런 의미에서 예의 방문과 같이 통밀을 쪄서 식힌 뒤 누룩가루와 섞고, 이를 절구에 찧어 인절미와 같은 상태로 하여 술밑을 빚는 방법은 매우 이채롭다고 할 수 있겠으나, 밀과 같이 도정하지 않은 재료는 여러 가지 성분을 함유하고 있어 발효가 잘 되지 않는다.

'밀소주' 또는 '진맥소주'와 비슷한 방문으로 김천의 '과하주'와 <양주집(釀酒集)>의 '모미주', '모미소주', '피모소주'를 예로 들 수 있다. 또 이러한 술 빚기에서 간과할 수 없는 몇 가지 사실은, 주원료가 밀이든 보리든 술 빚기에 사용되는 누룩의 양이 대단히 많다는 것이고, 술이 완성되었을 경우 알코올 함량이 대단히 낮다는 점이다. 때문에 맛이 없고 누룩 냄새가 심한데다, 빨리 변질되어 오랜 기간 보관이 어렵게 되므로 소주를 내리게 되는데, 증류를 할 때 예의 '소주'처럼 맑지가 않고 누룩 냄새가 심해질 수 있으므로, 특히 증류를 잘해야 한다.

결론적으로 <언서주찬방>을 비롯하여 <증보산림경제>, <임원십육지>, <농정회요>, <수운잡방>, <음식디미방>의 '밀소주'또는 '소맥소주' 또는 '소맥노주', '진맥소주'의 주방문에서 알 수 있는 분명한 사실은, 이들 주품이 공통적으로 밀을 주재료로 하는 술 빚기에서는 많은 양의 누룩을 필요로 하는데, 도정하지 않은 채 익힌 곡물은 발효가 원활하지 못하다는 것을 알 수 있다.

이는 밀의 경우 쌀을 비롯하여 보리·조·기장·수수보다 특히 단백질 함량이 높아, 소량의 누룩으로는 정상적인 발효를 도모할 수 없을 뿐 아니라, 좋은 술을 얻기가 어렵다는 사실의 반증이다.

때문에 밀 1말당 누룩 5되가 사용되는, 누룩의 사용비율이 50%에 이른다는 단 한 가지 사실로도 이를 증명할 수 있다는 것이다.

때문에 쪄낸 고두밥과 누룩을 함께 섞어 찧는 과정을 통해 원활한 발효를 도모하고 있음을 목격하게 된다. 쪄서 익힌 밀이라고 하더라도 절구에 넣고 쳐서 찐 떡을 만들어 당화와 발효가 용이한 상태의 술밑을 빚는, 선험적 지혜를 동원하고 있는 것이다.

이러한 예의 술 빚기는 우리 조상들이 전통 식생활을 통해서 비롯된 오랜 경험과 노력에서 체득한 지혜라고 할 수 있다.

1. 소맥소주법 <농정회요(農政會要)>

술 재료 : 밀 1말, 누룩가루 4되, 냉수 1바리

술 빚는 법 :

1. 밀 1말을 정세하여(백세하여 이물질과 부유물을 제거한 후, 물에 담가 윤이 나게 불렸다가, 다시 씻어 건져서) 시루에 안쳐서 무르게 푹 찐다.
2. 쪄낸 밀을 절구에 넣고 아주 곱게 찧어, 인절미 모양으로 둥글게 뭉쳐서 햇볕에 건조시킨다.
3. 밀떡이 반쯤 꾸들꾸들하게 되면 (차게 식기를 기다려) 누룩가루 4되를 합하고, 다시 찧어 물러지게 떡을 친다(인절미처럼 만든다).
4. 물 1바리를 끓여서 차게 식힌 후, 인절미처럼 만든 밀떡과 함께 섞어 술밑

을 빚는다.

5. 술밑을 술독에 담아 안치고, 예의 방법대로 하여 5일간 발효시킨다.
6. (술이 익었으면 술체에 밭쳐 밀막걸리를 거른다.)
7. 발효가 끝난 밀술(밀막걸리)을 예의 방법대로 솥에 담아 안친다.

* 소주 내리기 :

1. 솥에 불을 지피고, 물 2사발을 붓고 끓이다가, 술 2사발을 붓고 끓인다.
2. 술 3사발을 솥에 붓고 저어준 뒤, 끓으면 다시 술을 붓는 방법으로 술을 다 안친 후, 소줏고리를 얹고, 소줏고리 위에 냉각수 그릇을 얹는다.
3. 솥과 소줏고리, 소줏고리와 냉각수 그릇의 틈새를 소줏번을 붙여 막는다.
4. 냉각수 그릇에 찬물을 채우고, 소줏고리 귀때 밑에 수기를 받쳐놓는다.
5. 불을 알맞게 조절하여 소주를 받되, 첫술 1컵 정도는 버리거나 다음에 증류할 술에 섞어 사용한다.

小麥燒酒法

小麥一斗淨洗淘去沙石浸潤蒸令極熟 下碓舂之細爛團作餠樣晒至半乾又舂之以麯末四升且和且舂又取出作餠用水一斗沸過候冷與餠納瓮五日後燒之.

2. 진맥소주 <수운잡방(需雲雜方)>

술 재료 : 진맥(참밀) 1말, 누룩 5되, 물 1바리

술 빚는 법 :

1. 진맥 1말을 백세하여 (물에 담가 불렸다가) 시루에 찰지게 쪄낸다.
2. 쪄낸 진맥을 (차게 식힌 뒤) 누룩 5되와 섞어 절구에 넣고, 많이 찧어 술밑을 빚는다.

3. 술독에 술밑을 담아 안치고, 찬물 1바리를 붓고 젓는다.
4. 술독을 밀봉하여 예의 방법대로 하여 5일간 발효시킨다.
5. 5일 후에 걸러서 예의 방법대로 소주를 내린다.

* 주방문 말미에 "술을 고면(증류하면) 소주 4복자가 나오는데, 그 맛이 매우 독하다."고 하였다.
* 선(鐥) : <태상지>에 "酒鐥以銅爲之圓, 經六寸五分, 深三寸一分, 有一耳耳, 長一寸六分, 闊一寸五分, 以量祭酒甁以銅, 爲之容入一鐥半量."이라고 하였다. 즉, "복자는 동으로 만들어 둥근 그릇으로, 직경 6촌 5푼, 깊이 3촌 1푼, 귀(귀때)가 1개 달려 있으며, 길이는 장 1촌 6푼, 입지름은 1촌 5푼이 더 벌어져 있다. 이것(복자)은 동으로 만들어진 제주병에 1복자 반의 양이 들어간다."고 하여 병(甁)의 양을 알 수 있다.
  한편, <주찬>에는 "선의승야(鐥疑升也)"라고 하여 "복자는 되와 같은 것으로 생각된다."고 하였다.

眞麥燒酒

眞麥一斗淨洗煇蒸好麴五升合搗納瓮冷水一盆注下攪之第五日燒取酒四鐥極猛.

3. 밀소주 <언서주찬방(諺書酒饌方)>

술 재료 : 밀 1말, 누룩가루 4되, 끓여 식힌 물 1물

술 빚는 법 :
1. 진맥 1말을 백세하여 (물에 담가 무르게 불렸다가) 시루에 가장 무르익게 찐다.
2. 물 1말을 끓여서 넓은 그릇에 펴서 차게 식힌다.

3. 쪄낸 밀밥을 방아에 찧어 떡(반대기)을 만들어 햇볕에 널어 반건한다(차게 식힌다).
4. 반건조시킨 밀떡을 다시 찧되, 누룩가루 4되와 섞고 절구에 넣고, 많이 찧어 인절미떡 같은 술밑을 빚는다.
5. 술밑과 끓여 식힌 물 1말을 술독에 담아 안치고, 예의 방법대로 하여 5일간 발효시킨다.
6. 5일 후에 술덧을 체에 걸러서 예의 방법대로 소주를 내린다.

밀쇼쥬一小麥一斗 曲末四升

밀 ᄒᆞᆫ 말을 죄 시서 돌 이러 믈이 채 붇거든 ᄀᆞ장 므ᄅᆞ 닉게 뼈 방하에 늘온이 디허 ᄯᅥᆨ ᄆᆞᆫᄃᆞ라 볃회 반건ᄒᆞ야 도로 디ᄒᆞ며 누록ᄀᆞᄅᆞ 넉 되를 ᄒᆞᆫ되 섯그며 디허 ᄯᅥᆨ ᄆᆞᆫᄃᆞ라 글힌 믈 ᄒᆞᆫ 말만 시겨 그 ᄯᅥᆨ과 항의 녀허 닷새 후에 쇼쥬 고오라.

4. 밀소주 <음식디미방>

술 재료 : 밀 1말, 누룩가루 5되, 냉수 1동이

술 빚는 법 :
1. 밀 1말을 잘 씻어(백세하여 물에 담가 불렸다가, 다시 씻어 건져서) 시루에 안쳐서 무르게 찐다.
2. (쪄낸 밀고두밥을 고루 펼쳐서 차게 식기를 기다린다.)
3. 밀고두밥에 누룩가루 5되를 섞고, 절구에 넣고 짓찧어 인절미 같은 반죽을 만든다(인절미처럼 만든다).
4. 밀반죽에 냉수 1동이를 붓고, 고루 휘저어 풀어 술밑을 빚어놓는다.
5. 술밑을 술독에 담아 안치고, 예의 방법대로 하여 5일간 발효시킨다.
6. (술이 익었으면 술체에 밭쳐 밀탁주를 거른다.)

* 소주 내리기 :

1. 솥에 불을 지피고, 물 2사발을 붓고 끓이다가, 밀탁주 2사발을 붓고 끓인다.
2. 술 3~4사발을 솥에 붓고 저어준 뒤, 끓으면 다시 밀탁주 6~8사발을 붓는 방법으로 술을 다 안친 후, 소줏고리를 얹고, 소줏고리 위에 냉각수 그릇을 얹는다.
3. 솥과 소줏고리, 소줏고리와 냉각수 그릇의 틈새를 소줏번을 붙여 막는다.
4. 냉각수 그릇에 찬물을 채우고, 소줏고리 귀때 밑에 수기를 받쳐놓는다.
5. 불을 알맞게 조절하여 소주를 받되, 첫술 1컵 정도는 버리거나 다음에 증류할 술에 섞어 사용한다.

* 주방문 말미에 "소주 4대야가 난다."고 하였다.

밀쇼쥬

밀 ᄒᆞᆫ 말을 조히 시어 므ᄅᆞ 쪄 누록 닷 되를 ᄒᆞᆫᄃᆡ 섯거 찌허 ᄂᆡᆼ슈 ᄒᆞᆫ 동ᄒᆡ 브어 저서 둣다가 닷쇄 만애 고흐면 네 대야 나ᄂᆞ니라.

5. 소맥로주방 <임원십육지(林園十六志)>

술 재료 : 통밀 1말, 누룩가루 4되, 끓여 식힌 물 1말

술 빚는 법 :

1. 통밀 1말을 정세하여 일어 건져서 모래를 제거한 후 (물에 담가 불렸다가, 다시 씻어 건져서 물기를 뺀 후) 시루에 안쳐서 매우 무르게 푹 찐다.
2. 쪄낸 밀을 절구에 넣고, 아주 곱게 찧어 인절미 모양으로 둥글게 뭉쳐서 햇볕에 말린다.
3. 밀떡이 반쯤 꾸들하게 되면, 누룩가루 4되를 합하고, 다시 찧어 물러지게 떡

을 친다(인절미처럼 만든다).
4. 물 1말을 끓여서 차게 식힌 후, 인절미처럼 만든 밀떡과 함께 고루 섞어 술밑을 빚는다.
5. 술밑을 술독에 담아 안치고, 예의 방법대로 하여 5일간 발효시킨다.
6. 술이 익었으면 소주를 내릴 준비를 한다(술찌꺼기가 많아 눋기 쉬우므로, 술체에 밭쳐 밀막걸리를 거른다).

* 소주 내리기 :
1. 솥에 불을 지피고, 물 2사발을 붓고 끓이다가, 술 2사발을 붓고 끓인다.
2. 술 3~4사발을 솥에 붓고 저어준 뒤, 끓으면 다시 술을 붓는 방법으로 술을 다 안친 후, 소줏고리를 얹고, 소줏고리 위에 냉각수 그릇을 얹는다.
3. 솥과 소줏고리, 소줏고리와 냉각수 그릇의 틈새를 소줏번을 붙여 막는다.
4. 냉각수 그릇에 찬물을 채우고, 소줏고리 귀때 밑에 수기를 받쳐놓는다.
5. 불을 알맞게 조절하여 소주를 받되, 첫술 1컵 정도는 버리거나 다음에 증류할 술에 섞어 사용한다.

小麥露酒方

小麥一斗淨洗淘去沙石浸極潤上甑爛烝下碓擣之用手揉(捏)作餠晒至半乾又擣之以麴末四升且和且舂更捏作餠以水一斗沸過候冷與餠納瓮五日後燒如常法. <聞見方>.

6. 소맥소주법 <증보산림경제(增補山林經濟)>

술 재료 : 밀 1말, 누룩가루 4되, 끓여 식힌 물 1말

술 빚는 법 :

1. 밀 1말을 잘 씻어(백세하여 물에 담가 불렸다가, 다시 씻어 건져서) 시루에 안쳐서 무르게 푹 찐다.
2. 쪄낸 밀을 절구에 넣고, 아주 곱게 찧어 인절미 모양으로 둥글게 뭉쳐서 햇볕에 말린다.
3. 밀떡이 반쯤 꾸들꾸들하게 되면 (차게 식기를 기다려) 누룩가루 4되를 합하고, 다시 찧어 물러지게 떡을 친다(인절미처럼 만든다).
4. 물 1말을 끓여서 차게 식힌 후, 인절미처럼 만든 밀떡과 함께 섞어 술밑을 빚는다.
5. 술밑을 술독에 담아 안치고, 예의 방법대로 하여 5일간 발효시킨다.
6. (술이 익었으면 술체에 밭쳐 밀막걸리를 거른다.)
7. 밀막걸리를 예의 방법대로 솥에 담아 안친다.

* 소주 내리기 :
1. 솥에 불을 지피고, 물 2사발을 붓고 끓이다가, 술 2사발을 붓고 끓인다.
2. 술 3~4사발을 솥에 붓고 저어준 뒤, 끓으면 다시 술을 붓는 방법으로 술을 다 안친 후, 소줏고리를 얹고, 소줏고리 위에 냉각수 그릇을 얹는다.
3. 솥과 소줏고리, 소줏고리와 냉각수 그릇의 틈새를 소줏번을 붙여 막는다.
4. 냉각수 그릇에 찬물을 채우고, 소줏고리 귀때 밑에 수기를 받쳐놓는다.
5. 불을 알맞게 조절하여 소주를 받되, 첫술 1컵 정도는 버리거나 다음에 증류할 술에 섞어 사용한다.

小麥燒酒法

小麥一斗淨洗淘去沙石浸潤蒸令極熟 下碓舂之細爛團作餠樣晒至半熟又舂之以麯末四升且和且舂又取出作餠用水一斗沸過候冷與餠納甕五日後燒之.

방문주 소주

스토리텔링 및 술 빚는 법

조선시대의 전통주는 몇 가지나 될까? 이렇듯 아주 단순한 궁금증이 7년간에 걸친 집필 작업의 끝으로 <한국의 전통주 주방문>이라는 책의 완성을 보게 되었다.

고문헌의 종류만 해도 83권, 주품명 520여 품, 주방문 1,000가지가 넘는 조선시대 가양주에 대한 '특징 및 술 빚는 법'을 모르고서는, 우리나라 술에 대해 안다고 할 수 없다고 판단했다. 그리고 <한국의 전통주 주방문>의 마지막 원고가 '방문주 소주법(方文酒 燒酒法)'이다.

'방문주 소주법'은 <주정(酒政)>에 수록된 주방문 가운데 한가지로, <주정>의 입수 경로는 이미 '아소곡주'에서 밝힌 바 있으므로, 여기서는 '방문주 소주법' 주방문의 특징을 살펴보기로 한다.

'방문주 소주법'은 <주정>이라는 문헌에서 정식으로 등장하는 '방문주'의 '별법(別法)'이라고도 할 수 있다. <주정>에 수록된 '방문주'는 본디 '4말 빚이'이다. 주방문에 "欲釀 四斗 白米一斗精末蒸餌 按沸水四碗無數揮調 一宿凉息 麴末二

升八合(米一斗麴末每七合式) 與餌均拌盛于缸待淸 粘米二斗五升白米五升(相半可矣而粘多則酒多而易淸) 精洗蒸餌又湯沸水一汲盆三合 各其凉息 與酶均拌而先調 白米餌次調粘餌待熟 而飮."이라고 하고, 다시 주방문 말미에 "米三斗盛諸汲盆則可爲一盆矣 米與水欲相半 故四斗米調和沸水一汲盆三合 者斟量多少也 雖數斗與十斗沸水則 量米加減可也."라고 하여, 덧술을 빚는 방법에서 멥쌀과 찹쌀을 반반씩 섞어 빚는 방법을 제시하고, "燒酒米一斗釀麴六升式"이라고 하였다.

즉, "끓는 물 4주발과 누룩가루 2되 8홉을 섞어 물누룩을 만들어두었다가, 다음날 멥쌀 1말로 백설기를 지어 밑술을 빚고, 맑게 익기를 기다렸다가 찹쌀 2말 5되와 찹쌀 5되로 각각 고두밥을 지어 덧술을 빚는다. 덧술 쌀을 찹쌀과 멥쌀을 반반씩 섞어 빚으면 더욱 좋다."고 하는 소위 '별법' 주방문을 읽을 수 있다. 그리고 주방문 말미에 "소주를 빚고자 하면 쌀 1말당 누룩을 6되씩 넣어 빚는다."고 했다.

결국 '방문주 소주법'은 평상시 빚는 '방문주' 주방문보다 누룩의 양을 늘려서 알코올 도수를 높이고자 한 방법이라는 것을 알 수 있다.

'방문주'의 특징이나 술 빚는 법 등에 대해서는 이미 '방문주' 편에서 다루었으므로, 여기서는 '방문주 소주법'의 주방문에 대한 의미 부여와 특징에 대하여 언급하고자 한다.

왜냐하면 이제까지 가양주법을 비롯하여 고문헌에 수록된 주방문에서 누차 확인하였겠지만, 소주나 노주 주방문이 별도로 존재하기보다는 발효 후 "맛이 변질되거나 탁해져 산미가 높아졌을 경우 증류하여 마신다."고 하였다.

특히 '소주·노주법'에 있어서는 적은 양의 쌀을 사용하여 술(소주)의 양을 늘리기 위한 방법 중심으로 구성된 주방문이 주류를 이루었다고 한다면, '방문주 소주법'은 소주를 빚기 위해 처음부터 동량의 쌀과 물에 대하여 누룩의 양을 늘려서 알코올 도수를 높이기 위한 주방문이라는 점이 다른 '소주·노주법' 주방문과 차이를 발견할 수 있다는 것이다.

<주정>의 '방문주 소주법'을 '방문주'와 분류하여 수록하는 이유가 여기에 있다. '방문주 소주법'과 같은 사례는 '향온주'를 비롯하여 '삼해주', '모미주' 등에서 쉽게 찾아볼 수 있는데, 이러한 주방문의 의미는 가양주가 한 가지 방법으로 국한되는 것이 아니라, 필요에 따라 청주만이 아닌 탁주(막걸리)로 사용할 수도 있

고, 맛이 없거나 잘못되어서 시어졌거나 하였을 때, 증류하여 소주를 만들어 즐겼다는 사실을 확인할 수 있다는 것이다.

그리고 무덥고 습한 여름철을 맞이하여 청주나 탁주의 양주가 여의치 않을 때에는 처음부터 누룩을 많이 사용하여 소주를 빚어 여름 내내 즐기기도 하였고, 겨울철에는 추위를 극복하기 위한 방편으로 독한 소주가 필요로 하게 되었음을 알 수 있다.

특히 전통의 양주법과 관련하여 '방문주'를 특별하게 여기는 또 다른 이유는, '방문주' 주방문 가운데는 기본적인 술 빚는 법은 물론이고, 밑술과 덧술하는 법, 후수하는 법, 덧술 쌀을 반반씩 섞어 빚는 방법을 통하여 술의 맛과 향기, 알코올 도수를 조절하는 법, 증류를 하여 소주를 얻는 방법에 이르기까지, 우리 술 빚는 법 전반에 대한 기본적이면서도 총체적인 면을 살필 수 있다는 점이다.

그러니 주방문 몇 가지를 두고 마치 우리 술의 전부를 알고 있다고 말하는 것보다는, 지금부터라도 전통주에 대해 알고 싶다면 방문주에 대한 깊이 있는 연구와 주방문 분석, 술 빚기를 시도해 보길 적극 권하고 싶다.

방문주 소주법 <주정(酒政)>

-4말 빚이

술 재료 : 밑술 : 멥쌀 1말, 누룩가루 2말 4되, 끓는 물 4주발
덧술 : 찹쌀 1말 5되, 멥쌀 1말 5되, 끓는 물 1동이 3홉

술 빚는 법 :

* 밑술 :

1. 멥쌀 1말을 (백세하여 물에 담가 불렸다가, 다시 씻어 헹궈서 물기를 뺀 후) 매우 곱게 가루로 빻는다.
2. 쌀가루를 시루에 안쳐서 흰무리떡을 찌고, 솥에 물 4주발을 팔팔 끓인다.

3. 흰무리떡이 익었으면 퍼내어 큰 그릇 여러 개에 나눠 담고, 끓는 물 4주발을 골고루 붓는다.
4. 끓는 물을 합한 흰무리떡을 막대기나 주걱으로 술거리를 무수히 휘저어서 (덩어리가 없이 풀어) 풀처럼 만들어 하룻밤 재워 차게 식기를 기다린다.
5. 차게 식은 떡에 누룩가루 2말 4되를 고루 버무려 술밑을 빚는다.
6. 술밑을 항에 담아 안치고, 예의 방법대로 하여 술이 익어 맑기를 기다린다.

* 덧술 :
1. 찹쌀 1말 2되 5홉과 멥쌀 1말 2되 5홉을 (각각) 정세하여 (물에 담가 불렸다가, 다시 씻어 헹궈서 물기를 뺀 후) 각각 시루에 안쳐서 고두밥을 짓는다.
2. 물 1동이 3홉을 길어다가 매우 끓여서 차게 식히고, 고두밥이 익었으면 퍼내어 고루 펼쳐서 차게 식기를 기다린다.
3. 멥쌀고두밥에 먼저 빚은 밑술과 끓여 식힌 물을 합하고 고루 버무린 뒤, 다시 찹쌀고두밥을 합하여 술밑을 빚는다.
4. 술밑을 항에 담아 안치고, 예의 방법대로 하여 (덥지 않은 곳에 앉혀두고) 발효시켜서 술이 익기를 기다려서 마신다.

* 소주 내리기 :
1. 솥에 불을 지피고, 물 2사발을 붓고 끓이다가, 술 2사발을 붓고 끓인다.
2. 술 3사발을 솥에 붓고 저어준 뒤, 끓으면 다시 술을 붓는 방법으로 술을 다 안친 후, 소줏고리를 얹고, 소줏고리 위에 냉각수 그릇을 얹는다.
3. 솥과 소줏고리, 소줏고리와 냉각수 그릇의 틈새를 소줏번을 붙여 막는다.
4. 냉각수 그릇에 찬물을 채우고, 소줏고리 귀때 밑에 수기를 받쳐놓는다.
5. 불을 알맞게 조절하여 소주를 받되, 첫술 1컵 정도는 버리거나 다음에 증류할 술에 섞어 사용한다.

* 주방문 말미에 "소주를 만들려면 쌀 1말에 누룩 6되씩의 비율로 빚는다."고 하였으므로, '방문주 소주법' 주방문을 작성하였다.

方文酒

欲釀 四斗 白米一斗精末蒸餌 按沸水四碗無數揮調 一宿凉息 麴末二升八合(米一斗麴末每七合式) 與餌均拌盛于缸待淸. 粘米二斗五升 白米五升(相半可矣而 粘多則酒多而易淸) 精洗蒸餌又湯沸水一汲盆三合 各其凉息 與酶均拌而先調 白米餌次調粘餌待熟 而飮.(米三斗 盛諸汲盆則可爲一盆矣 米與水欲相半故四斗米調和沸水一汲盆三合者斟量多少也 雖數斗與十斗沸水則 量米加減可也). 燒酒米一斗釀麴六升式.

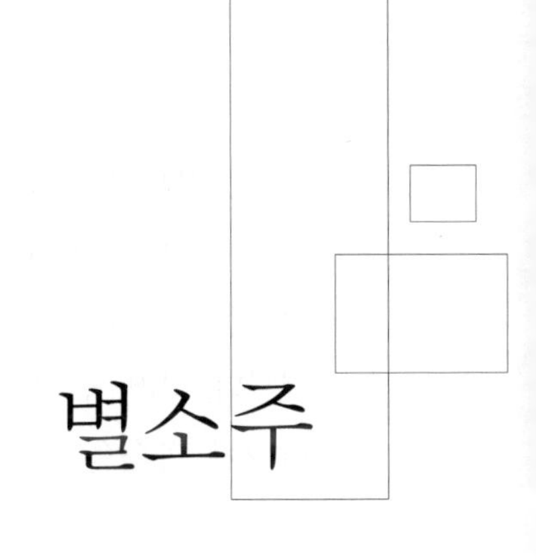

별소주

스토리텔링 및 술 빚는 법

<주방(酒方)>*이라고 하는 문헌은 1800년대 초엽에 저술된 것으로 알려지고 있는데, 저자 미상의 한글 필사본이다.

<주방>*에는 모두 18종의 전통주품이 수록되어 있는데, 감주류(甘酒類)를 비롯하여 이양주류(二釀酒類)와 삼양주류(三釀酒類), 그리고 고급 탁주류(濁酒類)인 '이화주'와 속성주류(速成酒類)인 '삼일주'와 '칠일주', 장기발효주인 '백일주', 혼양주(混釀酒)인 '과하주' 이양주류 중 탁주류에 속하는 '백하주'는 3가지 주방문이 수록되어 있고, '별소주방문'과 함께 '보리소주방문'도 보인다. 다양한 주류를 한두 가지씩 고루 수록하고 있는 셈이다.

그 가운데 '별소주'는 전형적인 소주(燒酒) 양주방법을 보여주고 있다. '별소주'는 또한 '홍주' 또는 '지초주'라고 부르는 혼성주(混成酒)의 하나임을 알 수 있다.

어떠한 이유로 '홍주' 나 '지초주'가 아닌, '별소주'라는 주품명을 붙이게 되었는지 그 배경을 알 수는 없지만, "특별하다."는 뜻에서 유래한 주품명이 아닐까 생각된다.

일반적으로 '소주'는 멥쌀을 비롯하여 찹쌀과 보리, 조, 수수, 기장은 물론이고, 밀과 귀리, 메밀, 고구마나 도토리까지도 그 원료로 이용되고 있고, 곡물의 경우 알코올 도수를 높이기 위하여 고두밥 형태로 빚어 발효시키는 방법이 가장 일반적이다. 더러 죽이나 범벅을 쑤어 밑술이나 덧술을 빚고, 다시 고두밥으로 덧술이나 2차 덧술을 하여 빚은 이양주나 삼양주를 원료주로 하여 증류하는 방법이 '고급 소주'를 빚는 전형을 이룬다. 따라서 단양주(單釀酒)이면서도 "특별하다."는 의미의 '별소주'가 될 수 있었던 배경은, 고두밥과 끓는 물을 합하여 식힌 진고두밥 형태로 하여 술을 빚는다는 데서 '별(別)소주'라는 이름을 얻게 된 것으로 여겨지는데, 무리한 추론일지도 모른다.

하지만 이와 같은 양주법은 단양주이면서도 이양주와 같이 알코올 도수가 높은 발효주를 얻을 수 있어서 '소주'의 수율이 특히 높아지는 장점이 있다.

그런데 <주방>*의 '별소주'와 동일한 주방문이 목격된다. <음식디미방>의 '소주' 주방문이 그것으로, 주원료의 배합비율이나 술 빚는 과정이 동일하다.

다만, <음식디미방>의 '소주' 주방문에서는 지초가 사용되지 않을 뿐이다. 그렇다고 지초가 사용된 데에서 '별소주'라는 주품명을 붙이게 되었다고 하기에는 억지스럽다. 다른 문헌에서와 같이 '홍주'나 '지초주'로 명명했으면 되었기 때문이다.

하여, 76권에 달하는 문헌의 주방문 가운데 '소주'나 '노주', '노주이두방', '소주다출방' 등 거의 모든 증류주의 주방문을 다 분석하여 본 결과, 증류주로서 <주방>*의 '별소주'나 <음식디미방>의 '소주' 주방문과 동일한 주방문이 단 한 건도 목격되지 않았다는 사실이다.

따라서 <음식디미방>의 '소주' 주방문 역시도 <주방>*의 '별소주'와 같이 특히 알코올 도수가 높은 소주를 얻기 위한, 이를테면 소주류(燒酒類) 주방문으로서는 특별한 주방문인 셈이다.

한편 <음식디미방>의 '소주' 주방문 말미에서는 "불이 성하면 술이 많이 나되, 내(탄 냄새) 기운이 구멍 가운데로 난 듯하고, 불이 뜨면 술이 적게 나고, 불이 중하면 노긋하여 그치지 아니하면 맛이 심히 열하고, 또 우의 물을 자주 갈아라. 이 법으로 잃지 아니하면 매운 술이 세 병이나 난다."고 하여, 불의 세기와 냉각수를 자주 갈아주는 일이 중요하다는 것을 강조하고 있음을 볼 수 있다.

반면, <주방>*의 '별소주방문' 말미에는 "더 맵게 하려면 가루누룩을 6~7되씩 넣어 고으면 가장 맵나니라. 술기운이 없은 후에 고으면 적게 나느니라."고 하고, 또 "냉수 3되를 솥에 끓이고 그 후에 술을 붓는 법으로 세 번 하면 누른 냄새가 없나니라."고 하여, 맵고 독한 '소주'를 얻는 방법에 대한 견해에 있어, 서로 다른 모습을 엿볼 수 있다.

별소주방문 <주방(酒方)>*

–홍소주법(紅燒酒法)

술 재료 : 멥쌀 1말, 가루누룩 5(6~7)되, 끓는 물(2말), 지초 5~6뿌리

술 빚는 법 :

1. 멥쌀 1말을 백세하여 새 물에 담가 하룻밤 불렸다가 (다시 씻어 건져서 물기를 뺀 후) 시루에 안쳐서 고두밥을 짓는다.
2. 솥에 물(2말)을 팔팔 끓이고, 고두밥이 익었으면 퍼내어 넓은 그릇에 담아 놓고, 끓고 있는 물 5말을 즉시 멥쌀고두밥에 합하고, 주걱으로 고루 헤쳐서 풀어놓는다.
3. 고두밥이 물을 다 먹었으면, 그릇에 뚜껑을 덮어두고, 차게 식기를 기다린다.
4. 식은 고두밥에 가루누룩 5(6~7)되를 합하고, 고루 버무려 술밑을 빚는다.
5. 술독에 술밑을 안치고, 예의 방법대로 하여 5~7일간 발효시켜 익기를 기다린다.
6. 술의 움직임과 맛을 보아 술이 한창 괴어오르고 왕성할 때, 술밑을 고은다(걸러서 탁주를 만들어 소주를 내린다).

* 소주 내리기 :

1. 발효되어 술덧의 움직임이 가장 활발할 때 술덧을 퍼서 체에 걸러 탁주를

만든다.

2. 솥에 물 3되를 붓고 끓인다.
3. 물이 끓기 시작하면 걸러둔 탁주를 3되 붓고 끓인다.
4. 솥 안의 탁주가 끓기 시작하면 탁주를 6되를 더 붓고, 끓인다.
5. 솥 안의 탁주가 끓기 시작하면 탁주를 1말 2되를 붓고 끓이다가 다시 같은 방법으로 탁주를 붓는데, 솥의 85% 정도까지만 채운다.
6. 솥에 담아 안치고 소줏고리를 올려서 예의 방법대로 하여 소주를 내린다.
7. 소줏고리 귀때에서 소주 방울이 떨어지기 시작하면 1홉 정도를 받는데 이를 초류(初溜)라고 하며, 따로 받아두었다가 다음 증류할 때 섞어서 증류하거나 버린다.
8. 귀때 밑에 소주병을 놓는데, 병 주둥이에 지초 뿌리 5~6개를 썰어 받쳐놓으면 술 빛깔이 좋고 독한 기운이 없다.

* 주방문에 "더 맵게 하려면 가루누룩을 6~7되씩 넣어 고으면 가장 맵나니라. 술기운이 없은 후에 고으면 적게 나느니라." 고 하고, 또 "냉수 3되를 솥에 끓이고, 그 후에 술을 붓는 법으로 세 번 하면 누른 냄새가 없나니라."고 하였다.

별쇼듀방문

ᄡᆞᆯ ᄒᆞᆫ 말의 누록 닷 되식 너허 비저 쇼듀 고오면 만히 나고 마시 ᄀᆞ쟝 ᄆᆡᆸᄂᆞ니 더 ᄆᆡᆸ게 ᄒᆞ려 ᄒᆞ거든 밥ᄡᆞᆯ ᄒᆞᆫ 말의 누록ᄀᆞᄅᆞ 엿 되 닐곱 되식 녀허 고으면 ᄀᆞ쟝 ᄆᆡᆸᄂᆞ니라. 비ᄌᆞᆫ 날 닷쇄 엿쇄 닐웨 날 만의 그 술 거동 보고 ᄯᅩ 맛 보와 술 긔운이 보야흐로 셩ᄒᆞᆫ 제 바고리에 밧타 고으면 만히 나거니와 술기운이 업ᄉᆞᆫ 후의 고으면 젹기 나ᄂᆞ니라. 지초 대엿 ᄲᅮᆯ을 쇼쥬병의 녀흐면 술 빗치 죠코 독ᄒᆞᆫ 긔운이 업ᄂᆞ니라. 쇼듀 고을 제 ᄂᆡᆼ슈 서 되ᄅᆞᆯ 몬져 고ᄌᆞ리에 부어 두면 ᄭᅳᆯ흔 후의 술을 그 후의 브워 그 그ᄅᆞ세 셋 간으로 ᄒᆞᆫ 간만 못ᄒᆞ게 브으라. 녜ᄉᆞ 눌인내 업ᄂᆞ니 ᄭᅳᆯ힐 제마다 몬져 물 ᄲᅢ리기ᄅᆞᆯ 닛지 말고 이리 고으면 누린내 업ᄂᆞ니라.

사절소주·사철소주

스토리텔링 및 술 빚는 법

'사철소주'란 술 이름 그대로 "사시사철 어느 때고 빚을 수 있는 소주"란 뜻이다. <김승지댁주방문(金承旨宅廚方文)>과 <홍씨주방문>에 각각 '사철소주 주방문'과 '사절소주'로 각각 한 차례씩 수록되어 있는 것을 목격할 수 있다.

두 문헌의 주방문에서 보듯 '사철소주 주방문'과 '사절소주'는 재료 배합비율만 차이가 있을 뿐 술 빚는 과정은 동일하다.

심지어 주원료를 계량하는 도량형까지 식기를 사용하는 등 전형적인 전승가양주 형태를 띠고 있다는 것을 알 수 있다.

두 문헌의 '사철소주 주방문'과 '사절소주'는 다음 다섯 가지 점에서 다른 소주방문과 차이를 나타내고 있다.

첫째, 밑술을 끓는 물을 사용하여 재료를 익히는 방법이 그것이다. 쌀가루를 끓는 물로 익힌 것을 '범벅' 또는 '담'이라 하는데, 범벅으로 빚은 밑술을 이용하여 빚은 술은 그 맛이 독하고 방향이 강한 고급술을 얻을 수 있다는 점에서 선호된다.

둘째, 밑술을 범벅 형태로 하면서도 사용되는 누룩의 양이 매우 적다는 사실이다. 범벅은 쌀이 충분히 호화되지 못한 상태로 다른 어떤 술보다 역가가 뛰어난 고품질의 누룩이 요구되므로, 특별한 누룩이나 별도의 누룩을 사용하도록 해야 한다는 조건이 따르지만, 잘 발효되면 고두밥으로 빚는 경우보다 강력한 효모증식을 유도할 수 있다.

셋째, 덧술의 용수를 날물과 끓인 물이 아닌, 고두밥을 찌는 과정에서 얻어지는 시루밑물을 사용한다는 점인데, 그 양이 7되로서 시루밑물을 안칠 때 충분한 양을 고려하여 부족함이 없도록 하고, 시루밑물이 끓어 시루에 닿아 고두밥이 질어지는 일이 없도록 해야 한다는 것이다.

넷째, <김승지댁주방문>과 <홍씨주방문>에서 덧술에 사용되는 쌀의 양과 종류에서 차이를 나타내고 있는데, <김승지댁주방문> 주방문의 경우 멥쌀 양의 50%에 해당하는 찹쌀을 혼합하여 고두밥을 짓는데, 이 경우 쌀을 각각 고두밥을 짓거나 멥쌀을 기준으로 하여 충분히 익혀 무른 고두밥이 되도록 해야 한다. 그리고 멥쌀과 찹쌀을 물에 불리는 시간을 달리하는 것도 한 방법이다.

그런 의미에서 '사철소주 주방문'과 '사절소주'는 매우 까다로운 방법을 보여주고 있다고 하겠으며, 술 빚기에 능한 사람이라도 자칫 실수가 따르는 어려운 방문이라고 생각된다.

다섯째, 밑술에서보다 덧술에서의 누룩 양이 많다는 사실이다. 이러한 방문은 매우 드물다고 할 수 있다. 대부분의 방문에서 누룩을 두 번에 걸쳐 사용할 경우, 밑술의 누룩 양보다 덧술의 누룩 양이 적거나 최대 동량으로 사용되기 때문이다.

이러한 연유는 밑술에 사용되는 누룩은 발효보다는 당화가 주목적으로 생각되며, 본격적인 발효는 덧술에서 이뤄진다는 것을 알 수 있다.

왜냐하면 '사철소주 주방문'은 청주나 탁주로 마시기 위한 방문이 아니라, 증류하여 소주를 빚기 위한 방문이라는 사실에서다.

환언하면, 옛사람들은 소주 내리기에 있어 증류할 술밑의 알코올 도수가 우선이지, 술의 맛과 향기 등은 별로 중요하지 않다고 여겼던 것 같다는 얘기이다.

소주를 평하는 글에서 그 소주의 향기에 대한 언급을 아직까지 목격한 바가 없다. 그저 '쓰다' '독하다' '맹렬하다' 등의 도수와 관련된 표현들뿐이거니와, 특히 '숙성'에 대하여도 그 방법이나 기간 등에 대해 구체적으로 쓰여져 있는 주방문이 드물다.

한편, <홍씨주방문>에도 '사절소주법'이 등장하는데, '사철'이나 '사절'이 다 같이 1년 열두 달을 의미한다는 뜻에서 <김승지댁주방문>의 '사철소주 주방문'과 함께 같은 술로 분류하였으나, 문헌에 나타나 있는 기록으로 보면 그 성격이 애매하다는 것을 알 수 있다.

일테면 주품명은 '사절소주법'이라고 하였는데, "술밑과 같이 밥에 버무려 다 익거든 뜨고 드리워 쓰라."고 하였지, 주방문의 어디에도 소주를 내리라거나, 소주를 닦으라는 언급이 없다.

따라서 주방문대로 놓고 보면 발효주법으로 볼 수밖에 없고, 주품명으로 보면 소주류임에 틀림이 없다.

그런데도 이 '사절소주'를 '사철소주 주방문'과 같은 증류식 소주로 분류하는 것은, '사철소주 주방문'과 주방문이 매우 유사하다는 점을 들 수 있겠다. 단지 차이가 있다면, <김승지댁주방문>에서는 덧술의 쌀이 멥쌀과 찹쌀이 반반씩 1말인 반면, <홍씨주방문>에서는 멥쌀 한 가지로, 그 양이 2말이라는 것이다.

환언하면, 옛사람들은 소주 내리기에 있어 증류할 술밑의 알코올 도수가 우선이지, 술의 맛과 향기 등은 별로 중요하지 않다고 여겼다는 것이다.

한편, <홍씨주방문>의 '사절소주'는 "다 익거든 뜨고 드리워 쓰라."고 되어 있을 뿐, 증류하라거나 소주를 내리라는 언급이 없다.

하지만 <김승지댁주방문>에서는 소주를 내린다고 한 사실과 두 주방문이 동일한 과정을 보여주고 있어, 소주라는 사실을 미루어 알 수 있다.

1. 사철소주 주방문 <김승지댁주방문(金承旨宅廚方文)>

술 재료 : 밑술 : 멥쌀 2되 5홉, 누룩가루 3홉, 끓는 물5되(쌀 계량하던 되)
덧술 : 찹쌀 5되, 멥쌀 5되, 섬누룩 2되, 끓여 식힌 물 3되, 시루밑물 7되(쌀되)

술 빚는 법 :

* 밑술 :

1. 멥쌀 2되 5홉을 백세하여 (물에 담가 불렸다가, 다시 씻어 건져서 물기를 뺀 후)작말하여 넓은 그릇에 담아놓는다.
2. 쌀 계량하던 되(升)로 물 5되를 솥에 끓여 쌀가루에 붓고, 주걱으로 고루 개어 범벅을 지은 뒤, 차게 식기를 기다린다.
3. 범벅에 법제하여 바랜 누룩가루 3홉을 넣고, 고루 치대어 술밑을 빚는다.
4. 술독에 술밑을 담아 안치고, 예의 방법대로 하여 (3~5일간) 발효시킨다.

* 덧술 :

1. 찹쌀 5되와 멥쌀 5되를 합하고 백세하여 물에 담가 하룻밤 불린다(다시 씻어 건져서 물기를 뺀다).
2. 솥을 깨끗이 씻어 물을 붓고 시루를 올리고, 쌀을 시루에 안쳐 고두밥을 짓는다.
3. 쌀 계량하던 되로 물 3되를 많이 끓여 차게 식히고, 좋은 섬누룩 2되를 풀어 물누룩을 만들어놓았다가, 체에 걸러 찌꺼기를 제거한 누룩물을 만들어 놓는다.
4. 고두밥이 익었으면, 쌀 계량하던 되로 시루밑물 7되를 고두밥에 합하고, 고루 헤쳐서 차게 식기를 기다린다.
5. 고두밥에 누룩물과 밑술을 합하고, 고루 버무려 술밑을 빚는다.
6. 술독에 술밑을 담아 안치고, 예의 방법대로 하여 7일간 발효시킨다.

* 소주 내리기 :

1. 술이 익었으면 솥에 안치고, 물 1말 5되(쌀되)를 섞어 끓이고, 소줏고리를 앉힌다.
2. 솥과 소줏고리, 소줏고리와 냉각수 그릇 사이에 소줏번을 붙여 김이 새지 않게 한 다음, 냉각수 그릇에 냉수를 가득 채운다.
3. 소줏고리의 귀때 밑에 수기를 받치고, 봄 · 여름이면 1되를 받고, 가을 · 겨울

이면 2되를 받는다.

* 주방문 말미에 "말로 빚으려 하면 일근래(가까운 시일 내)로 빚으라."고 하였다.

ᄉᆞ철쇼쥬 쥬방문

ᄇᆡᆨ미 두 되가웃 ᄇᆡᆨ셰작말ᄒᆞ여 ᄡᆞᆯ 된 되로 물 닷 되만 많이 ᄭᅳᆯ여 그 물의 잠간 녀허 쳐셔 비젓다가 닉은 후 지여 서늘히 ᄎᆞᆫ 후 바헌 누룩ᄀᆞ로 서 홉만 너허 처서 비졋다가 익은 후의 ᄎᆞᆸᄡᆞᆯ 닷 되 ᄇᆡᆨ미 합 한 말 ᄇᆡᆨ셰ᄒᆞ야 ᄒᆞ로밤 ᄃᆞᆷ갓다가 ᄶᅵ되 시로물 솟 ᄆᆡ우 닥고 죠히 ᄒᆞ야 밥을 닉게 ᄶᅧ 소라의 나두고 시로물 닐곱 되만 밥의 처엇다 든 후 혜처 서늘히 식은 후 그 슐밋 버므려 비ᄌᆞ되 ᄡᆞᆯ 닥은던 날물 셔 되 ᄆᆡ이ᄆᆡ이 ᄭᅳᆯ여 식은 후 죠흔 섭누룩 두 되를 ᄡᆞᆯ과 갓치 담가 노코 밥 ᄶᅧ 니흘 적 누룩물에 걸너 슐밋ᄒᆞ고 ᄒᆞᆫ가지로 버물러 항에 너허 칠일 만에 떠 스되 시로 ᄶᅵᆯ 졔 물 셔 되만처 ᄲᅳᆯ여 ᄶᅵ되 ᄒᆞᆫ 말의 물 말가옷시나 두 되만 봄 여름은 ᄒᆞᆫ 되 밧고 ᄀᆞ을 겨울은 두 되 밧ᄂᆞ니라. 말로 비자려 ᄒᆞ면 일근래 비자라.

2. 사절소주법 <홍씨주방문>

술 재료 : 밑술 : 멥쌀 2되 5홉, 가루누룩 3홉, 끓는 물 5되(쌀되)
덧술 : 멥쌀 1말, 누룩물(섬누룩 2되, 끓여 식힌 물 3되), 시루밑물 7되

술 빚는 법 :

* 밑술 :

1. 멥쌀 2되 5홉을 백세하여(백 번 씻어 매우 깨끗하게 하여 말갛게 헹궈 불렸다가, 다시 씻어 건져서 물기를 뺀 다음) 작말한다(가루로 빻는다).

2. 쌀가루를 넓은 그릇에 담아놓고, 물5되(쌀되)를 솥에 붓고 솟구치게 팔팔 끓여서 쌀가루에 골고루 퍼붓고, 주걱으로 고루 개어 범벅을 쑨다.
3. 범벅이 투명한 죽같이 익었으면, 차게 식기를 기다린다.
4. 식은 범벅에 법제하여 하얗게 바랜 가루누룩 3홉을 한데 섞고, 고루 버무리고 치대어 술밑을 빚는다.
5. 소독한 술독에 술밑을 담아 안치고, 예의 방법대로 하여 발효시켜 맛이 날만하면 덧술을 해 넣는다.

* 덧술 :
1. 멥쌀 1말을 백세하여(백 번 씻어 옥같이 깨끗하게 하여 말갛게 헹궈 건졌다가) 새 물에 하룻밤 담가 불린다.
2. 물 3되를 끓여 차게 식혀 섬누룩 2되를 풀어 불려놓았다가, 체에 걸러 찌꺼기를 제거한 누룩물을 만들어놓는다.
3. 불린 쌀을 (다시 씻어 건져서 물기를 뺀 다음) 시루와 솥을 깨끗하게 씻어 시루에 쌀을 안쳐서 고두밥을 짓는다.
4. 고두밥이 익었으면 퍼내고 시루밑물 7되를 한데 합하고, 주걱으로 헤쳐서 풀어놓는다.
5. 고두밥이 물을 다 먹었으면, 넓은 그릇에 나눠서 차게 식기를 기다린다.
6. 고두밥에 밑술과 누룩물을 한데 합하고, 고루 버무려 술밑을 빚는다.
7. 소독한 술독에 술밑을 담아 안치고, 예의 방법대로 하여 발효시켜 술이 익기를 기다렸다가 채주한다.

* 주방문 말미에 "봄, 여름은 물 잠간 줄여 빚으라."고 하였을 뿐, 소주를 내린다는 말이 없다.
* 고붓지게 : 폭폭 소크라지게

사절소주법

백미 두 되가웃 백세작말하여 되드리로 물 닷 되 고붓지게 끓여 그 물에 잠간 개여 서늘하게 차거든 바랜 가루누룩 서 홉만 더 넣어 쳐 넣었다가 익은 후 백미 일두 백세하여 하루밤 담갔다가 밑에 시루 물 솥 닦고 정히 하여 밥 지어 시루물 일곱 되만 밥에 주어 헤쳐 차게 식히고, 쌀 담그던 날 물 서 되만 고붓지게 끓여 식힌 후 섬누룩 한 되를 담갔다가 체로 걸러 술밑과 같이 밥에 버무려 다 익거든 뜨고 드리워 쓰라. 봄, 여름은 물 잠간 줄여 빗으라.

삼오로주

스토리텔링 및 술 빚는 법

전통주를 연구하면서 "이제 술 공부 30년이 다 되어가니, 내 개인적 성향을 담은 주품 한 가지쯤 가지고 있어도 되지 않을까?" 하는 생각으로 술 개발을 시작한 적이 있었다.

그리고 "이러한 내 생각이 잘못된 것은 아닐까?" 하는 염려에서 양주 관련 식문헌 기록에 수록된 주품들을 대상으로 '술을 빚고자 하는 사람의 의도가 뚜렷하게 반영된 주품'에 대한 조사를 먼저 시작했었다.

그런 가운데 찾게 된 주품이 <민천집설(民天集說)>의 '삼오로주(三五露酒)'이다. '삼오로주'는 <민천집설>에서만 찾아볼 수 있는 장기저온 발효주로서, 이양주법(二釀酒法)이다.

'삼오로주'는 필자가 지금까지 목격해 온 1,000가지가 넘는 주방문 가운데서 밑술의 발효기간이 최소 1.5개월~2개월, 덧술의 발효기간도 2개월~3개월로, '일년주'와 함께 전체적인 발효기간이 가장 긴 주품에 해당된다고 할 수 있기 때문이다.

물론 '일년주'라고 하는 주품이 우리나라 전통주 가운데 가장 긴 발효기간을 나타내고 있는 것은 사실이나, 이는 주품명에서 보듯 1년이라는 시간적 의미를 부여한 주품으로, 삼양주법(三釀酒法)을 취하고 있으면서도 주품명과는 달리 실질적인 발효기간이 1년이 아닌, 6개월에 그치는 까닭에 어떤 의미에서는 이양주인 '삼오로주'가 오히려 발효기간이 더 길다고도 할 수 있다.

그런데 '삼오로주'는 술의 성격에 있어 발효주인지 증류주인지 정확히 알 수가 없다. 주품명이 '삼오로주'라고 하였으므로 증류주로 보아야 하겠으나, 주방문을 보면 발효주라는 것을 알 수 있다.

그리고 그 어디에도 증류하여 소주로 마신다는 언급이 없기 때문이다.

하여, 이러한 사례가 있는지를 추적하였는데, 문헌마다의 주방문에는 증류하여 소주를 내린다는 구체적인 언급이 없지만, 주방문 말미에 "소주를 내릴 수 있다."는 식의 첨기(添記)한 주품들이 분명 존재한다는 것이다.

필자가 '삼오로주'가 증류식 소주라고 주장하는 증거는 주품명에서 찾을 수 있다. 주방문에 "2월에 찹쌀 2말 고두밥 지어 좋은 누룩 1되로 빚어 술독을 땅에 묻어 3월 지난 후에"라고 하였는데, 이는 밑술을 빚는 방법이다. 술독을 땅에 묻어서 2월에 빚어 3월이 지나도록 2개월 이상 발효시키는 까닭은, 물의 양이 언급되어 있지 않은 것과 관련이 있다고 여겨진다. 일체의 물이 사용되지 않는다는 뜻이다.

또 "매 쌀 1말당 누룩 1홉씩의 비율로 술을 빚어 (밑술과) 조화하여"라고 하여, 덧술을 빚는 방법에 대해 기록하고 있으나, 구체적으로 얼마만큼의 쌀을 덧술로 하는지에 대해서도 언급이 없다.

술을 빚을 때 주의할 일은 밑술과 덧술 모두 고두밥을 찔 때 살수를 충분히 하여야 한다는 것이다. 고두밥이 갖고 있는 수분의 함량은 30%를 넘지 않는다.

따라서 물이 없는 상태와 저온에서도 발효가 원활하게 이루어지려면, 고두밥이 무르게 쪄져야 한다는 결론에 이른다. 이러한 요령은 무엇보다 원활한 발효에 그 목적이 있지만, 술을 빚는 작업의 용이성도 내재되어 있다는 것을 잊어서는 안 된다.

주방문 말미에 "5~6월이 되면 훌륭한 술이 많이 나는데 맛이 독하고 맵다."고 한 것으로 미루어, 밑술과 덧술 모두 고두밥으로 빚은 술의 특징이기도 하다.

주방문에 덧술의 쌀의 종류와 양이 언급되어 있지 않으므로, 덧술의 쌀을 찹쌀로 하는 상법(밑술의 동량)으로 주방문을 작성하였다. 덧술의 쌀 양을 2말로 정한 까닭은, 덧술에도 물의 사용 여부를 알 수 없는데다, 주품명과 관련이 있기 때문이다.

주품명이 '삼오로주'이므로, 이때의 '삼오(三五)'는 술의 양을 암시하는 단위일 수도 있다는 판단 때문이다.

밑술과 덧술 공히 고두밥과 누룩만으로 빚는 술에서 고두밥이 함유하고 있는 수분의 양을 감안하면, 발효가 끝났을 때의 술의 양을 예측할 수가 있다. 밑술과 덧술의 쌀 양을 4말을 사용하고 물을 사용하지 않았다고 가정했을 때, 숙성된 술덧에서 총 22ℓ 안팎의 술을 뜰 수 있다는 결론에 도달한다.

이렇게 얻어진 22ℓ를 되(升)로 환산하면 술 양은 1말 2되 2홉 정도에 이르는데, 주품명인 '삼오'와 아무런 연관을 맺을 수가 없다.

그런데 '삼오로주'가 증류주라는 전제 하에, 22ℓ의 술을 사용하여 증류할 경우, 얻을 수 있는 소주의 양은 6.12~6.15ℓ에 이른다는 결론에 이른다.

따라서 소주의 양 6.12~6.15ℓ를 되로 환산하면 3되 4홉~3되 5홉이 되므로, 주품명 '삼오로주'가 증류주라는 전제가 입증된 셈이고, '삼오'는 노주(露酒)의 양인 3되 5홉을 뜻하는 것이다.

'삼오로주'는 이양주법의 주방문을 보여주고 있다. 여느 소주류의 주방문과도 비교했을 때 매우 간편한 과정을 거쳐 이뤄지고 있음에도 지금까지 보아왔던 어떤 주품과 비교해도 차원이 다른, 전통소주가 갖추어야 할 진면목을 보여주고 있다는 것이 필자의 생각이다.

찹쌀 4말에서 얻을 수 있는 소주의 양이 3되 5홉이라면 비싼 술일까, 싼 술일까?

물론 지금까지 필자가 목격한 주방문에서 '삼오로주'와 같은 수율에 해당하는 주품은 단 한 가지도 없었다. 때문에 혹자는 "말도 안 되는 주장이다."고 할 수도 있겠고, "그렇게 비싼 술을 옛날 사람들이 빚어서 마셨을 리가 없다."고 할는지도 모른다.

그렇다면 찹쌀 4말로 물 없이 빚은 술에서 얻을 수 있는 술의 양은 얼마나 되어야 옳고, 그 술은 싼 술인가? 그리고 그런 논리라고 한다면 <민천집설>의 '삼오로주' 주방문은 존재하지도 말아야 한다.

필자의 이러한 생각은, 전통소주류의 대부분이 최소한의 쌀을 사용하는 반면, 양주용수의 양은 늘려서 빠른 시간 내에 발효를 끝내고, 원료주의 숙성 과정도 없이 증류하기에 바쁜, 일테면 '소주다출방'이나 '노주이두방'과 같이 소주의 수율을 높이는 데 초점이 맞춰져 있는데 반하여, '삼오로주'는 밑술과 덧술의 발효에 따른 기간에서 장기저온 발효시킨 최고급 원료주를 사용하여 증류한 최상의 소주를 얻고자 하였다는 주장을 피력하는 것이다.

증류식 소주를 빚어본 사람이면 한결같이 "좋은 소주는 좋은 원료주에서 얻어지기 때문에 원료주가 좋아야 한다."고 얘기한다.

더불어 '삼오로주'를 한 번이라도 맛본, 숙성된 '삼오로주'의 향기를 맡아본 사람이라면 "전통소주가 서구의 '위스키'나 '브랜디'에 밀릴 하등의 이유가 없다."는 필자의 생각에 동의할 것이라고 확신하는 것이다.

제발 "전통술은 싸야 한다."거나 "값이 싸야 경쟁력을 갖는다."는 생각을 버렸으면 한다. 그리고 싼 원료 조달을 위해 구걸(?)하는 일이 없어지길 바라고 또 바란다.

삼오로주 <민천집설(民天集說)>

술 재료 : 밑술 : 찹쌀 2말, 누룩 1되
덧술 : 찹쌀(4말), 누룩(4홉)

술 빚는 법 :

1. 2월에 찹쌀 2말을 (백세하여 물에 담가 불렸다가, 다시 씻어 건져서 물기를 뺀 후) 시루에 안쳐서 고두밥을 짓는다.
2. (고두밥이 익었으면 시루에서 퍼내고, 고루 펼쳐서 차게 식기를 기다린다.)
3. 고두밥에 좋은 누룩 1되를 합하고, 고루 버무려 술밑을 빚는다.

4. 술독에 술밑을 담아 안친 후, 예의 방법대로 하여 땅에 묻어 3월까지 발효시킨다.

* 덧술 :

1. 3월이 지난 후에 찹쌀 (2~3말을 백세하여 물에 담가 불렸다가, 다시 씻어 건져서 물기를 뺀 후) 시루에 안쳐서 무른 고두밥을 짓는다.
2. 물 1말을 팔팔 끓여서 차게 식힌다.
3. (고두밥에 찬물을 많이 살수하여 무르게 찌고, 고두밥이 익었으면 시루에서 퍼내고, 고루 펼쳐서 차게 식기를 기다린다.)
4. 고두밥에 밑술과 좋은 누룩 2홉, 끓여 식힌 물 1말을 한데 합하고, 고루 버무려 술밑을 빚는다.
5. 술독에 술밑을 담아 안친 후, 예의 방법대로 땅에 묻어 5~6월까지 발효시킨다.

* 주방문에 "2월에 찹쌀 2말 고두밥 지어 좋은 누룩 1되로 빚어 술독을 땅에 묻어 3월 지난 후에"라고 하였다. 이는 밑술을 빚는 방법이다. 땅에 묻어서 2월에 빚어 3월 지나도록 2개월 이상 발효시키는 까닭은, 물의 양이 언급되어 있지 않은 것과 관련이 있다고 여겨진다. 또 "매 쌀 1말당 누룩 1홉씩의 비율로 술을 빚어 (밑술과) 조화하여"라고 하여 덧술을 빚는 방법에 대해 기록하고 있으나, 구체적으로 얼마만큼의 쌀을 덧술로 하는지에 대해서도 구체적인 언급이 없으나, 주방문 말미에 "5~6월이 되면 훌륭한 술이 많이 나는데, 맛이 독하고 맵다."고 한 것으로 미루어, 덧술의 쌀을 찹쌀로 하는 등 상법(밑술과 동량 또는 2배)으로 주방문을 작성하였다. 덧술의 쌀 양을 2말~4말로 정한 까닭은 밑술에 물이 사용되지 않는 방법과 관련이 있다.

三五露酒

二月粘米二升作飯入好曲一升釀釀埋地中三月後每米一斗入曲子一合以前釀調和五六月時受(○)酒多出時毒烈.

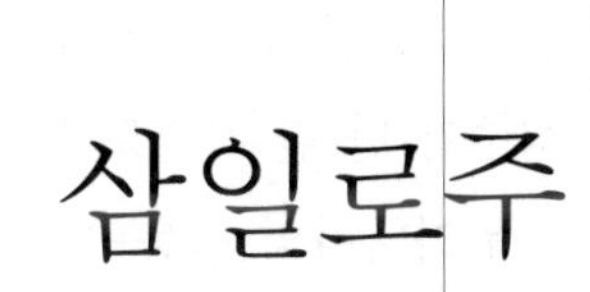

삼일로주

스토리텔링 및 술 빚는 법

평생 술을 연구한다고 하면서도 서양 술에 대한 열등의식을 갖고 살았었다. 그리고 13년이 지난 후에는 우리 전통주의 우수성을 깨닫게 되면서부터 서양 술에 대한 열등의식에서 벗어났을 뿐만 아니라, 이제는 오히려 전통주 연구에 대한 자부심을 갖게 되었다.

그런데도 서양의 술 가운데 특히 '브랜디'나 '위스키'에 대해 부러운 점이 딱 한 가지 있다. '브랜디'를 비롯한 '위스키' 등 서양 술의 공통점이라고도 할 수 있는 '숙성(熟成)'이 그것이다.

우리 전통주에서 '숙성'의 개념을 찾기가 여간 힘든 일이 아니기 때문이다. 물론 지리적 · 기후적으로 서양과는 다른, 그리고 문화적 차이가 있긴 하지만 아직 우리 전통주가 극복하지 못하고 있는 문제가 '숙성'이라고 생각한다.

필자는 그 이유가 양주업자들의 말처럼 단지 '자본의 문제'는 아니라고 생각한다. 이는 유감스럽게도 장인(匠人)의 철학의 문제요, 의지와 신념의 문제라고 보기 때문이다.

우리나라의 양주산업이 이미 100년을 넘긴 세월에도 불구하고, 그리고 몇몇의 상당한 재력과 자본을 확보하고 있는 대기업들이 존재하고, 수십 년간 양주(釀酒)를 본업으로 살아온 사람들이 한둘이 아닌데도 불구하고, 아직까지 10년 숙성주가 단 한 가지도 등장하지 않고 있다는 사실을 어떻게 설명할 것인가?

우리나라의 전통주가 숙성의 개념을 벗어던진 배경으로, 서양의 '와인'이나 '맥주'와는 달리 중양주(重釀酒)가 주류를 이룬다는 사실을 강조해 왔지만, 증류주 문제로 들어서면 할 말이 없다.

그러기에 전통소주는 '브랜디'나 '위스키'와 비교해 싼 술일 수밖에 없다.

같은 문화권인 중국의 '고량주(백주)'나 가까운 일본의 '고구마소주'조차도 숙성에 따른 브랜드가치를 인정받고 있음에도 우리나라의 전통주는 기껏해야 2~3만 원 안팎이라는 사실에 그만 벙어리가 되고 만다. 숙성주가 없기 때문이다.

같은 맥락에서 '삼일로주(三日露酒)'는 많은 생각을 불러일으킨 주품이다.

<임원십육지(林園十六志)>에 처음 등장하는 증류식 소주로서, 쌀이 아닌 벼를 이용한 단양주법(單釀酒法)의 주방문을 보여주고 있는 데다, 여느 '소주' 주방문과도 비교했을 때 매우 간편한 과정을 거쳐 이뤄지고 있음을 알 수 있다.

즉, 벼를 물에 불렸다가 말려서 가루로 빻고 물을 섞어 죽을 쑨 뒤, 누룩가루와 버무려서 술밑을 빚는데, 1~2일간 발효시켜 숙성된 술덧을 얻고 소줏고리를 이용하여 증류한다. 이 주방문에서 증류 과정을 제외하면 일반 이양주법(二釀酒法)에서의 밑술 제조과정과 다를 게 하나도 없다.

따라서 이러한 술 빚기에서 얻어진 술덧을 사용하여 증류했을 경우, '소주'의 수율이 그리 높지 않다는 것은 누구나 경험하는 바이다. 즉, '소주'를 얻기 위한 술밑 제조에 있어 보다 알코올 도수가 높은 술을 얻기 위한 다양한 방법을 동원하게 되는데, 그 예로 술의 재료를 고두밥을 짓거나 설기, 범벅 형태로 하는 것이다.

'삼일로주'의 주방문에서 보다시피 물의 양이 나와 있지 않는데, 주품의 종류가 소주라는 사실과 주원료를 죽으로 가공하는 방법임을 감안하면, 양주에 사용되는 물의 양을 대략 짐작할 수 있게 된다.

또한 정상적인 술덧을 여과하여 얻은 술이 1말일 경우, 소주 증류 시 수율이 3되~3되 5홉에 이르는데, '삼일로주'의 경우 이에 훨씬 못 미친다. 쌀이 아닌 벼를 이용하기 때문이다.

또 멥쌀이 1말인 경우, 죽 쑤기에 사용되는 물의 양이 최소한 1말 5되라야 죽을 쑤기가 용이하므로, 벼를 이용한 술 빚기에 이용하는 물의 양은 그보다 적어도 된다. 벼 1말은 쌀 1말보다 전분의 함량이 적으므로 물의 양이 적어도 되기 때문이다.

이렇게 해서 빚은 술의 양은 최소 2말 정도 되는데, 증류를 하게 되면 중품소주 2되 정도를 얻을 수 있게 된다.

'삼일로주'의 주방문에서 보아 알 수 있듯, 술을 빚기 시작해서 3일 만에 '소주'를 얻는다고 하여 술 이름을 '삼일로주'라고 부르게 된 것을 알 수 있다.

술을 빚는 사람들 가운데는 이처럼 간편한 주방문이 눈에 들어올지도 모른다. 단양주법에다 쌀을 씻을 필요도 없고, 3일 만에 증류하면 목적하는바 '소주'를 얻을 수 있기 때문이다.

하지만 필자의 생각은 다르다. 한마디로 그저 "부끄럽다."는 것이다. 더욱이 필자에 의해 이 글이 쓰여지고, 이렇듯 속성으로 빚어지는 '삼일로주'를 세상에 드러내야 한다는 사실이.

그리고 '위스키'나 '브랜디', '백주'보다 더 뛰어난 맛과 향기, 오랜 숙성을 거쳐 명품주로, 또는 세계화된 주품들과 당당히 견줄 수 있는 '소주' 주방문의 등장을 아직까지 목격하지 못했다는 안타까움도 함께.

삼일로주방 <임원십육지(林園十六志)>

술 재료 : 벼 1말, 누룩가루 3되, 물(1~2말)

술 빚는 법 :

1. 벼 1말을 (깨끗하게 씻어) 물에 담가 불렸다가, 부유물과 이물질을 제거하고 체에 건진다.

2. 벼를 물기를 빼고 넓은 자리에 펴서 말렸다가, 절구에 넣고 가루로 빻는다.
3. 나락가루에 적당량의 물(1~2말)을 붓고 고루 저어가면서 끓여 죽을 쑨 후, 넓은 그릇에 펴서 차게 식기를 기다린다.
4. 죽에 누룩가루 3되를 넣고 고루 버무려 술밑을 빚는다.
5. 술독에 술밑을 담아 안친 후, 예의 방법대로 하여 1일이나 2일간 발효시킨다.

* 소주 내리기 :
1. 술이 익었으면 술덧을 퍼서 준비한다(체에 걸러 탁주로 증류하면 더욱 좋다).
2. 솥에 술덧을 담아 안치고, 예의 방법대로 하여 소주를 내린다.

* 주방문 말미에 "술 빚은 지 1~2일이 지나 소주를 내리면 '노주'가 된다."고 하였다.

三日露酒方

稻一斗浸水待其淨灑篩瀝乾作末熬爲粥候涼麴末三升和釀過一兩日燒作露酒. <飮饍要覽>.

삼합주

스토리텔링 및 술 빚는 법

전라도 지방의 향토음식 가운데 '삼합(三合)'이라는 것이 있다. '삼합'은 삶은 돼지고기와 흑산도 홍어, 묵은 배추김치가 어우러져 소위 '합(合)'을 이룬다고 하는 음식인데, 최근에 이르러 이 삼합의 음식궁합이 최적의 '합(合)'이라는 과학적 규명에 의하여 그 인기가 계속 상승하고 있고, 삼합을 모방한 소위 '퓨전삼합'도 등장하고 있을 정도이다.

그런데 주품명에 '삼합주(三合酒)'가 있으리라는 생각은 꿈에도 하지 못했었다. 그러고 보니 <온주법(醞酒法)>에 '사미주(四米酒)'가 떠오른다.

'사미주'는 주원료인 쌀이 4가지라는 데에서 주품명을 얻었는데, '삼합주'는 "찹쌀과 메밀(거피), 차조" 또는 "찹쌀과 메밀, 수수" 등 세 가지 쌀이 주원료로 사용된 데에서 '삼미주(三米酒)'라는 이름을 붙이지 못하고, 대신 '삼합주'가 된 것으로 보인다.

따라서 "찹쌀과 메밀(거피), 차조" 또는 "찹쌀과 메밀, 수수" 등 세 가지 쌀이 어우러져 이룬 '합'은 어떤 매력이 있을까? '삼합주'와 유사한 재료와 과정으로 이루어지는 '잡곡주'나 민속주로 지정된 '문배술'과는 어떤 차이가 있을까? 궁금증이 증폭될수록 마음이 앞섰는데, 술을 빚어본 결과 필자의 기대에는 못 미쳤다.

왜냐하면 이 주품이 순곡소주가 아닌, 혼성주라는 사실이었다. 소주를 얻은 다음에 '백밀'을 비롯 '후춧가루' '천초가루' '건강가루' 등이 사용되면서 이들 부재료에 따른 맛과 향이 강하여 주재료인 찹쌀과 메밀, 수수 또는 차조가 어우러진 소주의 참맛과 특히 방향(芳香)에 대한 기대를 할 수 없었다.

그런데 필자로서 술맛이나 향기보다 중요하다고 생각되었던 한 가지 사실은, <양주방>*과 <주방(酒方, 임용기소장본)>, <주찬(酒饌)>에 '삼합주'가 등장한다는 것이다.

시대적으로 같은 시기에 작성된 세 문헌은 저자 미상이라는 공통점과 함께, 특히 <양주방>*과 <주찬>은 수록된 주품의 종류와 숫자도 비슷하다. 대략 80여 개의 주방문 중심으로 작성되었다.

하지만 <주찬>은 한문본이고 <양주방>*은 한글본이며, <주방(임용기소장본)>은 한글 · 한문 혼용본이라는 점에서 차이가 있고, 수록된 주품의 종류나 주방문의 성격도 전혀 다른 것으로 나타나고 있다.

이렇듯 서로 다른 성격의 문헌에서 독특한 주품명의 '삼합주'가 세 문헌에 수록되어 있다는 것은 우연이라고 하기에는 다른 뭔가가 있을 것 같아서, <양주방>*과 <주찬> 두 문헌에 수록된 주품명의 공통점을 찾았는데, 80여 개 주품 가운데 21가지가 같았고, 나머지 59개 주품은 서로 다른 것으로 분석되었다. 따라서 두 문헌의 내용은 너무도 다른 것으로 확인되었다.

예를 들면 <주찬>에 수록된 '도화춘(桃花春)'을 비롯하여 '은화춘(銀花春)', '청주(菁酒)', '경감주(瓊甘酒)', '왕감주(王甘酒)' 등은 다른 문헌에서는 찾아보기 힘들고, '해일주', '청명향', '벼락술', '오호주', '육병주', '소백주', '백단주', '층층지주', '백수환동주', '경향옥액주', '일두사병주', '솔방울술', '오미자술', '혼돈주', '만년향' 등은 <양주방>*에서만 찾아볼 수 있는 특별한 주품들이기 때문이다.

따라서 각 문헌에 수록된 주품들의 비교는 그만두고, 여기서는 '삼합주'를 비교해 보기로 한다.

우선, 주재료에서 '수수'와 '차조'의 차이로 나타난다고 볼 수 있다. 물론 후춧가루를 비롯하여 약재의 가짓수나 용량에서 약간씩 차이가 있긴 하나, 이것이 중요한 것은 아니라고 생각되므로 여기서는 더 이상 언급하지 않기로 하겠다.

다음은 이 세 문헌의 '삼합주'는 술을 빚는 과정, 즉 쌀의 가공방법에서 차이를 뜻하는데, <양주방>*의 '삼합주'는 불린 쌀을 물과 함께 끓여서 죽을 만들어 술을 빚는 방법인데 반하여, <주찬>의 '삼합주'는 불린 쌀을 시루에 안쳐서 찌는 방법으로 고두밥을 만들어 술을 빚는다는 점에서 큰 차이가 있다는 것이다.

그리고 <주방(임용기소장본)>에서는 쌀의 가공방법에 대한 언급이 없다는 것이다.

그러나 두 문헌 모두 발효가 끝난 술을 증류하여 소주를 내리고, "얻어진 소주와 약재를 함께 술병에 담고, 물솥에 술병을 안쳐서 중간불로 중탕한 후, 술을 고운체에 밭쳐 찌꺼기를 제거한다."는 점에서는 공통점을 나타내고 있다.

그런데 '삼합주'는 앞서 언급한 <온주법>의 '사미주'와 비교해도 별반 차이를 느낄 수 없었다. '사미주' 또한 <주찬>의 '삼합주'와 같이 "소주를 받을 그릇(受器)에 건강가루 5홉, 후춧가루 5홉, 백자가루 1되, 생꿀 1되를 합하여 넣고 달여서 소줏고리 귀때 밑에 받쳐서 소주와 섞인 대로 더운(따뜻한) 데 묻어둔다."고 하여 술을 빚는 과정의 유사성과 함께 술맛 또한 부재료에 의한 맛과 향기를 강하게 느낄 수밖에 없었다. 따라서 '삼합주'는 부재료의 사용량과 제조방법에 대한 연구가 필요하다는 생각을 갖게 하였다.

그리고 한 가지 덧붙인다면, 전라도 음식인 돼지고기와 홍어, 묵은 김치를 궁합으로 하는 음식 '삼합'과 '삼합주'가 아주 잘 어울릴 것이라는 생각이 들었다.

1. 삼합주 <양주방>*

술 재료 : 찹쌀 1말, 메밀 1말, 수수 1말, 누룩가루 1말, 물(6~9말), 흰 꿀 1되, 후추 3돈, 생강가루 3돈

술 빚는 법 :

1. 찹쌀과 메밀, 수수 각 1말을 깨끗이 씻고 또 씻어(백세하여) 물에 담가 불렸다가, (다시 씻어 건져서) 물기를 뺀다.
2. 솥에 물(6~9말)을 끓이다가, 찹쌀과 메밀, 수수를 한데 넣고 죽을 끓인다.
3. 죽이 익었으면 퍼내고, 넓은 그릇에 나눠 담고 차게 식기를 기다린다.
4. 죽에 누룩가루 1말을 한데 합하고, 고루 버무려 술밑을 빚는다.
5. 술독에 술밑을 담아 안치고, 예의 방법대로 하여 발효시킨다.

* 소주 내리기 :

1. 발효가 끝난 술덧을 체에 밭쳐 찬물을 쳐가면서 막걸리를 거른다.
2. 막걸리를 예의 방법대로 가마솥에 담아 안치고, 소줏고리를 이용하여 소주를 내린다.
3. 얻어진 소주 1말에 흰 꿀 1되, 후추 3돈, 생강가루 3돈을 섞어 병에 넣고 밀봉한다.
4. 솥에 물을 붓고, 술과 약재를 담은 술병을 안쳐서 중간불로 중탕한 후, 술을 고운체에 밭쳐 찌꺼기를 제거한다.
5. 중탕과 여과를 마친 술은 차게 식혀, 사기병에 담아 더운 곳에 두고 마신다.

* 주방문에 "장기(더운 지방의 토질병)를 낫게 하고, 기운을 내리치고 비위를 돋우니 가장 좋다."고 하였다. 다른 문헌의 '자주'와 유사한 방문이다.

삼합쥬

졈미 목미 당미 국말 각 일두롤 합하야 술 비ᄌᆞᄃᆡ 소쥬 술노 비져 되게 고아 ᄇᆡᆨ소쥬로 바든 후 ᄇᆡᆨ쳥 일 승 호초와 건강을 ᄀᆞᄂᆞ리 작말ᄒᆞ야 각 서 돈을 ᄇᆡᆨ쳥 ᄒᆞᆫ가지로 소주의 타 듕탕ᄒᆞ야 가ᄂᆞᆫ 체로 바타 거ᄌᆡᄒᆞᆫ 후 사병의 너허 더운 ᄃᆡ 두고 냥ᄃᆡ로 먹으면 냥긔와 습을 다ᄉᆞ리고 긔운을 ᄂᆞ리 뒤고 비위롤 도우니 가장 조흐니라.

2. 삼합주방문 <주방(酒方, 임용기소장본)>

술 재료 : 찹쌀 1말, 차조 1말, 메밀 1말, 누룩 1말, 물(6~9말), 꿀(白淸) 1되, 건강가루(乾薑末) 3홉, 호추가루(胡椒末) 3홉

술 빚는 법 :

1. 찹쌀과 차조, 메밀 각 1말을 준비한다(백세하여 물에 하룻밤 담가 불렸다가, 다시 씻어 헹궈 건져서 물기를 뺀 후, 시루에 안쳐서 고두밥을 짓는다).
2. (고두밥이 익었으면 퍼내고, 고루 펼쳐 차게 식기를 기다린다.)
3. (고두밥에) 물(6~9말)과 누룩(1말)을 합하고, 고루 치대어 술밑을 빚는다.
4. 술독에 술밑을 담아 안치고, 예의 방법대로 하여 (7~10일간) 발효시킨다.

증류하는 법 :

1. 술덧을 고운체에 받쳐 탁주를 거른다.
2. 남은 술찌꺼기에 물을 1말가량 섞어 다시 막걸리를 거르고, 먼저 걸러둔 탁주와 합한다.
3. 불 지핀 가마솥에 막걸리를 안치고, 소줏고리를 얹어 소줏번을 붙인다.
4. 소줏고리에 냉각수를 붓고, 약한 불로 소주를 내린다.
5. 병에 증류한 소주와 꿀(白淸) 1되, 건강가루(乾薑末) 3홉, 후춧가루(胡椒末) 3홉을 한데 섞고, 물솥에 중탕한다.
6. 고운체로 중탕한 술을 체에 밭쳐서 따뜻한 곳에 두고, 때때로 조금씩 마신다.

* 주방문 말미에 "치담(治痰) 치습(治濕)ᄒᆞ고, 보긔(補氣) 강긔(强氣) ᄒᆞᄂᆞ니라."고 하였다. 구체적인 술 빚는 법이 나와 있지 않으므로, 주방문이 유사한 <주찬>을 참고하였다.

삼합쥬방문(三合酒方文)

졈미(粘米) ᄒᆞᆫ 말(一斗) 메밀 쌀(米) ᄒᆞᆫ 말(一斗) 수수(秫) 쌀(米) ᄒᆞᆫ 말(一斗)을 소주(燒酒) 슐 비져 익거든 소쥬(燒酒) 고아 꿀(白淸) ᄒᆞᆫ 되(一升) 건강가루(乾薑末) 셔 홉(三合) 호쵸가루(胡椒末) 셔 홉(三合) ᄒᆞᆫ 되(一升) 타셔 병(甁)의 너허 ᄭᅳᆯ인 물의 듕탕ᄒᆞ여 먹어면 치담(治痰) 치습(治濕) ᄒᆞ고 보긔강긔(補氣 强氣) ᄒᆞᄂᆞ니라.

3. 삼합주 <주찬(酒饌)>

술 재료 : 찹쌀 1말, 차조 1말, 메밀(거피) 1말, 누룩 1말, 물(6~9말), 백밀 1되, 후춧가루 2전, 천초가루 2전, 건강가루 2전

술 빚는 법 :

1. 찹쌀과 차조, 메밀 각 1말을 백세하여 물에 하룻밤 담가 불렸다가 (다시 씻어 헹궈 건져서 물기를 뺀 후) 시루에 안쳐서 고두밥을 짓는다.
2. 고두밥이 익었으면 퍼내고, 고루 펼쳐 차게 식기를 기다린다.
3. 고두밥에 물(6~9말)과 누룩 1말을 합하고, 고루 치대어 술밑을 빚는다.
4. 술독에 술밑을 담아 안치고, 예의 방법대로 하여 7~10일간 발효시킨다.

증류하는 법 :

1. 술덧을 고운체에 받쳐 탁주를 거른다.
2. 남은 술찌꺼기에 물을 1말가량 섞어 다시 막걸리를 거르고, 먼저 걸러둔 탁주와 합한다.
3. 불 지핀 가마솥에 막걸리를 안치고, 소줏고리를 얹어 소줏번을 붙인다.
4. 소줏고리에 냉각수를 붓고, 약한 불로 소주를 내린다.
5. 단지에 소주와 준비한 약재(백밀 1되, 후춧가루 2전, 천초가루 2전, 건강가

루 2전)를 넣고 물솥에 중탕하는데, 술단지 위에 찹쌀을 한 줌 놓아 밥이 되면 그친다.

6. 고운체로 중탕한 술을 체에 밭쳐서 따뜻한 곳에 두고, 때때로 조금씩 마신다.

* 주방문 말미에 "장기(瘴氣)를 물리치고 습증을 치료해서 비위를 보한다."고 하였다.

三合酒

粘米一斗秫米一斗大麥米一斗麯一斗釀酒待熟待熟後注爲燒酒白蜜一升胡椒末二戔川椒末二戔乾薑末二戔交合於酒重湯用之重湯時粘米少許置于重湯器上米熟爲飯則卽止出最細篩漉之置熱處時時少許服之則逐瘴氣療濕症不氣補脾胃最緊也.

소주 삼해주

스토리텔링 및 술 빚는 법

동양에서는 천간(天干)인 십간(十干)과 지간(支干)인 십이지(十二支)를 순차로 배열하여 '육십갑자(六十甲子)', 곧 60년을 주기로 나이를 셈해 왔는데, 지간인 십이지를 신(神)으로 삼고, 각각의 신은 태어나는 해의 띠를 상징하는 것으로 삼았다. 십이지는 쥐를 자(子), 소를 축(丑), 범을 인(寅), 토끼를 묘(卯), 용을 진(辰), 뱀을 사(巳), 말을 오(午), 양을 미(未), 원숭이를 신(申), 닭을 유(酉), 개를 술(戌), 돼지를 해(亥)로 표기한 것이다.

이 십이지의 맨 끝에 오는 신 중 하나가 '돼지(亥)'인데, 열두 번째 날인 해일(亥日)은 전통 양주에서 가장 선호되는 날로, 양주길일(釀酒吉日) · 조주길일(造酒吉日)로 여겨왔다. 십이지신 가운데 돼지의 피가 가장 밝고 깨끗한 선홍색을 띠는 관계로, 술의 색깔이 맑고 깨끗하기를 바라는 마음을 담은 것이라고 할 수 있다.

매년 음력으로 새해가 되어 처음 맞이하는 돼지날(亥日)에 빚는 술로 '소곡주'를 비롯하여 '송절주', '도화주', '두견주', '약산춘', '백일주' 등을 들 수 있다.

이들 주품은 조선시대 명주로 이름을 떨쳤는데, 가장 추울 때인 음력 정월 첫 돼지날에 술을 빚기 시작함으로써 저온장기 발효를 도모했음을 알 수 있다.

돼지날에 술을 빚는 주품 가운데 대표적인 술로, 정월 첫 돼지날에 밑술을 빚기 시작하여 12일 간격이나 36일 간격으로 돌아오는 다음 돼지날에 덧술을 하고, 다시 돌아오는 돼지날에 세 번째 술을 해 넣는 까닭에 '삼해주(三亥酒)'라는 주품명을 붙이게 되었으며, 술이 익기까지는 최소 36일에서 96일이 걸리는 장기 발효주라고 할 수 있으며, 추운 겨울에 빚는 만큼 '계절주(季節酒)'의 성격을 띤다.

'삼해주'처럼 술의 제조과정이 세 번에 걸쳐 이뤄지는 술을 삼양주(三讓酒)라고 한다. 처음 술을 해서 안친 지 오랜 시간에 걸쳐 술이 익게 되므로, 술의 맛이나 향, 색상이 뛰어난 명주로 알려져 왔는데, 명주는 오랜 시간에 걸쳐 발효와 숙성을 거친다는 사실은 서양의 '와인'이나 '위스키' 등에서 찾아볼 수 있으나, '삼해주'처럼 술을 빚는 실제 기간이 긴 경우는 찾아보기 힘들다.

주지하다시피 '와인'은 한 번 빚고 발효와 숙성시간을 길게 가져가는 단양주법(單釀酒法)인 데 반하여, '삼해주'는 술 빚는 횟수가 3차례에 걸쳐 이뤄지는 삼양주법이고, 그 기간도 짧게는 24일에서 길게는 72일이나 소요되기 때문에 비교할 바가 아니라는 생각이 든다.

이처럼 여느 술과는 다르게 술을 익히는 시간이 오래 걸리는 관계로 '백일주(百日酒)'라고도 불렸으며, "한겨울에 술을 빚어두었다가 이른 봄 버들강아지가 피어나는 시기에 술을 마시기 시작한다."고 하여 '유서춘(柳絮春)'이라는 낭만적인 별명을 갖게 되었다.

그런데 이렇게 오랜 시간 3차례에 걸쳐 술을 빚는다는 사실은, '삼해주'에 주원료의 양과 술 빚기에 따른 인건비도 많이 소용되기 때문에 값이 비싼 술이 될 수밖에 없는데, 이런 술을 발효주로 마시지 않고 증류를 하게 되면 술값은 더욱 비싸질 수밖에 없다. '삼해주'는 바로 그런 술이다.

물론 값이 비싸다고 해서 명주가 되는 것은 아니나, 단양주보다는 이양주(二釀酒)가, 이양주보다는 삼양주가 맛이나 향기, 색깔 등에서 훨씬 뛰어나기 마련이고, 장기간에 걸쳐 완성된 술에서 한결 부드럽고 깨끗한 맛과 풍부한 방향을 느낄 수 있다는 사실은 누구나 공감하는 바이다.

'삼해주'를 수록하고 있는 문헌으로 가장 시대가 앞선 <산가요록(山家要錄)>

을 보면, “삼해주는 정월 첫 번째 해일에 찹쌀 1말을 물에 담가 곱게 가루를 내어 푹 찐다. 또 끓는 물 11발과 떡을 합하여 죽을 만들어 식히고 누룩가루 7되, 밀가루 3되를 섞어 항아리에 넣는다. 두 번째 해일에 멥쌀 7말을 물에 담가 하룻밤을 두었다가 곱게 가루 내어 끓는 물 8병으로 죽을 쑤어 식힌다. 누룩이 없으면 앞의 항아리에 섞어 넣는다. 세 번째 해일에 멥쌀 12말을 물에 담갔다가 가루를 내고 끓는 물 12병으로 죽을 쑤어 식혀서 항아리에 넣고 밀봉했다가 버들가지가 처음 날릴 때 열어 쓴다. 이 밖에도 또 2가지 방법이 있으나 대동소이하다.”고 하였다.

<산가요록>의 ‘삼해주’ 주방문을 통해서 확인할 수 있는 몇 가지 사실은, 술 빚기에 사용되는 쌀 양이 12말로서 당시의 쌀 생산량이나 생활수준을 생각하면 일반 서민층에서 접근할 수 있는 술이 아니라는 것을 짐작할 수 있다. 이는 사대부나 부유층의 술이라는 것이 분명해진다.

또한 조선 초기, 즉 600년 전에 이미 저온장기 발효를 위한 양주시기로 음력 정월이 선호되었다는 것을 알 수 있고, 단양주법의 서양 ‘포도주’나 ‘맥주’와는 달리 고급화를 위한 삼양주법의 양주기술이 확립되었다는 사실을 확인할 수 있다.

이 밖에도 한 가지 쌀을 사용하면서도 가공방법을 달리함으로써, 알코올 도수는 물론이고 맛과 색깔, 특히 향취가 다른 술을 얻고자 한 지혜를 엿볼 수 있다.

그 예로 <산가요록>에서는 밑술을 흰무리떡에 끓는 물을 섞어 다시 죽을 만들어 사용하고, 덧술은 죽(범벅)을 만들어 사용하며, 2차 덧술도 덧술과 같이 죽(범벅)을 만들어 사용하는 반면, <언서주찬방(諺書酒饌方)>에서는 3차례에 걸쳐 쌀가루를 끓는 물로 익히는 반생반숙의 범벅을 사용하는 것으로, 밑술 과정에서만 차이를 보이고 있는데, 두 문헌에서는 주원료의 배합비율이 같고, 덧술을 빚는 간격도 12일로 공통을 이룬다는 것을 알 수 있다.

삼해주를 명주로 꼽는 이유 가운데 한 가지는, 술 빚기에 사용되는 누룩의 양이 대개가 5% 미만이라는 사실이다. 전통양주에서 누룩 양이 5%라는 사실은 술 빚기가 쉽지 않다는 것을 뜻한다.

실례로 <산가요록>의 ‘삼해주’는 쌀 20말에 대하여 누룩가루 7되(3.5%)가 사용되고, <양주(釀酒)>의 ‘삼해주’는 쌀 5말에 대하여 누룩 2되로 4%, <증보산림경제(增補山林經濟)>를 비롯하여 <감저종식법(甘藷種植法)>, <고사신서(攷事

新書)>, <고사십이집(攷事十二集)>, <농정회요(農政會要)>, <민천집설(民天集說)>, <산림경제(山林經濟)>의 경우 쌀 8말에 대해 누룩가루 1되(1.25%), <수운잡방(需雲雜方)>에서는 쌀 20말에 대하여 누룩가루 5되(2.5%), <양주집(釀酒集)>에서는 쌀 18말에 대해 누룩가루 2되(1.11%)가 사용된다.

한편, <음식디미방>의 '스무 말 빚이'는 쌀 20말에 대하여 누룩가루 7되(3.5%), 심지어 <음식보(飮食譜)>의 경우에는 쌀 13말에 대해 누룩가루 1되(0.7%)와 <주방문(酒方文)>의 경우는 쌀 10말에 대해 누룩가루 5홉(0.5%)뿐으로, 다른 주품에 비해 누룩의 양이 특히 적게 사용된다는 것을 확인할 수 있다.

물론, <요록(要錄)>의 경우 쌀 15말에 대하여 누룩 1말 7되(11.3%), <홍씨주방문>의 경우 쌀 6말에 대하여 누룩가루 7되(11.66%)가 사용된 경우로서, '삼해주' 가운데 가장 많은 누룩 사용비율을 보이고 있지만, 다른 주품들에 비하면 그리 많은 편이 아니라는 것을 알 수 있다.

'소주 삼해주'의 누룩 사용비율은 <증보산림경제>과 <임원십육지(林園十六志)>, <농정회요>, <산림경제촬요(山林經濟撮要)>의 경우 5%에 그친 반면, 2차 덧술의 양이 덧술보다 적게 사용되고, 멥쌀이 아닌 찹쌀을 사용하는 공통점을 띠고 있으며, <우음제방(禹飮諸方)> 7.9%, <규중세화> 13.3%로 후기의 주방문일수록 누룩 사용비율이 높다는 것을 알 수 있다.

한편, 조선 중기로 접어들면서 '삼해주'는 더욱 사치스러운 술이 되어가고 있음을 볼 수 있는데, 1766년간 <증보산림경제>의 '삼해주 우법(又法)'을 비롯하여 1823년의 <임원십육지>에 '삼해주 노주법(露酒法)', 1800년대 중엽의 문헌인 <산림경제촬요>에 '삼해주 우방(又方)', <농정회요>의 '삼해주 우방', 그리고 1900년대 문헌인 <우음제방>에서도 '소주 삼해주' 주방문을 읽을 수 있으며, 특히 1900년대의 <규중세화>에서는 이양주법 '삼해주(노주법)'까지 등장한다는 사실이다.

여기서 발효주법 '삼해주'와 '소주 삼해주'의 차이점을 보면, 발효주법의 경우 밑술을 빚는 방법이 죽을 비롯하여 구멍떡, 설기(흰무리), 범벅, 고두밥 등 다양하게 나타나는 것과 달리, '소주 삼해주'에서는 설기(흰무리) 중심으로 이루어진다는 것을 알 수 있다.

그 예로 <증보산림경제>의 '삼해주 우법' <임원십육지>의 '삼해주 노주방', <농정회요>와 <산림경제촬요>의 '삼해주 우방'은 밑술과 덧술을 설기(흰무리떡)로 하고 마지막 덧술을 고두밥으로 하는 동일한 방법으로 빚고, <우음제방>의 '소주 삼해주'는 3차례에 걸쳐 고두밥만으로 빚는다.

그런가 하면, <규중세화>의 '삼해주(노주법)'에서는 설기(흰무리)와 고두밥을 사용하는 이양주법을 수록하고 있어 술 빚는 방법의 변화를 통해 '소주 삼해주'의 다양성을 엿볼 수 있다.

1. 삼해주 <규중세화>

–노주법(露酒法)

술 재료 : 밑술 : 찹쌀 5되~3되, 진누룩(흰밀가루누룩 2되), (끓여 식힌 물 3병)
덧술 : 멥쌀 1~2말, 누룩 3~6되

술 빚는 법 :

* 밑술 :

1. 정월 보름(15일) 전에 찹쌀 5되~3되를 준비한다(백세하여 물에 담가 불렸다가, 다시 씻어 건져서 물기를 뺀다).
2. (솥에 물을 붓고 시루를 올려서 쌀가루를 안치고 쪄서 흰무리떡을 만들어, 넓게 펼쳐서 차게 식기를 기다린다).
3. 진누룩(흰밀가루누룩, 백곡)을 절구에 깐깐히(치밀하고 곱게) 찧어 (고운체에 쳐서 내려) 놓는다.
4. (차게 식힌 흰무리떡에 가루누룩 2되와 끓여 식힌 물 3병을 합하고, 고루 버무려 멍우리 없는 술밑을 빚는다.)
5. 백항아리(술독)에 술밑을 담아 안치고, 예의 방법대로 하여 찬 곳에 앉혀두고 3월이 되도록 (45일간) 발효시킨다.

* 덧술 :

1. 3월에 멥쌀(1~2말)을 (백세하여 물에 담갔다가, 다시 씻어 건져서) 물기를 빼놓는다.
2. (불린 쌀을 시루에 안치고 푹 무르게 쪄서 고두밥이 익었으면 퍼내고, 넓게 펼쳐서 차게 식기를 기다린다).
3. 고두밥에 누룩 3~6되와 밑술 1~3복자를 합하고, 고루 버무려 술밑을 빚는다.
4. 술독에 술밑을 담아 안치고, 예의 방법대로 하여 찬 곳에 앉혀두고 5월이 되도록 (60일간) 발효시킨다.
5. 술 위에 부의(하얀 밥알)가 뜨면 주조에 올려 짜낸다.

* 소주 내리기 :

1. 솥에 불을 지피고, 물 2사발을 붓고 끓이다가, 술 2사발을 붓고 끓인다.
2. 술 3사발을 솥에 붓고 저어준 뒤, 끓으면 다시 술을 붓는 방법으로 술을 다 안친 후, 소줏고리를 얹고, 소줏고리 위에 냉각수 그릇을 얹는다.
3. 솥과 소줏고리, 소줏고리와 냉각수 그릇의 틈새를 소줏번을 붙여 막는다.
4. 냉각수 그릇에 찬물을 채우고, 소줏고리 귀때 밑에 수기를 받쳐놓는다.
5. 뽕나무나 밤나무 불을 알맞게 조절하여 소주를 받되, 첫술 1컵 정도는 버리거나 다음에 증류할 술에 섞어 사용한다.
6. 냉각수 그릇의 물이 따뜻하면 즉시 퍼내고 다시 찬물을 갈아준다.

* '삼해주'라고 하였으나, 이양주법 '소주 삼해주' 주방문이다.
* 주방문이 불분명하다. '삼해주'는 삼양주인데, 주방문에는 한 차례 덧술만 하는 것으로 되어 있다. 또한 밑술의 찹쌀을 어떻게 가공하는 것인지, 물은 사용하는지 않는지 알 수 없고, 덧술에도 양주용수가 사용되지 않는다.

삼해주(약주법이라)

정월 망 전에 찹쌀 닷 되나 서 되나 진누록 ○○(깐깐이) 찌여 쌀과 같이 여너력 지나 백항이나 너 찬 데 두었다가 삼월에 덧트되(덧하되), (쌀) 한 말에 누룩 서 되씩 하고, 밋술 한 복자씩 너허 오월에 고음이라.

2. 삼해주 우방 <농정회요(農政會要)>

–노주법(露酒法)

술 재료 : 밑술 : 멥쌀 1말, 누룩가루 5되, (끓여 식힌) 물 3병
덧술 : 멥쌀 7말, (끓여 식힌) 물 21병
2차 덧술 : 찹쌀 2말

술 빚는 법 :

* 밑술 :

1. 정월 첫 해일에 멥쌀 1말을 백세하여(물에 담갔다가, 다시 씻어 건져서 물기를 뺀 뒤) 작말한다.
2. 솥에 물을 붓고 시루를 올려서 쌀가루를 안치고 쪄서 흰무리떡을 만든다(넓게 펼쳐서 차게 식기를 기다린다).
3. 설기떡에 누룩가루 5되와 (끓여 식힌) 물 3병을 합하고, 고루 버무려 멍우리 없는 술밑을 빚는다.
4. 술독에 술밑을 담아 안치고, 예의 방법대로 하여 적당한(차지도 덥지도 않은) 곳에 앉혀두고 (12일간) 발효시킨다.

* 덧술 :

1. 둘째 해일에 멥쌀 7말을 각각 백세하여(물에 담갔다가, 다시 씻어 건져서 물기를 뺀 뒤) 작말한다.
2. 쌀가루를 시루에 안치고, 푹 무르게 쪄서 설기떡이 익었으면 퍼낸다(넓게 펼쳐서 차게 식기를 기다린다).
3. 설기떡을 물 21병에 넣고 풀어 (덩어리진 것이 없이 하여 죽처럼 만들어) 밑

술을 합하고, 고루 버무려 술밑을 빚는다.
4. 술독에 술밑을 담아 안치고, 예의 방법대로 하여 적당한(차지도 덥지도 않은) 곳에 앉혀두고 (12일간) 발효시킨다.

* 2차 덧술 :
1. 셋째 해일에 찹쌀 2말을 정세하여(매우 깨끗하게 씻어 말갛게 헹군 후, 물에 담갔다가, 다시 씻어 건져서 물기를 뺀 뒤) 시루에 안쳐 고두밥을 짓는다.
2. (고두밥이 익었으면 퍼내고, 넓게 헤쳐 차게 식기를 기다린다.)
3. 고두밥에 덧술을 합하고, 고루 버무려 술밑을 빚는다.
4. 술밑을 술독에 담아 안치고, 예의 방법대로 하여 발효·숙성시켜 술이 익기를 기다린다.
5. 술 위에 부의(하얀 밥알)가 뜨면 주조에 올려 짜낸다.

* 소주 내리기 :
1. 솥에 불을 지피고, 물 2사발을 붓고 끓이다가, 술 2사발을 붓고 끓인다.
2. 술 3사발을 솥에 붓고 저어준 뒤, 끓으면 다시 술을 붓는 방법으로 술을 다 안친 후, 소줏고리를 얹고, 소줏고리 위에 냉각수 그릇을 얹는다.
3. 솥과 소줏고리, 소줏고리와 냉각수 그릇의 틈새를 소줏번을 붙여 막는다.
4. 냉각수 그릇에 찬물을 채우고, 소줏고리 귀때 밑에 수기를 받쳐놓는다.
5. 뽕나무나 밤나무 불을 알맞게 조절하여 소주를 받되, 첫술 1컵 정도는 버리거나 다음에 증류할 술에 섞어 사용한다.
6. 냉각수 그릇의 물이 따뜻하면 즉시 퍼내고 다시 찬물을 갈아준다.

* 주방문 말미에 "이 술(삼해주—열 말 빚이)을 증류하여 '노주(露酒)'를 만들면 맛이 좋다."고 한 근거에 의하여 '노주 주방문'을 작성하였다.

三亥酒 露酒方

正月上亥日 白米一斗百洗作末蒸熟欲釀十斗者預以麯末五合爲一斗之定式 合

麯五升造水三瓶納甕置冷暖適宜之地 次亥日白米七斗百洗作末爛蒸如前酒調之 而 每一斗以水三瓶爲率合水二十一瓶一處調和入甕 至第三亥日粘米二斗淨洗蒸之不用水調於前酒待熟浮蟻上槽 盖此酒成好沸溢必分釀諸甕沸過合入一甕可矣 此酒燒作露酒則美烈.

3. 삼해주 우방 <산림경제촬요(山林經濟撮要)>

술 재료 : 밑술 : 멥쌀 1말, 누룩가루 5되, 끓여 식힌 물 3병
덧술 : 멥쌀 7말, 물(끓여 식힌) 21병
2차 덧술 : 찹쌀 2말

술 빚는 법 :

* 밑술 :

1. 정월 첫 해일에 멥쌀 1말을 백세하여(물에 담갔다가, 다시 씻어 건져서 물기를 뺀 뒤) 작말한다(가루로 빻는다).
2. 쌀가루를 시루에 안쳐서 떡(흰무리)을 찌고, 익었으면 시루에서 퍼내고, 넓게 펼쳐서 차게 식기를 기다린다.
3. 물 3병을 (솥에 붓고 끓여서 넓은 그릇에 퍼서 차게 식혀) 준비해 놓는다.
4. 떡에 누룩가루 5되와 끓여 식힌 물 3병을 한데 넣고, 고루 버무려 술밑을 빚는다.
5. 술독에 술밑을 담아 안치고, 예의 방법대로 하여 (12일간) 발효시킨다.

* 덧술 :

1. 둘째 해일에 멥쌀 7말을 백세하여(물에 담갔다가, 다시 씻어 건져서 물기를 뺀 뒤) 작말한다(가루로 빻는다).
2. 쌀가루를 시루에 안치고 쪄서, 떡(흰무리)이 익었으면 넓게 펼쳐서 차게 식

기를 기다린다.
3. 떡에 밑술과 물(끓여 식힌) 21병을 한데 합하고, 고루 버무려 술밑을 빚는다.
4. 술독에 술밑을 담아 안치고, 예의 방법대로 하여 12일간 발효시킨다.

* 2차 덧술 :
1. 셋째 해일에 찹쌀 2말을 정세하여 (물에 담갔다가, 다시 씻어 건져서 물기를 뺀 뒤) 시루에 안쳐 고두밥을 짓는다.
2. 고두밥이 익었으면 퍼내고, 고루 펼쳐서 차게 식기를 기다린다.
3. 고두밥에 덧술을 합하고, 고루 버무려 술밑을 빚는다.
4. 술밑을 독에 담아 안치고 발효·숙성시킨 후, 부의가 떠오르면 주조에 올려 짠다.

* 주방문 말미에 "익기를 기다려 주조에 올려 짠다. 술의 품질이 좋다. 술이 끓어오르면 술 한 독을 소주를 내리면 매우 독하고 맵다."고 하였다. <산림경제>와 다르다.

三亥酒 又方

正月上亥日白米一斗百洗作末蒸熟欲釀十斗者預以麯末五合爲一斗米定式 合麯五升造水三甁納瓮置冷暖適宜之地次亥日白米七斗百洗作末爛蒸如前酒調之而每一斗以水三甁爲率合水二十一甁一處調和入瓮至第三亥日粘米二斗淨洗蒸之不用水調於前酒待熟蟻浮上槽盖此酒成好沸溢必分釀諸瓮沸過合入一瓮可矣.此酒燒作露酒則美烈.

4. 소주 삼해주 <우음제방(禹飮諸方)>

술 재료 : 밑술 : 찹쌀 3되, 섬누룩 3되
덧술 : 멥쌀 또는 찹쌀 2말, 누룩 2되, (끓여 식힌 물 2말)
2차 덧술 : 멥쌀 또는 찹쌀 4말

술 빚는 법 :

* 밑술 :

1. 정월 첫 해일에 찹쌀 3되를 (백세하여 물에 담갔다가, 다시 씻어 건져서 물기를 뺀 뒤) 시루에 안쳐 고두밥을 짓는다.
2. 고두밥은 물을 많이 뿌려 질게 찌고, 익었으면 퍼낸다(넓게 펼쳐서 차게 식기를 기다린다).
3. 고두밥에 섬누룩 3되와 합하고, 고루 치대어 술밑을 빚는다.
4. 술독에 술밑을 담아 안치고, 예의 방법대로 하여 서늘한 곳에 앉혀두고 (36일간) 발효시킨다.

* 덧술 :

1. 2월 첫 해일에 형편 되는 대로 멥쌀이나 찹쌀 2말을 (백세하여 물에 담갔다가, 다시 씻어 건져서 물기를 뺀 뒤) 시루에 안쳐서 고두밥을 짓는다.
2. 고두밥이 익었으면 퍼낸다(넓게 펼쳐서 차게 식기를 기다린다).
3. 고두밥에 밑술과 (끓여 식힌 물 2말과) 누룩(2되)을 합하고, 고루 버무려 술밑을 빚는다.
4. 술독에 술밑을 담아 안치고, 예의 방법대로 하여 서늘한 곳에 앉혀두고 (36일간) 발효시킨다.

* 2차 덧술 :

1. 3월 첫 해일에 형편 되는 대로 하되, 멥쌀이나 찹쌀 4말을 (백세하여 물에

담갔다가, 다시 씻어 건져서 물기를 뺀 뒤) 시루에 안쳐서 고두밥을 짓는다.
2. 고두밥이 익었으면 퍼낸다(넓게 펼쳐서 차게 식기를 기다린다).
3. 고두밥에 밑술을 합하고, 고루 버무려 술밑을 빚는다.
4. 술밑을 술독에 담아 안치고, 예의 방법대로 하여 서늘한 곳에 앉혀두고 (36일간) 발효시켜 술이 익기를 기다린다.

* 소주 내리기 :
1. 솥에 불을 지피고, 물 2사발을 붓고 끓이다가, 술 2사발을 붓고 끓인다.
2. 술 3사발을 솥에 붓고 저어준 뒤, 끓으면 다시 술을 붓는 방법으로 술을 다 안친 후, 소줏고리를 얹고, 소줏고리 위에 냉각수 그릇을 얹는다.
3. 솥과 소줏고리, 소줏고리와 냉각수 그릇의 틈새를 소줏번을 붙여 막는다.
4. 냉각수 그릇에 찬물을 채우고, 소줏고리 귀때 밑에 수기를 받쳐놓는다.
5. 뽕나무나 밤나무 불을 알맞게 조절하여 소주를 받되, 첫술 1컵 정도는 버리거나 다음에 증류할 술에 섞어 사용한다.
6. 냉각수 그릇의 물이 따뜻하면 즉시 퍼내고 다시 찬물을 갈아준다.
7. 소줏고리에서 내려오는 소주 맛이 싱겁거나 물맛이 느껴지면 증류를 그친다.

* 주방문 말미에 "오월에 고으라."고 하여 36일 간격으로 빚는 삼해주로, 술이 익기까지 100여 일이 소요된다는 것을 알 수 있다. 또 "이월에 덧할 때 2말 하였거든 삼월의 4말을 하나니, 배(2배, 4말) 없어도(하지 않아도) 맛은 한가지니라."고 하여, 형편 닿는 대로 빚는 소주임을 알 수 있다.

소쥬 삼ᄒᆡ쥬

뎡월의 졈미 서 되를 밥 즐게 지어 섭누룩 서 되예 군물 말고 버무려 너허 한ᄃᆡ 두엇다가 이월 첫 ᄒᆡ일의 힘ᄃᆡ로 ᄊᆞᆯ 아모 만이나 지에 ᄶᅧ ᄒᆞᆫ 말의 섭누룩 닷 되식 샹술 빗ᄃᆞ시 물을 훌운이 ᄒᆞ야 한ᄃᆡ 두엇다가 삼월의 ᄊᆞᆯ 힘ᄃᆡ로 그 밋한 ᄃᆡ 버무려 두엇다가 오월의 고ᄋᆞ라. 이월의 덧ᄒᆞᆯ 적 두 말 ᄒᆞ엿거든 삼월의 너 말을 ᄒᆞᄂᆞ니 ᄇᆡ 업서도 마ᄉᆞᆫ ᄒᆞᆫ가지니라.

5. 삼해주 우방 <임원십육지(林園十六志)>

술 재료 : 밑술 : 멥쌀 1말, 누룩가루 5되, (끓여 식힌) 물 3병
덧술 : 멥쌀 7말, (끓여 식힌) 물 21병
2차 덧술 : 찹쌀 2말

술 빚는 법 :

* 밑술 :

1. 정월 첫 해일에 멥쌀 1말을 백세하여(물에 담갔다가, 다시 씻어 건져서 물기를 뺀 뒤) 작말한다.
2. 솥에 물을 붓고 시루를 올려서, 쌀가루를 안치고 쪄서 익힌다(넓게 펼쳐서 차게 식기를 기다린다).
3. 설기떡에 누룩가루 5되와 (끓여 식힌) 물 3병을 합하고, 고루 버무려 멍우리 없는 술밑을 빚는다.
4. 술독에 술밑을 담아 안치고, 예의 방법대로 하여 적당한(차지도 덥지도 않은) 곳에 앉혀두고 (12일간) 발효시킨다.

* 덧술 :

1. 둘째 해일에 멥쌀 7말을 각각 백세하여(물에 담갔다가, 다시 씻어 건져서 물기를 뺀 뒤) 작말한다.
2. 쌀가루를 시루에 안치고, 푹 무르게 쪄서 설기떡이 익었으면 퍼낸다(넓게 펼쳐서 차게 식기를 기다린다).
3. 설기떡을 (끓여 식힌) 물 21병에 넣고 풀어 (덩어리진 것이 없이 하여 죽처럼 만들어) 밑술을 합하고, 고루 버무려 술밑을 빚는다.
4. 술독에 술밑을 담아 안치고, 예의 방법대로 하여 적당한(차지도 덥지도 않은) 곳에 앉혀두고 (12일간) 발효시킨다.

* 2차 덧술 :

1. 셋째 해일에 찹쌀 2말을 정세하여(매우 깨끗하게 씻어 말갛게 헹군 후, 물에 담갔다가, 다시 씻어 건져서 물기를 뺀 뒤) 시루에 안쳐 고두밥을 짓는다.
2. (고두밥이 익었으면 퍼내고, 넓게 헤쳐 차게 식기를 기다린다.)
3. 고두밥에 덧술을 합하고, 고루 버무려 술밑을 빚는다.
4. 술밑을 술독에 담아 안치고, 예의 방법대로 하여 발효·숙성시켜 술이 익기를 기다린다.
5. 술 위에 부의(하얀 밥알)가 뜨면 주조에 올려 짜낸다.

* 소주 내리기 :

1. 솥에 불을 지피고, 물 2사발을 붓고 끓이다가, 술 2사발을 붓고 끓인다.
2. 술 3사발을 솥에 붓고 저어준 뒤, 끓으면 다시 술을 붓는 방법으로 술을 다 안친 후, 소줏고리를 얹고, 소줏고리 위에 냉각수 그릇을 얹는다.
3. 솥과 소줏고리, 소줏고리와 냉각수 그릇의 틈새를 소줏번을 붙여 막는다.
4. 냉각수 그릇에 찬물을 채우고, 소줏고리 귀때 밑에 수기를 받쳐놓는다.
5. 뽕나무나 밤나무 불을 알맞게 조절하여 소주를 받되, 첫술 1컵 정도는 버리거나 다음에 증류할 술에 섞어 사용한다.
6. 냉각수 그릇의 물이 따뜻하면 즉시 퍼내고 다시 찬물을 갈아준다.

* 주방문 말미에 "이 술(삼해주—열 말 빚이)을 증류하여 노주(露酒)를 만들면 맛이 좋다."고 한 근거에 의하여 '삼해주노주' 주방문을 작성하였다. <증보산림경제>를 인용하였다.

三亥酒 又方

正月上亥日 白米一斗百洗作末蒸熟欲釀十斗者以麴末五升(每一斗入麴末五合爲率一)調水三瓶納瓮置冷暖適宜之地 次亥日白米七斗百洗作末爛烝與前本調和而每一斗以水三瓶爲率合水二十一瓶一處調和入瓮至第三亥日粘米二斗淨洗烝飯不用水投之待熟浮蟻上槽 此酒性喜沸溢必分釀諸瓮沸過合入一

瓮. 此酒燒作露酒則美烈. <增補山林經濟>.

6. 삼해주 우법 <증보산림경제(增補山林經濟)>

–노주법(露酒法)

술 재료 : 밑술 : 멥쌀 1말, 누룩가루 5되, (끓여 식힌) 물 3병
덧술 : 멥쌀 7말, (끓여 식힌) 물 21병
2차 덧술 : 찹쌀 2말

술 빚는 법 :

* 밑술 :

1. 정월 첫 해일에 멥쌀 1말을 백세하여(물에 담갔다가, 다시 씻어 건져서 물기를 뺀 뒤) 작말한다.
2. 솥에 물을 붓고 시루를 올려서, 쌀가루를 안치고 쪄서 익힌다(넓게 펼쳐서 차게 식기를 기다린다).
3. 설기떡에 누룩가루 5되와 (끓여 식힌) 물 3병을 합하고, 고루 버무려 멍우리 없는 술밑을 빚는다.
4. 술독에 술밑을 담아 안치고, 예의 방법대로 하여 적당한(차지도 덥지도 않은) 곳에 앉혀두고 (12일간) 발효시킨다.

* 덧술 :

1. 둘째 해일에 멥쌀 7말을 각각 백세하여(물에 담갔다가, 다시 씻어 건져서 물기를 뺀 뒤) 작말한다.
2. 쌀가루를 시루에 안치고, 푹 무르게 쪄서 설기떡이 익었으면 퍼낸다(넓게 펼쳐서 차게 식기를 기다린다).
3. 설기떡을 (끓여 식힌) 물 21병에 넣고 풀어 (덩어리진 것이 없이 하여 죽처

럼 만들어) 밑술을 합하고, 고루 버무려 술밑을 빚는다.
4. 술독에 술밑을 담아 안치고, 예의 방법대로 하여 적당한(차지도 덥지도 않은) 곳에 앉혀두고 (12일간) 발효시킨다.

* 2차 덧술 :
1. 셋째 해일에 찹쌀 2말을 정세하여(매우 깨끗하게 씻어 말갛게 헹군 후, 물에 담갔다가, 다시 씻어 건져서 물기를 뺀 뒤) 시루에 안쳐 고두밥을 짓는다.
2. (고두밥이 익었으면 퍼내고, 넓게 헤쳐 차게 식기를 기다린다.)
3. 고두밥에 덧술을 합하고, 고루 버무려 술밑을 빚는다.
4. 술밑을 술독에 담아 안치고, 예의 방법대로 하여 발효·숙성시켜 술이 익기를 기다린다.
5. 술 위에 부의(하얀 밥알)가 뜨면 주조에 올려 짜낸다.

* 소주 내리기 :
1. 솥에 불을 지피고, 물 2사발을 붓고 끓이다가, 술 2사발을 붓고 끓인다.
2. 술 3사발을 솥에 붓고 저어준 뒤, 끓으면 다시 술을 붓는 방법으로 술을 다 안친 후, 소줏고리를 얹고, 소줏고리 위에 냉각수 그릇을 얹는다.
3. 솥과 소줏고리, 소줏고리와 냉각수 그릇의 틈새를 소줏번을 붙여 막는다.
4. 냉각수 그릇에 찬물을 채우고, 소줏고리 귀때 밑에 수기를 받쳐놓는다.
5. 뽕나무나 밤나무 불을 알맞게 조절하여 소주를 받되, 첫술 1컵 정도는 버리거나 다음에 증류할 술에 섞어 사용한다.
6. 냉각수 그릇의 물이 따뜻하면 즉시 퍼내고 다시 찬물을 갈아준다.

* 주방문 말미에 "이 술(삼해주—열 말 빚이)을 증류하여 '노주(露酒)'를 만들면 맛이 좋다."고 한 근거에 의하여 '삼해주노주' 주방문을 작성하였다.

三亥酒 又方

正月上亥日　白米一斗百洗作末蒸熟欲釀十斗者預以麯末五合爲一斗之定式

合麯五升造水三瓶納甕置冷暖適宜之地 次亥日白米七斗百洗作末爛蒸如前酒調之 而 每一斗以水三瓶爲率合水二十一瓶一處調和入甕 至第三亥日粘米二斗淨洗蒸之不用水調於前酒待熟浮蟻上槽 盖此酒成好沸溢必分釀諸甕沸過合入一甕可矣 此酒燒作露酒則美烈.

상실소주

스토리텔링 및 술 빚는 법

'상실주(橡實酒)'는 상수리나 도토리로 빚는 술이다. 이 '상실주'를 증류하여 만든 술이 '상실소주(橡實燒酒)'이다.

<산가요록(山家要錄)>에 두 가지 주방문이 존재하고, 이들 주방문은 이양주법(二釀酒法)과 삼양주법(三釀酒法)으로 구성되어 있음을 볼 수 있다.

환언하면, 이양주법의 '상실주'는 껍질 깐 상수리 3말을 물에 오랫동안 담가서 떫은맛과 쓴맛을 제거한 후, 멥쌀 5되와 함께 시루에 쪄서 식으면 누룩가루 7되를 넣고 버무려서 밑술을 빚고, 다시 수수가루 1말과 물 2말을 섞어 끓인 죽에 누룩가루 2되를 섞어 덧술을 하여 발효시키는 것으로 되어 있다.

그리고 필요에 따라 이 이양주법을 기본으로 한 차례 더 덧술을 해 넣는데, 술이 익으면 재차 멥쌀 1말과 물을 섞어 끓인 죽을 쑤어 누룩 7~8되와 함께 2차 덧술을 하여 발효시키는 삼양주법의 '상실주'를 증류한 소주가 '상실소주'의 주방문이다.

물론 '소주'는 이양주법의 '상실주'로도 가능하지만, <산가요록>에 '상실주 우용

(又用)'이라고 하여 삼양주법의 주방문 말미에 "또 청주로 소주를 고으면 그 향이 아주 뛰어나다."고 되어 있기도 하거니와, 삼양주법의 '상실주'가 소주를 빚기 위한 주방문이라는 또 다른 근거는, 2차 덧술의 사용된 주원료의 배합비율과 관련이 깊다. 물론, 삼양주법의 '상실주'에는 2차 덧술에 사용되는 멥쌀죽을 쑬 때 사용되는 물의 양이 언급되어 있지 않다. 따라서 덧술에 사용된 수수죽을 참고하여 물의 양을 산정하였음을 밝혀둔다.

애긴즉, 발효주 곧 청주나 탁주로 마시기 위한 술에서는 '상실주'의 2차 덧술에서와 같이 정상적인 비율에 비해 훨씬 많은 양의 누룩이 사용되었다는 사실에서이다. 그 배경에는, 알코올 도수를 높여 보다 많은 양의 소주를 얻고자 한 주방문이라는 것이 필자의 견해이다.

'상실소주'와 같이 상수리나 잡곡으로 빚은 술을 원료주로 하여 '소주'를 내리고자 할 경우에는 가마솥에 술을 안칠 때 신경을 쓸 필요가 있다.

잡곡으로 빚은 술은 멥쌀이나 찹쌀로 빚은 술보다 앙금이나 찌꺼기가 많이 남아 있을 수 있어, 그 찌꺼기가 솥에 눋게 되고, 궁극적으로 '소주'에서 탄 냄새가 날 수 있기 때문이다. 따라서 술찌꺼기를 제거한 탁주나 청주를 사용할 필요가 있다.

<산가요록>의 '상실주' 주방문 말미에서도 "또 청주로 소주를 고으면 그 향이 아주 뛰어나다."고 되어 있는 것을 볼 수 있는데, 이양주법에 비하여 삼양주법의 '상실소주'로 증류한 소주가 훨씬 더 풍부한 방향을 띠고 있었고, 숙성시킬수록 그 방향은 강하게 나타나 양주(洋酒)와 견주어도 손색없는 명주가 되었다.

상실주(우용) <산가요록(山家要錄)>

술 재료 : 밑술 : (껍질 깐 상수리 3말, 멥쌀 5되, 누룩가루 7되)
덧술 : (수수가루 1말, 누룩가루 2되, 물 2말)
2차 덧술 : 멥쌀 1말, 누룩 7~8되, 물(2말)

술 빚는 법 :

* 밑술 :

1. 온전하고 좋은 상수리 3말을 껍질을 까서 (물에 담가 불렸다가, 다시 깨끗하게 씻은 뒤) 시루에 안쳐서 찐다.
2. 쪄낸 상수리를 흐르는 물에 오랫동안 담가서, 쓰고 떫은맛이 없어지고 단맛이 날 때까지 우려낸다.
3. 멥쌀 5되를 (백세하여 물에 담가 불렸다가, 상수리와 함께 다시 씻어 말갛게 헹궈서 건져내고) 물기를 뺀다.
4. 상수리와 멥쌀 5되를 함께 시루에 안쳐 찌고, 익었으면 고루 펼쳐서 차게 식기를 기다린다.
5. 쪄낸 상수리와 고두밥에 누룩가루 7되를 섞어 고루 버무린 뒤, 술독에 담아 안치고 7일가량 발효시켜 익기를 기다린다.

* 덧술 :

1. 수수를 (백세하여 물에 담가 불렸다가, 다시 씻어 헹궈 물기를 뺀 후) 작말한다.
2. 수수가루 1말을 물(2말)과 합하고, 팔팔 끓여서 죽을 쑨 다음, 넓은 그릇에 펴서 차게 식기를 기다린다.
3. 수수죽에 (누룩 2되), 밑술을 한데 합하고, 고루 버무려 술밑을 빚는다.
4. 술독에 술밑을 담아 안친 뒤, 예의 방법대로 하여 발효시킨다.
5. 술이 다 익으면 맑아지면서 빛깔이 바닷물 같고, 향기가 강하고 특별하다.
6. 술독에 용수를 박아서 청주를 떠낸 다음, 찌꺼기(주박)를 그릇에 담아놓는다.

* 2차 덧술 :

1. 멥쌀 1말을 씻어(백세하여) 물에 담가 불렸다가 (다시 씻어 건져서 물기를 뺀 후) 작말한다.
2. 쌀가루에 물(2말)과 합하고, 팔팔 끓여서 죽을 쑨 다음, 넓은 그릇에 펴서 차게 식기를 기다린다.

3. 죽에 걸러둔 술찌꺼기와 누룩 7~8되를 합하고, 고루 버무려 술밑을 빚는다.
4. 술독에 술밑을 담아 안친 뒤, 예의 방법대로 하여 발효시키면 좋은 술이 된다.

* 소주 내리기 :
1. 솥에 불을 지피고, 물 2사발을 붓고 끓이다가, 술 2사발을 붓고 끓인다.
2. 술 4사발을 솥에 붓고 저어준 뒤, 끓으면 다시 술을 붓는 방법으로 술을 다 안친 후, 소줏고리를 얹고, 소줏고리 위에 냉각수 그릇을 얹는다.
3. 솥과 소줏고리, 소줏고리와 냉각수 그릇의 틈새를 소줏번을 붙여 막는다.
4. 냉각수 그릇에 찬물을 채우고, 소줏고리 귀때 밑에 수기를 받쳐놓는다.
5. 참나무나 보릿짚 등으로 불을 알맞게 조절하여 소주를 받는다.
6. 냉각수 그릇의 물이 따뜻하면 즉시 퍼내고 다시 찬물을 갈아주길 11~12차례 바꿔주면서 소주를 내린다.

* '상실주 우용' 주방문 말미에 "또 청주로 소주를 고으면 그 향이 아주 뛰어나다."고 하였다.

橡實酒(又用)

黍米一斗 作粥. 匊二升 和前酒 還入瓮. 置于淨處. 則澄清如海 香烈異常. 淸酒用處 收其滓 搗破成泥 裹之. 當无酒時 和水服之. 醉性不減眞酒.
又用 其滓. 和米末一斗 匊七八升 納瓮. 則復成好酒. 又用淸酒 作燒酒. 則香烈絶勝.
又方. 浸水味甘 後作末釀之 亦可.

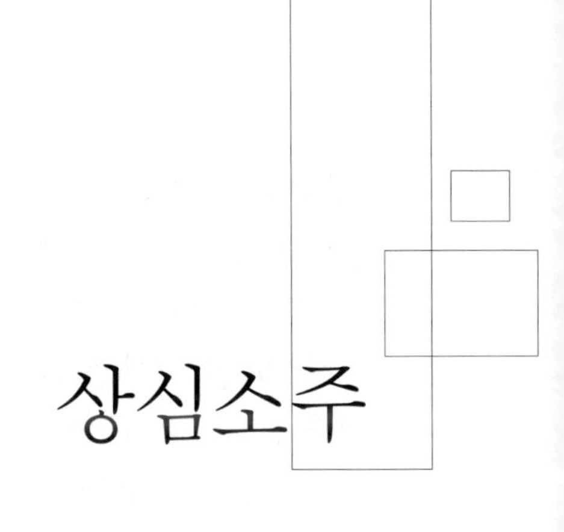

상심소주

스토리텔링 및 술 빚는 법

'상실소주(桑實燒酒)'는 '상실주(桑實酒)'에서 파생된 '증류식 소주'이다.

일반적으로 '상실소주'하면, 그 원료는 오디(桑實)를 발효시킨 '상실주'라고 하며, 누구라도 그런 의미에서 '상실소주'를 떠올릴 것이다. 또한 정상적인 '상실소주'는 오디를 발효시킨 '상실주'가 원료주가 되어야 한다.

그리고 <군학회등(群學會騰)>을 비롯 <동의보감(東醫寶鑑)>과 <임원십육지(林園十六志)>에 '상실주'가 등장하는 것을 목격할 수 있다.

<군학회등>을 비롯한 고문헌에 수록된 '상실주'는, 오디를 달여서 당 농도를 높인 오디즙을 멥쌀고두밥과 누룩을 섞어서 발효시키는 방법, 또는 오디를 짓찧어서 씨와 찌꺼기를 제거한 순수 오디즙액에 찹쌀고두밥과 누룩을 섞어 발효시키는 방법으로 이루어지는데, '포도주'라고 할 만큼 아름다운 술 빛깔을 자랑하는 것이 특징인 약용약주(藥用藥酒)의 한 가지이다.

다만, 이러한 '오디주' 또는 '상실주'를 자칫 과실주(果實酒)로 오해하는 경우가 있는데, 전통적으로 우리나라의 과실주는 '머루주'를 비롯하여 '잣술'과 '호도주'

'복숭아주', '임금주' 등이 있을 뿐이다.

또한 이들 과실주는 더러 과실 단독으로 빚기도 하지만 대개는 쌀과 함께 발효시킨다는 점에서 서양의 과실주와는 차별화된다고 할 것이다.

하지만 <조선무쌍신식요리제법(朝鮮無雙新式料理製法)>의 '상실소주'는 혼성주(混成酒)의 한 가지로 이해해야 한다. 오디에 '소주'를 부어서 소주의 알코올을 이용한 침출법이기 때문이다.

이러한 방법의 술 빚기는 근대에 접어들면서 '희석식 소주'의 대중화와 함께 민간에서 널리 애용하여 왔던 방법의 한 가지로, 당시에 유행하기 시작했던 양주방법을 수록한 것이 아닌가 생각된다.

<조선무쌍신식요리제법>의 출간연대가 1936년이라는 사실에서다. 또한 유감스럽게도 '상실소주'와 같은 주방문은 <조선무쌍신식요리제법>의 등장 이전의 어떤 기록이나 문헌에서도 찾아볼 수 없기 때문이기도 하다.

그렇다고 해서 '상실소주'가 아무런 의미나 그 가치가 없다는 뜻은 아니다.

어떤 의미에서는 '상실소주'와 같은 아주 간편한 방식의 양주기법도 현대사회에서는 주목을 받을 수도 있고, 현대의 거의 모든 가정에서 이와 같은 방법의 양조주(釀造酒)가 성행되고 있는 사실에서도 그 가치는 인정받고 있는 셈이다.

<조선무쌍신식요리제법>의 주방문에서 보여주고 있는 '상실소주'의 비밀은, "소주를 담은 술독에 오디즙을 합하고, 이내 따르면 보랏빛이요." 라고 한 사실로서, 일반적인 침출법을 응용한 것으로, 소주에 오디즙을 합하여 고루 저어주었다가, 이내 따라서 찌꺼기를 제거한다는 것이다.

이렇게 되면 오디가 갖는 고유의 아름다운 색깔과 향기를 고스란히 받아들이게 되어 매혹적이고 아름다운 '상실주'의 색을 입은 소주가 만들어진다는 것이다.

물론, 오랫동안 숙성시킨 후에 즐기는 것이 더 좋을 수도 있으나, 그 기간을 3개월 로 하고, 3개월 이내에 찌꺼기를 제거하여 마시는 것이 보다 좋은 맛의 '상실주'를 즐기는 방법이다.

문제는 술 빛깔이 아름답지 못하다는 단점이 초래되는데, 이는 어쩔 수 없는 일이다.

다만, 술을 담는 용기는 가능한 한 옹기를 사용하도록 하고, 서늘하고 조명이나 햇볕이 들지 않는 곳에 저장하여 두었다가 3개월 이내에 찌꺼기를 제거하고 마시는데, 건강을 위해서라도 그대로 마시는 것이 더 좋다.

'와인'에서와 같이 '무수아황산' 같은 보존제를 사용하는 것을 능사로 여기는 사람들이 많다. 건강을 염려하는 사람들에게서조차 술만큼은 무조건 오래 두면 좋은 것으로 여기는 사람들이 있기에 하는 말이다.

상심소주 <조선무쌍신식요리제법(朝鮮無雙新式料理製法)>

술 재료 : 오디 2되, 좋은 소주 1고리(말)

술 빚는 법 :

1. 오디를 흐르는 물에 잠깐 헹구어 이물질과 부유물을 제거한다.
2. 오디를 짓찧어 즙을 낸 뒤, 찌꺼기를 제거한다.
3. 좋은 소주 한 고리(말 분량)를 술독에 담아 안친다.
4. 소주를 담은 술독에 오디즙을 합하고 (고루 저어준 후) 이내 따르면 보랏빛이요, 마시면 눈이 밝아진다.
5. (술독을 밀봉하여 서늘한 곳에 둔 채 6개월간 숙성시켰다가 마신다.)

* 오장을 보호하고 귀와 눈은 밝게 하여 수종(水腫)을 다스린다.
* 뽕나무 가지, 뿌리, 껍질을 이용하기도 한다.

상심소주(桑椹燒酒)

조흔 소쥬 한 고리에 쏑나무 열매 두 되씀 싸서 집을 내여 느엇다가 싸르면 빗은 보라빗이요 마시면 눈이 박다 하나니라.

선령비주

스토리텔링 및 술 빚는 법

매자나무과의 다년초 가운데 하나로, '삼지구엽초(三枝九葉草)' 또는 '음양곽(淫羊藿)' 이라는 게 있다. 일명 '선령비(仙靈脾)'라고도 하는데, 한의학에서는 '음양곽'으로 불린다.

이 초재(草材)는 주로 중부 · 이북 지방에서 자생하며, 근래에는 강원도 등지에서 재배가 이뤄지고 있다. 잎과 줄기를 약재로 이용하는 것이 일반적인데, '음양곽' 이라는 한의학명은 양(羊)에 관한 전설에서 유래했다고 한다.

옛날에 '곽'이라는 양이 꼭 그 시간이면 어디론가 사라졌다가 나타나곤 했는데, 돌아와서는 온종일 교미를 하고도 지칠 줄 모르는 것을 본 주인이 '곽'의 뒤를 캐다가 이 풀을 뜯어먹는 것을 보고서 풀 이름을 '음양곽'이라고 했다는 얘기이다.

이후 '음양곽'이 정력을 돕는 신약(神藥)처럼 인식되게 되었는데, 이 '음양곽'을 주재료로 담근 술을 '선령비주(仙靈脾酒)' 또는 '선령주(仙靈酒)'라고 하게 되었다고 한다.

이러한 '선령비주'는 <임원십육지(林園十六志)>를 비롯하여 <주찬(酒饌)>, <김

두종본양생서(金斗鐘本養生書)>에 수록되어 있는데, 그 효능이 <임원십육지>에 소개되어 있고, <주찬>에 비로소 주방문이 수록되어 있는 것을 확인할 수 있다.

'선령비주'는 침출 방법으로 이루어지는 혼성주류(混成酒類)의 하나이다.

<주찬>에 소개된 주방문을 보면, "삼지구엽초를 깨끗하게 씻고 다듬어 그늘에 말려서 건조시킨 다음, 좋은 소주에 담가 밀봉하여 불렸다가, 3일 후부터 마신다."고 하였다.

그리고 '선령비주'의 효능으로, <임원십육지>에 <식의심경>을 인용하여 "남자의 양기(陽氣)를 돋우며 무릎과 허리가 차가운 데 효력이 있다. 방법은 <보양지>를 참조하라."고 하였다. 또 <태평성혜방>을 인용하여 "반신불수(半身不隨)에 효력이 있고, 근육과 뼈를 강하고 튼튼하게 한다."고 하였다.

한편, <주찬>의 주방문을 보면, '선령비주'가 발효주가 아닌 침출 방식의 혼성주류임을 알 수 있는데, 좋은 소주 1말에 말린 음양곽 1근의 비율이다.

이 비율을 두고 볼 때 음양곽의 분량이 많은 편에 속하는데, 흔히 이 비율보다 많은 양을 넣어두면 더욱 좋은 것으로 생각하는 것 같다.

주지하다시피 혼성주를 제조할 때 주의할 사항은, '소주'와 주재료의 비율을 100 : 30의 비율을 넘지 않도록 하는 것이 바람직하다. 어떤 주재료를 사용하더라도 주재료의 양보다 중요한 것은 좋은 '소주'를 선택하는 일이다. 혼성주는 주재료가 함유하고 있는 약성을 얼마만큼 효율적으로 추출해 낼 것인가 하는 방법에 달려 있는데, 사용되는 '소주'의 품질이 떨어지거나 맛이 좋지 못하면 주원료의 약성은 물론이고 무엇보다 기호를 충족시킬 수 없기 때문이다.

따라서 가장 합리적인 '선령비주' 제조 방법은 '음주의 본의(本意)'가 무엇이냐는 것을 파악하는 일이라고 생각한다.

그리고 그 양이 문제가 아니라 주질의 문제이며, 추출 방식에 따른 효율성의 문제이고, '음주의 본의'에 합당한 양질의 술을 얻는 것이 관건이라고 생각된다.

또한 '선령비주'와 같이 특수한 목적과 용도에 따른 술일수록 주독(酒毒)에 관해서도 신경을 써야 한다.

다시 말하면 알코올 도수가 높은 술일수록 '음양곽'을 비롯한 주재의 약효를 효율적으로 추출해 낼 수 있다.

하지만 알코올 도수가 높아질수록 음주에 따른 건강의 폐해가 커진다는 사실이다.

주재는 적게 사용하더라도 알코올 도수가 높고 품질이 좋은 '소주'를 사용하면 가장 효율적인 방법이 된다고 할 수 있으며, 음주의 본의가 '흥취(興趣)'에 있는 만큼 약효도 얻고 흥취도 이룰 수 있는 방법은 완성된 술이 음주자의 기호에 부합되어야 한다고 생각된다. 그리고 여기에 더하여 주독을 해소할 수 있는 방법을 활용하는 것인데, 그 방법은 의외로 간단하다.

따라서 알코올 도수 45% 이상의 맛좋은 '소주'를 선택하되, 주재인 '음양곽'은 소주 분량의 30% 이하로 사용하고, 3일 후 '음양곽'을 제거하고 여과하여 옹기로 된 단지나 주병에 담고, 약간의 천연벌꿀을 첨가하여 상온에 두고 숙성시켜 마시는 방법이다.

1. 선령비주 <임원십육지(林園十六志)>

남자의 양기를 돋우며 무릎과 허리가 차가운 데 효력이 있다. 방법은 <보양지>를 참조하라. <식의심경(食醫心鏡)>을 인용하였다. 반신불수에 효력이 있고 근육과 뼈를 강하고 튼튼하게 한다.

仙靈脾酒
<食醫心鏡> 益丈夫興陽理腰膝冷. (案)方見 <葆養志> (又案) <太平聖惠方> 云治偏風不遂强筋堅骨.

2. 선령비주 <주찬(酒饌)>

술 재료 : 음양곽 1근, 술 1말

술 빚는 법 :

1. 술 1말을 단지에 담아놓는다.
2. 음양곽을 깨끗하게 씻어 물기를 뺀 뒤, 그늘에서 말린다.
3. 술단지에 음양곽 1근을 담가 밀봉한다.
4. 3일 후 수시로 마신다.

* '좋은 술'은 발효주가 아닌 '증류식 소주'를 가리킨다.

仙靈脾酒

益丈夫興陽理腰膝冷 淫羊藿一斤酒一斗浸三日逐時飮. <食醫>.

소번황주

스토리텔링 및 술 빚는 법

술을 빚다 보면 시어지거나 쓰거나 하여 마시기 힘든 술, 또는 술독 관리를 잘못하여 실패한 술 때문에 처치 곤란인 경우를 당하게 된다. 술 빚는 일이 결코 쉬운 일이 아니다. 하지만 술은 주식인 쌀로 빚기 때문에 실패를 하게 되면 경제적 손실도 무시할 수 없다.

모두가 경험하는 바이지만, 아무리 조심스럽게 정성을 들여도 좋은 향기와 맛을 간직한 술이 얻어지지 않을 때가 있는데, 마실 수도 없고 그렇다고 버리기는 아까운 술을 어떻게 처치해야 하는지 고민할 때가 있다. 또 어제까지 멀쩡했던 술이 오늘 맛이 변하여 내놓을 수 없는 경우도 발생한다. 술은 살아 있는 음식이기 때문이다.

필자는 이런 경우를 대비하여 소주증류법을 교육해 왔는데, <임원십육지(林園十六志)>에 '소번황주법(燒燔黃酒法)'이 등장하는 것을 목격하게 되었다.

<임원십육지>의 '소번황주법'은 중국의 기록인 <고금비원>과 우리나라의 "<증보산림경제(增補山林經濟)>를 인용하였다."고 하였으나, <고금비원>은 확인할

수가 없고, <증보산림경제>에는 '소번황주법'이 등장하지 않아 이상하다는 생각을 감출 수가 없다.

따라서 <임원십육지>의 '소번황주법'은 <증보산림경제>의 '노주소독방'을 참고한 것으로 여겨진다. '노주소독방' 방문 말미에 "맛이 좋지 않은 술로 '소주'를 받고자 할 경우에는 반드시 다른 '노주' 약간을 섞고 받아내면 맛도 제법 진하고 몹시 취하게 하지도 않는다."고 한 것을 볼 수 있기 때문이다.

주지하다시피 '황주(黃酒)'는 중국의 발효주이다. '황주'는 멥쌀이나 기장쌀, 흑미, 옥수수, 밀 등을 주원료로 하고 누룩(大麴)을 사용하여 빚는 발효주이다. '황주'는 주로 따뜻하고 물 많은 남방 지역에서 즐겨 마시는 술이다.

중국의 대표적인 술 '황주'의 특징은 멥쌀이나 기장쌀, 흑미, 옥수수, 밀 등을 주원료로 하고, 누룩을 띄워 발효시켜 지게미를 걸러내는 술이다.

이렇게 하여 완성된 '황주'는 저온살균을 하여 숙성에 들어간다.

술을 빚어 가열을 하면 술을 발효시키는 효모균이 일부 죽기는 하지만, 저온에서 살균하여 진흙과 연잎으로 감싸두면 서서히 숙성이 이루어진다.

저장 시의 진흙은 1/16mm 내외로 치밀하게 발라서 밀봉하고, 말라서 굳어지면 술을 산화시키는 산소를 차단시키는 효과가 일어나는 것이다.

'황주'의 숙성은 밀봉하여 3년, 5년, 15년 세월을 거치면 맛과 향이 깊고 원숙해진 '황주'가 탄생하는데, 이른바 '중원인작호주법(中元人作好酒法)'이 동원된다.

이러한 '황주'도 잘못되어 마실 수 없게 되었거나, 간수를 잘못하여 맛이 변했을 경우 증류법을 이용하여 중품의 '소주'를 만들어 마셨다는 것을 확인할 수 있다.

중국은 '소주'를 '백주(白酒)'라고 부른다. 국내에 널리 알려진 대표적인 '백주'로 '모태주'를 비롯하여 '수정방', '오량액' 등이 있다.

중국의 '백주' 제조는 우리나라의 '소주'와는 차이가 있다.

소위 '고체발효법'이라는 것인데, 찹쌀과 수수 등 곡류를 섞어 분쇄한 다음, 시루에 쪄서 만든 떡에 국자(麯子)를 섞어 다시 반고체 상태의 떡처럼 만든 후, 반지하 형태의 큰 구덕에 담고 물을 뿌려서 왕겨를 뿌리고 진흙으로 덮어서 밀봉한다. 이 상태로 9~12일 정도 발효시켜서 술이 익으면 증류기에 안쳐서 증류를 하는 것이다.

일반적으로 중국의 '황주'는 지하에 보관하는 것으로 알려져 있으며, 지하의 온도는 20℃ 이하, 상대습도는 60~70% 사이가 적당하다고 한다. 보관 시 술병은 평평하게 놓고, 직접적인 햇볕은 좋지 않으며, 금속용기는 사용하지 않는다.

만일 술병에 침전물이 생겨도 품질과 풍미에는 영향이 없지만, 술이 혼탁하고 부유물이 떠 있으면 품질이 좋지 않은 것이다. 마실 때 주정의 맛이 두드러지거나, 술이 거친 것이 분명히 드러나거나, 매운맛이 있거나 하면 술의 품질이 떨어지거나 혹 이미 변질이 된 것이다.

따라서 "맛이 변한 '황주'를 증류하여 소주를 얻는다." 하여 중국식 명칭인 '소번황주법'이라고 하는 것이다. '황주'가 아닌, 맛이 변했거나 맛이 나빠서 마시기 힘든 청주나 약주, 탁주를 사용하여 증류하는 방식은, 앞서 예로 든 여러 종류의 '소주'를 증류하는 방법과 동일하다.

그리고 이때 이미 만들어둔 '노주'나 백탁액이 있어 방치하여 두었던 '소주'를 섞어 증류하면 맛이 더욱 좋아진다는 것이 <임원십육지>의 '소번황주법'으로 별반 중요한 것은 없다.

이로써 서양의 '브랜디'나 '위스키', 중국의 '백주', 그리고 우리나라의 '소주' 등 증류주 문화는 발효주와 함께 발전해 왔다는 사실을 확인할 수 있다.

1. 소번황주법 <임원십육지(林園十六志)>

술 재료 : 맛이 변한 술 또는 황주 200근

술 빚는 법 :

1. 가마솥에 불을 세게 지핀다.
2. 준비한 맛이 변한 술이나 황주를 예의 방법대로 하여 솥에 담아 안친다.
3. 술 안치기가 끝나면, 소줏고리를 가마솥 위에 앉힌다.
4. 솥과 소줏고리 사이의 틈을 밀가루를 반죽하여 만든 소줏번을 붙여 막아

준다.

5. 소줏고리에 냉각수 그릇이 붙어 있지 않은 것이면, 냉각수 그릇(양푼이나 소래기)을 얹는다.
6. 고리와 냉각수 그릇 사이의 틈에 밀가루로 만든 소줏번을 발라서 김이 새어 나가지 않도록 막는다.
7. 냉각수 그릇에 찬물을 가득 채워놓고, 고리의 귀때(소주가 흘러나오는 대롱) 밑에 소주를 받을 병이나 단지를 놓아둔다.
8. 볏짚이나 참나무 땔감을 이용하여 처음보다 불을 뭉근하게 때서 증류한다.
9. 냉각수 그릇의 물이 따뜻하여지면 즉시 찬물로 바꾸어주길 8~12차례 반복한다.
10. 소주를 내린 지 적당한 시간(1말 기준 3~4시간)이 지나 소주 100근이 얻어졌으면, 불을 때는 것을 멈추고 소줏번을 떼어낸다.
11. 받은 소주는 그릇의 주둥이를 밀봉하여 (일정 기간 숙성시켜) 두었다가 마신다.

燒燔黃酒法

以壞酒入鍋空甑放鍋上燒之每二百觔翻黃酒可燒一百觔好火酒. <古今秘苑>. 用劣酒燒露酒則必先以他露酒少許灌合然後入鍋燒之味頗烈不甚醉人. <增補山林經濟>.

2. 소번황주법 <임원십육지(林園十六志)>

술 재료 : 맛이 나쁜 술, 좋은 노주 조금

술 빚는 법 :

1. 가마솥에 불을 세게 지핀다.

2. 준비한 맛이 나쁜 술을 예의 방법대로 하여 솥에 담아 안친다.
3. 술 안치기가 끝나면, 준비한 분량의 노주를 붓고, 소줏고리를 가마솥 위에 앉힌다.
4. 솥과 소줏고리 사이의 틈을 밀가루를 반죽하여 만든 소줏번을 붙여 막아 준다.
5. 소줏고리에 냉각수 그릇이 붙어 있지 않은 것이면, 냉각수 그릇(양푼이나 소래기)을 얹는다.
6. 고리와 냉각수 그릇 사이의 틈에 밀가루로 만든 소줏번을 발라서 김이 새어 나가지 않도록 막는다.
7. 냉각수 그릇에 찬물을 가득 채워놓고, 고리의 귀때(소주가 흘러나오는 대롱) 밑에 소주를 받을 병이나 단지를 놓아둔다.
8. 볏짚이나 참나무 땔감을 이용하여 처음보다 불을 뭉근하게 때서 증류한다.
9. 냉각수 그릇의 물이 따뜻해지면 즉시 찬물로 바꾸어주길 8~12차례 반복한다.
10. 소주를 내린 지 적당한 시간(1말 기준 3~4시간)이 지나 소주 100근이 얻어졌으면, 불을 때는 것을 멈추고 소줏번을 떼어낸다.
11. 받은 소주는 그릇의 주둥이를 밀봉하여 (일정 기간 숙성시켜) 두었다가 마신다.

* 주방문에 "소주 100근을 얻는다."고 한 것으로 미루어, 알코올 도수가 높지 않을 것으로 여겨진다.

燒燔黃酒法

以壞酒入鍋空甑放鍋上燒之每二百觔翻黃酒可燒一百觔好火酒. <古今秘苑>. 用劣酒燒露酒則必先以他露酒少許灌合然後入鍋燒之味頗烈不甚醉人. <增補山林經濟>.

소주·노주

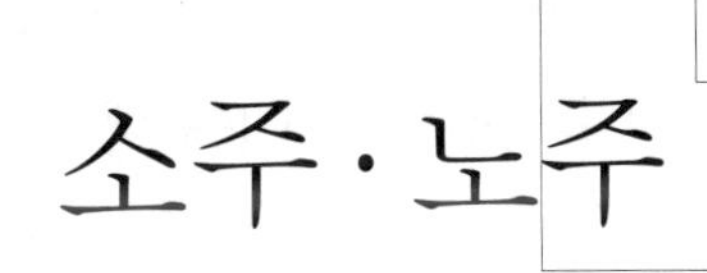

우리나라에서 발효주의 단점인 변질이나 산패 등을 예방하기 위하여 술을 끓여서 순수한 알코올만을 추출해 냄으로써, 술의 알코올 도수를 높이는 방법으로 이루어진 술을 '소주(燒酒)' 또는 '노주(露酒)'라고 한다.

그런데 이 '소주' 또는 '노주'를 빚는 방문을 수록하고 있는 문헌이나 기록이 그리 많지 않다는 사실에 놀라게 된다. 그도 그럴 것이 우리나라처럼 '소주'를 많이 마시는 민족도 드물다고 할 정도로 '소주' 소비가 많기 때문이다.

'소주'를 가장 즐기는데도 정작 '소주'를 빚는 방법이 많지 않다는 사실을 어떻게 받아들여야 하는가?

하지만 이 소주류(燒酒類) 또는 노주류(露酒類)를 기록한 문헌과 주방문은 의외로 다양하다. 예를 들어 '찹쌀소주', '상심소주', '목맥소주', '모미소주', '보리소주', '진맥소주', '교맥소주', '감저소주', '삼오로주', '옥촉서소주' 등 주재료의 종류 또는 당질(糖質)에 따른 다양한 종류의 '소주'가 있다.

물론, '별소주'를 비롯하여 '소주다출방' '노주이두방' 등 소주의 양을 늘리기 위한 방법들이 있기는 하지만, 사실 '소주' 또는 '노주'는 주종의 구별법에 따른 명칭으로 보아야 할 것이다.

때문에 단순히 '소주'나 '노주' 주방문이 적은 것이다. '막걸리'가 술 이름이 아닌, 주종(酒種)의 분류에 따른 탁주(濁酒)의 한 가지라는 사실과 같은 이치이다.

결국 '소주'나 '노주'는 '증류하는 방법으로 얻은 술'이란 뜻이니 '소주'를 증류하는 방법을 '노주법'이라고 할 수 있다.

우리나라에서 '소주'는 곡류(穀類)와 서류(薯類)를 원료로 한 발효주를 증류하여 받아내고, 옹기로 된 발효용기에서 숙성시키므로, 이슬처럼 무색투명하다.

'소주'에 대한 다른 이름으로, "이슬처럼 받아낸다." 하여 '노주', "증기를 액화시킨 술"이라고 하여 '기주(氣酒)', "빛깔이 희고 맑다." 하여 '백주(白酒)', "불을 가열하여 끓인 술"이라고 하여 '화주(火酒)', "몸에 땀을 내게 한다."고 하여 '한주(汗酒)', 그 외 '효주' 등 여러 이름으로 부른다.

이러한 '소주'는 증류식 소주와 희석식 소주로 분류하나, 전통적으로 '소주'는 순수한 쌀(곡물)과 누룩, 물, 가향 · 약재를 사용하고, 발효시킨 술을 소줏고리나 증류기를 이용하여 재래식 방법으로 증류한 다음, 알코올 도수가 높은 소주를 얻는데, 일체의 인위적 또는 식품첨가물을 사용하지 않고 얻어지는 그대로 마시는 증류식 소주이다.

'소주'를 증류하는 용기로서 초기에는 솥을 사용하다가, 솥과 시루를 이용한 증류를 하게 되었고, 증류법이 발달하면서부터 '소주' 전용의 구리나 무쇠로 된 소줏고리와 흙으로 빚어 구운 옹기 소줏고리가 등장하였다. 이후 소줏고리는 보다 다양한 형태로 제작되었으며, 한층 간편한 증류가 이루어졌다.

요즘은 '소주'가 아무 때나 마시는 술로 바뀌었으나, 옛날에는 사뭇 달랐다. 지방별 기후나 풍토가 달랐으므로, 지방마다 소주를 마시는 시기도 달랐다.

실례로, 남부 지방에서는 발효주 제조가 어려운 여름철에 한하여 '소주'를 즐겼는데 반해, 북부 지방에서는 여름철이라도 밤낮의 기온차가 심하여 사계절 내내 '소주'를 즐겼으며, 서울 등 중부 지방에서는 5월부터 10월 사이에 '소주'를 마셨다고 한다.

이러한 '소주'는 주재료에 따라 '쌀소주', '밀소주', '보리소주', '수수소주' 등으로 나뉘며, '소주'에 약재를 넣은 술을 '약소주(藥燒酒)'라고 하였다. '약소주'에도 '감홍주', '구기주', '매실주', '장미로', '매화로' 등 그 종류가 다양하기 이를 데 없다.

서울 지방에서는 항아리에 고두밥과 물, 누룩가루를 넣고 혼합한 다음, 매일 두 번씩 저어주면서 3주일쯤 지나서 술이 익으면 뚜껑을 덮고 흙으로 밀봉해 두었다가 증류하였다.

한편, 평양 지방은 더러 쌀 이외에 찹쌀, 옥수수를 쓰기도 하나, 수수와 누룩이 주재료이다. 항아리에 누룩과 물을 섞어 넣고, 수수를 쪄 넣은 후 2~3일간 발효시킨 다음, 다시 쌀을 쪄서 첨가한다. 이어 찹쌀죽을 쑤어 첨가하고, 매일 2회씩 저어주어 25~40일간 숙성 발효시킨 술덧을 증류하는 법으로 소주를 빚는다.

평양보다 더 북쪽 지방인 함흥 지역에서는 쌀로 술을 빚되, 특별히 영흥 지방에서 빚은 누룩을 사용하는데, 누룩 양이 적게 들어가고 물을 많이 넣어 단시일에 숙성시켜 증류한다.

반면, 값싼 당밀이나 사탕수수, 옥수수 등의 전분을 속성 당화시킨 후, 배양효모를 이용하여 발효시킨 양조주를 연속식 증류기로 증류하여 일체의 불순물 없이 순수한 주정(酒精, 에탄올 85% 이상)을 얻고, 증류수(蒸溜水)를 섞어서 20~35%로 희석하여 만든 '소주'를 '희석식 소주'라고 부른다.

'희석식 소주'는 증류업자(대기업)들에 의해 제조되는데, 그 과정을 보면 대개가 쌀 등을 포함한 곡물이나 당분을 함유한 사탕수수 등을 원료로 하여 발효법, 국법, 액체국법, 아밀로법 등으로 발효시킨 양조주를 증류하여 알코올 도수가 높은 주정(85~95%)으로 만들어진다는 점에서 차이가 있다.

그러나 "순수한 주정에 순수한 증류수를 섞었다."는 의미의 '희석식 소주'가 부정적 이미지를 갖게 된 데에는 다른 의미가 감추어져 있다. 즉, 순수한 주정에 증류수를 섞어 알코올 도수를 낮추는 희석 과정에서 뜻하지 않은 문제가 발생한다.

주정을 희석해서 만든 '소주'의 맛은 쓴맛(苦味)이 강해져 역겨움과 거부감을 주게 된다는 것이다.

때문에 '희석식 소주'에 설탕, 사카린, 솔비톨, 스테비오사이트, 아스파탐, 포도당, 꿀 등의 감미료와 구연산, 아미노산, 무기염류와 기타 향신료 등을 첨가하는데, 회사(제품)에 따라 쓴맛이나 단맛 등 여러 가지 맛과 향이 달라지기도 한다.

이러한 '희석식 소주'의 등장은 일제강점기에 이르러 1919년 평양에 알코올식 기계소주 공장이 설립된데 이어, 인천과 부산에서도 누룩 대신 흑국(黑麴)을 이용한 '소주' 생산이 그 시작이다. 또 1952년부터 값싼 당밀을 수입하여 "희석식 소주'를 생산한 데 이어, 식량 부족으로 '양곡관리법'에 의한 원료 대체 조치로 고구마, 당밀, 타피오카 등을 원료로 하여 만든 주정에 물을 섞은 '희석식 소주'의 생산으로 이어진다.

'소주'는 궁극적으로 알코올 도수가 낮은 술을 증류하여 알코올 도수를 20% 이상으로 높인 술을 가리킨다.

예로부터 내려오는 방법으로, '전통소주'는 발효시킨 발효주를 시루나 소줏고리를 이용하여 증류한 제품을 '소주'라고 불러왔는데, 증류 시 원료나 이로부터 유도되는 각종 알코올 부산물 중 휘발성 물질을 함유하게 되어 특이한 향미(香味)를 갖는다.

이러한 '소주'의 증류 원리는 물의 끓는 온도와 알코올의 끓는 온도가 다른 점을 이용하는 기술로, 알코올이 물보다 낮은 온도에서 끓기 때문에 적당한 불의 세기로 알코올만의 기화(氣化)를 유도하는 방식으로 증류가 이뤄져야 한다.

알코올 도수가 낮은 발효주에 열을 가해서 기화시키면 순도 높은 알코올을 만들 수 있는데, 이때 기화된 알코올을 다시 액화 상태로 만들어 모은 술이 '증류주', 곧 '소주'이기 때문이다.

따라서 '소주'의 맛과 향, 수율(收率)은 그 제조과정에서 "불의 세기를 얼마만큼 잘 조절하는가?"와 "기화된 알코올을 얼마만큼 효율적으로 냉각시키는가?"에 달려 있다고 해도 과언이 아니다. 곧 불의 세기가 적절해야만 알코올의 손실이 적으면서도 순수한, 양질의 '소주'를 얻을 수 있다는 결론이 이른다.

전통적인 방법으로 제조되는 증류식 소주가 우리나라에 도입된 시기는, 고려시대 충렬왕 때(1227년경)로 알려져 있다. 중세기 페르시아에서 발달된 증류법이 아라비아에 전해졌고, 중국(원나라)과 만주를 거쳐 전해졌다고 한다.

우리나라에서 '소주'를 '아랑주' 또는 '아라키주'라고 하는데, 그 어원은 아라비아어의 '아락(auag)'과 만주어 '아라키(亞喇吉)'에서 유래한 것이라고 한다.

고려 때 몽고군이 침입하여 안성과 개성, 제주도에 군사주둔지를 두었는데, 몽고군들이 술을 증류하여 독한 술을 마시는 것을 보고 배워 마시게 되었으며, 이 '소주'를 즐기는 무리들이 늘어나 그들을 '소주도(燒酒徒)'라고 부르기도 하였다고 한다.

이후 안성과 개성, 제주도를 중심으로 소주 제조가 성행하였고, 가난한 자들도 약식으로 빚은 '소주'를 즐기는 것이 유행이었으며, 이들 지역은 '소주'의 명산지가 되었다.

고려가 망하고 조선시대로 접어들어 '소주'는 더욱 유행되었는데, <단종실록>에 "단종이 상제 노릇을 하느라 쇠약해져서 대신들이 '소주'를 마시게 하여 단종이 원기를 차렸다."고 하는 기록이 등장하고, <중종실록>에는 "소주를 마시는 사람이 많아져서 쌀의 소비가 많고 소주로 인한 피해가 크다."는 기록으로 미루어, 당시 '소주'의 인기를 가늠할 수 있다.

또 이수광의 <지봉유설(芝峯類說)>에 "소주는 본래 약용(藥用) 목적으로 마실 뿐 함부로 먹지 않았으므로, 작은 잔을 '소주잔(燒酒盞)'이라고 한다."고 하였으며, "왕이나 사대부들이 마셨던 술인데 점차 일반으로까지 확산되었고, 서민층에서는 약식으로 '소주'를 빚어 즐겼다."고 하니 그 인기를 짐작할 수 있을 것이다.

한편, 기록에서도 알 수 있듯 '소주'로 인한 피해가 심각했을 것으로 짐작된다. '소주'의 과음은 일차적으로 쌀 소비량의 증대에 따른 식량난과, 알코올 도수가 높은 '소주'는 값이 비싸 가산을 탕진하는 사례가 많이 발생했을 것이라는 추측이다.

또한 우리나라 사람들은 '소주'보다 약주에 적합한 체질인데, 독한 '소주'를 즐김으로써 알코올 중독이나 이에 따른 후유증으로 인한 폐해를 지적한 것으로 여겨진다.

<지봉유설>에 "근세에 와서 사대부들이 호사스러워져서 '소주'를 많이 마셔서 취해야만 그만두고 있으며, 이 때문에 갑자기 죽는 사람도 많다."고 지적한 기록이 있고, 1490년 <성종실록>에 "세종 때는 사대부 집에서 '소주'를 사용하는 일이 매우 드물었는데, 요즈음은 보통의 연회 때도 '소주'를 사용하고 있어 비용이 막대하게 드니, 금지하도록 하는 것이 좋겠다."고 하는 사간 조효동의 상소가 이를 뒷받침해 준다.

'소주'가 값이 비쌌음에도 불구하고 이렇듯 인기를 얻게 된 배경은, 그 맛이 순수하고 청결하기 때문이었다.

1450년에 간행된 <산가요록(山家要錄)>에서 '취소주법(取燒酒法)'이라고 하여 국내 최초의 '소주' 주방문을 볼 수 있는데, "水五盆大釜內極沸米末一升半和粥則有如泔汁乘溫盛瓮封置 三四日後 臭味酸苦 粘米一斗 蒸飯 和曲末三升 納前瓮待熟 分四鼎取之 則一鼎燒酒四升矣(물 5동이를 오랫동안 끓이다가 쌀 1되 반을 섞어 죽을 쑨 후, 따뜻할 때 독에 담고 독을 단단히 봉하여 3~4일간 두었다가, 그 맛이 시고 쉰 냄새가 나고 씁쓸한 맛이 나면, 찹쌀 1말을 시루에 안쳐서 고두밥을 짓고, 누룩가루 3되와 독의 죽을 한데 합하고 발효시켜 익기를 기다렸다가, 4개의 솥에 나누어 소주를 내리는데, 솥 1개에서 '소주' 4되가 나온다)."고 하였고, '목맥소주(木麥燒酒)'라고 하여 "메밀 4~5말로 술을 빚는다. 술이 막 익으려고 하면, 또 보리 1말 반을 씻어서 죽을 쑤어 술항아리에 붓는다. 표면이 등황색이 되면 베자루에 담아서 술주자에 거른다. 술색이 그대로이면 그 지게미는 버리고 '소주'를 고면 화기(火氣)가 나지 않는다."고 하였다.

<산가요록>을 통하여 이미 조선 초기에 이미 쌀을 비롯하여 메밀 등의 원료를 사용한 다양한 종류의 '소주'가 뿌리 내리기 시작했다는 것을 알 수 있다.

결국, 쌀이 주식이 될 수 없었던 서민이나 가난한 집안에서는 메밀이나 보리를 사용한 '목맥소주'와 '모소주(麰燒酒)'를 빚어 마시기 시작했다는 것을 짐작할 수 있으며, 이는 당시의 '소주'의 인기를 반영한다고 할 것이다.

'소주'에 대한 내용을 수록하고 있는 기록으로 <산가요록>를 비롯하여 <간본규합총서(刊本閨閤叢書>, <고사신서(攷事新書)>, <고사십이집(攷事十二集)>, <군학회등(群學會騰)>, <김승지댁주방문(金承旨宅廚方文)>, <달생비서(達生秘書)>, <동의보감(東醫寶鑑)>, <양주집(釀酒集)>, <역주방문(曆酒方文)>, <음식디미방>, <임원십육지(林園十六志)>, <조선고유색사전(朝鮮固有色辭典)>, <조선무쌍신식요리제법(朝鮮無雙新式料理製法)>, <주방문(酒方文)>, <침주법(浸酒法)>, <한국민속대관(韓國民俗大觀)> 등 18종의 문헌을 들 수 있으며, 이들 문헌에 26차례나 등장하는 것을 볼 수 있다.

우리나라 전통 소주 주방문을 수록하고 있는 최초의 기록은 <산가요록>이라고 할 수 있는데, '취소주법'에서 "水五盆大釜內極沸米末一升半和粥則有如泔汁乘溫盛瓮封置 三四日後 臭味酸苦 粘米一斗 蒸飯 和曲末三升 納前瓮待熟 分四鼎取之 則一鼎燒酒四升矣."라고 하여 "술이 익었으면 4개의 솥에 나누어 소주를 내리는데, 솥 1개에서 소주(중품) 4되가 나온다(納前瓮待熟 分四鼎取之 則一鼎燒酒四升矣)."고 하였으므로, 술덧을 끓여서 증류하는 방법이라는 것을 알 수 있다.

<산가요록> 이후 등장하는 여러 문헌 가운데 '소주'가 24차례, '노주'가 2차례 수록되어 있는데. 증류 방법에 대한 가장 자세한 기록은 <동의보감>으로, "원나라 때부터 있어 왔다. 맛이 매우 맵고 강렬해서 많이 마시면 사람을 상한다."고 한 것을 시작으로, <임원십육지>에 <본초강목(本草綱目)>을 인용하여 "일명 '화주(火酒)', 일명 '아라길주(阿剌吉酒)'로, '소주'도 옛날 법대로 하는 것이 아니다. '소주'는 원나라 때부터 시작되었으며, 제조 방법은 농주(農酒)를 시루 위에 소줏고리를 걸고 쪄서 증류하여 술을 받는다. 변질되고 쉰 술은 이런 방법으로 '소주'로 내릴 수 있다. 오늘날에는 찹쌀 · 멥쌀 · 기장 · 차조 · 보리를 쪄서 누룩을 넣고 섞어 빚어서 항아리 속에 담고, 7일 후 시루 위에 소줏고리를 걸고 쪄서 증류하여 술을 받으면 맑고 맛이 극히 진하며, 감렬(甘烈)하여 '술의 이슬(露)'이라 한다."고 하였다.

따라서 <임원십육지>의 소주 증류법은 술덧을 끓이는 방식이 아닌, 중국의 고량주처럼 수증기를 이용하여 쪄서 발생한 수증기 형태의 알코올을 냉각시키는 방법임을 알 수 있어, 중국의 증류법이 그대로 정착되기도 하였다는 것을 알 수 있다.

한편, 도정하지 않은 '보리'나 '밀', '메밀', '귀리', '옥수수' 등을 주원료로 하여 빚는 술의 경우, 각각의 주원료에 따라 '모미소주', '진맥소주', '피모소주', '교맥소주', '옥촉서소주' 등으로 부르면서도 도정하지 않은 나락(볍씨)으로 빚은 술에 대하여는 '소주' 또는 '노주'로 부르고 있다는 점에서 우리의 양주 문화적 특성을 고려해 볼 필요가 있다고 생각된다.

우리나라 소주 양주의 경향에 대해 전반적으로 언급한 문헌으로 <조선무쌍신식요리제법>에 "소주를 많이 만들기는 동막과 공덕리에서 많이 만들어 파는데, '소주'에 고리에 내릴 때 고추를 얼마든지 쪼개어 수건에 싸서 귀때에 밭치고 내리면 나중에 고추는 희어지고 '소주'를 마시면 속이 짜르르 하고 콕 쏘아야 잘 팔린다

하니, 그런 도덕 없는 사람이 어디 있으리오. 근래는 더구나 알콜(주정)이라 하는 것을 넣고, 또 더 심하여 목정(메지알콜−메탄올)을 넣는다 하니, 이것은 어느 나라에서 지나에 아편 파는 것보다 더하니 어찌 마음이 여기까지 이르렀는지, 그 사람을 위하여 통곡하노라. 알콜이라는 것이 별것이 아니라 술에서 저절로 나는 정(精)인데, 술 중에도 '소주'에는 알콜이 본시 많이 포함하여 술 중에 독하고 사람에게 큰 해가 있는데, 거기다가 또 알콜을 많이 넣고, 물을 타서 파니 이를 장차 어찌하리오. 요사이는 알콜이 값이 많다 하여 목정(木精)이란 것을 또 넣는다 하니, 목정을 이 다음에 말하려니와 목정은 알콜보다 몇 십 배가 독할 뿐 아니라, 당초에 사람이 먹지를 못하는 약인데, 이걸 많이 먹으면 여간 토혈이 날 뿐더러 죽는 것이 박두하오니 '소주' 먹는 이는 매우 삼가기를 바라노라."고 하여 '소주' 제조의 문제점과 음주에 따른 폐단을 지적하였다.

또 주방문 말미에 "그런 고로 '술에 이슬'이라 하느니라. 그러하나 많이 마시면 위와 쓸개와 염통이 상하여 명이 감하고 심한즉 창자가 검어지고 위가 썩어 죽나니라. '소주'는 육백 년 전 지나 원나라 때에 처음 생겼다 하며, 사람이 먹는 술 중에 심히 독하니, 어찌 많이 마실까 보냐. 지나에는 '배갈'이며, 섬나국에서는 두 번 고은 '소주'와 서양의 '브랜디', '위이스키' 등 술이 다 심히 독하니, 조심하여 먹으라. 또 술을 고아 떡같이 만들었다가 물에 타서 마시는 데도 있다 하나니라. '소주'를 여름에 꿀을 조금 타고 얼음 한 쪽을 넣고 급히 저어 마시면 맛이 청상하고 주독이 없다 하나니라. '소주' 고을 때 꿀을 '소주' 받는 그릇 밑에 조금 담고 받으면 주독이 없다 하나니라. 또 모시조각에 계핏가루와 설탕을 싸서 병 위에 놓고 (받쳐두고) 받으면 술맛이 달고 향기로우며, 빛을 붉게 하려하면 지치(紫草, 芝草)를 넣고, 누르게 하려면 치자(梔子)를 넣나니, 또 새로 좋은 당귀(當歸)를 썰어 병에 넣고 받으면 맹렬하던 것이 누구러지고 맛도 좋으니라. 못된 술도 '소주'를 내리려면, 먼저 좋은 '소주'를 조금 들어붓고 내리면 맛이 맹렬하고 심히 취하지도 아니하나니라. 소줏불 난 데 물은 베로 덮으면 불이 꺼지고 콧구멍에 불이 나오는데 냉수 먹이면 죽으니 더운 물을 먹이고, 밀(黃蠟, 黃燭)로 배꼽을 에워싸고 더운 물을 부으면 깨어나느니라. 또 입에 불이 나와 위급하거든 좋은 초(酢)를 입에 흘리거나, 소금물을 흘리거나, 또는 배꼽 위에 푸른 헝겊을 덮고 그 위에 소금을 펴고 다리미로 다리면 살아나니라. '소주'에 취하여 불성지경이 되거든 생녹두를 갈아 물에 담갔다가, 그 물을 퍼 넣고 또 흙을 두드려 그 즙을 흘려 넣고, 또 마른 칡 삶은 물도 좋고, 또 참외 꼭지즙도 제일이니라. '소주'를 한 잔 마시고 냉수 한 잔을 곧 마시면 상치(이가 상하는 것) 아니하나니, 이 법은 이상국 양원(陽元) 씨가 하던 법이니라. 생강과 마늘을 함께 먹으면 치질이 생기나니라. '소주'에는 뜨거운 국물과 짠 것과 매운 것과 문어 전복과 마른 것들이 다 좋지 못하다. '소주'가 사람에게 이로운 데에는 냉적(冷積)과 한기(寒氣)와 조습담(燥濕痰)을 사라지게 하고, 울결(鬱結)한 것을 열고 설사를 그치게 하고, 곽란(癨亂)과 학질(瘧疾)과 에격(噎隔)과 심복냉통(心腹冷痛)과 음독욕사(陰毒欲死)를 살리고 벌레를 죽이고 장기를 물리치고, 소변이 이롭고, 대변이 단단하고 눈 붉은 것을 씻겨주고 종기 아픈 데 효험이 있나니라. '소주'는 순전한 양기에 독한 물건이라. '소주' 얼굴에 가는 꽃(細花) 있는 것이 참된 소주니라. 불과 성품이 같은 고로 불을 만나면 불이 일어나니 염초와 같으니라. 북쪽 사람은 사철 마시고 남쪽 사람은 여름에만 먹나니라. 지나에 배갈이라 하는 것은 독한 물건을 놓는 것이 여기 '소주'에 목정 넣느니만 한 것이 있으니 조심하여 마실지니라. '소주'를 꼭 봉하고 기운을 통하지 않게 하여 항상 더운 곳에 두되, 병마개를 생외나 비름나물로 막으면 하룻밤 만에 맛이 싱거워지나니라. '소주'를 초와 섞어서 한 잔만 먹으면 크게 곧 취하나니라."고 하였다.

<조선무쌍신식요리제법>은 전래의 가양주 문화가 자취를 감추기 시작할 무렵에 저술된 기록인데, '소주' 주방문을 4가지나 수록하고 있다는 점에서 매우 중요한 기록이라고 생각된다. <조선무쌍신식요리제법> 이후의 국내 모든 출판물에서 양주법(釀酒法)이나 주방문(酒方文)이 빠진 것을 볼 수 있기 때문이다.

따라서 <조선무쌍신식요리제법>은 우리나라 '소주'의 종류와 소주 문화에 대한 유래와 장단점, 특히 원시적 형태의 '는지'를 이용한 증류 방법 등 다양한 소주 제조법을 수록하고 있으며, '소주'의 폐단에 대해서도 매우 상세하게 설명하고 있음을 볼 수 있다는 점에서 많은 생각을 불러일으킨다고 하겠다.

한편 1985년의 <한국민속대관>에는, "조선 중엽 이래 널리 알려진 '소주'로 '노주'가 있는데, 이는 밑술을 고아서 이슬같이 받아낸 술이라는 뜻이다."고 하고,

"양푼에 물을 열두 번 갈아내면 맛이 순하고 여덟 번이나 아홉 번 갈아내면 맛이 독하다. 이 술은 보통 약주(藥酒)의 처방에 따라 2차 담금을 한 약주의 술덧을 고아낸 '소주'인데, 불의 세기와 냉각수의 조절로서 그 맛을 조절하는 것이 특징이다. 일반 양조주(釀造酒)는 알코올 도수가 낮아서 오래 두게 되면 대개 식초가 되거나 부패하게 된다. 이러한 결점을 없애기 위해 고안된 것이 증류주(蒸溜酒)인 '소주'이다. '소주'는 양조주를 증류하여 이슬처럼 받아내는 술이라 하여 '로주(露酒)'라고도 하고 '화주(火酒)' 또는 '한주(汗酒)'라고도 한다. '백주(白酒)' 또는 '기주(氣酒)'라고도 불렀다. 증류주는 페르시아에서 시작이 되었고, 그 증류법이 12세기에 십자군의 영향으로 유럽으로 건너가 '포도주'를 증류한 '브랜디'를 낳게 되었다고 하며, 증류주의 아랍어가 '아라키'라고 한다. 이것이 몽고어로 '아라키(亞喇吉)'로 불리고 만주어로 '알키'라 불려졌고, 우리나라에서는 '아락주'가 되었다. 개성 지방에서는 '아락주'라고 불러왔다. '소주'가 원나라에서 우리나라에 전해진 이래 재래주와 더불어 고려 때부터 많이 쓰이게 되었다. '소주'가 처음에는 약용으로 사용되었고, 값이 비쌌다. '소주'의 증류기로는 '승로병(承露瓶)'·'승로항(承露缸)' 등으로 알려져 있으며, 만들어진 재료에 따라서 '토고리(土古里)'·'동고리(銅古里)'가 최근까지 전해지고 있다. 범어(梵語)로는 '아므르타(Amrta)'라고 했으며, 우리나라 평북 지방에서 산삼을 캐는 사람들의 은어로 '아랑주'라고 했다고 한다. <우리말대사전>에는 '질이 낮은 '소주'가 아랑주'라고 풀이되어 있다. '소주'를 '소주(燒酎)'라고 표기하는데, 주(酎) 자는 '세 번 고아서 증류한 술'이라는 것이 본뜻이다. '소주'는 본래 곡식으로 만들었는데, 찹쌀로 만든 것을 '찹쌀소주', 멥쌀로 만든 것을 '멥쌀소주'라고 했다. 정초의 해일(亥日)에 빚어 세 번 재료를 추가해서 익힌 후에 증류시킨 것을 '삼해주(三亥酒)'라고 하며, 찹쌀과 멥쌀을 섞어 만든 것을 '로주'라고 부르기도 했다. 그러나 약재(藥材)를 넣은 '약소주(藥燒酒)'는 약재에 따라 여러 가지 이름으로 불리는데, '감홍로'·'기나피주'·'구기주'·'매실주' 등이 그것이다. '소주' 제조는 고려시대에 비롯하여 조선시대를 지나는 동안 양조 과정이나 방법은 별다른 변화 발전이 없었다. 그 밖에 '소주'의 종류로는 '일반 소주', '찹쌀소주', '밀소주', '삼해주', '보리소주' 등이 있다."고 하였다.

이상 우리나라 '소주' 전반에 대한 주방문을 살펴보았는데, '소주' 주방문의 변천

과정 또는 발달과정에 대한 언급은 매우 미미하다는 것을 알 수 있다.

다만, 여기서 우리가 인식하고 있어야 할 분명한 사실은 '소주(燒酒)', '소주(燒酎)'에 대한 표기법이다. 우리나라 기록에는 어디에도 '소주(燒酎)'로 표기하고 있는 문헌이 없다는 것이다. <조선주조사(朝鮮酒造史)>를 비롯하여 <조선고유색사전>, <주조독본(酒造讀本)> <주조법강화(酒造法講話)> 등 일제강점기와 그 이후 일본 사람들에 의해 저술되거나 기록된 문헌과 자료집에서 '소주(燒酎)'로 표기되고 있음을 볼 수 있을 뿐이라는 것이다.

앞서 <조선무쌍신식요리제법>에서 "<우리말대사전>에는 '질이 낮은 '소주(燒酒)'가 아랑주'라고 풀이되어 있다. '소주(燒酒)'를 '소주(燒酎)'라고 표기하는데, 주(酎) 자는 '세 번 고아서 증류한 술'이라는 것이 본뜻이다."고 언급하였듯, 일제강점기에 저술된 거의 모든 문헌과 기록에서 일본식 표기법인 '소주(燒酎)'를 찾아볼 수 있으므로, 아직까지도 '소주(燒酎)'로 표기하고 있는 방법은 지양해야 한다고 생각된다.

따라서 기록을 통해서나마 우리나라 소주의 변화과정을 살펴보기로 한다.

'소주(燒酒)' 주방문에 대한 최초의 기록인 <산가요록>에서는 '멥쌀 1되를 백세작말하여 물 5동이와 함께 끓여 만든 죽과 고두밥을 함께 사용하는 단양주법(單釀酒法)의 주방문을 수록하고 있다.

이후 등장하는 <고사십이집>에는 '향온주'를 술밑으로 하여 증류한 단양주법의 '향온소주' 주방문과 함께 멥쌀과 찹쌀 1말을 백세작말하여 물 8말로 끓여 만든 죽(범벅)에 누룩가루 9되와 섞어 밑술을 빚고, 3일 후에 찹쌀 2말로 만든 고두밥을 덧술로 하여 7일간 발효시킨 뒤 증류한다고 하였다.

이른바 이양주법(二釀酒法) '소주' 주방문을 엿볼 수 있는데, 주원료가 멥쌀이 아닌, 찹쌀이라는 것을 알 수 있다.

그리고 주방문 말미에서 "변질되었거나 쉰 술도 소주를 내릴 수 있다."고 하고, "찹쌀이나 멥쌀 · 기장 · 차조 · 보리를 쪄서 누룩을 섞고 7일 이내에 소주를 내리면 맑고 맛이 극히 진하고 매운 까닭에 '이슬'이라 한다."고 하여, 필요에 따라 또는 형편에 따라 얼마든지 다른 원료를 사용하여 '소주'를 만들 수 있다는 것을 말해 주고 있어, '소주' 빚는 법이 정해진 틀에서 이루어지는 것이 아니라는 것을 알 수 있다.

<고사십이집>보다 이후에 등장하는 1670년의 <음식디미방>에서는 멥쌀 1말로 지은 고두밥과 끓는 물 2말을 섞어 진고두밥을 만든 뒤, 누룩 5되를 섞어 술밑을 빚고 5일 정도 발효시킨 후 증류한다고 하였다.

문헌의 등장시기가 가장 앞선 <산가요록>에서는 죽과 고두밥을 한데 섞어서 빚는 '소주' 주방문이 <고사십이집>에서는 멥쌀과 찹쌀을 섞어서 찐 고두밥에 끓는 물을 한데 섞어 만든 진고두밥과 향온곡을 사용하는 방법으로 나타났고, 다시 <음식디미방>에서는 멥쌀로 지은 고두밥에 다시 끓는 물을 섞어 만든 진고두밥으로 바뀌는 등 다양하게 변화된 것을 읽을 수 있는 것이다.

한편, <침주법>에서는 멥쌀가루로 만든 된죽에 누룩을 섞어 빚은 술밑을 발효시켜 증류하는 단양주법을 볼 수 있고, 특히 <임원십육지>와 <조선무쌍신식요리제법>에서는 멥쌀이나 찹쌀만이 아닌, 기장이나 차조 · 보리쌀을 쪄서 사용하는데, "맑고 맛이 극히 진하며, 감렬하여 술의 이슬이라 한다."고 하여 '소주'의 원료가 점차 다양화되었고, 증류 기술도 한 단계 발전하였다는 것을 확인할 수 있다.

<음식디미방>보다 늦게 저술된 것으로 알려진 <주방문>에서는 멥쌀 죽에 누룩을 섞어 만든 술밑을 3일간 발효시킨 뒤, 찹쌀로 지은 고두밥과 밑술을 섞어 빚는 이양주법의 '소주' 주방문이 등장하는데, 이러한 이양주법의 '소주' 주방문은 <침주법>을 비롯하여 <간본규합총서>, <고사신서>, <김승지댁주방문>, <양주집>, <임원십육지>, <조선무쌍신식요리제법>, <한국민속대관>에서 찾아볼 수 있다.

'소주' 주방문 가운데 가장 독특한 방법으로는, <주방문>의 '소주 별방(別方)'과 <역주방문>의 '소주방(燒酒方)', <주찬(酒饌)>의 '주방 별법(別法)—조소주(造燒酒)'를 들 수 있다.

1600년대 말엽의 문헌인 <주방문>의 '소주 별방' 주방문을 보면, "졍ᄒᆞᆫ 나락 ᄒᆞᆫ 말을 믈 서 말의 ᄃᆞᆷ가 사흘 만의 건져 ᄶᅵ허 ᄶᅧ 식거든 그 믈의 섯거 누록 너 되 너허 사흘 만의 걸러 고오면 ᄒᆞᆫ 병 나고 ᄆᆡ으니라 (누룩)만 ᄒᆞ면 더 됴ᄒᆞ니라."고 하여 도정하지 않은 나락(벼)을 사용한 양주기법으로 <고사촬요(故事撮要)> · <치

생요람(治生要覽)>의 '천금주'나 '구황주'를 연상케 한다.

환언하면, '소주'의 주원료로는 찹쌀이 선호되었으나 멥쌀과 기장·차조 등 다양화가 이루어졌고, 죽과 고두밥을 섞어 빚는 최초의 방법에서 탈피하여 죽이나 범벅, 고두밥 형태로 주원료의 가공방법에서도 다양한 변화가 이루어졌으며, 1600년대 이후인 조선 중기로 접어들면서 이양주법과 '삼해주'를 중심으로 하는 삼양주법(三釀酒法)의 '소주'가 등장하기 시작하였고, 후기의 <조선무쌍신식요리제법>에서 볼 수 있듯 사양주법(四釀酒法)의 '소주'까지 양주되는 현상을 볼 수 있어, '소주' 음용 인구의 증가와 더불어 고급화와 상용화를 엿볼 수 있다.

한편, 1800년대 중엽의 기록인 <군학회등>이란 문헌에 주품명도 없이 '술을 증류하는 방법'을 찾아볼 수 있는데, 굳이 '소주'의 종류를 구분한다면 '찹쌀소주(粘米燒酒)'가 된다.

<군학회등>의 '술을 증류하는 방법'에 "찹쌀과 멥쌀 각 1말을 담가 불렸다가 작말하고 죽을 쑤고, 탕수 8되와 누룩 9되를 섞어 빚어두었다가, 3일 후에 찹쌀 1말 담가 불렸다가 쪄서 밑술에 합하고, 7일 후에 증류한다."고 하였다.

이른바 이양주법의 '찹쌀소주'인 셈인데. 이 주방문과 동일한 기록을 <임원십육지>에서 찾을 수 있어 '소주' 주방문에 포함시켰다는 것을 밝혀둔다. <임원십육지>에는 이 주방문을 두고 '소주다취로법(燒酒多取露法)'이라고 하여 주품명을 기록하고 있다.

<농정회요>의 '술을 증류하는 방법'에서 주목되는 것은, 다름 아닌 증류한 '소주'의 저장 방법이다. 주방문 말미에 "燒用藁草火加雜甕." 즉, "소주를 사용하려면 청호쑥을 태워 독의 잡내를 없앤 후 (담아두고) 쓰라."고 한 기록을 볼 수 있는데, 다른 문헌에서는 찾아보기 힘든 내용이다.

또한 1600년대 말엽에 작성된 <주방문>에는 "고조리 밑에 콩 같은(굵은) 모래를 먼저 깔고 하면 좋으리라."고 하여 소주의 여과 방법을 제시하고 있음을 볼 수 있어, 소주 증류가 예사로 이루어지지 않았다는 것을 알 수 있다.

'소주'를 받은 후 어떤 그릇에 저장할지 몰라 플라스틱 병이나 통에 담아두고 마시는 것이 예사로운 일이었고, 기껏 생각한다는 것이 도자기 병이었다고 할 것이나, 몰라도 한참 모르는 소리이다.

우리의 도기(陶器)는 "무겁고 불편하다", "품새가 없다", "잘 깨어진다", "공간을 많이 차지한다"고 하여 내팽개쳐 버린 반면, 도기에 비해 상대적으로 품새도 나고 보관해 두면 시간의 때가 묵을수록 갓이 난다고 해서 애지중지해 왔던 자기(磁器)는 오히려 일반적인 음주 용기에 그 사용범위가 국한되어 있었다.

그리고 '무겹고, 불편하고, 품새도 없고, 잘 깨어지는' 그런 도기는 저장과 발효 용기라는 사실을, 그리고 서양의 위스키는 오크통이, 한국의 전통소주는 도기(질그릇류, 오지그릇)가 저장 용기였다는 사실을 200년 전의 기록에서 찾아보는 계기가 되었다.

1. 소주 <간본규합총서(刊本閨閤叢書)>

술 재료 : 찹쌀 1되, 멥쌀 1되, 누룩가루 9되, 끓는 물 8되

술 빚는 법 :

1. 찹쌀 1되와 멥쌀 1되를 (백세하여) 물에 담가 불렸다가 (다시 새 물에 깨끗이 헹궈서 물기를 뺀 후) 작말하여 그릇에 담아놓는다.
2. (솥에 물 8되를 끓여 쌀가루에 합하고, 주걱으로 고루 개어 범벅을 쑨 뒤, 말갛게 익으면 넓은 그릇에 펴서 차게 식기를 기다린다.)
3. 식은 범벅에 누룩가루 9되를 섞고, 고루 버무려 술밑을 빚는다.
4. 술독에 술밑을 담아 안치고, 예의 방법대로 하여 7일간 발효시킨다.

* 소주 내리기 :

1. 솥에 불을 지피고, 물 2사발을 붓고 끓이다가, 술 2사발을 붓고 끓인다.
2. 술 3사발을 솥에 붓고 저어준 뒤, 끓으면 다시 술을 붓는 방법으로 술을 다 안친 후, 소줏고리를 얹고, 소줏고리 위에 냉각수 그릇을 얹는다.
3. 솥과 소줏고리, 소줏고리와 냉각수 그릇의 틈새를 소줏번을 붙여 막는다.

4. 냉각수 그릇에 찬물을 채우고, 소줏고리 귀때 밑에 수기를 받쳐놓는다.
5. 참나무나 보릿짚 등을 싸지도 느리지도 않게 불을 알맞게 때서 소주를 받는다(첫술 1컵 정도는 버리거나 다음에 증류할 술에 섞어 사용한다).
6. 혹은 홍곡, 계피, 사탕, 지초 등을 고리 부리에 넣는다(감홍로를 얻을 수 있다).
7. 냉각수 그릇의 물이 따뜻하면 즉시 퍼내고 다시 찬물을 갈아주길 12회 하면 맛이 평순하고, 8~9차례 하면 맛이 맹렬하니, 술은 아무 술에도 이와 같이 한다.

소쥬법

ᄇᆡᆨ미 졈미 각 일승 물에 담아 작말ᄒᆞ고 국말 구승과 ᄭᅳᆯ힌 물 팔승을 ᄒᆞᆫᄃᆡ 화합ᄒᆞ야 삼칠 지ᄂᆞᆫ 후 졈미 이두 지여 밥쪄셔 식혀 본밋과 화합ᄒᆞ야 칠일 후에 ᄉᆞᆺ티 붓고 [illegible]리을 안치고 테을 두르고 고리 우희 ᄆᆞᆫᄂᆞᆫ 양푼을 안치고 양푼 속에 ᄂᆡᆼ슈을 붓고(물 더오면 연ᄒᆞ야 갈아ᄂᆡ라) 또 테을 두르고(혹 홍곡 계피 ᄉᆞ샹지 쵸 등을 고리부리에 너흐라) 참ᄂᆞ모 보리집 등을 ᄊᆞ지도 말고 느리지도 말게 씌여 양푼물 열두 번 갈아ᄂᆡ면 마시 평순허고 팔구ᄎᆞ 갈아ᄂᆡ면 ᄆᆞ시 ᄆᆡᆼ렬허니라. 술은 아모 술에도 가ᄂᆞ니라.

2. 노주방 <고사신서(攷事新書)>

술 재료 : 밑술 : 멥쌀 1말, 찹쌀 1말, 누룩가루 2말, 물 8말
덧술 : 찹쌀 2말

술 빚는 법 :

* 밑술 :

1. 멥쌀 1말과 찹쌀 1말을 한데 섞어 물에 깨끗이 씻은 뒤, 물에 담가 불렸다가 다시 씻어 건져서 물기를 뺀 후 작말한다(가루로 빻는다).

2. 물 8말을 끓여 (쌀가루를 고루 개어 범벅을 쑤어) 차게 식기를 기다린다.
3. 범벅에 누룩가루 9되를 넣고, 고루 버무려 술밑을 빚는다.
4. 술독에 술밑을 담아 안치고, 예의 방법대로 하여 3일가량 발효시킨다.

* 덧술 :
1. 찹쌀 2말을 (백세하여 물에 담가 불렸다가, 다시 씻어 건져서 물기를 뺀 뒤) 시루에 안쳐 고두밥을 짓는다.
2. 고두밥이 익었으면 퍼내고, 돗자리에 펼쳐서 차게 식기를 기다린다.
3. 고두밥에 밑술을 한데 합하고, 고루 버무려 술밑을 빚는다.
4. 술독에 술밑을 담아 안치고, 예의 방법대로 하여 7일간 발효시킨다.

* 소주 내리기 :
1. 솥에 불을 지피고, 물 1사발을 붓고 끓이다가, 술 1사발을 붓고 끓인다.
2. 술 2사발을 솥에 붓고 끓으면 술 4사발을 붓는 방법으로, 점차 양을 늘려 안친다.
3. 솥 위에 소줏고리를 얹고, 소줏고리 위에 냉각수 그릇을 얹는다.
4. 솥과 소줏고리, 소줏고리와 냉각수 그릇의 틈새를 소줏번을 붙여 막는다.
5. 냉각수 그릇에 찬물을 채우고, 소줏고리 귀때 밑에 병을 놓고 소주를 받는데, 첫술 1컵 정도는 버리거나 다음에 증류할 술에 섞어 사용한다.
6. 불을 땔 때 참나무 및 보릿대 등을 사용하여, 불의 세기가 한결같아야 한다.
7. 냉각수 그릇의 물이 따뜻하면 즉시 퍼내고 다시 찬물을 갈아주는데, 12차례 갈아주면 소주 맛이 평순하고, 8~9회 갈아주면 매우 독하다.

露酒方

粳米粘米各一斗浸水作末細麴九升湯水八斗加之亦可交釀過三日粘米二斗蒸飯待冷與本合釀七日後燒出易上水十二次則其味平順八九次則味極烈取火用眞木及麥稈等而勿使緩急.

3. 소주 <고사십이집(攷事十二集)>

술 재료 : 멥쌀 10말, 찹쌀 1말, 누룩가루 2말, 지초 5냥

술 빚는 법 :

1. 누룩은 향온주의 향온곡 제조법으로 디뎌서 띄우고, 그 양은 2말로 한정한다.
2. 향온주를 빚어(멥쌀 10말과 찹쌀 1말을 한데 섞어 물에 깨끗이 씻은 뒤, 하룻밤 불렸다가 다시 씻어 건져서 물기를 뺀 뒤, 시루에 안쳐 고두밥을 짓는다. 솥에 물 15병을 붓고 끓이다가, 고두밥이 익었으면 퍼내어 넓은 그릇에 담아 놓고, 끓는 물을 고루 붓고, 주걱으로 골고루 헤쳐서 밤재워 놓는다. 고두밥이 물을 다 먹고 차게 식었으면, 누룩 2말, 부본 1병을 한데 합하고, 고루 버무려 술밑을 빚는다. 술독에 술밑을 담아 안치고, 예의 방법대로 하여 15일가량 발효시킨 뒤) 용수 박아 채주한다. 발효가 끝난 술을 '향온주'라 하며, 3병 2복자 분량을 기준으로 증류한다.
3. 솥에 불을 지피고, 물 2사발을 붓고 끓이다가, 향온주 2사발을 붓고 끓인다.
4. 향온주 3사발을 솥에 붓고 저어준 뒤, 끓으면 다시 향온주 6사발을 붓는 방법으로 점차 양을 늘려서 안치는 방법으로 술을 다 안친다.
5. 솥 위에 소줏고리를 얹고, 소줏고리 위에 냉각수 그릇을 얹는다.
6. 솥과 소줏고리, 소줏고리와 냉각수 그릇의 틈새를 소줏번을 붙여 막는다.
7. 냉각수 그릇에 찬물을 채우고, 소줏고리 귀때 밑에 병(수기)을 놓고, 그 위에 지초 잘게 썰어 병 입구에 받쳐놓는데, 술 2사발을 내리는데 지초 1냥을 쓴다.
8. 뽕나무나 밤나무 장작으로 불을 알맞게 조절하여 소주를 받되, 첫술 1컵 정도는 버리거나 다음에 증류할 술에 섞어 사용한다.
9. 냉각수 그릇의 물이 따뜻하면 즉시 퍼내고 다시 찬물을 갈아준다.
10. 소주가 떨어지면서 지초를 통과하는 즉시 진홍색으로 된 소주(홍주)를 얻

는다.

* '홍로주(紅露酒)' 빚는 법이다.

燒酒
釀法如香醞而麴則以二斗爲限香醞三甁二鐥燒出一甁承露時以芝草一兩細切置于甁口則紅色濃(深).

4. 소주(우법) <고사십이집(攷事十二集)>

술 재료 : 밑술 : 멥쌀 1말, 찹쌀 1말, 누룩가루 2말, 물 8말
덧술 : 찹쌀 2말

술 빚는 법 :

* 밑술 :

1. 멥쌀 1말과 찹쌀 1말을 한데 섞어 물에 깨끗이 씻은 뒤, 물에 담가 불렸다가 다시 씻어 건져서 물기를 뺀 후 작말한다(가루로 빻는다).
2. 물 8말을 끓여 (쌀가루를 고루 개어 범벅을 쑤어) 차게 식기를 기다린다.
3. 범벅에 누룩가루 9되를 넣고, 고루 버무려 술밑을 빚는다.
4. 술독에 술밑을 담아 안치고, 예의 방법대로 하여 3일가량 발효시킨다.

* 덧술 :

1. 찹쌀 2말을 (백세하여 물에 담가 불렸다가 다시 씻어 건져서 물기를 뺀 뒤) 시루에 안쳐 고두밥을 짓는다.
2. 고두밥이 익었으면 퍼내고, 돗자리에 펼쳐서 차게 식기를 기다린다.
3. 고두밥에 밑술을 한데 합하고, 고루 버무려 술밑을 빚는다.

4. 술독에 술밑을 담아 안치고, 예의 방법대로 하여 7일간 발효시킨다.

* 소주 내리기 :

1. 솥에 불을 지피고, 물 1사발을 붓고 끓이다가, 술 1사발을 붓고 끓인다.
2. 술 2사발을 솥에 붓고 끓으면 술 4사발을 붓는 방법으로, 점차 양을 늘려 안친다.
3. 솥 위에 소줏고리를 얹고, 소줏고리 위에 냉각수 그릇을 얹는다.
4. 솥과 소줏고리, 소줏고리와 냉각수 그릇의 틈새를 소줏번을 붙여 막는다.
5. 냉각수 그릇에 찬물을 채우고, 소줏고리 귀때 밑에 병을 놓고 소주를 받는데, 첫술 1컵 정도는 버리거나 다음에 증류할 술에 섞어 사용한다.
6. 불을 땔 때 참나무 및 보릿대 등을 사용하여, 불의 세기가 한결같아야 한다.
7. 냉각수 그릇의 물이 따뜻하면 즉시 퍼내고 다시 찬물을 갈아주는데, 12차례 갈아주면 소주 맛이 평순하고, 8~9회 갈아주면 매우 독하다.

* 밑술의 불린 쌀을 어떻게 하라는 말이 없다. <고사십이집>의 '소주(우법)'은 <임원십육지>에 '노주이두방'이라고 하였고, 밑술 쌀 양이 멥쌀과 찹쌀 각 1되, 누룩 9되, 물 8되로 되어 있다. <본초강목>을 인용하여 "소주는 일명 화주라고 한다."고 하고,그 유래가 "원나라 때부터 시작되었으며 승로병을 이용하여 소주를 얻는데 신술이나 잘못된 술을 증류하여 소주를 얻을 수 있다." 고도 하였다. 또 "근래에는 찹쌀이나 멥쌀, 또는 기장이나 수수, 보리를 쪄서 누룩과 함께 섞어 술을 빚고, 시루를 사용하여 증류하는데, 물같이 맑고 매우 맛이 진하고 맵다."고 하였다.

燒酒(又法)

粳米粘米各一斗浸水作末細麴九升湯水八斗加之亦可交釀過三日粘米二斗蒸飯待冷與本合釀七日後燒出易上水十二次則其味平順八九次則味極烈取火用眞木及麥稈等而勿使緩急.<本草綱目>日　燒酒一名火酒自元時始創其法用濃酒和槽入甑蒸令氣上用器承取滴露凡酸壞之酒皆可蒸燒近時惟以糯米或

粳米或黍或秫或大麥蒸熟和麴釀甕中七日以甑蒸取其淸如水味極濃烈盖酒露也.

5. (노주방) <군학회등(群學會騰)>

–주품명 없음

술 재료 : 밑술 : 찹쌀 1말, 멥쌀 1말, 누룩가루 9되, 끓는 물(3말), 물 8되
덧술 : 찹쌀 1말

술 빚는 법 :

* 밑술 :

1. 찹쌀 1말, 멥쌀 1말을 섞어 (백세하여) 물에 담가 불렸다가, 말갛게 다시 씻어 (물기를 뺀 뒤) 작말한다.
2. 솥에 물(3말)을 끓여 (쌀가루에 합하고, 주걱으로 고루 개어 범벅을 쑨 뒤, 말갛게 익으면 넓은 그릇에 펴서 차게 식기를 기다린다).
3. 솥에 물 8되를 넣고 끓여서 넓은 그릇에 펴서 차게 식힌다.
4. 식은 범벅에 누룩가루 9되를 섞고, 고루 버무려 술밑을 빚는다.
5. 술독에 술밑을 담아 안치고, 예의 방법대로 하여 3일간 발효시킨다.

* 덧술 :

1. 찹쌀 1말을 (백세하여) 물에 담가 불렸다가, 말갛게 다시 씻어 헹궈서 (물기를 뺀 뒤) 시루에 안쳐 고두밥을 짓는다.
2. 고두밥이 익었으면 퍼내고, 고루 펼쳐서 차게 식기를 기다린다.
3. 고두밥에 밑술을 합하고, 고루 버무려 술밑을 빚는다.
4. 술독에 술밑을 담아 안치고, 예의 방법대로 하여 7일간 발효시킨다.

* 소주 내리기 :

1. 솥에 불을 지피고 (물 2사발을 붓고 끓이다가) 술 2사발을 붓고 끓인다.
2. 술 3사발을 솥에 붓고 저어준 뒤, 끓으면 다시 술을 붓는 방법으로 술을 다 안친 후, 소줏고리를 얹고, 소줏고리 위에 냉각수 그릇을 얹는다.
3. 솥과 소줏고리, 소줏고리와 냉각수 그릇의 틈새를 소줏번을 붙여 막는다.
4. 냉각수 그릇에 찬물을 채우고, 소줏고리 귀때 밑에 수기를 받쳐놓는다.
5. 불을 알맞게 조절하여 소주를 받되, 냉각수 그릇 물이 따뜻하면 즉시 퍼내고 다시 찬물을 갈아주길 12회 반복하면 그 맛이 평순하고, 8~9회 반복하면 극히 맵고 쏜다.

* 주방문 말미에 "燒用藁草火加雜甕(소주를 사용하려면 청호쑥을 태워 독의 잡내를 없앤 후 (담아두고) 쓰라."고 하였다. <임원십육지>의 '소주다취로법'과 같은 방문이다.

(露酒方)

粳米粘米各一斗浸水作末細麴九升湯水八斗加之亦可交釀過三日粘米二斗蒸飯待冷與本合釀七日後燒出易上水十二次則其味平順八九次則味極烈取火用眞木及麥稈等而勿使緩急.

6. 소주 고으는 법 <김승지댁주방문(金承旨宅廚方文)>

술 재료 : 밑술 : 찹쌀 5홉, 가루누룩 4되, 물 20복자, 끓여 식힌 물 약간
덧술 : 찹쌀 1말

술 빚는 법 :

* 밑술 :

1. 찹쌀 5홉을 (백세하여 물에 담가 불렸다가, 다시 씻어 건져서 물기를 뺀 후) 작말하여 놓는다.
2. 쌀 되던 되로 물 20복자를 계량하여 쌀과 합하고 잠깐 끓여서 죽을 쑤어 차게 식기를 기다린다.
3. 물을 조금 끓여서 서늘하게 식힌 후, 가루누룩 4되를 그 물에 섞어 물누룩을 만들어 하룻밤 재워놓는다.
4. 차갑게 식힌 죽에 물누룩을 합하고, 고루 버무려 술밑을 빚는다.
5. 술독에 밑술을 담아 안치고, 예의 방법대로 하여 하루 동안 발효시킨다.

* 덧술 :
1. 다음날 찹쌀 1말을 (백세하여 물에 담가 불렸다가, 다시 씻어 건져서 물기를 뺀 후) 시루에 안쳐 고두밥을 짓는다.
2. 고두밥이 익었으면 시루에서 퍼내고, 고루 펼쳐서 차게 식기를 기다린다.
3. 고두밥에 밑술을 한데 합하고, 고루 버무려 술밑을 빚는다.
4. 술독에 술밑을 담아 안친 뒤, 예의 방법대로 하여 5일간 발효시킨다.
5. 물솥에 술덧과 물을 섞어 안치고, 소줏고리를 얹어 예의 방법대로 하여 증류한다.

* 주방문 말미에 "익거든 물과 소주 고으면 열다섯 복자가 나고, 녹으면(오래 증류하여 도수를 낮게 하면) 스무 복자가 나니라."고 하였다.

쇼쥬 괴날 법

ᄎᆞᆸᄊᆞᆯ 닷 홉 작말ᄒᆞ여 물 스무 복ᄌᆞᄅᆞᆯ ᄂᆡ 된 후 죠금 ᄭᅳᆯ혀 두고 ᄯᅩ ᄆᆡᆼ믈을 죠금 ᄭᅳᆯ혀 셔ᄂᆞᆯᄒᆞ거든 ᄀᆞ루누룩 넉 되 그 물의 섯거 젼의 ᄀᆞ로다 누룩을 그 물의 타 석거 ᄒᆞ로밤 ᄌᆡ와 ᄀᆞ장 ᄎᆞ거든 이튼날 졈미 ᄒᆞᆫ 말 ᄶᅧ 그 물에 버므려 닷ᄉᆡ 만의 닉거든 물과 쇼쥬 고으면 열다ᄉᆞᆺ 복ᄌᆞ가 ᄂᆞ고 녹으면 스무 복ᄌᆞ가 ᄂᆞ느니라.

7. 소주 <달생비서(達生秘書)>

원나라 때부터 있어 왔다. 맛이 매우 맵고 강렬해서 많이 마시면 사람을 상한다.

燒酒
自元時始有, 味極辛烈, 多飮傷人.

8. 소주 <동의보감(東醫寶鑑)>

원나라 때부터 있어 왔다. 맛이 매우 맵고 강렬해서 많이 마시면 사람을 상한다.

燒酒
自元時始有, 味極辛烈, 多飮傷人.

9. 취소주법 <산가요록(山家要錄)>

–쌀 1말 1되 빚이

술 재료 : 멥쌀가루 1되, 찹쌀 1말, 누룩가루 3되, 물 5동이

술 빚는 법 :

1. 멥쌀 1되를 백세하여 물에 담가 불렸다가, 다시 씻어 헹궈서 물기를 뺀다.
2. 불린 쌀을 가루로 빻아 그릇에 담아놓는다.
3. 큰 가마솥에 물 5동이를 팔팔 끓이다가, 쌀가루 1되를 넣어 덩이 없이 풀고, 끓여서 쌀뜨물같이 묽은 죽을 쑨다.
4. 죽이 따뜻할 때 술독에 담아 안치고, 독을 단단히 봉하여 3~4일간 발효시

킨다.

5. 죽의 맛이 시고, 쉰 냄새가 나고 씁쓸한 맛이 난다.
6. 찹쌀 1말을 (백세하여 물에 담가 불렸다가, 다시 씻어 헹궈서 물기를 뺀 후) 시루에 안쳐서 고두밥을 짓는다.
7. 고두밥이 익었으면 퍼낸다(차게 식기를 기다린다).
8. 고두밥에 누룩가루 3되와 독의 죽을 한데 합하고, 고루 버무려 술밑을 빚는다.
9. 술밑을 술독에 담아 안치고 예의 방법대로 하여 (차지도 덥지도 않은 곳에 안쳐두고 발효시켜) 익기를 기다린다.
10. 술이 익었으면 4개의 솥에 나누어 소주를 내리는데, 솥 1개에서 소주(중품) 4되가 나온다.

取燒酒法

水五盆大釜內極沸米末一升半和粥則有如泔汁乘溫盛瓮封置 三四日後 臭味酸苦 粘米一斗 蒸飯 和曲末三升 納前瓮待熟 分四鼎取之 則一鼎燒酒四升矣.

10. 소주 <양주집(釀酒集)>

술 재료 : 밑술 : 멥쌀 5홉, 찹쌀 5홉, 누룩 3되 5홉, 물 4말
덧술 : 찹쌀 1말

술 빚는 법 :

* 밑술 :

1. 멥쌀 5홉과 찹쌀 5홉을 백세하여 (물에 담가 불렸다가, 새 물에 다시 씻어 맑게 헹궈 건져서 물기를 뺀 후) 작말한다(가루로 빻는다).
2. 물 4말을 한소큼 끓였다가, 쌀가루를 풀어 넣고 재차 한소큼 끓여 죽을 쑨

뒤, 넓은 그릇에 퍼서 온기가 남게 식힌다.

3. 미지근하게 식은 죽에 좋은 누룩 3되 5홉을 풀어 넣고, 고루 버무려 술밑을 빚는다.
4. 술밑을 술독에 담아 안친 다음, 예의 방법대로 하여 하루 동안 발효시킨다.

* 덧술 :

1. 다음날 같은 시각에 찹쌀 1말을 백세하여 (물에 담가 불렸다가, 새 물에 다시 씻어 맑게 헹궈 건져서 물기를 뺀 후) 시루에 안쳐서 고두밥을 짓는다.
2. 고두밥이 익었으면 퍼내고, 고루 펼쳐 차게 식기를 기다린다.
3. 고두밥에 밑술을 합하고, 고루 버무려 술밑을 빚는다.
4. 술독에 술밑을 담아 안치고, 예의 방법대로 하여 5~6일간 발효시킨다.

* 증류 :

1. 술덧을 체에 밭쳐 주박을 제거하여 막걸리를 만든다.
2. 가마솥에 불을 지피고, 예의 방법대로 하여 물과 술을 안친다.
3. 솥 위에 소줏고리를 앉히고, 시룻번을 붙인 다음, 냉각수를 붓는다.
4. 예의 방법대로 증류하여 소주를 얻는다(3~6개월간 숙성시킨 후 마신다).

燒酒

이 술을 再釀ᄒᆞᆯ 제 치운 제ᄅᆞᆫ 三日 만ᄋᆡ 녀ᄒᆞ라. 고ᄋᆞ면 二十 ᄃᆡ아 나ᄂᆞ니라. 試之則無異常酒出可恠. 白米 五合 粘米 五合 百洗 作末ᄒᆞ야 믈 四斗 ᄒᆞᆫ 소솜 ᄭᅳᆯ혀 이 ᄀᆞᆯᄂᆞᆯ 타 ᄯᅩ ᄒᆞᆫ 소솜 ᄭᅳᆯ혀 ᄎᆡ오기ᄅᆞᆯ 온긔 잇게 ᄎᆡ와 됴ᄒᆞᆫ 누록 三升 五合ᄋᆡ 버므려 너허ᄯᅡ가 翌日ᄋᆡ 粘米 一斗 百洗ᄒᆞ야 밥 ᄶᅧ 식거든 밋술 비저 녀턴 ᄣᆡᄋᆡ 밋술ᄋᆡ 섯거 녀ᄒᆞ다가 오육일 후ᄋᆡ 고으라.

11. 소주방 <역주방문(曆酒方文)>

술 재료 : 벼 1말, 누룩가루 3되, 물 3말 5되

술 빚는 법 :

1. 벼 1말을 정태(깨끗하게 일어서)하여 물에 정세한 후(깨끗하게 씻어) 찬물에 3일간 담가놓는다.
2. 불린 벼를 방아를 찧어서 대오리로 엮은 체에 내려서, 물에 깨끗하게 씻은 술독에 담아놓는다.
3. 솥에 물 3말 5되를 쌀과 함께 섞고, 매우 오랫동안 끓였다가 술독에 담아 안친 다(차게 식기를 기다린다).
4. 술독에 누룩가루 3되를 합하고, 매우 치대고 고루 휘저어 술밑을 빚는다.
5. 술독에 술밑을 담아 안치고, 예의 방법대로 하여 발효시키는데, 익기를 기다려 증류한다.

* 주방문 말미에 "소주 7~8보아(보시기) 나는데, 맛있고 맵다."고 하였다.
* 주방문의 '정조(正租, 精租)'는 도정(搗精)하지 않은 '벼'를 가리킨다.

燒酒方

正租一斗精汰於水淨洗浸於冷水三日後極出舂之以竹篩(篩/之)過之淨洗鼎底以二斗五升水和勻猛煮後盛于缸中以曲末三升和合釀之及其熟煮成燒酒七八甫兒易旨烈.

12. (모소주) 우방 <역주방문(曆酒方文)>

술 재료 : 밑술 : 멥쌀 1되, 찹쌀 1되, 누룩가루 4되, 끓는 물 10사발
덧술 : 찹쌀 1말

술 빚는 법 :

* 밑술 :

1. 멥쌀 1되와 찹쌀 1되를 합하여 정히 씻어(백세하여 물 3되에 담가 불렸다가, 다시 씻어 건져서 물기를 뺀 후) 작말한다.
2. 가마솥에 물 10사발을 붓고 한두 차례 팔팔 끓여 (쌀가루에 합하고, 주걱으로 매우 고루 치대서 범벅을 쑨 뒤) 차게 식기를 기다린다.
3. 쌀가루(범벅)에 누룩가루 4되를 섞고, 고루 버무려 술밑을 빚는다.
4. 소독한 항아리에 버무린 술밑을 담아 안치고, 예의 방법대로 하여 (덥지 않은 방에 자리를 잡아 앉히고) 하룻밤 지낸다.

* 덧술 :

1. 찹쌀 1말을 정히 씻어(백세하여 하룻밤) 불렸다가 (다시 씻어 건져 물기를 뺀다.)
2. 찹쌀을 시루에 안쳐서 투명하게 익은 고두밥을 짓는다(김이 한창 오르면 찬물 2되를 뿌려서 무르게 익힌다).
3. 고두밥은 차게 식기를 기다렸다가 밑술과 합하고, 고루 버무려 술밑을 빚는다.
4. 버무린 술밑을 소독한 술독에 담아 안치고, 예의 방법대로 하여 5일간 발효시키고, 익어 식기를 기다린다.

* 증류 :

1. 익은 술덧을 체에 밭쳐서 찌꺼기를 버리고 내린 탁주를 취한다.

2. 상법대로 소주를 내리는데, 15복자를 내면 독하고 20복자를 내면 독하지 않다.

(牟燒酒) 又方

粘米一升粳米一升同合百洗浸之待潤作末和水十椀一二煎沸而置之候冷又以十椀水煎湯冷之洒匀於四升曲末同和於上和粘粳米經一宿後又將粘米一斗淨洗待潤蒸飯候冷和合於右水盛于瓮中五日後釀熟壓取煮之得燒酒十五卜子味太烈二十卜子(則)味頻緩.

13. 소주 <음식디미방>

술 재료 : 멥쌀 1말, 누룩 5되, 끓는 물 2말

술 빚는 법 :

1. 멥쌀 1말을 백세한다(물에 담가 불린 후, 다시 씻어 헹궈 물기를 뺀다).
2. 물을 뺀 멥쌀을 시루에 안치고, 가장 익게 무른 고두밥을 짓는다.
3. 물 2말을 팔팔 끓이다가 고두밥이 익었으면 한데 합하고 (주걱으로 뒤적여 놓은 후) 고두밥이 차게 식기를 기다린다.
4. 고두밥에 누룩 5되를 섞고, 고루 버무려 술밑을 빚는다.
5. 술밑을 독에 안치고 7일간 발효시켜, 익었으면 (체/자루에 걸러) 소주를 내린다.

* 소주 내리기 :

1. 솥에 물 2사발을 붓고 끓인 후, 술 3사발을 붓고 고루 저어준다.
2. (솥 안의 술과 물이 끓으면 다시 술 5~6사발을 붓고 저어준다.)
3. (솥 안의 술이 끓으면 다시 술 10~12사발을 붓고 고루 저어주면서, 같은 방

법으로 술을 계속해서 다 안친다.)
4. (술을 다 안쳤으면, 솥에 소줏고리를 얹고, 그 틈 사이에 소줏번을 붙여 메운다.)
5. (소줏고리 위에 물그릇을 얹고, 그 틈 사이에 소줏번을 붙여 메운다.)
6. (소줏고리의 귀때 밑에 수기를 받쳐놓는다.)
7. 불을 땔 때 세기를 잘 조절하여 증류를 하는데, 처음 나오는 술을 한 컵 정도 따로 받아 버리거나, 다음에 증류할 때 술과 섞어 쓴다.

* 주방문 말미에 "불이 성하면 술이 많이 나되, 내 기운이 구멍 가운데로 난 듯하고 불이 뜨면 술이 적게 나고 불이 중하면 노긋하여 그치지 아니하면 맛이 심히 열하고 또 우의 물을 자주 갈아라."고 하였다.

쇼쥬

ᄡᆞᆯ ᄒᆞᆫ 말을 ᄇᆡᆨ셰ᄒᆞ여 ᄀᆞ장 ᄂᆡᆨ게 ᄡᅧ 글힌 믈 두 말애 ᄃᆞᆷ가 ᄎᆞ거든 누록 닷 되 섯거 녀헛다가 닐웨 지내거든 고ᄒᆞᄃᆡ 믈 두 사발을 몬져 ᄭᅳᆯ힌 후에 술 세 사발을 그 믈에 부어 고로고로 저으라 불이 셩ᄒᆞ면 술이 만이 나ᄃᆡ ᄂᆡ 긔운이 구무 가온드로 나ᄂᆞᆫ ᄃᆞᆺᄒᆞ고 불이 ᄯᅳ면 술이 듯듯고 블이 듕ᄒᆞ면 노ᄀᆞᆺᄒᆞ여 긋디 아니ᄒᆞ면 마시 심히 덜ᄒᆞ고 ᄯᅩ 우희 믈을 ᄌᆞ로 ᄀᆞ라 이 법을 일치 아니ᄒᆞ면 ᄆᆡ온 술이 세 병 나ᄂᆞ니라.

14. 소주 <음식디미방>

술 재료 : 멥쌀 1말, 묵은 누룩 5되, 끓는 물 2말

술 빚는 법 :
1. 멥쌀 1말을 백세하여 (물에 담가 불렸다가, 다시 씻어 건져서) 물기를 뺀다.

2. 불린 쌀을 시루에 안쳐서 익게 고두밥을 짓는다.
3. 물 2말을 팔팔 끓여 고두밥에 붓고 (주걱으로 고루 헤쳐서) 풀어놓는다(고두밥이 물을 다 먹으면 고루 펼쳐서 차게 식기를 기다린다).
4. 식은 고두밥에 묵은 누룩 5되를 합하고, 고루 버무려서 술밑을 빚는다.
5. 술밑을 술독에 담아 안치고, 예의 방법대로 하여 6일간 발효시킨다.

* 소주 내리기 :
1. 솥에 불을 지피고, 물 2사발을 붓고 끓이다가, 술 3사발을 붓고 저어준다.
2. (술밑이 끓으면 다시 술을 붓는 방법으로 술을 다 안친 후) 소줏고리를 얹고, 소줏고리 위에 냉각수 그릇을 얹는다.
3. 솥과 소줏고리, 소줏고리와 냉각수 그릇의 틈새를 소줏번을 붙여 막는다.
4. 냉각수 그릇에 찬물을 채우고, 소줏고리 귀때 밑에 수기를 받쳐놓는다.
5. 뽕나무나 밤나무 불을 알맞게 조절하여 소주를 받되, 첫술 1컵 정도는 버리거나 다음에 증류할 술에 섞어 사용한다.
6. 냉각수 그릇의 물이 따뜻하면 즉시 퍼내고 다시 찬물을 갈아주길 반복하여 증류를 끝낸다.

* 주방문 말미에 "물이 따뜻하면 자주 갈되 한 솥에 새 물 떠 부었다가 푸고 즉시 부으면 소주가 가장 많이 나고 좋다."고 하였다. 앞의 '소주' 주방문과 유사한데, 누룩의 양과 물의 양이 다르고, 땔감에 대하여 언급한 것이 다를 뿐이다.

쇼쥬

ᄡᆞᆯ ᄒᆞᆫ 말 ᄇᆡᆨ셰ᄒᆞ여 닉게 ᄶᅧ 탕슈 두 말애 골라 무근 누록 닷 되 섯거 엿쇈 만애 고ᄒᆞᄃᆡ 믈 두 사발 몬져 솟틔 부어 글히고 술 세 사발 그 무레 부어 고로 젓고 ᄲᅩᆼ나모 밤나모 블을 알마초 대혀 우희 무리 ᄃᆞᆺ:ᄒᆞ거든 ᄌᆞ로ᄀᆞᄃᆡ ᄒᆞᆫ 소태 새 믈 ᄯᅥ 드럿다가 프며 즉시 브으면 쇼쥬 ᄀᆞ장 만이 나고 죠ᄒᆞ니라.

15. 소주총방 <임원십육지(林園十六志)>

술 재료 : 찹쌀, 멥쌀, 기장, 차조, 보리, 누룩, 물

술 빚는 법 :

1. 찹쌀(또는 멥쌀)이나 기장, 차조, 보리쌀을 준비한다(백세하여 물에 담가 불린 후, 다시 씻어 헹궈서 물기를 뺀다).
2. 불린 찹쌀(또는 멥쌀)이나 기장, 차조, 보리쌀(1말)을 시루에 안치고, 가장 익게 쪄서 무른 고두밥을 짓는다.
3. 물을 팔팔 끓여 식히고, 고두밥도 익었으면 고루 펼쳐서 차게 식기를 기다린다.
4. 고두밥에 끓여 식힌 물과 누룩을 한데 섞고, 고루 버무려 술밑을 빚는다.
5. 술밑을 술독에 담아 안치고, 예의 방법대로 하여 7일간 발효시키는데, 익었으면 그릇에 퍼 놓는다.

* 소주 내리기 :

1. 솥에 물 2사발을 붓고 끓인 후, 술 2사발을 붓고 고루 저어 준다.
2. (솥 안의 술과 물이 끓으면 다시 술 4사발을 붓고 저어준다.)
3. (솥 안의 술이 끓으면 다시 술 6사발을 붓고, 다시 끓으면 술 12사발을 붓고 고루 저어주면서, 앞서와 같은 비율로 계속해서 술을 다 안친다.)
4. (술을 다 안쳤으면, 솥에 소줏고리를 얹고, 그 틈 사이에 소줏번을 붙여 메운다.)
5. (소줏고리 위에 물그릇을 얹고, 그 틈 사이에 소줏번을 붙여 메운다.)
6. (소줏고리의 귀때 밑에 수기를 받쳐놓는다.)
7. 불을 땔 때 세기를 잘 조절하여 증류를 하는데, 처음 나오는 술을 한 컵 정도 따로 받아 버리거나, 다음에 증류할 때 술과 섞어 쓴다.

燒酒總方

一名火酒一名阿剌吉酒酒燒酒非古法也自元時始創其法用濃酒和糟入甑烝今氣上用器承取滴露凡酸壞之酒皆可烝燒近時唯以糯米或粳米或黍或秫或大麥蒸熟和麴釀瓮中七日以甑烝取其淸如水味極濃烈盖酒露也. <本草綱目>.

16. 소주(燒酎) <조선고유색사전(朝鮮固有色辭典)>

샤우츄. 소오츄. 소주. 화주.

밀, 조국, 멥쌀, 찹쌀, 기장 등으로 양조한 배탁료(醅濁醪, 거르지 않은 탁주)를 증류하거나, 또는 주박에 증기를 통과시켜 증류한 투명한 술이다.

* 주정도는 비교적 낮고, 30도 내외를 보통으로 하며, 북쪽 지방으로 갈수록 도수를 높여, 국경 부근에는 50도 내외의 술도 있다.
  경성 이남에서는 여름에만 음용하는 고로 양조량이 적고, 북쪽 지방에서는 사계절 상시 음용하는 고로 양조량이 대단히 많다.
  '소주(燒酎)'는 '소주(燒酒)'라고도 쓴다. 지나(支那, 중국을 칭하던 옛말)에서는 '화주(火酒)'라 한다.
* 소주독을 지고 가는 고야(枯野)로다 : 沐生
* 파도와 소주를 따르는 사발이로다 : 草舵
* <조선고유색사전> '소주(燒酎)' 기록 말미에 "소주(燒酎)는 소주(燒酒)라고도 쓴다. 지나(支那, 중국을 칭하던 옛말)에서는 화주(火酒)라 한다."고 하였는데, 이 영향을 받아서인지 국내에서도 '소주(燒酒)'를 '소주(燒酎)'라고 하는 경우를 볼 수 있다. 일제강점기와 '주세법' 제정 이전에는 '소주(燒酒)'를 '소주(燒酎)'라고 하는 예가 없었으나, 이는 일제에 의한 영향이라고 할 수 있다.

17. 소주 고는 법 <조선무쌍신식요리제법(朝鮮無雙新式料理製法)>

술 재료 : 삼오주(청주 또는 탁주) 1말, 물 1되 5홉

술 빚는 법 :

1. 정월 첫 오일(午日)에 밑술을 빚고, 둘째 오일에 덧술을 하고, 셋째 오일에 2차 덧술을 하여, 술덧의 발효가 끝나면 용수 박아 청주를 뜨거나, 체에 걸러 탁주를 만든다.
2. 가마솥에 불을 지피고 물 5홉을 붓는다.
3. 걸러둔 술 5홉을 끓고 있는 솥의 물에 섞는다.
4. 솥 안의 술이 따뜻해지면 물 1되를 붓고, 다시 뜨거워지면 술 2되를 붓는다.
5. 솥 안의 술이 다시 따뜻해지면, 남은 술을 2배로 붓는 방법으로 계속해서 나머지 술을 솥의 80% 정도를 채운다.
6. 솥 위에 소줏고리를 앉히고, 솥과 소줏고리 사이에 소줏번을 붙인다.
7. 소줏고리에 냉각수 그릇이 없으면 솥뚜껑이나 양푼을 얹고, 소줏번을 붙인다.
8. 소줏고리 위의 냉각수 그릇에 찬물을 가득 채운다.
9. 처음에는 불을 세차게 때다가, 나중에는 불을 중간 불로 조절한다.
10. 소줏고리 귀때 밑에 작은 단지를 놓고, 소줏고리의 귀때로 소주가 방울방울 떨어져 흘러내리기 시작하면, 불을 더 약하게 하여 증류한다.

* 불의 세기를 잘 조절해야 술의 맛과 수율이 좋아진다. 받은 소주는 오지그릇에 담아 밀봉한 후, 서늘하고 햇볕이 들지 않는 곳에 저장하여 6개월 이상 숙성시켜 마신다.

소주 고는 법, 소쥬 내리는 법

소주는 삼우쥬를 만드러 고는 것인데 처음에 삼우쥬를 당근 지 삼사 삭이면 고나니 처음 내리는 것은 달고 독하고 둘재ㅅ번 내리는 것은 쓰고 조곰 독하

고 세 번재 내리는 것은 아모 맛도 업스나 세 번 내린 것을 모다 합하여야 행용 소주가 되나니라.

18. 또 소주 고는 법 <조선무쌍신식요리제법(朝鮮無雙新式料理製法)>

술 재료 : 찹쌀(또는 멥쌀, 찰기장, 찰수수, 보리쌀, 찰옥수수 1말), 누룩(4되), 물(2말)

술 빚는 법 :

1. 찹쌀 또는 멥쌀이나 찰기장, 찰수수, 보리쌀, 찰옥수수 등 형편 되는 대로 (1말을 백세하여 물에 담가 불렸다가, 다시 씻어 건져서 작말한다.)
2. (물 2~4말을 쌀가루에 합하고 끓여서 죽을 쑨 다음, 차게 식기를 기다린다.)
3. (죽에 누룩 4되를 넣고, 고루 버무려 술밑을 빚는다.)
4. (술밑을 독에 담아 안치고, 예의 방법대로 하여 7일간 발효시킨다.)

* 증류 :

1. 발효가 끝나 술이 익었으면, 끓는 물솥에 시루를 올리고, 시루 안에 술덧을 안친다.
2. 시루 한가운데에 수기를 넣고, 시루 위에 솥뚜껑이나 냉각수를 담을 수 있는 그릇(자배기)을 올리고, 솥과 시루, 시루와 냉각수 그릇 사이에 소줏번을 붙인다.
3. 시루 위의 냉각수 그릇에 찬물을 가득 채운다.
4. 처음에는 불을 세차게 때다가, 나중에는 불을 약한 불로 조절한다.
5. 경험이 많아야 할 것이니, 적당한 시간이 되면 증류를 중단한다.

또 소주 고는 법

그런 고로 술에 이슬이라 하느니라. 그러하나 많이 마시면 위와 쓸개와 염통이 상하여 명이 감하고, 심한즉 창자가 검어지고 위가 썩어 죽나니라. 소주는 육백 년 전 지나 원나라 때에 처음 생겼다 하며, 사람이 먹는 술 중에 심히 독하니, 어찌 많이 마실까 보냐. 지나에는 배갈이며, 섬나국에서는 두 번 고은 소주와 서양의 브랜디 위이스키 등 술이 다 심히 독하니, 조심하여 먹으라. 또 술을 고아 떡같이 만들었다가 물에 타서 마시는 데도 있다 하나니라. 소주를 여름에 꿀을 조금 타고 얼음 한 쪽을 넣고 급히 저어 마시면 맛이 청상하고 주독이 없다 하나니라. 소주 고을 때 꿀을 소주 받는 그릇 밑에 조금 담고 받으면 주독이 없다 하나니라. 또 모시조각에 계핏가루와 설탕을 싸서 병 위에 놓고(받쳐두고) 받으면 술맛이 달고 향기로우며, 빛을 붉게 하려 하면 지치(자초)를 넣고, 누르게 하려면 치자를 넣나니, 또 새로 좋은 당귀를 썰어 병에 넣고 받으면 맹렬하던 것이 누구러지고 맛도 좋으니라. 못된 술도 소주를 내리려면 먼저 좋은 소주를 조금 들어붓고 내리면 맛이 맹렬하고 심히 취하지도 아니하나니라.

이상국 양원(陽元)씨 법은 소줏불 난 데 불은 베로 덮으면 불이 꺼지고 콧구멍에 불이 나오는데 냉수 먹이면 죽으니 더운 물을 먹이고, 밀(黃蠟, 黃燭)로 배꼽을 에워 싸고 더운 물을 부으면 깨어나느니라. 또 입에 불이 나와 위급하거든 좋은 초(酢)를 입에 흘리거나, 소금물을 흘리거나, 또는 배꼽 위에 푸른 헝겊을 덮고 그 위에 소금을 펴고 다리미로 다리면 살아나나니라.

소주에 취하여 불성지경이 되거든 생녹두를 갈아 물에 담갔다가, 그 물을 펴 넣고 또 흙을 두드려 그 즙을 흘려 넣고, 또 마른 칡 삶은 물도 좋고, 또 참외꼭지즙도 제일이니라. 소주를 한 잔 마시고 냉수 한 잔을 곧 마시면 상치(이가 상하는 것) 아니하나니, 이 법은 이상국 양원(陽元)씨가 하던 법이니라.

생강과 마늘을 함께 먹으면 치질이 생기나니라. 소주에는 뜨거운 국물과 짠 것과 매운 것과 문어 전복과 마른 것들이 다 좋지 못하다.

소주가 사람에게 이로운 데에는 냉적(冷積)과 한기(寒氣)와 조습담(燥濕痰)을 사라지게 하고, 울결(鬱結)한 것을 열고 설사를 그치게 하고, 곽란(癨亂)과 학질(瘧疾)과 에격(噎隔)과 심복냉통(心腹冷痛)과 음독욕사(陰毒欲死)를 살리고 벌레를 죽이고 장기를 물리치고, 소변이 이롭고, 대변이 단단하고 눈 붉은 것을 씻겨주고 종기 아픈 데 효험이 있나니라.
소주는 순전한 양기에 독한 물건이라. 소주 얼굴에 가는 꽃(細花) 있는 것이 참된 소주니라. 불과 성품이 같은 고로 불을 만나면 불이 일어나니 염초와 같으니라.
북쪽 사람은 사철 마시고 남쪽 사람은 여름에만 먹나니라. 지나에 '배갈'이라 하는 것은 독한 물건을 놓는 것이 여기 소주에 목정 넣느니만 한 것이 있으니 조심하여 마실지니라.
소주를 꼭 봉하고 기운을 통하지 않게 하여 항상 더운 곳에 두되, 병마개를 생외나 비름나물로 막으면 하룻밤 만에 맛이 싱거워지나니라. 소주를 초와 섞어서 한 잔만 먹으면 크게 곧 취하나니라.

19. 또 소주 고는 법 <조선무쌍신식요리제법(朝鮮無雙新式料理製法)>

술 재료 : 밑술 : 멥쌀 1되, 찹쌀 1되, 누룩가루 4되, 끓는 물 10사발
덧술 : 찹쌀 1말

술 빚는 법 :
* 밑술 :
1. 멥쌀 1되와 찹쌀 1되를 합하여 정히 씻어(백세하여 물 3되에 담가 불렸다가, 다시 씻어 건져서 물기를 뺀 후) 작말한다.
2. 가마솥에 물 10사발을 붓고 끓여 (쌀가루에 합하고, 주걱으로 매우 고루 치대서 범벅을 쑨 뒤) 차게 식기를 기다린다.
3. 쌀가루(범벅)와 식힌 물, 누룩가루 4되를 섞고, 고루 버무려 술밑을 빚는다.
4. 소독한 항아리에 버무린 술밑을 담아 안치고, 예의 방법대로 하여 (덥지 않은 방에 자리를 잡아 앉히고) 하룻밤 지낸다.

* 덧술 :
1. 찹쌀 1말을 정히 씻어(백세하여 하룻밤) 불렸다가, (다시 씻어 건져서 물기를 뺀다.)
2. 찹쌀을 시루에 안쳐서 고두밥을 짓는다(김이 한창 오르면 찬물 2되를 뿌려서 무르게 익힌다).
3. 고두밥은 차게 식기를 기다렸다가, 밑술과 합하고 고루 버무려 술밑을 빚는다.
4. 버무린 술밑을 소독한 술독에 담아 안치고, 예의 방법대로 하여 5일간 발효시키고, 익어 식기를 기다린다.

* 증류 :
1. 익은 술덧을 체에 밭쳐서 찌꺼기를 버리고 내린 탁주를 취한다.
2. 상법대로 소주를 내리는데, 열다섯 복자를 내면 독하고 스무 복자를 내면 독하지 않다.

또 소쥬 고는 법
흔쌀과 찹쌀을 각 한 되식 합하야 정이 씨서 물에 당갓다가 작말하야 물 열사발을 끄려 식혀서 누룩가루 넉 되를 합하야 하로밤 지내거든 찹쌀 한 말을 정히 씨서 불려 쪄서 식거든 전 밋과 한테 비저 너면 닷세 안에 식을 것이니 찌기를 처서 버리고 고아서 열다섯 복자를 내면 독하고 스무 복자를 내면 독하지 아니하니라.

20. 또 소주 고는 법 <조선무쌍신식요리제법(朝鮮無雙新式料理製法)>

술 재료 : 밑술 : 멥쌀 1되, 찹쌀 1되, 누룩가루 9되, 끓는 물 8말
덧술 : 찹쌀 2말

술 빚는 법 :

* 밑술 :

1. 멥쌀 1되와 찹쌀 1되를 합하여 정히 씻어(백세하여 물에 담가 불렸다가, 다시 씻어 건져서 물기를 뺀 후) 작말한다.
2. 가마솥에 물 8말을 붓고 끓여 (쌀가루에 합하고, 주걱으로 매우 고루 치대서 범벅을 쑨 뒤) 차게 식기를 기다린다.
3. 쌀가루(범벅)와 식힌 물, 누룩가루 9되를 섞고, 고루 버무려 술밑을 빚는다.
4. 소독한 항아리에 버무린 술밑을 담아 안치고, 예의 방법대로 하여 (덥지 않은 방에 자리를 잡아 앉히고) 3일간 발효시킨다.

* 덧술 :

1. 찹쌀 2말을 정히 씻어(백세하여 하룻밤) 불렸다가 (다시 씻어 건져서 물기를 뺀다.)
2. 찹쌀을 시루에 안쳐서 고두밥을 짓는다(김이 한창 오르면 찬물 2되를 뿌려서 무르게 익힌다).
3. 고두밥은 차게 식기를 기다렸다가, 밑술과 합하고 고루 버무려 술밑을 빚는다.
4. 버무린 술밑을 소독한 술독에 담아 안치고, 예의 방법대로 하여 7일간 발효시키고, 익어 식기를 기다린다.

* 증류 :

1. 익은 술덧을 체에 밭쳐서 찌꺼기를 버리고 내린 탁주를 취한다.
2. 상법대로 소주를 내리는데, 물(냉각수)을 12회 바꾸면 맛이 순하고 8~9회 바꾸면 맛이 극히 맹렬하다.

* 주방문 말미에 "소주 화청하는 것은 여러 가지나 제일은 꿀과 용안육과 대추 구워 넣는 것이 좋고, 그나마 숙지황이나 계피는 조금 넣나니, 꿀이 없으면 설탕도 무방하니라. 앵도를 짜서 넣어도 좋으니라."고 하였다.

소주 고는 법, 소쥬 내리는 법 또 법

소쥬 두 말을 하랴면 멥쌀과 찹쌀을 각 한 되를 물에 당가 작말하고 누룩가루 아홉 되와 끌는 물 여덜 말을 더하야 함께 비진 지 사흘 만에 찹쌀 두 말을 쩌서 식거든 본밋과 합하야 니레 지낸 후에 고으되 물을 열두 번 박구면 맛이 순하고 팔구차를 박구면 맛이 극히 맹렬하니라.

소쥬 화청하는 것은 여러 가지나 제일은 쑬과 용안육과 대초 구어 늣는 것이 조코, 그나마 숙지황이나 게피는 조곰 늣나니 쑬이 업스면 설당도 무방하니라. 앵도를 짜서 느어도 조흐니라.

21. 소주 별방 <주방문(酒方文)>

술 재료 : 나락 1말, 누룩 4되, 물 3말

술 빚는 법 :

1. 좋은 나락 1말을 물에 깨끗하게 씻어 물 3말에 담가 3일간 불린다.
2. 불린 나락을 3일 만에 건져서 방아에 찧고, 이를 다시 시루에 안쳐서 무리떡을 찌듯 무르게 쪄서 익힌다.
3. 찐 나락떡을 멍석에 펴서 차게 식기를 기다린다.
4. 나락을 담갔던 물에 식힌 나락떡과 누룩가루 4되를 함께 넣고, 고루 버무려 술밑을 빚는다.
5. 술밑을 술독에 담아 안치고, 예의 방법대로 하여 3일간 발효시킨다.
6. 술밑을 중간체에 걸러 막걸리를 만들고, 솥에 안쳐서 끓이고 소줏고리를 앉혀서 예의 방법대로 증류한다.
7. 매운 소주 1병을 얻을 수 있다.

* <주방>*과 동일한 방문으로 이루어지는 술이다.

쇼쥬 별방(燒酒 別方)

졍ᄒᆞᆫ 나락 ᄒᆞᆫ 말을 믈 서 말의 ᄃᆞᆷ가 사흘 만의 건져 ᄧᅵ허 ᄧᅧ 식거ᄃᆞᆫ 그 믈의 섯거 누록 너 되 너허 사흘 만의 걸러 고오면 ᄒᆞᆫ 병 나고 ᄆᆡ으니라 만ᄒᆞ면 더 됴ᄒᆞ니라.

22. 주방 별법(조소주) <주찬(酒饌)>

술 재료 : 벼 1말, 누룩(3~4되), 물 1말

술 빚는 법 :

1. 벼 1말을 (물에 깨끗이 씻어 새 물에 헹궈서 건진 다음) 새 물 1말에 담가 수일간 불려놓는다.
2. 벼를 다시 씻어 헹궈서 건진 후, 시루에 안치고 찐다.
3. 벼가 익었으면 퍼내어 절구에 넣고, 절굿공이로 매우 많이 짓찧는다.
4. 짓찧은 벼를 다시 시루에 쪄서 익힌 후, 물에 담가 차게 식힌다(건져낸다).
5. 식힌 벼에 누룩가루와 합하고, 고루 힘껏 치대어 술밑을 빚는다.
6. 술독에 술밑을 담아 안치고 예의 방법대로 하여 발효시키고, 익기를 기다린다.

* 증류 :

1. 솥을 씻어서 불 위에 올리고, 찬물을 한 바가지 붓고 끓으면, 술밑을 한 바가지 떠 넣고 다시 끓기를 기다린다.
2. 솥 안의 술이 끓기 시작하면, 다시 찬물 2바가지를 퍼 넣고 재차 끓기를 기다렸다가, 다시 술밑 4바가지를 퍼 넣고 재차 끓기를 기다린다.
3. 다시 술밑 8바가지를 퍼 넣고 재차 끓기를 기다린다.
4. 이와 같은 방법으로 술을 4등분하여 솥의 80% 정도가 차게 거듭하여 술

밑을 안치고, 소줏고리를 올리고, 소줏고리와 솥의 사이를 시룻번으로 둘러 붙인다.

5. 소줏고리 위에 냉각수 그릇을 올리고, 소줏고리와 냉각수 그릇 사이의 틈새를 시룻번을 붙여 틈새를 막는다.
6. 소줏고리 귀때 밑에 소주를 받을 수기를 놓고, 불을 중약불로 조절한다.
7. 소줏고리 귀때에서 소주가 방울방울 떨어지는 정도를 판별하여 불을 조절한다.
8. 처음 나오는 소주는 한 컵 정도를 받아서 다음에 재차 증류하거나 버린다.
9. 시간이 지나 내려오는 소주의 맛을 보아 밋밋하거나 싱거우면 증류를 중단한다.

酒方

白米一升水一碗淨洗注水別器中如是者九次後第十次一碗水則又別注他器後搗米作細末以九碗水作粥待冷以好曲末一升別注水一碗與粥調釀待熟用之.
又租一斗浸於水一斗數日後烝出亂搗伋烝熟出而浸水釀之待熟燒注則酒出六七升而其味極烈.

23. 소주 <침주법(浸酒法)>

–한 말 빚이

술 재료 : 멥쌀 1말, 누룩 4되, 물 10사발

술 빚는 법 :

1. 멥쌀 1말을 (백세하여 물에 담가 하룻밤 불렸다가, 다시 씻어 건져서) 가루로 빻는다.
2. 솥에 물 10사발을 붓고, 쌀가루를 합하고 고루 개어 (물을 끓이다가 뜨거워

지면 반 사발을 퍼서 쌀가루에 붓고 고루 개어) 아이죽을 만든다.
3. 아이죽을 팔팔 끓여 아주 된죽을 쑤고, 그릇에 퍼 담고 뚜껑을 덮어서 차게 식기를 기다린다.
4. 식은 죽에 누룩 4되를 합하고, 고루 버무려 술밑을 빚는다.
5. 술밑을 술독에 담아 안치고, 예의 방법대로 하여 발효시킨다.

* 증류 :

1. 발효가 끝난 술덧을 체나 자루에 담아 걸러서 탁주(막걸리)를 만든다.
2. 솥에 물 1사발을 붓고 센불로 끓인다.
3. 솥에 탁주(막걸리) 1사발을 붓고 끓기를 기다린다.
4. 솥에 탁주(막걸리) 2사발을 붓고 끓기를 기다린다.
5. 솥에 탁주(막걸리) 4사발을 붓고 끓기를 기다린다.
6. 같은 방법으로 솥의 80%가량 술을 안치고 소줏고리를 앉힌다.
7. 소줏고리 위에 냉각수 그릇을 앉힌 후, 냉각수를 가득 채운다.
8. 솥과 소줏고리, 소줏고리와 냉각수 그릇 사이의 틈새를 밀가루 반죽으로 소줏번을 만들어 붙인다.
9. 소줏고리 귀때에서 소주 방울이 방울방울 떨어지면 불을 중약불로 줄인다.
10. 처음으로 나온 소주는 한 컵 정도 받아서 재차 증류하거나 버린다.
11. 시간이 경과하여 소주가 싱겁고 물맛이 많이 나면 증류를 중단한다.
12. 받은 소주는 주둥이가 좁은 오지병에 담아 밀봉한 후, 저온에서 18개월 이상 숙성시킨 후 마신다.

쇼쥬(燒酒)—훈 말

쌀 훈 말 ᄀᆞᄅᆞ 브아 탕슈 열 사발로 쥭 수어 ᄎᆞ거든 누록 너 되로 섯거 녀헛더가 닉거든 고오면 닐곱 사발이 나ᄂᆞ니라.

24. 소주 <침주법(浸酒法)>

–한 말 빚이

술 재료 : 밑술 : 멥쌀 2되, 누룩 4되, 물 40되
덧술 : 찹쌀 1말

술 빚는 법 :

* 밑술 :

1. 멥쌀 2되를 백세하여 (물에 담가 하룻밤 불렸다가, 다시 헹궈서) 물기를 빼서 가루로 빻아놓는다.
2. 솥에 물 40되를 붓고 팔팔 끓이다가, 불린 쌀가루를 합하고 (고루 저어준 후) 불을 끈다.
3. 죽을 퍼서 술독에 담아 안친 후 (뚜껑을 덮어 찬 곳에 하룻밤 두어) 차게 식기를 기다린다.
4. 식은 죽에 누룩 4되를 합하고, 고루 저어주어 술밑을 빚는다.
5. 술독은 예의 방법대로 하여 3일간 발효시켜 익기를 기다린다.

* 덧술 :

1. 찹쌀 1말을 백세하여 (물에 담가 하룻밤 불렸다가, 다시 헹궈서) 물기를 빼놓는다.
2. 불린 쌀을 시루에 안치고 쪄서 고두밥을 짓고, 무르게 익었으면 퍼내어 고루 펼쳐서 차디차게 식기를 기다린다.
3. 고두밥과 밑술을 한데 합하고, 고루 버무려 술밑을 빚는다.
4. 술독에 술밑을 담아 안친 후, 예의 방법대로 하여 (차지도 덥지도 않은 곳에서) 5일간 발효시켜 채주하여 증류한다.

* 증류 :

1. 가마솥에 물 1사발을 붓고 센불로 끓이다가, 술 1사발을 붓고 끓기를 기다린다.
2. 다시 솥에 술 2사발을 붓고 끓기를 기다리다가, 향온주 4사발을 붓고 다시 끓기를 기다린다.
3. 같은 방법으로 솥의 80%가량 술을 안치고 소줏고리를 앉힌다.
4. 소줏고리 위에 냉각수 그릇을 앉힌 후, 냉각수를 가득 채운다.
5. 솥과 소줏고리, 소줏고리와 냉각수 그릇 사이의 틈새를 밀가루 반죽으로 소줏번을 만들어 붙인다.
6. 소줏고리 귀때 밑에 그릇(주병)을 놓고, 소주 방울이 방울방울 떨어지면 불을 중약불로 줄인다.
7. 처음으로 나온 소주는 한 컵 정도 받아서 재차 증류하거나 버린다.
8. 시간이 경과하여 소주가 싱겁고 물맛이 많이 나면 증류를 중단한다.
9. 받은 소주는 주둥이가 좁은 오지병에 담아 밀봉한 후, 저온에서 18개월 이상 숙성시킨 후 마신다.

* 주방문 말미에 "한 솥에 (소주) 네 사발씩 난다."고 하여 중품소주(알코올 도수 30% 정도)인 것을 알 수 있다.

쇼쥬(燒酒)—ᄒᆞᆫ 말

ᄇᆡᆨ미 두 되ᄅᆞᆯ ᄀᆞᄅᆞ ᄇᆞ아 믈 마은 되ᄅᆞᆯ ᄡᆞᆯ히고 그 ᄀᆞ로ᄅᆞᆯ 프러 독의 녀허 두고 이튼날 누록 너 되만 섯거 ᄃᆞᆺ다가 사ᄒᆞᆯ 만의 ᄎᆞᆸᄡᆞᆯ ᄒᆞᆫ 말 ᄇᆡᆨ셰ᄒᆞ야 닉게 ᄡᅧ 식거든 그 독의 녀헛더가 닷쇄 만의 세 소틔 (난화) 고오ᄃᆡ ᄒᆞᆫ 소틔 네 사발식 나나니라.

25. 원시적 증류법 (눈지) <한국민속대관(韓國民俗大觀)>

술 재료 : 다 익은 술 또는 술지게미

소주 내리기 :

1. 다 익은 술이나 술지게미를 솥에 담아 안친다.
2. 솥 한가운데에 커다란 주발이나 방퉁이 같은 그릇(수기)을 놓아둔다.
3. 솥뚜껑을 뒤집어 손잡이가 솥 안으로 들어가게 하여 덮는다.
4. 밀가루를 반죽하여 소줏번을 만들고, 솥과 솥뚜껑 사이의 틈에 발라서 김이 새어나가지 않도록 막는다.
5. 솥뚜껑의 오목한 부분에 찬물을 가득 채워놓는다.
6. 볏짚이나 솔잎 등의 땔감을 이용하여 뭉근하게 불을 때서 증류한다.
7. 솥뚜껑의 물이 따뜻하여지면 즉시 찬물로 바꾸어준다.
8. 소주를 내린 지 적당한 시간(1말 기준 3~4시간)이 지나면 불을 때는 것을 멈추고, 소줏번을 떼어낸다.
9. 솥 안의 주발을 꺼내고, 그 안에 받아진 소주를 냉각시켰다가 (일정 기간 숙성시켜) 마신다.

원시적 증류법 (눈지)

가정에서 만들 때는 솥과 시루, 그리고 솥뚜껑 따위가 이용되었다. 즉 가장 원시적인 방법으로 다 익은 술이나 술지게미를 솥에 담고 솥뚜껑을 뒤집어 덮는다. 뒤집어 덮은 뚜껑의 손잡이 밑에는 주발을 놓아둔다. 솥에 불을 때면서 솥뚜껑에는 바가지로 냉수를 부어둔다. 열을 받으면서 술이나 지게미 속의 알콜분이 휘발하는데 새어나갈 데가 없어 솥뚜껑에 닿게 된다. 기체 상태로 올라온 알콜은 솥뚜껑 밖의 찬물 때문에 다시 액체가 되면서 솥뚜껑의 경시를 따라 흐른다. 마지막엔 손잡이에서 뚝뚝 떨어지게 된다. 그러면 손잡이 밑에 있던 주발에 괴게 되는데, 이것이 원시적인 소주인 것이다. 그래서 소주 만드는 것을 소주 내린다고도 말하게 되었다(<한국의 명주>, 유태종, p 117, 중앙신서). 이러한 형태의 증류기를 '는지'라고 불러왔다.

26. 고리 이용법 <한국민속대관(韓國民俗大觀)>

술 재료 : 소주 주모 2말

소주 내리기 :

1. 소주 주모(다 익은 술이나 술지게미) 2말가량을 준비한다(체에 밭쳐 막걸리를 거른다).
2. 3말들이 크기의 큰 솥에 준비해 둔 소주 주모를 담아 안친다.
3. 솥 위에 고리(소줏고리의 준말)를 얹어 앉힌다.
4. 솥과 고리 사이의 틈을 밀가루를 반죽하여 만든 소줏번을 붙여 막아준다.
5. 소줏고리가 냉각수 그릇이 붙어 있지 않은 것이면, 냉각수 그릇(양푼이나 소래기)을 얹는다.
6. 고리와 냉각수 그릇 사이의 틈에 밀가루로 만든 소줏번을 발라서 김이 새어 나가지 않도록 막는다.
7. 냉각수 그릇에 찬물을 가득 채워놓고, 고리의 귀때(소주가 흘러나오는 대롱) 밑에 소주를 받을 병이나 단지를 놓아둔다.
8. 볏짚이나 솔잎 등의 땔감을 이용하여 뭉근하게 불을 때서 증류한다.
9. 냉각수 그릇의 물이 따뜻하여지면 즉시 찬물로 바꾸어준다.
10. 소주를 내린 지 적당한 시간(1말 기준 3~4시간)이 지나면 불을 때는 것을 멈추고, 소줏번을 떼어낸다.
11. 받아진 소주는 그릇의 주둥이를 밀봉하여 (일정 기간 숙성시켜) 두었다가 마신다.

'고리 이용법' 이보다 (는지)

조금 발전한 것이 고리라는 것인데, 이 증류 장치는 아래 위의 두 부분으로 되어 있다. 밑의 것은 아래가 넓고, 위가 좁으며, 위의 것은 반대로 밑이 좁고 위쪽이 넓게 벌어져 있다. 이 고리는 흙으로 만들어져 있는 것과 구리나 쇠로 만든 것이 있는데, 흙으로 만든 것을 토고리, 구리로 만든 것을 동고리, 쇠로 만든 것을 쇠고리 또는 철고리라 한다. 증류 작업을 할 때는 소주의 주모 두 말가량을 서 말들이의 가마솥에다 넣고 위에 고리를 앉힌 후 아궁이에 불을 땠다. <조선주조사>를 인용하였다.

27. 노주 <한국민속대관(韓國民俗大觀)>

술 재료 : 밑술 : 멥쌀 1되, 찹쌀 1되, 누룩가루 9되, 끓여 식힌 물 8되
덧술 : 찹쌀 2말

술 빚는 법 :

* 밑술 :

1. 멥쌀과 찹쌀 각 1되를 (물에 매우 깨끗하게 씻어 불렸다가, 다시 씻어 건져서 물기를 뺀 뒤) 가루로 빻는다.
2. 물 8되를 팔팔 끓여 (쌀가루에 골고루 나눠 붓고, 주걱으로 골고루 개어서 범벅을 쑨 다음) 차게 식힌다.
3. 쌀가루(범벅)에 누룩가루 9되와 끓여 식힌 물 8되를 합하고, 고루 버무려 술밑을 빚는다.
4. 술밑을 술독에 담아 안친 후, 예의 방법대로 하여 단단히 밀봉하여 3일간 발효시킨다.

* 덧술 :

1. 찹쌀 2말을 (백세하여 하룻밤 불렸다가, 다시 씻어 건져서 물기를 뺀 다음) 시루에 안쳐 고두밥을 짓는다.
2. 고두밥은 무르게 찌고, 익었으면 넓은 자리에 펼쳐서 차게 식기를 기다린다.
3. 밑술에 차게 식힌 고두밥을 넣고, 고루 버무려 술밑을 빚는다.
4. 술밑을 술독에 담아 안치고, 예의 방법대로 하여 7일간 발효시킨다.

* 노주 내리기 :
1. 노주 주모(다 익은 술)를 준비한다(체에 밭쳐 막걸리를 거른다).
2. 3말들이 크기의 큰 솥에 준비해 둔 노주 주모를 담아 안친다.
3. 솥 위에 고리(소줏고리의 준말)을 얹어 앉힌다.
4. 솥과 고리 사이의 틈을 밀가루를 반죽하여 만든 소줏번을 붙여 막아준다.
5. (소줏고리가 냉각수 그릇이 붙어 있지 않은 것이면, 냉각수 그릇(양푼이나 소래기)을 얹는다.)
6. 고리와 냉각수 그릇 사이의 틈에 밀가루로 만든 소줏번을 발라서 김이 새어 나가지 않도록 막는다.
7. 냉각수 그릇에 찬물을 가득 채워놓고, 고리의 귀때(소주가 흘러나오는 대롱) 밑에 소주를 받을 병이나 단지를 놓아둔다.
8. 볏짚이나 참나무 땔감을 이용하여 뭉근하게 불을 때서 증류한다.
9. 냉각수 그릇의 물이 따뜻하여지면 즉시 찬물로 바꾸어주길 8~12차례 반복한다.
10. 소주를 내린 지 적당한 시간(1말 기준 3~4시간)이 지나면 불을 때는 것을 멈추고, 소줏번을 떼어낸다.
11. 받아진 소주는 그릇의 주둥이를 밀봉하여 (일정 기간 숙성시켜) 두었다가 마신다.

노주(露酒)

백미와 찹쌀 각각 한 되를 물에 담갔다가 가루 내고 누룩가루 아홉 되와 끓여 식힌 물 여덟 되를 함께 담근다. 3일 후 찹쌀 두 말을 물에 담갔다 지에밥을 쪄서 식히고 밑술에 섞는다. 7일 후에 모두 솥에 담아 고리를 앉히고 테를 두른다. 고리 위에 알맞은 양푼을 얹어 그 속에 냉수를 붓고 또 테를 두른 다음, 참나무 · 보리짚 등으로 강하지도 약하지도 않게 불을 땐다. 그러면서 냉각수 그릇의 물이 따뜻하여지면 즉시 찬물로 바꾸어 주길 8~12차례 반복한다. 받아진 '소주'는 그릇의 주둥이를 밀봉하여 (일정 기간 숙성시켜) 두었다가 마신다.

조선 중엽 이래 널리 알려진 '소주'로 '노주(露酒)'가 있는데, 이는 밑술을 고아서 이슬같이 받아낸 술이라는 뜻이다. 양푼에 물을 열두 번 갈아내면 맛이 순하고 여덟 번이나 아홉 번 갈아내면 맛이 독하다. 이 술은 보통 약주의 처방에 따라 2차 담금을 한 '약주'의 술덧을 고아낸 '소주'인데, 불의 세기와 냉각수의 조절로서 그 맛을 조절하는 것이 특징이다.

일반 양조주는 알콜 도수가 낮아서 오래 두게 되면 대개 식초가 되거나 부패하게 된다. 이러한 결점을 없애기 위해 고안된 것이 증류주인 '소주'이다. '소주'는 "양조주를 증류하여 이슬처럼 받아내는 술"이라 하여 '로주(露酒)'라고도 하고 '화주(火酒)' 또는 '한주(汗酒)'라고도 한다. '백주(白酒)' 또는 '기주(氣酒)'라고도 불렀다. 증류주는 페르시아에서 시작이 되었고, 그 증류법이 12세기에 십자군의 영향으로 유럽으로 건너가 '포도주'를 증류한 '브랜디'를 낳게 되었다고 하며, 증류주의 아랍어가 '아라키'라고 한다. 이것이 몽고어로 '아라키'로 불리고 만주어로 '알키'라 불려졌고, 우리나라에서는 '아락주'가 되었다. 개성 지방에서는 '아락주'라고 불러왔다. '소주'가 원나라에서 우리나라에 전해진 이래 재래주와 더불어 고려 때부터 많이 쓰이게 되었다. '소주'가 처음에는 약용으로 사용되었고, 값이 비쌌다. 소주의 증류기로는 '승로병(承露甁)' · '승로항(承露缸)' 등으로 알려져 있으며, 만들어진 재료에 따라서 토고리(土古里) · 동고리(銅古里)가 최근까지 전해지고 있다. 범어(梵語)로는 '아므르타(Amrta)'라고 했으며, 우리나라 평북 지방에서 산삼을 캐는 사람들의 은어로 술 또는 '소주'를 '아랑주'라고 했다고 한다(<진로오십년사>). <우리말대사전>에는 질이 낮은 '소주'가 '아랑주'라고 풀이되어 있다. 소주를 소주(燒酒) 또는 소주(燒酎)라고 표기하는데, 주(酎)자는 '세 번 고아서 증류한 술'이라는 것이 본뜻이다. '소주'는 본래 곡식으로 만들었는데, 찹쌀로 만든 것을 '찹쌀소주', 멥쌀로 만든 것을 '멥쌀소주'라고 했다. 정초의 해일(亥日)에 빚어 세 번 재료를 추가해서 익힌 후에 증류시킨 것을 '삼해주(三亥酒)'라고 하며, 찹쌀과 멥쌀을 섞어 만든 것을 '로주'라고 부르기도 했다. 그러나 약재를 넣은 '약소주(藥燒酒)'는 약재에 따라 여러 가지 이름으로 불리는데, '감홍로(甘紅露)' · '기나피주(嘰那皮酒)' · '구기주(枸杞酒)' · '매실주(梅實酒)' 등이 그것이다.

소주 제조는 고려시대에 비롯하여 조선시대를 지나는 동안 양조 과정이나 방법은 별다른 변화 발전이 없었다. 그 밖에 '소주'의 종류로는 '일반 소주', '찹쌀소주', '밀소주', '삼해주(三亥酒)', '보리소주' 등이 있다.

소주다취로법·
소주 많이 나는 법

'소주다취로법(燒酒多取露法)'이라는 술 이름을 풀이하면, '소주다취'는 "소주를 많이 나게 하는"의 뜻이고, '로법(露法)'이란 "증류하는 법"이란 뜻이니, 결국 "소주를 많이 나게 증류하는 방법"이란 풀이가 가능해진다.

'소주다취로법'은 '소주 많이 나는 법'이라는 한글 표기법과 함께 함께 <농정회요(農政會要)>를 비롯하여 <양주방>*, <언서주찬방(諺書酒饌方)>, <온주법(醞酒法)>, <임원십육지(林園十六志)>, <주식방(酒食方, 高大閨壼要覽)>, <증보산림경제(增補山林經濟)>, <조선무쌍신식요리제법(朝鮮無雙新式料理製法)>에 8차례나 등장하는 것을 볼 수 있는데, <조선무쌍신식요리제법>의 주방문을 제외하고는 대동소이하다. 즉, 술을 빚는 주원료의 양이나 술 빚는 방법에서 큰 차이가 없다는 것이다.

또한 한문 기록인 <농정회요>를 비롯하여 <임원십육지>, <증보산림경제>나 한글 기록인 <양주방>*과 <언서주찬방>, <온주법>, <주식방(고대규곤요람)>, <조선무쌍신식요리제법>의 주방문이 차이가 없는 것을 보면, '소주다취로법' 또는 '소주 많이 나는 법'이 민간에서 널리 애용되었을 것이라는 짐작을 할 수가 있다.

주품명에서 보듯 적은 양의 쌀을 사용하여 많은 양의 소주를 얻을 수 있다는 사실에서 '소주다취로법' 또는 '소주 많이 나는 법'이 인기를 끌었을 것이기 때문이다.

특히 조선시대에는 '소주'가 귀한 술이었고, 저장성이 좋아 선호되었을 뿐만 아니라, 술 마신 뒤의 숙취 등이 적고 깨끗한 맛이 있어 이러한 추측을 가능케 한다.

따라서 '소주다취로법' 또는 '소주 많이 나는 법'이란 주품명과 관련하여 주방문을 살펴보았으나, 소주가 많이 나는 특별한 방법을 찾아볼 수가 없다.

다만, 밑술을 빚는 데 있어 멥쌀과 찹쌀을 함께 백세작말하여 죽이나 범벅을 쑤어 사용하는데, 누룩의 양이 쌀 양의 대략 2배(덧술을 포함하면 전체의 33%) 정도에 달한다.

또한 일반 소주제법과는 달리, 덧술에서는 공통적으로 찹쌀을 사용하여 고두밥으로 빚는데, 물을 쓰지 않고 있음을 볼 수 있다.

따라서 이들 문헌마다의 주원료 배합비율은 밑술에서 큰 편차를 보이고 있다는 것을 알 수 있는데, <농정회요>에서는 밑술에 찹쌀 1되와 멥쌀 1되, 누룩가루 4되, 끓인 물 8되가 사용되고, <양주방>*의 '소주 많이 나는 법'은 밑술에 멥쌀 5홉과 찹쌀 5홉, 좋은 누룩 3되 5홉, 물 3말이 사용된다.

<언서주찬방>과 <온주법>에서도 밑술에 찹쌀 1되와 멥쌀 1되, 물 10사발로 쑨 죽에 누룩 4되와 끓인 물 10사발을 섞은 수곡이 사용된다.

또 <임원십육지>는 찹쌀 1되와 멥쌀 1되, 물 10사발로 쑨 죽에 누룩가루 4되가 사용되고, <주식방(고대규곤요람)>은 찹쌀 5홉과 물 20복자로 끓인 죽에 누룩가루 4되를 끓여 식힌 물 20복자와 섞어 만든 수곡을 사용하며, 덧술에서 밀가루와 누룩이 함께 사용되는 것을 볼 수 있다.

그리고 <증보산림경제>의 '소주다취로법'은 밑술에 찹쌀 1되와 멥쌀 1되, 물 8되로 쑨 죽에 누룩가루 9되나 사용된다.

이상의 주방문에서 알 수 있는 한 가지 사실은, '소주다취로법'은 <양주방>*을 제외한 <언서주찬방>을 비롯 <온주법>, <주식방(고대규곤요람)> 등 한글 기록에서 수곡으로 빚는 방법을 볼 수 있는데, <주식방(고대규곤요람)>을 제외한 다른 모든 기록에서 찹쌀고두밥만을 단독으로 사용한다는 공통점을 발견할 수 있다.

따라서 '소주다취로법' 또는 '소주 많이 나는 법'의 밑술은 다양한 원료 배합비율을 나타내지만 죽을 쑤어 술밑을 빚는다는 점이고, 덧술은 찹쌀고두밥만을 사용한다는 공통점을 띠고 있다는 점에서 '소주다취로법' 또는 '소주 많이 나는 법'의 특징을 찾을 수 있겠다.

'소주다취로법' 또는 '소주 많이 나는 법'의 또 다른 특징은 <주식방>을 제외한 모든 주방문에서 밑술 발효기간 1일, 덧술 발효기간 5일이라는 사실이다. 밑술의 발효기간이 짧은 까닭은, 쌀의 양은 적은 반면 누룩과 물의 양이 상대적으로 많기 때문이며, 밑술의 발효력이 왕성할 때 덧술을 해 넣음으로써 가장 효율적인 발효를 도모하여 도수가 높은 술을 얻고자 한다는 것을 알 수 있다.

즉, 맛이나 향기보다는 많은 양의 소주를 얻기 위해서는 맛이나 향기가 아닌 알코올 도수가 높은 술덧을 얻어야 하므로, 밑술의 발효력이 가장 활발할 때 덧술을 투입하는 방법이 도모되었다는 것을 알 수 있다. 이렇게 두 차례에 걸려 단기간에 술을 익히게 되면 동량의 주원료를 사용하면서도 한 번 빚었을 때보다 알코올 도수가 높은 술을 얻을 수 있다는 사실에 근거한다.

<양주방>*을 비롯하여 <농정회요>, <온주법> 등 '소주다취로법' 또는 '소주 많이 나는 법'의 주방문대로 빚어본 결과, 술 1말을 기준으로 하였을 때 37%의 소주 4되를 얻을 수 있었으나, 누룩취와 숙취를 면할 수 없었다.

따라서 이 방문에서 유의할 것은, 덧술의 발효기간이 5일이라고 하였으나, 술덧이 완전히 숙성된 상태는 아니므로, 술을 걸러서 누룩 등 술찌꺼기를 제거한 뒤, 단 2~3일간이라도 숙성시킨 후에 증류하는 것이 좋을 것으로 생각되었다.

증류식 소주를 마신 후에도 두통과 갈증 등의 숙취가 있을 수 있는데, 이는 미숙주(未熟酒)를 증류한 소주를 마셨을 경우이다.

또한 소주는 알코올 도수가 높은 만큼 주독(酒毒)에서 자유로울 수 없으므로, 반드시 일정 기간 숙성시킨 후에 음용하되, 반주(飯酒)로 즐길 뿐 아무리 좋은 술이라도 자주 마시고 많이 마시지는 말아야 한다. 과음은 독이 되어 필연코 건강을 해치기 때문이다.

1. 소주다출방 <농정회요(農政會要)>

술 재료 : 밑술 : 찹쌀 1되, 멥쌀 1되, 누룩가루 9되, 끓인 물 8되
덧술 : 찹쌀 1말

술 빚는 법 :

* 밑술 :

1. 찹쌀 1되와 멥쌀 1되를 섞어 정세하여(물에 깨끗하게 씻어) 물에 담가 윤이 나게 불렸다가 (다시 씻어 물기를 뺀 뒤) 작말한다.
2. 솥에 물 10대접을 붓고 끓이다가, 쌀가루를 합하고 주걱으로 고루 저어 한 번 끓어오르게 죽을 쑨 뒤, 말갛게 익으면 (넓은 그릇에 퍼서) 차게 식기를 기다린다.
3. 식은 죽에 누룩가루 4되를 섞고, 고루 버무려 술밑을 빚는다.
4. 술독에 술밑을 담아 안치고, 예의 방법대로 하여 하룻밤 발효시킨다.

* 덧술 :

1. 찹쌀 1말을 정세하여(물에 깨끗하게 씻어) 물에 담가 윤이 나게 불렸다가 (다시 씻어 물기를 뺀 뒤) 시루에 안쳐 고두밥을 짓는다.
2. 고두밥이 익었으면 퍼내고, 고루 펼쳐서 차디차게 식기를 기다린다.
3. 고두밥에 밑술을 합하고, 고루 버무려 술밑을 빚는다.
4. 술독에 술밑을 안치고, 예의 방법대로 5일간 발효시켜 맛이 매우면 증류한다.

* 소주 내리기 :

1. 솥에 불을 지피고 (물 2사발을 붓고 끓이다가, 술 2사발을 붓고 끓인다.

2. 술 4사발을 솥에 붓고 저어준 뒤, 끓으면 다시 술 8사발을 붓는 방법으로 술을 다 안친다.
3. 소줏고리를 얹고, 소줏고리 위에 냉각수 그릇을 얹고, 솥과 소줏고리, 소줏고리와 냉각수 그릇의 틈새를 소줏번을 붙여 막는다.
4. 소줏고리 귀때 밑에 수기를 받쳐놓고, 참나무나 보릿짚으로 불을 때되, 불을 알맞게 조절하여 소주를 받는다.)
5. 냉각수 그릇에 물을 채우고, 물이 따뜻하면 즉시 퍼내고 다시 찬물을 갈아주길, 여러(12) 차례 하여 그 맛이 평순한 소주 20복자를 얻는다.

燒酒多出方
粘米白米各一升相雜淨洗浸潤作末調於十椀水湯一沸作粥候冷和麯末四升經宿翌日 用粘米一斗淨洗浸潤蒸過冷之和於前本納瓮過五日味辛取二十鐥味緩矣.

2. 소주 많이 나게 하는 법 <양주방>*

술 재료 : 밑술 : 멥쌀 5홉, 찹쌀 5홉, 좋은 누룩 3되 5홉, 물 3말
덧술 : 찹쌀 1말

술 빚는 법 :
* 밑술 :
1. 희게 쓿은 멥쌀 5홉과 찹쌀 5홉을 (물에 깨끗이 씻고 또 씻어 불렸다가, 다시 씻어 헹궈서 건진 다음 물기를 빼고) 가루로 빻는다.
2. 물 3말에 쌀가루를 풀어 넣고 슬쩍 끓여 죽을 쑤고, 넓은 그릇에 퍼서 차게 식기를 기다린다.
3. 죽이 미지근하게 식었으면, 좋은 누룩 3되 5홉을 섞고, 고루 버무려서 술밑

을 빚는다.

4. 술밑을 술독에 담아 안친 후, 예의 방법대로 하여 1일간 발효시킨다.

* 덧술 :

1. 밑술 빚은 이튿날 찹쌀 1말을 깨끗이 씻고 또 씻어 (물에 담가 불렸다가, 다시 씻어 헹궈 건져서) 물기를 뺀다.
2. 불린 쌀을 시루에 안치고 고두밥을 찌되, 익었으면 고루 펼쳐서 차디차게 식기를 기다린다.
3. 고두밥을 밑술과 합하고, 고루 버무려 술밑을 빚는다.
4. 술밑을 술독에 담아 안친 후, 예의 방법대로 하여 4~5일간 발효시킨다.
5. 술이 익는 대로 (체에 걸러서) 예의 방법대로 소주를 내린다.

* 주방문 말미에 "소주 20대야가 나온다."고 하였다.

쇼쥬 만히 나는 법

ᄇᆡᆨ미 졈미 각 오 홉 작말ᄒᆞ야 물 서 말노 잠간 쥭 쑤어 ᄆᆡ근 ᄒᆞ거든 죠흔 누룩 서 되 가옷ᄉᆡ 버므려 너코 이튼날 졈미 ᄒᆞᆫ 말 ᄇᆡᆨ세 ᄶᅧ ᄎᆡ와 밋 너흔 ᄶᅢ의 그 밋히 섯거 너허다가 오뉵일 후 고으면 스무 대야 나ᄂᆞ니라.

3. 소주 많이 나게 고으는 법 <언서주찬방(諺書酒饌方)>

술 재료 : 밑술 : 찹쌀 1되, 멥쌀 1되, 누룩 4되, 물 10사발, 끓여 식힌 물 10사발
덧술 : 찹쌀 1말

술 빚는 법 :

* 밑술 :

1. 찹쌀과 멥쌀 각 1되씩 섞어 죄 씻어서(백세하여) 물에 담가 불렸다가 (다시 씻어 헹궈 건져서 물기를 뺀 후) 가루로 빻는다.
2. 솥에 쌀가루와 물 10사발을 섞어 담고, 한소큼 끓여서 차게 식기를 기다린다.
3. 물 10사발을 한소큼 끓여서 차게 식은 뒤, 누룩 4되를 풀어서 끓인 죽과 섞어 술밑을 빚는다.
4. 술밑을 술독에 담아 안치고, 예의 방법대로 하여 밤재워 발효시킨다.

* 덧술 :
1. 찹쌀 1말을 죄 씻어서(백세하여) 물에 담가 불렸다가 (다시 씻어 헹궈 건져서 물기를 뺀 후) 시루에 안쳐서 고두밥을 짓는다.
2. 고두밥이 익었으면 퍼내고, 고루 펼쳐서 차게 식기를 기다린다.
3. 고두밥에 밑술을 합하고, 고루 버무려서 술밑을 빚는다.
4. 술밑을 술독에 담아 안치고, 예의 방법대로 하여 5일간 발효시킨다.
5. 술덧이 괴어오르면, 술밑을 다 걸러서 탁주를 만든다.

* 소주 내리기 :
1. 솥에 물을 1사발가량 붓고 센불로 끓이다가, 걸러둔 탁주를 1사발 정도 안치고 끓기를 기다린 후, 솥 안의 술이 끓으면 다시 물 2사발을 붓는다.
2. 솥 안의 술이 또 끓으면, 탁주 4사발을 합하고 끓기를 기다린다.
3. 솥 안의 술이 또 끓으면 탁주 8사발을 붓고, 또 끓으면 같은 비율로 나머지 술을 안치기를 마치고, 소줏고리를 앉히고 냉각수 그릇을 올린다.
4. 솥과 소줏고리 사이, 소줏고리와 냉각수 그릇 사이에 소줏번을 붙여서 김이 새어나오지 않도록 한다.
5. 소줏번을 다 붙였으면 불을 약하게 줄이고, 냉각수 그릇에 찬물을 가득 채운다.
6. 시간이 지나 소줏고리의 주구(귀때)에서 소주 방울이 떨어지기 시작하는데, 술 받을 그릇(수기)를 받쳐놓는다.
7. 소줏고리 주구(귀때)에서 소주 방울이 방울방울 떨어지도록 불의 세기를 조절한다.

8. 소줏고리에서 떨어지는 첫술은 1잔 정도를 받아서 버리거나 재증류한다.
9. 냉각수 그릇 안의 냉각수가 더워지면 즉시 찬물로 바꿔주기를 반복한다.
10. 증류된 술에서 맛이 없거나, 술기운이 느껴지지 않으면 증류를 마친다.

* 주방문에 "소주의 양이 5복자 정도면 독하고, 20복자까지면 쓸 수 있다."고 하였다.

쇼쥬 만히 나게 고을 법

ᄎᆞᄡᆞᆯ믜 ᄡᆞᆯ 각 ᄒᆞᆫ 되식 섯거 죄 시서 믈에 ᄃᆞᆷ가 불거ᄃᆞᆫ ᄀᆞᄅᆞ ᄃᆡ허 믈 열 사발의 빠셔 ᄒᆞᆫ소솜 글혀 시겨 두고 ᄯᅩ 믈 열 사발을 ᄒᆞᆫ소솜 글혀 식거ᄃᆞᆫ 누록 넉 되ᄅᆞᆯ 그 믈에 프러 젼의 ᄀᆞᄅᆞ ᄡᆞᆺ던 믈과 ᄒᆞᆫᄃᆡ 빠셔 밤 재여 이튼날 ᄎᆞᄡᆞᆯ ᄒᆞᆫ 말 죄 시서 믈에 붇거ᄃᆞᆫ 뼈 식거ᄃᆞᆫ 그 믈에 섯거 독의 녀허 닷새만 두면 괴거ᄃᆞᆫ 죄 걸러 고오면 쇼쥐 열 다ᄉᆞᆺ 복ᄌᆡ면 ᄆᆡᆸ고 스므 복ᄌᆡ면 ᄡᅳᄂᆞ니라.

4. 소주 많이 나는 법 <온주법(醞酒法)>

술 재료 : 밑술 : 찹쌀 1되, 멥쌀 1되, 누룩가루 3되, 물 10사발, 끓여 식힌 물 10사발
덧술 : 찹쌀 1말

술 빚는 법 :

* 밑술 :

1. 찹쌀 1되, 멥쌀 1되를 한데 섞고 씻어(백세하여) 물에 담가 불렸다가, 다시 씻어 건져서 작말한다.
2. 솥에 물 10사발을 넣고 쌀가루와 합하여 죽을 쑨 뒤, 한참 끓여서 죽이 말갛게 익으면 넓은 그릇에 펴서 차게 식기를 기다린다.

3. 죽에 물 10사발을 끓였다가 차게 식혀서 누룩가루 3되와 한데 섞고, 고루 버무려 술밑을 빚는다.
4. 술독에 술밑을 담아 안치고, 예의 방법대로 하여 하루 동안 발효시킨다.

* 덧술 :
1. 찹쌀 1말을 백세하여 (물에 담가 불렸다가, 다시 씻어 건져서) 시루에 안쳐 고두밥을 짓는다.
2. 고두밥이 익었으면 시루에서 퍼내어, 고루 펼쳐서 차게 식기를 기다린다.
3. 고두밥에 밑술을 합하고, 고루 버무려 술밑을 빚는다.
4. 술독에 술밑을 담아 안치고, 예의 방법대로 하여 5일간 발효시킨다.

* 증류 :
1. 술을 한꺼번에 체에 밭쳐 탁주를 거른다.
2. 가마솥에 예의 방법대로 술을 안치고, 소줏고리를 얹어 증류하는데, 소주 15복자를 얻으면 맵고, 20복자는 얻는다.

쇼듀 만히 나ᄂᆞᆫ 법

뎜미 일 승 ᄇᆡᆨ미 일 승 섯거 씨서 ᄃᆞᆷ가 ᄎᆡ 붓거든 작말ᄒᆞ여 물 열 사발의 타 ᄒᆞᆫᄎᆞᆷ ᄉᆞ려 ᄎᆡ와 탕슈 열 사발 ᄎᆡ와 국말 서 되 ᄃᆞ ᄒᆞᆫᄃᆡ 타 이튼날 뎜미 일 두 ᄇᆡᆨ셰ᄒᆞ여 ᄎᆡ 붓거든 익게 ᄶᅧ ᄎᆡ와 다 ᄒᆞᆫᄃᆡ 섯거 오일 만의 죄 걸너 고으면 쇼듀 열다ᄉᆞᆺ 복ᄌᆞᄂᆞᆫ ᄆᆡᆸ고 스물 복ᄌᆞᄂᆞᆫ 쓰니라.

5. 소주다취로법 <임원십육지(林園十六志)>

술 재료 : 밑술 : 찹쌀 1되, 멥쌀 1되, 누룩가루 4되, 물 10사발
덧술 : 찹쌀 1말

술 빚는 법 :

* 밑술 :

1. 찹쌀 1되, 멥쌀 1되를 섞어 백세한 뒤, 물에 담가 불렸다가 (다시 씻어 헹궈 건져서 물기를 뺀 후) 작말한다.
2. 솥에 물 10사발을 넣고 따뜻해지면 쌀가루를 풀어 넣고, 고루 저어주면서 죽을 쑨 뒤, 말갛게 익으면 넓은 그릇에 퍼서 차게 식기를 기다린다.
3. 죽에 누룩가루 4되를 섞고, 고루 버무려 술밑을 빚는다.
4. 술독에 술밑을 담아 안치고, 예의 방법대로 하여 하루 동안 발효시킨다.

* 덧술 :

1. 찹쌀 1말을 백세한 뒤, 물에 담가 불렸다가 (다시 씻어 헹궈 건져서 물기를 뺀 후) 시루에 안쳐 고두밥을 짓는다.
2. 고두밥이 익었으면 퍼내고, 고루 펼쳐서 차게 식기를 기다린다.
3. 고두밥에 밑술을 합하고, 고루 버무려 술밑을 빚는다.
4. 술독에 술밑을 담아 안치고, 예의 방법대로 하여 5일간 발효시킨다.

* 증류 :

1. 술을 체에 밭쳐 막걸리로 만든다.
2. 솥에 예의 방법대로 술을 안치고, 소줏고리를 얹어 증류한다.
3. 소주가 20복자가 될 때까지 증류를 하고 그치면 맛이 좋다.

燒酒多取露法

糯米白米各一升相雜淨洗浸潤作末用水十碗水作粥候冷和麴末四升翌日用糯米一斗淨洗爛蒸攤冷與前本和勻納瓮過五日味辛燒取露二十鐥味性緩. <增補山林經濟>.

6. 소주 (많이 나는 법) <조선무쌍신식요리제법(朝鮮無雙新式料理製法)>

술 재료 : 밑술 : 찹쌀 1되, 멥쌀 1되, 누룩가루 4되, 물 10대접
　　　　덧술 : 찹쌀 1말

술 빚는 법 :

* 밑술 :

1. 찹쌀 1되와 멥쌀 1되를 섞어 정세하여(물에 깨끗하게 씻어) 물에 담가 불렸다가(다시 씻어 물기를 뺀 뒤) 작말한다.
2. 솥에 물 10대접을 붓고 끓여 쌀가루에 합하고, 주걱으로 고루 개어 범벅을 쑨 뒤, 말갛게 익으면 (넓은 그릇에 퍼서) 차게 식기를 기다린다.
3. 식은 죽에 누룩가루 4되를 섞고, 고루 버무려 술밑을 빚는다.
4. 술독에 술밑을 담아 안치고, 예의 방법대로 하여 하룻밤 발효시킨다.

* 덧술 :

1. 찹쌀 1말을 정세하여(물에 깨끗하게 씻어) 물에 담가 불렸다가 (다시 씻어 물기를 뺀 뒤) 시루에 안쳐 고두밥을 짓는다.
2. 고두밥이 익었으면 퍼내고, 고루 펼쳐서 차게 식기를 기다린다.
3. 고두밥에 밑술을 합하고, 고루 버무려 술밑을 빚는다.
4. 술독에 술밑을 담아 안치고, 예의 방법대로 하여 5일간 발효시켜 맛이 매우면 증류한다.

* 주방문에 밑술 빚는 법이 구체적으로 언급되어 있지 않다. 기록대로라면 밑술의 가공상태가 죽인지 범벅인지 떡인지 알 수 없다. 다른 문헌의 밑술 가공방법을 참고하였다. 주방문에 '소주 많이 나는 법'이란 언급이 없으나 주방문이 '소주다출방' 또는 '소주 많이 나는 법'과 동일하므로 본 난에 편입하였다는 것을 밝혀둔다.

소쥬

흔쌀과 찹쌀을 각 한 되식 합하야 정이 씨서 물에 당갓다가 작말하야 물 열 사발을 쓰려 식혀서 누룩가루 넉 되를 합하야 하로밤 지내거든 찹쌀 한 말을 정히 씨서 불려 쪄서 식거든 전 밋과 한테 비저 너면 닷세 안에 식을 것이니 찍기를 처서 버리고 고아서 열다섯 복자를 내면 독하고 스무 복자를 내면 독하지 아니하니라.

7. 소주 많이 나는 법 <주식방(酒食方, 高大閨壼要覽)>

술 재료 : 밑술 : 찹쌀 5홉, 가루누룩 4되, 끓여 식힌 물 20복자, 물 20복자
덧술 : 찹쌀 1말, 밀가루·누룩 적당량

술 빚는 법 :

* 밑술 :

1. 찹쌀 5홉을 백세하여 (물에 담가 불렸다가, 다시 씻어 물기를 뺀 뒤) 작말한다.
2. 솥에 물 20복자를 넣고 끓이다가 쌀가루를 합하고, 한소끔 끓여 죽을 쑨다(넓은 그릇에 퍼서 차게 식기를 기다린다).
3. 물 20복자를 끓여 차게 식힌 후, 가루누룩 4되를 섞어 물누룩을 만들어놓는다.
4. (식은) 죽에 물누룩을 한데 합하고, 고루 버무려 술밑을 빚는다.
5. 술독에 술밑을 담아 안치고, 예의 방법대로 하여 하룻밤 동안 발효시켜, 술이 끓었으면 덧술을 준비한다.

* 덧술 :

1. 찹쌀 1말을 백세하여 (물에 담가 불렸다가, 다시 씻어 헹궈서 물기를 뺀 뒤)

시루에 안쳐 고두밥을 짓고, 익었으면 퍼낸다(고루 펴서 차게 식기를 기다린다).

2. 고두밥에 밑술을 (밀가루·누룩 적당량) 합하고, 고루 버무려 술밑을 빚는다.
3. 술독에 술밑을 담아 안치고, 예의 방법대로 하여 발효시키는데, 술밑이 끓어 올랐으면 소주를 내릴 준비를 한다.

* 소주 내리기 :

1. 술덧을 체에 밭쳐 탁주를 걸러놓는다.
2. 솥에 물 2사발을 붓고 끓이다가, 술 2사발을 붓고 끓인다.
3. 다시 술 4사발을 솥에 붓고 저어준 뒤, 끓으면 다시 술을 붓는 방법으로 술을 다 안친 후, 소줏고리를 얹고, 소줏고리 위에 냉각수 그릇을 얹는다.
4. 솥과 소줏고리, 소줏고리와 냉각수 그릇의 틈새를 소줏번을 붙여 막고, 냉각수 그릇에 찬물을 채우고, 소줏고리 귀때 밑에 수기를 받쳐놓는다.
5. 불을 알맞게 조절하여 소주를 받되, 냉각수 그릇의 물이 따뜻하면 즉시 퍼내고 다시 찬물을 갈아준다.
6. 첫술 1컵 정도는 버리거나 다음에 증류할 술에 섞어 사용한다.

* 주방문 말미에 "물 놓아 고으면 매운 소주 열다섯 복자 나고, 쓰면 스무 복자 나니라."고 하였다. 또 "물 열한 번 갈면 맛이 평순하고, 여덟 아홉 번 갈면 족히 매우리라. 불을 때되 참나무나 밤나무나 때되 싸도 뜨도 아니하게 하여야 하니라. 소주 받는 부리(귓대)에 좋은 지조나 당귀를 썰어 베수건에 싸고 받으면 빛이 좋고 향기로우리라."고 하였다.
* <임원십육지>의 '소주다취로법'이나 다른 기록의 '노주이두방'과 비슷한 방문으로, 밑술의 쌀 양만 다를 뿐이다.

쇼쥬 만히 나ᄂᆞᆫ 법

ᄎᆞᆯᄡᆞᆯ 닷 홉 작말ᄒᆞ여 물 스므 복ᄌᆞ의 ᄐᆞ 한속곰 ᄭᅳᆯ혀 두고 ᄯᅩ 그져 물 스무 복ᄌᆞ ᄭᅳᆯ혀 식거든 가로누룩 너 되를 그 물의 셧거 첫 ᄀᆞ로와 ᄒᆞᆫᄃᆡ 타 하로밤 ᄌᆞ여 ᄎᆞ거든 이튼날 ᄎᆞᆸᄡᆞᆯ ᄒᆞᆫ 말 밥 ᄶᅧ 가로와 누룩과 그 물의 너허 닷ᄉᆡ 만의

괴거든 고으되 물 노하 고으면 ᄆᆡ운 쇼쥬 열다ᄉᆞᆺ 복ᄌᆞ 나고 쓰면 스무 복ᄌᆞ 나ᄂᆞ니라 물 열ᄒᆞᆫ 번 갈면 마시 평슌ᄒᆞ고 여ᄃᆞᆲ 아홉 번 ᄀᆞᆯ면 조히 ᄆᆡ오니라 불을 ᄶᅡ히되 ᄎᆞᆷ남기나 밤남기나 ᄶᆞ히되 싸도 쓰도 아니케 ᄒᆞᆯ ᄶᅵ니라.
쇼쥬 밧ᄂᆞᆫ 병 브리에 조흔 지초나 당귀를 ᄊᆞ흐러 뵈슈건의 ᄊᆞ 노코 바드면 빗치 곱고 향긔로오니라.

8. 소주다출방 <증보산림경제(增補山林經濟)>

술 재료 : 밑술 : 찹쌀 1되, 멥쌀 1되, 누룩가루 4되, 물 10대접
덧술 : 찹쌀 1말

술 빚는 법 :

* 밑술 :

1. 찹쌀 1되와 멥쌀 1되를 섞어 정세하여(물에 깨끗하게 씻어) 물에 담가 불렸다가 (다시 씻어 물기를 뺀 뒤) 작말한다.
2. 솥에 물 10대접을 붓고 끓이다가 쌀가루에 합하고, 주걱으로 고루 개어 죽을 쑨 뒤, 말갛게 익으면 (넓은 그릇에 펴서) 차게 식기를 기다린다.
3. 식은 죽에 누룩가루 4되를 섞고, 고루 버무려 술밑을 빚는다.
4. 술독에 술밑을 담아 안치고, 예의 방법대로 하여 하룻밤 발효시킨다.

* 덧술 :

1. 찹쌀 1말을 정세하여(물에 깨끗하게 씻어) 물에 담가 불렸다가 (다시 씻어 물기를 뺀 뒤) 시루에 안쳐 고두밥을 짓는다.
2. 고두밥이 익었으면 퍼내고, 고루 펼쳐서 차게 식기를 기다린다.
3. 고두밥에 밑술을 합하고, 고루 버무려 술밑을 빚는다.
4. 술독에 술밑을 담아 안치고, 예의 방법대로 하여 5일간 발효시켜 맛이 매우

면 증류한다.

* 소주 내리기 :
1. 솥에 불을 지피고, 물 2사발을 붓고 끓이다가, 술 2사발을 붓고 끓인다.
2. 술 4사발을 솥에 붓고 저어준 뒤, 끓으면 다시 술을 붓는 방법으로 술을 다 안친 후, 소줏고리를 얹고, 소줏고리 위에 냉각수 그릇을 얹고, 솥과 소줏고리, 소줏고리와 냉각수 그릇의 틈새를 소줏번을 붙여 막는다.
3. 냉각수 그릇에 찬물을 채우고, 소줏고리 귀때 밑에 수기를 받쳐놓고, 뽕나무나 밤나무 불을 알맞게 조절하여 소주를 받되, 첫술 1컵 정도는 버린다.
4. 냉각수 그릇의 물이 따뜻하면 즉시 퍼내고 다시 찬물을 갈아주면서(12차례 하면 그 맛이 평순하고, 8~9차례 하면 맛이 아주 독하다), 순한 소주 20복자를 얻는다.

燒酒多出方

粘米白米各一升相雜淨洗浸潤作末調於十椀水湯一沸作粥候冷和麯末四升經宿翌日 用粘米一斗淨洗浸潤蒸過冷之和於前本納甕過五日味辛取二十鐥味緩矣.

소주 별로 고는 법

스토리텔링 및 술 빚는 법

증류주 가운데 가장 사치스런 주품으로 <조선무쌍신식요리제법(朝鮮無雙新式料理製法)>의 '소주 별로히 담그는 법'을 들 수 있겠다.

가장 널리 알려진 증류주로 '삼해주'를 비롯하여 몇몇 주품들에서 삼양주법(三釀酒法) 증류주를 찾아볼 수 있고, 가까이는 중요무형문화재로 지정 관리되고 있는 '문배술'이 있을 정도이다.

그런데 <조선무쌍신식요리제법>의 '소주 별로히 담그는 법'은 사양주법(四釀酒法) 증류주라는 점에서 아마도 유일한 주품이자 주방문이 아닌가 생각된다.

그리고 그 주방문이 '동파주'나 '분국상락주', '동미명주', '당량주', '하동이백주' 등 중국식 양주법이 아닌, 우리 고유의 양주방식에 의한 주방문이라는 데 큰 의미를 두고 싶다.

일반적으로 고급 증류주로 인식되고 있는 '삼해주'나, '삼오주', '사오주(四午酒)'가 덧술의 간격이 12일 또는 36일인데 비하여, <조선무쌍신식요리제법>의 '소주 별로히 담그는 법'의 주방문은 <양주집(釀酒集)>의 '사오주', <음식디미방>의 '삼오주'법과 유사하고, 덧술을 해 넣는 기간이 하루 사이라는 점에서는 중요무형문화재로 지정 관리되고 있는 '문배술'과도 유사하다.

따라서 이들 주방문과 '소주 별로히 담그는 법'을 비교해 가면서 그 차이점과 특징들을 살펴보고자 한다. 우선, <조선무쌍신식요리제법>의 '소주 별로히 담그는 법'은 "단물 두 동의와 섬누룩(石麴) 두 말을 합하야 당근 지 하로 만에 것수수(糠米) 두 말을 하로밤 당갓다가 죽을 쑤어 누룩물에 너코, 하로밤 만에 백설기 썩 두 말을 느코 또 하로밤 만에 흔밥 한 말을 느코, 또 하로밤 만에 찹쌀밥 한 말을 느어서 익거든 소쥬를 고되, 더운 날은 열흘 만에 다 익나니라."고 하였다.

'소주 별로히 담그는 법'의 특징은 무엇보다 당곡(糖麴)을 만들어두었다가 죽을 쑤어 합하는 것으로 첫 밑술을 빚고, 하루 만에 백설기떡을 만들어 덧술을 하고, 다시 하루 만에 고두밥을 지어 2차 덧술을 하고, 다시 하루 만에 찹쌀고두밥으로 3차 덧술을 하는 방법이다.

그러니까 술을 빚는 간격은 하루 만인데 겉수수죽과 백설기떡, 멥쌀고두밥, 찹쌀고두밥으로 점차 호화도를 낮춰가는 방법을 취하고 있으며, 그 양은 밑술과 덧술에 사용하는 죽과 백설기떡이 2말인데 반하여 2차 덧술과 3차 덧술은 각각 1말의 고두밥으로 그 양이 줄었다는 것을 알 수 있다.

반면 <양주집>의 '사오주'는 "정월 초오일 끓인 물 여덟 동이 채와 독에 붓고 좋은 누룩 일승 진가로를 가장 뇌이여 여코, 백미 일두 백세세말하야 익게 쪄 덩이채 채와 푸러 너헛다가, 이차 오일에 백미 오두 백세세말하야 익게 쪄 덩이채 채와 고로 섯거다가, 삼차 오일에 백미 오두 백세세말하야 익게 쪄 덩이 푸러 채와 고로 섯거다가 사차 오일에 백미 오두 백세하야 익게 쪄 채와 너헛다가 사오월에 내여 쓰라."고 하였고, <음식디미방>의 '삼오주'는 "정월 첫 오일에 새배 졍화슈 여ᄃᆞᆲ 동ᄒᆡ 기러 독의 붓고 국말 닷 되 진말 서 되 풀고 ᄇᆡᆨ미 닷 말 ᄇᆡᆨ셰작말ᄒᆞ여 닉게 쪄 시겨 녀코 둘재 오일에 ᄇᆡᆨ미 닷 말 ᄇᆡᆨ셰작말ᄒᆞ여 닉게 쪄 시겨 녀코 셋재 오일에 ᄇᆡᆨ미 닷 말 ᄇᆡᆨ셰ᄒᆞ여 아이이듬 쪄 시겨 녀헛다가 닉거든 쓰라."고 하였다.

'삼오주'와 '사오주'의 공통점은, 먼저 누룩과 밀가루를 정화수(날물) 또는 끓여 식힌 물과 섞어 수곡(水麴)을 만들어두었다가. 멥쌀가루로 흰무리떡을 만들어 밑술과 덧술, 또는 2차 덧술을 빚기도 하고, 마지막에 넣는 2차 덧술 또는 3차 덧술을 고두밥으로 하여 술을 빚는다는 것이다.

결론부터 말하자면, '소주 별로히 담그는 법'은 당곡을 사용하고 덧술 단계에 따라 죽과 백설기, 고두밥으로 쌀의 호화도를 점차 낮춰가는 방법을 사용하고 있는 것과 다르게, '삼오주'나 '사오주'는 백설기로 덧술과 2차 덧술 또는 3차 덧술까지 사용하고 마지막 덧술만을 고두밥으로 해 넣는다는 점에서 술 빚는 방법의 차이를 읽을 수 있다고 하겠다.

그리고 '삼오주'나 '사오주'는 밑술과 덧술, 덧술과 2차 덧술, 2차 덧술과 3차 덧술의 발효기간이 각각 12일이라는 점에서 하루 만에 덧술을 하는 '소주 별로히 담그는 법'과 다르다는 것을 알 수 있다.

그러나 무엇보다 중요한 사실은 이처럼 3차 덧술을 해 넣는 사양주법만으로도 고급 주류가 되는데, 굳이 이를 증류하여 소주를 만들어 마시고자 한 배경이 궁금하지 않을 수 없다.

그 답을 '삼오주'와 '사오주'에서 찾을 수 있는데, 두 주품의 경우 마지막에 넣는 쌀은 동량으로 하되 호화도를 가장 낮은 형태인 고두밥으로 하여 사용한다는 것이다. 이렇게 되면 마지막 덧술에서 보다 높은 알코올 도수를 얻을 수 있는 것이다.

<조선무쌍신식요리제법>의 '소주 별로히 담그는 법'은 점차 호화도를 낮춰가는 덧술과 2차, 3차 덧술은 덧술의 쌀 양보다 줄이되, 하루 간격으로 덧술을 해 넣는 방법을 택함으로써, 안전한 발효와 함께 술맛은 부드럽게 하고자 한 주방문이라는 것이다.

그리고 그러한 이유가 '잡곡주'와는 다른 주품명으로 자리를 차지하게 된 배경이 아닐까 하는 생각을 갖게 된다.

바로 이러한 이유로 하여 <조선무쌍신식요리제법>의 '소주 별로히 담그는 법'은 증류하여 소주를 빚게 된 것이라는 결론에 이른다.

어떻든 우리나라 전통주 가운데 사양주법의 증류식 소주가 존재했다는 사실만으로도 위안을 받는다.

소주 별로 고는 법 <조선무쌍신식요리제법(朝鮮無雙新式料理製法)>

술 재료 : 밑술 : 겉수수(穛米) 2말, 섬누룩 2말, 단물 2동이, 물 4~5말
덧술 : 멥쌀 2말
2차 덧술 : 멥쌀 1말
3차 덧술 : 찹쌀 1말

술 빚는 법 :

* 밑술 :

1. 단물 2동이에 섬누룩 2말을 합하고, 술독에 담가 수곡을 만들어 하룻밤 지낸다.
2. 다음날 겉수수(穛米) 2말을 (백세하여) 하룻밤 담가 불렸다가 (다시 씻어 건져서 물기를 뺀다.)
3. 불린 겉수수를 물(4~5말)에 넣고 끓여 죽을 쑨다(차게 식기를 기다린다).
4. 독의 수곡에 겉수수죽과 단물 2동이를 섞고, 고루 휘저어 술밑을 빚는다.
5. 술밑을 담아 안친 독은 예의 방법대로 하여 (덥지 않은 방에 자리를 잡아 앉히고) 하루 동안 발효시킨다.

* 덧술 :

1. 밑술을 빚는 날 멥쌀 2말을 정히 씻어(백세하여 하룻밤) 불렸다가 (다시 씻어 건져서 물기를 뺀 후) 작말한다.
2. 쌀가루를 시루에 안쳐서 설기떡을 찌고 (차게 식기를 기다렸다가) 밑술과 합하고, 고루 버무려 술밑을 빚는다.
3. 버무린 술밑을 소독한 술독에 담아 안치고, 예의 방법대로 하여 따뜻한 곳에 두고 1일간 발효시킨다.

* 2차 덧술 :

1. 덧술을 빚는 날 멥쌀 1말을 정히 씻어(백세하여 하룻밤) 불렸다가 (다시 씻어 건져서 물기를 뺀다.)
2. 불린 멥쌀을 시루에 안쳐서 고두밥을 짓고, 고두밥을 (차게 식기를 기다렸다가) 덧술과 합하고, 고루 버무려 술밑을 빚는다.
3. 버무린 술밑을 소독한 술독에 담아 안치고, 예의 방법대로 하여 따뜻한 곳에 두고 1일간 발효시킨다.

* 3차 덧술 :
1. 2차 덧술을 빚는 날 찹쌀 1말을 정히 씻어(백세하여 하룻밤) 불렸다가 (다시 씻어 건져서 물기를 뺀다.)
2. 불린 찹쌀을 시루에 안쳐서 고두밥을 짓고 (차게 식기를 기다렸다가) 덧술과 합하고, 고루 버무려 술밑을 빚는다.
3. 버무린 술밑을 소독한 술독에 담아 안치고, 예의 방법대로 하여 따뜻한 곳에 두고 발효시켜 익기를 기다리는데, 더운 날에는 10일이면 익는다.

* 증류 :
1. 익은 술덧을 체에 밭쳐서 찌꺼기를 버리고 내린 탁주를 취한다.
2. 상법대로 소주를 내린다(물을 12회 바꾸면 맛이 순하고 8~9회 바꾸면 맛이 극히 맹렬하다).

* 술 빚는 법은 <음식디미방>의 '사오주'법과 유사하다.

소주 별로히 당그는 법

단물 두 동의와 섬누룩(石麴) 두 말을 합하야 당근 지 하로 만에 것수수(糠米) 두 말을 하로밤 당갓다가 죽을 쑤어 누룩물에 너코 하로밤 만에 백설기 떡 두 말을 느코 또 하로밤 만에 흔밥 한 말을 느코 또 하로밤 만에 찹쌀밥 한 말을 느어서 익거든 소쥬를 고되 더운 날은 열흘 만에 다 익나니라.

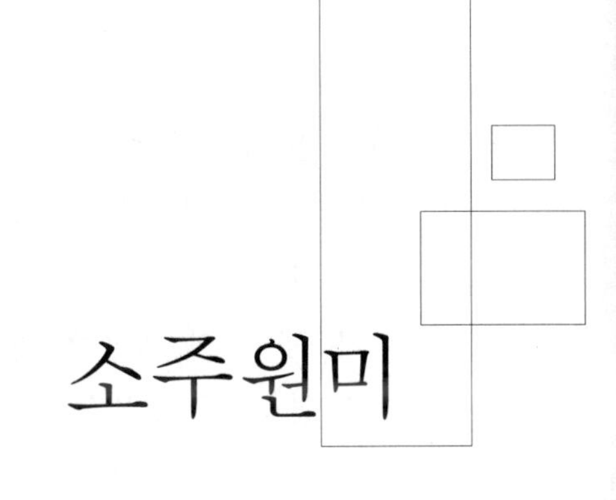

소주원미

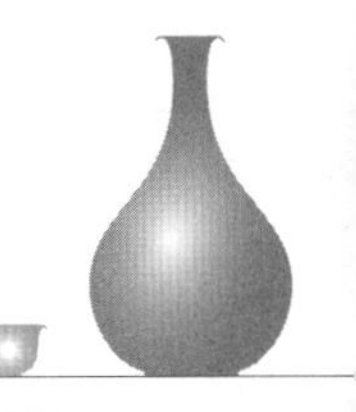

스토리텔링 및 술 빚는 법

<시의전서(是議全書)>의 '소주원미(燒酒元味)'를 술로 볼 수 있는 것인지에 대한 고민이 많았다.

'소주원미'는 다른 주방문과 달리 <시의전서> 상권(上卷)에 단독으로 수록되어 있는데다, 어떤 목적으로 사용되는지를 알 수 없어 술로 볼 수 있는 것인지 적잖은 생각을 하게 되었다.

특히 '소주원미'는 다른 주품들과는 달리, 주방문에 발효시킨다거나 익히는 과정이 없기 때문이었다.

따라서 '소주원미'를 술로 인식하는 데에는 적잖은 이견이 있을 수 있겠으나, 주세법상 "알코올 도수 1% 이상의 기호음료"를 술로 정의하고 있으므로, 이에 주방문을 작성하였음을 밝혀둔다.

원미(元味)는 죽이라고 할 수 있다. 우리 죽은 '응근죽'과 '원미죽(元味粥)', '무리죽', '미음(米飮)' 형태로 크게 분류할 수 있다. 쌀을 분쇄하지 않은 온전한 형태의 쌀 전립(全粒)을 끓인 것을 '응근죽'이라 하고, 쌀을 갈아서 고운 앙금을 걸러 끓인 죽을 '무리죽'이라고 하는데, 무리죽의 경우 부드럽고 곱기 때문에 '비단죽'이라는 별칭도 있다. 그리고 '원미죽'은 '응근죽'과 '무리죽'의 중간 형태라고 할 수 있다.

이 '원미죽'에 백청(꿀)과 소주를 가미해서 음용하는 것이 '소주원미'인데, 그 용도가 불분명하나 벽사 의미와 연계시켜 생각해 볼 수 있다. 즉, 우리 관습에 "추운 겨울철이나 새벽에 먼 거리를 여행할 때, 건강이 평소와 달리 좋지 못한데도 상가에 조문을 가야 할 때는 소주를 한두 잔 마시고 가라."고 한다.

소주는 그 성질이 뜨겁고 독하다고 했다. 소주의 뜨거운 성질이 혈액순환을 돕고 몸을 따뜻하게 해주어 추위와 이슬과 서리를 맞았을 때의 습한 기운을 물리쳐주기 때문이다.

또한 상갓집은 사자(死者)의 음습(陰濕)하고 부정(不淨)한 기운(邪氣)을 범접하게 되면 자칫 병이 나거나 탈이 생길 수 있는데, 소주의 양기로 인하여 이를 물리칠 수 있다고 믿었던 것이다.

따라서 새벽길이나 공복에 독한 소주를 마시게 되면 위장에 부담을 주게 되므로, 끼니 대신의 쌀죽과 꿀을 섞어 마시면 끼니를 대신할 수도 있고 소주독(燒酒毒)도 해소할 수 있으며, 더불어 따뜻한 몸을 유지할 수 있게 될 것이므로 일거양득인 것이다.

주방문 말미에 "소주는 주량대로 다소를 가감하라."고 하여, '소주원미' 역시 '과하주(過夏酒)'와 같이 취향에 따라 그 양을 달리한다는 것을 알 수 있다.

이로써 '소주원미'는 주원료의 배합비율이 정해져 있지 않아 필요와 목적에 따라 방법을 달리할 수 있으므로, 오랜 경험에서 오는 생활지혜가 동원된 주방문이라고 할 수 있을 것 같다.

소주원미 <시의전서(是議全書)>

술 재료 : 멥쌀(2되), 백청(1되), 백비탕(4~5되), 소주(2~3되)

술 빚는 법 :

1. 희게 쓿은 멥쌀(2되)을 깨끗이 씻고 또 씻어놓는다(백세하여 물에 담가 불렸다가, 다시 씻어 헹궈 건져서 물기를 빼놓는다).
2. 불린 쌀을 맷돌에 갈거나 절구에 찧어 거칠게 빻는다.
3. 쌀가루를 체에 쳐서 고운 가루를 빼내고 체 안에 남은 거친 가루(원미쌀)를 준비한다.
4. 솥에 물 7~8되를 넣고 4~5되가 되도록 오랫동안 끓여서 백비탕을 만든다.
5. 백비탕에 원미쌀을 넣고 한소금 끓여서 된죽을 쑨다.
6. 원미죽이 퍼지게 익었으면, 넓은 그릇에 퍼 놓는다(온기가 남게 식기를 기다린다).
7. 원미죽에 백청(1되)과 준비한 분량의 소주(2~3되)를 섞어 술밑을 빚는다.
8. 술밑을 술독에 담아 안친다.

* 주방문 말미에 "소주는 주량대로 다소를 가감하라."고 하여, '소주원미' 역시 '과하주'와 같이 취향에 따라 그 양을 달리한다는 것을 알 수 있다. 다만, '소주원미'를 술로 보아야 할지는 확신할 수 없으나, 주세법상 "알코올 도수 1% 이상의 기호음료"를 술로 정의하고 있으므로 주방문을 작성하였다.

소듀원미(燒酒元味)

ᄇᆡᆨ비탕을 ᄭᅳᆯ히다ᄀᆞ 원미쌀을 너흐되 물ᄭᅩ 되기ᄂᆞᆫ 된 죽체로 쓔고 그릇ᄉᆡ 담아 소쥬와 ᄇᆡᆨ쳥 타셔 쓰되, 소쥬ᄂᆞᆫ 쥬량ᄃᆡ로 다소을 가감ᄒᆞ라.

소주특방

스토리텔링 및 술 빚는 법

<조선무쌍신식요리제법(朝鮮無雙新式料理製法)>은 조선 말기의 한글 활자 인쇄본인데, 우리나라 전통주를 수록하고 있는 마지막 기록이라고 할 수 있다.

<조선무쌍신식요리제법>이 1936년에 간행된 이후, 국내의 모든 문헌에서 우리나라 술 관련 기록이 나타나지 않는다는 것으로, 이미 그 이전부터 일제에 의한 전통주 말살정책이 표면화되었다는 것을 알 수 있다.

그런 의미에서 우리나라 전통주의 보존을 위해 최대한의 자료를 수집하고, 그것을 활자로 남겼던 저자의 노력에 대해 그저 감사할 따름이다.

또한 1400년대 초기에 간행된 것으로 알려지고 있는 <활인심방(活人心方, 李退溪手迹本)>에 전통주품 3종이 수록된 이래, 536년 동안 숱한 기록과 문헌들이 우리 전통주를 수록하여 전승과 보급되기 시작하였고, 이후 전성기를 구가했던 조선시대의 다양한 주품들은 일제강점기 36년 동안 변질과 말살을 거듭하다가, <조선무쌍신식요리제법>의 기록을 끝으로 활자로도 기록될 수도 없는 비극적인 운명을 맞이하고 말았던 것이다.

앞서 언급하였듯 전통주와 관련한 문헌만도 80여 권에 이르지만, <조선무쌍신식요리제법>은 그 가치가 큰 기록이라고 할 수 있다.

특히 <조선무쌍신식요리제법>에 유일하게 수록된 소주류(燒酒類)가 있는데, 바로 '소주특방(燒酒特方)'이다.

'소주특방'이란 술 이름 풀이 그대로 "특별한 방법으로 빚는 소주 제법"을 가리킨다. 그 방문을 보면, 멥쌀과 찹쌀 각 1되씩을 섞어 만든 쌀가루에 끓는 물 8되를 부어 죽(범벅)을 쑨 다음, 죽(범벅)이 식으면 누룩가루와 버무려 술밑을 빚고, 여기에 다시 밑술에 사용된 쌀의 10배에 해당하는 양의 찹쌀 1말로 고두밥을 지어 덧술을 하고, 8일째 되는 날 소주를 내린다고 하였다.

그리고 밑술의 방문을 보면 쌀가루에 끓는 물을 부어 죽을 쑨다고 되어 있으나, 실을 죽이 아닌 반생반숙(半生半熟)의 범벅임을 알 수 있다.

그런데 <조선무쌍신식요리제법>보다 훨씬 이전의 기록인 <음식디미방>에 '소주특방'과 매우 유사한 방문의 '찹쌀소주'가 등장한다.

<음식디미방>의 '찹쌀소주' 주방문을 '소주특방'과 비교해 보면, 동량의 찹쌀과 멥쌀을 사용하고 범벅이 아닌 죽을 쑤어서 밑술을 빚는데, 누룩의 양은 '소주특방'에 비해 44% 정도에 그친다. 덧술에 있어서도 찹쌀의 양이 '소주특방'의 50% 정도에 그치는 것을 볼 수 있다.

따라서 <조선무쌍신식요리제법>의 '소주특방'을 <음식디미방>의 '찹쌀소주(점미소주)'와 비교해 보아도 특별한 차이가 없음에도 '특방'이라는 술 이름을 갖게 된 것은 어떤 이유일까?

미루어 추측컨대 <조선무쌍신식요리제법>의 '소주특방'은 밑술에 사용되는 누룩가루의 양이 특히 많고, 덧술에 사용되는 찹쌀의 양이 많이 사용된 데에서 고급술, 또는 값비싼 찹쌀소주(많이 나는 소주)라는 의미로 그런 술 이름을 갖게 된 듯하다.

그리고 <산림경제(山林經濟)>와 <증보산림경제(增補山林經濟)>, <농정회요(農政會要)> 등에 수록된 '노주이두방(露酒二斗方)'의 주방문과 비교해 보면, <조선무쌍신식요리제법>의 '소주특방'은 '노주이두방'보다 덧술의 쌀 양이 50%에 그치는 것을 볼 수 있다. 그러면서도 누룩과 쌀의 양이 많은 까닭에 소주의 양을 많이 얻을 수 있다는 점에서 비로소 '특방'의 의미를 이해할 수 있게 되었다.

<조선무쌍신식요리제법>의 '소주특방'은 또 다른 주방문, 곧 '우방(又方)'을 싣고 있음을 볼 수 있다. '본방(本方)'에 앞서 누룩가루 1되와 끓인 물 4되를 섞어 만든 누룩물과 멥쌀 3되로 백설기를 만들어 밑술을 빚는데, '본방'에서의 밑술을 앞서 빚은 밑술과 섞지 않고 각각 발효시키는 독특한 과정을 거친다고 할 수 있으며, 엄밀하게는 삼양주(三釀酒) 방문으로 보아야 할 것이다.

따라서 <조선무쌍신식요리제법>의 '소주특방 우방'은 전례가 없는 독특한 방문이라고 할 수 있으며, 2차 덧술의 완전한 발효를 위하여 특별히 '주모' 또는 '석임'을 만들어 사용하는 경우와 같다고 할 수도 있겠다.

이상의 방문에서 보듯 백설기와 끓는 물을 섞어 죽을 만든 후에 누룩가루를 섞어 빚은 밑술에 다시 범벅을 만들어 또 다른 밑술을 빚고, 덧술 과정에서 이 두 가지 방법의 밑술을 한데 섞어 발효시킨다는 점에서 매우 특별하다고 판단된다.

따라서 '소주특방' 이란 주방문은 두 가지 방법의 밑술을 각각 발효시켜 덧술을 한다는 사실에서 그 특징과 차별성을 찾을 수 있겠다.

1. 소주특방 <조선무쌍신식요리제법(朝鮮無雙新式料理製法)>

술 재료 : 밑술 : 멥쌀 1되, 찹쌀 1되, 누룩가루 9되, 끓는 물 8되
덧술 : 찹쌀 2말

술 빚는 법 :

* 밑술 :

1. 멥쌀과 찹쌀 각 1되를 백세(새 물에 담가 불렸다가, 다시 씻어 건져서)작말하여 그릇에 담아놓는다.
2. 물 8되를 끓여 쌀가루에 고루 붓고, 주걱으로 고루 개어 죽(범벅)을 쑨다.
3. 죽(범벅)을 (하룻밤 재워) 차게 식기를 기다린다.

4. 죽에 누룩가루 9되를 넣고 고루 버무려 술밑을 빚는다.
5. 술독에 술밑을 담가 안치고, 예의 방법대로 하여 3일간 발효시킨다.

* 덧술 :
1. 찹쌀 2말을 (백세하여 하룻밤 물에 담가 불렸다가, 다시 씻어 건져서 물기를 뺀 뒤) 고두밥을 짓는다.
2. 고두밥이 익었으면 퍼내고, 고루 펼쳐서 차게 식기를 기다린다.
3. 고두밥에 밑술을 합하고, 고루 버무려 술밑을 빚는다.
4. 술독에 술밑을 담아 안치고, 예의 방법대로 하여 7일간 발효시킨다.

* 증류 :
1. 술덧을 체에 걸러 막걸리를 만든다.
2. 불을 지핀 솥에 예의 방법대로 술을 담아 안치고, 소줏고리를 얹는다.
3. 불을 조절한 후에 소줏고리에 냉각수를 붓고 증류를 한다.
4. 소줏고리 위의 물을 12번 바꾸면 맛이 평평하고 순하며, 8~9번 바꾸면 맛이 극히 맹렬하다.

소주특방(燒酒特方)

멥쌀과 찹쌀 각 한 되를 물에 당갓다가 작말하고 고은 누룩가루 아홉 되와 쓸는 물 여덜 되를 함께 석거 느은 지 사흘 만에 찹쌀 두 말을 밥 써 식거든 전 밋과 합하야 덥흔 지 니렛 만에 고나니 물을 열두 번만 박가 내면 맛이 평평하고 순하며 팔구 번을 박구면 맛이 극히 맹렬하니라.

2. 우(又) 소주특방 <조선무쌍신식요리제법(朝鮮無雙新式料理製法)>

술 재료 : 밑술 : 멥쌀 3되, 누룩가루 1되, 끓인 물 4되
덧술 : 멥쌀 1되, 찹쌀 1되, 누룩가루 4되, 물 10사발, 끓여 식힌 물 10 사발
2차 덧술 : 찹쌀 1말

술 빚는 법 :

* 밑술 :

1. 끓여 식힌 물 4되 남짓에 누룩가루 1되 남짓을 합하고 버무려 물누룩을 만들고, 술독에 담아 하룻밤 지낸다.
2. 다음날 아침에 멥쌀 3되를 백세하여 (물에 담가 불렸다가, 다시 씻어 건져서 물기를 뺀 후) 작말한다.
3. 쌀가루를 시루에 안쳐서 설기떡을 찐 다음, 손으로 덩이를 풀어 잘게 쪼개어 차게 식기를 기다린다.
4. 술독의 물누룩을 자루에 담고 주물러 짜거나, 체에 밭쳐서 찌꺼기를 제거한 누룩물을 만든다.
5. 누룩물에 식은 설기떡을 섞고, 고루 버무려 술밑을 빚는다.
6. 술밑을 담아 안친 독은 예의 방법대로 하여 (덥지 않은 방에 자리를 잡아 앉히고) 3일간 발효시킨다.

* 덧술 :

1. 멥쌀과 찹쌀 각 1되를 정히 씻어(백세하여 하룻밤) 물에 담가 불렸다가 (다시 씻어 건져서 물기를 뺀 후) 작말한다.
2. 쌀가루를 물 10사발에 합하고, 솥에 한 번 끓여서 설익은 죽을 쑤고, 하룻밤 재워 차게 식기를 기다린다.
3. 물 10사발을 끓여 식힌 후에 식혀둔 죽과 누룩가루 4되를 한데 합하고, 고

루 버무려 술밑을 빚은 후 하룻밤 재워놓는다.

* 2차 덧술 :

1. 찹쌀 1말을 정히 씻어 (하룻밤 물에 담가 불렸다가, 다시 씻어 건져서 물기를 뺀 뒤) 고두밥을 짓는다.
2. 고두밥이 익었으면 퍼내고, 고루 펼쳐서 차게 식기를 기다린다.
3. 고두밥에 하룻밤 재워둔 술밑과 발효가 된 밑술을 한데 합하고, 고루 버무려 술밑을 빚는다.
4. 술밑을 소독한 술독에 담아 안치고, 예의 방법대로 하여 따뜻한 곳에 두고 5일간 발효시킨다.

* 증류 :

1. 술덧을 체에 걸러 막걸리를 만든다.
2. 불을 지핀 솥에 예의 방법대로 술을 담아 안치고, 소줏고리를 얹는다.
3. 불을 조절한 후에 소줏고리에 냉각수를 붓고 증류를 한다.
4. 상법대로 소주를 내리는데, 15복자를 내리면 맹렬하고 20복자를 내면 묽다.

소주특방(燒酒特方) 쏘

누룩가루 한 홉 남짓과 끌는 물 넉 되 남짓하게 식혀서 버무려 항아리에 느코 이튼날 아흠에 흔쌀 석 되를 백 번 씨서 작말하야 쪄서 손으로 뎅이를 잘게 푸러 식히고 어제 누룩 당갓든 물을 체에 바처 찍기는 버리고 함께 비진지 사흘 만에 멥쌀과 찹쌀 각 한 되를 정이 씨서 당갓다가 작말하야 물 열 사발에 석거 솟해 붓고 한번 끄려 내여 식히고 또 물 열 사발을 끄려 식혀서 누룩가루 넉 되와 전에 만든 쌀가루물과 모다 석거 고르게 하야 그 이튼날 쏘 찹쌀 한 말을 정히 씨서 당갓다가 쪄서 식거든 전에 밋과 밋 쌀가루물과 모다 합하야 비즌 지 닷세 만에 이여 익나니 걸러서 찍기는 버리고 고아서 열다섯 복자를 내리면 맹렬하고 스무 복자를 내리면 물그니라.

송절주

스토리텔링 및 술 빚는 법

증류주로서 '송절주(松節酒)'는 1800년대 말엽에 쓰여진 것으로 알려진 <이씨(李氏)음식법>의 주방문이 유일한 것으로 보인다.

흔히 '송절주'는 발효주로서 약용약주류에 속하는 주품과 주방문이 <고려대규합총서(高麗大閨閤叢書, 異本)>를 비롯해 <고사십이집(攷事十二集)>, <규합총서(閨閤叢書)>, <달생비서(達生秘書)>, <동의보감(東醫寶鑑)>, <보감록>, <부인필지(夫人必知)>, <술 빚는 법>, <음식방문니라>, <이씨음식법>, <임원십육지(林園十六志)>, <주찬(酒饌)> 등의 문헌에서 목격된다. 또한 민간의 전승가양주로는 서울시 무형문화재 제2호로 지정된 '서울 송절주'가 유일한 것으로 알려져 왔기 때문이다.

그런데 <이씨음식법>의 '송절주' 주방문과, 충북 보은 지방의 민간에 전승되고 있는 '보은 송로주'의 주방문이 동일하다는 사실을 확인케 된다.

하여, 충청북도 무형문화재 제3호로 지정 관리되고 있는 '보은 송로주'의 전승유래를 살펴보니 '보은 송로주'의 기능보유자 신형철의 외조모인 고 정금이(鄭今

二)가 1880년에 저술한 책이 <이씨음식법>이라는 것이다.

'보은 송로주'는 3대에 걸쳐 전승되고 있는 가양주이자 민속주로, 그 기능보유자 신형철에 의하면 "통밀을 가루 낸 것에 맷돌에 간 녹두물을 섞어 빚어 누룩을 만든다. 삼잎과 도꼬마리잎에 싸서 그늘진 곳에 40~50일간 띄우면 누룩이 완성된다. 이 누룩을 이용하여 '삼해주(三亥酒)'를 빚는다. 술독은 100일 동안 땅에 묻어두었다가 청주를 떠내고 남은 지게미로 '보은 송로주'의 술밑을 삼는다. 이어 멥쌀로 지에밥을 짓고, 생률 치듯이 깎은 솔옹이(관솔)와 지게미를 섞어 술을 빚는데 쌀 2말에 솔옹이 되 1의 비율이다. 여름이면 일주일, 겨울이면 열흘 내지 보름이면 술이 익는다. 이것을 체로 밭쳐 지게미를 버린 후에 소줏고리에 넣고 증류하여 만든다."고 한다.

여기서 몇 가지 짚고 넘어가야 할 것은, '보은 송로주'의 양주기법으로 미루어 매우 특별한 주방문을 나타내고 있다는 사실이다. '보은 송로주'는 '삼해주' 곧 삼양주법(三釀酒法)인데도 백곡(白麯)이나 분곡(粉麯)이 아닌 별도의 녹두누룩(綠荳麯)을 만들어 사용한다는 것과, 청주를 떠내고 남은 술찌꺼기(酒粕)를 밑술로 삼는 방법이라는 점에서 주목할 필요가 있다는 것이다.

환언하면, 삼양주법의 주품에서 녹두누룩을 사용하는 유일한 주품이고, 또한 주박을 밑술로 하여 덧술을 빚는다는 점에서 차별성을 띤다고 할 수 있으며, 특히 주박을 밑술로 하는 양주기법은 '서미법주'나 '동파주' 등의 주품에서 자주 목격되는 까닭에 중국의 양주기법을 엿볼 수 있다는 것이다.

한편, <이씨음식법>의 주방문은 신형철 씨가 빚는 '보은 송로주'의 제조법과 약간 상이하다. 주방문에는 "쌀 한 말을 하려면 솔옹이를 생률 쳐 고이 다듬어 놓고 섬누룩 넉 되를 넣고 물 서 말을 부어 빚어두었다가 멀겋거든 소주를 여러 물 가지 말고 장작을 때어 고으면 맛이 좋고 '백소주'로 받아 먹어야 지절통도 즉시 낫느니라."고 되어 있어, '삼해주' 술밑이 아닌, 단양주법으로 빚은 '송절주'를 증류하여 '소주 송절주'를 받는 것으로 되어 있다.

결국, 민간전승의 '보은 송로주'는 <이씨음식법>에 기초하고 있으면서도 전승과정에서 '보은 송로주'의 기주(基酒, 起酒)가 되는 술밑의 양주과정에서 변화를 나타내게 되었고, 송절이 아닌 솔옹이를 사용하여 빚은 술을 증류한 '소주'인 까닭에 '송로주'라는 주품명으로 바뀌었을 것이라는 추측을 할 수 있다.

사람이 칼로 베이거나 크게 다쳐서 피부에 상처를 입게 되면, 후일 상처가 낫더라도 그 흔적으로 피부조직이 두껍게 되고 딱딱해지는 것을 볼 수 있듯, 소나무가 상처를 받으면 그 자리에 옹이가 생기게 된다. 옹이는 소나무가 상처를 치유하는 과정에서 생긴 현상으로, 다른 부위보다 송진이 많이 모여 단단해지고 색깔도 붉어지면서 솔향이 강해지는데, 이를 '관솔'이라고 부른다. '관솔'은 예로부터 등잔불 대신 사용하기도 하고 방향제로도 이용해 왔음을 알 수 있다.

이러한 솔옹이를 사용한 <이씨음식법>의 '송절주'가 한 집안의 가양주로 뿌리를 내리면서 양주방법에서의 변화와 함께 '보은 송로주'라는 주품명으로 바뀌었음을 확인할 수 있는데, 이러한 변화는 다른 가양주에서도 쉽게 목격할 수 있다.

조선시대부터 양조되어 기능보유자 신형철 가문에 3대째 전승되고 있는 '보은 송로주'는 " 장복하면 장수할 수 있다."는 속설이 전해 오고 있는데, <이씨음식법>의 주방문 말미에도 "백소주로 받아먹어야 지절통(팔다리의 관절에서 오는 통증)도 즉시 낫느니라."고 하여 송절주의 효능에 대해 언급하고 있는 것을 볼 수 있다.

<이씨음식법>의 '송절주'를 재현해 보면서 경험했던 몇 가지 사실을 언급하자면, 주방문에 '솔옹이를 생률 치듯 깎아서 다듬는다.'고 하였는데, 솔옹이가 생것이면 송진 때문에 작업이 어렵다는 것이다.

그러므로 술을 빚기 위한 솔옹이를 만들고자 할 때에는 끓는 물에 살짝 데쳐낸 후에 깎으면 송진이 덜 나오고 작업도 한결 수월하다. 또 주방문 말미에 "소주를 여러 물 갈지 말고 장작 때어 고면 맛이 좋고, 백소주로 받아먹어야 지절통(팔다리의 관절에서 오는 통증)도 즉시 낫느니라."고 하였는데, 소주 맛이 많이 쓰고 싱거웠다.

따라서 소줏고리 위의 냉각수는 10~12회를 기준으로 할 때 5~6회 정도 교환하는 것을 기준으로 증류하면 좋고, 불을 땔 때에도 장작불보다는 솔가지불이나 콩대, 깻대 등이 오히려 더 좋다고 할 수 있다.

소주 증류기술은 무엇보다 불의 세기를 일정하게 유지하는 데 있다는 점에 유의하면 실수가 없고 소주의 맛도 그르지 않다고 하겠다.

송절주 <이씨(李氏)음식법>

술 재료 : 멥쌀 1말, 섬누룩 4되, 솔옹이(1~2되), 물 3말

술 빚는 법 :

1. 솔옹이를 꺾어다 가지와 솔잎을 쳐내고 다듬어 (끓는 물에 살짝 데쳐서 건져) 놓는다.
2. 솔옹이를 밤을 치듯이 하여 깨끗하게 다듬어 (2말)을 준비해 놓는다.
3. 멥쌀 1말을 준비한다(백세하여 물에 담가 불렸다가, 다시 씻어 헹궈 건져서 물기를 뺀 후, 시루에 안쳐서 고두밥을 짓는다).
4. (고두밥이 익었으면 시루에서 퍼내고, 자리에 고루 펼쳐서 얼음같이 차게 식기를 기다린다.)
5. (쪄낸 고두밥에 누룩 4되와 물 3말, 송절 2말을 한데 섞어 넣고, 고루 버무려 술밑을 빚는다.)
6. 술독에 술밑을 담아 안치고, (덥지도 차지도 않은 곳에 앉혀두고) 예의 방법대로 하여 (21~30일가량 발효시켜) 맑게 가라앉기를 기다린다.
7. (가마솥에 술을 안치고 그 위에 소줏고리를 얹어서) 소주를 증류하는데, 냉각수를 갈지 말고 장작을 때서 센 불에 증류한다.

* 주방문에 '솔옹이를 생률 치듯 깎아서 다듬는다.'고 하였는데, 솔옹이가 생것이면 송진 때문에 작업이 어렵다. 따라서 끓는 물에 살짝 데쳐낸 후에 깎으면 송진이 덜 나오고 작업도 한결 수월하다. 또 주방문 말미에 "소주를 여러 물 갈지 말고 장작 때어 고면 맛이 좋고, 백소주로 받아먹어야 지절통(팔다리의 관절에서 오는 통증)도 즉시 낫느니라."고 하였는데, 소주 맛이 많이 쓰고 싱거웠다.

숑졀쥬

ᄊᆞᆯ ᄒᆞᆫ 말 ᄒᆞ라면 숄 옹이을 ᄉᆡᆼ뉼 쳐 고이 다듬어 너코 셤누룩 넉 되 너코 물 셔 말 부어 비져 두엇다가 멀거커든 쇼쥬을 여러 물 가지 말고 쟝작 ᄡᅧ어 고으면 맛시 됴코 ᄇᆡᆨ노쥬로 바다 먹어야 지졀통도 즉시 나ᄂᆞᆫ이라.

수수소주

스토리텔링 및 술 빚는 법

우리나라 술의 특징 가운데 주원료의 다양성을 얘기한 바 있다. 전통주는 쌀로 빚는 술이면서 그 쌀의 종류가 매우 다양하다는 것이다.

수수는 예로부터 '고량(高粱)'이라고 하여 쌀의 종류에는 포함되지 않는 작물이나, 우리나라만큼은 수수를 쌀이라고 여겨왔다. 수수밥을 비롯하여 떡이나 죽이 되면 쌀로 인식해 왔으며, 수수 단독 또는 차조나 찰기장을 섞어 술도 빚어왔음을 볼 수 있다.

전승가양주 가운데 중요무형문화재로 지정된 '문배술'은 그 본향이 평양의 대동강 유역으로 알려지고 있으며, 수수와 차조를 섞어 빚고 증류한 삼양주법의 소주이다.

주품명과 관련하여 "수수와 차조로 빚은 술을 증류하면 문배(야생 돌배) 향이 난다."고 하여 '문배술'이라고 부르게 된 것이다.

따라서 '문배술'과 같이 수수로 빚은 '수수소주(秫燒酒)' 역시 수수가 많이 나는 북쪽 지방의 술로 알려져 오고 있다.

<조선무쌍신식요리제법(朝鮮無雙新式料理製法)>에 수록된 '수수소주' 역시 북쪽 지방에 전해 오는 양주법의 한 가지로 여겨지며, '문배술'과 같이 증류주라는 사실에서도 이들 술의 양주법과 공통점을 찾을 수 있을 것 같다.

우선 '문배술'이나 '수수소주'가 주원료를 수수로 빚는다는 점에서 살필 수 있는 것은, 수수와 같은 잡곡은 단독으로 술을 빚기에는 맛과 향이 좋지 못하다는 사실을 들 수 가 있다.

수수를 단독으로 하여 빚고 발효주로 즐기고자 한다면, 도수가 높으나 맛이 거칠며 숙취가 많아 음용하기에 부적당하다는 것을 암시하는데, 이는 수수의 영양성분 및 성분조직의 특징에서 오는 문제점이기도 하다.

따라서 밑술은 멥쌀이나 찹쌀을 사용하고 덧술은 수수를 사용하는 방법을 강구하면 더욱 좋은데, 도수를 높이기 위해서는 밑술을 빚은 지 2~3일 안에 수수고두밥을 만들어 덧술을 해 넣는 방법으로 하고, 누룩의 사용비율은 10~15% 내외가 좋을 것 같다.

<조선무쌍신식요리제법>에 수록된 주방문을 보면 알 수 있듯 "수수는 여러 곡식보다 매우 흔할뿐더러 소주 밑 삼으면 소주가 많이 나고, 맛도 독하고, 하기도 쉬우니 대개 수수로 많이 만드느니라."고 하였을 뿐, 술에 사용되는 재료의 비율이나 술을 빚는 구체적인 방법이 전혀 언급되어 있지 않다.

따라서 '수수소주'를 비롯하여 어떤 원료를 사용하던지 잡곡으로 빚는 소주의 술밑은 멥쌀이나 찹쌀을 사용하는 것을 최우선으로 하고, 잡곡의 경우 백세에 철저를 기해야 한다.

특히 수수는 붉은 물이 나오지 않을 때까지 깨끗하게 씻어주어야 이상발효와 산패, 그리고 숙취를 줄일 수 있다는 사실을 명심해야만 한다.

결국 가장 좋은 방법이라면, 자신이 가장 잘 빚는 방법이나 일반 가양주 빚는 방법을 차용하되, 술을 숙성시켜서 하도록 하고, 솥에 눋거나 이취가 나지 않도록 해야 한다.

수수소주 <조선무쌍신식요리제법(朝鮮無雙新式料理製法)>

"수수는 여러 곡식보다 매우 흔할뿐더러 소주 밑 삼으면 소주가 많이 나고, 맛도 독하고, 하기도 쉬우니 대개 수수로 많이 만드느니라."

* 술에 사용되는 재료의 비율이나 술을 빚는 구체적인 방법이 전혀 언급되어 있지 않으므로 '잡곡주' 주방문을 참고하면 좋을 것이다.

수수소주(秫燒酒)
수수는 여러 곡식보다 매우 흔할 쑨더러 소쥬 밋흘 삼으면 소쥬가 만히 나고 맛도 독하고 하기도 쉬우니 대개 수수로 만히 만드나니라.

쌀 한 되에 소주 한 되 나는 법

스토리텔링 및 술 빚는 법

소주를 내려서 마시는 음주경향은 매우 오랜 역사를 갖고 있다. 또 술을 마시는 나라와 민족들 사이에는 어떤 형태로든지 증류를 하여 알코올 도수를 높이는 증류 기술을 발전시켜 왔다.

1600년대 후기의 기록인 <주방문(酒方文)>에는 '쇼쥬 ᄡᆞᆯ ᄒᆞᆫ 되예 도로 ᄒᆞᆫ 되 나ᄂᆞᆫ 법이라(米一升出燒酒一升法)'이라고 하여 매우 실용적인 소주 제조 및 증류 기술을 소개하고 있다.

일반적으로 발효주를 증류하면 그 양이 30% 정도 밖에는 '소주'가 얻어지지 않는다. 그리고 30% 정도의 '소주' 또한 주질이 일정하지 않다. 원료주의 상태에 따라 '소주'의 알코올 도수와 맛, 향기 등이 달라지기 때문인데, 여기서 <주방문>의 '쇼쥬 ᄡᆞᆯ ᄒᆞᆫ 되예 도로 ᄒᆞᆫ 되 나ᄂᆞᆫ 법이라(米一升出燒酒一升法)'는 '쌀 한 되에 소주 한 되 나는 법'이라는 뜻이니, 이 주방문은 가히 '획기적(?)'이라고 할 수 있다.

<주방문>의 '쇼쥬 ᄡᆞᆯ ᄒᆞᆫ 되예 도로 ᄒᆞᆫ 되 나ᄂᆞᆫ 법이라'는 주방문을 보면, "ᄇᆡᆨ미 ᄒᆞᆫ 말 ᄎᆞᆸᄡᆞᆯ ᄒᆞᆫ 말을 ᄇᆡᆨ세작말ᄒᆞ여 밋ᄡᆞᆯ 서 되로 쥭 쑤어 ᄃᆡ링ᄒᆞ여, 누록 엿 되

닷 홉으로 섯거 치운 제어든 ᄃᆞ순 ᄃᆡ 두고 더운 졔어든 (ᄎᆞᆫ ᄃᆡ) 둣다가, 사흘 후의 ᄎᆞᄡᆞᆯ 두 말 ᄇᆡᆨ셰ᄒᆞ되 밤자여 니기 뼈 ᄃᆡ링ᄒᆞ여 밋술의 교합ᄒᆞ여 닐웨 후 채 괴지 아녀셔 고오리예 반만ᄒᆞ게 브어 고오라. 고오리 미ᄐᆡ 믈 네 복ᄌᆞ롤 몬져 브어 ᄡᅳᆯ히다가 술을 브으라. 고오리 미ᄐᆡ 콩ᄀᆞᄐᆞᆫ 모래를 몬져 ᄡᅡᆯ고 ᄒᆞ면 됴ᄒᆞ니라."고 하였다.

<주방문>의 '쇼쥬 ᄡᆞᆯ ᄒᆞᆫ 되예 도로 ᄒᆞᆫ 되 나ᄂᆞᆫ 법이라' 주방문 머리에 밑술의 재료로 "멥쌀과 찹쌀 1말을 백세작말하여 멥쌀 3되로 죽을 쑤어"라고 하여 비율이 맞지 않다는 것을 알 수 있다. 즉, 멥쌀과 찹쌀을 섞어 각 1말씩을 백세작말한 후에 이 쌀가루를 어떻게 하라는 말이 없고, 다시 멥쌀(밑쌀) 3되를 물 1말의 비율로 죽을 쑤라고 하였으니, 이해가 되지 않는다.

따라서 '쇼쥬 ᄡᆞᆯ ᄒᆞᆫ 되예 도로 ᄒᆞᆫ 되 나ᄂᆞᆫ 법이라' 첫머리의 "멥쌀과 찹쌀 1말을 백세작말하여"는 잘못 기록한 것으로 추측되는데, 확신할 수는 없다.

지금까지 1천여 가지의 주방문을 작성해 본 경험으로 미루어, '쇼쥬 ᄡᆞᆯ ᄒᆞᆫ 되예 도로 ᄒᆞᆫ 되 나ᄂᆞᆫ 법이라'는 "밋ᄡᆞᆯ 서 되로 쥭 쑤어 ᄃᆡ링ᄒᆞ여, 누록 엿 되 닷 홉으로 섯거 치운 제어든 ᄃᆞ순 ᄃᆡ 두고 더운 졔어든 (ᄎᆞᆫ ᄃᆡ) 둣다가, 사흘 후의 ᄎᆞᄡᆞᆯ 두 말 ᄇᆡᆨ셰ᄒᆞ되 밤자여 니기 뼈 ᄃᆡ링ᄒᆞ여 밋술의 교합ᄒᆞ여 닐웨 후 채 괴지 아녀셔 고오리예 반만ᄒᆞ게 브어 고오라. 고오리 미ᄐᆡ 믈 네 복ᄌᆞ롤 몬져 브어 ᄡᅳᆯ히다가 술을 브으라. 고오리 미ᄐᆡ 콩ᄀᆞᄐᆞᆫ 모래를 몬져 ᄡᅡᆯ고 ᄒᆞ면 됴ᄒᆞ니라."로 정리하면 될 것 같다.

다시 정리하면, 멥쌀 3되를 백세하여 물 1말과 섞어 죽을 쑤고, 식은 뒤에 누룩 6되 5홉과 섞어 술밑을 빚고, 밑술이 발효되면 찹쌀 2말로 고두밥을 지어 덧술을 한 후에, 발효되면 숙성이 덜 끝난 상태의 술덧을 안쳐서 증류하는 방법이 그것이다.

'쇼쥬 ᄡᆞᆯ ᄒᆞᆫ 되예 도로 ᄒᆞᆫ 되 나ᄂᆞᆫ 법이라'의 주방문에서 주목할 것은, 밑술에 사용되는 누룩의 양이다. 밑술과 덧술에 사용되는 쌀 2말 3되의 양에 대하여 누룩의 양은 28%가 넘는 6되 5홉으로, 매우 높은 비율을 차지한다는 것을 알 수 있다.

물론 '소주' 주방문 가운데는 '쇼쥬 ᄡᆞᆯ ᄒᆞᆫ 되예 도로 ᄒᆞᆫ 되 나ᄂᆞᆫ 법이라'의 누룩 사용비율보다 높은 비율을 차지하고 있는 주방문이 없지 않으나, '쇼쥬 빨 흔 되예 도로 흔 되 나는 법이라'에 사용되는 물의 양을 감안하면 현저한 차이가 있다는 것을 알 수 있을 것이다. 이렇듯 높은 누룩의 사용비율은 곧 높은 알코올 도수의 '소주'를 얻기 위한 목적이라는 것을 알 수 있다.

<주방문>의 '쇼쥬 빨 흔 되예 도로 흔 되 나는 법이라'라는 주품명이 암시하듯, 어떻게 쌀 1되에서 소주 1되를 얻을 수 있을까마는, 덧술의 발효상태를 최대한으로 끌어올리기 위해서는 이렇듯 높은 누룩의 사용비율을 고려할 수밖에 없었을 것이다.

<주방문>의 '쇼쥬 빨 흔되예 도로 흔되 나는 법이라'가 다른 '소주' 주방문과 다른 점은 밑술과 덧술 간격이다. 다른 '소주' 주방문에서는 밑술과 덧술 간격이 1~2일인데 반하여, '쇼쥬 빨 흔 되예 도로 흔 되 나는 법이라'는 밑술의 발효기간이 3일, 덧술 7일간이라는 사실이 이를 반증한다.

특히 밑술이 충분히 발효된 뒤에 덧술을 하고, 덧술도 충분히 발효시킨 뒤에 증류하는 것으로, 여느 '소주' 주방문보다 최적의 술덧을 사용하는 방법을 취하고 있다는 사실이다.

그리고 이와 같은 '소주' 주방문의 특징은 증류 후의 소주 맛에 있는데, 풍미는 없고 알코올 맛만 독하게 느껴지는 '소주' 맛이 아닌, 풍미와 향기, 부드러운 맛을 주는 '소주'를 얻기 위한 방법이라는 것이다.

다만, '쇼쥬 빨 흔 되예 도로 흔 되 나는 법이라'에서 주목할 것은 증류 과정이다. 주방문에서 보듯 "고조리 밑에 콩 같은 모래를 먼저 깔고 하면 좋으리라."고 하여 '소주'의 증류 시에 술밑이 타서 '소주'에서 냇내가 나지 않게 하는 방법을 제시하고 있음을 볼 수 있다.

'쇼쥬 빨 흔 되예 도로 흔 되 나는 법이라'의 비법은 여기에 있다. 발효가 덜 끝난 술덧을 걸러 탁주 형태로 증류하다 보면 술밑이 타서 탄 냄새(냇내)가 나기 마련이고, 그 때문에 증류를 중단할 수밖에 없을 때가 많다.

따라서 '쇼쥬 빨 흔 되예 도로 흔 되 나는 법이라'에서와 같이 솥 밑에 굵은 모래를 깔아서 술밑이 타지 않도록 하면 오랜 시간 증류를 할 수 있고, 자연스럽게 '소주'의 양을 늘릴 수 있는 것이다.

지금이야 감압증류기를 비롯하여 술덧을 여과한 뒤 정치시키거나 청주를 만들어서 증류한다고 하지만, 옛날에는 상압증류를 할 수 밖에 없었고, 더욱이 직접 불을 때서 증류를 하게 되는데, 불의 세기를 조절하는 일이 여의치 않아서 자칫 술덧이 타기 십상이었다.

<주방문>의 '쇼쥬 빨 ᄒᆞᆫ 되예 도로 ᄒᆞᆫ 되 나ᄂᆞᆫ 법이라'에 주목하게 된 이유가 바로 여기에 있으니, 참고할 일이다.

그리고 좋은 '소주'를 얻는 방법의 한 가지로, 그리고 '소주'의 품질을 증류 설비의 문제로만 돌릴 일은 아니라는 생각에 '쇼쥬 빨 ᄒᆞᆫ 되예 도로 ᄒᆞᆫ 되 나ᄂᆞᆫ 법이라'를 '소주'편과 분류하여 여기에 싣는 이유를 밝힌다.

쌀 한 되에 소주 한 되 나는 법 <주방문(酒方文)>

一米一升出燒酒一升法

술 재료 : 밑술 : 멥쌀·찹쌀 각 1말(멥쌀 3되), 누룩 6되 5홉, 물(1말가량)
덧술 : 찹쌀 2말

술 빚는 법 :

* 밑술 :

1. 멥쌀 1말과 찹쌀 1말을 백세하여 (물에 담가 불렸다, 다시 씻어 헹궈) 작말한다.
2. 솥에 물(1말가량)을 끓이다가, 물이 뜨거워지면 멥쌀가루 3되를 풀어 넣고, 주걱으로 저어가면서 팔팔 끓여 죽을 쑨다.
3. 죽을 넓은 그릇에 퍼서 차디차게 식기를 기다린다.
4. 죽에 누룩 6되 5홉을 합하고, 고루 버무려 술밑을 빚는다.
5. 술밑을 술독에 담아 안친 다음, 예의 방법대로 하여 추울 때는 따뜻한데 두고, 더울 때는 찬 곳에 두어 3일간 발효시킨다.

* 덧술 :

1. 찹쌀 2말을 백세하여 하룻밤 재워 불렸다가, 다시 씻어 건져서 물기를 뺀다.
2. 불린 찹쌀을 시루에 안쳐서 고두밥을 짓고, 고두밥이 무르게 익었으면 퍼내고, 고루 펼쳐서 차디차게 식기를 기다린다.
3. 찹쌀고두밥에 밑술을 합하고, 고루 버무려 술밑을 빚는다.
4. 술밑을 술독에 담아 안친 다음, 예의 방법대로 하여 추울 때는 따뜻한 데 두고, 더울 때는 찬 곳에 두어 7일간 발효시킨다.
5. 술밑이 채 다 삭지 않은 상태에서 소줏고리에 안쳐 증류하되, 솥에 물을 4복자를 붓고 먼저 끓이고 술밑을 섞되, 솥의 반만 채워 증류한다.
6. 소주를 받는 수기(受器)에 콩알 크기의 모래를 먼저 깔고 소주를 받으면 좋다.

* 밑술의 재료로 "멥쌀과 찹쌀 1말을 백세작말하여 멥쌀 3되로 죽을 쑤어"라고 하여 비율이 맞지 않다. 따라서 이 비율로 누룩과 물의 양을 늘려 잡고, 덧술도 밑술의 양에 따라 찹쌀의 양을 늘려 잡거나, 멥쌀과 찹쌀을 섞어서 3되의 비율로 죽을 쑤거나, 아니면 멥쌀과 찹쌀을 섞어 3되에 물 1말의 비율로 술을 빚으면 될 것으로 판단된다. 또 숙성이 덜 끝난 술덧을 안쳐서 증류하는 방법을 보여주고 있으며, 증류 과정에서 술밑이 끓으면 거품이 섞여 나올 수 있으므로, 솥의 반만 채워 증류하라는 주의사항과 함께 "고조리 밑에 콩 같은(굵은) 모래를 먼저 깔고 하면 좋으리라."고 하여 소주의 증류 시에 술밑이 타서 냇내가 나지 않게 하는 방법을 제시하고 있음을 볼 수 있다.

쇼쥬 ᄡᆞᆯ ᄒᆞᆫ 되예 도로 ᄒᆞᆫ 되 나ᄂᆞᆫ 법이라(米一升出燒酒一升法)

ᄇᆡᆨ미 ᄒᆞᆫ 말 ᄎᆞᆸᄡᆞᆯ ᄒᆞᆫ 말을 ᄇᆡᆨ셰작말ᄒᆞ여 밋ᄡᆞᆯ 서 되로 쥭 쑤어 ᄃᆡ링ᄒᆞ여 누록 엿 되 닷 홉으로 섯거 치운 제어든 ᄃᆞᄉᆞᆫ ᄃᆡ 두고 더운 졔어든 (ᄎᆞᆫ ᄃᆡ) ᄃᆞᆺ다가 사흘 후의 ᄎᆞᆸᄡᆞᆯ 두 말 ᄇᆡᆨ셰ᄒᆞ되 밤자여 니기 ᄲᅧ ᄃᆡ링ᄒᆞ여 밋술의 교합ᄒᆞ여 닐웨 후 채 괴지 아녀셔 고오리예 반만ᄒᆞ게 브어 고오라. 고오리 미틔 믈 네 복ᄌᆞ를 몬져 브어 ᄭᅳᆯ히다가 술을 브으라. 고오리 미틔 콩 ᄀᆞᄐᆞᆫ 모래를 몬져 ᄭᆞᆯ고 ᄒᆞ면 됴ᄒᆞ니라.

아라길 황주

스토리텔링 및 술 빚는 법

'아라길 황주(阿剌吉 黃酒)'는 조선 후기의 실학자 이규경(李圭景)이 쓴 <오주연문장전산고(五洲衍文長箋散稿)>에 등장하는 '아라길 황주 변증설(辯證說)'을 번역한 주방문이다.

'아라길 황주'의 주방문은 <오주연문장전산고>의 기록이 유일한 것으로 생각된다.

<오주연문장전산고>에 수록된 주방문을 보면, "술에는 '아랄길주 황주'가 있는데, 사람들이 알지 못했다. 나 역시 늦게까지 몰라서, <식경(食經)>에 따라서 비로소 명칭과 형상을 알았는데, 오랜 후에는 반드시 잊어먹기 때문에 다시 그것을 변증했다. 아라길 소주 주명을 상고해 보면, '아랄길주'와 '포성주'는 유구(琉球) 및 살마도 소주(薩摩島 燒酒)가 있다. <물리소지>에 보면, '소주'는 원나라에서 처음 이름이 생긴 것인데, 아랄길주는 벼, 기장, 잡종(雜穀) 등을 모두 '소주'로 할 수 있는데, 모두 끓여서 익히고 땅에다 펴서 식기를 기다려 누룩을 섞어서 덮어놨다가, 다 봉해서 두면 뜨겁게 구워서 손으로 헤쳐서 술병에 넣고 진흙으로 봉

해서 (그 가운데에 넣고) 3일이나 혹은 7일 두었다가 쪄서 그 기운을 취하는데, 3일 지난 것이 '국약신'이라 한다. 7일 지난 것은 '군신약'이라고 한다. 혹 맥아를 엿 만드는 법처럼(식혜) 하는데, 다만 물을 넣지 않는다."고 하여 '아라길 소주' 빚는 법에서 '아라길 황주' 빚는 법이 유래되었다는 것을 밝히고 있다.

그리고 또 부연 설명한 내용 가운데 "<잡기>에 이르기를 '초를 넣고 소주를 내리면, 맛이 평소와의 술과 같고, 다시 시지 않는다.'고 하였다. <음식주요>에 이르기를 '포도소주'는 중국 하얼빈에서 나온 불소주가 가장 맵다(最高烈). 중국 파리도(파사시)의 '포도주'는 가히 10년을 묵힌다. '소주'에 소금을 타서 내리면 물이 되는데, '섬라주'는 초벌 '소주'를 다시 '소주'를 내려서 2차 내릴 적에 보석을 넣으면 특이한 향기가 난다. <본초강목(本草綱目)>에는 그 술병 하나하나에 단향(백단향, 소나무 자단향)을 수십 근 태워 연기를 쐬어서 그을음이 옻칠이 된 연후에 술을 그 병에 넣고 황랍으로 봉한다. 땅속에 묻어 2~3년 두었다가, '소주' 기운을 제거하고 그때 캐내어 써라."고 하였다. 이상은 '섬라주' 제조법에 대한 설명이다.

또 이어서 "일찍이 한 사람이 할빈에 가서 술병을 끌고 배를 탔는데, 능히 3~4잔을 나눠 마셨는데, 속에 묵은 병이 사라졌다. 배 안에 있던 충도 죽었다(횟배가 나왔다). 같이 마신 두 사람이 이 술을 마시고 바로 뒤로 산 벌레가 쏟아져 나왔다. 그 벌레의 크기가 두 촌 남짓했는데, 그것을 '어충'이라고 했다. 원나라 때에 '아라길주'란 명칭이 처음 시작된 것은, 아라원 절에서 비로소 그 '소주' 내리는 법을 배워서 '아랄길주'를 얻었기 때문에 옛날 그때 부르던 옛 이름으로 '아라길주'라 불렸다. <주경>에 '소주'라는 것은 '황주'를 한 번 뒤집어 내린 것이다. 그러나 소주법은 이 가마솥에 겹쳐 붓고 빈 시루를 올려놓고 불을 때면, 매 200근의 '황주'에 가히 반은 좋은 술을 얻을 수 있다고 하였다. 이것은 이슬을 취하는 법인데, 그 빈 시루가 이룬 것은 수화기제라고 하니, 일반 풍속에서는 이를 '고리'라고 한다. 우리 동방에도 거듭(두 번) 내린 '소주'가 있는데, 왈 '환소주'라 하고, 명칭을 '감홍로'라 한다. 1차 내린 술을 '소주'라고 하고, 혹은 '노주'라고도 하는데, '노주'나 '홍로주'나 고려 때부터 시작되었다. 세상에 전하기를, '소주'는 원나라에서부터 나왔는데, 그러나 중국 동한지의 이씨 조조가 유공덕과 더불어 '청매자주'를 마셨다고 하는데, 끓인 것을 다 '소주'라고 하는 것이 아니겠느냐. 송대 전석이 이르기를 '섬라'는 '소주'를 다시 2번 내린 것이라 했다. 원나라 때 있던 것이 아니겠느냐. 또 당시에 '검남소춘'이 있었다면 당나라부터 이미 그런 술이 있었다. 의서에 술을 끓여 만드는 방법이 있는데, 좋은 청주 1병을 황납 2전과 후초를 갈아서 단단히 술병을 막고, 한 주먹(한 홉)의 쌀을 술병 위에 넣고 중탕해서 끓이면 위에 쌀이 밥이 되면, 그 병에 술도 완성된 것이다. 꺼내 식혀서 청매자주로 주로 썼다고 했으니, 혹은 우리나라에서 이와 같이 썼을 것이다. 비록 이슬처럼 끓여서 받은 것은 아니나, 이미 중탕해서 끓였다면 '소주'와 같은 것이니, 장차 '소주'의 점진이 되는 것이 아니겠느냐."고 하였다.

이는 우리가 알고 있는 발효주 '황주(黃酒)'에 대한 특징이나 주방문이라기보다는 오히려 증류식 소주로서의 '황주'의 유래와 주방문을 볼 수 있는데, 이와 같은 증류식 소주가 우리나라에 도입된 시기, 그리고 '자주(煮酒)'와 같은 '소주'의 응용법에 대해 자세하게 다루고 있음을 볼 수 있다.

결국 <오주연문장전산고>에 수록된 '아라길 황주'는 우리나라 술이 아닌, 중국의 증류주 '황주'를 가리키는 것으로, 이 '황주' 제조법이 국내에 유입되면서 조선에서 '소주'의 유행을 낳게 된 배경과 그 과정을 엿볼 수 있는 단초로서, 증류식 소주를 공부할 수 있는 중요한 자료라고 할 수 있다.

'아라길 황주'의 주방문을 보면 원시적인 증류법을 소개하고 있는데, 이전의 '가마솥'을 사용하여 증류하던 방법에서 탈피하여 '는지'를 사용하는 방법이 개발되기 전 단계라고 생각된다는 것이다.

이로써 조선시대 중기 이후의 '소주' 증류 기술과 방법의 일단을 목격하는 것과 같은 실상을 알 수 있다고 할 것이다.

아랄길주 황주 <오주연문장전산고(五洲衍文長箋散稿)>

술 재료 : 기장·잡종(잡곡) 등(1섬), 누룩(1말), 물(3섬)

술 빚는 법 :

1. 기장, 잡종(雜穀) 등을 준비한다(백세하여 물에 담가 하룻밤 불렸다가, 다시 씻어 헹궈서 물기를 뺀다).
2. 솥에 물을 넉넉히 붓고, 씻어 불린 잡곡을 넣고 죽을 쑨 다음, 큰 그릇에 퍼 담고 땅에다 놓아 차게 식기를 기다린다.
3. 죽에 누룩(1말)을 섞고 고루 버무려서 덮어놓았다가, 술독에 담아 안치고 밀봉하여 두면 뜨겁게 된다.
4. 손으로 헤쳐서 차게 식히고 (주둥이가 큰) 술병(단지)에 담고 진흙으로 밀봉하여 3~7일간 후숙시킨다.
5. 가마솥에 술을 붓고 불을 때서 끓이는데, 시루를 얹고 솥과 시루 사이를 시룻번으로 메운다.
6. 시루 안에 단지를 한가운데 놓고, 시루를 솥뚜껑을 뒤집어 손잡이가 단지의 입구를 향하도록 덮는다.
7. 시루와 솥뚜껑 사이를 시룻번을 붙여서 김이 새지 않게 한다.
8. 솥뚜껑의 오목한 부분에 찬물을 붓고 증류하는데, 황주 200근을 증류하면 소주 100근 정도를 얻는다.

* 주방문에 "3일 후발효시킨 것을 '국약신', 7일 지난 것은 '군신약'이라고 한다."고 하였다. 주원료의 배합비율에 대한 언급이 없고, 다만 술을 빚는 방법과 유래에 대해 소개하고 있음을 알 수 있다.

阿剌吉酒 黃酒 辨證說

술에는 '아랄길주 황주'가 있는데 사람들이 알지 못했다. 나 역시 늦게 물리서, <식경>에 따라서 비로소 명칭과 형상을 알았는데, 오랜 후에는 반드시 잊어먹기 때문에 다시 그것을 변증했다.

아랄살 소주 주명을 상고해 보면 '아랄길주'와 '포성주'는 유구 및 살마도 소주가 있는데 <물리소지>에 보면 소주는 원나라에서 처음 이름이 생긴 것인데 '아랄길주'는 벼, 기장, 잡종 등을 모두 소주로 할 수 있는데 모두 끓여서 익히고 땅에다 펴서 식기를 기다려 누룩을 섞어서 덮어놨다가 다 봉해서 두면 뜨겁게 구워서 손으로 헤쳐서 술병에 넣고 진흙으로 봉해서(그 가운데에 넣고) 3일이나 혹은 7일 두었다가 쪄서 그 기운을 취하는데 3일 지난 것이 '국약신'이라 한다. 7일 지난 것은 '군신약'이라고 한다. 혹 맥아를 엿 만드는 법처럼(식혜) 하는데, 다만 물을 넣지 않는다. <잡기>에 왈, 초를 넣고 '소주'를 내리면 맛이 평소와의 술과 같고 다시 시지 않는다.

<음식주요> 왈, '포도소주'는 중국 할빈에서 나온 '불소주'가 가장 맵다(最高烈). 중국 파리도(파사시)의 '포도주'는 가히 10년을 묵힌다. '소주'에 소금을 차서 내리면 물이 되는데 '진라주'는 초벌 소주를 다시 소주를 내려서 2차 내릴 적에 보석을 넣으면 특이한 향기가 난다. 그 술병 하나하나에 단향(<본초강목>에는 백단향, 소나무 자단향)을 수십 근 태워 연기를 쐬어서 그을음이 옻칠이 된 연후에 술을 그 병에 넣고 황랍으로 봉한다. 땅속에 묻어 2~3년 두었다가 소주 기운을 제거하고 그때 캐내어 써라.

일찍이 한 사람이 할빈에 가서 술병을 끌고 배를 탔는데 능히 3~4잔을 나눠 마셨는데 속에 묵은 병이 사라졌다. 배 안에 있던 충도 죽었다(횟배가 나았다). 같이 마신 두 사람이 이 술을 마시고 바로 뒤로 산 벌레가 쏟아져 나왔다. 그 벌레의 크기가 두 촌 남짓했는데 그것을 어충이라고 했다.

원나라 때에 '아랄길주'란 명칭이 처음 시작된 것은 아라원 절에서 비로소 그 소주 내리는 법을 배워서 '아랄길주'를 얻었기 때문에 옛날 그때 부르던 옛 이름으로 '아랄길주'라 불렸다.

<주경>에 '소주'라는 것은 '황주'를 한번 뒤집어 내린 것이다. 그러나 소주법은 이 가마솥에 겹쳐 붓고 빈 시루를 올려놓고 불을 때면 매 200근의 '황주'에 가히 반은 좋은 술을 얻을 수 있다. 이것은 이슬을 취하는 법인데 그 빈 시루가 이룬 것은 수화기제라고 하니 일반 풍속에서는 이를 고리라고 한다.

우리 동방에도 거듭(두 번) 소주를 내린 것이 있는데 왈 '환소주'라 하고 명칭을 '감홍로'라 한다. 1차 소주를 '소주'라고 하고 혹은 '노주'라고도 하는데 '노주'나 '홍로주'나 고려 때부터 시작되었다.

세상에 전하기를 '소주'는 원나라에서 나왔는데 그러나 중국 동한지의 이씨

조조가 유공덕과 더불어 '청매자주'를 마셨다고 하는데 끓인 것을 다 '소주'라 고 하는 것이 아니겠느냐. 송대 전석이 왈 "진라는 소주를 다시 2번 내린 것" 이라 했다 원나라 때 있던 것이 아니겠느냐. 당시 '검남소춘'이 있었다면 당나 라 때부터 그런 술이 있었다.

의서에 술을 끓여 만드는 방법이 있는데 좋은 청주 1병을 황납 2전과 후초를 갈아서 단단히 술병을 막고 한 주먹(한 홉)의 쌀을 술병 위에 넣고 중탕해서 끓이면 위에 쌀이 밥이 되면 그 병에 술도 완성된 것이다. 꺼내 식혀서 '청매 자주'로 주로 썼다고 했으니, 혹은 우리나라에서 이와 같이 썼을 것이다. 비 록 이슬처럼 끓여서 받은 것은 아니나 이미 중탕해서 끓였다면 '소주'와 같은 것이니 장차 '소주'의 점진이 되는 것이 아니겠느냐.

오향주

스토리텔링 및 술 빚는 법

전통적으로 '오향주(五香酒)'와 같은 방법과 과정으로 이루어지는 술을 혼양주(混釀酒)로 분류한다. '오향주'는 다섯 가지 향기가 좋은 약재를 주원료로 하여 발효시키되, 술덧의 발효 중에 소주와 약재를 첨가하여 향기는 물론이고 알코올 도수를 높임으로써 약효를 최대한 끌어올리고자 개발된 주품이라고 할 수 있다.

발효주는 주원료가 함유하고 있는 미량의 각종 영양성분을 비롯하여 발효 중에 생성되는 미량의 화합물들로 인해 생리활성을 돕기도 하고, 신진대사에 관여해 건강해 진다는 과학적 사실이 밝혀지면서 전 세계적으로 주목을 받고 있다.

하지만 발효주는 선천적으로 재발효나 변질 등 단점을 안고 있는데, 이러한 문제점을 보완한 세계 최고의 발효기술이 혼양주법이다. 혼양주법의 대표적인 술로 '과하주(過夏酒)'를 꼽을 수 있는데, 이 '과하주'를 바탕으로 하여 여러 가지 가향재나 약용약재들을 사용함으로써 향기와 색은 물론이고 약효까지를 얻고자 한 주품들이 개발되기에 이르렀는데, '오향소주(五香燒酒)'를 비롯하여 '송순주(松荀酒, 松笋酒)', '오종주(五種酒)', '한산춘(韓山春)' 등이 대표적인 주품들이다.

'오향소주'는 1800년대 문헌에 등장하는데, <농정회요(農政會要)>를 비롯하여 <임원십육지(林園十六志)>와 <주찬(酒饌)>에서 찾아볼 수 있다.

1670년대 저술된 <음식디미방>에 처음으로 '과하주'가 등장하는 것으로 미루어, '오향소주' 등은 '과하주'의 보급이 이뤄진 후에 개발된 것으로 여겨진다.

'오향소주'와 그 과정이 유사한 '오종주'의 주방문을 응용하였을 것이라는 추측을 할 수 있기 때문이다.

<음식디미방>보다 130~140년 후의 문헌인 1800년대 간행된 <임원십육지>에 처음으로 '오종주'가 등장하는 것으로 미루어, '과하주'를 응용한 주방문이라는 사실의 확인이 가능하기 때문이다.

이러한 여러 가지 사실로 미루어 '오향소주' 또한 혼양주법인 '과하주류'의 한 가지임을 확인할 수 있다.

'오향소주'는 <임원십육지>의 기록이 가장 앞선 것으로 밝혀졌는데, 이후 <농정회요>에 수록된 주방문과 동일한 것으로 미루어, <임원십육지>의 주방문을 참고하였을 것으로 생각된다.

<농정회요>보다 훨씬 후기의 기록인 <주찬>에는 '오향주'로 수록되어 있는데, 앞서의 두 문헌과는 주방문이 다소 다르다는 것을 알 수 있다.

<임원십육지>와 <농정회요>에서는 "찹쌀 5말로 고두밥을 쪄서 누룩 15근과 함께 상법으로 술을 빚는다."고 하였는데, 양주용수가 사용되는지 그 여부를 알 수 없으나, 발효 중인 술덧에 준비한 분량의 약재와 함께 소주를 넣고 49일간의 후발효를 거치는 과정으로 이루어지는데, <주찬>에서는 "찹쌀 1말로 고두밥을 짓고, 끓여서 식힌 물 3되와 누룩 7홉으로 빚는다."고 하여 주원료의 정확한 분량이 나와 있고, 3일 발효 후 술덧을 여과하여 채주한 청주(淸酒)를 술병에 담고, 준비한 분량의 소주와 약재를 넣는 것으로 되어 있어, 시대가 앞선 두 문헌의 '오향소주'와는 다소 차이가 있음을 알 수 있다.

여기서 문제는 <임원십육지>와 <농정회요>의 '오향소주' 주방문에는 물의 양이나 사용 여부에 대한 구체적인 언급이 없다는 사실이다.

따라서 물을 사용할 것인지 말 것인지가 관건인데, 주목할 것은 '소주'의 투입 시기를 고려하면 물이 사용된다는 사실을 알 수 있다는 것이다.

다시 말하면, '오향소주'는 혼양주법의 주류로 분류되지만, 엄밀하게 발효주라는 사실이다.

주방문에서 보듯 '찹쌀 5말로 지은 고두밥을 누룩 15근으로 발효시키는데, 양주용수를 사용하지 않고 단기간에 발효시킬 수 있는가?' 하는 문제와 함께, '과하주'의 주방문에서 보듯, '고두밥이 삭아서 어느 정도 발효가 이루어진 후에 소주를 넣는다.'고 하는 사실에서 양주용수를 사용하는 것이 합리적이라는 사실이다.

문제는 소주의 사용량이 많아지면 통상적으로는 물의 사용량이 많아진다는 사실과 함께 이때의 소주는 그 양과 알코올 도수 정도에 따라 달라지는데, 양이 많아지면 도수가 낮아지고, 양이 적어지면 알코올 도수가 높아져도 되지만, 최고 알코올 도수 30%를 넘지 않는 중품소주를 사용하여야 한다는 전제가 있다.

또한 '오향소주'는 소주의 투입 시기를 언제로 할 것이냐가 '오향소주'의 품질을 결정 짓는 만큼, 술덧의 발효상태를 잘 살피는 것이 중요하다.

주방문이 우선이지만, 보다 중요한 것은 술은 정해진 시간에 예정된 대로 발효가 진행되는 것만은 아니라는 데 어려움과 우리의 고민이 있다는 것이다.

소주의 투입 시기는 '과하주' 편을 참고하기 바란다.

1. 오향소주 <농정회요(農政會要)>

술 재료 : 찹쌀 5말, 누룩가루 15근, 단향·유향·목향·천궁·몰약 각 1냥 5전, 정향 5전, 인삼 4냥, 백당 15근, 호도 200개, 대추 3근, (끓여서 식힌 물 1~2말), 소주 3항아리

술 빚는 법 :

1. 찹쌀 5말을 (백세하여 물에 담갔다가, 다시 씻어 건져서 물기를 뺀 후) 시루에 안쳐서 고두밥을 짓는다.
2. 고두밥이 익었으면 시루에서 퍼내고, 고루 펼쳐서 차게 식기를 기다린다.

3. 고두밥에 누룩가루 15근과 (끓여서 식힌 물 1~2말을) 합하고, 고루 버무려 술밑을 빚는다.
4. 술독에 술밑을 담아 안치고, 예의 방법대로 하여 (덥지도 차지도 않은 곳에서 3~4일간) 발효시킨다.
5. 술밑이 발효되면 단향(檀香) · 유향(乳香) · 목향(木香) · 천궁(川芎) · 몰약(沒藥) 각 1냥 5전, 정향(丁香) 5전, 인삼(人蔘) 4냥 등을 가루로 만든다.
6. 백당(白糖) 상 15근, 껍질 깐 호도 200개, 씨를 제거한 대추 3되 등과 함께 약재가루를 술독에 넣는다.
7. 소주 3항아리를 술독에 붓고, 김이 새지 않도록 단단히 밀봉한다.
8. 7일 후에 술독 뚜껑을 열어보고 한 번 휘저어 준 후, 다시 밀봉하고 다시 7일 후에 열어보고 휘젓고 밀봉하길 7회 반복한 후 채주한다.

* 주방문 말미에 "7일마다 뚜껑을 열어 한 번 휘젓고 다시 봉하기를 7주까지 한 후, 보통 방법과 같이 거른다. 1~2잔을 마시고 절임음식(醃物)을 안주로 먹어 술기운을 눌러 주면, 봄바람과 같은 온화이고 따뜻한 묘미를 갖는다." 고 하였다.

五香燒酒

每料糯米五斗細麴十五斤白燒酒三大罈檀香木香乳香川芎沒藥各一兩五錢丁香五錢人蔘四兩各爲末白糖十五斤胡桃肉二百箇紅棗三升去核先將米烝熟晾冷炤常下酒法則要落再瓮口缸內好封口待簇微熱入糖幷燒酒香料桃棗等物在內將缸口厚封不令出氣每七日開打一次仍封至七七日上搾如常服一二杯以醃物壓之有春風和煦之妙.

2. 오향소주방 <임원십육지(林園十六志)>

술 재료 : 찹쌀 5말, 누룩가루 15근, 단향·유향·목향·천궁·몰약 각 1냥 5전, 정향 5전, 인삼 4냥, 백당 15근, 껍질 깐 호도 200개, 씨 뺀 대추 3되, (끓여서 식힌 물 1~2말), 백소주 3큰항아리

술 빚는 법 :

1. 찹쌀 5말을 (백세하여 물에 담가 불렸다가, 다시 씻어 건져서 무리를 뺀 후) 시루에 안쳐서 고두밥을 짓는다.
2. 고두밥이 익었으면 퍼내고, 고루 펼쳐서 차게 식기를 기다린다.
3. 고두밥에 누룩가루 15근과 (끓여서 식힌 물 1~2말을) 합하고, 고루 버무려 술밑을 빚는다.
4. 술독에 술밑을 담아 안치고, 예의 방법대로 하여 밀봉하여 약간 온기가 있는 곳에서 발효시킨다.
5. 단향(檀香) 1냥 5전, 유향(乳香) 1냥 5전, 목향(木香) 1냥 5전, 천궁(川芎) 1냥 5전, 몰약(沒藥) 1냥 5전, 정향(丁香) 5전, 인삼(人蔘) 4냥 등을 가루로 만든다.
6. 백당(白糖) 15근, 껍질 깐 호도(胡桃) 200개, 씨를 뺀 대추(大棗) 3되를 약재가루와 함께 술독에 넣는다.
7. 소주 3항아리를 술독에 붓고, 김이 새지 않도록 단단히 밀봉한다.
8. 7일 후에 술독 뚜껑을 열고, 주걱으로 한 번 저어주었다가, 다시 밀봉하여 49일 후에 술자루에 담고 짜서 채주한다.

* 주방문 말미에 "매일 1~2잔을 마시는데, 절임음식(醃物)을 안주로 먹어 술기운을 눌러 주면 봄바람과 같이 온화해지고 따뜻해지는 묘미가 있다."고 하였다.

五香燒酒方

每糯米五斗細麴十五斤白燒酒三大罈檀香木香有香川芎沒藥各一兩五錢丁香五錢人蔘四兩各爲末白糖十五斤胡桃肉二百箇紅棗三升去核先將米烝熟(晾/凉)冷炤常下酒法則要落在瓮口缸內好封口待發微熱入糖並燒酒香料桃棗等物在內將缸口厚封不令出氣每七日開打一次仍(對/待)至七七日上榨如常服一二杯以醃物壓之有春風和煦之妙. <遵生八牋>.

3. 오향주 <주찬(酒饌)>

술 재료 : 찹쌀 1말, 가루누룩 7홉, 냉수 3되, 약재(정향, 팔각향, 자단향 각 냥), 소주 3병

술 빚는 법 :

1. 찹쌀 1말을 백세하여 물에 하룻밤 담가 불렸다가 (다시 씻어 헹궈 건져서 물기를 뺀 후) 시루에 안쳐서 고두밥을 짓는다.
2. 고두밥이 익었으면 퍼내고, 고루 펼쳐 차게 식기를 기다린다.
3. 고두밥에 가루누룩 7홉과 냉수 3되를 섞고, 고루 버무려 술밑을 빚는다.
4. 술밑을 술독에 담아 안치고, 예의 방법대로 하여 3일간 발효시킨다.
5. 3일 후 술독에 용수를 박아 채주한 맑은 청주를 채주한다.
6. 채주한 술에 보통 소주 3병과 정향, 팔각향, 자단향을 술독에 넣은 후, 다시 밀봉하여 3개월간 숙성시킨다.

* 여름 지나도 변하지 않는다. 숙성 후 채주한 술병에 소주와 약재를 넣는 것으로 되어 있어, '오향소주'와는 다른 혼성주법임을 알 수 있다.

五香酒

粘米一斗浸宿熟蒸待冷末曲七合冷水三升調釀三日後平常燒酒三瓶注之調釀三朔後用若三朔內則味苦不美也丁香八脚香紫檀香竝納瓶口也雖過夏不變.

옥촉서소주

스토리텔링 및 술 빚는 법

'옥촉서(玉蜀黍)'는 지나(支那, 우리나라 서북쪽, 중국 북부 일대)에서 생산 재배된 옥수수를 가리킨다. 우리나라에서는 백두대간을 중심으로 한 정선 등 강원도 산간 지방에서 주로 재배하여 식량 대용으로 사용해 왔는데, 이 지역에서는 '강냉이'라는 이칭(異稱)으로 더 널리 불려지고 있다.

특히 춘천 일대부터 백두대간을 타고 내려오면 봉화 지방에 이르기까지 산간 지방에서는 지금도 옥수수를 이용한 엿과 술을 즐겨왔는데, 흔히 '강냉이술'은 엿을 만드는 과정에서 누룩을 넣어 술을 빚고 있는 것을 볼 수 있다.

강원도 지방의 대표적인 옥수수술로, 춘천 지방의 관광토속주였던 '한옥로'가 옥수수로 빚은 청주(淸酒)이고, 홍천 지방의 특산주이자 전통식품 명인(名人)이 빚는 증류식 소주 '옥선주(玉鮮酒)'가 전승되고 있다.

따라서 증류식 소주인 '옥선주'는 '옥촉서소주(玉蜀黍燒酒)'라고 할 수 있는데, 1936년간 <조선무쌍신식요리제법(朝鮮無雙新式料理製法)>에 '옥촉서소주'에 대하여 "옥수수는 강냉이라 하는 것인데, 이것은 지나 사람이 많이 심어서 온갖 술을 만드나니, 소주와 배갈을 다 이걸로 하나니라."고 하여, 본디 중국에서 유입된 술이었음을 설명하고 있다.

<조선무쌍신식요리제법>에 소개된 '옥촉서소주'는 주방문이 보이지 않는다. 술에 사용되는 재료나 술을 빚는 구체적인 방법이 전혀 언급되어 있지 않아 알 수 없으나, 강원도 신림 지방과 홍천 서석면, 경북 봉화 지방에 전승되고 있는 '옥수수술'과 <한국민속종합조사보고서>에 소개된 마천 화전민 부락의 '옥수수술' 빚는 법을 참고하면 다음과 같다.

먼저, 강원도 홍천 지방과 경북 봉화 지방의 '옥수수술' 빚는 법을 개략적으로 소개하면, 찰옥수수 5되를 껍질 벗겨 맷돌이나 믹서를 이용, 고운 가루로 만든 다음, 가마솥에 옥수수가루 양의 3배 되는 물 1말 5되를 붓고 팔팔 끓인다. 끓는 물에 찰옥수수가루를 넣고 저으면서 덩어리진 것 없이 한 다음, 계속하여 끓이다가 가마솥에서 퍼내어 식기를 기다린다.

옥수수죽의 온도가 50~60도 정도 되게 식었으면 솥에 다시 담고, 준비한 엿기름가루 1되를 섞어 걸쭉해지면 솥뚜껑을 덮고 10시간 정도 삭혀서 옥수수엿물을 만든다. 아궁이의 불은 꺼내고 가마솥은 이불을 씌워 보온하여 두었다가, 엿밥(옥수수와 엿기름가루 찌꺼기)이 충분히 삭기를 기다려 전대나 베보자기에 죽을 퍼 담고 눌러 짜서 엿밥을 제거한다.

이렇게 해서 얻은 엿물을 다시 솥에 담고, 아궁이에 불을 지펴 식혜물 농도보다 진하게 졸여 물엿을 만든다.

엿물을 졸이는 정도는 처음 양의 25% 정도가 적당한데, 재차 넓은 그릇에 펴서 차게 식힌다. 이어 멥쌀 1되 5홉을 깨끗이 씻어 고두밥을 짓고, 고루 펼쳐서 차게 식혀놓는다.

준비해 둔 고두밥과 누룩가루를 엿물에 섞어 술독에 안친 후, 4~5일 정도 발효시켜서 술이 익었으면, 술자루나 전대를 이용하여 주박을 제거하여 탁주로 마시거나 정치시켜 청주로 마신다.

그리고 <한국민속종합조사보고서>에 소개된 마천 화전민 부락의 '옥수수술' 빚는 법은, 옥수수(1말) 깨끗이 씻어 작말한 다음, 옥수수가루에 물(3말)을 타고 갠 뒤, 팔팔 끓여서 죽을 쑨다.

옥수수죽을 한김 나가게 하여 뜨거울 때 엿기름가루(1되)를 넣고 (3~4시간) 삭혀서 옥수수엿물을 만든다. 옥수수엿물을 차게 식힌 다음, 누룩가루 2되를 넣고 고루 버무려 술밑을 빚고, 술독에 술밑을 담아 안쳐서 (10여 일) 발효시킨다.

이 밖에도 말린 옥수수가 아닌 생옥수수를 맷돌에 갈거나 절구로 찧어서 껍질은 버리고, 그 내용물(옥수수물)로 죽을 쑨 다음, 엿기름가루를 물에 풀어서 기울은 뜨고 앙금이 말갛게 앉으면, 웃물만 따라서 옥수수죽과 섞어 차게 식혀서 사용하는 방법도 있다.

이상의 과정을 통해서 '옥수수술'은 엿기름가루를 사용하여 당화시킨 엿물(당화액)에 누룩을 넣어 발효시킨 술이므로, 감미가 뛰어나고 입술이 달라붙을 정도로 진미가 좋으며, 알코올 함량 16~19% 정도임에도 불구하고 여느 희석식 소주보다 빨리 대취하는 것이 특징으로, 한자리에서 많이 마실 수가 없다고 한다.

따라서 우리나라의 '옥촉서소주'는 '홍천 옥선주'를 비롯한 여러 지방의 '옥수수술'의 양주과정에서 보듯 엿길금가루를 사용한 당화액에 누룩을 넣어 발효시킨 방법의 '옥수수술'을 증류하여 사용해 왔을 것으로 추측된다.

다만, '옥촉서소주'는 같은 방법의 증류식 소주인 '홍천 옥선주'가 전통 엿기름가루를 사용한 당화액에 누룩을 사용하여 술독에서 발효시킨 만큼, 중국식 '고량주(高粱酒)'와는 다른, 입안에 퍼지는 화한 맛과 알싸한 맛, 구수하면서도 독특한 향기를 품고 있다는 점에서 맛과 향으로 차별화된다고 할 것이다.

옥촉서소주 <조선무쌍신식요리제법(朝鮮無雙新式料理製法)>

* 술에 사용되는 재료나 술을 빚는 구체적인 방법이 전혀 언급되어 있지 않다.

옥수수소주(玉蜀黍燒酒)

옥수수는 강랭이라 하는 것인데, 이것은 지나 사람이 만히 심어서 온갖 슐을 만드나니 소쥬와 백알을 다 이걸로 하나니라.

왜소주

스토리텔링 및 술 빚는 법

'왜소주(倭燒酒)'는 일본 소주를 가리킨다. 우리나라 문헌에 '왜소주'가 수록되어 있다는 사실은 뜻밖이라고 할 수 있겠으나, 우리나라의 문물에 대한 집대성이라고 할 수 있는 <임원십육지(林園十六志)>라는 저술이 있었기에 가능한 일이었다고 할 수 있다. 물론, <동의보감(東醫寶鑑)>의 '잡병편'을 비롯하여 <달생비서>, <농정회요> 등의 문헌에서도 외국 술에 대한 면면을 목격할 수 있지만, <임원십육지>처럼 비교적 자세한 기록과 특히 주방문을 수록하고 있는 경우를 목격하기는 힘들다.

<임원십육지>에 수록된 '왜소주'는 우리의 '소주' 증류 방법과 유사하면서도 한편으로는 많은 차이를 나타낸다고 할 수 있다.

그리고 <임원십육지>에 수록된 '왜소주'가 지금의 일본 소주 제조법의 원형이라고 말하기에는 무리가 있다는 생각이다.

하지만 '왜소주'를 통하여 적어도 200년 전의 일본 소주가 어떠한 방법으로 만들어졌는지를 알 수 있다는 점에서 공부가 된다고 하겠다.

일본의 '왜소주'는 우리나라의 소줏고리가 개발되기 이전, 소위 '는지'라는 원시적 증류 기구를 사용하여 증류하는 방법과도 차이가 있기 때문이다.

그 과정을 살펴보면, 물솥 위에 술덧을 안친 시루를 올리고, 시루 위에 다시 시루를 올리는데, 시루 안에는 깔때기를 꽂은 병을 세워놓는다.

물론, 이때의 병은 배가 부르고 키가 작은 병이라야 할 것이고, 주둥이가 작은 단지 같은 것이라도 무방할 것이다. 그리고 새 노구솥을 시루 위에 올려놓는데, 노구솥 안에는 찬물을 채우는 것으로 되어 있다.

이때 불을 때면 솥 안의 물이 끓으면서 시루의 술찌꺼기를 가열하게 될 것이고, 수증기와 함께 기화한 주정분은 시루 위의 시루를 통과하여 맨 위의 노구솥 바닥에 닿게 되는데, 노구솥의 물이 차가우므로 기화한 주정분은 수증기와 함께 액화되면서 노구솥 바닥의 볼록한 가운데로 모이게 되고, 그 밑에 받쳐진 깔때기를 따라 병 안으로 흘러들어가게 되어 있다.

이렇게 증류를 하다가 찬물을 담아놓은 노구솥의 물이 따뜻해지면 냉각효과가 떨어지므로 증류를 중단한다.

주방문에 노구솥을 들어내고 병 안에 고인 술을 '1번 소주'라고 하고, "맛이 아름답다."고 하여 귀한 소주로 여겼던 모양이다.

그리고 이와 같은 방식으로 한 차례 더 증류하는데, 두 번째 증류한 소주를 '2번 소주'라고 한다는데, "냄새와 맛이 없다."고 한 것으로 미루어 도수도 낮고 맛이 싱거운 소주가 되었던 것 같다.

우리의 '소주' 증류법에서 소위 '후류' 또는 '끝술'이라고 하는 것과 같은 정도인 것으로 추정되는데, 이렇게 두 차례 증류하여 얻은 소주를 섞어서 마시는지 아니면 우리와 같이 '2번 소주'는 다음에 증류할 때 술덧에 섞어서 사용하는지는 주방문에서는 확인할 수 없다.

이로써 '왜소주'의 가장 두드러진 특징을 알 수 있는바, 우리나라의 증류 방법과는 달리 술덧이 아닌 술찌꺼기(주박)를 겨와 같이 섞어서 증류한다는 것인데, 이는 중국의 '고량주' 증류와 같은 원리라고 생각된다.

통상적으로 소주 증류는 술덧의 주박을 제거한 탁주나 청주를 사용하거나 술덧째 증류하는 것이 원칙인데, '왜소주'는 얼핏 보면 술찌꺼기의 잔류 주정분을 증류를 통해 추출함으로써, 오히려 주박에 물을 타서 마지막 주정분을 짜내서 마시고자 하는 우리나라의 '막걸리'나 '모주(母酒)'와 같이 '막된 술' 또는 '덤술'이라는 생각이 든다.

물론, 이때의 주박이 우리나라의 '모주'나 '막걸리'를 만들 때와 같이 청주나 탁주를 짜낸 상태의 것이라고 할 수 있을지는 확신할 수 없지만, <화한삼재도회>의 기록이 정확하다면, '왜소주'는 '재활용' 의미의 품질이 매우 떨어지는 소주로 다가온다.

다만, 우리나라의 '소주' 증류법보다 한 단계 발전된 것이라는, 다시 말하면 우리나라의 소주에서 자주 경험하게 되는 이른바 탄 냄새가 나지 않는다는 점에서는 생각해 보아야 할 일이라는 생각이 든다.

술덧에 겨를 섞는 배경에는 증류의 원활함을 위한 것으로 보이고, 더욱이 시루에 안쳐서 증류함으로써, 술덧을 불길이 닿는 솥에서 끓이는 직화방법보다 탄 냄새가 나지 않는 좋은 주질의 소주를 얻을 수 있다.

물론, 우리나라의 소주에서와 같이 탄 냄새는 나지 않겠으나, 왕겨로부터 유리되는 다른 냄새와 맛이 소주에 녹아들 수 있다는 전제가 따른다는 점에서 각각 장단점이 있기는 하다.

왜소주방 <임원십육지(林園十六志, 高麗大本)>

술 재료 : 새 술지게미, 겨

술 빚는 법 :

1. 시루에 새 술지게미와 겨를 층층이 담아 안친다.
2. 물을 안친 솥 위에 술거리를 안친 시루를 앉히고, 시루 위에 다시 시루를 앉힌다.
3. 다시 맨 위의 시루 안에 깔때기를 병에 담아 한가운데 놓고, 그 위에 노구솥

을 얹고 물을 담아놓는다.

4. 솥에 불을 지펴 끓이는데, 노구솥 안의 물이 뜨거워지는 것을 기준으로 증류를 한 차례 마친다.
5. 노구솥을 내리고 시루 안의 술병을 꺼내는데, 이를 '1번 소주'라고 한다.
6. 다시 병에 깔때기를 넣고 시루 안에 올려놓은 다음, 노구솥에 찬물을 담아 얹고 시룻번을 붙인다.
7. 재차 불을 지펴 찌는데, 이렇게 하여 다시 노구솥의 물이 뜨거워지면 증류를 마치고 얻은 소주를 '2번 소주'라고 한다.

* 주방문 말미에 "2번 소주는 냄새와 맛이 없고, 1번 술의 맛이 아름답다."고 하였다.

倭燒酒方

用新酒糟與稃互一層隔盛甑之甑上亦安鍋而盛水任甑下湯沸滴露垂於上鍋底以篘承之出甑外直走入于樽令氣不洩也上鍋之水以成溫湯爲度更換水烝謂之二番氣味淡不如一番佳也. <和漢三才圖會>.

우담소주

우리나라 전통주는 주원료의 종류가 십여 가지에 이르는데, 주로 쌀이나 보리, 조, 기장, 수수 등 소위 '쌀'로 불리는 전분질 중심의 곡류(穀類)가 주류를 이루고, 더러 메밀이나 옥수수, 피, 등의 잡곡도 사용되는 것을 볼 수 있다.

그런데 더러 고라니, 양, 개, 호랑이 등의 고기나 뼈 등 동물성이나 광물성 재료를 사용한 주품들을 볼 수 있거니와, <조선무쌍신식요리제법(朝鮮無雙新式料理製法)>에 '우담소주(牛膽燒酒)'라고 하여 소의 쓸개를 사용한 주방문이 수록되어 있는 것을 볼 수 있다.

'우담소주'의 주방문을 풀이하면 "조흔 백소쥬 두 고리에 쇠쓸개를 큰 걸로 한 개를 소 잡는 길로 어더다가 지체 말고 더운 김에 쏘다 너코 꼭 봉하야 둔 지 수십일 만에 짜라 보면 빗이 푸르고 향취가 대단하고 속에 매우 유익하니라."고 하였다.

한편, <임원십육지(林園十六志)>에는 '우방주(牛蒡酒)'라고 하여 쓸개가 아닌 소의 심장을 사용한 주품을 소개하고 있는데, "모든 풍독(風毒)을 다스리고 허리와 다리에 이롭다. 우방 뿌리를 편으로 썰어서 술에 담갔다 마신다."고 하여 '우방주'의 효능에 대해 언급하고 있음을 볼 수 있어, 동물성 약용주의 활용이 심심치 않게 이루어졌다는 사실을 확인할 수 있다.

<조선무쌍신식요리제법>에 '우담소주' 주방문을 보면 '우담소주'가 발효주가 아닌, 침출방식의 혼성주(混成酒)라는 것을 알 수 있는데, 주방문 말미에는 다른 방법, 곧 "무슨 쓸개든지 여름에 상하기가 제일 쉬우니, 겨울에 몇 개든지 말렸다가, 소주 있을 때 한 고리에 쓸개 껍질을 벗기고, 반 개쯤 냉수 한 보시기에 넣고 설탕 반 근만 넣고 한데 끓여 밭아두었다가, 며칠 만에 마시면 좋으리라."고 하여 곰이나 돼지, 염소 등의 짐승의 심장이면 다 사용할 수 있다고 판단되며, 이 역시 '소주'를 이용한 혼성주법의 한 가지라는 것을 알 수 있다.

이를테면 소의 쓸개를 사용하되 날것을 사용할 경우에는 소주에 직접 담가서 우려 마시고, 소주가 없을 때 또는 소의 쓸개가 아니라도 특히 여름철에 이들 원료를 사용하여 술을 빚고자 할 때에는 볕에 말려서 껍질을 벗기고 냉수와 설탕을 넣고 끓여서 소주에 타 마시든지, 소주와 섞어 숙성시켰다가 마시는 방법을 소개하고 있다.

<조선무쌍신식요리제법>에 '우담소주'에 대하여 "빛이 푸르고, 향취가 대단하고 속에 매우 유익하다."고 하였는데, 맛에 대하여는 언급되어 있지 않았다.

이에 실험 삼아 '우담소주'를 빚어 보았는데, '빛이 푸르다.'고 한 까닭은 소의 심장에 남아 있는 피가 알코올에 의해 추출되는 과정에서 산소와 빛에 노출되게 되면 푸른색으로 바뀐다는 결론에 이르렀다. 또 '향취가 대단하다.'고 하였으나, 소주의 향취 때문에 비릿한 냄새가 덜 하였고, 쓴맛이 많아 그 맛이 '좋다.'고는 말할 수 없었다. '우담소주'는 그야말로 '약용주(藥用酒)'의 성격을 벗어날 수 없기 때문이다.

우담소주 <조선무쌍신식요리제법(朝鮮無雙新式料理製法)>

술 재료 : 우방(소 심장) 1개, 좋은 소주 2고리(말)

술 빚는 법 :

1. 소를 잡는 날을 기다려, 그 길로 심장을 큰 것으로 1개를 구해다가 지체하지 말고 따뜻할 때 단지에 쏟아 넣는다.
2. 좋은 소주 2고리를 쓸개를 담은 단지에 붓고, 밀봉하여 놓는다.
3. (술독을 서늘한 곳에 두어 3개월 정도 숙성시켰다가) 수십일 만에 따라보면 빛이 푸르고, 향취가 대단하고 속에 매우 유익하다.

* 주방문 말미에 "무슨 쓸개든지 여름에 상하기가 제일 쉬우니, 겨울에 몇 개든지 말렸다가, 소주 있을 때 한 고리에 쓸개 껍질을 벗기고, 반 개쯤 냉수 한 보시기에 넣고 설탕 반 근만 넣고 한데 끓여 밭아두었다가, 며칠 만에 마시면 좋으리라."고 하였다.

우담소주(牛膽燒酒)

우담소쥬는 조흔 백소쥬 두 고리에 쇠쓸개를 큰 걸로 한 개를 소 잡는 길로 어더다가 지체 말고 더운 김에 쏘다 너코 꼭 봉하야 둔 지 수십일 만에 싸라보면 빗이 푸르고 향취가 대단하고 속에 매우 유익하니라. 무삼 쓸개든지 여름에 상하기가 제일 쉬우니 겨울에 멧 개든지 말렷다가 소쥬 잇을 졔 한 고리에 쓸개 썹질늘 벗기고 반 개씀 랭수 한 보시기에 느코 설당 반 근만 느코 한데 끄려 밧타 부엇다가 멧칠 만에 먹으면 조흐니라.

이강고

스토리텔링 및 술 빚는 법

소위 '조선 3대 명주'로 불리는 술의 한 가지가 '이강고(梨薑膏)'이다. 언제부턴지는 모르지만 '이강고'를 비롯하여 '관서감홍로'와 '전라도 죽력고'는 '조선을 대표하는 명주'로 지칭되어 왔다.

추측하건대 육당 최남선의 <조선상식문답(朝鮮常識問答)>이 출판되면서부터가 아닌가 생각된다. <조선상식문답> 이전의 그 어떤 출판본이나 필사본 등 우리나라 술에 관한 기록을 닥치는 대로 살펴보았지만, '이강고'를 비롯한 '조선 3대 명주'에 대한 기록을 찾을 수 없었기 때문이다.

<조선상식문답>은 저자인 육당 자신이 자문자답(自問自答) 형식을 빌려 쓴 내용인데, "조선술의 유명한 것은 무엇이 있습니까?" 하는 질문에 대한 답변으로, "가장 널리 퍼진 것은 '평양의 감홍로'니, 소주에 단맛 나는 재료를 넣고, 홍곡으로서 밝으레한 빛을 낸 것입니다. 그 다음은 '전주의 이강고'니, 뱃물(배즙)과 생강즙과 꿀을 섞어서 고은 '소주'입니다. 그 다음은 '전라도의 죽력고'니 청대(青竹)를 숯불 위에 얹어 뽑아 낸 즙(竹瀝)을 섞어서 고은 '소주'입니다. 이 세 가지가 전

날에 전국적으로 유명하던 것입니다."고 한 것을 살펴볼 수 있다.

그런데 <조선상식문답>에서는 '이강고'를 '전주'의 술로 소개하고 있는데, 다른 기록이나 자료에서는 '황해도'의 술로 소개하고 있는 것을 볼 수 있다.

어떻든 '이강고'를 비롯한 '조선 3대 명주'는 유명세와는 달리 이들 술에 대한 기록이 그렇게 많지가 않다는 사실에 놀랄 뿐이다.

'이강고'를 기록하고 있는 문헌으로 1767년경의 <증보산림경제(增補山林經濟)>가 가장 앞선 기록으로, 이후 <군학회등(群學會騰)>을 비롯하여 <농정회요(農政會要)>, <술방>, <임원십육지(林園十六志)>, <조선무쌍신식요리제법(朝鮮無雙新式料理製法)>, <한국민속대관(韓國民俗大觀)> 등 문헌 대부분이 1800년대 초기와 중기의 기록들이라는 것을 알 수 있으며, 이 이전의 문헌에서는 '이강고'에 대한 기록을 살펴볼 수 없다.

다만, '감홍로(甘紅露)'라는 주품의 등장은 1613년간 <고사촬요(故事撮要)>를 시작으로 <민천집설(民天集說)>, <의방합편(醫方合編)>, <주찬(酒饌)>, <치생요람(治生要覽)> 등의 옛 문헌에 수록되어 있는 것을 볼 수 있어, 감홍로의 등장시기가 가장 앞선다는 것을 확인할 수 있다.

조선시대 대표적 문인 가운데 한 사람이었던 기대승(1527-1572)의 <고봉선생속집(高峯先生續集)>의 "유두일에 호당에서 술을 하사하다(流頭日湖堂 宣醞)"라는 시에,

整冠欽拜賜(의관을 정제하여 공경히 은사에 절하며)
列席集良儔(자리를 펴고 좋은 벗을 모으네.)
銀杯瀉紅露(은 술잔에 '홍로'를 따르고)
雕俎羅珍羞(아로새긴 도마에 진기한 음식을 벌여놓았네.)
醉飽泊恬靜(취하고 배부름에 만족하여 편안하니)
偃仰何所求(천지간에 어찌 구할 것이 있겠는가.)

라고 하여 궁중에서 임금이 유두일에 홍문관에 내국(內局)의 '홍로주'를 선온(宣醞)하였는바, 신하들이 이에 감사하며 술자리를 가진 내용이 나오는 것으

로 미루어, '내국홍로주'와 '관서감홍로' 등이 이미 16세기 중엽에 궁중과 사대부들 사이에서 애음의 대상이었다는 것을 살필 수 있다.

따라서 '감홍로'와 같은 종류의 '이강고' 역시 이 시기나 그 이후에 등장하여 애용되었을 것이라는 추측을 할 수 있겠으나, 자세한 기록을 찾을 수 없다는 점에서 아쉬움이 많이 남는다.

'이강고'를 비롯한 '조선 3대 명주'로 불리는 주품에 대한 기록이 일천하고, 특히 '이강고'의 등장 시기가 1765년의 <증보산림경제>가 가장 앞선 기록이라는 점에서, '감홍로'가 유명세를 얻으면서 지역 특산물을 사용한 재차(再次) 증류주(蒸溜酒)로서 고도주인 '이강고'와 '죽력고' 등이 개발되었지 않았나 하는 추측을 하기에 이른다.

그런데 중요한 사실은 <군학회등>을 비롯하여 <농정회요>, <술방>, <임원십육지>, <증보산림경제>, <조선무쌍신식요리제법>, <한국민속대관> 등 '이강고'를 수록하고 있는 한문 기록과 한글 기록 등 모든 문헌의 기록이 동일하거니와, 1936년간 <조선무쌍신식요리제법>과 1982년간 <한국민속대관>에 이르기까지 주방문의 변화를 볼 수 없고, 특히 주목되는 것은 다른 주품에서는 흔하게 나타나는 이법(異法)들을 찾아볼 수 없다는 사실이다.

이와 같은 배경을 주방문에서 찾을 수 있는데, 그 예로써 <임원십육지>에 "아리(鵝梨, 거위의 깃털색처럼 흰 배. 향과 맛이 진하며, 껍질이 얇고 즙이 풍부하다)를 껍질을 벗기고 돌 위에서 갈아 즙을 내어 고운 명주 주머니에 걸러서 찌꺼기는 버리고, 생강도 즙을 내어 밭친다. 배즙과 좋은 꿀 적당량, 생강즙 약간을 잘 섞어 소주병에 넣은 후 중탕하는 방법은 '죽력고법'과 같다."고 하여, '이강고'가 '죽력고'에서 유래된 주품이라는 것을 짐작할 수 있다.

그리고 주재료의 종류는 고수하되, 비율은 양주인(釀酒人) 또는 음주자(飮酒者)의 취향에 달려 있기 때문이며, 특히 알코올 도수가 높을수록 그 향취가 좋아지는 까닭에, 부유층이나 사대부가가 아니면 서민층에서 쉬이 접근하기 힘들었던 것으로 여겨진다.

'이강고'는 무엇보다 '소주'의 품질에 따라 그 맛과 향취가 결정되므로, 품질 좋은 소주를 얻기 위해서는 증류를 할 때 술밑이 타거나 눋지 않고 찬물을 자주 갈아주어서 물이 섞이지 않도록 힘써야 하고, 반드시 꿀을 사용하여 '소주'의 음용에 따른 주독(酒毒)의 해소에도 주의를 기울여야 한다.

1. 이강고법 <군학회등(群學會騰)>

술 재료 : 소주, 배즙(많은 양), 생강(약간), 좋은 꿀(적당량), 전대

술 빚는 법 :

1. 많은 양의 배를 껍질 벗겨서 씨와 속을 제거한 후, 강판에 갈아 즙을 낸다.
2. 갈아낸 배즙을 전대에 담고, 꼭 짜서 찌꺼기를 제거한다.
3. 생강을 물에 깨끗하게 씻어 강판에 갈아 전대에 넣고, 꼭 짜서 찌꺼기를 제거한생강즙을 취한다.
4. 준비한 분량의 소주를 병에 담는다.
5. 배즙과 생강즙을 꿀에 타서 소주가 담긴 병에 담고 밀봉한다.
6. 끓는 물솥에 병을 넣고 중탕한 다음, 단지를 꺼내서 명주베로 한 번 걸러서 여과한 다음, 차게 식혀 마신다.

* 술의 양에 대해 언급되어 있지 않다. 임의대로 하여 맛을 볼 일이다.

梨薑膏法

多取生梨自然汁好蜜量宜薑汁若干相和中品燒酒重湯上同.

2. 이강고법 <농정회요(農政會要)>

술 재료 : 소주, 배, 생강, 꿀, 전대

술 빚는 법 :

1. 많은 양의 배를 껍질 벗겨서 씨와 속을 제거한 후, 강판에 갈아 즙을 낸다.
2. 갈아낸 배즙을 전대에 담고, 꼭 짜서 찌꺼기를 제거한다.
3. 생강을 물에 깨끗하게 씻어 강판에 갈아 전대에 넣고, 꼭 짜서 찌꺼기를 제거한 생강즙을 취한다.
4. 준비한 분량의 소주와 배즙, 생강즙, 꿀을 단지에 담는다.
5. 끓는 물솥에 단지를 안치고, 은근한 중탕을 한다.
6. 꿀이 녹아 소주와 어우러졌으면 단지를 꺼내서 명주베로 한 번 걸러서 여과한 다음, 차게 식혀 마신다.

* 술의 양에 대해 언급되어 있지 않다. 임의대로 하여 맛을 볼 일이다.

梨薑膏法
多取生梨自然汁好蜜量宜薑汁若干相和中品燒酒重湯 上同(竹瀝膏法).

3. 이강주(고) <술방>

술 재료 : 좋은 꿀(3홉), 중품소주(1말), 배즙(배 20~30개), 생강즙

술 빚는 법 :

1. 가을에 잘 익은 맛 좋은 배를 골라 껍질을 벗겨낸다.

2. 껍질 벗긴 배를 여러 조각으로 쪼갠 뒤 씨를 제거한다.
3. 배를 강판에 갈아 면보자기에 담고, 쥐어짜서 즙을 받아낸다.
4. 생강을 물에 깨끗이 씻어 껍질을 벗겨서 강판에 갈고 면보자기에 담아, 쥐어짜서 강즙을 받아낸다.
5. 예의 방법대로 하여 중품백소주를 마련한다.
6. 좋은 꿀(한봉)을 적당량 마련한다.
7. 단지나 항아리에 중품소주와 꿀, 배즙, 강즙을 한데 넣고 밀봉한다.
8. 가마솥에 물을 붓고, 밀봉해 두었던 소주 단지를 안치고 중탕한다.
9. 고운 모시베나 면보자기, 창호지 등을 이용하여 여과한 뒤, 병입하여 두고 마신다.

* '이강주'라고 하였으나, '이강고' 제법임을 알 수 있다. 중품소주 제조법은 예사 술방문을 따라하였다.

이강쥬(고)
ᄇᆡ를 만히 가라 즙을 ᄂᆡ여 죠흔 ᄭᅮᆯ 알맞치 타고 강즙 약간 ᄒᆞ여 즁품쇼쥬의 즁탕ᄒᆞ여 ᄂᆡ라.

4. 이강고방 <임원십육지(林園十六志)>

술 재료 : 소주, 아리(鵝梨), 생강, 꿀, 전대

술 빚는 법 :
1. 적당량의 아리(鵝梨, 배)를 껍질 벗겨서 씨와 속을 제거한다.
2. 배를 강판에 갈아 즙을 낸다.
3. 갈아낸 배즙을 전대에 담고, 꼭 짜서 찌꺼기를 제거한다.

4. 적당한 크기의 생강을 물에 깨끗하게 씻어 강판에 갈아 전대에 넣고, 꼭 짜서 찌꺼기를 제거한 생강즙을 취한다.
5. 준비한 분량의 소주를 병에 담는다.
6. 배즙과 생강즙에 꿀을 타서 소주가 담긴 병에 담는다.
7. 물솥에 물을 붓고 끓이다가, 술병을 넣고 중탕한다.
8. 단지를 꺼내서 명주베로 한 번 걸러서 여과한 다음, 차게 식혀 마신다.

* 술의 양에 대해 언급되어 있지 않다. 취향대로 하여 맛을 볼 일이다.
* 아리(鵝梨) : 거위의 깃털 색처럼 흰 배. 향과 맛이 진하며, 껍질이 얇고 즙이 풍부하다.

梨薑膏方

鵝梨去皮瓦石上磨取汁絹帒濾去渣生薑亦取汁濾渣白蜜調和傾入燒酒瓶內重湯取用如竹瀝膏法 <增補山林經濟>.

5. 이강고 <조선무쌍신식요리제법(朝鮮無雙新式料理製法)>

술 재료 : 소주, 배, 생강, 꿀, 전대

술 빚는 법 :
1. 배를 껍질 벗겨서 씨와 속을 제거한 후, 강판에 갈아 즙을 낸다.
2. 갈아낸 배즙을 전대에 담고, 꼭 짜서 찌꺼기를 제거한다.
3. 생강을 물에 깨끗하게 씻어 강판에 갈아 전대에 넣고, 꼭 짜서 찌꺼기를 제거한다.
4. 준비한 분량의 소주를 병에 담는다.
5. 배즙과 생강즙을 꿀에 타서 소주가 담긴 병에 담는다.

6. 끓는 물솥에 병을 넣고 중탕한 다음, 꺼내서 차게 식혀 마신다.

* 술의 양에 대해 언급되어 있지 않다. 임의대로 하여 맛을 볼 일이다.

리강고(梨薑膏)
배(梨鵝)를 썹질 벗기고 가라 집을 내여 전대에 짜 씩기는 버리고 생강도 집을 내고 꿀에 타서 소쥬병에 드러붓고 그 병을 끌는 물에 너코 즁탕하엿다가 끄내여 쓰나니라.

6. 이강고법 <증보산림경제(增補山林經濟)>

술 재료 : 소주, 배, 생강, 꿀, 전대

술 빚는 법 :
1. 많은 양의 배를 껍질 벗겨서 씨와 속을 제거한 후, 강판에 갈아 즙을 낸다.
2. 갈아낸 배즙을 전대에 담고, 꼭 짜서 찌꺼기를 제거한다.
3. 생강을 물에 깨끗하게 씻어 강판에 갈아 전대에 넣고, 꼭 짜서 찌꺼기를 제거한 생강즙을 취한다.
4. 준비한 분량의 소주를 병에 담는다.
5. 배즙과 생강즙을 꿀에 타서 소주가 담긴 병에 담는다.
6. 끓는 물솥에 병을 넣고 중탕한 다음, 단지를 꺼내서 명주베로 한 번 걸러서 여과한 다음, 차게 식혀 마신다.

* 술의 양에 대해 언급되어 있지 않다. 임의대로 하여 맛을 볼 일이다.

梨薑膏法

多取生梨自然汁好蜜量宜薑汁若干相和中品燒酒重湯上同.

7. 이강고 <한국민속대관(韓國民俗大觀)>

술 재료 : 소주, 배, 생강, 꿀, 전대

술 빚는 법 :

1. 잘 익은 배를 껍질 벗겨서 씨와 속을 제거한 후, 기와(강판의 유래)에 갈아 즙을 낸다.
2. 갈아낸 배즙을 전대에 담고, 꼭 짜서 찌꺼기를 제거한다.
3. 생강을 물에 깨끗하게 씻어 강판에 갈아 전대에 넣고, 꼭 짜서 찌꺼기를 제거한 생강즙을 취한다.
4. 준비한 분량의 소주를 병에 담는다.
5. 배즙과 생강즙에 꿀에 타서 소주가 담긴 병에 담는다.
6. 끓는 물솥에 병을 넣고 중탕한 다음, 단지를 꺼내서 명주 베주머니로 한 번 걸러서 여과하여 식혀 마신다.

梨薑膏

배 껍질을 벗기고 기왓돌 위에서 갈아 즙을 내어 고운 헝겊으로 밭쳐 찌꺼기는 버리고, 생강도 즙을 내어 밭친다. 이 두 가지와 흰 꿀을 잘 섞어 소주병에 넣은 후, 중탕하라 하였다.

이모로주

스토리텔링 및 술 빚는 법

전통주의 여러 가지 특징 가운데 하나로 주원료의 다양성을 들 수 있다. 가장 많이 이용되는 주원료로 찹쌀과 멥쌀을 들 수가 있고, 보리쌀과 좁쌀(차조, 메조), 옥수수, 수수쌀(차수수), 그리고 겉보리와 통밀 등이다.

'이모(耳牟)'란 귀리를 일컫는 한자어로, '이모로주방(耳麰露酒方)'은 귀리를 주원료로 하고 멥쌀을 부원료로 한 단양주(單釀酒)로서, 증류하여 '이모로주'라는 소주를 얻는데, <임원십육지(林園十六志)>가 유일한 기록이다.

귀리가 과거 식량이 절대 부족했던 시절의 재배작물이자 구황식이었던 점을 감안하면, 가뭄이나 한해로 말미암아 쌀을 이용한 술 빚기가 어려워지자 소주에 목말랐던 사람들이 귀리를 주재료로 하고, 알코올 도수를 높이고자 멥쌀을 넣어 술을 빚게 되었을 것이란 추측을 하게 된다.

귀리만을 사용하여 빚은 술은 그 맛이 싱겁고 술의 양도 적을뿐더러, 쌀소주에 길들여진 입맛을 충족시키기엔 뭔가 아쉬움이 많았을 것이기 때문이다. 귀리와 멥쌀의 조합은 이른바 한국식 '블랜딩'인 셈이다.

실제로 귀리만을 사용하여 술을 빚어보니, 겉보리를 사용한 '모미주'나 '피모소주'에서와 같이 구수한 맛은 있으나, 그 맛이 매우 싱겁고 누룩 냄새가 심하였다.

그리고 증류한 소주에서는 누룩의 과다 사용으로 인해 엷은 미색을 띠었고, 소주에서도 누룩으로 인한 이취를 지울 수가 없었다.

<임원십육지>의 '이모로주방'을 보면, <옹희잡지>를 인용하였다는 것을 알 수 있는데, "귀리 10말을 짚으로 싸서 흐르는 시냇물에 3일간 담갔다 건져서 쌀 3말로 고두밥을 쪄서 뜸을 들이고 식힌 후, 밀겨누룩 8말과 함께 항아리에 담고 익으면 보통 방법으로 소주를 내린다."고 하였다.

주지하다시피 두 가지 재료를 한꺼번에 사용하는 만큼 귀리와 부재료로 사용되는 멥쌀의 전처리 방법이 서로 다르다는 것을 알 수 있다.

귀리의 경우는 흐르는 물에 담가서 불리는 것으로 되어 있는데, 이러한 방법은 간단한 도정(搗精)이나 백세(百洗) 방법으로는 해결되지 않는다는 사실에 기인한다.

귀리는 다른 곡류보다 단백질 함량이 높고 품질도 좋은 것으로 알려져 있다. 또한 독특한 맛이 있고 소화성도 좋으며, 비타민 B 함량도 많다.

다른 작물에서는 단백질 함량이 높으면 라이신 함량은 떨어지는 경향을 보이지만, 귀리의 경우 라이신의 함량은 총단백질 함량에 관계없이 일정하다는 특성이 있다. 지방의 경우, 양질인 불포화지방산이 약 80% 정도로 높고, 비타민 B 등이 높은 우수한 작물 중 하나이다.

이러한 영양가치 이외에 우수한 식이섬유와 베타글루칸이라는 물질이 많아 콜레스테롤치를 낮춤으로써, 심장병 및 당뇨병 환자들에게 좋아 선진국에서는 귀리에 대한 의학적인 관심이 높아지고 있다.

하지만 양주에 필요한 성분은 귀리의 전분(澱粉)이므로, 기실 다른 성분들은 요구하지 않게 된다.

따라서 이들 성분을 가능한 한 제거함으로써 원활한 발효를 도모하는 것이 원칙이라고 할 수 있다.

그런데 도정을 많이 하게 되면 쌀의 양을 늘려주어야 하는 부담이 따르고, 백세는 너무 힘이 많이 든다. 멥쌀 3말도 적은 양은 아니거니와, 귀리의 양이 10말이면 보통 많은 양이 아니다.

결국 가장 손쉽고 효율적인 방법이 흐르는 물에 오랫동안 담가 불려둠으로써, 이들 불필요 성분을 가능한 한 빨리 효율적으로 유출해 내는 방법이 멥쌀과의 침지법(浸漬法)이 달라진 이유이자 매우 과학적인 방법이라고 할 것이다.

술을 빚을 때 주의할 점은, 시루에 각각 나눠서 찌되, 멥쌀을 더 오랫동안 찌고 뜸을 들여서 무르게 쪄야 한다는 것이다. 귀리는 흐르는 물에 3일간이나 불려두었기 때문에 오히려 질어질 수도 있는데, 증미 시간을 똑같이 가져가면 멥쌀이 잘 삭지 않을 수도 있기 때문이다.

또한 술이 발효되어 가장 활발하게 끓기를 기다렸다가 차게 식혀서 하루쯤 두었다가 바로 걸러서 탁주를 만들어두고, 앙금이 가라앉으면 앙금을 제거한 후에 증류해야 한다는 것이다. 그렇지 않으면 시간이 오래 경과할수록 전분 찌꺼기가 가라앉게 되어 증류할 때 이취(탄 냄새)를 줄일 수 있다.

<임원십육지>의 '이모로주방'는 고생한 만큼의 좋은 주질을 기대하기는 어려우나, 가장 토속적인 구수한 맛을 즐길 수 있고, 멥쌀의 양을 50%로 늘려서 빚고, 18개월 이상 숙성시켜 마시면 독특한 향도 더 강하게 느낄 수 있다.

이모로주방 <임원십육지(林園十六志)>

술 재료 : 귀리 10말, 멥쌀 3말, 누룩 8말, 물(10말)

술 빚는 법 :

1. 깨끗하게 도정한 귀리 10말을 (백세하여) 짚으로 짠 가마니에 담아 흐르는 물에 3일간 담가 불려놓는다.
2. 멥쌀 3말을 (백세하여 물에 담가 불렸다가, 다시 씻어 헹궈서) 물기를 뺀다.
3. 흐르는 물에 불린 귀리도 다시 씻어 헹궈서 물기를 빼놓는다.
4. 귀리와 멥쌀을 한데 합하고, 함께 시루에 안쳐 고두밥을 짓는다.

5. 고두밥은 푹 뜸을 들여 무르게 찌고, 익었으면 퍼내어 고루 펼쳐서 차게 식기를 기다린다.
6. 두 가지 고두밥에 섬누룩(밀기울로 띄운 누룩) 8말, 물(10말)을 함께 섞어 술밑을 빚는다.
7. 술밑을 술독에 담아 안치고 (5~7일간) 발효시켜 익기를 기다린다.
8. 맑은 술을 떠내고, 찌꺼기를 체에 밭쳐 막걸리를 거른다.

* 소주 내리기 :
1. 솥에 불을 지피고, 물 2사발을 붓고 끓이다가, 술 2사발을 붓고 끓인다.
2. 술 4사발을 솥에 붓고 저어준 뒤, 끓으면 다시 술 8사발을 붓는 방법으로 술을 다 안친 후, 소줏고리를 얹고, 소줏고리 위에 냉각수 그릇을 얹는다.
3. 솥과 소줏고리, 소줏고리와 냉각수 그릇의 틈새를 소줏번을 붙여 막는다.
4. 냉각수 그릇에 찬물을 채우고, 소줏고리 귀때 밑에 수기를 받쳐놓는다.
5. 불을 알맞게 조절하여 소주를 받되, 첫술 1컵 정도는 버리거나 다음에 증류할 술에 섞어 사용한다.

耳麰露酒方

耳麰精鑿十斗用藁篭包褁長流水中三日取出同粳米三斗炊作再餾飯攤冷用麩麴末八斗拌勻入瓮待熟燒取露如常法. <饔饎雜志>

이적선효주 · 이퇴백효주

스토리텔링 및 술 빚는 법

'이적선효주'라는 주품명은 <규중세화>에 처음 등장한다. 처음에는 '이적선효주'라는 주품명 한 가지를 두고도 그렇거니와, 그저 새로운 주품명이 등장할 때마다 얼마나 설레었는지 모른다.

왜냐하면 새로운 주품명이 등장한다는 것은 우리의 전통주가 그만큼 다양하다는 것을 의미하고, 또 지방마다 가문마다 갖가지 비법을 동원한 주방문을 통해서 얼마나 다양한 맛과 향기의 소주들이 삼천리금수강산에, 사람들의 가슴에 불을 지폈을까를 생각하면, 막연하나마 흥분되기 때문이기도 하다.

그런데 <규중세화>라는 문헌이 저자와 연대 미상이라는 사실에서 '이적선효주'의 출전을 처음으로 여기는 것이 마땅한가, 그리고 '이적선효주'는 기존의 '소주' 주방문과 어떻게 다를까 하는 기대에 대한 의문이 생긴다.

이미 '효주'편을 통해서 '효주'에 대한 내력과 함께 그 의미를 되짚어 보았던 때문이다.

어떤 의미에서는 '효주'와 '이적선효주'가 어떻게 다른가 하는 의구심이 생기기도 하는 것이다.

더욱이 '이적선'은 '이태백'을 지칭하는 별명인데, 이미 이태백과 관련된 소주의 주품이 널리 알려져 있는 '적선소주'라고 하는 사실에 비추어, '이적선효주'의 가치와 그 의미를 되새겨 보고자 한다.

<규중세화>의 주방문에 "흰쌀 한 되 닷 홉을 백세하야 하로밤 지낸 후, 가로아고(가루 만들고) 끓인 물 너 말에 죽을 쑤어 차거든 좋은 가릐누룩 서 되를 한데 섞어, 그 독의 찹쌀 한 말 백 벌 씻어서 밤자여 쪄서 본술에 섯거 그 독의 비져 익거든, 내 희 난화 고의되, 한 되에 너 되씩 나는이라. 합하여 술(열) 엿 되 나고 맛이 좋으이라."고 하였다.

그리고 '적선소주'를 수록하고 있는 문헌들 가운데 <민천집설(民天集說)>을 비롯하여 <임원십육지(林園十六志)>와 <김승지댁주방문(金承旨宅廚房文)> 등의 주방문과 비교해 본 결과, 이 세 가지 문헌의 주방문이 크게 차이가 없는, 동일한 주방문이라는 사실이 확인된다.

<민천집설>의 주방문에 "멥쌀 1되 5홉을 백세하여 담가 불렸다가, 다음날 작말하여 물 4말 끓여 죽(범벅)을 쑨 후, 식기를 기다려 좋은 누룩가루 3되를 합하고, 겨울에는 5일, 여름은 3일간 발효시킨다. 찹쌀 1말을 백세하여 하룻밤 불렸다가, 고두밥을 지어 밑술과 합하여, 술이 익으면 4등분하여 증류한다."고 하고, 주방문 말미에 "(증류해서) 한 번에 소주 4되씩 열엿 되 나고 맛이 좋으니라."고 하였다.

이로써 <규중세화>의 '이적선효주'는 소주를 '효주'로 지칭하였다는 의미 외에는 다른 가치는 없는 것으로 여겨진다. '적선소주방'을 참고하면 될 것이다.

한편, <규중세화>에는 '이태백효주' 주방문을 볼 수 있다. '이태백효주'라는 주품명 또한 <규중세화>에 처음 등장하는데, '이적선효주'의 별칭인 듯하다. '이적선효주'와 주방문에서도 별반 차이가 없다. 밑술에 사용되는 물의 양이 3말로, '이적선효주'에 비해 1말이 적다는 차이뿐이다.

두 주방문의 차이점은 '이적선효주'에서는 밑술을 쌀 1되 5홉을 사용하여 끓는 물 4말로 익히는 '범벅'을 쑤는 데 비해, '이태백효주' 주방문은 쌀 1되 5홉에 대하여 물 3말과 합하여 죽을 쑤어 익힌다는 점에서 차이가 있을 뿐이다. 덧술의 쌀

양 또한 언급되어 있지 않다.

따라서 '이태백효주'는 '이적선효주'의 별법(別法)에 다름 아니라고 할 것이다. 그리고 '이적선효주'의 주품명에 대한 유래는 '적선소주' 편에서 상세하게 다루었으므로, 이에 해설을 생략한다.

1. 이적선효주 <규중세화>

–노주법

술 재료 : 밑술 : 흰쌀 1되 5홉, 가루누룩 3되, 끓는 물 4말
덧술 : 찹쌀 1말

술 빚는 법 :

＊밑술 :

1. (도정을 많이 한) 흰쌀 1되 5홉을 백세하여 물에 담가 하룻밤 불렸다가 (다시 씻어 건져서 물기를 뺀 후) 작말한다.
2. 솥에 물 4말을 붓고 팔팔 끓여서 쌀가루에 골고루 붓고, 주걱으로 고루 개어 죽(범벅)을 쑤어 넓은 그릇 여러 개에 나눠 담고 차게 식기를 기다린다.
3. 죽(범벅)에 좋은 가루누룩 3되를 합하고, 고루 버무려 술밑을 빚는다.
4. 술독에 술밑을 담아 안치고, 예의 방법대로 하여 발효시킨다(익기를 기다린다.)

＊덧술 :

1. 찹쌀 1말을 백 벌(백 번) 씻어서 물에 담가 하룻밤 불렸다가 (다시 씻어 건져서 물기를) 빼놓는다.
2. 불린 쌀을 시루에 안치고 푹 무르게 쪄서, 고두밥이 익었으면 퍼낸다(넓게 펼쳐서 차게 식기를 기다린다).

3. 고두밥에 밑술을 합하고, 고루 버무려 술밑을 빚는다.
4. 술독에 술밑을 담아 안치고, 예의 방법대로 하여 발효시킨 후 익기를 기다린다.

* 소주 내리기 :
1. 솥에 불을 지피고, 물 2사발을 붓고 끓이다가, 술 2사발을 붓고 끓인다.
2. 술 3사발을 솥에 붓고 저어준 뒤, 끓으면 다시 술을 붓는 방법으로 술을 다 안친 후, 소줏고리를 얹고, 소줏고리 위에 냉각수 그릇을 얹는다.
3. 솥과 소줏고리, 소줏고리와 냉각수 그릇의 틈새를 소줏번을 붙여 막는다.
4. 냉각수 그릇에 찬물을 채우고, 소줏고리 귀때 밑에 수기를 받쳐놓는다.
5. 불을 난화(은근한 불, 부드러운 불)로 조절하여 소주를 받되, 첫술 1컵 정도는 버리거나 다음에 증류할 술에 섞어 사용한다.
6. 냉각수 그릇의 물이 따뜻하면 즉시 퍼내고 다시 찬물을 갈아준다.

* 주방문 말미에 "난화(로) 고으되, 한 되에 너 되씩 나난이라. 합하여 말 엿 되 나고 맛이 좋으니라."고 하였다. 주방문의 '난화'의 뜻을 알 수 없어 그 해석이 애매하나, '만화(慢火)로 불의 세기를 조절하는 것을 지칭하는 말 같다.

이적선효주

흰쌀 한 되 닷 홉을 백세하야 하로밤 지낸 후 가로아고(가루 만들고) 끓인 물 너 말에 죽을 쑤어 차거든 좋은 가릐누룩 서 되를 한데 섞어, 그 독의 찹쌀 한 말 백 벌 씻어서 밤자여 쪄서 본술에 섯거 그 독의 비져 익거든 너희 난화 고의되, 한 되에 너 되씩 나는이라. 합하여 물(술) 엿 되 나고 맛이 좋으이라.

2. 이퇴백효주법 <규중세화>

술 재료 : 밑술 : 멥쌀 1되 5홉, 가루누룩 3되, 물 3말
덧술 : (멥쌀 또는 찹쌀 1말)

술 빚는 법 :

* 밑술 :

1. 멥쌀 1되 5홉을 백세하여 물에 담가 밤재워 불렸다가 (다시 씻어 건져서 물기를 뺀 뒤) 작말한다(가루로 빻는다).
2. 솥에 물 3말을 붓고 끓이다가, 물이 따뜻해지면 물(5되)을 떠서 쌀가루에 합하고, 주걱으로 고루 개어 아이죽을 만들어놓는다.
3. 솥의 남은 물이 팔팔 끓으면, 아이죽을 합하고 팔팔 끓여 묽은 죽을 쑨 다음, 넓은 그릇에 퍼서 차게 식기를 기다린다.
4. 쌀죽에 가루누룩 3되를 넣고, 고루 버무려 술밑을 빚는다.
5. 술독에 술밑을 담아 안치고, 예의 방법대로 하여 겨울이면 5일(여름 2일, 봄가을 3~4일)간 발효시킨다.

* 덧술 :

1. 쌀(멥쌀 또는 찹쌀 1말)을 백세하여 물에 담가 하룻밤 불렸다가 (다시 씻어 건져서) 물기를 뺀 다음, 시루에 안쳐서 고두밥을 짓는다.
2. 고두밥이 익었으면 퍼낸다(고루 펼쳐서 차게 식기를 기다린다).
3. 고두밥에 밑술을 합하고, 고루 버무려 술밑을 빚는다.
4. 술밑을 술독에 담아 안치고, 예의 방법대로 하여 발효시키고 익기를 기다린다.

* 증류 :

1. 다 익은 술을 체에 밭쳐, 큰 솥에 준비해 둔 막걸리를 담아 안친다.

2. 솥 위에 고리(소줏고리의 준말)를 얹어 앉힌다.
3. 솥과 고리 사이의 틈을 밀가루를 반죽하여 만든 소줏번을 붙여 막아준다.
4. 소줏고리의 냉각수 그릇에 찬물을 가득 채워놓고, 고리의 귀때(소주가 흘러 나오는 대롱) 밑에 소주를 받을 병이나 단지를 놓아둔다.
5. 볏짚이나 참나무 땔감을 이용하여 뭉근하게 불을 때서 증류한다.
6. 냉각수 그릇의 물이 따뜻하여지면 즉시 찬물로 바꾸어주길 8~12차례 반복한다.
7. 받아진 소주는 그릇의 주둥이를 밀봉하여 일정 기간 숙성시켜 마신다.

이퇴백효주법

백미 한 되 닷 홉 백세하야 밤자여 작말하여 물 서 말에 죽 쑤어 차거든 가라누룩 서되 셧거 그라세 여허 겨울이어든 닷새 만에 덧하되, (○○○○) 백세하야 밤자여 쪄 그 밋술에 섞어 덧하되, 익거든 고으면 소주 말 엿 (되) 나난이라.

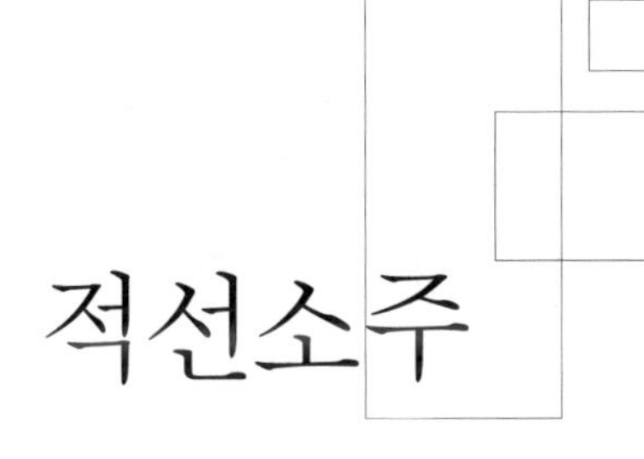

적선소주

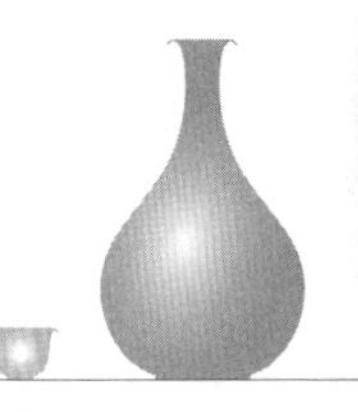

스토리텔링 및 술 빚는 법

우선 '적선소주(謫仙燒酒)'라고 하는 주품명과 관련하여 그 의미를 생각해 볼 필요가 있겠다. '적선(謫仙)'이라 함은, "속세로 귀양 온 신선"이라는 뜻으로 풀이되고 있다. 따라서 '적선소주'는 "신선들의 술"로 해석할 수 있겠다.

한편, 전해 오는 설로는 "적선은 중국 당나라 때의 시선(詩仙)으로 추앙받던 이태백을 가리킨다."고도 하는데, 정작 이태백의 1천 편이 넘는 시(詩) 가운데서 이 '적선주(謫仙酒)'에 대한 내용을 아직 찾지 못했다.

그런데 저자 미상의 한글 붓글씨본으로 "기미납월초록(己未臘月初錄)"이라고 하여 저술 연대가 불분명한 <규중세화>라는 문헌에 '이퇴백효주법'과 '이적선효주'가 수록되어 있어, "적선은 이태백을 지칭한다."는 설을 어느 정도 뒷받침해 주고 있다고 하겠다.

'적선소주'에 대한 주품명과 주방문을 수록하고 있는 문헌으로 <구황보유방(救荒補遺方)>에 '적선소주방'을 비롯하여 <김승지댁주방문(金承旨宅廚方文)>, <민천집설(民天集說)>, <온주법(醞酒法)>, <의방합편(醫方合編)>, <임

원십육지(林園十六志)>, <주찬(酒饌)>, <침주법(浸酒法)> 등 조선 중기의 기록을 들 수 있는데, <김승지댁주방문>에 '적성소주법' <온주법>에 '적선소주', <의방합편>에 '노인무가적선소주(老人无佳謫仙燒酒)', <침주법>에 '적선소주(積善燒酒)' 등 다양한 명칭과 표기법을 볼 수 있다.

<김승지댁주방문>의 '적성소주'는 '적선소주'의 방언으로 이해되고, <침주법>의 '적선소주(積善燒酒)'는 오기(誤記)로 생각된다. 하지만 '적선소주(謫仙燒酒)'라는 주품명과는 달리, 여느 소주 방문과 비교했을 때 특별한 점은 찾을 수 없다.

저술 연대가 가장 앞선 문헌으로 1700년대 초엽으로 알려진 <온주법>의 주방문을 바탕으로 시대별 변화과정을 분석하여 본 결과, '적선소주'는 쌀 양 3되 5홉에 대하여 끓는 물 4말, 누룩 3되, 덧술은 찹쌀 1말이던 것이 <민천집설> 이후의 다른 문헌에서는 밑술의 쌀 양이 1되 2홉~1되 5홉으로 줄어들었으며, 1800년대 말엽의 <주찬>과 연대 미상의 <의방합편>에서는 덧술의 쌀 양보다 많은 1말 5되로 늘어난 것을 볼 수 있다.

그런데 이러한 변화가 단순한 오기인지 의도된 방문인지는 알 수 없다.

또한 주원료의 배합비율의 변화에도 불구하고, 밑술을 반생반숙의 범벅(죽, 담)을 만들어 사용하고, 덧술은 찹쌀 1말로 지은 고두밥만을 단독으로 사용하는 등 공통된 주방문을 보여주고 있다는 점에서 그 특징을 찾을 수 있다고 하겠다.

<온주법>을 비롯한 7종의 문헌에 등장하는 '적선소주'는 여느 주방문보다 밑술 빚기가 매우 중요하다. 밑술은 덧술을 빚기 위한 바탕이 되는 것과 동시에 소주의 경우 특히 알코올 도수를 높이는 데 그 목적이 있으므로, 우량한 효모증식과 함께 덧술의 당화효소가 충분해야 하는데, 사용되는 물의 양이 많게 되면 자칫 실패하는 경우가 발생한다.

'적선소주'의 주방문에서 보듯 밑술의 발효기간이 봄철 3일, 겨울철 5일인데, 이 기간에 자칫 술밑의 유기산 농도가 높아지는가 하면, 술 표면에 엷은 막이 형성되는 것을 볼 수 있다.

이러한 문제점은 밑술을 빚을 때 오염원의 유입이나 술독 소독이 잘못된 경우, 또는 밑술의 발효온도가 너무 높았을 때 발생하게 된다.

따라서 밑술은 낮은 온도에서 천천히 발효시키고, 술이 끓어오르면 재빨리 찬 곳으로 옮겨 냉각시켜 주어야 한다. 또 특히 범벅(죽, 담)을 잘 쑤어야 하는데, 범벅(죽, 담)이 팔팔 끓어올랐더라도 한동안 뜸을 들여 푹 퍼지게 하고, 반드시 차갑게 식혀서 사용해야 한다는 것을 잊지 말아야 한다.

처음 '적선소주'를 빚는 경우, 밑술에 사용되는 물의 양이 많아서 힘들다고 하여 물을 줄이기보다는, <온주법>에서와 같이 쌀의 양을 늘려서 빚으면 보다 안전한 발효를 도모할 수가 있으며, 덧술의 발효도 원만하게 이끌기 위해서는 밑술이 끓어올랐을 때 고두밥과 함께 차게 냉각시켰다가 덧술을 빚으면 실패를 줄일 수 있다.

'적선소주'의 맛과 향기는 증류 과정에서 특징지어진다는 것을 알 수 있다. 문헌마다의 주방문 말미에 "익힌 후 4등분하여 소주를 내리면 1등분에 소주 4되나 받을 수 있으므로, 16되를 얻을 수 있고 술맛이 좋다."고 하였고, <침주법>에서는 "익거든, 네헤 난화 소주 고으면, 한 번 고으는 데 너 되 나느니, 대(큰)되 열엿 되 나되, 그 맛이 가장 좋으니라."고 하여 증류에 따른 요령을 언급하고 있다.

'적선소주'를 증류할 때 비결은 술밑을 끓일 때 불의 세기를 잘 조절하는 일로, 이때의 '난화'는 '만화(慢火)'를 가리키며, "부드러운 불" 또는 "게으른 불"로 싸지도 약하지도 않게 때되, 불의 세기가 일정해야 한다는 것이다.

또 '적선소주'가 '1번 '소주'나 '로주'와 다른 특징은 수율과 관련이 있다는 것을 알 수 있는데, 주방문에 "소주의 양이 1말 6되 또는 16사발이 나온다."고 하였다는 것이다.

이는 일반적인 소주의 수율이 30~35%인 점을 감안하면 '적선소주'의 수율이 매우 높다는 것인데, 알코올 도수와는 무관하게 1말 6되 또는 16사발의 양으로 주질을 결정짓는다는 것을 뜻한다.

수차례 양주 실습 결과 '적선소주'는 알코올 도수 28%~26% 정도로서, 그 맛이 부드럽고 거칠거나 쓰지도 않아서 부담 없이 즐길 수 있다는 것이다.

끝으로 '적선소주'의 주방문을 통해서 되(升)와 '사발'이 동량의 도량일 것이라는 추측을 해볼 수 있게 되었다.

1. 적선소주방 <구황보유방(救荒補遺方)>

술 재료 : 밑술 : 흰쌀 1되 5홉, 가루누룩 3되, 끓는 물 4말
덧술 : 찹쌀 1말

술 빚는 법 :

* 밑술 :

1. 흰쌀 1되 5홉을 백세하여 하룻밤 재웠다가 (다시 씻어 건져서 물기를 뺀 후) 작말하여 (넓은 그릇에 담아놓는다.)
2. 물 4말을 팔팔 끓여 쌀가루에 붓고 개어, 죽(담)을 쑨 다음 차게 식기를 기다린다.
3. 죽에 좋은 가루누룩 3되를 합하고, 고루 치대어 술밑을 빚는다.
4. 술독에 술밑은 담아 안치고, 여름철엔 3일(겨울 5일)간 발효시킨다.

* 덧술 :

1. 찹쌀 1말을 백세하여 하룻밤 불렸다가 (다시 씻어 말갛게 헹궈서) 건져 물기를 뺀다.
2. 불린 쌀을 시루에 안치고, 쪄서 무른 고두밥을 짓는다.
3. 고두밥이 익었으면 퍼낸다(고루 펼쳐서 차게 식기를 기다린다).
4. 고두밥에 밑술을 합하고, 고루 버무려 술밑을 빚는다.
5. 술밑을 술독에 담아 안치고, 예의 방법대로 하여 술이 익으면 술덧을 걸러서 4등분하여 증류한다.
6. 1회 (증류하면) 소주 4되, 합이 16되가 나오는데 맛이 좋다.

* <구황보유방> 한문본과 한글본을 다 수록하였다.

謫仙燒酒方—<구황보유방(救荒補遺方)> 한문본

白米一升五合 百洗經宿作末 湯水四斗作粥待冷 好麴末三升和合入瓮 夏則三日 冬則五日後 粘米一斗 百洗經宿蒸飯 本酒和合入瓮待熟 分四注之則 一注出四升合 十六升味好.

謫仙燒酒方—<구황보유방(救荒補遺方)> 한글본

흰쏠 ᄒᆞᆫ 되 닷 곱을 백 번 씨서서 밤디난 후의 ᄀᆞᆯ롤 맹그라 끌힌 믈 너 말의 쥭을 쑤어 ᄎᆞ거든 됴흔 ᄀᆞᄅᆞ누록 서 되를 ᄒᆞᆫ데 석거 독의 바저 녀름은 사흘이오, 겨을흔 닷샌 만의 ᄎᆞᆸ쏠 ᄒᆞᆫ 말을 백 번 씨서 밤재여 쪄셔 본술의 석거 그 독의 비저 닉거든 네희 ᄂᆞᆫ화 고오되 ᄒᆞᆫ ᄆᆞ이예 너 되식 나니 합ᄒᆞ야 말 엿 되 나니 마시 됴ᄒᆞ니라.

2. 적성소주법 <김승지댁주방문(金承旨宅廚方文)>

술 재료 : 밑술 : 멥쌀 1되 2홉, 가루누룩 3되, 물 4말
덧술 : 찹쌀 1말

술 빚는 법 :

* 밑술 :

1. 멥쌀 1되 2홉을 백세하여 (물에 담가 불렸다가, 다시 씻어 건져서 물기를 뺀 후) 작말한다.
2. 솥에 물 4말과 쌀가루를 합하고, 팔팔 끓여서 죽을 쑨 후, 넓은 그릇 여러 개에 퍼서 차게 식힌다.
3. 죽에 가루누룩 3되를 합하고, 고루 버무려 술밑을 빚는다.
4. 술독에 술밑을 담아 안치고, 예의 방법대로 하여 여름에는 3일(겨울 5일) 간 발효시킨다.

* 덧술 :

1. 찹쌀 1말을 백세하여 물에 담가 (5~6시간) 불렸다가 (다시 씻어 건져서 물기를 뺀 후) 시루에 안쳐서 고두밥을 짓는다.
2. 고두밥이 익었으면 시루에서 퍼내고, 고루 펼쳐서 차게 식기를 기다린다.
3. 고두밥에 밑술을 합하고, 고루 버무려 술밑을 빚는다.
4. 술독에 술밑을 담아 안치고, 예의 방법대로 하여 발효시킨다.

* 증류 :

1. 불을 지핀 가마솥에 예의 방법대로 하여 술을 안친다.
2. 솥에 안친 술이 끓기 시작하면 소줏고리를 앉히고 시룻번을 붙인다.
3. 예의 방법대로 증류하여 소주를 내리는데, 4되씩 합하면 열여섯 복자가 난다.

적셩쇼쥬법

ᄇᆡᆨ미 일승 오홉 ᄇᆡᆨ세ᄒᆞ여 ᄀᆞ루 쎠허 물 너 말의 쥭 쑤어 사늘허거든 ᄀᆞ로누룩 서 되를 그 쥭의 합ᄒᆞ여 너허 여름이면 나흘 겨울이면 오일 후의 졈미 일두 ᄇᆡᆨ셰ᄒᆞ여 물이 붓거든 닉게 쪄 본밋히 ᄒᆞᆫᄃᆡ 너허 닛거 거ᄃᆞ래 네희 는화 쇼쥬 고으면 넉 되식 나니 합ᄒᆞ면 열여섯 복ᄌᆞ요, 마시 죠ᄒᆞ니라.

3. 적선소주법 <민천집설(民天集說)>

술 재료 : 밑술 : 멥쌀 1되 5홉, 누룩가루 3되, 끓는 물 4말
덧술 : 찹쌀 1말

술 빚는 법 :

* 밑술 :

1. 멥쌀 1되 5홉을 백세하여 물에 담가 불렸다가, 다음날 (다시 씻어 건져서 물

기를 뺀 후) 작말하여 넓은 그릇에 담아놓는다.

2. 물 4말을 팔팔 끓여 쌀가루에 붓고 주걱으로 고루 개어 죽(범벅)을 쑨 후, 넓은 그릇에 나눠서 차게 식기를 기다린다.
3. 죽(범벅)에 좋은 누룩가루 3되를 합하고, 고루 치대어 술밑을 빚는다.
4. 술독에 술밑은 담아 안치고, 겨울에는 5일, 여름은 3일간 발효시킨다.

* 덧술 :

1. 찹쌀 1말을 백세하여 물에 담가 하룻밤 불렸다가 (다시 씻어 건져서 물기를 뺀 후) 시루에 안쳐서 고두밥을 짓는다.
2. 고두밥이 익었으면 퍼낸다(고루 펼쳐서 차게 식기를 기다린다).
3. 고두밥에 밑술을 합하고, 고루 버무려 술밑을 빚는다.
4. 술밑을 술독에 담아 안치고, 예의 방법대로 하여 발효시키되, 술이 익으면 4등분하여 증류한다.

* 방문 말미에 "(증류해서) 한 번에 소주 4되씩 열엿 되 나고 맛이 좋으니라." 고 하였다. <민천집설>의 '적선소주법'은 <임원십육지>와 유사한데, 물 4말에 멥쌀 1되 5홉의 비율은 맞지 않은 것 같다. 한편, <주찬>의 '적선소주'는 밑술의 쌀 양이 1말 5되로, 물 4말로 죽(범벅)을 쑤어 술을 빚는 것으로, 맞는 방문으로 여겨진다.

謫仙燒酒法

白米一升五合百洗水浸宿作末湯水四斗作粥待冷好曲末三升和均入瓮冬五日夏三日後粘米一斗白洗浸宿蒸飯本和釀同入瓮待熟分四注之一往出四升合十六升其味甚好.

4. 적선소주 <온주법(醞酒法)>

술 재료 : 밑술 : 멥쌀 3되 5홉, 누룩가루 3되, 끓는 물 4말
덧술 : 찹쌀 1말

술 빚는 법 :

* 밑술 :

1. 멥쌀 3되 5홉을 백세하여 물에 담가 불렸다가, 이틀(2일) 후 (다시 씻어 건져서 물기를 뺀 후) 작말하여 넓은 그릇에 담아놓는다.
2. 물 4말을 팔팔 끓여 쌀가루에 붓고 개어, 죽(범벅)을 쑨다(차게 식기를 기다린다).
3. 죽에 누룩가루 3되를 합하고, 고루 치대어 술밑을 빚는다(차게 식기를 기다린다).
4. 술독에 술밑은 담아 안치고, 더울 때는 3일, 가을은 5일간 발효시킨다.

* 덧술 :

1. 찹쌀 1말을 백세하여 물에 담가 하룻밤 불렸다가 (다시 씻어 건져서 물기를 뺀 후) 시루에 안쳐서 고두밥을 짓는다.
2. 고두밥이 익었으면 퍼내어, 고루 펼쳐서 차게 식기를 기다린다.
3. 고두밥에 밑술을 합하고, 고루 버무려 술밑을 빚는다.
4. 술밑을 술독에 담아 안치고, 예의 방법대로 하여 발효시키되, 술이 익으면 4등분하여 증류한다.

* 주방문 말미에 "(증류해서) 한 번에 소주 4되씩 열엿 되 나고 맛이 좋으니라." 고 하였다. <주찬>의 '적선소주'와 비슷한데 <주찬>의 '적선소주'는 밑술의 쌀 양이 1말 5되로, 밑술의 쌀 양이 다를 뿐이다.

젹션쇼듀

ᄇᆡᆨ미 서 되가웃 ᄇᆡᆨ셰ᄒᆞ야 담가 일야 후 작말ᄒᆞ야 탕슈 너 말의 쥭 쑤어 국말 서 되 섯거 ᄎᆡ와 더위ᄂᆞᆫ 삼일 겨울은 오일의 뎜미 일두 ᄇᆡᆨ셰ᄒᆞ야 일야ᄅᆞᆯ 담가 쎠 ᄎᆡ와 밋술의 섯거 닉거든 네 번의 ᄂᆞᆫ화 고으면 ᄒᆞᆫ 번의 네 ᄃᆡ식 합ᄒᆞ야 열 녓 ᄃᆡ야 ᄂᆞ고 마시 됴흐니라.

5. 노인무가적선소주 <의방합편(醫方合編)>

술 재료 : 밑술 : 멥쌀 1되 5홉, 누룩가루 3되, 끓는 물 4말
덧술 : 찹쌀 1말

술 빚는 법 :

* 밑술 :

1. 멥쌀 1되 5홉을 백세하여 하룻밤 재웠다가 (다시 씻어 건져서 물기를 뺀 후) 작말한다(넓은 그릇에 담아놓는다).
2. 물 4말을 팔팔 끓여 쌀가루에 붓고 개어, 죽(담)을 쑨 다음 차게 식기를 기다린다.
3. 죽에 누룩가루 3되를 합하고, 고루 치대어 술밑을 빚는다.
4. 술독에 술밑은 담아 안치고, 여름철엔 3일(겨울 5일)간 발효시킨다.

* 덧술 :

1. 찹쌀 1말을 백세하여 하룻밤 불렸다가 (다시 씻어 건져서 물기를 뺀다.)
2. 불린 쌀을 시루에 안치고, 쪄서 고두밥을 짓는다.
3. 고두밥이 익었으면, 고루 펼쳐 놓는다(차게 식힌다).
4. 고두밥에 밑술을 합하고, 고루 버무려 술밑을 빚는다.
5. 술밑을 술독에 담아 안치고, 예의 방법대로 하여 술이 익으면 4등분하여 증

류한다.

* 주방문 말미에 "한 차례 하면(증류하면) 소주 4되, 합이 16되가 나오는데 맛이 좋다."고 하였다.

老人无佳謫仙燒酒

白米一升五合白洗經宿作末湯水四斗作粥待冷好曲末三升和合入瓮夏則三日冬則五日後粘米一斗白洗經宿蒸飯本酒和合入瓮待熟分四住之則一住出四升合十六升味好

6. 적선소주방 <임원십육지(林園十六志)>

술 재료 : 밑술 : 멥쌀 1되 5홉, 누룩가루 3되, 물 4말
덧술 : 찹쌀 1말

술 빚는 법 :

* 밑술 :

1. 멥쌀 1되 5홉을 백세하여 (물에 담가 밤재워 불렸다가, 다시 씻어 헹궈서 물기를 뺀 후) 작말한다(가루로 빻는다).
2. 솥에 물 4말과 쌀가루를 섞어서 안치고, 주걱으로 저어가면서 팔팔 끓여서 죽을 쑨 후 차게 식기를 기다린다.
3. 죽에 좋은 누룩가루 3되를 넣고, 고루 버무려 술밑을 빚는다.
4. 술독에 술밑을 담아 안치고, 예의 방법대로 하여 3일(겨울 5일)간 발효시킨다.

* 덧술 :

1. 찹쌀 1말을 백세하여 (물에 담가 밤재워 불렸다가, 다시 씻어 헹궈서 물기를 뺀 후) 시루에 안쳐서 고두밥을 짓는다.
2. 고두밥이 익었으면 퍼낸다(고루 펼쳐서 차게 식기를 기다린다).
3. 고두밥에 밑술을 합하고, 고루 버무려 술밑을 빚는다.
4. 술독에 술밑을 담아 안치고, 예의 방법대로 하여 발효시키고 익기를 기다린다.

* 증류 :
1. 술이 익었으면 술덧을 4등분한다.
2. 술덧은 (체에 걸러 탁주를 만들어 증류하면 더욱 좋다.) 예의 방법대로 하여 소주를 내린다.
3. 1차례 증류하여 소주 4되를 얻으므로, 모두 1말 6되가 되는데 맛이 좋다.

謫仙燒酒方

粳米一升五合白洗經宿作末湯水四斗作粥待冷好麴末三升和合入甕夏三日冬五日粘米一斗白洗經宿烝飯與前本合釀待熟分四燒之一燒出四升合得十六升味佳. <飮饍要覽>.

7. 적선소주 <주찬(酒饌)>

술 재료 : 밑술 : 멥쌀 1말 5되, 누룩가루 3되, 끓는 물 4말
덧술 : 찹쌀 1말

술 빚는 법 :

* 밑술 :
1. 멥쌀 1말 5되를 백세하여 하룻밤 재웠다가 (다시 씻어 헹궈 건져서 물기를

뺀 후) 작말하여 넓은 그릇에 담아놓는다.
2. 물 4말을 팔팔 끓여 쌀가루에 골고루 붓고, 주걱으로 고루 개어 죽(담)을 쑨 다음 차게 식기를 기다린다.
3. 죽(담)에 누룩가루 3되를 합하고, 고루 치대어 술밑을 빚는다.
4. 술독에 술밑은 담아 안치고, 3일(겨울 5일)간 발효시킨다.

* 덧술 :
1. 찹쌀 1말을 백세하여 하룻밤 불렸다가 (다시 씻어 헹궈 건져서 물기를 뺀 후) 시루에 안쳐서 고두밥을 짓는다.
2. 고두밥이 익었으면 퍼내고, 고루 펼쳐서 차게 식기를 기다린다.
3. 고두밥에 밑술을 합하고, 고루 버무려 술밑을 빚는다.
4. 술밑을 술독에 담아 안치고, 예의 방법대로 하여 발효시킨다.

* 증류 :
1. 솥을 씻어서 불 위에 올리고, 찬물을 한 바가지 붓고 끓으면, 술밑을 한 바가지 떠 넣고 다시 끓기를 기다린다.
2. 솥 안의 술이 끓기 시작하면, 다시 찬물 2바가지를 퍼 넣고 재차 끓기를 기다렸다가, 다시 술밑 4바가지를 퍼 넣고 재차 끓기를 기다린다.
3. 다시 술밑 8바가지를 퍼 넣고 재차 끓기를 기다린다.
4. 이와 같은 방법으로 술을 4등분하여 솥의 80% 정도가 차게 거듭하여 술밑을 안치고, 소줏고리를 올리고, 소줏고리와 솥의 사이를 시룻번으로 둘러 붙인다.
5. 소줏고리 위에 냉각수 그릇을 올리고, 소줏고리와 냉각수그릇 사이의 틈새를 시룻번을 붙여 틈새를 막는다.
6. 소줏고리 귀때 밑에 소주를 받을 수기를 놓고, 불을 중약불로 조절한다.
7. 소줏고리 귀때에서 소주가 방울방울 떨어지는 정도를 판별하여 불을 조절한다.
8. 처음 나오는 소주는 한 컵 정도를 받아서 다음에 재차 증류하거나, 버린다.

9. 시간이 지나 내려오는 소주의 맛을 보아 밋밋하거나 싱거우면 증류를 중단한다.

* 주방문 말미에 "1회 증류해서 소주 4되가 나온다."고 하였다.

謫仙燒酒
白米一斗五升百洗經宿作末湯水四斗作粥待冷好曲末三升調釀夏三日冬五日後粘米一斗百洗經宿烝飯合釀本酒待熟分四注之則一注出四升合十六升而味好.

8. 적선소주 <침주법(浸酒法)>
–한 말 한 되 닷 홉 빚이

술 재료 : 밑술 : 멥쌀 1되 5홉, 가루누룩 3되, 끓는 물 1말
덧술 : 멥쌀 1말

술 빚는 법 :
* 밑술 :
1. 멥쌀 1되 5홉을 백세하여 물에 담가 하룻밤 불렸다가 (다시 씻어 건져서) 가루로 빻아 넓은 그릇에 담아놓는다.
2. 물 1말을 팔팔 끓여 쌀가루에 골고루 나눠 붓고, 주걱으로 개어 무르게 익은 담(범벅)을 만든다.
3. 담(범벅)을 담은 그릇과 똑같은 크기의 그릇으로 뚜껑을 덮어 밤재워 차게 식기를 기다린다.
4. 담(범벅)에 가루누룩 3되를 한데 합하고, 고루 버무려 술밑을 빚는다.
5. 술밑을 술독에 담아 안친 후, 예의 방법대로 하여 3일간 발효시켜, 막 괴어오르면 덧술을 준비한다.

* 덧술 :

1. 멥쌀 1말을 백세하여 물에 담가 하룻밤 불렸다가, 다시 헹궈서 물기를 빼놓는다.
2. 불린 쌀을 시루에 안치고 쪄서 고두밥을 짓고, 무르게 익었으면 퍼내어 고루 펼쳐서 차디차게 식기를 기다린다.
3. 고두밥과 밑술을 한데 섞어 합하고, 고루 버무려 술밑을 빚는다.
4. 술독에 술밑을 담아 안친 후, 예의 방법대로 하여 (차지도 덥지도 않은 곳에서) 발효시켜 술이 익기를 기다린다.

* 증류 :

1. 솥을 씻어서 불 위에 올리고, 찬물을 한 바가지 붓고 끓으면, 술밑을 한 바가지 떠 넣고 다시 끓기를 기다린다.
2. 솥 안의 술이 끓기 시작하면, 다시 찬물 2바가지를 퍼 넣고 재차 끓기를 기다려 다시 술밑 4바가지를 퍼 넣고 재차 끓기를 기다린다.
3. 솥 안의 술이 끓기 시작하면, 다시 술밑 8바가지를 퍼 넣고 재차 끓기를 기다려 솥의 80% 정도가 차게 거듭하여 술밑을 안치고, 소줏고리를 올린다.
4. 소줏고리와 솥 의 사이를 시룻번으로 둘러 붙이고, 소줏고리 위에 냉각수 그릇을 올린다.
5. 소줏고리와 냉각수 그릇 사이의 틈새를 시룻번을 붙여 틈새를 막는다.
6. 소줏고리 귀때 밑에 소주를 받을 수기를 놓고, 불을 중약불로 조절한다.
7. 소줏고리 귀때에서 소주가 방울방울 떨어지는 정도를 판별하여 불을 조절한다.
8. 처음 나오는 소주는 한 컵 정도를 받아서 다음에 재차 증류하거나, 버린다.
9. 시간이 지나 내려오는 소주의 맛을 보아 밋밋하거나 싱거우면 증류를 중단한다.

* 방문 말미에 "한 번 고으는데 너 되 나느니, 큰되로 엿 되나 나면 그 맛이 좋다."고 하였다.

뎍션소쥬(積善燒酒)

ᄆᆡᄇᆡᆨ미 ᄒᆞᆫ 되 닷 홉을 일ᄇᆡᆨ 믈 시서 ᄒᆞᄅᆞ 쌈 재여 ᄀᆞᄅᆞ ᄆᆡᆼ그라 믈 너 말 ᄭᅳᆯ혀 ᄃᆞᆷ ᄀᆡ여 식거든 죠ᄒᆞᆫ 누록 서 되를 녀허 비ᄌᆞ되 여름이면 사ᄒᆞᆯ이오 겨을이면 닷 쇈 후에 출ᄇᆡᆨ미 ᄒᆞᆫ 말 일ᄇᆡᆨ 믈 시서 밤 재여 밥 ᄂᆡᆨ게 쪄 몬져 비ᄌᆞᆫ 밋퇴 섯거 녀헛더가 ᄂᆡᆨ거든 네헤 ᄂᆞᆫ화 쇼쥬 고오면 ᄒᆞᆫ 번 고오ᄂᆞᆫᄃᆡ 너 되 나ᄂᆞ니 대되 열엿되 나되 그 마시 ᄀᆞ장 죠ᄒᆞ니라.

절주

스토리텔링 및 술 빚는 법

'절주(切酒)'는 조선시대 후기의 문헌인 <임원십육지(林園十六志)>에 수록되어 있는 것이 유일한 기록이다.

흔히 '절주(節酒)'와 혼돈할 수 있는데, '절주(切酒)'는 멥쌀을 가루로 빻아 쪄서 만든 흰무리떡으로 밑술을 빚고, 덧술도 멥쌀을 가루로 빻아 끓는 물로 익힌 범벅으로 하며, 2차 덧술은 찹쌀로 고두밥을 지어 발효시킨 고급 청주를 증류한 만큼, 삼양주법(三釀酒法)의 특급 순곡소주(純穀燒酒)로 분류할 수 있다.

반면, '절주(節酒)'는 단양주법(單釀酒法)과 이양주법(二釀酒法)이 있는데, 단양주법의 경우는 찹쌀로만 한 차례 빚는 반면, 이양주법은 "찹쌀로만 2차례 빚거나 덧술은 반드시 찹쌀로 빚는다."는 전제가 있으며, '절주(切酒)'가 증류식 소주인 반면, '절주(節酒)'는 발효주라는 점에서 뚜렷하게 구분된다.

<임원십육지>의 '절주(切酒)'는 술을 빚는 과정에서 여느 주품들과는 다르다는 것을 알 수 있다.

먼저, 물 4되를 붓고 오래 끓여서 백비탕을 만들고 차게 식기를 기다렸다가, 누

룩가루 1홉을 섞어 물누룩을 만들고, 체에 걸러서 누룩찌꺼기를 제거하여 사용한다. 또 멥쌀 3되를 백세작말하여 시루에 안쳐서 흰무리떡을 찌고, 익었으면 퍼내어 덩어리를 풀어서 차게 식기를 기다렸다가, 찌꺼기를 제거한 누룩물과 합하여 술밑을 빚는데, 3일간 발효시킨다.

덧술은 멥쌀 1되와 찹쌀 1되를 백세작말한 다음, 물 10사발을 합하고, 한 번 솟구치게 끓여서 죽을 쑨 후, 차게 식기를 기다린다. 다시 물 10사발을 솟구치게 팔팔 끓여서 차게 식히고 누룩가루 4되를 섞어 물누룩을 만들어 식은 죽과 밑술, 물누룩을 한데 합하여 술밑을 빚는데, 하루 동안 발효시킨다.

특히 '절주(切酒)'는 덧술에서 죽과 물누룩을 사용하는데, 밑술과는 달리 누룩찌꺼기를 거르지 않으며, 발효기간이 1일로 죽을 쑤어 덧술을 하는 이유와 관련이 깊다는 것을 알 수 있다.

2차 덧술은 찹쌀 1말을 (백세하여) 물에 담가 불렸다가, 시루에 안쳐서 고두밥을 짓고, 차게 식기를 기다렸다가 덧술을 합하여 술밑을 빚는다. 2차 덧술의 발효기간은 5일로, 익으면 체에 걸러 찌꺼기를 제거하고 소주를 내리는 과정으로 이루어져, 삼양주임에도 실질적인 발효기간이 8일에 그치는 속성주(速成酒)라는 사실을 알 수 있다.

'절주(切酒)'의 주방문을 살피면서 간과하지 말아야 할 부분은, 삼양주법의 주방문에서 쌀 양이 1말 5되인데, 이에 대한 누룩의 양이 1홉이라는 사실과 함께 누룩은 밑술 과정에서 한 차례 사용되는데, 수곡을 만들고 누룩찌꺼기를 제거한다는 점이다.

이와 같은 주방문은 술 빚기가 매우 까다롭고 성공률이 매우 낮으나, 성공하면 향기가 매우 뛰어난 주질의 술을 얻을 수 있다는 점에서 고급 주품임을 알 수 있다.

술을 빚는 사람으로서는 욕심을 내어 볼 만한 주방문인데, 자칫 실패할 수도 있다는 점에서 '절주(切酒)'를 빚을 때 유념해야 몇 가지 주의사항이 있다.

먼저, 밑술의 수곡은 고운체를 사용하여 거르되, 손으로 박박 비벼서 누룩 기운이 남아 있지 않도록 알뜰하게 걸러내야 한다는 것이다. 한 차례 걸러낸 후에 걸러낸 누룩물을 쳐가면서 재차 비벼서 짜내는데, 밀껍질만 남도록 걸러야 한다.

이와 같은 방법으로 하여 실패를 맛보았다면, 누룩물을 거르지 않은 그대로 술을 빚었다가 덧술을 할 때 체에 걸러서 누룩찌꺼기를 제거하는 방법도 있는데, 이 방법이 오히려 실패를 줄일 수 있는 요령이다.

그리고 흰무리떡은 반드시 쪄낸 즉시 잘게 부숴서 식히도록 하고, 약간 온기가 남아 있을 때 누룩물과 섞어서 술밑을 빚은 뒤에 차게 식혀서 술독에 안치는 방법을 강구해 볼 필요가 있다.

흰무리떡으로 빚는 방법에서 실패율이 높아지는 것은, 흰무리떡이 차게 식으면 덩어리가 풀어지지 않는다는 데 있다. 떡덩어리가 남아 있는 상태에서 술독에 담아 안치면, 이 떡이 삭지 않고 그대로 남아 있어서 재발효와 함께 산패를 초래하는 것을 볼 수 있으므로, 덩어리진 떡은 어떠한 방법으로든 풀어서 사용해야만 하는 것이다.

특히 흰무리떡을 질게 쪘을 때 이와 같은 경향이 심하게 나타나므로, 흰무리떡은 질지 않게 쪄야 하고, 아무리 해도 떡이 풀어지지 않으면 온기가 남아 있을 때 누룩물과 섞어 비벼주면 잘 풀어진다.

다만, 덜 식은 떡에 누룩물을 합하여 버무리면 단시간에 좁쌀만 한 기포들이 생성되는 것을 볼 수 있는데, 이는 높은 온도 때문에 발효가 빨리 일어나면서 생기는 현상이다.

따라서 덩어리가 다 풀어졌으면 술독에 담아 안치기 전에 반드시 차게 식힌 후에 안치도록 하는 것이 속성발효와 과발효를 방지할 수 있는 요령이다.

<임원십육지>의 '절주(切酒)'는 술덧을 체에 걸러 술찌꺼기를 제거한 탁주 형태로 소주를 내리는 것으로 되어 있다. 이와 같은 방법은 증류한 소주에서 탄 냄새를 최소화하려는 목적에서 시도되는 방법으로, 가능하다면 탁주를 가라앉혀서 맑은 술을 사용하는 것이 바람직하지만, 여의치 않다면 가능한 물을 쳐가면서 거르는 것이 좋다. 탁주가 걸쭉할수록 증류 시 솥에 눋는 현상이 심해지는데, 이때 솥에 굵은 모래를 깔고 술밑을 안치는 것도 방법이다.

소주를 증류할 때도 솥에 술을 안치는 시간을 길게 가져가면 눋는 현상이 덜하고 맛과 향기가 좋은 소주를 얻을 수 있으므로, 소주 증류 과정을 참고하기 바란다.

<임원십육지>의 '절주(切酒)'는 매우 향이 좋은 소주이다. 술에서 단맛도 느껴질 정도로 소주의 맛이 진하고 달며 부드럽다는 것을 확인할 수 있었다.

다만, 삼양주법의 소주임에도 '절주(切酒)' 주방문에 따른 소주의 양이 10ℓ에 못 미쳐, 그 양이 많지 않다는 것이 아쉬움으로 남았다.

절주방 <임원십육지(林園十六志, 高麗大本)>

술 재료 : 밑술 : 멥쌀 3되, 누룩가루 1홉, 끓여 식힌 백비탕 4되
덧술 : 멥쌀 1되, 찹쌀 1되, 백비탕 10사발, 물 10사발
2차 덧술 : 찹쌀 1말

술 빚는 법 :

* 밑술 :

1. 가마솥에 물 4되를 붓고 오래 끓여서 백비탕을 만들어 차게 식기를 기다린다.
2. 식은 물에 누룩가루 1홉을 섞어 넣고, 고루 버무려 물누룩을 만들어 술독에 담아 안친다.
3. 멥쌀 3되를 백세하여 (물에 담가 불렸다가, 다시 씻어 헹궈서 물기를 뺀 후) 작말한다(가루로 빻는다).
4. 쌀가루를 시루에 안쳐서 흰무리떡을 찌고, 익었으면 퍼내어 덩어리를 풀어서 잘게 부숴 놓고, 차게 식기를 기다린다.
5. 물누룩을 체에 걸러 찌꺼기를 제거한 누룩물과 흰무리떡을 합하고, 고루 치대어 술밑을 빚는다.
6. 술독에 술밑을 담아 안치고, 예의 방법대로 하여 3일간 발효시킨다.

* 덧술 :

1. 멥쌀 1되와 찹쌀 1되를 백세하여 (물에 담가 불렸다가, 다시 씻어 헹궈서 물기를 뺀 후) 작말한다(가루로 빻는다).
2. 쌀가루에 물 10사발을 합하고, 한 번 솟구치게 끓여서 익었으면 퍼내어 놓고, 차게 식기를 기다린다.
3. 물 10사발을 솟구치게 팔팔 끓여서 차게 식기를 기다려, 누룩가루 4되를 섞어 물누룩을 만들어놓는다.
4. 죽이 식었으면 밑술과 누룩물을 한데 합하고, 고루 버무려 술밑을 빚는다.
5. 술밑을 술독에 담아 안치고, 예의 방법대로 하여 하루 동안 발효시킨다.

* 2차 덧술 :
1. 덧술 빚은 다음날 다시 찹쌀 1말을 (백세하여 물에 담가 불렸다가, 다시 씻어 헹궈서 물기를 뺀 후) 시루에 안쳐서 고두밥을 짓는다.
2. 고두밥이 익었으면 퍼내고, 고루 펼쳐서 차게 식기를 기다린다.
3. 고두밥에 덧술을 합하고, 고루 버무려 술밑을 빚는다.
4. 술밑을 술독에 담아 안치고, 예의 방법대로 하여 5일간 발효시켜, 익으면 체에 걸러 찌꺼기를 제거하고 소주를 내린다.

* 소주 내리기 :
1. 솥에 불을 지피고, 물 2사발을 붓고 끓이다가, 술 2사발을 붓고 끓인다.
2. 술 4사발을 솥에 붓고 저어준 뒤, 끓으면 다시 술을 붓는 방법으로 술을 다 안친 후, 소줏고리를 얹고, 소줏고리 위에 냉각수 그릇을 얹는다.
3. 솥과 소줏고리, 소줏고리와 냉각수 그릇의 틈새를 소줏번을 붙여 막는다.
4. 냉각수 그릇에 찬물을 채우고, 소줏고리 귀때 밑에 수기를 받쳐놓는다.
5. 참나무나 보릿짚 등으로 불을 알맞게 조절하여 소주를 받는다.
6. 냉각수 그릇의 물이 따뜻하면 즉시 퍼내고 다시 찬물을 갈아주길 11~12차례 하면서 소주를 내린다.

* 주방문 말미에 "소주를 내리면 15복자가 나오는데, 맛이 감렬하고 20복자가

나오면 맛이 순하다.

切酒方

麴屑一合餘沸湯四升餘停冷和勻入缸翌朝取白米三升百洗作末烝之用手細解其壞候冷將昨浸麴屑水篩濾滓合釀三日將白米一升粘米一升和合淨洗浸潤作末以水十鉢調和下鍋一沸取出放冷又以水十鉢煎沸候冷和麴末四升合前作米末水一處攪勻翌日用粘米一斗淨洗浸潤烝之候冷用前本及米末水合釀五日乃熟篩去滓燒之出十五鐥則烈出二十鐥則淡. <三山方>.

절통소주

스토리텔링 및 술 빚는 법

지금으로부터 10년 전의 일이다. 지리산에서 약초 재배와 가공 사업으로 생업을 꾸리고 있는 김 선생이 연구소에 와서 술을 공부하게 되었는데, 강의차 남원에 갔다가 그 곳을 찾게 된 것이다.

무엇보다도 공기 맑고 한적한 산자락에 사는 부부가 그렇게 부러울 수가 없었다.

손수 재배한 단삼(丹蔘)을 넣어 빚었다는 '오배단혼주(五杯斷魂酒)'라는 술을 내와서 한두 잔 마셔본 경험이 있다. 2차례 증류하여 알코올 도수가 70%에 가까운 약용증류주였다. 그 맛이 매우 깨끗하고 시원하면서 독특한 향이 있었는데, 김 선생은 "이 술 다섯 잔이면 정신이 나간다고 하여 술 이름을 '오배단혼주'라고 하였다."는 얘기에 매우 재미있는 주품명과 스토리텔링이라는 생각을 하게 되었다.

다른 얘기이지만, 최근 필자는 '박록담류 전통주' "물에 가둔 불"이라는 브랜드 출시를 앞두고 있는데, '박록담류 전통주'라는 아이디어도 김 선생 부부와의 술자리에서 착안하게 된 것이었다.

다시 본론으로 돌아와서 증류식 소주는 알코올 도수가 높아질수록 그 정수(精髓)를 느낄 수 있는 까닭에 취흥(醉興)이 배가되어 독한 술을 즐기는 사람들이 많은데, <이씨(李氏)음식법>에 수록된 '절통소주'라는 주품을 대하고 난 느낌도 '오배단혼주'를 떠올리게 될 만큼 아주 강렬했다.

<이씨음식법>의 '절통소주'는 주방문이 한글로 쓰여져 있어, 정확히 어떤 의미의 주품명인지 알 수 없다.

주방문대로라면 발효주로 이해할 수도 있지만, 주방문 말미에 "10일 후에 쓰게 하라."고 되어 있어, 그 뜻을 정확히 알 수는 없으나 술 이름이 '절통소주'인 것으로 미루어, 이 말을 "소주를 내리라."는 뜻으로 이해하여 주방문을 작성하였다.

<이씨음식법.의 주방문대로 '절통소주를' 빚어본 결과 발효가 끝난 상태의 술맛이 매우 독하고 좋았는데, 마치 <양주방>*의 '사시주'와 같았으며, 서너 잔을 마시고도 정신이 혼미할 정도로 취기가 높았다.

주방문에는 덧술을 빚은 후 발효가 끝나기까지 10일이 걸린다고 하였는데, 10일 후에는 발효가 끝나지 않은 상태여서 10일 정도 더 발효를 시키게 되었다. 술 빚은 지 20일 가까이 되어 술을 걸러놓고 보니 그 양이 8말 가까이 되었으며, 소줏고리를 사용하여 소주를 내리게 되었는데, 초류 한 컵과 물맛이 느껴지고 투명도가 떨어지는 후류 4ℓ를 제외하고 나니, 30ℓ 조금 넘는 '절통소주'를 얻을 수 있었다.

'절통소주'를 맛본 사람들은 한결같이 "우리 소주가 맞느냐?"면서 의심의 눈빛을 보내기도 하고, "이런 소주를 두고 왜 양주를 마시는지 모르겠다."는 듯 감탄사를 연발하면서, "우리나라 소주에서도 향기가 있다는 사실을 처음 알게 되었다."고 하였다.

<이씨음식법>의 '절통소주'는 지금까지 경험해 본 <산림경제(山林經濟)>의 '노주이두방'을 비롯하여 <음식디미방>의 '소주', <임원십육지(林園十六志)>의 '삼일로주', <조선무쌍신식요리제법(朝鮮無雙新式料理製法)>의 '소주특방' 등 여느 소주류에 비해 깊은 맛과 함께 특히 향기가 뛰어났는데, 입술이 타오를 정도의 강한 향취는 "통쾌하다."는 생각을 불러일으킬 정도로 그 맛과 향취를 쉽게 잊지 못할 것 같았다.

바로 이러한 특징 때문에 '절통소주'라는 주품명을 붙이게 되었는지 모르겠지만, 필자의 추측이 맞다면 '절통소주'는 자극이 심하다 못해 술맛을 느끼지 못할 정도로 강렬한 맛 때문에 '절통(切痛)'이란 의미를 부여했을지도 모르겠다는 생각을 하게 되었다.

<이씨음식법>의 '절통소주'는 그 비법이 밑술에 달려 있다고 해도 과언이 아니다. 술 빚을 쌀은 백세하고 충분히 불려서 고운 가루로 빻는데, 깁체에 한 번 내린 후 물과 섞어 죽을 쑨다.

쌀가루는 물에 잘 풀어서 덩어리가 없게 하고, 만화(慢火, 뭉근한 불)로 천천히 끓이되, 표면 전체에 커다란 기포가 균일하게 생길 때까지 끓이고, 센불로 뜸을 들여서 그릇에 퍼 담아 저절로 식을 때까지 기다려서 누룩과 섞어 술밑을 빚는 방법이 그것이다.

술 빚을 죽은 절대로 태워서는 아니 되고, 특히 뜸을 잘 들여서 얼음같이 차게 식힌 후에 사용해야 한다. 누룩은 절구에 찧어 가루로 빻되, 깁체에 한 번 내려서 밀가루와 같은 고운 가루를 제거하고 중간체에 한 번 더 내리는데, 체 안에 남은 거친 누룩을 제거하여 만든 가루누룩을 사용하는 것을 원칙으로 한다.

술밑은 하루나 이틀 동안 발효시키고 충분히 끓어오르길 기다렸다가, 서늘한 곳에서 옮겨서 차게 식을 때까지 기다리되, 2일 정도를 방치하듯 하여 충분이 익힌 후에 사용하면 더욱 좋다.

주지하다시피 밑술의 상태가 좋으면 덧술의 발효를 걱정할 일이 아니나, 덧술을 빚을 때 주의할 일은 고두밥과 끓는 물이 골고루 섞이도록 조치하는 일이고, 가능한 한 고두밥을 차갑게 식혀서 사용하면 별탈이 없다.

주방문에 "술독을 땅에 묻고 술밑을 담아 안친 후, 밀봉하여 10일간 발효시킨 후 사용하게 하라."고 하였는데, 서늘한 곳에서 발효시키고 증류하라는 뜻으로 이해할 필요가 있다.

다만, 술독은 지기(地氣)를 꺼리므로, 술독을 그대로 땅에 묻어서는 안 된다. 흙냄새가 배어들기 때문에 볏짚으로 옷을 지어 입혀서 묻어두지 않으면 낭패를 겪게 된다. 그리고 땅속의 온도는 겨울철이라도 14~16℃ 범위를 오르내리므로, 가능하다면 서늘한 곳에 두고 발효시키되, 이불로 술독을 감싸서 술독이 주변 온도에 영향을 받지 않도록 하면 된다.

절통소주 <이씨(李氏)음식법>

술 재료 : 밑술 : 멥쌀 2말, 가루누룩 4되, 끓는 물 4말
덧술 : 멥쌀 3말, 누룩 1되, 끓는 물 2말 5되

술 빚는 법 :

* 밑술 :

1. 멥쌀 2말을 백세하여 물에 담가 불렸다가 (다시 새 물에 깨끗이 헹궈서 물기를 뺀 다음) 세말한 후 체에 내린다.
2. 넓은 그릇에 담아놓고, 끓는 물 4말을 끓이다가, 쌀가루를 골고루 풀어 넣고, 주걱으로 고루 저어서 죽을 끓인다.
3. 죽을 넓은 그릇에 나눠 담고, 서늘한 곳에 두고 차게 식기를 기다린다.
4. 죽에 가루누룩 4되를 한데 합하고, 고루 치대어 술밑을 빚는다.
5. 술독에 술밑을 담아 안치고, 예의 방법대로 하여 발효시키고 익기를 기다린다.

* 덧술 :

1. 멥쌀 3말을 백세하여 (물에 담가 불렸다가, 다시 새 물에 깨끗이 헹궈서 물기를 뺀 후) 시루에 안쳐서 고두밥을 짓는다.
2. 물 2말 5되를 끓이다가, 고두밥이 익었으면, 넓은 그릇에 퍼 담고 끓는 물을 퍼 붓고, 덩어리 없이 헤쳐서 차게 식기를 기다린다.
3. 물 먹인 진고두밥에 누룩 1되와 밑술을 합하고, 고루 버무려 술밑을 빚는다.
4. 소독한 술독을 땅에 묻고 술밑을 안친 후, 밀봉하여 10일간 발효시켜 사용한다.

* 소주 내리기 :

1. 솥에 불을 지피고, 물 2사발을 붓고 끓이다가, 술 2사발을 붓고 끓인다.
2. 술 4사발을 솥에 붓고 저어준 뒤, 끓으면 다시 술을 붓는 방법으로 술을 다 안친 후, 소줏고리를 얹고, 소줏고리 위에 냉각수 그릇을 얹는다.
3. 솥과 소줏고리, 소줏고리와 냉각수 그릇의 틈새를 소줏번을 붙여 막는다.
4. 냉각수 그릇에 찬물을 채우고, 소줏고리 귀때 밑에 수기를 받쳐놓는다.
5. 참나무나 보릿짚 등으로 불을 알맞게 조절하여 소주를 받는다.
6. 냉각수 그릇의 물이 따뜻하면 즉시 퍼내고 다시 찬물을 갈아주길 11~12차례 하면서 소주를 내린다.

* 주방문 말미에 "10일 후에 '쓰게' 하라."고 하였는데, '쓰게'가 정확히 무슨 뜻인지 알 수는 없으나 술 이름이 '절통소주'인 것으로 미루어, 이 말을 "소주를 내리라."는 뜻으로 이해하여 주방문을 작성하였다.

절통쇼쥬

ᄇᆡᆨ미 두 말 ᄇᆡᆨ셰ᄒᆞ여 둠가다가 가시 ᄡᅵ 가로 가늘게 ᄡᅵ셔 너 말 쥭 쑤어 식거든 누룩 너 되 셕거 너헛다가 익거든 ᄇᆡᆨ미 셔 말 ᄇᆡᆨ셰ᄒᆞ야 익게 ᄡᅧ ᄭᅳᆯ힌 물 두 말 닷 되을 식거든 누룩 ᄒᆞᆫ 되ᄒᆞ고 젼 술밋헤 셕거 너허 십 일 후에 ᄡᅳ게 ᄒᆞ라.

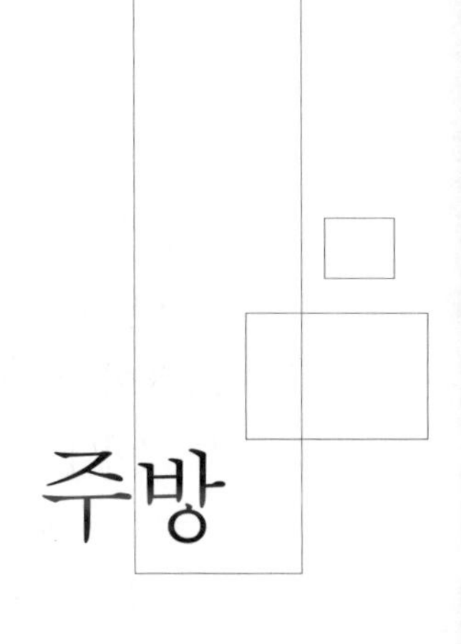

주방

<주찬(酒饌)>에 매우 독특한 주방문을 수록하고 있는 것을 볼 수 있는데, 이 주방문을 술 빚는 방법으로 보아야 하는지, 아니면 주품명에 따른 주방문으로 이해해야 옳을지 고민을 했었다.

'주방(酒方)'이라는 주품명 때문이었다. '주방'은 <주방(酒方)>이라는 문헌 명칭과 동일하기도 하거니와, 다른 문헌에서는 "술 빚는 방법(酒方, 酒方文)"을 의미하고 있기 때문이다.

그런데도 <주찬>에는 '주방'이라고 하여 주방문도 함께 수록하고 있는데, 그 방법이 매우 특별하다는 것이다.

그간 수백 가지의 주방문을 바탕으로 술을 빚어보고 그 맛이나 향기를 감상해 왔지만, '주방'과 같은 주방문은 목격하지 못했다. 즉, 술을 빚는 데 사용되는 쌀의 양과 누룩의 양이 각각 1되(一升)씩이라는 점과, 특히 쌀을 여러 차례 나누어 씻는데 그때마다 쌀을 씻는 물을 버리지 않고 다시 끓여서 사용한다는 점에서 '주방'의 특징을 찾을 수 있겠다.

주지하다시피 "술 빚을 쌀은 백세(百洗)한다."고 하였고, 그 이유가 발효에 불필요한, 다시 말하면 발효를 억제하는 쌀의 영양성분과 이물질, 나쁜 냄새를 물로 씻어 제거하는 것이 그 목적인데, '주방'에서는 그 물을 끓여서 사용하고 있다는 것이다.

그러고 보면 언뜻 떠오르는 주품명이 한 가지 있는데, '주방'을 수록하고 있는 <주찬>을 비롯하여 <군학회등(群學會騰)>, <동의보감(東醫寶鑑)>, <양주방>*, <홍씨주방문> 등에 수록되어 있는 단양주법(單釀酒法)의 '백화춘'을 떠올릴 것이지만, '백화춘'은 쌀을 씻을 때 나온 뜨물은 버리고 침지 과정의 쌀 담갔던 물을 사용한다는 점에서 차이가 있다.

'주방'의 주방문을 보면, "멥쌀 1되를 물 1사발에 깨끗이 씻어 건지고, 물은 큰 그릇에 담아놓고, 한 번 씻은 쌀에 다시 물 1사발을 붓고 깨끗이 씻어 건진 후, 다시 건져내고 남은 물은 먼저 그릇에 담아놓는다. 이와 같이 모두 10회 반복하는데, 쌀은 건져 작말하고 맨 마지막에 쌀 씻은 물은 따로 담아둔다. 쌀 씻었던 물 9사발에 쌀가루를 넣고, 죽을 쑤어 차게 식기를 기다렸다가, 마지막에 받아둔 쌀 씻은 물과 누룩가루 1되를 합하고, 고루 버무려 술밑을 빚는다."고 하였다.

이처럼 9차례 씻은 뜨물은 쌀가루와 합하여 죽을 쑤는데, 마지막에 씻은 뜨물은 날물인데도 끓인 죽과 함께 섞어 술을 빚는데 사용하고 있다는 사실은, 술을 빚는 일반적인 상식과는 배치된다는 것이다.

'주방'의 술맛은 여느 단양주와 별반 차이가 없다. 술 빛깔도 깨끗하지 못하고, 발효 중에는 거품과 같은 부유물이 많은 것을 볼 수 있다.

다만, 여느 단양주와 달리 주발효가 매우 활발하고 매우 독특한 향기를 느낄 수 있는데, 그렇게 권장할 만한 향기는 아니라고 생각되었다.

주방 <주찬(酒饌)>

술 재료 : 멥쌀 1되, 누룩가루 1되, 물 10사발

술 빚는 법 :

1. 멥쌀 1되를 물 1사발에 깨끗이 씻어 건지고, 물은 큰 그릇에 담아놓는다.
2. 한 번 씻은 쌀에 다시 물 1사발을 붓고 깨끗이 씻어 건진 후, 다시 건져내고 남은 물은 먼저 그릇에 담아놓는다.
3. 이와 같이 모두 10회 반복하는데, 쌀은 건져 작말하고 맨 마지막에 쌀 씻은 물은 따로 담아둔다.
4. 쌀 씻었던 물 9사발을 끓이다가, 따뜻해지면 쌀가루를 풀어 넣고, 주걱으로 저어주면서 팔팔 끓는 죽을 쑤어 차게 식기를 기다린다.
5. 죽에 마지막에 받아둔 쌀 씻은 물과 누룩가루 1되를 합하고, 고루 버무려 술밑을 빚는다.
6. 술독에 술밑을 담아 안치고, 예의 방법대로 하여 발효시킨다.

酒方

白米一升水一碗淨洗注水別器中如是者九次後第十次一碗水則 又別注他器後搗米作細末以九碗水作粥待冷以好曲末一升別注水一碗與粥調釀待熟用之. 又租一斗浸於水一斗數日後烝出亂搗伋烝熟出而浸水釀之待熟燒注則酒出六七升而其味極烈.

주방 우법

스토리텔링 및 술 빚는 법

<주찬(酒饌)>의 '주방 우법(酒方 又法)'은 '조소주(造燒酒)'라는 부제가 붙어 있다. <주찬>에는 '주방(酒方)'이라는 주품명과 '주방 우법'으로 '조소주법'이 함께 등장하는데, 이 두 주품은 '구황주(救荒酒)'와 '천금주(千金酒)'를 각각 응용한 것으로 여겨진다.

일테면 이양주법(二釀酒法)의 '구황주' 주방문에서 밑술 주방문을 빌려온 것이 '주방'이라는 주품명의 주방문이고, '천금주'를 증류하여 소주로 만든 것이 '주방 우법(조소주)' 주방문라는 것이 필자의 견해이다.

하기야 이와 같은 경우는 목격하기 힘든 것이기도 하지만, <주찬>에는 '구황주'와 '천금주' 주방문이 수록되어 있는 것을 볼 수 있는데, 각각 '별법(別法)' 또는 '우방(又方)'이라고 하지 않고 굳이 별도의 '주방'과 '주방 우법'으로 수록하게 되었는지 그 연유를 확인할 길이 없다.

여하튼 '주방 우법'은 단양주법(單釀酒法)의 '소주'를 빚는 방법인데, 도정하지 않은 벼(나락)를 주원료로 사용한다는 것이 특징이라고 할 수 있으며, 여러 날 물에 담가 불려두면 쌀이 부식되면서 발효에 불필요한 성분들을 제거할 수 있다는 점에서 매우 지혜로운 방법으로 생각된다.

불린 벼는 시루에 한 차례 찐 다음, 뜨거울 때 절구에 넣고 찧어서 쌀이 잘 익도록 하는 것은 물론, 쌀겨와 쌀이 분리되기 쉽도록 만든 후에 재차 쪄서 찬물 1말에 담가 식혀서 사용한다.

이때 물 위에 뜬 겨는 건져서 버리는 것이 좋고, 쌀이 물을 먹고 차게 식었으면 누룩을 섞어서 많이 치대어 술밑을 빚는다.

주방문에는 누룩의 양이 나와 있지 않으나, '주방 우법'과 유사한 주방문으로 <산가요록(山家要錄)>의 '목맥소주'와 <술방>의 '피모소주', <임원십육지(林園十六志, 高麗大本)>의 '모미소주방'과 '이모로주방', <증보산림경제(增補山林經濟)>의 '모미로주법'의 주방문을 들 수 있는데, '보리'나 '귀리', '메밀' 등이 다 같이 도정하지 않은 상태의 곡물을 사용하고 있다.

특히 주원료를 오랜 기간 물에 담갔다가 사용하는 등 공통점을 나타내고 있어, 누룩가루의 양을 3~4되로 산정하였다.

결국, '주방 우법'을 비롯하여 <임원십육지(고려대본)>의 '모미소주방'과 '이모로주방', <증보산림경제>의 '모미로주법'의 주방문은 <산가요록>의 '목맥소주'를 기본으로 삼고 있다고 보아야 할 것이며, 보다 후기의 문헌인 <주방문조과법(造果法)>에도 영향을 미쳤을 것으로 생각된다.

<주찬>의 '주방 우법'의 주질은 다소 밋밋하고 쓴맛도 있다.

주방 우법 <주찬(酒饌)>

–조소주(造燒酒)

술 재료 : 벼 1말, 누룩가루(3~4되), 물 1말

술 빚는 법 :

1. 벼 1말을 (물에 깨끗이 씻어 헹궈서) 새 물 1말에 담가 수일간 불려놓는다.
2. 벼를 다시 씻어 헹궈서 건진 후, 시루에 안치고 찐다.
3. 벼가 익었으면 퍼내어 절구에 넣고, 절굿공이로 매우 많이 짓찧는다.
4. 짓찧은 벼를 다시 시루에 쪄서 익힌 후, 물 1말에 담가 차게 식힌다(건져낸다).
5. 식힌 벼에 누룩가루(3~4되)와 합하고, 고루 힘껏 치대어 술밑을 빚는다.
6. 술독에 술밑을 담아 안치고 예의 방법대로 하여 발효시키고, 익기를 기다린다.

* 증류 :
1. 솥을 씻어서 불 위에 올리고, 찬물을 한 바가지 붓고 끓으면, 술밑을 한 바가지 떠 넣고 다시 끓기를 기다린다.
2. 솥 안의 술이 끓기 시작하면, 다시 찬물 2바가지를 퍼 넣고 재차 끓기를 기다렸다가, 다시 술밑 4바가지를 퍼 넣고 재차 끓기를 기다린다.
3. 다시 술밑 8바가지를 퍼 넣고 재차 끓기를 기다린다.
4. 이와 같은 방법으로 술을 4등분하여 솥의 80% 정도가 차게 거듭하여 술밑을 안치고, 소줏고리를 올리고, 소줏고리와 솥의 사이를 시룻번으로 둘러 붙인다.
5. 소줏고리 위에 냉각수 그릇을 올리고, 소줏고리와 냉각수 그릇 사이의 틈새를 시룻번을 붙여 막는다.
6. 소줏고리 귀때 밑에 소주를 받을 수기를 놓고, 불을 중약불로 조절한다.
7. 소줏고리 귀때에서 소주가 방울방울 떨어지는 정도를 판별하여 불을 조절한다.
8. 처음 나오는 소주는 한 컵 정도를 받아서 다음에 재차 증류하거나, 버린다.
9. 시간이 지나 내려오는 소주의 맛을 보아 밋밋하거나 싱거우면 증류를 중단한다.

* '주방'의 주방문 말미에 '구황소주'로 수록하고 있음을 볼 수 있다.

酒方

白米一升水一碗淨洗注水別器中如是者九次後第十次一碗水則又別注他器後搗米作細末以九碗水作粥待冷以好曲末一升別注水一碗與粥調釀待熟用之.
又租一斗浸於水一斗數日後烝出亂搗伋烝熟出而浸水釀之待熟燒注則酒出六七升而其味極烈.

죽력고

스토리텔링 및 술 빚는 법

'죽력고(竹瀝膏)'는 <군학회등(群學會騰)>을 비롯하여 <농정회요(農政會要)>, <술방>, <임원십육지(林園十六志)>, <조선무쌍신식요리제법(朝鮮無雙新式料理製法)>, <증보산림경제(增補山林經濟)> 등 6개의 양주 관련 문헌과 우리나라 세시풍속과 민속 관련 조사 문헌인 <한국민속대관(韓國民俗大觀)>에서도 찾아볼 수 있다.

'죽력고'는 자전풀이 그대로 "대나무의 진액인 죽력(竹瀝)을 주원료로 사용하고, 주정의 농도가 진한 술"을 가리킨다.

'죽력고'에 대한 기록은 여느 주방문과는 달리 비교적 간단하게 수록되어 있는 것이 특징이고, 주원료의 배합비율이나 알코올 도수 등에 관한 언급이 없어, 필요와 목적에 따라 임의대로 만들어 마시는 술이라는 것을 알 수 있다.

죽력이라고 하는 것은 푸른 대(靑竹)의 줄기를 숯불이나 장작불에 쪼여 흘러나오는 수액 같은 기름(膏)을 가리킨다. 이 죽력은 '죽즙(竹汁)', '담죽력(淡竹瀝)'으로도 불리고 있어, 그 성질이나 형태를 짐작할 수 있다.

그리고 죽력을 섞어서 증류한 소주를 '죽력고'라고 하며, 한의학에서는 이 '죽력고'를 만들 때 생지황, 꿀, 계심, 석창포 따위와 함께 조제하여 아이들이 중풍으로 별안간 말을 못할 때 구급약으로 쓴다고 알려져 있다.

전통적으로 알려져 온 최고급 상품의 술로, '죽력고'는 술의 주재(主材)가 대나무에 있으므로, 대나무의 주산지인 전라도가 명산지로 알려져 왔다.

'죽력고'에 대한 주방문 가운데 비교적 상세한 기록으로 볼 수 있는 문헌으로 <술방>에 "쥭녁고는 쥭녁을 조흔 꿀과 중품소주의 타 병에 너어 솟희 중탕하여 내고, 혹 강즙을 타도 조코 조흔 꿀 알맛치 타면 조흐니라."고 하였고, <임원십육지>에는 <증보산림경제>를 인용하여 "죽력에 꿀과 소주를 적당량 넣어 항아리에 담고 끓는 물에 중탕한 다음 꺼내어 사용한다. 혹 생강즙 약간을 넣어도 좋다."고 하였고, <증보산림경제>에는 "죽력고는 오지그릇에 담아 오랫동안 숙성시켰다가 마신다. 재료의 양은 적당히 알아서 한다. 대나무는 물이 오를 때(5~6월경)에 채취한다. 중풍을 치료하는 효과가 있다."고 하여 제조 시기가 초여름이라는 것을 알 수 있다.

또한 우리나라 민속 관련 조사 기록이면서 가장 후기의 기록이라고 할 수 있는 <한국민속대관>에는 "한방(韓方)에서 '죽력고'란, 아이들이 중풍으로 갑자기 말을 못할 때 구급약으로 써온 것인데, 죽력(竹瀝, 푸른 대쪽을 불에 구워서 받은 진액)을 섞어서 만든 소주에다 생지황(生地黃) · 꿀 · 계심(桂心) · 석창포(石菖浦) 등과 함께 조제하여 만든 것이다. 이 술은 대나무 주산지인 전라도에서 만들어진 것이 유명한데, 조선 중엽 이후의 처방문을 보면 다음과 같다. 소주에다 왕대를 쪼개서 불에 구워 스며 나오는 즙과 벌꿀을 알맞게 넣어, 그 그릇을 끓는 물속에 넣고 중탕해 낸다. 혹 사람에 따라서는 생강즙을 넣기도 한다."고 하여 다른 문헌보다 상세한 주방문을 수록하고 있음을 볼 수 있다.

따라서 '죽력고'는 세월이 흐르면서 그 방법이 변화된 것을 볼 수 있는데, 조선 중엽까지만 해도 소주에다 왕대를 쪼개서 숯불에 굽는데, 이때 대나무에서 빠져나오는 기름(죽력)과 벌꿀을 알맞게 넣고, 그 그릇을 끓는 물속에 넣고 중탕하여 빚는 방법이 기본을 이룬다는 것을 알 수 있고, 취향에 따라 생강즙을 넣기도 하던 것이 1950년대 이후엔 소주에다 죽력 외에 생지황 · 꿀 · 계심 · 석창포 등이 추가된 경향을 띤 것을 알 수 있다.

현재 전라북도 지정 무형문화재인 '태인 죽력고'는 창포와 생강 · 계심 · 솔잎 · 죽엽 등이 사용되고 있는 것을 보아 알 수 있듯 <한국민속대관>의 주방문과 동일하다는 것을 확인할 수 있다.

이러한 '죽력고'는 최남선의 <조선상식문답(朝鮮常識問答)>에 언급되면서 더욱 유명세를 띠게 되었고, 이후 언제부턴지 모르게 소위 '조선 3대 명주'로 불리게 된다.

<조선상식문답>을 보면, "조선술의 유명한 것은 무엇이 있습니까?" 하는 질문에 대하여 "가장 널리 퍼진 것은 평양의 '감홍로'니, 소주에 단맛 나는 재료를 넣고, 홍곡으로서 밝으레한 빛을 낸 것입니다. 그 다음은 전주의 '이강고'니, 뱃물과 생강즙과 꿀을 섞어서 고은 소주입니다. 그 다음은 전라도의 '죽력고'니, 청대를 숯불 위에 얹어 뽑아낸 즙을 섞어서 고은 소주입니다. 이 세 가지가 전날에 전국적으로 유명하던 것입니다."고 한 내용이다.

사실 '죽력고'가 그 명성을 얻게 된 배경은, 소위 '녹두장군'으로 불렸던 전봉준(全琫準, 1853~1895)과 관련된 얘기가 세간에 회자되면서부터였다고 할 수 있다.

전하는 얘기로, 조선 말기의 매천(梅泉) 황현(黃玹, 1855~1910)이 쓴 <오하기문(梧下奇聞)>에 "전봉준이 관원에게 사로잡혀 모진 고문을 당하여 만신창이가 되었는데, 지역 주민들이 이 사실을 알고 '죽력고'를 가져다 마시게 했으며, '죽력고' 3잔을 마시고는 몸이 나았으며, 수레 위에서 꼿꼿하게 앉은 채로 서울로 압송되었다."는 것이 그 요지이다.

이후 '죽력고'는 멍들고 병든 몸을 추스르는 이만한 약도 없다' 하여 명약주(名藥酒)로 널리 회자되었던 것이다.

실제로 죽력은 간과 심장, 위, 폐 등의 질환에 작용하여 치료제로 사용되는데, <별록(別錄)>에는 "갑작스런 풍사의 침범으로 저리고 흉부에 열이 심한 증상을 치료하고, 가슴이 번잡하고 답답한 증상과 갈증을 해소한다."고 전한다.

또 <본초강목(本草綱目)>에는 "임신으로 인한 어지럼증과 중풍 증상을 치료하며, 초오(草烏)의 독을 푼다. 혈압을 다스리고 중풍 등 혈관관계 질병과 기관지천식, 어혈, 뇌졸중으로 인한 언어장애와 해열작용에도 효과가 있다."고 전해 온다.

'죽력고'는 좋은 소주와 함께 부재료로 사용하는 약재의 배합에 따라 그 맛과 향취가 달라지므로 사용량의 조절에 힘써야 한다.

예를 들어 창포가 많이 사용되면 비위에 거슬리고, 생강이 많이 사용되면 쓴맛이 강해지며, 계심이 많이 사용되면 술의 향취가 떨어진다는 것이다. 꿀은 주독을 풀어주고 독한 소주 맛을 부드럽게 해주는 효과가 있지만, 과다 사용은 흥취를 떨어뜨리는 요인이 된다.

술 빚는 법으로는 좋은 죽력을 구하는 일도 중요하지만 좋은 소주를 얻는 것이 가장 중요한 일로 생각되며, 죽력은 3년생 정도의 왕대를 사용하여 직화법(直火法)보다는 왕겨를 태운 불에 묻어서 오랜 시간 약을 달이듯 하여 얻어진 것이 좋다고 알려지고 있다. 즉, 뭉근한 불로 오랜 시간 잘 달여서 얻은 죽력은 약간 신맛과 냄새를 느낄 수 있으며, 전통 청주의 빛깔과 유사한 색을 지닌다. 꿀은 양봉보다는 향기도 좋고 약성도 뛰어난 토종꿀을 사용했을 때가 향취가 좋았다.

경험적으로 소주는 한두 차례 증류하여 순도가 높고 탄 냄새나 누룩 냄새와 같은 이취가 나지 않는 증류식 소주를 준비한 후, 다른 약재 말고 이 세 가지 주재(酒材)만을 단지에 넣고 밀봉한 후, 끓는 물솥에 안쳐서 중탕하여 만든 '죽력고'가 가장 이상적으로 생각되었다.

굳이 한 가지를 더 넣고 싶다면 계심을 추가하는 정도로 만족할 것을 권하고 싶다. 창포나 숙지황, 죽엽, 솔잎 등의 효과를 부정하는 것은 아니지만, '죽력고' 또한 기호음료인 술이라는 사실에서 무엇보다 향취와 흥취를 만족시킬 수 있어야 한다는 생각 때문이다.

1. 죽력고법 <군학회등(群學會騰)>

술 재료 : 죽력(담죽, 고죽), 중품노주(적당량), 꿀(적당량), 생강즙(조금)

술 빚는 법 :

1. 담죽과 고죽을 한 자 정도 길이로 잘라 시루에 걸친 다음, 시루 위 대나무의 중간 부분을 숯불로 지진다.
2. 대나무의 양쪽으로 흘러내리는 액(죽력)을 그릇에 받아낸다.
3. 단지에 죽력과 준비한 적당한 양의 노주, 벌꿀, (생강을 강판에 갈아 만든 생강즙)을 넣고 주둥이를 밀봉한다.
4. 끓는 물솥에 술을 안친 술단지를 넣어 중탕한다.
5. (꿀과 죽력이 녹아 소주와 섞일 정도가 되면 꺼내고 술을 명주천으로 한 번 걸러낸 다음 차게 식혀 마신다.)

* 오지그릇에 담아 오랫동안 숙성시켰다가 마신다. <임원십육지>의 '죽력고방'과 동일한 방문이다. 재료의 양은 적당히 알아서 한다. 대나무는 물이 오를 때(5~6월경)에 채취한다. 중풍을 치료하는 효과가 있다. 방문 말미에 "혹 생강즙을 넣으면 꺼릴 것이 없다."고 하였다.

竹瀝膏法
竹瀝好蜜及中品露酒量宜相和納甕釜中重湯而出用 或加薑汁少許則亦無妨.

2. 죽력고법 <농정회요(農政會要)>

술 재료 : 죽력(담죽, 고죽), 소주, 꿀, (생강즙)

술 빚는 법 :
1. 담죽과 고죽을 한 자 정도 길이로 잘라 시루에 걸친 다음, 시루 위 대나무의 중간 부분을 숯불로 지진다.
2. 대나무의 양쪽으로 흘러내리는 진액(죽력)을 그릇에 받아낸다.
3. 단지에 죽력과 소주, 벌꿀, (생강을 강판에 갈아 만든 생강즙) 등 술밑을 넣

고 주둥이를 밀봉한다.

4. 끓는 물솥에 술밑을 담은 술단지를 안치고 뭉근한 불로 중탕한다.
5. (꿀과 죽력이 녹아 소주와 섞일 정도가 되면 꺼내고, 술을 명주천으로 한 번 걸러낸 다음 차게 식혀 마신다.)

* 오지그릇에 담아 오랫동안 숙성시켰다가 마신다. <임원십육지>의 '죽력고방'과 동일한 방문이다. 재료의 양은 적당히 알아서 한다. 대나무는 물이 오를 때(5~6월경)에 채취한다. 중풍을 치료하는 효과가 있다.

竹瀝膏法

竹瀝好蜜及中品露酒量宜相和納瓶釜中重湯而出用 或加薑汁而添亦無妨.

3. 죽력고 <술방>

술 재료 : 죽력(1되), 좋은 꿀(3홉), 중품소주(1말), 강즙(생강 2~3개)

술 빚는 법 :

1. 한겨울에 묵은 참대나 신우대를 베어다 잔가지를 다듬고, 30cm 길이로 잘라놓는다.
2. 화로에 숯불을 담고 삼발이를 올려놓는다.
3. 삼발이 위에 잘라놓은 대나무의 중간 부분을 올려 걸쳐놓는다.
4. 대나무 양끝으로 흘러나오는 진액(죽력)을 받아낸다.
5. 예의 방법대로 하여 중품 백소주를 마련한다.
6. 좋은 꿀(한봉)을 적당량 마련한다.
7. 생강 2~3개를 껍질 벗겨낸 후, 강판에 갈아 면보자기에 담고 주물러 짜서 강즙을 얻는다.

8. 단지나 항아리에 중품소주와 죽력, 꿀, 강즙을 한데 넣고 밀봉한다.
9. 가마솥에 물을 붓고, 죽력과 소주 등을 넣은 단지를 안치고, 중탕한다.
10. 고운 모시베나 면보자기, 창호지 등을 이용하여 여과한 뒤, 병입하여 두고 마신다.

쥭녁고

쥭녁을 죠흔 ᄭᅮᆯ과 즁품쇼쥬의 타 병의 너어 솟희 즁탕ᄒᆞ여 ᄂᆡ고, 혹 강즙을 타도 죠코, 죠흔 ᄭᅮᆯ 알맛치 타면 죠흐니라.

4. 죽력고방 <임원십육지(林園十六志)>

술 재료 : 죽력(담죽, 고죽), 소주, 꿀, 생강즙

술 빚는 법 :
1. 담죽과 고죽을 한 자 정도 길이로 잘라 시루에 걸친 다음, 시루 위 대나무의 중간 부분을 숯불로 지진다.
2. 대나무의 양쪽으로 흘러내리는 액(죽력)을 그릇에 받아낸다.
3. 단지에 죽력과 소주, 벌꿀, (생강을 강판에 갈아 만든 생강즙)을 넣고 주둥이를 밀봉한다.
4. 끓는 물솥에 술을 안친 술단지를 넣어 중탕한다.
5. (꿀과 죽력이 녹아 소주와 섞일 정도가 되면 꺼내고 술을 명주천으로 한 번 걸러낸 다음 차게 식혀 마신다.)

* 죽력고는 오지그릇에 담아 오랫동안 숙성시켰다가 마신다. 재료의 양은 적당히 알아서 한다. 대나무는 물이 오를 때(5~6월경)에 채취한다. 중풍을 치료하는 효과가 있다.

竹瀝膏方
竹瀝白蜜量宜入燒酒內以其器入滾湯中重湯取出用之 或入生薑汁亦可. <增補山林經濟>.

5. 죽력고 <조선무쌍신식요리제법(朝鮮無雙新式料理製法)>

술 재료 : 죽력(담죽, 고죽), 소주, 꿀, 생강즙

술 빚는 법 :

1. 법제한 죽력을 준비한다(담죽과 고죽을 한 자 정도 길이로 잘라 시루에 걸친 다음, 시루 위 대나무의 중간 부분을 불로 지진다. 대나무의 양쪽으로 흘러내리는 액/죽력을 그릇에 받아낸다).
2. 단지에 죽력과 소주, 벌꿀(생강을 강판에 갈아 만든 생강즙)을 넣고 주둥이를 밀봉한 뒤, 끓는 물솥에 넣어 중탕한다.
3. 꿀과 죽력이 녹아 소주와 섞일 정도가 되면 꺼낸다.

죽력고(竹瀝膏)
죽력과 꿀을 마음대로 소쥬병에 너코 중탕하야 쓰는데, 강집을 너어도 조흐니라. 죽력은 법제로 내여야 하나니라.

6. 죽력고법 <증보산림경제(增補山林經濟)>

술 재료 : 죽력(담죽, 고죽), 소주, 꿀, 생강즙

술 빚는 법 :

1. 담죽과 고죽을 한 자 정도 길이로 잘라 시루에 걸친 다음, 시루 위 대나무의 중간 부분을 숯불로 지진다.
2. 대나무의 양쪽으로 흘러내리는 액(죽력)을 그릇에 받아낸다.
3. 단지에 죽력과 소주, 벌꿀, (생강을 강판에 갈아 만든 생강즙)을 넣고 주둥이를 밀봉한다.
4. 끓는 물솥에 술을 안친 술단지를 넣어 중탕한다.
5. (꿀과 죽력이 녹아 소주와 섞일 정도가 되면 꺼내고, 술을 명주천으로 한 번 걸러낸 다음 차게 식혀 마신다.)

* 오지그릇에 담아 오랫동안 숙성시켰다가 마신다. 재료의 양은 적당히 알아서 한다. 대나무는 물이 오를 때(5~6월경)에 채취한다. 중풍을 치료하는 효과가 있다.

竹瀝膏法

竹瀝好蜜及中品露酒量宜相和納甕釜中重湯而出用 或加薑汁少許則亦無妨.

7. 죽력고 <한국민속대관(韓國民俗大觀)>

술 재료 : 죽력(담죽, 고죽), 소주, 꿀, 생강즙, (생지황·꿀·계심·석창포 등)

술 빚는 법 :

1. 담죽이나 고죽을 한 자 정도 길이로 잘라 시루에 걸친 다음, 시루 위 대나무의 중간 부분을 숯불로 지진다.
2. 대나무의 양쪽으로 흘러내리는 진액(죽력)을 그릇에 받아낸다.
3. 단지에 죽력과 소주, 벌꿀, 생강을 강판에 갈아 만든 생강즙과, 필요에 따라

생지황 · 꿀 · 계심 · 석창포 등과 함께 넣고 주둥이를 밀봉한다.

4. 끓는 물솥에 술을 안친 술단지를 넣어 중탕한다.
5. (꿀과 죽력이 녹아 소주와 섞일 정도가 되면 꺼내고, 술을 명주천으로 한 번 걸러낸 다음 차게 식혀 마신다.)

죽력고(竹瀝膏)

한방(韓方)에서 '죽력고'란, 아이들이 중풍으로 갑자기 말을 못할 때 구급약으로 써온 것인데, 죽력(竹瀝, 푸른 대쪽을 불에 구워서 받은 진액)을 섞어서 만든 소주에다 생지황 · 꿀 · 계심 · 석창포 등과 함께 조제하여 만든 것이다. 이 술은 대나무 산지인 전라도에서 만들어진 것이 유명한데, 조선 중엽 이후의 처방문을 보면, 다음과 같다. 소주에다 왕대를 쪼개서 불에 구워, 스며 나오는 즙과 벌꿀을 알맞게 넣어, 그 그릇을 끓는 물 속에 넣고 중탕해 낸다. 혹 사람에 따라서는 생강즙을 넣기도 한다.

(지주법)

스토리텔링 및 술 빚는 법

현대인들의 다양한 음주취향을 반영하는 홍보나 마케팅 방법의 한 가지가 현장성이다. 시내 중심가나 번화가에 가보면 즉석 주스를 비롯하여 커피 등 소위 테이크아웃 개념의 업소들이 성황을 이루고 있는 것을 본다.

현대인들의 성향이 그만큼 빠른 속도감과 즉흥성, 신선성을 추구한다는 얘기에 다름 아니다. 현대인들이 선호하는 또 다른 경향으로 편의성을 빼놓을 수 없다.

술도 마찬가지여서 휴대의 편의성에다 현장에서의 즉흥성까지 겸할 수 있다면, 모르긴 해도 소위 '대박'을 터트릴 수 있을 것 같다.

병에 담긴 술은 휴대도 불편하거니와 무겁고 빛이나 온도 등 관리와 보관에 유의해야 하므로, 여러 가지로 불편한 점이 없지 않다.

이러한 술병을 대신하여 무게와 부피가 작고, 주위의 온도나 빛, 보관에 따른 유용성까지 갖추어서 휴대가 쉽고 보다 간편하게, 그리고 즉석에서 제조가 가능하여 빠르게 마시게 할 수 있다면 얼마나 좋을까?

그런 술이 있다. 이미 '비선주'나 '경각화준순주'에서도 소개한 바 있거니와, 다시금 <주식방(酒食方, 高大閨壼要覽)>에 수록된 한 주방문을 여기에 소개한다.

우선 이 주방문은 주품명이 존재하지 않는다. 다만, 주방문 말미에 "죠흔 술 비졋다가 싀거든 긔으지 말고 가마니 두어 ᄃᆞᆯ 두면 지쥬 되ᄂᆞ니라."고 하여, '지주'라는 용어에 의미를 두고 편의상 '(지주법)'으로 명명하기로 한다.

<주식방(고대규곤요람)>의 '(지주법)'은 한글로 된 주방문인데, 주품명을 빠트린 것으로 생각된다. <주식방(고대규곤요람)>의 '삼칠일주' 주방문에 이어 수록된 것으로 '삼칠일주 우법'이라고 보기에는 문제가 있다.

독립된 주방문이기 때문이다. 또 주방문을 생각하면 도저히 술이라는 생각이 들지 않는 데다, 어떤 유형의 주종으로 분류해야 할지 판단하기조차 어려워서 머릿속이 하얗게 된다.

우선 <주식방(고대규곤요람)>은 1800년초 · 중엽에 저술된 한글 필사본의 주방문으로 저자 미상이다. 현재 고려대학교(신암문고) 소장본으로 알려져 있다. <주식방(고대규곤요람)>에는 '중원인호작주법'을 시작으로 '소곡주법' 등 30종의 전통주를 수록하고 있는데, '(지주법)'은 그 어떤 주품보다도 차별화된다. '(지주법)'의 주방문을 보아 알 수 있듯 여느 주방문과는 다른, 발효시키는 방법이 아니라는 것이다.

<주식방(고대규곤요람)>에 "뎜미 조히 씨셔 ᄌᆞ말ᄒᆞ여 된 쇼쥬의 마라 몸이 다 젓거든 다마 김을 녀 익을 만ᄒᆞ거든 쏘다 쓰져 유지예 펴내라 말노여 ᄶᅵ혀 쳐 또 쇼쥬 ᄆᆞ쳐 ᄶᅧ 말노여 또 한 번 그리 ᄒᆞ여 ᄃᆡ되 세 번을 ᄒᆞ여 유지 줌치예 너허 두고 ᄂᆡᆼ슈 ᄒᆞᆫ 복ᄌᆞ의 셰 술식 타 마시면 마시 긔특ᄒᆞ고 다식ᄒᆞᄂᆞ니라. 뎜미 닷 말을 ᄒᆞ면 한 ᄒᆡ를 먹ᄂᆞ니라."고 한 것을 볼 수 있다.

그 방법을 보면 쌀가루를 소주에 적셔서 찌고 말리고 치는 과정을 세 차례나 반복하는 것으로, 마치 제다(製茶) 과정과도 유사하다는 것을 알 수 있다.

따라서 '(지주법)'은 <주식방(고대규곤요람)>뿐만이 아니라, 우리나라 술에 대한 주방문을 수록하고 있는 모든 문헌 가운데 가장 두드러진 주방문이라고 할 수 있다.

우리나라 술은 찹쌀과 멥쌀을 중심으로 보리쌀과 조, 수수, 기장, 메밀, 벼, 상수리, 오디, 호도, 잣, 포도와 고구마에 이르기까지 다양한 원료를 사용하고 있음을 볼 수 있는데, 주원료의 다양성만큼이나 다양한 양조기법들이 등장하여 저마다의 향기와 맛을 다투어 왔다.

그런데 한 가지 공통점은 어떤 원료를 어떠한 방법으로 가공하여 술을 빚든지 반드시 당화 · 발효원인 누룩을 사용하고 있다는 사실이다.

물론, '무국주'라고 하여 누룩이 없이 초재의 잎에 존재하는 야생 곰팡이와 효모균을 이용한 방법이 있긴 하지만, <주식방(고대규곤요람)>의 '(지주법)'과 같은 주방문은 정말로 의외라고밖에 생각되지 않는다.

그도 그럴 것이, 주원료로 쌀을 사용하지만 발효시키는 방법이 아니라는 것이다.

따라서 이 주방문에 의한 '(지주법)'을 주류로 볼 것인지에 대한 이론(異論)이 많을 것으로 생각된다.

주지하다시피 쌀가루에 소주를 섞어 불리고 설익힌 다음, 건조시켜서 다시 소주를 섞어서 말리길 세 차례를 반복하는 방법은, 식품을 장기간 보관하기 위한 방법의 한가지로, 소위 '주정침지법(酒精浸漬法)'이라고도 할 수 있는데, '구증구포(九蒸九鋪)'를 연상케 한다.

이러한 과정은 두 가지 목적으로 행해진다는 것을 알 수 있는데, 첫째는 '소주'는 휘발성이 강한 까닭에 한꺼번에 쌀에 침투시킬 수 없거니와, 시간이 지나면 다시 증발해 버리므로 그 효과가 떨어지기 때문에 반복적으로 행한다는 사실이다.

둘째는 반복적인 작업과정을 통하여 쌀의 성분과 알코올의 성질을 변환시키려는 목적이라는 것이다.

모든 식품의 성분은 열에 의한 화학적인 구조변화를 일으키는데, 반복적인 과정을 거치게 되면 그 성질이나 성분의 변화를 가져온다. 이러한 성질이나 성분의 변화 가운데 한 가지가 술의 맛과 향기이다.

<주식방(고대규곤요람)>의 '(지주법)'은 결국에는 전분 형태의 쌀가루와 알코올 성분이 융합되어 있는 구조일 수밖에 없는데, "그 맛이 기특하다."고 한 것은 앞서와 같이 '흰소주(백로주)에 담그고 찌고 말리고' 하는 과정의 반복에서 오는 성분의 변화를 뜻한다고밖에 볼 수 없다.

또한 주방문 말미에 "쌀떡을 기름종이로 만든 줌치에 넣어두고, 냉수 1복자에 술 세 숟가락씩 마시면 맛이 기특하다."고 하여 술을 만들어 마시는 방법을 엿볼

수 있는데, 애긴즉 필요할 때 물에 타면 술로, 이를테면 '인스턴트식 술'인 셈이다.

이는 마치 <오주연문장전산고(五洲衍文長箋散稿)>에 수록된 '비선국'이나 '비선주'를 연상케 한다.

주방문에서 보듯 알코올 도수가 높은 '백로주(白露酒)'를 사용하여 떡을 찌고 말리는 과정을 여러 차례 반복하지만, 그 과정에서의 잡균 오염이나 변질에 대한 고민을 하지 않아도 되고, 건조시켜서 보관하는 과정으로 미루어 짐작하건대 저장성이 좋을 것으로 판단된다.

이와 같은 방법으로 이루어진 술을 중류주(혼성주)로 분류할 수 있는 것인지 자신할 수 없으나, "유지 줌치예 너허 두고 뇡슈 흔 복즈의 셰 술식 타 마시면 마시 긔특흐고 다식흐누니라."고 하였다.

이는, 건조시켜서 분말 상태로 휴대하고 다니다가 물을 섞으면 바로 농축 요거트와 같은 형태의 술이 된다는 점에서 매우 특별한 술이라고 할 수 있다는 것이다.

생각하건대 술을 적신 쌀가루를 찌고 말리고 치는 과정을 통해서 얻고자 하는 효과는 쌀(전분)과 알코올의 성분 변화를 유도하여 그 독성(毒性)을 해소하는 한편으로, 전분과 알코올의 조화에서 오는 새로운 화합물의 생성을 꾀하고자 하는 선험적 지혜에서 비롯된 방법으로 이해할 수 있을 것이다.

술이란 궁극적으로는 '취흥(醉興)'이라는 기호를 충족시킬 수 있어야 하는 음료이다. 더불어 앞서 언급한바 그것이 가능하다면 편의성과 함께 호기심을 충족시킬 수 있어 더욱 좋을 것이라는 의미에서 '(지주법)'은 의미가 큰 술이라고 할 수 있으며, 같은 의미에서 <오주연문장전산고>의 '비주(飛酒)'나 <수운잡방(需雲雜方)>의 '건주(乾酒)'도 비교해 볼 만하다.

그 예로 <오주연문장전산고>에 "흰쌀로 만든 엿을 취하는데, 많고 적음에 상관없이 엽전 모양으로 조각을 크게 만들어서 백국을 곱게 갈아 조금을 그 위에 넣고 소를 만들어 넣으면 송병이 된다. 거기 남은 찌꺼기를 백자 항아리에 넣는데, 만약 백자나 도자기가 없으면 큰 죽통에 남은 찌꺼기를 넣어서 위에 쌀로 만든 당병(송병)의 많고 적음을 보아서 물을 붓고 겨우 떡 위에 물이 잘박하게 잠기도록 넣어서 따뜻한 아랫목에 놔두고, 옷가지 등으로 두텁게 덮어놓으면, 새벽이 되어 항아리에 귀를 대고 들으면 아름답고 따뜻한 술이 된다."고 한 '비주' 주방문을 볼 수 있으며, <수운잡방>에는 "술(청주)을 떠내고 난 후, 술지게미는 꿀에 반죽하여 달걀 크기만큼씩 환을 만든다. 물 1말에 술지게미로 만든 환을 넣으면 좋은 술을 얻는다."고 하는 '건주' 주방문도 맥락을 같이한다고 할 수 있다.

<주식방(고대규곤요람)>의 '(지주법)'은 술 빚는 공정이 복잡하고 시간이 많이 걸리는 등 복잡하긴 하지만, 어렵지는 않은 공정을 거쳐서 이루어진다.

'(지주법)'을 맛보고자 세 차례 양주 실습을 해보긴 하였는데, 그 맛이 제대로 된 것인지는 확신할 수 없었다.

처음엔 주방문대로 하였지만, 기대했던 술맛이 아니었다. 맛이 쓰고 떫으면서 소주 냄새가 사라지지 않은 탓에 맛있다는 느낌은 받지 못했다. 또한 텁텁한 맛과 싱거운 도수로 인해 기호가 떨어졌는데, 그 원인이 떡을 칠 때에 고루 쳐지지 않은 까닭으로 판단되었다.

하여 실패의 원인으로 주방문의 "말리라."는 떡의 "온기를 식히라."는 것으로 해석하여 거듭된 양주 실습 결과, 은은하지만 매우 독특한 술 향기와 함께 부드러운 맛을 느낄 수 있었으며, 특히 "지주되느니라." 하는 부연설명도 굳이 떡을 치는 과정을 세 차례 반복하는 이유가 부드러운 맛을 얻기 위한 방법이었다는 사실도 깨달을 수 있었다.

'(지주법)'은 그 과정이 복잡하지만, 언제고 휴대하고 다니면서 즉석에서 물에 타서 탁주나 막걸리를 만들어 마실 수 있으므로 매우 유용하다고 할 수 있다.

술이 완성되면 유지에 싸고 밀봉하여 냉장고나 냉동고에 보관해 두면, 언제든지 필요할 때마다 꺼내서 즉석에서 사용할 수 있기 때문이다.

또한 소주를 사용한 까닭에 변질되지도 않고, 그 양을 많이 하고 급수비율을 줄여서 만들면 알코올 도수도 꽤 높은 술을 즐길 수 있다.

주방문 말미에 "점미 5말을 하면 한 해를 먹느니라."고 한 부연설명이 '(지주법)'이 저장성이 뛰어난 술이라는 사실을 뒷받침해 준다.

(지주법) <주식방(酒食方, 高大閨壼要覽)>

술 재료 : 찹쌀, 흰소주 (3되)

술 빚는 법 :

1. 찹쌀을 깨끗하게 씻어(백세하여 물에 담갔다가, 다시 씻어 건져서 물기를 뺀 후) 작말한다.
2. 쌀가루를 독한 흰소주(백로주)에 넣고 밥을 국에 말듯이 하여, 술이 다 잦아들기를 기다린다.
3. 시루에 안쳐서 한김 나게 떡을 찌되, 익을 만하면 퍼내고 기름종이에 펼쳐서 말린다(식힌다).
4. 식힌 쌀가루에 흰소주(백로주)를 묻혀서 다시 찌고, 말리기(식히기)를 다시 한 번 더 반복한다.
5. 쌀떡을 기름종이로 만든 줌치에 넣어두고, 냉수 1복자에 술 세 숟가락씩 (섞어) 마시면 맛이 기특하다.

* 술 이름이 쓰여 있지 않고, 재료의 양이나 술 빚는 방법도 구체적으로 언급되어 있지 않다. 그러나 '삼칠일주' 방문 말미에 기록되어 있으므로, '삼칠일주 우법'으로 기록하였다.
  그러나 이 주방문은 본방 '삼칠일주'와는 달리 그 과정이 낯설기 짝이 없다. 술이라고 하기보다는 약(藥)으로 생각되며, "점미 5말을 하면 한 해를 먹느니라."고 하고, 또 "좋은 술 빚었다가 시거든, 거르지 말고 가만히 두어 달 두면 지주되나니라."고 하였다.
* 주방문 말미에 "술이 달고 향기로우니라. 흰 항에 하나니라. 삼되적법이니라."고 하였다. 방문 말미의 '삼되적법'이라고 한 사실을 술밑에 사용되는 물(술, 소주)의 양으로 간주하였다.

(지주법)

뎜미 조히 씨셔 ᄌᆞᆨ말ᄒᆞ여 된 쇼쥬의 마라 몸이 다 젓거든 다마 김을 녀 익을 만ᄒᆞ거든 쏘다 쓰져 유지예 펴내라 말노여 ᄯᅵ혀 쳐 ᄯᅩ 쇼쥬 므쳐 쎠 말노여 ᄯᅩ 한 번 그리ᄒᆞ여 ᄃᆡ되 세 번을 ᄒᆞ여 유지 줌치예 너허 두고 ᄂᆡᆼ슈 ᄒᆞᆫ 복ᄌᆞ의 셰 술식 타 마시면 마시 ᄀᆡ특ᄒᆞ고 다식ᄒᆞᄂᆞ니라. 뎜미 닷 말을 ᄒᆞ면 한 ᄒᆡ를 먹ᄂᆞ니라 죠흔 술 비졋다가 ᄉᆡ거든 ᄀᆡ으지 말고 가마니 두어 ᄃᆞᆯ 두면 지쥬 되ᄂᆞ니라.

찹쌀소주 · 점미소주

스토리텔링 및 술 빚는 법

'찹쌀소주'란 자전풀이 그대로 "찹쌀로 술을 빚고 증류한 소주"라는 뜻이다.

<음식디미방>에는 '찹쌀소주'라고 하였고, <음식디미방>보다 후기의 기록인 <역주방문(曆酒方文)>에는 '모소주방(麰燒酒方)'에 이어 '또 다른 방법(又方)'이라고 하였으므로, '모소주 별법(別法)'으로 여겨지나, 주원료와 방문으로 미루어 '찹쌀소주'로 생각된다.

그도 그럴 것이 <역주방문>은 '모소주방 우방(又方)'으로 기록되어 있고 <음식디미방>보다 뒤늦게 저술된 문헌임에도 <음식디미방>의 '찹쌀소주' 주방문과 주원료의 배합비율이나 술 빚는 과정이 너무나 똑같다는 사실이다.

이러한 연유로 <역주방문>의 '모소주방'의 '우방'은 '점미소주(粘米燒酒)'로 지칭하기로 하였다.

'찹쌀소주'의 맛이나 향은 두고라도 술 이름만을 듣고 생각하면 "이 술이 얼마나 사치를 즐기는 사람들의 전유물이었을까?" 하는 생각을 떨칠 수가 없다.

달리 표현하면 술의 향기와 맛을 제대로 이해하지 못하는 사람들은 '멥쌀소주', 나아가서는 '보리소주'와 '좁쌀소주', '수수소주(고량주)', '옥수수소주(옥촉서소주)' 등 "소주면 다 같은 것이지 별 다를 게 뭐 있겠느냐."는 생각을 할 수도 있기 때문이다.

그리고 소주에 목마른 사람들은 겉보리나 통밀을 이용한 '피모소주'나 '진맥소주'도 마다하지 않거니와 그 차이를 구별하지도 못하기에 하는 말이다.

어떻든 '찹쌀소주'와 '점미소주'의 주방문을 보면, 소주이면서도 두 번에 걸쳐 빚은 술을 증류하는데, 밑술과 덧술 두 번에 걸쳐서 찹쌀을 사용하고 있어, 우선 원료 측면에서도 고급 소주라는 것을 알 수 있다.

특히 병기(倂記)한 바와 같이 찹쌀 1말 1되로 빚은 술에서 "가장 좋으면 여덟 복자 나오고, 위연하면(어지간히 마실 만하면) 열여섯 복자 나느니라."는 점에서 멥쌀로 빚은 술과 비교했을 때 수율이 높다는 점에서 선호되었고, 또한 양을 늘리기 위한 노력을 기울였다는 것을 볼 수 있다.

여기에서 소주 여덟 복자나 열여섯 복자는 비교적 수율이 높은 방문으로 여겨지나, 술 빚기에 사용되는 누룩의 양이 다른 술보다 많은 4되라는 점을 반영한다면 결코 특별할 것도 없다.

다시 말하면 동량의 원료 비율과 찹쌀로 빚는 소주로 <임원십육지(林園十六志)>를 비롯하여 <주식방(酒食方, 高大閨壼要覽)>, <증보산림경제(增補山林經濟)>에 수록되어 있는 '소주다취로법(燒酒多取露法)'과 비교하여 별반 차이가 없다는 것이다.

그런데도 굳이 '찹쌀소주'와 '점미소주'라는 주품명을 사용하고, 특히 비싼 찹쌀을 사용하여 소주를 만들어 마시는 데에는 분명한 이유가 있다.

주지하다시피 보리쌀로 빚은 소주는 '모미소주(麰米燒酒)' 또는 '보리소주'라고 하고, 좁쌀로 빚은 소주는 '속미소주(粟米燒酒)', 기장으로 빚은 소주는 '서미소주(黍米燒酒)' 또는 '출소주(秫燒酒)'라고 하여 여러 문헌에 등장하는 것을 볼 수 있고, 멥쌀로도 소주를 빚어 마시는 경우는 흔한데도 '멥쌀소주' 또는 '갱미소주(秔米燒酒)'라는 주품명은 찾아볼 수도 없다는 사실로 미루어, '찹쌀소주'라는 주품명에 담긴 의미는 무엇보다 '차별화'라고 생각된다.

결국 여러 가지 쌀 가운데 찹쌀을 가장 귀하고 비싼 원료로 여긴 데서, 다른 원료로 빚은 소주보다 고급스럽고 우리나라 사람들의 감칠맛을 선호하는 구미에 더 부합된다는 이미지를 강조한 것으로 여겨진다는 뜻이다.

그리고 또 다른 이유는 그 어떤 원료로 빚는 경우보다 찹쌀로 빚은 술이 소주로 내렸을 때 수율이 높고 술맛이 부드럽다는 사실이다.

다만, '찹쌀소주'를 빚을 때 유념할 것은, 밑술에서 볼 수 있듯 찹쌀을 가루로 만들어 죽을 쑬 경우에는 어떤 술 빚기보다 죽이 퍼지게 잘 익혀야 한다는 것이다.

찹쌀가루는 멥쌀가루보다 빨리 잘 익는다고는 하지만, 자칫 설익히거나 누룩과 죽이 잘 혼합되지 않으면 감패하거나 술이 끓어 넘치게 되어, 결국에는 실패를 초래하기 쉽기 때문이다.

1. 모소주 우방(점미소주) <역주방문(曆酒方文)>

술 재료 : 밑술 : 찹쌀 1되 멥쌀 1되, 누룩가루 4되, 물 10사발
덧술 : 찹쌀 1말, 끓여 식힌 물 10사발

술 빚는 법 :

* 밑술 :

1. 찹쌀 1되와 멥쌀 1되를 함께 섞어 백세하여 (물에 담가 불렸다가, 다시 씻어 건져서 물기를 뺀 후) 작말한다.
2. 빻은 쌀가루를 물 10사발에 섞어 덩어리 없이 풀고 한두 차례 끓여서 죽을 쑨다.
3. 죽을 넓은 그릇에 펴서 차게 식기를 기다린다.
4. 죽에 누룩가루 4되를 합하고, 고루 버무려 술밑을 빚는다.
5. 술밑을 술독에 담아 안치고, 예의 방법대로 하여 (따뜻한 곳에 두고) 하룻밤 동안 묵힌다(발효시킨다).

* 덧술 :

1. 찹쌀 1말을 깨끗하게 잘 일어서(백세하여) 물에 담가 불렸다가 (다시 씻어 헹궈서) 시루에 안쳐 고두밥을 짓는다.
2. 별도의 솥에 물 10사발을 끓여서 차게 식혀놓는다.
3. 고두밥이 익었으면 퍼내고, 고루 펼쳐서 차게 식기를 기다린다.
4. 고두밥에 밑술과 끓여둔 물 10사발을 한데 섞고, 고루 버무려 술밑을 빚는다.
5. 술독에 술밑을 담아 안친 다음 (술독 주둥이에 묻은 것을 깨끗하게 씻어내고, 베보자기와 뚜껑을 덮은 뒤) 5일간 발효시켜 익기를 기다린다.
6. 술이 익으면 걸러내어 소주를 내리는데, 15복자를 받으면 그 맛이 준렬하고, 20복자를 받으면 맛이 덜하다.

* <역주방문>에는 '모소주방'에 이어 '또 다른 방법(又方)'이라고 하였으므로, '모소주방'의 별법으로 여겨지나, 주재료와 방문으로 미루어 술 이름을 부제로 '점미소주방'이라고 하였다.

모소주(麰燒酒) 또 다른 방법(又法) (粘米燒酒)

찹쌀 1되와 멥쌀 1되를 함께 섞어 백 번 씻어 물에 담가 두었다가 쌀이 잘 불어가거든 가루로 만들어 물 10사발을 섞어 반죽하여 1~2번 불에 끓여 익혀 둔다. 또 물 10사발을 펄펄 끓여서 냉각시켜 놓는다. 누룩가루 4되를 위의 찹쌀과 멥쌀을 섞어 익혀놓은 것과 함께 섞어서 하룻밤 묵힌다. 또 찹쌀 1말을 깨끗이 씻어서 물에 담가두었다가 불어난 후에 쪄서 밥을 만들어 냉각시킨 후에 위의 물이랑 함께 섞어서 항아리에 담아두었다가 5일이 지난 후에 술이 익거든 눌러 짜서 끓이면서 소주를 걸러 내리면 15복자 정도의 소주를 얻을 수 있을 것이다. 그러면 맛이 아주 준열하다. 20복자 정도의 소주를 얻으면 맛이 좀 못할 것이다.

2. 찹쌀소주 <음식디미방>

술 재료 : 밑술 : 찹쌀 1되, 멥쌀 1되, 누룩 4되, 물 40복자
덧술 : 찹쌀 1말

술 빚는 법 :

* 밑술 :

1. 멥쌀과 찹쌀 각 1되를 (백세하여 물에 담가 불렸다가, 다시 씻어 건져) 작말한다.
2. 정화수 40복자에 쌀가루를 개어(아이죽을 만들어) 솥에 많이 끓여 죽을 쑨다.
3. 넓은 그릇에 죽을 퍼서 따스하게 식기를 기다렸다가, 누룩가루 4되를 합하고 고루 버무려서 술밑을 빚는다.
4. 술밑을 술독에 담아 안치고, 예의 방법대로 차지 않은 곳에서 1일간 발효시킨다.

* 덧술 :

1. 밑술 빚은 다음날 찹쌀 1말을 (백세하여 물에 담가 불렸다가, 다시 씻어 헹궈서 물기를 뺀 후) 시루에 안쳐 고두밥을 짓는다.
2. 고두밥이 익었으면 퍼내고, 고루 펼쳐서 매우 차게 식기를 기다린다.
3. 고두밥에 밑술을 합하고, 고루 버무려 술밑을 빚는다.
4. 술독에 술밑을 담아 안치고, 예의 방법대로 하여 7일간 발효시킨다.

* 소주 내리기 :

1. 솥에 불을 지피고, 물 2사발을 붓고 끓이다가, 술 2사발을 붓고 끓인다.
2. 술 3사발을 솥에 붓고 저어준 뒤, 끓으면 다시 술을 붓는 방법으로 술을 다 안친 후, 소줏고리를 얹고, 소줏고리 위에 냉각수 그릇을 얹는다.

3. 솥과 소줏고리, 소줏고리와 냉각수 그릇의 틈새를 소줏번을 붙여 막는다.
4. 냉각수 그릇에 찬물을 채우고, 소줏고리 귀때 밑에 수기를 받쳐놓는다.
5. 불을 알맞게 조절하여 소주를 받되, 첫술 1컵 정도는 버리거나 다음에 증류할 술에 섞어 사용한다.

ᄎᆞᆸᄡᆞᆯ쇼쥬

ᄎᆞᆸᄡᆞᆯ ᄒᆞᆫ 되 뫼ᄡᆞᆯ ᄒᆞᆫ 되 작말ᄒᆞ여 정화슈 마은 복ᄌᆞ의 그ᄅᆞᆯ 프러 ᄆᆞ이 싈혀 도로 시거 ᄃᆞ슬 만ᄒᆞ거든 누록 너 되 녀허 하 ᄎᆞ지 아니ᄒᆞᆫ ᄃᆡ 둣다가 이튼날 ᄎᆞᆸᄡᆞᆯ ᄒᆞᆫ 말 닉게 ᄶᅧ ᄆᆞ이 ᄎᆞ거든 밋술 석거 녀허 칠일 지나거든 고흐라 ᄀᆞ장 죠ᄒᆞ면 열여ᄃᆞᆲ 복ᄌᆞ 나고 위연ᄒᆞ면 열여ᄉᆞᆺ 복ᄌᆡ 나ᄂᆞ니라 더틀 제 짐쟉ᄒᆞ여 누록을 더 녀흐라.

추모소주 · 가을보리술

스토리텔링 및 술 빚는 법

우리나라의 증류주는 그 종류가 의외로 다양하다는 것을 알 수가 있다.

우선, 세계적 공통이라고 할 수 있는 당질에 따라 분류할 수 있고, '삼해주'와 같이 양주 횟수와 양주 시기에 따른 분류와, 향료나 색을 부여하는 부재료에 따라 '감홍로', '죽력고', '이강고'와 같이 나뉘고, 또 지역에 따라 '안동소주', '관서감홍로', '내국홍로주' 등도 있으며, 특정 명칭이나 사람의 이름을 딴 '이태백효주'나 '적선소주', '손처사하일주', '여가주'로도 지칭할 수 있다.

증류주의 보편적인 분류는 당질에 따른 분류라고 할 수 있으므로, 이에 따라 분류할 수 있는 증류주로는 우리나라 사람들이 가장 선호하는 '찹쌀소주'를 비롯하여 '모미소주', '피모소주', '이모로주', '교맥소주', '진맥소주', '송순주' 등 다양하다.

가을에 수확하는 가을보리를 사용한 증류주로는 <술방>의 '가을보리술 노주법'을 비롯하여 <역주방문(曆酒方文)>의 '(추모소주秋麰燒酒)'가 있는데, <역주방문>의 '(추모소주)'는 주품명 없이 주방문만 수록되어 있고, 주방문 말미에 '명왈 구일주(名曰 九日酒)'라고 한 데서 '구일주'로도 불렸다는 것을 알 수 있다.

물론, 이들 주품은 주방문 말미에 '추모주' 또는 '가을보리술'을 기주로 하여 "증류하면 소주를 얻을 수 있다."고 한 사실에서 필자에 의해 작성된 주방문이라는 것을 밝혀둔다.

이들 주품에 대한 주방문을 별도로 작성하고 여기에 수록하게 된 배경은, <머리글>에서도 언급하였듯이 이 땅에서 얼마나 다양한 전통주들이 빚어졌고, 어떠한 양주방법과 양주기술이 있었으며, 가능하다면 보다 다양한 관광상품 개발과 함께 보다 차별화되고 개성화된 주품들로 소비계층의 수요에 맞는 상품 개발로 이어지고, 특히 수입주류에 대한 대체효과를 꾀하여 보자는 취지와 이제 한국의 전통주도 세계적인 명주로의 진입을 위한 기초자료를 확보하자는 데 그 목적이 있다.

먼저, <술방>의 '가을보리술 노주법'은 '추모주'편에서 구체적으로 다루었으므로, 생략하기로 한다.

한편 <역주방문>의 '(추모소주)'는 가을보리를 사용한 증류주로는 드물게 이양주법(二釀酒法)의 주방문을 보여주고 있다.

그 이유나 배경에는 단양주법(單釀酒法)의 '가을보리소주'가 밋밋하거나 지나치게 쓰고 거칠 수가 있으므로, 1차 발효가 일어난 술덧에 멥쌀죽을 쑤어 식으면 한데 섞어주고, 한 차례 더 발효시킴으로써 알코올 도수를 높이는 한편으로, 소주의 거친 맛을 부드럽게 하고자 하는 방법을 취하고 있다.

따라서 '추모소주'나 '가을보리술'은 일반 '보리소주'의 음용에서 한 단계 발전된 양주기술을 볼 수 있다는 점에서 그 의미가 크다.

이렇듯 다양한 방법의 양주기술과 주질을 높이려는 다양한 시도와 그에 따른 노력들이 아무런 조명이나 조사 연구도 없이 수백 년을 경과해 온 사실에 대해서, 그리고 자칫 그나마도 흔적 없이 사라질 뻔했다는 사실에 가슴 서늘해짐을 느낀다.

1. 가을보리술 또 한 법 <술방>

술 재료 : 보리쌀(1말), 누룩 4되, (끓여 식힌 물 1말)

술 빚는 법 :

1. 보리쌀을 (백세하여 물에 담가 불렸다가, 새 물에 다시 씻어 맑게 헹궈 건져서 물기를 뺀 후) 밥 짓듯 하여 잠깐 익게 끓인다.
2. 보리밥을 찬물에 3일간 담갔다가, 굵은 베보자기(마, 삼베)에 건져서 햇볕에 내놓아 건성으로 말린다.
3. 보리밥을 다시 고쳐 쓿어 옥같이 씻어 기울을 제거한다.
4. 이와 같이 하여 마련한 보리쌀을 시루에 안쳐 고두밥을 찌고, 익었으면 퍼낸다.
5. 솥에 물(1말)을 끓여 넓은 그릇에 퍼서 차게 식히고, 고두밥도 고루 펼쳐서 차게 식기를 기다린다.
6. 차게 식힌 보리고두밥에 누룩 4되와 끓여 식힌 물을 합하고, 고루 버무려 술밑을 빚는다.
7. 술밑을 술독에 담아 안치고, 예의 방법대로 하여 7일간 발효시킨다.

* 소주 내리기 :

1. 술이 익었으면 솥에 안치고, 물 1말 5되(쌀되)를 섞어 끓이고, 소줏고리를 앉힌다.
2. 솥과 소줏고리, 소줏고리와 냉각수 그릇 사이에 소줏번을 붙여 김이 새지 않게 한 다음, 냉각수 그릇에 냉수를 가득 채운다.
3. 소줏고리의 귀때 밑에 수기를 받치고, 소주를 받는다.

* 주품명에 '가을보리술 또 한 법'이라고 하였으나, 그 주방문이 '모미주'와 동일하므로, '모미주' 편에 수록하였음을 밝힌다. 또 주방문 말미에 "쇼쥬를 민드

러도 죠ᄒᆞ니라."고 하였으므로, 본 소주 주방문은 싣기로 한다.

가을보리술 ᄯᅩ ᄒᆞᆫ 법

보리ᄡᆞᆯ노 밥 지어 ᄂᆡᆼ슈의 삼일을 담가다가 거져 말이워 곳쳐 ᄡᅳᆯ어 ᄡᆞᆯ술 빗듯 ᄒᆞᆫ 말의 누룩 너 되식 너허도 죠코, 쇼쥬를 ᄆᆡᆫ드러도 죠ᄒᆞ니라.

2. 구일주(추모소주) <역주방문(曆酒方文)>

–명왈 구일주(名曰 九日酒)

술 재료 : 밑술 : 가을보리 1말, 누룩가루 4되, 물 2말 5되, 보리 우린 물(1말)
덧술 : 멥쌀 3되, 물(1말)

술 빚는 법 :

* 밑술 :

1. 가을보리 1말을 방아에 찧어서 거친 껍질을 벗겨내고 2말 5되의 물에 담가 3일간 불린다.
2. 3일 후에 보리쌀이 한껏 불었으면 (많이 씻어서 말갛게 헹궈 건져서) 물기를 빼놓는다.
3. 보리쌀 불렸던 물은 (1말 정도를 계량하여) 팔팔 끓여서 차게 식힌다.
4. 씻어 건진 보리쌀은 시루에 안쳐서 쪄낸다.
5. 보리쌀이 잘 익었으면, 식기 전에 방아에 넣고 찧는데, 누룩가루 4되를 섞어 함께 골고루 찧어서 인절미 같은 술밑을 빚는다.
6. 인절미처럼 찧은 술밑에 끓여 식혀둔 보리물을 합하고 고루 섞어서 술독에 담아 안친다.
7. 술독 주둥이에 묻은 것을 깨끗하게 씻어내고 베보자기를 씌운 다음, 뚜껑을 덮어 3일간 발효시키는데, 술독을 열어보아 술덧이 붉은빛이 돌면 덧술

을 준비한다.

* 덧술 :

1. 멥쌀 3되를 백세하여(물에 백 번 씻어 매우 깨끗하게 헹군 뒤, 새 물에 담가 불렸다가 다시 씻어 말갛게 헹궈서) 물기를 빼놓는다.
2. 솥에 물 1말을 붓고 팔팔 끓이다가, 멥쌀을 넣고 팔팔 끓여 죽을 쑨 다음, 넓은 그릇에 펴 담아 식기를 기다린다.
3. 밑술 독에 멥쌀죽을 한데 섞고, 주걱으로 고루 저어주어 술밑을 빚는다.
4. 술독 주둥이에 묻은 것을 깨끗하게 씻어내고, 베보자기를 씌워 밀봉한 다음 뚜껑을 덮어 (따뜻하지도 차지도 않은 곳에 앉혀두고) 3일간 발효시키면 술이 익는다.
5. 충분히 익은 후에 상법(常法)대로 소주를 내리는데, 소주 12복자 정도를 얻으면 맛이 매우 좋다.

* <한국생활과학연구>서에는 '구일주'로 번역되어 있다. <임원십육지>, <오주연문장전산고>에도 수록되어 있다.

九日酒(秋麰燒酒)

秋牟一斗舂去其黃水二斗五升過三日後待其極潤拯出蒸之另舂於確中以曲末四升和合同舂又以浸牟水猛煎候冷以所舂牟調和釀之三日後出見有赤色將白米三升作粥注之三日以熟成煮燒酒取十二卜子最旨烈. 名曰 九日酒.

포도소주

스토리텔링 및 술 빚는 법

'포도주(葡萄酒)'는 과일주로 분류된다. 여름철 과실의 하나인 포도를 압착하여 얻은 즙액을 발효시켜서 마시는 '포도주(wine)'는 세계적인 알코올음료이다. 이 '포도주'에 사용되는 주재료가 되는 포도는 유럽 종으로, 중앙아시아의 코카서스 지방이 원산이라고 알려져 있으며, 그리스를 거쳐 로마에 전하여졌고, 유럽 전역으로 재배가 확산되었다고 한다.

우리나라 문헌인 <임원십육지(林園十六志)>의 '포도소주(蒲萄燒酒)' 주방문 말미에 "이 술은 원래 서역(西域)의 것으로, 당(唐)나라가 고창(高昌)을 정복할 때 전래된 것이다. 소주보다 매우 독하다."고 하였다.

'포도주'는 중국으로부터 유입된 술로, 그 시기가 고려시대라는 것을 알 수 있는데, 중국으로부터 유입된 '포도주'가 중국에서 생산된 술이었는지, 또 유입될 당시의 '포도주'가 발효주였는지 '포도소주'였는지 분명히 알 수 없다.

우리나라의 과실주로는 산포도로 빚은 '머루주'를 비롯하여 '호도주', '백자주', '상실주(橡實酒)' 등이 있는데, <고려사(高麗史)>에 '포도주'와 '백자주'가 등장하는 것으로 미루어, 우리나라의 과실주도 그 역사가 깊다는 것을 알 수 있다.

'포도주'를 수록하고 있는 조선시대 문헌으로 <고사신서(攷事新書)>를 비롯하여 <군학회등(群學會騰)>, <규합총서(閨閤叢書)>, <농정회요(農政會要)>, <동의보감(東醫寶鑑)>, <달생비전(達生秘書)>, <산림경제(山林經濟)>, <산림경제촬요(山林經濟撮要)>, <수운잡방(需雲雜方)>, <술방>, <양주방>*, <온주법(醞酒法)>, <임원십육지>, <조선무쌍신식요리제법(朝鮮無雙新式料理製法)>, <증보산림경제(增補山林經濟)>, <주찬(酒饌)>,<한국민속대관(韓國民俗大觀)>, <해동농서(海東農書)> 등에서 포도 또는 포도와 쌀로 빚은 '포도주'에 대한 기록과 주방문을 볼 수 있으며, 1602년~1650년간에 작성된 서한(書翰, 편지글)인 <현풍곽씨언간주해(玄風郭氏諺簡註解)>에서는 쌀로만 빚는 '포도주'에 대한 기록을 찾아볼 수 있다.

그런데 증류한 '포도소주'가 등장하는 문헌은 <임원십육지>의 기록이 유일하고, 구체적인 양주법이 수록된 기록도 드물다는 점에서 발효주인 '포도주'처럼 일반화되지는 못했던 것 같다.

<임원십육지>의 '포도소주' 주방문에 "포도 수십 근과 누룩을 넣고 술을 빚어서 8병을 취해 소줏고리에 넣고 증류하면 붉은색이 된다."고 하였는데, 수차례의 양주 실험 결과, 주방문과 달리 붉은색이 아닌 맑고 투명한 '포도소주'가 되었다.

추측하건대, 직접 증류를 해보고 기록한 것이 아니라, 붉은색이 나는 포도로 빚었으므로 '붉은색이 된다.'고 생각하였을지도 모르겠다. 그 근거로 "<본초강목(本草綱目)>을 인용하였다."고 한 사실을 들 수 있다.

결국 <임원십육지>의 '포도소주'는 '한국식 브랜디'라고 할 수 있다. 이때 당시에 포도 재배가 널리 이뤄지고 '포도소주'가 대중적 인기를 끌었다면, 조선의 '포도소주'의 위상은 유럽의 '브랜디'를 뛰어넘지 않았을까 하는 막연한 상상을 해본다.

포도소주방 <임원십육지(林園十六志)>

술 재료 : 포도(50근) 가루누룩(흰누룩, 분곡 6되)

술 빚는 법 :

1. (잘 익어 당도가 높은) 포도(50근)를 깨끗한 행주나 키친타월로 깨끗하게 씻어낸 후, 알알이 따서 줄기를 제거한다.
2. 포도를 알알이 으깨어 포도즙을 만들어놓는다.
3. 포도즙에 흰가루누룩(6되)을 한데 합하고, 고루 버무려 술밑을 빚는다.
4. 술밑을 술독에 담아 안치고, 예의 방법대로 하여 발효시키면 (21~30일이면) 술이 익는다.
5. 술이 익었으면 체나 술자루에 담아 눌러 짜면, 붉은 포도주 8병 정도를 얻는다.

* 소주 내리기 :

1. 솥에 불을 지피고, 물 2사발을 붓고 끓이다가, 포도주 2사발을 붓고 끓인다.
2. 포도주 4사발을 솥에 붓고 저어준 뒤, 끓으면 다시 포도주 8사발을 붓는 방법으로 포도주를 다 안친 후, 소줏고리를 얹고, 소줏고리 위에 냉각수 그릇을 얹는다.
3. 솥과 소줏고리, 소줏고리와 냉각수 그릇의 틈새를 소줏번을 붙여 막는다.
4. 냉각수 그릇에 찬물을 채우고, 소줏고리 귀때 밑에 수기를 받쳐놓는다.
5. 불을 알맞게 조절하여 소주를 받되, 첫술 1컵 정도는 버리거나 다음에 증류할 술에 섞어 사용한다.

* 주방문에 "포도 수십 근과 누룩을 넣고 술을 빚어서 8병을 취해 소줏고리에 넣고 증류하면 붉은색이 된다."고 하였는데, 양주 실험 결과 주방문과는 달리 붉은색의 소주가 아닌, 맑고 투명한 노주(露酒)가 되는데, 한국식 '브랜디'

라고 할 수 있다.

葡萄燒酒方

取葡萄數十斤同大麯釀酒取入甁烝之以器承其滴露紅色可愛古者西域造之唐破高昌始得其法大熱大毒甚於燒酒. <本草綱目>.

피모소주 · 겉보리소주

스토리텔링 및 술 빚는 법

'피모소주(皮牟燒酒)'는 매우 생경한 주품명이다. '피모소주(皮牟燒酒)'의 특징은 피모(皮牟, 통보리, 겉보리)를 사용하는 유일한 술이라는 사실과 함께, 오랜 시간 불려서 찐 통보리밥을 방아에 찧어 인절미와 같은 떡을 만들고, 누룩을 섞어 빚은 술을 증류한 '겉보리소주'라고 하겠는데, 특이한 것은 술이 괴어올랐다가 가라앉으면 소주를 내린다는 사실이다.

이와 같은 양주방법을 <주방문(酒方文)>에 수록되어 있는 '소주 별방(燒酒別方)'에서 볼 수 있는데, '피모소주'와 같이 볍씨 곧 나락을 익히고 찧어서 빚는 소주이다.

'피모소주'란 주품명에서도 알 수 있듯 '피모(皮麰)'란 겉보리를 가리키며, "이 겉보리를 이용하여 발효시킨 술을 증류한 소주이므로 '겉보리소주'라고 할 수 있다.

필자는 "이러한 '피모소주'는 그 어떤 문헌이나 기록에서도 찾아볼 수 없는, 저자와 연대 미상의 <양주집(釀酒集)>에 처음 등장하는 술이다. 그런데 '피모소주'는 소주를 고을 때 그 시기가 여느 소주방문과는 다르다는 사실도 주목할 만하다. 즉, 모든 소주는 숙성이 끝난 상태의 술을 증류하는 것이 상례로 되어 있는데, '피모소주'와 같은 증류주 방문은 별법의 '우(又) 피모소주'를 제외하고는 본 <양주집>이 유일한 기록이라고 하겠다."고 한 바 있다(2005년간).

그런데 최근 한복려 원장(궁중음식연구원 원장, 중요무형문화재)에 의해 입수하게 된 <주방문조과법(造果法)>이란 음식 관련 문헌에서 '겉보리소주법'이라는 주품명의 주방문을 목격하게 되었다.

그리고 '겉보리소주법' 또한 '피모소주'와 같은 방법으로 빚어지는 증류주의 하나이자, 우리나라의 전통소주라는 것도 알게 되었다.

'피모소주'나 '겉보리소주법'과 같은 주품의 등장은, <증보산림경제(增補山林經濟)>의 '추모주(秋麰酒)'를 비롯하여 <임원십육지(林園十六志)>의 '소맥노주(小麥露酒)', '이모로주방(耳麰露酒方)', <수운잡방(需雲雜方)>의 '진맥소주(眞麥燒酒)' 등 도정하지 않은 작물을 이용한 주류의 등장과 무관하지 않다고 생각된다.

그러나 '추모주'를 비롯하여 '진맥소주', '이모로주' 등은 최소한 5~7일 정도의 주발효와 후발효 기간을 거친 후에 증류한다는 점이서 차이가 있다.

물론, 이들 주류와 '피모소주'나 '겉보리소주법' 중 어떤 주품이 먼저 등장하였는지 현재로선 알 수 없어 단언할 수는 없지만, 좀 더 색다른 술맛을 찾고자 하는 주당들의 취향에서 연유한 방문이거나, 이들 술이 탁주와 소주 중심의 방문인 것으로 미루어 보다 손쉬운 술 빚기를 추구한 데에서 발생한 것으로 여겨진다.

또한 추측하건대, 보리를 도정하여 식량으로 사용하는 과정에서 개발된 것이 아닌가 하는 사실적인 생각을 갖기에 이른다.

식량이 절대적으로 부족한 상황에서 소주의 필요성을 느끼게 되면, 최소한의 원료(쌀, 보리쌀 등)를 사용하여서라도 양주를 해야 하는 필요성에 따른 것이다.

특히 보리나 밀이 수확되는 시기는 소위 '보릿고개'라고 하여 식량의 절대부족에 시달렸던 만큼, 최소한의 곡물을 사용한 양주(釀酒)가 여름철의 '피모소주'나 '겉보리소주법', 그리고 '추모소주'나 '진맥소주', '모미소주', '이모로주'와 같은 증류주류의 탄생을 보게 되었을 것이라는 추측을 하게 된다.

<양주집>의 '우 피모소주'는 '피모소주'의 주방문을 응용한 술 빚기로서, '피모

소주'가 겉보리를 쪄서 익힌 다음 인절미 형태의 친떡을 이용하여 빚은 술을 증류한 소주인 데 반해, '우 피모소주'는 겉보리를 이용하면서도 재료를 2등분하여 고운 보리쌀과 거칠게 빻은 겉보리 그대로 각각 다르게 찧고, 이를 시루에 찐 후에 역시 인절미 형태의 친떡을 만들어 밑술을 빚고, 다시 멥쌀죽으로 덧술을 해 넣는 이양주법(二釀酒法)의 주방문이라는 점에서 '피모소주'나 '겉보리소주법'과의 차이를 볼 수 있다. 그러나 '우 피모소주' 역시 술이 괴어오르면 채주하여 소주를 내리는 방법을 취하고 있다는 점에서는 비슷하다고 하겠다.

한편 <임원십육지>에 '모미소주'의 방문이 기록되어 있는데, "가을보리쌀 1말을 밥을 지어 찬물에 3일간 담갔다가 씻어 건져 말렸다가 가루로 빻고 보릿가루 1말당 누룩가루 4되를 넣어 술을 빚고 상법(常法)대로 증류하여 소주를 빚는다." 고 하여, '피모소주'와 같이 단양주법(單釀酒法)임을 알 수 있다.

소주를 제조하기 위한 방문은 일반적인 술 빚기와는 달리, 대개 한 번 빚는 단양주이면서 누룩의 양이 많이 사용되는 것이 특징으로, 이때의 숙성된 술은 좋은 맛이나 은은한 향보다는 쓰고 독한 맛의 알코올 도수가 높은 술이 우선으로, 경제적인 술 빚기, 곧 증류 시 알코올 도수가 높으면서 보다 많은 양의 소주를 얻기 위한 것이다.

따라서 본 방문과 같이 덧술에 사용되는 쌀은 밑술보다는 그 양을 적게 사용하고 죽 형태로 하여 넣는 것은 매우 지혜로운 방법이라고 할 수 있다.

'피모소주'나 '겉보리소주법'을 비롯한 도정을 하지 않은 원료를 사용한 양주의 경우, 호화도를 최대한 높이고 누룩과 잘 혼화해야 하는 것이 비법이다.

그러자면 절구에 넣고 '팡팡' 찧어서 인위적으로 당화를 도와주어야 한다. 방아를 찧는 과정에서 당화가 시작되도록 도와줄 필요가 있는 것이다. 또한 과발효가 일어나지 않도록 해야 한다.

대개 이러한 잡곡류를 원료로 한 주품의 술덧 상태는 시큼한 냄새와 함께 신맛이 세다는 것을 느낄 수 있는데, 섬유 성분이 많은 보리 계통일수록 심하나, 빠른 시간 안에 증류를 하게 되면 매우 부드럽고 구수한 맛의 '보리소주'를 즐길 수 있다.

그러고 보면 '피모소주'나 '겉보리소주법'이야말로 진정한 '한국식 위스키'가 아닌가 하는 생각이 든다.

영국의 '위스키'가 맥아(麥芽)를 원료로 한 증류주이고, '피모소주'는 맥아의 원료인 겉보리를 사용하여 발효와 증류 과정을 거친 만큼, '위스키'에 다름 아니라는 생각이 드는 것이다.

1. 피모소주 <양주집(釀酒集)>

술 재료 : 통보리(겉보리) 2말, 묵은 누룩 5되, 끓인 물 1동이

술 빚는 법 :

1. 아침에 통보리 2말을 수염이나 싸라기 없이 하여 깨끗이 씻은 뒤, 물에 담가 불려놓는다.
2. 통보리를 물에 담근 날 낮에 건져서 술독에 담아두고, 날마다 물을 한 번씩 갈아 붓는다.
3. 4일 만에 통보리를 (씻어 헹궈) 건져서 (물기를 뺀 후) 시루에 안쳐 무르게 쪄서 익었으면 퍼내고, 고루 펼쳐서 차게 식기를 기다린다.
4. 보리 찐 것을 방아에 찧되, 묵은 누룩 5되를 뿌려가면서 (인절미 같은) 떡을 만든다.
5. 물 1동이를 끓여 식힌 후, 찧어둔 보리떡에 합하고, 고루 버무려 술밑을 빚는다.
6. 술독에 술밑을 담아 안치고, 예의 방법대로 하여 발효시킨다.
7. 발효시킨 지 2~3일 되어 술이 괴어 거품이 일어나기를 기다렸다가 증류한다.

* 소주 내리기 :

1. 술덧을 체에 밭쳐 술찌꺼기를 제거하여 막걸리를 거른다.
2. 솥에 불을 지피고, 예의 방법대로 하여 술을 안친다.

3. 솥 위에 소줏고리를 앉히고 시룻번을 붙인 다음, 냉각수를 붓는다.
4. 예의 방법대로 증류하여 얻어진 소주를 (3~6개월간) 숙성시킨 후 마신다.

* 주방문에는 "방아 찧을 때 누룩가루를 섞어 찧고 끓인 물을 합하여 빚는데, 거품이 일거든 고으라."고 되어 있으나, 이와 같은 방법은 숙취를 가져오므로, 괴어오르던 거품이 가라앉고 기포가 멎으면 증류하는 것이 좋다.

皮牟燒酒

皮牟를 ᄡᆞᆯ곳치 ᄀᆞᄋᆞ락이 업시 슬허 二斗만 아ᄎᆞᆷᄋᆡ ᄆᆞᆯᄋᆡ ᄃᆞᆷ가다가 그날 나조ᄋᆡ 내여 시어 항ᄋᆡ 녀허 ᄃᆞᆷ가두고 날마다 ᄆᆞᆯ ᄒᆞᆫ 번식 ᄀᆞ라 붓다가 四日 만ᄋᆡ 건져 실ᄂᆡ 닉게 ᄶᅧ 식거든 방하ᄋᆡ ᄡᅵᄒᆞ되 무근 曲子 五升를 허처가며 ᄭᅳᆯ인 ᄆᆞᆯ ᄒᆞᆫ 동회ᄋᆡ 석거 녀ᄒᆞ다가 거픔 닐거든 고ᄋᆞ면 됴ᄒᆞ니라.

2. 우(又) 피모소주 <양주집(釀酒集)>

술 재료 : 밑술 : 겉보리 1말 2되, 누룩 5되, 물(5되~1말)
덧술 : 멥쌀(3~5되), 물(1말)

술 빚는 법 :
* 밑술 :
1. 마른 겉보리 1말 2되를 준비하여 6되는 쌀이 되게 찧고, 6되는 거칠게 찧는다.
2. 찧은 보리는 (백세하여) 물에 담가 3일간 불려놓는데, 하루에 3~4차례씩 물을 갈아주어 부식시킨다.
3. 4일 만에 아침에 (다시 씻어 헹궈서 물기를 뺀 후) 시루에 안쳐서 무르게 쪄 낸다.
4. 보리밥을 방아에 넣고 찧는데, 찧을 때 누룩 5되를 골고루 뿌려가면서 잘 섞

이게 찧어, 술밑을 빚는다.

5. 술독에 술밑을 담아 안친 후, 예삿술 빚듯이 물을 (5되~1말) 정도 넣고 고루 버무려준다.
6. 술독은 예의 방법대로 하여 따뜻한 곳에서 2일가량 발효시킨다.

* 덧술 :

1. 밑술이 익어 괴어오를 때 멥쌀(3~5되)을 (백세하여 물에 담가 불렸다가, 다시 씻어) 헹궈낸다.
2. 솥에 물(1말 정도)을 붓고 끓이다가, 불린 쌀을 합하고 팔팔 끓여 죽을 쑨다.
3. (죽을 넓은 그릇에 퍼내고, 차게 식기를 기다린다.)
4. (차게 식은) 죽을 덧술 독에 쏟아 붓고 (주걱으로 휘저어) 놓는다.
5. 술독은 재차 예의 방법대로 하여 발효시키는데, 거품이 막 일거든 채주한다.
6. 솥에 불을 지피고, 예의 방법대로 하여 술을 안친다.
7. 예의 방법대로 증류하여 소주를 얻는다.

* 주방문에는 주원료(겉보리)를 씻으라는 말이 없다. 또한 술 빚는 데 따른 물의 양에 대한 언급이 없다. 따라서 예사 소주 빚듯이 하여 방문을 완성하였다. 덧술은 쌀죽을 쑤어 넣으라고만 되어 있어 그 양을 알 수는 없으나, 그 양에 크게 관계없이 소주의 도수를 높임과 동시에 무엇보다 맛을 부드럽게 하게 위한 것으로 판단된다.

又 皮牟燒酒(出酒則萬病通治)

ᄆᆞ른 皮牟 一斗 二升를 ᄶᅵᄒᆞ되 半은 ᄲᆞᆯ이 되고 半은 것출게 ᄒᆞ야 冷水ᄋᆡ 三日 ᄃᆞᆷ가 븟게 ᄒᆞᄃᆡ ᄒᆞ로 三四次式 믈 ᄀᆞᄅᆞ 석거든 四日만 아ᄎᆞᆷᄋᆡ 실ᄂᆡ ᄆᆞ로게 ᄧᅧ 방하ᄋᆡ ᄶᅵᄒᆞᄃᆡ 曲子 五升를 고로 쎄어가며 ᄶᅵᄒᆞ 독ᄋᆡ 너코 믈을 샹 녜술 빗듯 ᄒᆞᄃᆡ 고을 제 새로히 믈 븟지 말고 비즐 제 아조 후 넙게 비저ᄯᅡ가 二日 만ᄋᆡ 白米粥 쑤어 부어ᄯᅡ가 거품이 막 닐거든 고으라.

3. 겉보리소주법 <주방문조과법(造果法)>

술 재료 : 밑술 : 겉보리 1말, 밥 끓인 물 3~4사발, 누룩 3되
덧술 : 닙쌀 3되, 누룩(1되), 물 1말 5되

술 빚는 법 :

1. 겉보리 1말을 수염 없이 하여 물에 담가 3일 만에 건져서, 다시 백세하여 헹궈서 물기를 뺀다.
2. 솥에 물을 넉넉히 붓고, 씻어 건진 겉보리를 안치고 푹 끓여 밥을 짓는다.
3. 보리밥이 끓을 때에 물을 3~4사발 떠서 차게 식히고, 밥이 퍼지게 익었으면 주걱으로 뒤적여서 잠깐 뜸을 들인다.
4. 겉보리밥이 익었으면 퍼내서 차게 식기를 기다린다.
5. 보리밥과 밥 끓인 물, 누룩 3되를 한데 합하고, 힘껏 고루 치대어서 술밑을 빚는다.
6. 술밑을 술독에 담아 안치고, 예의 방법대로 하여 3일간 발효시킨다.
7. 술밑에 곰팡이가 푸르게 피었으면 덧술을 준비한다.

* 덧술 :

1. 닙쌀 3되를 백세하여 물에 담가 불렸다가, 다시 씻어 헹궈 건져놓는다.
2. 솥에 물을 1말 5되 정도 붓고 끓이다가, 불린 쌀을 넣고 푹 끓여 죽을 쑨다.
3. 죽이 퍼지게 익었으면, 넓은 그릇에 퍼서 차게 식기를 기다린다.
4. 쌀죽에 밑술과 누룩(1되)을 한데 합하고, 고루 버무려 술밑을 빚는다.
5. 술밑을 술독에 담아 안치고, 예의 방법대로 하여 (3일간) 발효시킨다.
6. 술밑에 푸른곰팡이가 피었으면, 3일 만에 술밑을 걸러 증류한다.

* 소주 내리기 :

1. 솥에 물을 한 바가지 붓고 끓기를 기다렸다가, 걸러둔 보리술 한 바가지를

붓는다.

2. 솥 안의 술이 끓기를 기다렸다가, 다시 물 2바가지를 붓고 끓기를 기다렸다가, 술 4바가지를 붓는다.
3. 계속해서 앞서와 같은 방법으로 술밑을 채워 양을 늘리는데, 물은 넣지 않는다.
4. 술밑을 솥의 85% 정도 채웠으면, 소줏고리를 안치고 소줏번을 붙인다.
5. 소줏고리 위의 냉각수 그릇에 냉각수를 가득 채워 붓는다(냉각수 그릇이 없으면 양푼이나 자배기를 올리고 시룻번을 붙인다).
6. 불을 약하게 줄이고, 소줏고리 귀때 밑에 소주 받을 그릇을 놓고 소주를 받는데, 초류는 한 컵 정도 받아서 버리거나 재차 증류할 때 넣어 사용한다.

것보리쇼쥬법

것보리를 늡거 아이돌 자연히 시셔 브리고 믈에 담가 사흘 만의 물에 가 시스되 가장 믜오서 밥을 무르게 지오되 그 밥 글힌물를 서녀 사발이나 떠 두고 밥을 자져 펴 두엇다가 밥이 차거든 그 펴 두엇던 물의 누록을 한 말의 서 되식이나 혜아려 그 믈이 프러 그 밥을 섯기 녀허 사흘 만의 브면 고파귀 프엿거든 닙쌀 서 되나 듁을 수어 누록애 섯거 여허 그 술의 프러 또 사흘 만의 꼬흐면 쇼쥬 맹렬하고 마녀 나나니라.

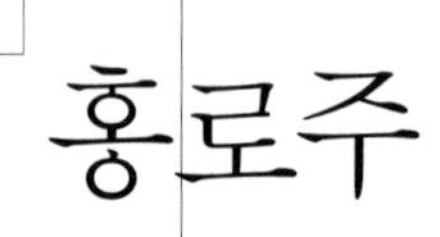

홍로주

스토리텔링 및 술 빚는 법

시인으로도 유명했던 기대승(奇大升, 1527~1572)의 <고봉선생속집(高峯先生續集)>에 '유두일에 호당에서 술을 하사하다(流頭日湖堂宣醞)'라는 시 가운데,

整冠欽拜賜(의관을 정제하여 공경히 은사에 절하며)
列席集良儔(자리를 펴고 좋은 벗을 모으네.)
銀杯瀉紅露(은 술잔에 홍로를 따르고)
雕俎羅珍羞(아로새긴 도마에 진기한 음식을 벌여놓았네.)
醉飽泊恬靜(취하고 배부름에 만족하여 편안하니)
偃仰何所求(천지간에 어찌 구할 것이 있겠는가?)

라고 하여, 조선시대에는 궁중에서 유두(流頭)에 왕이 호당(湖堂, 弘文館)의 관원들에게 '홍로주(紅露酒)'를 베풀었다는 사실을 확인할 수 있다.

또 이진망(李眞望, 1672~1737)의 <도운유집(陶雲遺集)>에서도 '복일(伏日)'

이란 시에

伏日古所重(복날은 옛날 중히 여기던 날로)
視同臘歲時(섣달 때와 같이 보았네.)
漢朝頒何肉(한나라 때에는 하육을 반사했고)
…(중략)…
聊欲一遊嬉(애오라지 한 번 놀고 즐기고자 한다.)
玉團涵氷水(흰 경단은 얼음물에 잠겨 있고)
紅露酌滿巵(홍로주는 술잔에 가득하네.)
盤中薦時食(소반에는 때에 맞는 음식을 올리고)
品陋名獨奇(품질은 누추하나 독특하고 기이하다 부르네.)

라고 하였다. 이로써 '홍로주'와 같은 증류주가 유두를 비롯한 여름철에 즐겨 마셨던 술이라는 것을 알 수 있다.

'홍로주'의 음주 시기와 관련하여, 이면백(李勉伯)의 '기성잡시팔수(箕城雜詩八首)'라는 6수(首)의 시 가운데,

冷麪氷人紅露熱(냉면은 사람을 얼게 하고 '홍로주'는 열이 나게 하는데)
笙歌日沒妓靑樓(해저물녘에 기녀들의 피리소리는 푸른 누대에서 들려온다.)

라고 노래한 것을 볼 수 있다. 냉면과 '홍로주'를 함께 즐긴 것으로 보아, '홍로주'가 여름 절기주였던 것이 보다 분명해진다.

또 '홍로주'의 명성과 관련하여 조선조 문인 김택영(金澤榮)의 시 가운데, "푸른 대접의 면발은 서울 거리에서도 압권이고, '홍로주'의 맛은 개주(開州)에서 제일 간다."고 한 것을 볼 수 있다.

'홍로주'라는 주품의 주방문은 <고사촬요(故事撮要)>와 <민천집설(民天集說)>, <의방합편(醫方合編)>, <주찬(酒饌)>, <치생요람(治生要覽)> 등의 옛 문헌에 수록되어 있는 것을 볼 수 있는데, <침주법(浸酒法)> 등 다른 문헌에

는 '홍소주', '내국홍로주', '홍주'라 하였고, 각각의 문헌마다 약간씩 차이가 있다.

그런데 '홍로주'와 유사한 '홍소주'라는 주품의 주방문을 보면, <고사촬요>의 '홍로주'와 동일한 주방문을 싣고 있는 것으로 미루어, '홍로주'와 '홍소주'가 같은 주품이면서도 다르게 불렀거나 표기되었을 수도 있었겠다는 생각이 든다.

어떻든 '홍로주'에 대해 기록한 <고사촬요>와 <민천집설>, <의방합편>, <주찬>, <치생요람> 등은 모두 한문 기록으로, 이들 문헌 가운데 <고사촬요>의 주방문을 보면, "술 빚는 법은 향온주 빚는 법과 같다. 누룩은 20(되)이 한정이다. 향온주 3병 2사발을 얻는데, 소주로 내리면 소주 1병을 얻는다. 소주를 내릴 때 지초 1냥을 세절하여 귀때 밑에 받치면 홍색의 물이 들어, 내국(향온소주)법인즉 청주를 쓰고 은기(銀器)로 끓이면 외처의 소주 같지 않다."고 하여, 두 문헌의 기록이 동일한 것으로 미루어, <민천집설>, <의방합편>, <주찬>, <치생요람> 등은 <고사촬요>를 인용한 것으로 보인다.

'홍로주'가 내국의 '향온주법'을 바탕으로 이루어진 증류주라는 사실에서, 민간에서는 임금이 마시는 '내국홍로주(內局紅露酒)'를 마신다고 하기 어려웠을 것이라는 사실을 감안하면, '홍로주' 역시 '내국홍로주'일 가능성이 높다.

'홍로주' 역시도 "소줏고리 귀때 밑에 은기(銀器)를 사용하여 소주를 받는데, 은기 입구에 지초 1냥을 받쳐놓는다." 하는 사실에서 '내국홍로주'와 같은 방법으로 이루어진다는 것을 알 수 있다.

이렇듯 '홍로주'가 민간에서도 양주되어 널리 즐겼던 사실은, 그만큼 주질이 뛰어난 데다, 특히 지초(芝草)를 사용하여 술 빛깔이 매력적일 뿐만 아니라, 약효 또한 뛰어나고, 무엇보다 술을 마실 때의 감미로움과 상쾌함, 음주 후의 숙취 등으로 인한 부작용이 없었다는 사실에 기인한다.

'홍로주'의 기주(基酒)가 되는 '향온주'가 궁중의 어의들에 의해 특별히 양주된 만큼, 호사스런 생활을 즐겼던 부유층과 사대부들 사이에서 특히 주독(酒毒)으로부터 벗어나 안심하고 마실 수 있었고, 음주 후엔 숙취가 없이 상쾌하게 깨기 때문으로 생각된다.

이러한 '홍로주'가 맥이 끊긴 채 문헌 속의 활자로만 전해 오는 것이 안타까워 교육을 통해 보급을 하고 있다. '홍로주' 역시도 숙성을 거쳐서 마시는 것이 보다 좋은 기호를 만족시킬 수 있어 숙성 후의 음주를 권장해 보지만, 이 역시도 쉬운 일은 아닌 것 같다. '홍로주' 또한 오랜 시간 경과하게 되면 붉은 색소의 산화현상을 피할 수 없어 상품가치가 떨어지고 말기 때문이다.

'홍로주'의 특징은, 무엇보다 '향온주'와 같이 향취가 좋은 술을 기주로 하여야 하고, 증류 시의 불의 조절과 함께 좋은 지초와 꿀의 적당한 배합에 있다. 지초는 흙을 잘 털어서 소주에서 흙냄새가 배지 않도록 해야 하고, 그 양이 너무 적으면 술 빛깔이 연하고 너무 많으면 검어지는 까닭이다.

또한 함께 사용하는 꿀의 양은 감미와 관련이 있으므로, 마시는 사람의 가호를 반영하여 그 양을 잘 조절해야 한다. '홍로주'에 있어 부원료로 사용되는 지초와 벌꿀의 양은 정해져 있지 않기 때문이다.

1. 홍로주 <고사촬요(故事撮要)>

술 재료 : 멥쌀 10말, 찹쌀 1말, 누룩 2말, 지초 1냥, 부본 1병, 끓는 물 15병

술 빚는 법 :

1. 멥쌀 10말과 찹쌀 1말을 한데 섞어 물에 깨끗이 씻은 뒤, 하룻밤 불렸다가 다시 씻어 건져서 물기를 뺀 다음, 시루에 안쳐 고두밥을 짓는다.
2. 솥에 물 15병을 붓고 끓이다가, 고두밥이 익었으면 퍼내어 넓은 그릇에 담아 놓고, 끓는 물을 고루 붓고, 주걱으로 골고루 헤쳐서 밤재워 놓는다.
3. 고두밥이 물을 다 먹고 차게 식었으면 누룩 2말, 부본 1병을 한데 합하고, 고루 버무려 술밑을 빚는다.
4. 술독에 술밑을 담아 안치고, 예의 방법대로 하여 15일가량 발효시킨 뒤, 용수 박아 채주한다.
5. 채주한 술을 향온주라 하며, 이 향온주 3병 2복자 분량을 기준으로 증류한다.

* 소주 내리기 :

1. 솥에 불을 지피고, 물 2사발을 붓고 끓이다가, 향온주 2사발을 붓고 끓인다.
2. 향온주 3사발을 솥에 붓고 저어준 뒤, 끓으면 다시 향온주를 붓는 방법으로 다 안친 후, 소줏고리를 얹고, 소줏고리 위에 냉각수 그릇을 얹는다.
3. 솥과 소줏고리, 소줏고리와 냉각수 그릇의 틈새를 소줏번을 붙여 막는다.
4. 냉각수 그릇에 찬물을 채우고, 소줏고리 귀때 밑에 은기(銀器)를 사용하여 소주를 받는데, 은기 입구에 지초 1냥을 받쳐놓는다.
5. 뽕나무나 밤나무 불을 알맞게 조절하여 소주를 받되, 첫술 1컵 정도는 버리거나 다음에 증류할 술에 섞어 사용한다.
6. 냉각수 그릇의 물이 따뜻하면 즉시 퍼내고 다시 찬물을 갈아준다.

紅露酒

釀法如香醞而麴則以二斗爲限香醞三瓶二鐥燒出一瓶承露時以芝草一兩細切置于瓶口則紅色濃深內局則以釜淸酒用銀器煮取故與外處燒酒不同.

2. 홍로주 <민천집설(民天集說)>

술 재료 : 멥쌀 10말, 찹쌀 1말, 누룩가루 2말, 지초 1냥

술 빚는 법 :

1. 멥쌀 10말과 찹쌀 1말을 한데 섞어 (백세하여 물에 담가 불렸다가, 다시 씻어 건져서 물기를 뺀 후) 시루에 안쳐 고두밥을 짓는다.
2. 솥에 물 15병을 붓고 끓이다가, 고두밥이 익었으면 퍼내어 넓은 그릇에 담아 놓고, 끓는 물을 고루 붓고, 주걱으로 골고루 헤쳐서 밤재워 놓는다.
3. 고두밥이 물을 다 먹고 차게 식었으면 누룩 2말, 부본 1병을 한데 합하고, 고루 버무려 술밑을 빚는다.

4. 술독에 술밑을 담아 안치고, 예의 방법대로 하여 15일가량 발효시킨 뒤, 용수 박아 채주한다.
5. 발효가 끝난 술을 '향온주(香醞酒)'라 하며, 이 향온주 3병 2복자 분량을 기준으로 증류한다.

* 소주 내리기 :
1. 솥에 불을 지피고, 물 2사발을 붓고 끓이다가, 향온주 2사발을 붓고 끓인다.
2. 향온주 3사발을 솥에 붓고 저어준 뒤, 끓으면 다시 향온주를 붓는 방법으로 다 안친 후, 소줏고리를 얹고, 소줏고리 위에 냉각수 그릇을 얹는다.
3. 솥과 소줏고리, 소줏고리와 냉각수 그릇의 틈새를 소줏번을 붙여 막는다.
4. 냉각수 그릇에 찬물을 채우고, 소줏고리 귀때 밑에 수기를 놓고, 그 위에 잘게 썬 지초 1냥을 받쳐놓는다.
5. 뽕나무나 밤나무 불을 알맞게 조절하여 소주를 받되, 첫술 1컵 정도는 버리거나 다음에 증류할 술에 섞어 사용한다.
6. 냉각수 그릇의 물이 따뜻하면 즉시 퍼내고 다시 찬물을 갈아준다.

* 방문 머리에 "술 빚는 법은 향온주 빚는 법과 같다. 누룩은 2말이 한정이다. 향온주 3병 2복자를 얻는데, 소주로 내리면 소주 1병을 얻는다."고 하고, "소주를 내릴 때 지초 1냥을 세절하여 귀때 밑에 받치면 홍색의 물이 들어, 내국(향온소주)법인 즉, 청주를 쓰고 은기(銀器)로 끓이면 외처의 소주 같지 않다."고 하였다.

紅露酒

釀法則如香醞而曲末則以二斗爲限香(醞)三瓶二鐥燒出一瓶承露時以芝草一兩細切置于瓶口則紅色濃深. 內局則以(褒)淸酒用銀器煮取故與外處燒酒不同.

3. 홍로주 <의방합편(醫方合編)>

술 재료 : 멥쌀 10말, 찹쌀 1말, 누룩 2말, 지초 1냥, 부본 1병, 끓는 물 15병

술 빚는 법 :

1. 멥쌀 10말과 찹쌀 1말을 한데 섞어 물에 깨끗이 씻은 뒤, 하룻밤 불렸다가 다시 씻어 건져서 물기를 뺀 다음, 시루에 안쳐 고두밥을 짓는다.
2. 솥에 물 15병을 붓고 끓이다가, 고두밥이 익었으면 퍼내어 넓은 그릇에 담아 놓고, 끓는 물을 고루 붓고, 주걱으로 골고루 헤쳐서 밤재워 놓는다.
3. 고두밥이 물을 다 먹고 차게 식었으면 누룩 2말, 부본 1병을 한데 합하고, 고루 버무려 술밑을 빚는다.
4. 술독에 술밑을 담아 안치고, 예의 방법대로 하여 15일가량 발효시킨 뒤, 용수 박아 채주한 향온주 3병 2복자 분량을 기준으로 증류한다.

* 소주 내리기 :

1. 솥에 불을 지피고, 물 2사발을 붓고 끓이다가, 향온주 2사발을 붓고 끓인다.
2. 향온주 3사발을 솥에 붓고 저어준 뒤, 끓으면 다시 향온주를 붓는 방법으로 다 안친 후, 소줏고리를 얹고, 소줏고리 위에 냉각수 그릇을 얹는다.
3. 솥과 소줏고리, 소줏고리와 냉각수 그릇의 틈새를 소줏번을 붙여 막는다.
4. 냉각수 그릇에 찬물을 채우고, 소줏고리 귀때 밑에 수기를 놓고, 그 위에 지초 1냥을 받쳐놓는다.
5. 뽕나무나 밤나무 불을 알맞게 조절하여 소주를 받되, 첫술 1컵 정도는 버리거나 다음에 증류할 술에 섞어 사용한다.
6. 냉각수 그릇의 물이 따뜻하면 즉시 퍼내고 다시 찬물을 갈아준다.

* <고사촬요>를 인용한 것으로 보이고, <침주법>, <민천집설>에 수록된 주방문과도 동일하다.

紅露酒

釀法如香醞以麯則以二斗爲限香醞三瓶二鐥燒出一瓶水露時以芝草一兩細切置于瓶口則紅色濃深內局則以壓淸酒用銀器煮取故與外處燒酒不同矣. 香醞法見上.

4. 홍로주 <주찬(酒饌)>

술 재료 : 멥쌀 10말, 찹쌀 1말, 향온국 2말, 석임 1되, 지초 1냥, 끓는 물 15병

술 빚는 법 :

1. 멥쌀 10말과 찹쌀 1말을 백세하여 5~6시간 불렸다가 (다시 씻어 헹궈 건져서 물기를 뺀 후) 시루에 안쳐 고두밥을 짓는다.
2. 솥에 물 15병(5말)을 팔팔 끓인다.
3. 고두밥이 무르게 익었으면 퍼내어 넓고 큰 그릇 여러 개에 나눠 담고, 팔팔 끓는 물 15병(5말)을 뿌려주고, 주걱으로 고루 섞는다.
4. 고두밥이 물을 다 빨아먹었으면, 돗자리에 고루 펼쳐서 차게 식기를 기다린다.
5. 차게 식은 고두밥에 향온국 2말과 석임 1되를 합하고, 고루 버무려 술밑을 빚는다.
6. 술밑을 술독에 담아 안치고, 예의 방법대로 하여 발효시킨다.

증류하는 법 :

1. 불 지핀 가마솥에 적당량의 물과 향온주 3병 2되를 담아 안친다.
2. 솥 위에 소줏고리로 얹고 시룻번을 붙인다.
3. 소줏고리 위에 냉각수를 붓고, 불을 조절해서 증류를 시작한다.
4. 소줏고리 귀때 밑에 잘게 썰어둔 지초 1냥을 소주 받을 그릇 위에 받쳐놓는다.

5. 수기의 소주가 홍로로 바뀌면서 그 양이 1병이 되면 증류를 마친다.

* <고사촬요>를 인용한 것으로 보이고, <침주법>, <민천집설>, <의방합편>에 수록된 주방문과도 동일하다.

紅露酒

如香醞而曲則以二斗爲限也香醞三瓶二鐥燒出一瓶承露時以芝草一兩細切置瓶口則紫色濃深內局以壓淸酒用銀器煎取故與外處不同然煎酒其法則如上而淸酒一瓶胡椒黃蜜各一戔用陶缸盛置於釜內從弦盈水煎之經時乃出.

5. 홍로주법 <치생요람(治生要覽)>

술 재료 : 멥쌀 10말, 찹쌀 1말, 누룩가루 2말, 지초 1냥

술 빚는 법 :

1. 향온주 빚는 법과 같다 : 1) 멥쌀 10말과 찹쌀 1말을 한데 섞어 물에 깨끗이 씻은 뒤, 하룻밤 불렸다가 다시 씻어 건져서 물기를 뺀 다음, 시루에 안쳐 고두밥을 짓는다. 2) 솥에 물 15병을 붓고 끓이다가, 고두밥이 익었으면 퍼내어 넓은 그릇에 담아놓고, 끓는 물을 고루 붓고, 주걱으로 골고루 헤쳐서 밤재워 놓는다. 3) 고두밥이 물을 다 먹고 차게 식었으면 누룩 2말, 부본 1병을 한데 합하고, 고루 버무려 술밑을 빚는다. 4) 술독에 술밑을 담아 안치고, 예의 방법대로 하여 15일가량 발효시킨 뒤, 용수 박아 채주한다.
2. 발효가 끝난 술을 '향온주(香醞酒)'라 하며, 이 향온주 3병 분량을 기준으로 증류한다.

증류하는 법 :

1. 솥에 불을 지피고, 물 2사발을 붓고 끓이다가, 향온주 2사발을 붓고 끓인다.
2. 향온주 3사발을 솥에 붓고 저어준 뒤, 끓으면 다시 향온주를 붓는 방법으로 다 안친 후, 소줏고리를 얹고, 소줏고리 위에 냉각수 그릇을 얹는다.
3. 솥과 소줏고리, 소줏고리와 냉각수 그릇의 틈새를 소줏번을 붙여 막는다.
4. 냉각수 그릇에 찬물을 채우고, 소줏고리 귀때 밑에 수기를 놓고, 그 위에 지초 1냥을 받쳐놓는다.
5. 뽕나무나 밤나무 불을 알맞게 조절하여 소주를 받되, 첫술 1컵 정도는 버리거나 다음에 증류할 술에 섞어 사용한다.
6. 냉각수 그릇의 물이 따뜻하면 즉시 퍼내고 다시 찬물을 갈아준다.

* 방문 머리에 "술 빚는 법은 향온주 빚는 법과 같다. 누룩은 2말, 향온주 3병을 소주로 내리면 소주 1병을 얻는다. 소주를 내릴 때 지초를 세절하여 병 입구에 받치면 홍색의 물이 들어 색이 짙다."고 하였다.

紅露酒法

如香醞而麯則二斗香醞三瓶燒出一瓶承露時芝草細切置瓶口則紅色濃.

홍소주

스토리텔링 및 술 빚는 법

어떠한 색깔을 지닌 술이라도 이를 증류하여 '소주'로 만들면, 본디의 색을 벗고 술의 본질인 물의 색깔로 돌아온다. 세계적으로 즐겨 마시고 있는 '위스키', '브랜디', '보드카', '데킬라', '고량주' 등이 다 같은 증류식 소주이므로, 그 본질은 에탄올이며 색깔은 물에 가까운 무색을 갖게 된다.

물론, 당질(糖質)에 따라 발효과정에서 생성되는 향기 성분만 다를 뿐이고, 숙성과정이나 저장용기에 따라 후천적으로 색을 띠기도 하고 향기가 달라지기도 하지만 그 본성은 우리의 '소주'와 동일하다.

우리나라에는 '홍소주(紅燒酒)'라는 술이 널리 알려져 있다. '홍소주'는 "붉은색을 띠는 소주"라는 뜻의 주품명이다. '위스키'나 '브랜디'가 숙성과정에서 오크통의 색과 향을 흡수한 술인데 반하여, '홍소주'는 "증류과정에서 '지초(芝草)'라는 식물성 약재를 염료로 사용하여 붉은색을 물들인 소주"라는 뜻이다.

이 '홍소주'가 최근 각광을 받고 있다. 대표적인 '홍소주' 계열로, 진도 지방의 '진도홍주'가 전승주로 이어져 오늘에 이르고 있고, 지금은 맥이 끊기고 말았지만 '홍로주', '내국홍로주', '관서감홍로' 등으로 불리는 주품들이 여기에 속한다.

<고사십이집(攷事十二集)>에 '홍(소)주', <동의보감(東醫寶鑑)>에 '조홍소주법(造紅燒酒法)', <침주법(浸酒法)>에 '홍소주'로 소개되어 있는 이들 주품은 지초를 소주의 색을 입히는 염료로 사용해 오고 있다.

지초는 자초(紫草), 지혈(芝血), 자근(紫根), 지치 등으로 부르는 여러해살이풀이다. 뿌리가 짙은 붉은빛이 나므로 자초 등 여러 이름으로 부르게 되었다. 붉다 못해 자줏빛을 띠는 뿌리가 땅속을 파고들면서 자라는데, 야생 지초는 비교적 환경이 깨끗하고 공기가 맑은 야산의 양지쪽에서 잘 자란다. 토질과 환경에 따라 한두 번 뒤틀리면서 자라기도 하는데, 일직선으로 곧게 자라는 경우는 거의 없어 비교적 일직선 형태로 자라는 재배지초와는 구별된다. 지초에 들어 있는 시코닌은 항암 · 항염증 · 향균 · 항산화 효과가 있고, 플락토올리고당에는 항산화 · 충치예방 효과 · 비만 및 당뇨예방 · 칼슘 흡수촉진 · 면역력 강화 · 콜레스테롤 억제효과 등 많은 효능을 갖고 있다고 알려져 왔다.

때문에 지초는 열을 내리고 독을 풀며 염증을 없애고 새살을 돋아나게 하는 작용과 함께 갖가지 암, 변비, 간장병, 동맥경화증, 여성의 냉증, 대하, 생리불순 등의 치료에도 사용되고 있으며, 오래 복용하면 얼굴빛이 좋아지고 늙지도 않는다고 한다.

특히 암 치료에 성약(聖藥)이라 할 만큼 강한 거악생신작용, 소염, 살균작용으로 암세포를 없애고 새 살을 빨리 돋아 나오게 한다는 것이 최근의 지초 효능에 대한 연구 발표이고 보면, 산삼의 효과보다 뛰어나다고 할 수 있는 것이다.

또한 지초는 오리와 같이 농약독, 공해독, 화공약독을 푸는 데 뛰어난 효력이 있어, 이 두 가지가 만나면 약성이 극대화되어 기적 같은 치병효과가 일어날 수 있다고 한다. 오리와 거위는 구리나 유리를 소화시킬 수 있을 만큼 굳은 것을 삭이는 힘이 있어, 딱딱한 종양 덩어리도 파괴할 수 있다고 보는 것이다. 또 오리나 거위의 피 속에는 산이나 알칼리 효소에 파괴되지 않는 극미립자의 항암물질이 들어 있다.

그리고 지초는 막힌 것을 뚫고, 생혈(生血), 활혈(活血)하며 옹종(擁腫)을 삭여 나오게 하는 힘이 매우 센데다가, 보중익기(補中益氣)하는 작용까지 겸하였으므로, 이 두 가지를 합치면 뛰어난 암 치료약이 될 수 있다고 한다.

조선시대의 이름난 재상인 동고 이준경(李浚慶)이 지은 '시절가(時節歌)'에 다음과 같은 구절이 있다.

> 무산천(無山川) 갓가오니 무명악질(無名惡疾) 독한 병이 함문곡성(緘門哭聲) 어이할꼬. 약이야 있것마난 지초, 오리 구해다가 소주 한 잔 전복하소. 박씨 하나 살릴손야.

여기서 무명악질은 '암 같은 난치병'을 가리키고, 함문곡성은 '문을 닫고 통곡한다.'는 뜻으로, 불치병에 걸려서 숨어서 혼자 슬퍼하고 밖으로 나타내지 못하는 것을 가리킨다.

이러한 연유로 지초로 술을 담는 것이 널리 알려지게 된 배경이라고 생각된다. 실제로 민간에서 "지초로 술을 담가 두고 조금씩 오래 복용하면 정력이 매우 세어지고 피곤함을 모르게 된다."고 하는 말이 정설처럼 전해지고 있음을 알 수 있다.

<동의보감>에서는 '소주'를 사용한 주중침지법(酒中浸漬法)의 '홍소주' 주방문을 싣고 있는 것과는 달리, <고사십이집>과 <침주법>에는 <고사촬요(故事撮要)>와 <민천집설(民天集說)>, <의방합편(醫方合編)>, <주찬(酒饌)>, <치생요람(治生要覽)> 등에서와 같이 "빚는 법을 향온과 같이 하되, 누룩을 두 말로 하야 향온은 세 병 두 대야로서 한 병 되게 고으되, 이 술 받을 제 지초 한 냥을 가늘게 썰으라. 병부리에 넣으면 붉은 빛이 농난히 깊고, 내국에는 청주를 걸러 은그릇에 달이므로 외쳐 효주(酵酒)와 같지 아니하니라."고 한 것으로 미루어 주품명만 '홍소주'로 기록한 것으로 보인다.

'홍소주'를 비롯한 증류주는 무엇보다 '기주(起酒)'가 중요하다. <침주법>의 '홍소주' 주방문에서 '향온주'를 기주로 사용하고 있는 것을 보듯, 이 기주에 따라 증류하는 '소주'의 품질이 결정되기 때문이다.

물론 증류 기술도 중요하지만 소주 증류는 기주가 갖는 특성을 잘 살리는 기법이라고밖에 할 수 없으므로, 좋은 기주를 선택하도록 하는 것이 기본이다.

1. 홍(로)주 <고사십이집(攷事十二集)>

술 재료 : 멥쌀 10말, 찹쌀 1말, 누룩가루 2말, 지초 5냥

술 빚는 법 :

1. 누룩은 향온주의 향온곡 제조법으로 디뎌서 띄우고, 그 양은 2말로 한정한다.
2. 향온주를 빚어(멥쌀 10말과 찹쌀 1말을 한데 섞어 물에 깨끗이 씻은 뒤, 하룻밤 불렸다가 다시 씻어 건져서 물기를 뺀 다음, 시루에 안쳐 고두밥을 짓는다. 솥에 물 15병을 붓고 끓이다가, 고두밥이 익었으면 퍼내어 넓은 그릇에 담아놓고, 끓는 물을 고루 붓고, 주걱으로 골고루 헤쳐서 밤재워 놓는다. 고두밥이 물을 다 먹고 차게 식었으면 누룩 2말, 부본 1병을 한데 합하고, 고루 버무려 술밑을 빚는다. 술독에 술밑을 담아 안치고, 예의 방법대로 하여 15일가량 발효시킨 뒤) 용수 박아 채주한다. 발효가 끝난 술을 '향온주'라 하며, 3병 2복자 분량을 기준으로 증류한다.
3. 솥에 불을 지피고, 물 2사발을 붓고 끓이다가, 향온주 2사발을 붓고 끓인다.
4. 향온주 3사발을 솥에 붓고 저어준 뒤, 끓으면 다시 향온주 6사발을 붓는 방법으로 점차 양을 늘려서 안치는 방법으로 술을 다 안친다.
5. 솥 위에 소줏고리를 얹고, 소줏고리 위에 냉각수 그릇을 얹는다.
6. 솥과 소줏고리, 소줏고리와 냉각수 그릇의 틈새를 소줏번을 붙여 막는다.
7. 냉각수 그릇에 찬물을 채우고, 소줏고리 귀때 밑에 병(수기)을 놓고, 그 위에 지초 잘게 썰어 병 입구에 받쳐놓는데, 술 2사발을 내리는데 지초 1냥을 쓴다.
8. 뽕나무나 밤나무 장작으로 불을 알맞게 조절하여 소주를 받되, 첫술 1컵 정도는 버리거나 다음에 증류할 술에 섞어 사용한다.
9. 냉각수 그릇의 물이 따뜻하면 즉시 퍼내고 다시 찬물을 갈아준다.
10. 소주가 떨어지면서 지초를 통과하는 즉시 진홍색으로 된 소주(홍주)를 얻는다.

紅(露)酒

燒酒釀法如香醞而麴則以二斗爲限香醞三甁二鐥燒出一甁承露時以芝草一兩細切置于甁口則紅色濃(深).

2. 조홍소주법 <동의보감(東醫寶鑑)>

술 재료 : (발효된 술 1말), 지초 5돈~7돈

술 빚는 법 :

1. (술이 익으면 예의 방법대로 용수 박아 청주를 뜨거나, 체에 걸러 탁주를 준비한다.)
2. (가마솥에 불을 세게 지핀 다음, 예의 방법대로 물과 술을 순서대로 담아 안친다.)
3. (솥 위에 소줏고리를 얹고, 소줏번을 붙이고, 소줏고리 위의 냉각수 그릇에 냉각수를 채운다.)
4. (소줏고리의 귀때 밑에 수기를 받쳐놓고 불을 조절하는데, 첫술 1컵 정도는 버리거나 다음에 증류할 술에 섞어 사용한다.)
5. (술방울이 진주목걸이처럼 방울방울 떨어지도록 화력을 조절하여 소주를 받고, 시간이 지나 귀때에서 밍밍한 물맛이 느껴지면 증류를 중단한다.)
6. 뜨거운 소주 1병에 지초 5돈이나 7돈을 잘게 썰어 넣고 오래 두면 먹음직한 선홍색의 홍소주가 만들어진다. 여과하여 마신다.

造紅燒酒法

凡燒酒煮取時, 先將紫草細切, 納於缸中, 一甁燒酒, 則紫草五錢, 或七錢爲準乃承取熱燒酒, 於紫草缸中, 停久則其色鮮紅可愛.

3. 홍소주 <침주법(浸酒法)>

술 재료 : 멥쌀 10말, 찹쌀 1말, 가루누룩(향온곡) 2말, 서김 1병, 끓는 물 15병, 지초 1냥

술 빚는 법 :

1. 멥쌀 10말과 찹쌀 1말을 백세하여 (물에 담가 불렸다가, 다시 씻어 건져서 물기를 뺀 후) 시루에 안쳐 고두밥을 짓는다.
2. 고두밥이 무르게 익었으면 퍼내고, 팔팔 끓는 물 15병을 뿌려 고루 섞는다.
3. 고두밥이 물을 다 빨아 들였으면, (뚜껑을 덮어 밤재워) 차게 식기를 기다린다.
4. 고두밥에 가루누룩(향온곡) 2말과 석임 3되를 한데 합하고, 고루 버무려 술밑을 빚는다.
5. 술밑을 술독에 담아 안치고, 예의 방법대로 하여 발효시키고, 익기를 기다려 채주하면 향온주 3병 2대야가 난다.

증류하는 법 :

1. 은으로 만든 솥에 물 1사발을 붓고 센불로 끓이다가, 향온주 1사발을 붓고 끓기를 기다렸다가, 다시 향온주 2사발을 붓고 끓기를 기다린다.
2. 이제 다시 향온주 4사발을 붓고 다시 끓기를 기다렸다가, 같은 방법으로 솥의 80%가량 향온주를 안치고 소줏고리를 앉힌다.
3. 소줏고리 위에 냉각수 그릇을 앉힌 후, 냉각수를 가득 채운다.
4. 솥과 소줏고리, 냉각수 그릇 사이를 밀가루 반죽으로 소줏번을 만들어 붙인다.
5. 소줏고리 귀때 밑에 그릇(주병)을 놓고, 소주 방울이 방울방울 떨어지면 불을 중약불로 줄이고, 처음으로 나온 소주는 한 컵 정도 받아서 재차 증류하거나 버린다.

6. 소주 받을 그릇(주병) 주둥이에 지초 1냥을 받쳐놓는다.
7. 시간이 경과하여 소주가 싱겁고 물맛이 많이 나면 증류를 중단한다.
8. (받은 홍소주는 주둥이가 좁은 오지병에 담아 밀봉한 후, 저온에서 18개월 이상 숙성시킨 후 마신다.)

홍소쥬(紅燒酒)—열ᄒᆞᆫ 말

빈ᄂᆞᆫ 법이 향온과 ᄀᆞᆺ치 ᄒᆞ되 누록을 두 말로 ᄒᆞᆫ(○)야 향온은 세 병 두 대야로셔 ᄒᆞᆫ 병 되게 고오ᄃᆡ 이 ᄉᆞᆯ 바ᄃᆞᆯ 제 지초 ᄒᆞᆫ 냥을 ᄀᆞᆯ르게 사ᄒᆞ라 병 부리에 녀 ᄒᆞ면 블근 빗치 농난히 깁고 ᄂᆡ국의ᄂᆞᆫ 청쥬를 더터 은그르세 달히모로 외쳐 효쥬와 ᄀᆞᆺ지 아니ᄒᆞ니라.

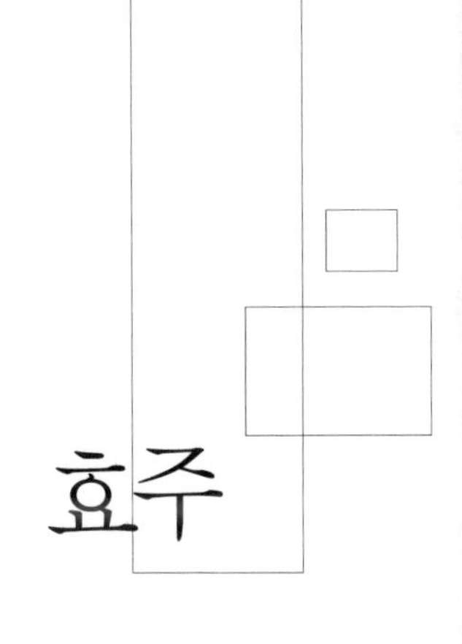

효주

스토리텔링 및 술 빚는 법

20여 년 전의 일로 기억된다. 가양주와 밀주 단속으로 가정에서의 술 빚기가 여의치 않던 시절, 술 공부를 하겠다고 군청과 면사무소를 찾아 동리 이장을 비롯한 생활개선회, 새마을부녀회 등의 단체장들의 명단을 입수하고, 이들을 중심으로 술 빚는 집을 수소문하고 다니다가, 고흥 지방에 이르러 '백일주' 빚는 정씨 가문을 찾게 되었다. 어렵게 사정을 하여 '백일주' 빚는 과정을 사진에 담고, 술 빚는 방법과 유래, 특징들에 대한 취재를 마치고 돌아왔었다.

당시 필자는 어느 지방, 어느 집을 막론하고 술이라면 당시 물불을 가리지 않고 다니던 때여서 새벽이고 한밤중이고 시간이 나는 대로 쫓아다녔는데, 전라도 장성의 황룡면에 소위 '고수'로 알려진 고 기우경 옹을 만나게 되었다.

고 기우경 옹에게서 술 빚는 법에 대한 기초공부를 많이 하게 되었다. 공부가 끝날 무렵 당신의 제자 가운데 "신희창이라는 젊은 친구가 술 빚는 법을 배우고, 고향으로 돌아가서 양조장을 준비하고 있다."는 것이었다. 그를 찾아가면 "한 가지 술 빚는 법을 알 수 있게 될 것"이라면서, 그 술에 대해서는 함구할 뿐, 기어코

가르쳐주질 않았다. 그리하여 고흥에 산다는 신희창 씨의 연락을 몇 차례 시도하였는데, 결국 성사가 되질 않았다.

어느 날은 연락처가 바뀌었다는 전화음성의 통보를 받고, 신희창 씨와의 면담을 이루지 못한 것이 끝내 아쉬움으로 남았었다. 신희창 씨가 배워서 준비 중이라는 술이 '효주'였기 때문이다.

기우경 옹으로부터 소개받았던 또 한 사람이 전라도 영광의 '강하주'를 빚는 고 조희자 여사였다. 고 조희자 여사의 '강하주'는 보성군 율촌면 일대에 가양주로 뿌리를 내렸고, 현 '보성강하주'의 뿌리인 셈이다.

이제는 고인이 되었지만 도화자 여사가 이 비법을 전수받아 전라남도 지정 무형문화재로 활동하면서 예의 '보성강하주'를 생산하고 있으며, 이미 <명가명주(名家名酒)>를 비롯하여 <한국의 전통민속주> 등에 수록되어 그 정체와 비법을 알렸었다.

그런데 지난 2013년 8월 하순경 완주에 들렀다가 완주군청의 최수웅 씨로부터 귀한 자료집을 한 권 건네받게 되었는데, 그 책이 <규중세화>이다. <규중세화>는 <규합총서>와 그 성격이 유사한 것으로, 21가지의 '주방문'을 비롯하여 '음식 만드는 법'과 부인들이 익혀야 할 덕목을 문방사우에 빗대 열거한 '규중칠우'를 볼 수 있다.

<규중세화>에 수록된 주품 가운데 필자의 눈에 가장 먼저 띄는 주품명이 바로 '효주'이다. '효주'는 별법과 함께 두 가지 방문이 수록되어 있고, 이외에도 '이퇴백효주'를 비롯하여 '이적선효주'도 등장한다. 각각의 주방문이 유사하면서도 약간씩 다른데, 다

같이 소주 주방문이라는 사실에서 주목할 만하다.

'효주'는 전라도 지방에서 '소주' 또는 '백주'를 가리키는 말로, 경상도 지방에서 '아라킬' 또는 '아랑주'라고 부르는 것과 비교되는 표현이다.

어떤 의미에서 소주를 '효주'라고 부르게 되었는지는 알 수 없지만, <규중세화>에 수록된 주방문은 다른 문헌의 '노주', '노주이두방', '노주다출방' '소주 많이 나는 법' 등과 유사하면서도 차이가 난다.

<규중세화>의 '효주'는 <산림경제(山林經濟)>를 비롯하여 <증보산림경제(增

補山林經濟)>, <농정회요(農政會要)> <임원십육지(林園十六志)>. <해동농서(海東農書)> 등 한문 기록의 문헌에 수록된 '노주이두방'이라는 주품의 주방문과 가장 유사하다. 무엇보다 밑술 빚는 방법에서 재료의 배합비율이 다를 뿐, 술을 빚는 과정은 거의 동일하기 때문이다. '효주'가 '노주이두방'과 다른 차이점은 덧술을 빚는 방법인데, 다른 문헌의 '노주이두방'이나 '소주다출방'에 비해 쌀의 양이 25%밖에 안 되고, 물이 사용된다는 점이다.

물론, '노주이두방'에서 밑술에 사용되는 물의 양이 '효주'보다 많은 것을 감안하면 두 방문에 사용되는 물의 양은 큰 차이가 없다고 할 수 있는데, 덧술의 쌀 양이 다른 문헌의 25%밖에 안 된다는 것은 주질에서의 차이를 뜻하기 때문에 큰 의미를 둘 수도 있다.

하지만 간과할 수 없는 한 가지 사실은, 과거 전라도 지방에서 쌀을 부피로 계량할 때 1말의 양이 20kg으로 서울 지방의 8kg과는 현저한 차이가 있었다고 하는 사실로서, 이러한 사실을 감안하면 '노주이두방'에 나타나는 덧술의 쌀 2말과 동일한 분량으로 판단된다.

한편 '효주 별법'의 주방문은 '본방'의 주방문과는 전혀 다른, 밑술과 덧술 모두 멥쌀고두밥으로 하고, 밑술에 한 차례 사용되는 물의 양도 쌀 양과 동량인 1말이다. 또한 '노주이두방'이나 '소주다출방'에서와 같이 덧술에는 물이 사용되지 않는데, 술 빚는 방법이 매우 간단하면서도 주질은 매우 뛰어난 것으로 생각된다.

따라서 '효주'를 두고 주질에 대해 논할 수는 없다는 판단과 함께, 어떤 문헌의 주방문이든지 과거 한 집안의 가양주로서 그 비법을 지켜왔을 것이고, 나름 주질 향상에 주의를 기울였을 것이라는 사실을 인정하다면, 다른 주품과의 비교는 큰 의미가 없다는 생각이 든다.

다만, '효주'를 통해 깨닫게 된 중요한 사실은, 그 이름마저도 잊혀질 법했던 '효주'가 <규중세화>라는 문헌 기록을 통해서 이 땅에 뿌리를 박고 있었다는 사실이다. 또한 방문 말미에 언급하였듯 '효주'는 여름철 소주라는 사실을 확인할 수가 있다는 것이다. 그 이름이 새삼스럽게 다가오는 까닭은 바로 이러한 역사적 사실에 있다.

1. 효주 <규중세화>

–하절주법

술 재료 : 밑술 : 찹쌀 1되, 멥쌀 1되, 정한 누룩 3되, 끓는 물 1말 1되
덧술 : 멥쌀 10되(쌀 되던 되), 물 3말

술 빚는 법 :

* 밑술 :

1. 찹쌀 1되, 멥쌀 1되를 섞어 (백세하여 물에 담가 불렸다가, 다시 씻어 물기를 뺀 뒤) 작말한다.
2. 쌀 되던 되로 물 1말 1되를 계량하여 솥에 붓고 끓여 (쌀가루에 합하고, 주걱으로 고루 개어 범벅을 쑨 다음) 넓은 그릇에 펴서 차게 식기를 기다린다.
3. (범벅에) 깨끗한 누룩 3되를 섞고, 고루 버무려 술밑을 빚는다.
4. 술독에 술밑을 담아 안치고, 예의 방법대로 하여 발효시킨 후 (술밑을 차게 식혀) 가라앉기를(익기를) 기다린다.

* 덧술 :

1. 쌀 되던 되로 계량한 멥쌀 10되를 백세하여 (물에 담가 불렸다가, 다시 씻어 헹궈서 물기를 뺀 뒤) 시루에 안쳐 고두밥을 짓는다.
2. 고두밥이 익었으면 퍼내고, 고루 펼쳐서 차게 식기를 기다린다.
3. 고두밥에 밑술과 (끓여 식힌) 물 3말을 한데 합하고, 고루 버무려 술밑을 빚는다.
4. 술독에 술밑을 담아 안치고, 예의 방법대로 하여 7~8일간 발효시킨다.
5. 술덧을 체에 걸러 찌꺼기를 제거한 탁주를 만들어놓는다.

* 소주 증류 :

1. 솥에 불을 지피고, 물 1사발을 붓고 끓이다가, 술 1사발을 붓고 끓인다.
2. 술 2사발을 솥에 붓고 저어준 뒤, 끓으면 다시 술 4사발을 붓는 방법으로

술을 다 안친다.

3. 솥에 소줏고리를 얹고, 소줏고리 위에 냉각수 그릇을 얹고, 솥과 소줏고리, 소줏고리와 냉각수 그릇의 틈새를 소줏번을 붙여 막는다.
4. 냉각수 그릇에 찬물을 채우고, 소줏고리 귀때 밑에 수기를 받쳐놓고, 불을 알맞게 조절하여 소주를 받되, 첫술 1컵 정도는 버린다.
5. 냉각수 그릇의 물이 따뜻하면 즉시 퍼내고 다시 찬물을 갈아주길 3차례 하면 그 맛이 너무 맵고, 4차례 하면 맛이 맞다.

효주

백미 한 되 점미 한 되 작말하여 쌀 되던 되로 물 말 한 되를 끓여 식거든 정한 누룩 서 되 섞어 둣다가, 가란쳐서 그 되로 쌀 열 되 백세하여 찌되 대냉하여 물 서 말로 그 밑 섞어 칠팔일 만에 고으되, 세 물은 너무 맵고 네 물은 마자니 하절주법이라.

2. 효주(별법) <규중세화>

술 재료 : 밑술 : 멥쌀 1말, 섬누룩 2되 5홉, 끓여 식힌 물 1말
덧술 : 멥쌀 1말

술 빚는 법 :

* 밑술 :

1. 물 1말을 솥에 붓고 끓여 넓은 그릇에 퍼서 차게 식기를 기다렸다가, 섬누룩 2되 5홉을 풀어 물누룩을 만들어 하룻밤 재워놓는다.
2. 멥쌀 1말을 백세하여 물에 담가 하룻밤 불렸다가, 이튿날 다시 씻어 헹궈서 물기를 빼놓는다.
3. 불린 쌀을 시루에 안쳐서 고두밥을 짓고, 익었으면 퍼내어 고루 펼쳐서 차

게 식기를 기다린다.
4. 식은 고두밥에 물누룩을 섞고, 고루 버무려 술밑을 빚는다.
5. 술독에 술밑을 담아 안치고, 예의 방법대로 하여 3일간 발효시킨 후 (술밑을 차게 식혀) 가라앉기를 기다린다.

* 덧술 :
1. 밑술 빚는 날 멥쌀 1말을 백세하여 (물에 담가 하룻밤 불렸다가, 이튿날 다시 씻어 헹궈서) 물기를 빼놓는다.
2. 불린 쌀을 시루에 안쳐서 고두밥을 짓고, 익었으면 퍼내어 고루 펼쳐서 차게 식기를 기다린다.
3. 고두밥에 밑술을 합하고, 고루 버무려 술밑을 빚는다.
4. 술독에 술밑을 담아 안치고, 예의 방법대로 하여 (7~8일간) 발효시킨다.

* 소주 증류 :
1. 솥에 불을 지피고, 물 1사발을 붓고 끓이다가, 술 1사발을 붓고 끓인다.
2. 술 2사발을 솥에 붓고 저어준 뒤, 끓으면 다시 술 4사발을 붓는 방법으로 술을 다 안친다.
3. 솥에 소줏고리를 얹고, 소줏고리 위에 냉각수 그릇을 얹고, 솥과 소줏고리, 소줏고리와 냉각수 그릇의 틈새는 소줏번을 붙여 막는다.
4. 냉각수 그릇에 찬물을 채우고, 소줏고리 귀때 밑에 수기를 받쳐놓고, 불을 알맞게 조절하여 소주를 받되, 첫술 1컵 정도는 버린다.
5. 냉각수 그릇의 물이 따뜻하면 즉시 퍼내고 다시 찬물을 갈아주길 3차례 하면 그 맛이 너무 맵고, 4차례 하면 맛이 맞다.

효주(별법)

끓인 물 한 말에 섭누룩 두 되 다숩 푸러 하되, 밤 지내거든 걸러 백미 한 말 백세하여 익게 쪄 채와 그 물에 버무려 넣었다가 사흘에 맛 보아 가며 물 부어 쓰라. 누룩 넣을 때 또 백미 한 말 한가지로 담갔다가 이튿날 쪄 넣으라.

제2부
혼양주류

감점주

스토리텔링 및 술 빚는 법

<음식보(飮食譜)>와 <온주법(醞酒法)>, <주방문조과법(造果法)>에는 '단점주방문', '단점주법'이라고 하여 감주류의 주방문을 수록하고 있는데, '단점주'는 우리말로 된 술 이름이다.

'단점주'는 이름 풀이 그대로 "찹쌀을 많이 써서 빚어 단맛이 나는 술"이라는 뜻에서 '단점주'라고 주품명을 지은 것으로 여겨지는데, 재료를 따뜻할 때 빚고 더운 데서 발효시키는 방법으로 미루어 여름철에 빚는 술이라는 사실을 알 수 있다.

<음식보>의 '단점주방문'은 밑술을 빚는 재료가 찹쌀이고 범벅을 만들어 빚는 데 반해, <주방문조과법>에서는 밑술을 구멍떡을 삶아 사용하는가 하면 2배의 쌀을 사용하는데, 누룩은 1되뿐으로 <음식보>와 차이가 있다는 것을 알 수 있다.

특히 <음식보>의 '단점주'는 일반 감주류(甘酒類)를 비롯하여 점감주류, 감점주류, 점감청주류 등 '단점주'와 같은 감주류를 싣고 있는 어떤 문헌에서도 찾아볼 수 없는 독특한 방문이라는 사실이다.

감주류를 비롯하여 점감주류, 감점주류, 점감청주류 등의 주방문에서 찾아볼 수 있는 공통점은, 밑술의 쌀을 죽이나 구멍떡, 물송편, 흰무리떡으로 하거나 더러 고두밥 형태로 하여 술을 빚는다는 것인데, <음식보>의 '단점주'처럼 밑술을 '반생반숙(半生半熟)'의 '범벅'으로 하는 방문을 보여주고 있다는 점에서 가장 큰 차이를 발견할 수가 있다.

또 다른 한 가지는 감주류나 점주류에서도 그 흔적을 찾기 힘들 정도로 흔치 않은 방법, 즉 덧술을 빚을 때 밑술을 체에 걸러 누룩찌꺼기를 제거한 방법을 취하고 있다는 점이다. 이와 같이 밑술을 체에 걸러 누룩찌꺼기를 제거하여 덧술을 하는 방법은 <음식디미방>과 <양주방>* 등 두 문헌에 수록된 '점주(粘酒)'에서만 목격된다.

이것은 누룩 냄새가 적고 상대적으로 좋은 향기의 술을 얻을 목적으로 하는 방법이면서, 동시에 쓴맛을 없애고 단맛을 부각시키기 위한 방법이라는 사실에서 매우 지혜로운 술 빚기를 엿볼 수 있다고 하겠다.

<음식보>의 주방문에는 양주용수(끓는 물)의 양이 언급되어 있지 않지만, 밑술을 빚을 때는 양주용수가 적당량이 필요하므로, 편의상 밑술에 사용되는 물의 양을 끓는 물 3되로 한 것이다.

반면, <주방문조과법>의 '단점주'는 그 특징이 밑술을 빚는 방법에서는 감주류를 비롯하여 점감주류, 감점주류, 점감청주류 등의 주방문에서 찾아볼 수 있다는 공통점과 함께, 특히 덧술의 술독을 불처럼 뜨겁게 달구어서 사용하고, 고두밥도 손이 델 정도로 뜨거운 상태에서 밑술과 버무리고 식지 않게 하여 안쳐서 밀봉하여 발효시킨다는 점에서 유일무이한 방법이라고 할 것이다.

<음식보>와 <주방문조과법>의 '단점주'라고 하는 두 주방문에서 찾을 수 있는 공통점은, 단맛을 높이기 위한 양주방법을 들 수 있다. 즉, 덧술의 시기를 빨리 가져가는 것인데, 밑술의 발효가 시작될 무렵인 단맛이 많고 가장 발효가 왕성할 때에 덧술을 하는 방법이다.

밑술의 발효가 활발할 때에 덧술을 하게 되면 상대적으로 많은 양의 덧술을 빨리 삭힐 수가 있고, 알코올 도수는 낮고 단맛이 많은 술이 얻어지기 때문이다. 하지만 밑술의 발효가 활발해진 이후에 덧술을 하게 되면 상대적으로 많은 양의

덧술을 빨리 삭힐 수가 없고, 알코올 도수는 높고 단맛이 적은 술이 얻어지기 때문이다.

따라서 <음식보>의 '단점주'보다 <주방문조과법>의 '단점주법'이 훨씬 술 빚기가 까다롭고 힘들다는 것을 알 수 있을 것이다.

그런데 <온주법>의 '감점주 또 한 법'의 주방문에는, 찹쌀고두밥이 따뜻할 때 소주를 섞고, 누룩을 넣어 버무린 술밑을 따뜻한 곳에 술독을 앉혀둠으로써, 고온발효에 의한 당화는 빨리 진행시키는 대신 발효는 억제시키기 위한 또 다른 방법으로 발효주가 아닌 혼양주법(混釀酒法)을 채택하고 있다는 것이다.

이러한 양주법은 효모 활동의 억지력을 갖는 증류주(소주)를 발효용매로 사용한다는 점에서 주목된다. 이렇게 되면 알코올 도수는 높고, 고온당화에 따른 단맛과 찹쌀술의 부드러운 맛을 간직한 '감점주'를 얻을 수 있게 되는 것이다. 따라서 <온주법>의 '감점주 또 한 법'은 혼양주류에 포함시켰다는 것을 밝혀둔다.

<온주법>의 '감점주 또 한 법'은 혼양주법에 속하면서도 여느 '과하주'나 '송순주' 등과는 또 다른 방법으로, <온주법>의 '과하점미주'를 비롯하여 <감저종식법(甘藷種植法)>의 '과하주 일방', <고사신서(攷事新書)>의 '과하주 우법', <고사십이집(攷事十二集)>의 '과하주 우법', <시의전서(是議全書)>의 '과하', <주찬(酒饌)>의 '과하주', <증보산림경제(增補山林經濟)>의 '과하주 우방', <해동농서(海東農書)>의 '과하주 우방'에서도 목격할 수 있다.

이와 같은 양주법을 동원하게 된 배경을 주방문 말미에서 찾을 수 있다. 주방문 말미에 "맛이 비상하니 직물(객수, 날물)을 조심하되, 여름서 두고 쓰라."고 하여, 날물을 조심하라는 주의와 함께 '단점주'가 밑술과 특히 많은 양의 찹쌀로 덧술을 빚는 '감점주'의 우리말 주품명으로, 여름철에 빚는 술이라는 사실이다.

여름철에도 술이 변질되지 않고 오랫동안 마실 수 있게 하기 위해서는 알코올 도수가 높아야 하고 단맛이 강해야 한다는, 그 옛날에도 술을 변질되지 않게 익히고 보관하는 방법을 익히 터득하고 있었다는 반증이라고 할 수 있다.

감점주 (또 한 법) <온주법(醞酒法)>

술 재료 : 찹쌀 1말, 누룩가루 2되, 중품소주(4~5복자)

술 빚는 법 :

1. 찹쌀 1말을 백세하여 (말갛게 헹궈서), 다시 새 물에 담가 하룻밤 불린 다음, 다시 (씻어) 말갛게 헹궈 건져서 물기를 뺀다.
2. 불린 쌀을 시루에 안치고 고두밥을 쪄서, 익었으면 퍼서 그릇에 담아놓는다 (주걱으로 헤쳐서 뜨거운 기운만 나가게 식기를 기다린다).
3. 고두밥에 누룩가루 2되와 중품소주(4~5복자)를 (고두밥이) 더울(따뜻할) 때 한데 섞고, 고루 버무려 술밑을 빚는다.
4. 술밑을 술독에 담아 안치고, 뜨거운(따뜻한) 데 덮어두고 발효시켜 7일 만에 열어보면 꿀같이 달다.

* 주방문 말미에 "7일 만에 꿀같이 다니 찬 곳으로 옮겨두고, 물 타 먹으라."고 하였으나, 사용되는 중품소주의 양에 대해서는 언급이 없어 일반 과하주법의 주방문을 참고하였으며, 주품명이 '감점주'라는 점을 감안하여 소주의 양을 적게 산정하였다.

감뎜듀 ᄯᅩ 한 법

뎜미 일두 빅셰ᄒᆞ야 ᄃᆞᆷ가 밤잔 후 다시 헤워 ᄶᅧ 국말 일승 듕품쇼듀 더올 제 섯거 ᄯᅳ거온 ᄃᆡ 덥허 칠일 만ᄋᆡ ᄭᅮᆯ갓치 다니 찬 ᄃᆡ 두고 물 타 먹으라.

과하점미주

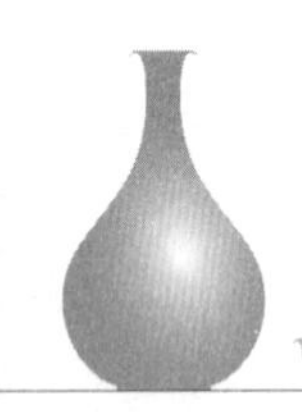

스토리텔링 및 술 빚는 법

<온주법(醞酒法)>의 '과하점미주'라는 주품명은 다른 문헌에서는 목격되지 않는다. 따라서 '과하점미주'에 대한 기록은 <온주법>이란 문헌이 유일하다고 할 수 있으나, 주방문을 놓고 이를 분석하여 보면 '과하점미주'는 '과하주(過夏酒)'의 다른 이름이라는 사실을 알 수 있다. <온주법>의 '과하점미주'와 동일하거나 유사한 주방문을 <임원십육지(林園十六志)>를 비롯하여 <농정회요(農政會要)>, <조선무쌍신식요리제법(朝鮮無雙新式料理製法)> 등 여러 문헌의 '과하주' 주방문에서 찾아볼 수 있기 때문이다.

다만, '과하점미주'의 주방문에서 보아 알 수 있듯, 찹쌀고두밥을 비롯한 누룩, 밀가루와 함께 소주를 한데 섞고 버무려 술밑을 빚는다는 사실이다. <임원십육지>를 비롯한 다른 문헌의 '과하주'에서는 고두밥 등 주원료를 한데 섞어 빚은 술밑을 술독에 담아 안친 후, 소주를 술밑 위에 부어주되 젓지 않는 것과는 다른 방법이라고 할 수 있는데, '과하점미주'에서는 양주용수가 사용되지 않기 때문이다.

물론, '과하점미주'는 별도의 양주용수를 사용하지 않는다는 사실도 일반 '과하주'와 차별화된다고 할 수 있는데, 이와 매우 유사한 주품이 또 있다는 사실에 주목할 필요가 있다.

<임원십육지>의 '왜미림주'가 그것이다. '왜미림주'는 "찹쌀 3되를 물에 하룻밤 담갔다가 고두밥을 쪄서 식힌 후 누룩 2되, 소주 1말을 섞어 빚는다. 7일마다 1번씩 저어주고 3주째 되는 날 술을 거른다. 술맛이 달아 부녀자들도 좋아하고, 술지게미도 달아서 천민이 과자로 대신 이용한다."고 하였으므로, 밀가루만 사용되지 않았을 뿐, '과하점미주'와 별반 다를 바가 없다는 것을 알 수 있다.

그렇다면, '과하점미주'가 일반적인 '과하주'와 또 다른 점은 무엇일까? 다시 말하면 <임원십육지>를 비롯한 다른 문헌의 '과하주'에서도 주원료는 찹쌀이라는 사실이다. 그런데도 <온주법>에서는 "고두밥이 익었으면, 펴서 뜨거운 기운이 나가게 식혀 누룩물에 넣고 고루 버무려 술밑을 빚은 후, 차게 식기를 기다려 술독에 담아 안치고, 준비한 중품소주 1대야를 넣어 20일간 발효시킨다."고 하는 '과하점미주'와 유사한 방문의 '과하주'를 수록하고 있으면서도 굳이 본 방문은 차별화하여 '과하점미주'로 명명하게 되었을까 하는 의문이 남는다.

따라서 '과하점미주'가 일반 '과하주'와 다른 점을 찾기에 이르렀는데, '과하점미주'는 다른 '과하주'에서는 볼 수 없는 방법으로 주원료에 밀가루를 사용한다는 점에서 그 차이점을 찾을 수 있었다.

그러면 찹쌀과 밀가루, 소주의 상관관계는 무엇일까? 찹쌀과 밀가루, 소주의 상관관계를 입증해야 '과하점미주'라는 주품명의 등장 배경, 나아가 '과하주'와 '과하점미주'의 차이를 이해할 수 있게 된다.

주지하다시피 전통 양주에서 밀가루는 '진말(眞末)'이라고도 하며, 고급 중양주에 주로 사용되고 있음을 볼 수 있다. 밀가루를 사용하지 않을 경우 산패하는 경향이 있으므로, '진면국' 또는 '분국', '백국' 등을 사용하는 것으로 대체하게 되는데, 이들을 사용하는 목적은 유기산의 생성을 도와 잡균의 증식을 억제코자 하는 데 있다.

그러나 유기산 생성이 과다하게 되면 술의 산도가 높아져 신맛을 주게 되는데, '과하점미주'처럼 찹쌀로 술을 빚을 때 양주용수를 사용하지 않거나 적은 양의 양주용수를 사용하는 주품의 경우 지나친 단맛으로 인해 구미가 떨어지는 경우가 있고, 단맛이 강하게 나타나지 않는 것을 볼 수 있다.

이때 밀가루 등을 사용하여 유기산으로 인한 산미(酸味)를 부여하게 되면, 찹쌀술의 감미가 들쩍지근하게 느껴지지 않고 산뜻하면서도 시원한 단맛을 즐길 수 있게 된다.

다만, 이때 사용되는 누룩가루는 매우 고운 가루를 만들어 사용해야 실패가 없다는 사실에 유의할 일이다.

필자가 찾은, 조선시대 고문헌 <온주법>에 수록된 '과하점미주'의 비법은 이러하다.

과하점미주 <온주법(醞酒法)>

술 재료 : 찹쌀(멥쌀) 1말, 찹쌀 1말, 누룩가루 3홉, 밀가루 3홉, 소주 16복자

술 빚는 법 :

1. 찹쌀이나 멥쌀 1말로 술을 빚고, 익으면 증류하여 소주 16복자를 받아낸다.
2. 찹쌀 1말을 백세하여 물에 담가 하룻밤 불렸다가, 다시 씻어 헹궈서 건져낸다(물기를 뺀다).
3. 불린 찹쌀을 시루에 안쳐 고두밥을 짓되, 고두밥이 익었으면 퍼내고 급하게 차게 식힌다.
4. 고두밥에 누룩가루 3홉과 밀가루 3홉, 소주 16복자를 한데 합하고, 고루 버무려 술밑을 빚는다.
5. 술밑을 술독에 담아 안치고, 예의 방법대로 하여 (50일간) 발효시킨다.
6. 술독을 열어보아 술이 많이 익어 술맛이 나면, 주대에 짜 채주한다.

* 주방문 말미에 "맛이 감렬하니 더울 때 먹으면 맛이 다니라."고 하여, '과하점미주' 역시 '과하주'의 한가지로, 여름철에 빚어 마시는 술임을 알 수 있다.

과하졈미쥬

뎜미나 ᄇᆡᆨ미나 일두의 쇼듀 십뉵 복ᄌᆞ 나게 고아 뎜미 일두 ᄇᆡᆨ셰ᄒᆞ야 ᄃᆞᆷ가 이튼날 다시 씨서 닉게 쎠 급히 ᄎᆡ와 국말 진말 각 서 홉식 섯거 고이 그 쇼듀의 너허 닉거든 듀듸예 ᄊᆞ면 마시 감녈ᄒᆞ니 더운 제 여흐면 ᄆᆞ이 ᄃᆞ니라

과하주

스토리텔링 및 술 빚는 법

우리나라의 술 빚는 방법은 쌀 등의 곡식과 누룩, 물을 기본 원료로 하여 발효시키는 '발효주(醱酵酒)'를 "맑고 깨끗한 향기를 자아낸다."고 하여 '청주(淸酒)', "부모의 반주(飯酒)나 어른과 손님을 대접하는 데 소화와 건강을 돕는 약이 된다."고 하여 '약주(藥酒)', "쌀을 비롯한 곡식으로 빚는다."고 하여 '곡주(穀酒)'라고 칭하며, 술의 빛깔에 따라 다시 '청주'와 '탁주'로 나누고, 이를 증류하면 '소주(燒酒)'가 되는 것이 일반적인 양주기법이다.

그런데 발효주는 순하고 부드러우며 맛과 향이 좋긴 하지만, 알코올 도수가 낮아 변질이 쉽게 일어난다. 이에 비해 소주는 도수가 높아 오래 두어도 변질이 일어나지 않는 반면, 독한 맛과 함께 빨리 취하고 발효주보다 주독이 심한 폐단이 따르는 것이 단점이다.

따라서 발효주와 소주의 단점을 보완한 술 빚기가 세계 유일의 '과하주(過夏酒)' 제조법이다. '과하주'는 '혼양주(混釀酒)'라고도 하는데, 이러한 양주기술은 누룩과 곡식을 주원료로 술 빚기가 이뤄지는 동양권에서도 우리나라 고유의 양주(釀酒) 방법으로 알려지고 있다.

'과하주'의 양주과정을 살펴보면, 술을 빚을 때 쌀 등의 곡식과 누룩, 물을 주원료로 발효시킨 술에 별도로 빚어 증류한 소주를 넣거나, 처음부터 소주를 함께 사용하여 재차 발효, 숙성시킨 후 필요에 따라 청주나 탁주로 여과하여 즐기는데, 발효주에 비해 그 향과 맛이 진하며, "여름철이라도 상온에 두어도 변하지 않는다."고 하여 '과하주'라는 명칭을 부여하게 되었다.

'과하주'의 주방문을 기록한 옛 문헌으로 <간본규합총서(刊本閨閤叢書)>를 비롯하여 <감저종식법(甘藷種植法)>, <고려대규합총서(高麗大閨閤叢書, 異本)>, <고사신서(攷事新書)>, <고사십이집(攷事十二集)>, <고사촬요(故事撮要)>, <규중세화>, <규합총서(閨閤叢書)>, <농정회요(農政會要)>, <민천집설(民天集說)>, <보감록>, <부인필지(夫人必知)>, <산림경제(山林經濟)>, <산림경제촬요(山林經濟撮要)>, <술방>, <술 빚는 법>, <승부리안주방문>, <시의전서(是議全書)>, <양주(釀酒)>, <양주방>*, <양주방(釀酒方)>, <역주방문(曆酒方文)>, <온주법(醞酒法)>, <음식디미방>, <음식보(飮食譜)>, <임원십육지(林園十六志)>, <조선고유색사전(朝鮮固有色辭典)>, <조선무쌍신식요리제법(朝鮮無雙新式料理製法)>, <주방(酒方)>*, <주방문(酒方文)>, <주방문초(酒方文抄)>, <주식방(酒食方, 高大閨壼要覽)>, <주식시의(酒食是儀)>, <주찬(酒饌)>, <증보산림경제(增補山林經濟)>, <치생요람(治生要覽)>, <한국민속대관(韓國民俗大觀)>, <해동농서(海東農書)>, <홍씨주방문> 등 38종의 문헌에 64차례나 수록되어 있는 것을 볼 수 있다. 이는 <산가요록(山家要錄)>을 비롯하여 조선시대 양주 관련 문헌 80여 종에 수록된 500종이 넘는 주품명 가운데 가장 높은 수록빈도를 나타내고 있는 것으로 밝혀졌다.

조선시대 문헌별 '과하주' 주방문을 분석하여 보면 대략 네 가지 주방문이 전해 오고 있다는 것을 알 수 있다.

첫째는, '과하주'를 수록하고 있는 최초의 문헌인 <고사촬요>의 주방문을 보면, "좋은 찹쌀 1말을 백 번 씻고, 고운 누룩가루 5홉을 명주 부대에 넣어 끓여 식힌 물 3되에 담근다. 다음날 우물물 1되를 끓여서 식으면 찹쌀을 건져 쪄서 밥을 짓는다. 누룩물에 담그되, 가라앉은 가루는 쓰지 않는다. 항아리에 넣고 주둥이를 봉한다. 3일이 지나면 열어서 잘 숙성되었는지를 본 다음 노주(露酒)를 붓는다. 만약 맛을 달게 하려면 8~9되를 더 붓고, 맛을 진하게 하려면 다시 2~3되를 더 붓는다. 7일 후에 술통에 담는다."고 한 것을 볼 수 있다.

<고사촬요>의 '과하주' 주방문을 요약하면, 하룻밤 불린 누룩물에 찹쌀로 지은 고두밥을 합하고 3일간 발효시킨 후, '소주'를 부어 재차 7일간 발효시킨 단양주법(單釀酒法)인데, '소주'를 붓기까지 술의 원료의 종류나 배합비율, 술을 빚는 과정이 '부의주(浮蟻酒)'와 동일하다는 것을 알 수 있다. '부의주'에 '소주'를 부어 후발효와 숙성과정을 거치는 것으로 '과하주'가 된다는 사실에서 '과하주'의 의미와 중요성을 다시금 깨닫게 된다. 이를테면 '부의주'는 빈부계층의 구별 없이 누구나 빚을 줄 아는 술인 데다, 맑은 '청주'를 떠서 중요한 행사나 손님 접대에 사용해 왔으며, 물을 타서 거른 '막걸리(탁주)'는 농사와 일상에 사용해 온 대중주였는데, 이 '부의주'에 '소주'를 첨가하는 것으로, 여름철에도 상온에서 장기 저장이 가능한 '과하주'가 되었다는 사실이다.

이는 우리나라 전통주의 대중성과 문화성, 국민적 공감성에 바탕한 양주기술이라는 점에서 그 가치를 다시 인식해야 할 것이고, 무엇보다 장기저장을 위한 양주기술의 최고치가 발현된 주품이라는 점에서 문화적 · 양주기술적 측면에서 재조명되어야 한다는 생각이다.

둘째는, <산림경제>를 중심으로 한 '과하주 일방(一方)'을 보면 "찹쌀 1말을 매 씻어 하룻밤 물에 담갔다가 건져내어 물 3~4홉을 뿌려 푹 찐다. 행주로 물기 없이 닦은 그릇에 찐 지에밥을 식혀, 지에밥이 다 알알이 떨어지도록 '백로주' 두어 복자를 뿌린 뒤 누룩가루 5홉을 섞어 항아리에 넣어 뜨겁지도 차지도 않은 곳에 둔다. 술이 농익거든 노주를 붓되, 달게 하거나 콱 쏘게 하거나는 식성대로 한다. 밥이 다 풀어질 때를 기다려 술통에 뜬다."고 하였다.

그 과정을 요약하면, 술밑을 빚을 때 고두밥에 '백로주'를 뿌려 밥알이 낱낱이 되게 만든 후 누룩과 섞어 술밑을 빚은 후, 주발효가 끝나면 재차 '백로주'를 첨가하여 후발효와 숙성시키는 방법이다.

셋째는, <술방>을 중심으로 한 '과하주 또 한 법'은 "조흔 곡말(누룩가루)을 가날게 쳐 칠홉을 모시의 싸 끓는 물 세 사발의 식거든 그 물에 담갔다가 이튿날 그 시의 누룩주머니의 그 물의 무수히 주물러 거피하여 찹쌀 아홉 되와 멥쌀 두 되 백세하여 익게 쪄 식거든 누룩물 섞어 독에 너코 중품소주 열 사발 한데 부어 불한불열한데 두면 이십일 후 다 익어 여름이 지나도 맛이 변치 아니한 법이라."고 하여, 술밑이 완성되면 술독에 담아 안친 후, 곧바로 소주를 붓고 발효시키는 방법이 있다.

이러한 예는 민간에서 약식으로 '과하주'를 빚는 방법으로 정착하기도 했다. 익산 지방을 중심으로 한 '쌀술'이 그것이다.

넷째는, <규합총서>를 중심으로 한 이양주법(二釀酒法)으로, "봄 · 여름 사이에 희게 쓴 멥쌀 두 되나 한 되나 가루로 만들어 범벅을 개어, 염려 없이 서늘히 식거든 가루누룩을 넣어 방문주처럼 쳐서 넣어라, 맛이 써지거든 찹쌀 한 말 지에 쪄 속속들이 식혀 서늘하거든 그 술밑에 버무려 두었다가 맛이 써진 후 소주를 고아 두었다가 이렛 만에 소주 이십 복자씩 부어라."고 하여, 밑술은 멥쌀가루와 끓는 물을 섞어 범벅을 쑨 후, 누룩과 섞어 술밑을 빚고 4~5일간 발효시킨 후, 찹쌀고두밥으로 덧술을 하여 주발효가 끝난 후 소주를 첨가하는 방법이 있다.

그리고 최근 발굴된 시대 미상의 <보감록>의 '과하주'는 <규합총서>의 주방문을 그대로 전재한 것으로 여겨지며, '과하주 우방(又方)'은 본방과 달리 탕수를 비롯, 일체의 양주용수가 사용되지 않는다는 점인데, <농정회요>의 '과하주 우일방'과 유사하나 소주를 한 차례만 사용한다는 점에서 차이가 있다.

그리고 <주방문초>의 '과하주법'도 <주방문>을 참고한 것으로 여겨지나 술 빚는 과정에서 약간 차이가 있다.

그 외 <음식보>의 '과하주법'은 다른 문헌에 수록되어 있는 '과하주'와 비교하였을 때 다소 이채롭다고 할 수 있는 방문이다. 우선, 주방문의 '렴주'가 '점주'를 가리키는 것이라면, 이는 다른 어떤 방문에서도 찾아볼 수 없는 유일한 술 빚기라고 할 수 있기 때문이다. 또한 이 방문에서는 다른 '과하주'에 비해서 소주의 양이 많고 또한 가장 독한(기록에는 매운) 소주를 붓는 것으로 되어 있다.

<음식보>의 주방문에 근거하여 '과하주'를 빚어본 결과, 본 방문에는 여러 가지 문제점이 목격되었는데, 첫째는 사용되는 술로 알코올 도수 40% 정도 되는 소

주를 '매운 소주'로 여기더라도 정상적인 발효를 일으키기에는 문제가 있었고, 그러한 이유로 발효가 끝나지 않아 마실 수 없었다는 것이다. 또한 '과하주'의 특징은 소주를 사용하여 발효시킨 발효주라고 보아야 하므로, 소주의 냄새가 나지 않아야 발효가 종료된 것이라고 하겠는데, 본 방문대로 고온발효를 시켜보았지만 기록에서 보듯 10일 만에는 절대 술이 익지 않았다는 사실이다. 옛사람들은 덜 숙성된 술을 마셨다는 얘기이거나, 소주 냄새가 풀풀 나는 술을 마셨다는 얘기에 다름 아니다.

따라서 추측컨대, 아마도 직접 술을 빚어보고 그 경험과 맛을 바탕으로 기술한 방문이 아니라, 다른 기록이나 얻어들은 방문을 옮겨 놓은 것이 아닐까 하는 생각을 갖게 한다. 그리고 술을 빚으면서 아직까지도 풀리지 않는 궁금증은, "왜 하필이면 점주였을까?" 하는 것이었다.

주지하다시피 '점주'는 찹쌀로 빚은 매우 점도가 높고 단맛이 강한 술인데다, <음식보>에는 '점주'를 어떻게 빚으라는 언급이 없어, '과하주'에 '점주'를 사용한 까닭이 무엇이냐는 궁금증이 남는데, 추측이지만 사용하는 "매운 소주의 맛을 부드럽게 하기 위한 방법이 아니었을까." 하는 것이다.

만약 그 이유라면 굳이 '점주'가 아닌 다른 기록에서처럼 탕수를 사용하거나 쌀 양을 늘려 빚으면 더 좋은 맛을 간직할 수 있으므로, 이 역시 해답은 아니다. 그렇다고 찹쌀 값이 비싸기 때문에 5되를 사용하였다는 것도 이유가 되지 않는다. 찹쌀 값보다도 사용되는 소주 1말 8되를 만들기 위해서는 찹쌀 값보다 훨씬 더 비용이나 노력이 많이 들기 때문이다. 참으로 옛사람들의 술 빚는 법의 정도와 한계가 어디까지일까 궁금하다.

그런데 '과하주' 가운데는 혼양주가 아닌 주방문도 있다. 예를 들면 <시의전서>의 '과하주 별방'과 <양주집>의 '과하주', <조선무쌍신식요리제법>의 '우(又) 과하주'가 그것이다. <시의전서>의 '과하주 별방'과 <양주집>의 '과하주'는 '소주'가 아닌 '끓여 식힌 물'을 후수(後水)하는 것으로 미루어 소주를 빠트렸거나, 이름만 '과하주'인 것으로 판단되어 청주 편에 함께 수록하였다.

그리고 <조선무쌍신식요리제법>의 '우 과하주'는 '소주 빚는 법(造燒酒法)'이라고 할 수 있는데, 특히 밑술의 '쌀을 중품소주에 담가 불리는 방법'이어서, 매우 이채로운 방법이라고 할 수 있다. 이와 같은 방법은 <조선무쌍신식요리제법>이 유일한 것으로 생각되며, 그 성격상 증류주 편에 함께 묶었다는 사실을 밝힌다.

이외에도 경북 지방의 무형문화재로 지정되어 있는 '김천 과하주'가 있데, 김천 지방의 과하천(金泉)의 샘물로 빚는 데서 유래한 술로, 찹쌀고두밥과 수곡을 섞어 떡메로 쳐서 술밑을 빚는 단양주이라는 점에서 그 특징을 찾을 수 있다.

결국 '과하주'는 순곡주(純穀酒)의 발효 과정에 '소주'를 첨가하여 발효와 숙성을 거친 술로서, 발효주와 증류주의 중간 형태의 술이라고 할 수 있으며, 우리나라에서 개발된 주종(酒種)의 한 가지라는 사실에서 그 의미를 찾을 수 있다.

'과하주'의 등장 이후 이 혼양주법을 응용한 '송순주'를 비롯하여 초재나 약재를 사용한 '오향주'와 '오종주'가 개발되기에 이르렀고, <요록(要錄)>의 '황화주'나 <술방문>의 '백화주' 등 가향재를 사용한 '과하주류'에 이어 조리용 술인 '미림주'에 이르기까지 한층 다양한 혼양주류가 등장하게 되었다.

현재 민간의 '과하주'는 인삼, 대추, 용안육 등 여러 가지 약재를 넣어 빚는 약용 목적의 '과하주'로서, 지방색을 띤 토속주들이 주류를 이루고 있다.

'과하주'를 빚을 때 주의할 일은, 방문에서 보듯 누룩의 양이 적기 때문에 고두밥을 무르게 쪄야 하는데, 지나치게 질거나 끓인 밥처럼 되지 않도록 하고, 따뜻한 곳에서 발효시키되, 술덧의 주발효가 끝난 이후에 소주를 부어야 한다는 것이다. 주발효가 부진하거나 더딘 상태에서 소주를 붓게 되면 더 이상 후발효를 기대할 수 없고, 알코올 도수 35% 이상의 소주를 사용하게 되면 발효부진과 소주 냄새 때문에 좋은 향취를 기대할 수 없게 된다.

따라서 중품소주는 알코올 도수 30% 정도가 적당하다고 하겠다. 그리고 소주를 붓고 나서는 가능하다면 덥지도 차지도 않은 곳에서 후발효시켜야 한다는 것이다. 후발효 온도가 낮으면 발효 종료까지 보다 많은 시간을 필요로 하지만, 주질은 훨씬 뛰어나다는 것이 그 이유이다.

이러한 '과하주'는 그 맛이 매우 부드럽고 강한 사과와 포도, 복숭아 등 과일 향기를 자랑하는데, 전체적으로 매우 순하고 부드러운 느낌을 주는 것이 특징이며, 알코올 도수가 20% 이상임에도 불구하고 순하고 부드러운 맛에 속아 홀짝거리다간 이내 앉은뱅이가 되고 만다. 또한 오랜 기간 저장이 가능하고 여름이 되어도 변하지 않는 장점이 있는데다, 오래 둘수록 그 맛과 향기가 진해져 술맛과 취흥을 돋운다는 사실에서 전통 가양주의 참맛을 알게 해주는 술이라 할 수 있다.

하지만 '과하주'는 비용이 많이 드는 까닭에 비교적 여유가 있는 반가와 부유층의 전유물로 인식되었으며, 그런 연유로 식량 사정이 넉넉지 못했던 민간에 전승되는 사례가 드물었던 것으로 생각된다.

이 밖에 '과하주'의 또 다른 특징은 쌀과 누룩, 물, 소주 등 기본 원료만을 사용했을 때는 '과하주'라고 하지만, 여기에 다른 부재료를 사용할 경우 '과하주'가 아닌 다른 명칭으로 바뀐다는 점에서 '과하주'가 혼양주 가운데 가장 기본을 이루는 술이라고 할 수 있다.

주지하다시피 '와인'의 변패를 막을 방법을 찾던 중 우연히 '브랜디(Brandy)'를 첨가하게 되었는데, 효모 증식과 발효를 정지시킬 수 있었다. 이것을 오크(Oak)통에 다시 일정 기간 숙성시키면 '포트와인'이 되는데, 이 '포트와인'이 개발된 시점이 17세기 중반이었다. 일본이 '사케'의 재발효를 막기 위해 고안된 방법으로 '소주'를 첨가하여 알코올 도수를 높인 '합성주(사케)' 제조 방법의 개발 역사 역시 130여 년 전에 불과하다.

유럽의 '포트와인'이나 일본의 '사케'에서 소주 냄새가 나는 이유가 이미 완성된 주종을 혼합한 데서 그친 기초적인 기술이라고 한다면, '과하주'는 '소주'의 맛이나 냄새가 없는 완벽한 발효주의 맛과 향기를 지니면서도, 저장성이 높아 유통상의 문제를 해소할 수 있다는 판단이 든다.

따라서 발효주와 증류주의 단점을 완벽하게 보완해 낸 '과하주'는 그 제조법이 최초로 수록된 <고사촬요>의 출간 연대가 1613년인 점을 감안하면, 이미 17세기 초에 '과하주' 양주법이 개발되어 민간에서 그 양주가 이루어졌다는 사실을 짐작할 수 있으므로, '과하주' 제조법이야말로 세계 최고(最古)의 역사와 최고(最高)의 양주기술이라고 할 수 있다.

'과하주'의 등장 배경에는 우리나라의 기후상 온도와 습도가 높은 여름철에는 일반적인 양주가 힘들었으므로, 고온다습한 환경에 따른 술의 변패를 막는 한편, 무엇보다 '소주'의 음용에 따른 주독(酒毒)으로부터 벗어나고자 개발하게 된 술이 '과하주'라는 확신을 갖게 한다.

1. 과하주 <간본규합총서(刊本閨閣叢書)>

술 재료 : 밑술 : 멥쌀 2되, 가루누룩 5홉, 끓는 물(3~4)되
덧술 : 찹쌀 1말, 소주 20복자

술 빚는 법 :

* 밑술 :

1. 봄 · 여름 사이에 멥쌀 2되를 (백세하여 물에 담가 불렸다가, 다시 새 물에 깨끗이 헹궈서 물기를 뺀 후) 가루로 빻는다.
2. 솥에 물(3~4)되 정도를 끓여서 멥쌀가루에 붓고, 주걱으로 범벅을 개어 서늘하게 식기를 기다린다.
3. 쌀 범벅에 가루누룩 5홉을 넣고, 약주 밑술처럼 고루 치대어 술밑을 빚는다.
4. 술독에 술밑을 담아 안치고, 예의 방법대로 (3~4일간) 발효시켜 술맛에서 쓴맛이 나면 덧술을 준비한다.

* 덧술 :

1. 찹쌀 1말을 (백세하여 물에 담가 불렸다가, 다시 새 물에 깨끗이 헹궈서 물기를 뺀 후) 시루에 안쳐서 고두밥을 짓는다.
2. 고두밥이 익었으면 시루에서 퍼내고, 고루 펼쳐서 속속들이 서늘하게 식힌다.
3. 밑술에 고두밥을 넣고, 고루 버무려서 술밑을 빚는다.
4. 술밑을 술독에 담아 안친 후, 예의 방법대로 하여 4~5일간 발효시키는데, 술맛에서 쓴맛이 나면 준비한 분량의 소주 20복자를 붓는다.
5. 술덧에 소주를 부은 지 7일 후에 개미(부의)가 뜨고 술맛이 나면 채주한다.

* 방문 말미에 “쌀 1말에 소주 20복자씩 넣으라.”고 하였다.
* <간본규합총서>는 <규합총서>를 인용한 책이다. 따라서 <규합총서>에서 원문을 볼 수 있는데, <규합총서>의 ‘과하주’는 흔치 않게 밑술을 범벅으로

하는 이양주 방문을 보여주고 있다. 밑술의 멥쌀 2되를 가루로 빻아 범벅을 쑤는데, 이때 사용되는 끓는 물의 양이 나와 있지 않다. 이때 주의할 일은, 밑술의 쌀 양과 누룩의 양, 그리고 덧술에 사용되는 소주의 양을 고려하는 일이 중요한데, 무엇보다 밑술의 쌀 양과 누룩의 양에 따라 끓는 물의 양을 고려하는 것이 중요하다고 생각된다.

방문을 보면, 누룩의 양이 가루의 형태로 비교적 적은 양이 사용된 것을 볼 수 있다. 따라서 밑술의 쌀가루를 가능한 한 많이 익힐 필요가 있다. 이를 위해서는 범벅을 쑬 때의 끓는 물의 온도도 중요하고, 그 양도 2~3배 분량의 물이 필요하다. 덧술의 쌀 양이 1말이고, 소주가 20복자나 사용되는 것을 고려한다면 끓는 물의 양이 최소한 5~6되는 되어야 할 것으로 판단된다.

여기서 또 한 가지 고려할 사실은, 덧술을 하여 4~5일 발효시킨 후 "술맛에서 쓴맛이 나면 준비한 분량의 소주 20복자를 붓는다."고 하는 것으로, 이때의 쓴맛은 여러 가지 술맛 가운데 균형 잡히지 않은 알코올의 맛을 뜻하며, 단맛도 느낄 수 있다. 다만, 단맛은 적고 쓴맛이 더 많을 때 소주를 붓는 것으로 이해해야 한다.

과하쥬

츈하간의 ᄇᆡᆨ미 두 되 쟉말ᄒᆞ야 범벅 ᄀᆡ야 서늘허게 식거든 ᄀᆞ로누록 다섯 홉 너허 약쥬 밋쳐로 쳐 너헛ᄃᆞ가 마시 뻐 지거든 졈미 ᄒᆞᆫ 말 지여 쎠 속ː드리 서늘허거든 그 밋헤 버무려 두엇다가 마시 뻐진 후 소쥬을 부엇다가 칠일 만의 쎠 보면 ᄀᆡ얌이가 쓰고 마시 됴흐니라(ᄒᆞᆫ 말에 소쥬 이십 복ᄌᆞ씩 너흐라).

2. 과하주 <감저종식법(甘藷種植法)>

술 재료 : 찹쌀 1말, 누룩가루 5홉, 끓여 식힌 물 13홉~14홉, 소주 9~11복자

술 빚는 법 :

1. 찹쌀 1말을 백세하여 물에 담가 하룻밤 불려놓는다.
2. 누룩을 곱게 가루 내어 5홉을 술자루에 담고, 팔팔 끓여 차게 식힌 물 5홉에 불려 하루 동안 지낸 뒤, 체에 밭쳐 찌꺼기를 제거한 누룩물을 만든다.
3. 물 8~9홉을 팔팔 끓여 차게 식히고, 불린 쌀을 다시 씻어 헹궈서 물기를 뺀 후, 시루에 안쳐 고두밥을 무르게 짓되, 식혀둔 물을 고두밥에 뿌려서 푹 익힌다.
4. 고두밥이 익었으면 퍼낸다(고루 펼쳐서 차게 식기를 기다린다).
5. (차게 식힌) 고두밥에 누룩물을 넣고, 고루 버무려 술밑을 빚는다.
6. 술밑을 술독에 담아 안치고, 예의 방법대로 하여 밀봉한 후, 3일간 발효시킨다.
7. 술독을 열어 술이 많이 익었는지를 보아, (쓴맛이 나면) 준비한 분량의 소주 8복자~11복자를 붓고, 재차 밀봉하여 7일간 숙성시킨다.
8. 술이 익으면 술자루를 이용하여 채주한다.

* 주방문에 "술맛을 달게 하려면 소주를 9복자를 붓고, 콕 쏘게 독한 술을 빚으려면 소주를 11~12복자 붓고, 달게 하려면 양을 줄이면 된다."고 하였다.
* <고사십이집>에는 "누룩을 곱게 가루 내어 5홉을 술자루에 담고, 팔팔 끓여 차게 식힌 물 5홉에 불려 하루 동안 지낸 뒤"라고 되어 있다.

過夏酒

粘米一斗百洗浸又以細末麴五合盛細帒湯水半鉼候冷浸帒翌日淨水八九合湯沸候冷將粘米洒勻蒸熟後和以半瓶浸麴水麴末則不用入缸封口至三日開視其爛熟與否以露酒灌之若粘釀甘則灌九鐥欲其味烈更加二三鐥欲甘則量減後七日上槽.

3. 과하주(우법) <감저종식법(甘藷種植法)>

술 재료 : 찹쌀 1말, 누룩가루 5홉, 백로주(여러 복자), 끓여 식힌 물 1병

술 빚는 법 :

1. 찹쌀 1말을 백세하여 물에 담가 하룻밤 불렸다가 (다시 씻어 헹궈서) 물기를 빼놓는다.
2. 불린 쌀을 시루에 안쳐서 고두밥을 짓되, 물 3~4홉을 골고루 살수하여 (뜸을 들인 후) 익었으면 깨끗하게 씻은 그릇에 퍼내고, 고루 헤쳐서 차게 식기를 기다린다.
3. 고두밥에 백로주 여러 복자를 뿌리고 손으로 비벼서, 밥알이 낱낱이 다 떨어지게 만들어놓는다.
4. 누룩을 (빻아 체에 내린 고운) 누룩가루 5홉을 고두밥에 합하고, 고루 버무려 술밑을 빚는다.
5. 술밑을 술독에 담아 안치고, 예의 방법대로 하여 뜨겁지도 차지도 않은 곳에 두고 발효시켜 익기를 기다린다.
6. (3~5일 후에) 술독을 열어보아 술이 농익었으면(고두밥이 다 삭았으면) 노주 (여러 복자)를 붓는데(술을 젓지 않는다), 달게 또는 콕 쏘게 하느냐는 뜻대로 한다.
7. 술독은 재차 밀봉하여, 밥이 다 풀어질 때까지 발효·숙성시킨 후 주조에 올려 거른다.

過夏酒(又法)

粘米一斗百洗水浸一宿漉出洒水三四合蒸熟後以巾拭器鋪蒸飯候冷白露酒數鐥洒調以飯粒散解爲度和麴末五合入缸置不熱不冷處待爛熟以露酒灌之甘烈隨意候飯盡解上槽.

4. 과하주 <고려대규합총서(高麗大閨閤叢書, 異本)>

술 재료 : 밑술 : 멥쌀 1~2되, 가루누룩(5홉~1되), 끓는 물 1~2되
덧술 : 찹쌀 1말, 소주 20복자

술 빚는 법 :

* 밑술 :

1. 봄 · 여름 사이에 멥쌀 2되 또는 1되를 (백세하여 물에 담가 불렸다가, 다시 씻어 건져서 물기를 뺀 후) 작말하여 넓은 그릇에 담아놓는다.
2. 솥에 물 1~2되를 팔팔 끓여서 쌀가루에 붓는데, 주걱으로 골고루 저어가면서 된죽같이 익혀 범벅을 쑨다.
3. 범벅을 차게 식혀서 가루누룩(5홉~1되)을 넣고, 고루 버무려 술밑을 빚는다.
4. 소독하여 마련해 둔 술독에 술밑을 담아 안치고, 예의 방법대로 하여 2~3일간 발효시킨다.

* 덧술 :

1. 밑술의 맛이 써졌거든 찹쌀 1말을 (백세하여 물에 불렸다가, 다시 새물에 헹궈서 소쿠리에 받쳐 물기를 뺀 후) 시루에 담아 안쳐서 고두밥을 짓는다.
2. 고두밥이 익었으면, 고루 펼쳐서 속속들이 차게 식기를 기다린다.
3. 고두밥에 밑술을 합하고, 고루 버무려 술밑을 빚는다.
4. 술밑을 소독하여 마련해 둔 술독에 담아 안치고, 예의 방법대로 하여 7일(4~5일)간 발효시킨다.
5. 술덧의 맛이 써졌거든 소줏고리로 증류한 증류식 소주 20복자를 붓고, 서늘한 곳으로 옮겨서 발효 · 숙성시킨다.
6. 술맛이 매우 부드럽고 향기로우면서 쓴맛과 소주 냄새가 없어졌으면 채주하여 마신다.

과하쥬

츈하 간의 ᄇᆡᆨ미 두 되나 ᄒᆞᆫ 되나 작말ᄒᆞ야 범벅 ᄀᆡ야 염네 업시 선늘리 식거든 ᄀᆞ로누록 너허 방문쥬쳐로 쳐 너허다가 마시 뼈지거든 졈미 ᄒᆞᆫ 말 지에 쎠 쇽쇽드리 식여 선늘ᄒᆞ거든 그 밋치 범믈여 두어다가 마시 뼈진 후 쇼쥬를 고아 부어다가 칠일 만의 쇼쥬 이십 복ᄌᆞ식 부으라.

5. 과하주 <고사신서(攷事新書)>

술 재료 : 찹쌀 1말, 누룩가루 5홉, 끓여 식힌 물 반 병, 끓여 식힌 물 8~9홉, 소주 9~11복자

술 빚는 법 :

1. 찹쌀 1말을 백세하여 물에 담가 하룻밤 불렸다가, 다시 씻어 헹궈서 건져 물기를 뺀다.
2. 누룩을 곱게 가루 내어 5홉을 술자루에 담고, 팔팔 끓여 매우 차게 식힌 물 반 병(1되 5홉)에 담가 하룻밤 불린다.
3. 다음날 주머니를 쥐어짜서 누룩찌꺼기를 제거한 누룩물을 만든다.
4. 불린 쌀을 시루에 안쳐 고두밥을 무르게 짓되, 팔팔 끓여 차게 식혀둔 물 8~9홉을 고두밥에 뿌리고, 푹 뜸을 들여서 익힌다.
5. 고두밥이 익었으면 퍼낸다(고루 펼쳐서 차게 식기를 기다린다).
6. (차게 식힌) 고두밥에 누룩물을 넣고, 고루 버무려 술밑을 빚는다.
7. 술밑을 술독에 담아 안치고, 예의 방법대로 하여 술독을 밀봉하고, 3일간 발효시킨다.
8. 술독을 열어보아 술이 많이 익었는지를 살펴서, 술맛(쓴맛)이 나면 술독에 준비한 분량의 소주 8복자~11복자를 붓는다.
9. (소주를 붓되 젓지 말고 그대로) 재차 밀봉하여 7일간 숙성시킨다.

10. 술이 익으면 용수나 술자루를 이용하여 채주한다.

過夏酒

粘米一斗算籌百洗浸又以細末麴五合盛細帒湯水半瓶候冷浸帒翌日淨水八九合湯沸候冷將粘米灑勻蒸熟後和以半瓶浸麴水麴末則不用入缸封口至三日開視其爛熟與否以露酒灌之若粘釀甘則灌九鐥欲其味烈更加二三鐥欲甘則量減 灌後七日上槽.

6. 과하주 우법 <고사신서(攷事新書)>

술 재료 : 찹쌀 1말, 누룩가루 2되, 좋은 소주 10복자, 끓여 식힌 물 1병

술 빚는 법 :

1. 찹쌀 1말을 백세하여 물에 담가 하룻밤 불렸다가 (다시 씻어 헹궈서) 물기를 빼놓는다.
2. 불린 쌀을 시루에 안쳐서 고두밥을 짓되, 물 3~4홉을 골고루 살수하여 (뜸을 들인 후) 익었으면 넓은 그릇에 퍼내고, 고루 펼쳐서 차게 식기를 기다린다.
3. 백로주 2~3복자를 고두밥에 뿌리고 손으로 비벼서, 밥알이 낱낱이 다 떨어지게 만들어놓는다.
4. 누룩을 (빻아 체에 내린 고운) 누룩가루 5홉을 고두밥에 합하고, 고루 버무려 술밑을 빚는다.
5. 술밑을 술독에 담아 안치고, 예의 방법대로 하여 뜨겁지도 차지도 않은 곳에 두고 3일간 발효시킨다.
6. 3일 후에 술독을 열어보아 술이 농익었으면(고두밥이 다 삭았으면) 노주(8~11)복자를 골고루 뿌려 붓는다(술을 젓지 않는다).
7. 술독은 재차 밀봉하여, 밥이 다 풀어질 때까지 발효 · 숙성시킨다.

過夏酒 又法

粘米一斗百洗水浸一宿漉出灑水三四合蒸熟後以甫拭器使無水氣鋪其蒸飯候冷白露酒數鐥灑調以飯粒散解爲度和麴末五合入缸置不熱不冷處待其爛熟以露酒灌之甘烈隨意候其飯盡解上槽.

7. 과하주 <고사십이집(攷事十二集)>

술 재료 : 찹쌀 1말, 누룩가루 5홉, 끓여 식힌 물 반 병, 끓여 식힌 물 8~9홉, 소주 9~11복자

술 빚는 법 :

1. 찹쌀 1말을 백세하여 물에 담가 하룻밤 불렸다가, 다시 씻어 헹궈서 물기를 뺀다.
2. 누룩을 곱게 가루 내어 5홉을 술자루에 담고, 팔팔 끓여 매우 차게 식힌 물 반 병(1되 5홉)에 담가 하룻밤 불린다.
3. 다음날 주머니를 쥐어짜서 누룩찌꺼기를 제거한 누룩물을 만든다.
4. 물 8~9홉을 팔팔 끓여 차게 식히고, 불린 쌀을 시루에 안쳐 고두밥을 무르게 짓되, 식혀둔 물을 고두밥에 뿌리고 푹 익힌다.
5. 고두밥이 익었으면 퍼낸다(고루 펼쳐서 차게 식기를 기다린다).
6. (차게 식힌) 고두밥에 누룩물을 넣고, 고루 버무려 술밑을 빚는다.
7. 술밑을 술독에 담아 안치고, 예의 방법대로 술독을 밀봉하고, 3일간 발효시킨다.
8. 술독을 열어보아 술이 많이 익었는지를 살펴서 술맛(쓴맛)이 나면, 술독에 준비한 분량의 소주 8복자~11복자를 붓는다.
9. (소주를 붓되 젓지 말고 그대로) 재차 밀봉하여 7일간 숙성시킨다.
10. 술이 익으면 용수나 술자루를 이용하여 채주한다.

* 주방문에 "사흘 만에 열어 노그라지게 익었는지를 보아, 노주(露酒)를 붓는다. 만약 달게 빚고 싶으면 9복자만 붓고, 맛이 콕 쏘게 하려면 두어 복자 더 붓고, 달게 하려면 양을 줄이면 된다. 노주 부은 지 7일째 되면 술통에 뜰 수 있다."고 하였다.

過夏酒

粘米一斗計籌百洗浸又以細末麴五合盛細帒湯水半甁候冷浸帒翌日淨水八九合湯沸候冷將粘米灑勻蒸熟後和以半甁浸麴水麴末則不用入缸封口至三日開視其爛熟與否以露酒灌之若粘釀甘則灌九鐥欲其味烈更加二三鐥欲甘則量減 灌後七日上槽.

8. 과하주(우법) <고사십이집(攷事十二集)>

술 재료 : 찹쌀 1말, 누룩가루 2되, 좋은 소주 10복자, 끓여 식힌 물 1병

술 빚는 법 :

1. 찹쌀 1말을 백세하여 물에 담가 하룻밤 불렸다가 (다시 씻어 헹궈서) 물기를 빼놓는다.
2. 불린 쌀을 시루에 안쳐서 고두밥을 짓되, 물 3~4홉을 골고루 살수하여 (뜸을 들인 후) 익었으면 퍼내고, 고루 펼쳐서 차게 식기를 기다린다.
3. 백로주 2~3복자를 고두밥에 뿌리고 손으로 비벼서, 밥알이 낱낱이 다 떨어지게 만들어놓는다.
4. 누룩을 (빻아 체에 내린 고운) 누룩가루 5홉을 고두밥에 합하고, 고루 버무려 술밑을 빚는다.
5. 술밑을 술독에 담아 안치고, 예의 방법대로 하여 뜨겁지도 차지도 않은 곳에 두고 3일간 발효시킨다.

6. 3일 후에 술독을 열어보아 술이 농익었으면(고두밥이 다 삭았으면) 노주(8~11)복자를 붓는다(술을 젓지 않는다).
7. 술독은 재차 밀봉하여, 밥이 다 풀어질 때까지 발효·숙성시킨다.

* 주방문에 "술이 농익거든 노주(露酒)를 붓되, 달게 하거나 콕 쏘게 하거나는 식성대로 한다. 밥이 다 풀어질 때를 기다려 술통에 뜬다."고 하였다. <고사촬요>와 동일한 방문이다.

過夏酒(又法)

粘米一斗百洗水浸一宿漉出灑水三四合蒸熟後以巾式器使無水氣鋪蒸飯候冷白露酒數鐥灑調以飯粒散解爲度和麴末五合入瓿置不熱不冷處待其爛熟以露酒灌之甘烈隨意候飯盡解上槽.

9. 과하주 <고사촬요(故事撮要)>

술 재료 : 찹쌀 1말, 누룩가루 5홉, 끓여 식힌 물 3되, 끓인 우물물 1되, 소주 8~9되

술 빚는 법 :

1. (도정을 많이 하여) 좋은 찹쌀 1말을 백세하여 물에 담가 (하룻밤) 불렸다가, 다시 씻어 헹궈서 건져 물기를 뺀다.
2. 누룩을 곱게 가루 내어 5홉을 술자루에 담고, 팔팔 끓여 차게 식힌 물 3되에 불려 하룻밤 지낸 뒤, 체에 밭쳐 찌꺼기를 제거한 누룩물을 만든다.
3. 우물물 1되를 팔팔 끓여 차게 식히고, 불린 쌀을 시루에 안쳐 고두밥을 무르게 짓되, 식혀둔 물을 고두밥에 뿌리고, 뜸을 들여 푹 익힌다.
4. 고두밥이 익었으면 퍼낸다(고루 펼쳐서 차게 식기를 기다린다).
5. (차게 식힌) 고두밥에 누룩물을 넣고, 고루 버무려 술밑을 빚는다.

6. 술밑을 술독에 담아 안치고, 예의 방법대로 하여 3일간 발효시킨다.
7. 술독을 열어보아 술이 많이 익어 술맛(쓴맛)이 나면, 술독에 준비한 분량의 소주 8~9되를 붓고, 맛을 진하게 하려면 소주 2~3되를 더 붓는다.
8. (소주를 붓되 젓지 말고 그대로) 재차 밀봉하여 7일간 숙성시킨다.
9. 술이 익으면 용수나 술통에 담아 채주한다.

* 방문에 "술맛을 달게 하려면 소주를 9복자를 붓고, 콕 쏘게 독한 술을 빚으려면 소주를 11~12복자 붓는다."고 하였다.

過夏酒

粘鑿米一斗算籌百洗浸又以細末麴五合盛細帒湯水半瓶候冷浸帒翌日淨水八九合湯沸候冷將粘米洒勻蒸熟後和以半瓶浸麴水麴末則不用入缸封口至三日開視其爛熟與否以露酒灌之若粘釀甘則灌九鐥欲其味烈更加二三鐥取其味甘者量減. 灌露酒後七日上槽.

10. 과하주법 <규중세화>

술 재료 : 찹쌀 1말, 섬누룩 3되, 효주(10복자), (끓여 식힌) 물(1병)

술 빚는 법 :
1. 섬누룩 3되를 (팔팔 끓여 차게 식은) 물(1병)에 담아 수곡을 만들어 하룻밤 재워놓는다.
2. 좋은 찹쌀 1말을 백세하여 (물에 담가 불렸다가, 다시 씻어 헹궈서) 물기를 빼놓는다.
3. 찹쌀을 시루에 안치고 (물을 많이 뿌리고 쪄서) 무른 고두밥을 짓고, 익었으면 퍼내고 고루 펼쳐서 차게 식기를 기다린다.

4. 수곡을 (위의 맑은 물은 따로 떠 두고) 아래 가라앉은 것은 주물러 명주 헝겊에 밭쳐 찌꺼기를 제거한다.
5. 누룩물에 고두밥을 한데 합하고, 고루 버무려 술밑을 빚는다.
6. 술밑을 술독에 담아 안치고, 예의 방법대로 하여 (3일간) 발효시킨다.
7. 효주(좋은 소주 10복자)를 맑은 술에 부었다가, 7일간 숙성시켜 쓴다.

* 수곡을 만드는 데 사용하는 물의 종류와 양이 나와 있지 않다. <음식디미방>의 '과하주법'과 비교해 보면 누룩의 종류와 양, 소주의 종류가 다를 뿐 술 빚는 방법은 매우 유사하다.

과하주법

좋은 찹쌀 한 말 백세하여 밥 쪄 채오고 섭누룩 서 되 담갔다가 따라버리고 그 물에 답(되 푸고) 명주 헝겊에 밭쳐 (찌꺼기를 제거하여) 그 밥에 빚어 넣었다가 삼닐 만에 효주 맑은 술에 부었다가, 칠일 만에 쓰라.

11. 과하주 <규합총서(閨閤叢書)>

술 재료 : 밑술 : 멥쌀 1~2되, 누룩가루 5홉, 끓는 물(3~4되)
덧술 : 찹쌀 1말, 소주 20복자

술 빚는 법 :

* 밑술 :

1. 봄 · 여름 사이에 멥쌀 1~2되를 (백세하여 물에 담갔다가, 다시 씻어 건져서 물기를 뺀 후) 가루로 빻는다.
2. 멥쌀가루에 끓는 물(3~4되 정도)을 붓고, 주걱으로 고루 치대어 범벅처럼 개어 서늘하게 식기를 기다린다.

3. 쌀 범벅에 누룩가루 5홉을 넣고, 방문주처럼 고루 치대어 술밑을 빚는다.
4. 술독에 술밑을 담아 안치고, 예의 방법대로 하여 발효시키되, 술맛이 나면 덧술을 준비한다.

* 덧술 :
1. 찹쌀 1말을 (백세하여 물에 담갔다가, 다시 씻어 건져서 물기를 뺀 후) 고두밥을 짓는다.
2. 고두밥이 익었으면 고루 펼쳐서 속속들이 차게 식힌 다음, 밑술에 넣고 고루 버무려서 술밑을 빚는다.
3. 술밑을 술독에 담아 안친 다음, 예의 방법대로 하여 7일간 발효시킨다.
4. 술맛이 난 후에 준비한 분량의 소주를 내려서 20복자를 술독에 붓는데, 술독은 다시 덮어서 7일 후에 보아, 술맛이 나고 개미(밥알)가 뜨면 맛이 좋다.

* 방문에 쌀 1~2되를 가루로 빻아 범벅을 쑤라고 하였으나, 물의 양이 나와 있지 않다. 말미에 "한 말에 소주 스무 복자씩 부어라."고 하였다.

과하쥬

츈하 간의 ᄇᆡᆨ미 두 되나 ᄒᆞᆫ 되나 작말ᄒᆞ야 범벅 ᄀᆞ야 염네 업시 선늘리 식거든 ᄀᆞ로누록 너허 방문쥬쳐로 쳐 너허다가 마시 뻐지거든 졈미 ᄒᆞᆫ 말 지에 쪄 쇽쇽드리 식여 선늘ᄒᆞ거든 그 밋치 범믈여 두어다가 마시 뼈진 후 쇼쥬를 고아 부어다가 칠일 만의 쇼쥬 이십 복ᄌᆞ식 부으라.

12. 과하주법 <농정회요(農政會要)>

술 재료 : 찹쌀 1말, 누룩가루 5홉, 끓여 식힌 물 반 병, 소주 9~11복자

술 빚는 법 :

1. 찹쌀 1말을 숫자를 헤아려가며 백세하여 물에 담가 하룻밤 불렸다가, 다시 씻어 헹궈서 건져 물기를 뺀다.
2. 곱게 가루 내어 만든 누룩가루 5홉을 명주 자루에 담고, 팔팔 끓여 차게 식힌 물 반 병에 불려 하룻밤 지낸 뒤, 체에 밭쳐 찌꺼기를 제거한 누룩물을 만든다.
3. 불린 쌀을 시루에 안쳐 고두밥을 무르게 짓되, 물을 고두밥에 뿌려주고, 뜸을 들여 푹 익힌다.
4. 고두밥이 익었으면 퍼낸다(고루 펼쳐서 차게 식기를 기다린다).
5. (차게 식힌) 고두밥에 누룩물을 넣고, 고루 버무려 술밑을 빚는다.
6. 술밑을 술독에 담아 안치고, 예의 방법대로 하여 3일간 발효시킨다.
7. 술독을 열어보아 술이 많이 익어 술맛(쓴맛)이 나면, 술독에 준비한 분량의 소주 9복자~12복자를 붓는다.
8. (소주를 붓되 젓지 말고 그대로) 재차 밀봉하여 7일간 숙성시킨다.
9. 술이 익으면 용수나 술자루를 이용하여 채주한다.

* 방문에 "산주백세침윤(筭籌百洗浸潤)"이라고 하여 "수를 헤아려가면서 백 번 씻어 물에 담가 불려서"라고 하여 쌀을 많이 씻을 것을 강조하였다. 또 "술맛을 달게 하려면 소주를 9복자를 붓고, 콱 쏘게 독한 술을 빚으려면 소주를 11~12복자 붓는다."고 하였다. <증보산림경제>에는 물누룩을 만들 때의 물의 양이 5홉으로 되어 있고, 살수물도 끓여서 식히라거나 그 양이 정해져 있는 것도 아니어서 차이가 난다.

過夏酒法

粘米一斗算籌百洗浸潤又以細末麯五合盛細帒用湯水半瓶候冷浸之 翌日取淨水八九合湯沸候冷取出粘米以洒匀之蒸熟後和以浸麯水麯(帒水中揉洗取汁去滓)納缸封固至三日開視其爛熟與(否)以白色性平順露酒灑之而若粘釀甘則用九鐥要味烈更加二三鐥要甘則量減灌之後七日上槽.

13. 과하주법 우방 <농정회요(農政會要)>

술 재료 : 찹쌀 1말, 누룩가루 2되, 좋은 백로주 11~15복자, 물 3~4홉

술 빚는 법 :

1. 찹쌀 1말을 백세하여 물에 담가 하룻밤 불렸다가 (다시 씻어 헹궈서) 물기를 빼놓는다.
2. 불린 쌀을 시루에 안쳐서 고두밥을 짓되, 물 3~4홉을 골고루 살수하여 (뜸을 들인 후) 익었으면 퍼내고 (그릇에 담아서 차게 식기를 기다린다.)
3. 고두밥에 백로주 여러(3~4) 복자를 뿌리고, 손으로 비벼서 밥알이 낱낱이 다 떨어지게 만들어놓는다.
4. 누룩가루 5홉을 고두밥에 합하고, 고루 버무려 술밑을 빚는다.
5. 술밑을 술독에 담아 안치고, 예의 방법대로 하여 뜨겁지도 차지도 않은 곳에 두고 (4~5일간) 발효시킨다.
6. 4~5일 후에 술독을 열어보아 술이 농익었으면(끓었으면) 백로주 (8~10)복자를 고루 붓고 저어준다.
7. 술독은 재차 밀봉하여, 밥이 다 삭아서 가라앉을 때까지 발효 · 숙성시킨다.

＊ 본방의 과하주와 다른 점은 탕수를 비롯, 일체의 양주용수가 사용되지 않는다는 점이다.

過夏酒法 又方

粘米一斗百洗水浸一宿漉水洒水三四合蒸熟後以市拭器使無水氣鋪其蒸飯候冷以白色露酒數鐥洒調以飯粒散解爲度和麯末五合入缸置不熱不冷處待其爛熟以白色露酒如常法灌之甘烈隨意候其飯之盡解而上槽.

14. 과하주법 우방 <농정회요(農政會要)>

술 재료 : 찹쌀 9되, 멥쌀 2되, 고운 누룩가루 7홉, 중품소주 10사발, 끓여 식힌 물 3사발

술 빚는 법 :

1. 곱게 가루 내어 만든 누룩가루 7홉을 명주 자루에 담고, 팔팔 끓여 차게 식힌 물 3사발에 불려 하루 동안 지낸다.
2. 찹쌀 9되와 멥쌀 2되를 백세하여 (물에 담가 하룻밤 불렸다가, 다시 씻어 헹궈서) 물기를 빼놓는다.
3. 불린 쌀을 시루에 안쳐서 고두밥을 짓고, 익었으면 퍼내고 (고루 펼쳐서 차게 식기를 기다린다.)
4. 누룩물을 손으로 주물러 체에 밭쳐서 찌꺼기를 제거한 누룩물을 만든다.
5. 고두밥에 누룩물을 한데 합하고, 고루 버무려 술밑을 빚는다.
6. 술밑을 술독에 담아 안치고, 그 위에 준비한 분량의 백로주를 붓는다.
7. 술독은 예의 방법대로 하여 차지 않은 곳에 두고 20일간 발효시켜 익기를 기다린다.

* 방문 말미에 "이 과하주는 여름을 나도 맛이 변하지 않는다. 절대로 생수기를 금해야 한다. 소주가 너무 독해도 좋지 않고 너무 약해도 좋지 않다. 반드시 중품을 써야 좋다."고 하였다.

過夏酒法 又方

好麯細羅七合裏於苧布以湯水三鉢候冷浸麯囊於其水待其翌其時取麯囊就其水中以手揉洗出汁良久去其滓用粘米九升白米二升百洗爛蒸候冷合於麯末納瓮中以中品燒酒十砂鉢調之置不冷處廿日後方(乃)熟雖經夏味不變燒酒太烈不好太劣皆不好宜用中品.

15. 과하주 <민천집설(民天集說)>

-십일주(十日酒)

술 재료 : 찹쌀 1말, 누룩가루 5홉, 끓여 식힌 물 반 병, 끓여 식힌 물 8~9홉, 노주 5~9복자(추가량 2~3복자)

술 빚는 법 :

1. 찹쌀 1말을 백세하여 물에 담가 불렸다가 (다시 씻어 헹궈서 건져 물기를 뺀 다음) 세말한다(고운 가루로 빻는다).
2. 누룩 가루 5홉을 고운 술자루에 담고, 팔팔 끓여 매우 차게 식힌 물 반 병(1되 5홉)에 담가 물누룩을 만든 후 하룻밤 불린다.
3. 물 8~9홉을 팔팔 끓여 차게 식히고, 불린 쌀을 시루에 안쳐 고두밥을 무르게 짓되, 식혀둔 물을 고두밥에 뿌리고 푹 익힌다.
4. 고두밥이 익었으면 퍼낸 다음 (고루 펼쳐서 차게 식기를 기다린 후) 불린 물누룩을 쥐어짜서 찌꺼기를 제거하여 합하고, 고루 버무려 술밑을 빚는다.
5. 술밑을 술독에 담아 안치고, 예의 방법대로 하여 술독을 밀봉하고, 3일간 발효시킨다.
6. 술독을 열어보아 술이 많이 익었는지를 살펴서 술맛(쓴맛)이 나면, 술독에 준비한 분량의 노주(소주 5~9복자)를 붓는다.
7. (소주를 붓되 젓지 말고 그대로) 재차 밀봉하여 7일간 숙성시킨다.
8. 술이 익으면 용수나 술자루를 이용하여 채주한다.

* 만약 달게 빚고 싶으면 5~9복자(鐥子)만 붓고, 맛이 콕 쏘게 하려면 2~3복자 더 붓고, 달게 하려면 양을 줄이면 된다. 노주를 부은 지 7일째가 되면 주조에 올려 짤 수 있다."고 하고, "이 방문을 '십일주'라고 한다."고 하였다.

過夏酒法

粘米一斗百洗浸水又以細末曲五合盛細布帒湯水半瓶候冷浸帒翌日以淨水八九合沸湯候冷洒于粘米蒸熟後以前半瓶浸曲水拌均入缸水則不用封口至三日開視其爛熟與否以露酒(燒酒)灌之而若粘釀甘則灌露酒五九鐥欲其味烈更加二三鐥欲甘則量減灌之後七日上槽.右十日酒也.

16. 과하주 <보감록>

술 재료 : 밑술 : 멥쌀 1~2되, 가루누룩 5홉, 끓는 물(3~4되)
덧술 : 찹쌀 1말, 소주 20복자

술 빚는 법 :

* 밑술 :

1. 봄 · 여름 사이에 멥쌀 1~2되를 (백세하여 물에 담갔다가, 다시 씻어 건져서 물기를 뺀 후) 가루로 빻는다.
2. 멥쌀가루에 끓는 물(3~4되 정도)을 붓고, 주걱으로 고루 치대어 범벅을 개어 서늘하게 식기를 기다린다.
3. 쌀 범벅에 가루누룩 5홉을 넣고, 방문주처럼 고루 치대어 술밑을 빚는다.
4. 술독에 술밑을 담아 안치고, 예의 방법대로 하여 발효시키되, 술맛이 쓴맛이 나면 덧술을 준비한다.

* 덧술 :

1. 찹쌀 1말을 (백세하여 물에 담갔다가, 다시 씻어 건져서 물기를 뺀 후) 고두밥을 짓는다.
2. 고두밥이 익었으면 고루 펼쳐서 속속들이 차게 식힌 다음, 밑술에 넣고 고루 버무려서 술밑을 빚는다.
3. 술밑을 술독에 담아 안친 다음, 예의 방법대로 하여 발효시킨다.

4. 술맛이 쓴맛이 나면 준비한 분량의 소주 20복자를 술독에 붓는데, 술독은 다시 덮어서 7일 후에 보아, 술맛이 나고 개미(밥알)가 뜨면 맛이 좋다.

* 방문에 쌀 1~2되를 가루로 빻아 범벅을 쑤라고 하였으나, 물의 양이 나와 있지 않다. <규합총서>와 동일하다.

과하쥬

츈하간의 ᄇᆡᆨ미 두 되나 ᄒᆞᆫ 되나 작말ᄒᆞ여 범벅 ᄀᆡ야 념여 업시 식여 셔늘ᄒᆞ거던 ᄀᆞ로누록 닷 홉 너허 방문쥬쳐로 쳐 너헛다가 마시 써 지거던 졈미 ᄒᆞᆫ 말 지에 쪄 속속드리 식어 서늘ᄒᆞ거던 그 밋ᄎᆡ 버부려 두엇다가 마시 써진 후 쇼쥬를 고아 부엇다가 칠일 만의 써 보면 ᄀᆡ야미 쓰고 마시 됴흐니라. ᄒᆞᆫ 말의 쇼쥬 이십 복ᄌᆞ식 부으라.

17. 과하주(우방) <보감록>

술 재료 : 찹쌀(1말), 누룩가루 5홉, 좋은 후주(소주 11~15복자)

술 빚는 법 :

1. 발효가 끝난 술덧을 걸러서 탁주를 만들거나 용수를 박아 채주한 청주를 사용하여 소주를 내리되, 소주가 심심해지는 때에 받은 20% 내외의 후주를 취한다.
2. 찹쌀(1말)을 백세하여 물에 담가 하룻밤 불렸다가 (다시 씻어 헹궈서) 물기를 빼놓는다.
3. 불린 쌀을 시루에 안쳐서 고두밥을 짓되, 찬물을 골고루 살수하여 (뜸을 들인 후) 익었으면 퍼낸다(그릇에 담아서 따뜻한 기운이 남게 식기를 기다린다).
4. 고두밥을 치대서 아이들 주먹만 하게 뭉치고, 고운 누룩가루(5홉)를 펼쳐놓

아 고두밥을 궁글려 누룩가루를 입혀서 술밑을 빚는다.

5. 술밑을 술독에 담아 안치고 후주(소주)를 부어주되, 고두밥이 물에 말은 수반같이 잦아들도록 붓는다.
6. 술독은 예의 방법대로 하여 더운 곳에 앉혀두고, 이불로 덮어 (따뜻하게 하여 4~5일간) 발효시킨다.
7. 술독을 열어보아 고두밥이 다 삭았으면(익었으면) 채주하여 마시는데, 그 맛이 달고 감향주와 같으나, 재차 밀봉하여 30일 이상 더 숙성시키면 쓴맛이 나고 독하다.

* 본방의 '과하주'와 다른 점은 탕수를 비롯, 일체의 양주용수가 사용되지 않는다는 점이다. <농정회요>의 '과하주 우일방'과 유사하나, 소주를 한 차례만 사용한다는 점에서 차이가 있다.

과하쥬 ᄯᅩ (본법은 이러ᄒᆞ나 ᄯᅩᄂᆞᆫ)

쇼쥬 후쥬 괴어 차난 마살 바다 출밥을 지어 더을 짐의 아ᄒᆡ 주먹만큼 뭉쳐 고은 ᄀᆞᄅᆞ누룩의 구을여 후쥬의 ᄌᆞ즐ᄌᆞ즐흘 만치 ᄒᆞ여 덥게 아ᄒᆡ묵의 덥허 두엇다가 밥알이 다 삭은 후 먹으면 마시 ᄃᆞᆯ고 감향쥬 ᄀᆞᆺ흐니라. 이것도 위지 과하쥬라 ᄒᆞ고 일야 후도 먹고 달포 두면 쓰니라 .

18. 과하주법 <봉접요람>

술 재료 : 찹쌀 10되, 섬누룩 1되 5홉, 엿기름가루 2홉, 시루밑물(3~4되), 소주

술 빚는 법 :

1. 찹쌀 10되(말)를 (백세하여 물에 담가 불렸다가, 다시 씻어 헹궈 건져서 물기를 뺀 후) 시루에 안쳐서 고두밥을 짓는다.

2. (고두밥이 익었으면 퍼내고, 고루 펼쳐서 차게 식기를 기다린다.)
3. 고두밥을 찌던 시루물(차게 식힌)에 섬누룩 1되 5홉, 엿기름가루 2홉을 한데 섞고, 주물러 물누룩을 만들어놓는다.
4. 물누룩이 충분히 불었으면 (차게 식은) 고두밥을 한데 합하고, 고루 버무려 술밑을 빚는다.
5. 술밑을 술독에 담아 안치고, 예의 방법대로 하여 차지도 덥지도 않은 곳에 앉혀 두고, 3일간 발효시킨다.
6. 술덧의 맛을 보아 단맛이 나면 준비한 분량의 소주를 붓고, 예의 방법대로 하여 더운 방에 덮어 두고 3일간 숙성시킨다.

* 찹쌀이 주재료인데 쌀을 씻거나 익히거나 식히거나 등의 가공방법에 대한 언급이 전혀 없다. 또 과하주는 그 특징이 소주의 양에 따라 맛과 향이 결정되는데, 소주의 양에 대한 언급이 없다.

과하듀법
졈미 엿 되을 익게 쪄 셥누룩 되 가옷 엿기름 두 홉 너허 시로물의 담가 제몸 부를 만치 고로고로 셧거 항의 너허 덥도 ᄎᆞ도 아니ᄒᆞᆫ ᄃᆡ 두어다가, 삼일 만의 들거든 ᄯᅩ 소쥬을 ᄯᆞ로운 김의 부어 더운 방의 덥게 덥허다가 삼일 후 쓰라.

19. 과하주법 <부인필지(夫人必知)>

술 재료 : 밑술 : 멥쌀 1되, 누룩가루 5홉, (끓는 물 1되)
덧술 : 찹쌀 1말, 소주 10식기

술 빚는 법 :

* 밑술
1. 봄과 여름 사이에 멥쌀 1되를 (백세하여 물에 담가 불렸다가, 다시 씻어 건져서 물기를 뺀 후) 작말한다.
2. 솥에 물(1되)을 끓여서 쌀가루에 골고루 붓고, 주걱으로 고루 개어 범벅을 쑨다.
3. 범벅이 차게 식기를 기다려 누룩가루 5홉을 넣고, 고루 버무려 술밑을 빚는다.
4. 술밑을 술독에 담아 안친 다음, 예의 방법대로 하여 (3일간) 발효시킨다.

* 덧술
1. 밑술이 쓴맛이 돌면 찹쌀 1말을 (백세하여 물에 담가 불렸다가, 다시 씻어 건져서 물기를 뺀 후) 시루에 안쳐서 고두밥을 짓는다.
2. 고두밥이 익었으면, 시루에서 퍼내어 고루 헤쳐서 차게 식기를 기다린다.
3. 고두밥에 밑술을 합하고, 고루 버무려 술밑을 빚는다.
4. 술밑을 술독에 담아 안친 다음, 예의 방법대로 하여 (3일간) 발효시킨다.
5. 술맛이 쓴맛이 돌면 준비한 소주 10그릇(식기)을 부었다가 7일 만에 채주한다.

과하쥬법

츈하간에 ᄇᆡᆨ미 ᄒᆞᆫ 되 작말ᄒᆞ야 범벅ᄀᆡ야 식은 후 가루누룩 오홉 너어 두엇다가 맛이 쓰거든 졈미 ᄒᆞᆫ 말 지에 쪄 헐젹 식여 슐밋헤 버무려 두엇다가 맛이 쓰거든 소쥬 고아 부엇다가 칠일 만에 쓰되 ᄒᆞᆫ 말에 소쥬 열 그릇식 부으라.

20. 과하주 <산림경제(山林經濟)>

술 재료 : 밑술 : 찹쌀 1말, 누룩가루 5홉, 물 5홉, 끓여 식힌 물 8~9홉, 소주 9~11 복자

술 빚는 법 :

1. 찹쌀 1말을 백세하여 물에 담가 하룻밤 불렸다가, 다시 씻어 헹궈서 건져 물기를 뺀다.
2. 누룩을 곱게 가루 내어 5홉을 술자루에 담고, 팔팔 끓여 차게 식힌 물 5홉에 불려 하루 동안 지낸 뒤, 체에 밭쳐 찌꺼기를 제거한 누룩물을 만든다.
3. 물 8~9홉을 팔팔 끓여 차게 식히고, 불린 쌀을 시루에 안쳐 고두밥을 무르게 짓되, 식혀둔 물을 고두밥에 뿌리고 푹 익힌다.
4. 고두밥이 익었으면 퍼낸다(고루 펼쳐서 차게 식기를 기다린다).
5. (차게 식힌) 고두밥에 누룩물을 넣고, 고루 버무려 술밑을 빚는다.
6. 술밑을 술독에 담아 안치고, 예의 방법대로 하여 3일간 발효시킨다.
7. 술독을 열어보아 술이 많이 익어 술맛(쓴맛)이 나면, 술독에 준비한 분량의 소주 9~12복자를 붓는다.
8. (소주를 붓되 젓지 말고 그대로) 재차 밀봉하여 7일간 숙성시킨다.
9. 술이 익으면 용수나 술자루를 이용하여 채주한다.

* 방문에 "술맛을 달게 하려면 소주를 9복자를 붓고, 콕 쏘게 독한 술을 빚으려면 소주를 11~12복자 붓는다."고 하였다.

過夏酒

粘米一斗 算篝百洗浸 又以細末麴五合盛紬袋 湯水半瓶候冷浸袋 翌日淨水八九合 湯沸候冷 將粘米洒匀蒸熟後 和以半瓶浸麴水 麴末則不用 入缸封口. 至三日 開視其爛熟與否 以露酒灌之 若粘釀甘 則灌九鐥 欲其味烈 更加二三鐥 欲甘則量減灌後 七日上槽. <攷事>.

21. 과하주 일방 <산림경제(山林經濟)>

술 재료 : 찹쌀 1말, 누룩가루 5홉, 좋은 노주 2~3복자, 노주(8~11복자), 물 3~4홉

술 빚는 법 :

1. 찹쌀 1말을 백세하여 물에 담가 하룻밤 불렸다가 (다시 씻어 헹궈서) 물기를 빼놓는다.
2. 불린 쌀을 시루에 안쳐서 고두밥을 짓되, 물 3~4홉을 골고루 살수하여 (뜸을 들인 후) 익었으면 퍼내고, 고루 펼쳐서 차게 식기를 기다린다.
3. 백로주 2~3복자를 고두밥에 뿌리고 손으로 비벼서, 밥알이 낱낱이 다 떨어지게 만들어놓는다.
4. 누룩을 (빻아 체에 내린 고운) 누룩가루 5홉을 고두밥에 합하고, 고루 버무려 술밑을 빚는다.
5. 술밑을 술독에 담아 안치고, 예의 방법대로 하여 뜨겁지도 차지도 않은 곳에 두고 3일간 발효시킨다.
6. 3일 후에 술독을 열어보아 술이 농익었으면(고두밥이 다 삭았으면) 노주(8~11복자)를 붓는다(술을 젓지 않는다).
7. 술독은 재차 밀봉하여, 밥이 다 풀어질 때까지 발효·숙성시킨다.

過夏酒 一方

粘米一斗 百洗水浸一宿 漉出洒水三四 合蒸熟後 以巾拭器 使無水氣 鋪其蒸飯候冷 以白露酒數鐥洒調 以飯粒散解爲度 和麴末五合入缸 置不熱不冷處 待其爛熟. 以露酒灌之. 甘烈隨宜 候其飯盡解上槽. <水閣方>.

22. 과하주법 <산림경제촬요(山林經濟撮要)>

술 재료 : 찹쌀 9되, 멥쌀 2말, 누룩가루 7홉, 끓여 식힌 물 3사발, 소주 10사발

술 빚는 법 :

1. 찹쌀 9되와 멥쌀 2말을 백세하여 물에 담가 하룻밤 불렸다가, 다시 씻어 헹궈서 건져 물기를 뺀다.
2. 누룩을 곱게 가루 내어 7홉을 술자루에 담고, 팔팔 끓여 차게 식힌 물 3사발에 넣고 손으로 주물러서 하루 동안 불려놓는다.
3, 다음날 누룩을 담아 불린 술자루를 힘껏 쥐어짜고, 찌꺼기를 제거한 누룩물을 만든다.
4. 불린 쌀을 시루에 안쳐 고두밥을 무르게 짓되, 고두밥이 익었으면 퍼낸다(고루 펼쳐서 차게 식기를 기다린다).
5. (차게 식힌) 고두밥에 누룩물을 넣고, 고루 버무려 술밑을 빚는다.
6. 술밑을 술독에 담아 안치고, 술독에 준비한 분량의 소주 10사발을 붓는다.
7. (소주를 붓되 젓지 말고 그대로) 예의 방법대로 하여 밀봉하고, 차지 않은 곳에 두어 20일간 숙성시킨다.
8. 술이 익으면 용수나 술자루를 이용하여 채주한다.

* 주방문에 "술이 익으면 여름이 지나도록 맛이 변하지 않는다. 소주는 숙성시켜 사용한다."고 하였다. <고사십이집> '우방'과 동일하다.

過夏酒法

好麯細羅七合裹於苧布以湯水三鉢候冷浸麯囊於其水待其翌日其期就其麯囊以手揉出汁良久去其滓用粘米九升白米二斗百洗爛蒸候冷合於麯末(水)納甕中以中品燒酒十鉢調之置不冷處卄日後方熟雖經夏味不變燒酒太劣不好太劣(亦不好)必直中品.

23. 과하주 <술방>

술 재료 : 찹쌀 1말, 곡말 5홉, 끓인 물 반 병, 물 8~9홉, 청순한 소주 9되

술 빚는 법 :

1. 술 빚기 하루 전날 물 반 병(1되 5홉)을 팔팔 끓여서 차게 식힌다.
2. 누룩가루 5홉을 가는 전대에 담아 주둥이를 묶어 차게 식혀둔 물에 담가 불린다.
3. 찹쌀 1말을 백세하여 물에 담가 하룻밤(8~10시간) 불린다.
4. 이튿날 물에 불린 찹쌀을 다시 물에 씻어 헹군 뒤, 밭쳐 물기를 뺀다.
5. 솥에 물을 끓이고 물에 담가 불렸던 시루를 씻어서 솥에 올린 다음, 시루밑을 적셔서 시루에 깐다.
6. 밭쳐둔 찹쌀을 시루에 안쳐서 무른 고두밥을 짓는다.
7. 시루에서 한김 나면 주걱으로 고두밥을 뒤집어주고, 찬물 8~9홉을 뿌려 고두밥을 무르게 익힌다.
8. 시루에서 다시 한김이 나면 맛을 보아 익었으면 퍼내어, 고루 펼쳐서 얼음같이 차게 식힌다.
9. 전대의 누룩을 제물에 주물러 짜서, 전대에 남은 찌꺼기를 제거한다.
10. 고두밥에 퍼 담고 거른 누룩물을 쏟은 뒤, 고루 버무려 술밑을 빚는다.
11. 소독하여 마련해 둔 독에 술밑을 담아 안친 다음, 단단히 봉하고 예의 방법대로 하여 따뜻한 곳에서 2(~3)일간 발효시킨다.
12. 술덧(고두밥)이 삭아 무르게 되었는지를 보아, 술맛이 달거든 3일 만에 청순한(부드럽고 순한, 지나치게 독하지 않은) 소주 9되를 붓는다.
13. 다시 밀봉하여 서늘한 곳에 두어 7일 만에 용수 박아 떠낸다.

과하쥬

ᄎᆞᆸᄡᆞᆯ ᄒᆞᆫ 말 ᄇᆡᆨ셰ᄒᆞ여 담가 불니고 곡말 다솝을 가는 젼ᄃᆡ의 너허 ᄭᅳ린 물 반

병 식거든 담갓다가 잇튼날 말근 물의 팔구 홉을 ᄭᅳ혀 식여 ᄎᆞᆸᄡᆞᆯ의 고로 색려셔 익힌 후의 곡말 견ᄃᆡᄅᆞᆯ 담근 물의 쥬물너 집을 ᄂᆡ여 거ᄌᆡᄒᆞ여 그 물노 밥의 셕거 항의 너코 구지 봉ᄒᆞ여 삼일 만의 녹난이 익은지 안인지 보아 빗희고 맛시 평슌ᄒᆞᆫ 쇼쥬로 부으되 만일 슐이 좀 달거든 소쥬 아홉 되 너고 더 독ᄒᆞ게 ᄒᆞ랴면 쇼쥬ᄅᆞᆯ 더 부어 칠일 만의 드리우라.

24. 과하주 또 한 법 <술방>

술 재료 : 찹쌀 1말, 누룩가루 5홉, 찬물 3~4홉, 백소주 2되, 청순한 소주(9되)

술 빚는 법 :

1. 찹쌀 1말을 백세하여 물에 담가 하룻밤(8~10시간) 불린다.
2. 이튼날 물에 불린 찹쌀을 다시 새 물에 씻어 헹군 뒤, 소쿠리에 밭쳐 물기를 뺀다.
3. 솥에 물을 끓이고 물에 담가 불렸던 시루를 씻어서 솥에 올린 다음, 시루밑을 적셔서 시루에 깐다.
4. 밭쳐둔 찹쌀을 시루에 안쳐서 무른 고두밥을 짓는데, 시루에서 한김 나면 주걱으로 뒤집어주고, 찬물 3~4홉을 뿌려 고두밥을 무르게 익힌다.
5. 시루에서 다시 한김이 나면 맛을 보아 익었으면 퍼내고, 고루 펼쳐서 얼음같이 차게 식힌다.
6. 깨끗한 행주로 물기를 닦아낸 자배기에 담고, 백소주 2되 정도를 골고루 뿌려주어, 고두밥이 소주를 다 빨아들이게 한다.
7. 고두밥과 누룩가루 5홉을 담고, 고루 버무려 술밑을 빚는다.
8. 소독하여 마련해 둔 독에 술밑을 담아 안친 다음, 단단히 봉하고 예의 방법대로 하여 따뜻한 곳에서 2(~3)일간 발효시킨다.
9. 술덧(고두밥)이 삭아 무르게 되었는지를 보아, 술맛이 달거든 3일 만에 청순

한(부드럽고 순한, 지나치게 독하지 않은) 소주 9되를 붓는다.
10. 다시 밀봉하여 서늘한 곳에 두어 7일 만에 용수 박아 떠낸다.

과하쥬 또 ᄒᆞᆫ 법
찹ᄡᆞᆯ ᄒᆞᆫ 말 ᄇᆡᆨ셰ᄒᆞ여 담가 ᄒᆞ로 ᄌᆡ와 물 셔너 홉 ᄲᅮ려 익게 되ᄉᆡ인 후의 븨으로 그릇ᄉᆞᆯ 씻서 물긔 업시 ᄒᆞᆫ 후의 ᄶᅵᆫ밥을 퍼 식혀 ᄇᆡᆨ쇼쥬 두어 되로 ᄲᅮ려 셧거 밥이 다 풀이게 하고 곡말 다ᄉᆞᆸ을 셧거 ᄒᆞᆼ의 너허 불ᄒᆞᆫ불열ᄒᆞ데 두어 난죽ᄒᆞ기을 기다려 ᄇᆡᆨ쇼쥬ᄅᆞᆯ 후희 법과 갓치 부어 밥이 다 풀이거든 드리우라.

25. 과하주 또 한 법 <술방>

술 재료 : 찹쌀 9되, 멥쌀 2되(말), 고운누룩가루 7홉, 찬물 3사발, 중품소주 10사발

술 빚는 법 :
1. 술 빚기 하루 전날 물 3사발을 팔팔 끓여서 차게 식힌다.
2. 누룩가루를 가는체에 쳐서 7홉을 가는 전대(모시 주머니)에 담아 주둥이를 묶어 차게 식혀둔 물에 담가 불린다.
3. 이튿날 찹쌀 9되, 멥쌀 2되(말)를 백세하여 물에 담가 하룻밤 불린다.
4. 불린 쌀을 다시 새 물에 씻어 헹군 뒤, 소쿠리에 밭쳐 물기를 뺀다.
5. 솥에 물을 끓이고 물에 담가 불렸던 시루를 씻어서 솥에 올린 다음, 시루밑을 적셔서 꼭 짜서 시루에 깐다.
6. 밭쳐둔 쌀을 시루에 안쳐서 무른 고두밥을 짓는다.
7. 시루에서 한김 나면 주걱으로 고두밥을 뒤집어주고, 찬물을 뿌려 고두밥을 무르게 익힌다.
8. 시루에서 다시 한김이 나면 맛을 보아 익었으면 퍼내고, 고루 펼쳐서 얼음같이 차게 식힌다.

9. 만 하루가 되는 시간에 전대의 누룩을 제물에 주물러 짜서, 전대에 남은 찌꺼기를 제거한다.
10. 고두밥을 자배기에 펴 담고 거른 누룩물을 쏟은 뒤, 고루 버무려 술밑을 빚는다.
11. 소독하여 마련해 둔 독에 술밑을 담아 안친 다음, 중품소주 10사발을 부어 준 뒤, 단단히 봉한다.
12. 술독은 예의 방법대로 하여 불한불열(不寒不熱, 차지도 덥지도 않은 따뜻한)한 곳에서 2(~3)일간 발효시킨다.
13. 술덧(고두밥)이 삭아 무르게 되었는지를 보아, 술독을 차게 냉각시킨다.
14. 다시 밀봉하여 서늘한 곳에 두어 20일 만에 용수 박아 떠낸다.

과하쥬 쏘 ᄒᆞᆫ 법

죠ᄒᆞᆫ 곡말을 가날게 쳐 칠홉을 모시의 ᄊᆞ 쓸ᄂᆞᆫ 물 셰 ᄉᆞ발의 식거든 그 물의 담가다가 이튼날 그 시의 누룩 쥬머니의 그 물의 무슈이 쥬물너 거ᄌᆡᄒᆞ여 찹쌀 아홉 되와 뫕쌀 두 되 ᄇᆡᆨ셰ᄒᆞ여 익써 써 식거든 누룩물 셕거 독의 넛코 즁품쇼쥬 열 ᄉᆞ발 ᄒᆞᆫ데 부어 불ᄒᆞᆫ불열ᄒᆞᆫ 데 한듸 두면 이십일 후 다 익어 여름이 지나도 맛시 변치 아니ᄒᆞᄂᆞᆫ 법이라.

26. 과하주방문 <술 빚는 법>

–한 말 빚이

술 재료 : 찹쌀 1말, 좋은 섬누룩 2되, 끓여 식힌 물 8되, 소주 1동이

술 빚는 법 :

1. 솥에 물 8되를 팔팔 끓여 차게 식힌다.
2. 좋은 섬누룩 2되를 끓여 식힌 물 8되에 하룻밤 담가 물누룩을 만들어놓는다.

3. 물에 불린 누룩을 주물러 짜고 (체에 밭쳐서) 찌꺼기를 제거한 누룩물을 만든다.
4. 찹쌀 1말을 백세하여 (물에 담가 불렸다가, 다시 씻어 헹궈서 건져 물기를 뺀 후) 시루에 안쳐 고두밥을 무르게 짓는다.
5. 고두밥이 익었으면, 퍼서 고루 펼쳐서 서늘하게 식기를 기다린다.
6. 고두밥을 누룩물에 넣고, 고루 버무려 술밑을 빚는다.
7. 술밑을 술독에 담아 안치고, 예의 방법대로 하여 2일간 발효시킨다.
8. 술 빚은 지 2일 후에 술독을 열고, 내린 소주(중품) 1동이를 받아 술독에 붓는다.
9. 술독은 다시 덮어 4~5일간 발효 · 숙성시킨다.
10. 다시 술독을 열어보아 많이 익어 술맛이 달고 독한 맛이 없으면, 백소주를 받아 두었다가 더 붓는다.

과하주방문

한 말 술 허려면 끌린 물 여달 되을 식거든, 됴흔 섬누룩 두 되을 씩인 물의 담가다가 잇튼날 그 누룩 뿟긔 음시 짜 빗고, 찰빨 한 말 빅세허여 밥 지여 셔늘허계 식여 누룩물이 범우려 너허다가, 잇튼날 소주을 고으며, 더운 김의 한 동의나 바르계 바다 부어 사오일 후, 단맛과 독헌 맛시 도지 아니허거든 빅소주 바타 두엇다가 더 붓계 하라.

27. 또 과하주방문 <술 빚는 법>

술 재료 : 밑술 : 멥쌀 1~2되, 가루누룩 5홉, 끓는 물(2~3되)
덧술 : 찹쌀 1말, 소주 20복자

술 빚는 법 :

* 밑술 :

1. 봄 · 여름 사이에 멥쌀 1~2되를 (백세하여 물에 담갔다가, 다시 씻어 건져서 물기를 뺀 후) 가루로 빻는다.
2. 멥쌀가루에 끓는 물(2~3되 정도)을 붓고, 주걱으로 고루 치대어 범벅처럼 개어 서늘하게 식기를 기다린다.
3. 쌀 범벅에 가루누룩 5홉을 넣고, 방문주처럼 고루 치대어 술밑을 빚는다.
4. 술독에 술밑을 담아 안치고, 예의 방법대로 하여 발효시키되, 술맛이 쓴맛이 나면 덧술을 준비한다.

* 덧술 :

1. 찹쌀 1말을 (백세하여 물에 담갔다가, 다시 씻어 건져서 물기를 뺀 후) 시루에 안쳐서 고두밥을 짓는다.
2. 고두밥이 익었으면 고루 펼쳐서 속속들이 차디차게 식기를 기다린다.
3. 고두밥에 밑술을 섞고, 고루 버무려서 술밑을 빚는다.
4. 술밑을 술독에 담아 안친 다음, 예의 방법대로 하여 7일간 발효시킨다.
5. 술독을 열어보아 개미(밥알)가 뜨고 맛이 좋으면, 준비한 분량의 소주 20복자를 술독에 붓는다.
6. 술독은 다시 덮어서 7일 후에 보면, 술맛이 나고 맛이 더 좋다.

* 방문에 쌀 1~2되를 가루로 빻아 범벅을 쑤라고 하였으나, 물의 양이 나와 있지 않다. 말미에 "(쌀) 한 말에 소주 스무 복자씩 부으라."고 하였다.

ᄯᅩ 과하주방문

춘한간의 빅미 두 되나 한 되나 작말허여 범벅 ᄀᆡ여 ᄎᆞ겨 식인 후, 가로누룩 닷 홉 너허 방문주쳐롬 허여 너헛다가, 맛시 뼈지거든 찹살 한 말 지예 뼈 쐐식거든, 그 밋히 벼물여 맛시 뼈지거든, 후소주을 밧아 부엇다가, 칠일 만의 더 보면 ᄀᆡ야미 드고 맛시 조흔니라. 한 말 술의 쇼주 스무 복자식 부으라.

28. 과하주방문 <승부리안주방문>

술 재료 : 찹쌀 6되, 누룩가루 1되, 시루밑물(2되), 소주 20대야

술 빚는 법 :

1. 소주 2말 빚어 (술덧이) 희게 되면, 찹쌀 6되를 (깨끗이 씻고 또 씻어 새 물에 담가 불렸다가, 다시 씻어 헹궈 건져서) 물기를 뺀다.
2. 끓는 물솥에 시루를 안치고, 불린 쌀을 시루에 안쳐 고두밥을 짓는다.
3. 고두밥이 익었으면 퍼내고, 시루밑물을 짐작(2되)하여 한데 합하고, (고두밥이 물을 다 먹으면) 고루 헤쳐서 차게 식기를 기다린다.
4. 누룩을 가늘게 빻아 만든 누룩가루 1되를 장만하여 차게 식힌 고두밥에 넣고, 버무려 술밑을 빚는다.
5. 술밑이 밥덩이같이 뭉쳐지면 술독에 담아 안치고, 예의 방법대로 하여 3일간 발효시킨다.
6. 소주 술덧을 걸러 소줏고리에 내려서 소주가 따뜻한 상태에서 술밑에 붓는다.
7. 술독은 다시 예의 방법대로 하여 7일간 발효(후숙)시킨 후 채주한다.

과하쥬방문

쇼쥬 두 말 비저 ᄒᆡ게 되거든 졈미 뉵승 닉게 쪄 시로물 짐작ᄒᆞ여 맛초 골나 ᄎᆞ게 치와 셰말 국ᄌᆞ ᄒᆞᆫ 되만 버무리되, 밥덩이 ᄀᆞᄐᆞ니 죠흔 항의 너허 삼일만의 쇼쥬 고아 더운 김의 부어 쓰거니와 오래 두면 더 ᄃᆞ니 칠일의 드리우라.

29. 과하주 <시의전서(是議全書)>

술 재료 : 찹쌀 1말, 가루누룩 5홉, 시루밑물 반 병(4.5되), 끓여 식힌 물 7~8복자, 소주 13복자

술 빚는 법 :

1. 찹쌀 1말을 백세하여 물에 담가 불렸다가 (다시 씻어 건져서 물기를 뺀 뒤) 시루에 안쳐서 고두밥을 짓는다.
2. 고두밥이 익었으면, 끓인 물 7~8복자를 고두밥에 뿌려 뜸을 들이고, 돗자리에 펴서 차게 식기를 기다린다.
3. 시루밑물 반 병을 (차게 식혀) 가루누룩 5홉을 합하고, 수곡(물누룩)을 만들어 밤재워 불려놓는다.
4. 고두밥이 차게 식었으면 술독에 담아 안치고, 물누룩을 붓고 (고루 섞어) 술밑을 빚는다.
5. 술독은 예의 방법대로 하여 (이불로) 싸매어 두고 3일간 발효시킨다.
6. 술을 안친 지 3일 후에 소주 10복자를 붓고, 다시 밀봉하여 3일간 두었다가, 소주 3복자를 더 붓고 고루 섞어준다.
7. 2차 소주를 부은 지 7일 후에 술덧을 헤쳐 보면 고두밥알이 떠 있고 맑을 것이다.

* 여느 과하주와는 달리 끓인 물을 살수하여 뜸을 들이고, 시루밑물로 수곡을 만들어 사용한다는 사실과, 소주를 두 차례에 걸쳐 나눠 붓는다는 점에서 주목할 필요가 있다.

過夏酒(과하쥬)

찰쌀 ᄒᆞᆫ 말 ᄇᆡᆨ셰ᄒᆞ여 담갓다가 밥 ᄧᅧ되 ᄭᅳᆯ힌 물 열여듧 복ᄌᆞ을 ᄶᅵᆯ 졔 골나 ᄲᅧ셔 누룩가로 닷 홉을 셧거 식은 물 반 병에 담가 밤진 후 그 물을 항에 너코 ᄊᆞ미여 두엇다가 ᄉᆞ흘 만에 소쥬 열 복ᄌᆞ을 부어 ᄯᅩ 봉ᄒᆞ여 두엇다가 사흘 만에 또 셰 복ᄌᆞ를 골나 두면 칠일 만에 보면 밥이 ᄯᅳ고 말그리라.

30. 과하주 <양주(釀酒)>

술 재료 : 찹쌀 1말, 가루누룩 1되, 밀가루 2홉, (끓여 식힌 물 2~3되), (중품)소주 1말

술 빚는 법 :

1. (물솥에 물 2~3되를 붓고 팔팔 끓인 후, 넓은 그릇에 퍼서 차게 식힌다.)
2. 가루누룩 1되를 가는 베주머니에 넣고 끓여서, 식힌 물에 담갔다가 (손으로) 주물러 (물누룩을 만들어) 놓는다.
3. 찹쌀 1말을 백세하여 (물에 담가 밤재워 불렸다가, 다시 씻어 헹궈서 물기를 뺀 후) 시루에 담아놓는다.
4. (끓는 물솥에) 쌀을 안친 시루를 올려서 고두밥을 짓고, 익었으면 퍼낸다(고루 펼쳐서 차게 식기를 기다린다).
5. 찹쌀고두밥에 물누룩과 밀가루 2홉을 한데 합하고, 고루 버무려 술밑을 빚는다.
6. 술밑을 술독에 담아 안치고, 예의 방법대로 하여 7일간 발효시킨다.
7. 술독에 (중품)소주 1말을 붓고 다시 밀봉하여 두었다가, 다시 7일 후에 익었거든 사용한다.

과하쥬

ᄎᆞᆸᄡᆞᆯ ᄒᆞᆫ 말 ᄇᆡᆨ셰ᄒᆞ야 밥 짓고 ᄀᆞᄅᆞ누록 ᄒᆞᆫ 되을 ᄀᆞᄂᆞᆫ ᄇᆡ예 주물어 내고 진말 두 홉 교합ᄒᆞ엿다가 칠일 후의 쇼쥬 ᄒᆞᆫ 말의 비젓다가 칠일 후의 쓰라.

31. 과하주 <양주방>*

–여름 나는 술

술 재료 : 찹쌀 1말, 누룩 1되(작은되), 시루밑물 약간, 소주 20대야

술 빚는 법 :

1. 소주 20대야쯤 하려 하면, 찹쌀 1말을 깨끗이 씻고 또 씻어(백세하여 물에 담가 불렸다가, 다시 씻어 헹궈 건져서) 물기를 뺀다.
2. 끓는 물솥에 시루를 안치고, 불린 쌀을 시루에 안쳐 고두밥을 짓는다.
3. 고두밥이 익었으면 퍼내고, 고루 펼쳐서 차게 식기를 기다린다.
4. 누룩을 작은되로 1되를 장만하여 식힌 고두밥에 넣고, 버무려 술밑을 빚는다.
5. 술밑이 손에 들러붙으면, 고두밥 찔 때 시루밑물을 쳐가면서 술밑을 빚는다.
6. 술밑을 술독에 담아 안치고, 예의 방법대로 하여 다음날까지 발효시킨다.
7. 이튿날 아침에 술이 괴는 기척을 알 수 있으므로, 뚜껑을 열고 맛을 보아 단맛이 나면 술독을 차게 식힌다.
8. 술독에 준비한 분량의 소주를 붓는다.
9. 술독은 다시 예의 방법대로 하여 15일이나 20일, 30일간 발효(후숙)시킨다.
10. 술맛이 꿀을 머금은 듯 단맛이 나고, 빛깔이 말갛고 소주 맛이 없으면 채주한다.

* 주방문 말미에 "전에 한 술이 닷 되면 누룩을 칠홉쯤 하고, 소주를 여남은 대야쯤 하여 차차 하되, 물기가 있거나 또는 너무 괴거든 소주를 부으면 맛이 있으니 알아서 하라. 누룩이 많아도 술 빛깔이 붉고, 소주가 적어도 좋지 않고 많아도 맛이 없다. 소주 부은 후에는 더운 데 두어도 상관없다."고 하였다.

과하쥬

소쥬 스무 대아만 ᄒᆞ면 졈미 ᄒᆞᆫ 말을 빅셰ᄒᆞ야 쪄 마이 식이고 누록을 차되

로 ᄒᆞᆫ 되만 하야 밥의 고로 섯거 마이 칠 ᄉᆞ이예 밥이 숀의 뭇거든 밥 찐 물을 손의 젹셔가며 치면 그 물노 반쥭ᄒᆞ는 작시니 나조의 그리ᄒᆞ야 너허 두면 이튼날 아젹의 분명 괴ᄂᆞᆫ ᄀᆡ쳑이 이실 거시니 먹어보면 단맛 니시리니 그졔야 소쥬롤 부어 두면 혹 보롬 스무날이나 ᄒᆞᆫ 돌이나 ᄒᆞ면 비치 믉아 ᄒᆞ고 먹으면 닙의 쳥밀 먹움은듯 쇼쥬 마시 업ᄉᆞᆫ 후 ᄂᆡ여 쓰ᄂᆞ니, 졈미 닷 되면 누록 칠 홉이나 혹 과히 괴거든 쇼쥬롤 부으면 마시 이ᄉᆞ니 그를 아라 ᄒᆞ라. 혹 누록 만ᄒᆞ도 비치 불ᄭᅩ 쇼쥬가 젹어도 조치 아니 ᄒᆞ고 만하도 맛 업ᄂᆞ니라. 쇼쥬 부은 후ᄂᆞᆫ 더운 ᄃᆡ 두어도 무태ᄒᆞ니라.

32. 과하주법 <양주방(釀酒方)>

술 재료 : 찹쌀 1말, 좋은 누룩 1되, 끓인 물(5말), 매운 소주 1동이

술 빚는 법 :

1. 찹쌀 1말을 백세하여 (물에 담가 불렸다가, 고쳐 씻어 헹궈 건져서 물기를 뺀 후) 시루에 안치고 익게 찐다.
2. 고두밥을 바구니에 펴 담고 쳇다리 위에 받쳐놓는다.
3. 물을 끓여 고두밥을 무한히 깨끗하게 씻고, 돗자리 위에 펼쳐서 차게 식기를 기다린다.
4. 고두밥이 식었으면 좋은 누룩 1되를 체에 쳐서 (고운 가루누룩을) 섞고, 고루 버무려 술밑을 빚는다.
5. 술밑을 독에 담아 안치고, 예의 방법대로 하여 6일간 발효시킨다.
6. 7일 만에 매운 소주 한 동이를 술독에 붓고, 손으로 저어두었다가, 14일간 발효시킨다.
7. 술이 숙성되어 익었으면 모시베에 밭쳐 탁주를 걸러서 마신다.

과하쥬법

찹ᄡᆞᆯ 한 말 빅세ᄒᆞ야 닉게 ᄡᅧ 바고니의 담아 ᄭᅳᆯ힌 물로 무한이 시서 밥을 쇼셕의 너허 식거든 됴흔 누룩 한 되 ᄎᆡ의 쳐 그 밥의 섯거 독의 너헛다가 칠일 만의 매온 쇼쥬를 한 동희를 젼독의 부허 손으로 쳣다가 두일헤 후의 모시뵈의 밧타 ᄡᅳ라.

33. 과하주방 <역주방문(曆酒方文)>

술 재료 : 찹쌀 1말, 누룩가루 5홉, 끓여 식힌 물 반 병, 끓여 식힌 물 8~9홉, 노주 9~11복자

술 빚는 법 :

1. 깨끗하게 찧은 찹쌀 1말을 백세하여(매우 깨끗하게 헹군 뒤) 새 물에 담가 하룻밤 불려놓는다.
2. 곱게 빻아 만든 누룩가루 5홉을 명주 자루에 담아놓는다.
3. 물 반 병을 팔팔 끓여서 식혀놓는다.
4. 차게 식힌 물에 누룩가루를 담은 자루를 담가 하룻밤 불려 우려낸다.
5. 불린 쌀을 다시 씻어 말갛게 헹궈서 물기를 빼고, 시루에 안쳐서 무른 고두밥을 짓고, 깨끗한 물 8~9홉을 팔팔 끓여 차게 식혔다가, 고루 뿌려서 뜸을 들인다.
6. 고두밥이 익었으면 퍼낸다(고루 펼쳐서 차게 식기를 기다린다).
7. 누룩자루를 주물러 짜서 찌꺼기를 제거한 후 (차게 식은) 고두밥에 한데 섞고, 고루 버무려 술밑을 빚는다.
8. 준비한 술독에 술밑을 담아 안친 다음 (술독 주둥이에 묻은 것을 깨끗하게 씻어내고, 베보자기를 씌워 밀봉한 다음 (차지도 따뜻하지도 않은 곳에서) 3일간 발효시킨다.

9. 술이 익었으면 준비한 노주를 술독에 붓는데, 술맛을 달고 맵게 하려면 9복자, 독하게 하려면 1~2복자를 더 부은 뒤에 다시 밀봉하여 익기를 기다린다.

過夏酒方

精春粘米一斗如百洗浸又以細末曲五合盛於絹帒又以湯水半瓶候冷浸帒翌日淨水八九合湯沸候冷將粘米晒勻蒸熟後和以半瓶侵曲水曲末則去滓之封缸口至三日開視爛熟後以露酒灌之欲甘則九鐥欲烈則更加一二鐥取其味量減灌露酒後上槽.

34. 과하주방 <역주방문(曆酒方文)>

술 재료 : 찹쌀 1말, 누룩가루 5홉, 끓여 식힌 물 반 병, 노주 9~11복자

술 빚는 법 :

1. 깨끗하게 찧은 찹쌀 1말을 백세하여(매우 깨끗하게 헹군 뒤) 새 물에 담가 하룻밤 불려놓는다.
2. 곱게 빻아 만든 누룩가루 5홉을 명주 자루에 담아놓는다.
3. 물 반 병을 서너 차례 팔팔 끓여서 온기가 남게 식혀놓는다.
4. 온기가 남게 식힌 물에 누룩가루를 담은 자루를 담가 하룻밤 불려 우려낸다.
5. 불린 쌀을 다시 씻어 말갛게 헹궈서 물기를 빼고, 시루에 안쳐서 무른 고두밥을 짓고, 깨끗한 물 8~9홉을 팔팔 끓여 차게 식혔다가, 고루 뿌려서 뜸을 들인다.
6. 고두밥이 익었으면 퍼낸다(고루 펼쳐서 차게 식기를 기다린다).
7. 누룩자루를 주물러 짜서 찌꺼기를 제거한 후 (차게 식은) 고두밥에 한데 섞고, 고루 버무려 술밑을 빚는다.
8. 준비한 술독에 술밑을 담아 안친 다음, 술독 주둥이에 묻은 것을 깨끗하게

씻어내고, 베보자기를 씌워 밀봉한 다음 (차지도 따뜻하지도 않은 곳에서) 3일간 발효시킨다.

9. 술이 익었으면 준비한 노주를 술독에 붓는데, 술맛을 달고 맵게 하려면 9복자, 독하게 하려면 1~2복자를 더 부은 뒤에 다시 밀봉하여 익기를 기다린다.

過夏酒方

猛沸水三鐥候冷到畧有溫氣好曲末(六七合)以細篩篩過以(羅)苧布端褁之浸於右水到翌日及其時四右曲末爛淘以手浣(稠)後去其滓粘米九升粳米二升作飯和勻於曲末水納于缸中以中品燒酒十一鐥灌之量宜節氣置之不寒不熱處經二十日後用雖過夏又經一年味不變一切忌生水.

35. 과하주 <온주법(醞酒法)>

술 재료 : 찹쌀 1말, 멥쌀 1되, 누룩가루 7홉, 끓여 식힌 물 3대야, 소주 1대야

술 빚는 법 :

1. 곱게 가루 내어 만든 누룩가루 7홉을 명주 자루에 담고, 팔팔 끓여 온기가 남게 식힌 물 3대야에 불려 물누룩을 만들어 누룩이 우러나길 기다린다.
2. 물에 불린 누룩 주머니를 주물러 찌꺼기를 제거한 누룩물을 만든다.
3. 찹쌀 1말과 멥쌀 1되를 백세하여 (물에 담가 불렸다가, 다시 씻어 헹궈서 건져 물기를 뺀다).
4. 불린 쌀을 시루에 안쳐 고두밥을 무르게 짓되, 뜸을 들여 푹 익힌다.
5. 고두밥이 익었으면 펴서 (뜨거운 기운이 나가게 식혀) 누룩물에 넣고, 고루 버무려 술밑을 빚은 후, 차게 식기를 기다린다.
6. 술밑을 술독에 담아 안치고, 준비한 중품소주 1대야를 넣는다.
7. 술독은 예의 방법대로 하여 20일간 발효시킨다.

8. 술독을 열어보아 술이 많이 익어 술맛이 나면 (용수나 술자루를 이용하여) 채주한다.

* 주방문 말미에 "빚을 때 물기 없이 하고 소주(가) 너무 매워도(독해도) 좋지 못하고, 헐하여도(싱거워도) 좋지 못하니라."고 하여 중품(독하지도 싱겁지도 않은)소주를 사용할 것을 당부하고 있음을 볼 수 있다.

과하쥬

ᄭᅳᆯ인 물 세 ᄃᆡ야ᄅᆞᆯ 약간 드스ᄒᆞᆯ 제 국말 칠홉을 베주머니에 싸 그 물의 담과 이튼날 돌씨치 우러나거든 손으로 주물너 뎜미 일두 ᄇᆡᆨ셰ᄒᆞ고 ᄇᆡᆨ미 일승 ᄇᆡᆨ셰ᄒᆞ야 고(ᄅᆞ) 섯거 ᄆᆞ이 쳐 그 누록물의 섯거 ᄎᆡ와 너코 즁품쇼쥬 되면 ᄒᆞᆫ ᄃᆡ야ᄅᆞᆯ 골나야 (찬) 아닌 방의 두어 니십 일 후 쓰라 비ᄌᆞᆯ 제ᄂᆞᆫ 물긔 업시 ᄒᆞ고 쇼듀 너무 ᄆᆡ와도 됴치 못ᄒᆞ고 너모 헐ᄒᆞ여도 됴치 못ᄒᆞ니라.

36. 과하주 <음식디미방>

술 재료 : 찹쌀 1말, 누룩 2되, 끓여 식힌 물 1병, 끓여 식힌 물(1~2병), 좋은 소주 14복자

술 빚는 법 :

1. 누룩 2되를 팔팔 끓여 차게 식은 물 1병에 담아 물누룩(水麴)을 만들어 하룻밤 재워놓는다.
2. 찹쌀 1말을 백세하여(깨끗하게 씻어 물에 담가 불렸다가, 다시 씻어 헹궈서) 물기를 빼놓는다.
3. 불린 찹쌀을 시루에 안치고 (물을 많이 뿌리고 쪄서) 무른 고두밥을 짓고, 익었으면 퍼내고 고루 펼쳐서 차게 식기를 기다린다.

4. 물누룩을 (위의 맑은 물은 따로 떠 두고) 아래 가라앉은 것은 끓여 식힌 물(2병)을 더 부어가면서 주물러 체에 밭쳐 찌꺼기는 제거한 누룩물을 만들어놓는다.
5. 누룩물에 고두밥을 한데 합하고, 고루 버무려 술밑을 빚는다.
6. 술밑을 술독에 담아 안치고, 예의 방법대로 하여 3일간 발효시켜 (고두밥이) 삭을 만하면 좋은 소주 14복자를 붓고, 7일간 발효 · 숙성시킨다.
7. 7일 후면 술이 익으면 맵고 달다. 채주할 수 있다.

과하쥬
누록 두 되ᄅᆞᆯ 탕슈 ᄒᆞᆫ 병을 시겨 부어 ᄒᆞᄅᆞ밤 자여 두엇다가 우흘 잇근 ᄯᅩ로 주믈러 체예 바트ᄃᆡ 시긴 믈 더 브어 걸러 즈의란 ᄇᆞ리고 찹ᄡᆞᆯ ᄒᆞᆫ 말 ᄇᆡᆨ셰ᄒᆞ여 ᄀᆞ장 닉게 ᄶᅧ 식거든 그 누룩 무레 섯거 녀헛다가 사흘 만ᄒᆞ거든 죠ᄒᆞᆫ 쇼쥬ᄅᆞᆯ 열헤 복ᄌᆞᄅᆞᆯ 부어 두면 ᄆᆞᆸ고 ᄃᆞ니라. 칠일 후 ᄡᅳ라.

37. 과하주법 <음식방문니라>

술 재료 : 밑술 : 멥쌀 1~2되, 가루누룩 5홉, 끓는 물(2~3되)
덧술 : 찹쌀 1말, 소주 20복자

술 빚는 법 :
* 밑술 :
1. 봄 · 여름 사이에 멥쌀 1~2되를 (백세하여 물에 담갔다가, 다시 씻어 건져서 물기를 뺀 후) 가루로 빻는다.
2. 멥쌀가루에 끓는 물(2~3되 정도)을 붓고, 주걱으로 고루 치대어 범벅처럼 개어 서늘하게 식기를 기다린다.
3. 쌀 범벅에 가루누룩 5홉을 넣고, 고루 치대어 술밑을 빚는다.

4. 술독에 술밑을 담아 안치고, 예의 방법대로 하여 발효시키되, 술맛이 쓴맛이 나면 덧술을 준비한다.

* 덧술 :
1. 찹쌀 1말을 (백세하여 물에 담갔다가, 다시 씻어 건져서 물기를 뺀 후) 시루에 안쳐서 고두밥을 짓는다.
2. 고두밥이 익었으면, 고루 펼쳐서 속속들이 차디차게 식기를 기다린다.
3. 고두밥에 밑술을 섞고, 고루 버무려서 술밑을 빚는다.
4. 술밑을 술독에 담아 안친 다음, 예의 방법대로 하여 발효시킨다.
5. 술독을 열어보아 개미(밥알)가 뜨고 맛이 좋으면, 준비한 분량의 소주 20복자를 술독에 붓는다.
6. 술독은 다시 덮어서 7일 후에 보면, 술맛이 나고 더 좋다.

* 주방문에 "멥쌀 1~2되 작말하여 범벅 개어"라고 하였으나, 물 양이 나와 있지 않다.

과하쥬법

츈하간의 ᄇᆡᆨ미 두 되ᄂᆞ 한 되ᄂᆞ 작말ᄒᆞ야 범벅ᄀᆡ여 식은 후 가로누록 다섯 홉을 쳐너허싸가 맛시 ᆢ거던 졈미 ᄒᆞᆫ 말을 쪄ᄂᆡ여 고로 져허 식흔 후 그 밋츨 버무려 두엇다 맛시ᄂᆞᆫ면 후의 쇼쥬을 부워 칠일 만의 써보면 ᄀᆡ야미 쩌고 맛시 조흔니라 한 말의 쇼쥬 니십 복ᄌᆞ을 부으라.

38. 과하주법 <음식보(飮食譜)>

술 재료 : 찹쌀 5되, 가루누룩 1되, 점주 2되, 매운 소주 1말 8되

술 빚는 법 :

1. 찹쌀 5되를 백세하여 물에 담가 하룻밤 불렸다가, 다시 깨끗하게 헹궈서 물기를 빼놓고, 쌀 담갔던 물은 따로 받아놓는다.
2. 좋은 점주 2되에 가루누룩 1되를 담가 불렸다가, 고운 베에 밭쳐서 찌꺼기를 제거한 누룩술을 만든다.
3. (불린 찹쌀을 시루에 안쳐서 고두밥을 찌고, 익었으면 돗자리에 고루 펼쳐서 가장 차게 식기를 기다린다.)
4. 소독하여 준비한 술독에 가장 매운(독한) 소주 1말 8되를 먼저 붓는다.
5. 차게 식은 찹쌀고두밥에 걸러둔 누룩술을 합하고, 고루 버무려 술밑을 빚는다.
6. 술밑을 소주를 부은 술독에 담고 골고루 섞어준 뒤, 예의 방법대로 하여 기름종이로 싸매서 (따뜻하지도 차지도 않은 곳에서) 10일간 발효시킨다.

* 방문 말미에 "여름내 두고 써도 변치 아니ᄒᆞ니라."고 하였다. 주방문에 "그 ᄎᆞᆸᄡᆞᆯ 믈에 ᄎᆡ와 고로 석거"라고 하여 불린 찹쌀을 '익히라.'는 말이 없고, 물은 무슨 물인지, 또 그 양이 얼마인지, 또 물을 어떻게 하라는 것인지 알 수 없다. 따라서 사용되는 소주가 '매운 소주'로 그 양이 1말 8되라는 사실에 착안, 점주에 불린 누룩술을 함께 넣는 것으로 주방문을 작성하였다.

과하듀법

고ᄒᆞᆫ ᄎᆞᆸᄡᆞᆯ 닷 되 ᄇᆡᆨ셰ᄒᆞ야 ᄒᆞᄅᆞ밤 우리고 뎜듀 두 되예 ᄀᆞᄅᆞ누록 ᄒᆞᆫ 되 ᄃᆞᆷ갓다가 ᄒᆞᆫ 번 뵈예 밧타 그 ᄎᆞᆸᄡᆞᆯ믈에 ᄎᆡ와 고로 석거 ᄀᆞ장 ᄆᆡ운 쇼듀 말 여ᄃᆞᆲ 되 알마초 항의 녀코 그 밥을 쇼듀항의 녀허 뉴디로 싸 둣다가 열흘 후의 쓰기이와 여름내 두고 써도 변치 아니ᄒᆞ니라.

39. 과하주방 <임원십육지(林園十六志)>

술 재료 : 찹쌀 1말, 누룩가루 5홉, 물 3~4홉, 백로주 12~15복자

술 빚는 법 :

1. 찹쌀 1말을 백세하여 물에 담가 하룻밤 불렸다가, 다시 씻어 헹궈서 물기를 빼놓는다.
2. 불린 쌀을 시루에 안쳐서 고두밥을 짓되, 물 3~4홉을 골고루 살수하여 뜸을 들여 푹 익힌다.
3. 고두밥이 다 쪄졌으면 넓은 그릇에 보자기를 펼치고, 그 위에 고두밥을 퍼내어 고루 펼쳐서 차게 식기를 기다린다.
4. 백로주 2~3복자를 고두밥에 뿌리고 손으로 비벼서, 밥알이 낱낱이 다 떨어지게 만들어놓는다.
5. 누룩을 (빻아 체에 내린 고운) 누룩가루 5홉을 고두밥에 합하고, 고루 버무려 술밑을 빚는다.
6. 술밑을 술독에 담아 안치고, 예의 방법대로 하여 뜨겁지도 차지도 않은 곳에 두고 3~5일간 발효시킨다.
7. 3~5일 후에 술독을 열어보아 술이 농익었으면 백로주를 뿌려주는데, 달게 하려면 노주의 양을 8~9복자, 맵고 독하게 하려면 2~3복자를 추가하는 방법으로 양을 조절한다(술을 젓지 않는다).
8. 술독은 재차 밀봉하여, 밥이 다 삭을 때까지 발효·숙성시킨 후 채주한다.

* 주방문 말미에 "덥지도 차지도 않은 곳에 둔다. 푹 익으면 노주를 붓는다."고 하고, "감렬하기는 마음대로 한다. 술밥이 완전히 삭으면 거른다."고 하였다.

過夏酒方

粘米一斗百洗水浸一宿漉漉出灑水三四合烝熟後以市拭器使無水氣鋪烝飯候

冷白露酒數鐥灑調以飯粒散解爲度和麴末五合入缸置不熱不冷處待其爛熟以露酒灌之甘烈隨意候飯盡解而上槽. <山林經濟補>. (案. 山林經濟補以此爲辟癨酒之一名而兩方釀法判異疑屬誤文).

40. 과하주 일방 <임원십육지(林園十六志)>

술 재료 : 찹쌀 1말, 누룩가루 5홉, 끓여 식힌 물 반 병, 끓여 식힌 물 8~9홉, 소주 9~12복자

술 빚는 법 :

1. 찹쌀 1말을 숫자를 세어가면서 백세하여 물에 담가 불려놓는다.
2. 누룩을 곱게 가루 내어 5홉을 술자루에 담고, 팔팔 끓여 차게 식힌 물 반 병(1되 5홉)에 불려 물누룩을 만들어 밤을 재운다.
3. 다음날 물누룩을 체에 밭쳐 찌꺼기를 제거한 누룩물을 만들고, 불린 쌀을 다시 씻어 헹궈 건져서 물기를 뺀 후, 시루에 안쳐 고두밥을 무르게 짓는다.
4. 고두밥에서 한김 나면, 팔팔 끓여 차게 식혀둔 물 8~9홉을 고두밥에 뿌려서 푹 익힌다.
5. 고두밥이 익었으면 퍼낸다(고루 펼쳐서 차게 식기를 기다린다).
6. (차게 식힌) 고두밥에 누룩물을 넣고, 고루 버무려 술밑을 빚는다.
7. 술밑을 술독에 담아 안치고, 예의 방법대로 하여 단단히 밀봉한 후, 3일간 발효시킨다.
8. 술밑을 빚은 지 3일 후에 술독을 열고, 술이 익었는지 맛을 보아 술맛(쓴맛)이 나면 술독에 준비한 분량의 노주를 붓는데, 달게 하려면 9복자, 맵고 독하게 하려면 11~12복자를 붓는다.
9. (소주를 붓되 젓지 말고 그대로) 재차 밀봉하여 7일간 숙성시킨다.
10. 술이 익으면 용수나 술자루를 이용하여 채주한다.

* 주방문에 "술맛을 달게 하려면 소주를 9복자를 붓고, 콕 쏘게 독한 술을 빚으려면 소주를 2~3복자 더 붓는다."고 하였다.

過夏酒 一方

粘米一斗算籌百洗浸又以細末麴五合湯沸候冷將粘米灑匀烝熟後和以半瓶浸麴水(麴帒取水中揉洗取汁去滓)納缸封固至三日開視其爛熟與否以露酒灑之若粘釀甘則用九鐥欲其味烈更加二三鐥欲甘則量減灌之後七日上槽. <增補山林經濟>.

41. 과하주 우방 <임원십육지(林園十六志)>

술 재료 : 찹쌀 9되, 멥쌀 2되, 고운 누룩가루 5홉, 백로주 10주발, 끓여 식힌 물 3주발

술 빚는 법 :

1. 곱게 가루 내어 만든 누룩가루 5홉을 명주 자루에 담고, 팔팔 끓여 차게 식힌 물 3주발에 담가 물누룩을 만들어 하루 동안 지낸다.
2. 다음날 물누룩을 손으로 힘껏 주물러 체에 밭쳐, 누룩찌꺼기를 제거한 누룩물을 만든다.
3. 찹쌀 9되와 멥쌀 2되를 백세하여 (물에 담가 하룻밤 불렸다가, 다시 씻어 헹궈서) 물기를 빼놓는다.
4. 불린 쌀을 시루에 안쳐서 고두밥을 짓고, 고두밥이 무르게 익었으면 퍼내고 고루 펼쳐서 차게 식기를 기다린다.
5. 고두밥에 누룩물을 한데 합하고, 고루 버무려 술밑을 빚는다.
6. 술밑을 술독에 담아 안치고, 그 위에 준비한 분량의 백로주 10주발을 붓는다.
7. 술독은 예의 방법대로 하여 차지 않은 곳에 두고 20일간 발효시켜 익기를

기다린다.

* 주방문 말미에 "소주가 너무 독해도 좋지 않고, 너무 약해도 좋지 않다. 반드시 중품을 써야 좋다."고 하고, 이 과하주는 "여름을 나도 맛이 변하지 않는다."고 하였다.

過夏酒 又方
好麯細羅七合褁於苧布俗以湯水三鉢候冷浸之翌日取麴俗就所浸水中以手揉出汁良久濾去滓另將粘米九升白米二升百洗爛烝候冷用麴汁和合入瓮以中品燒酒十鉢鉢調之(燒酒太烈或太薄皆不中用必取中品)置不冷不熱處 二十日後方熟雖經夏味不變. <增補山林經濟>.

42. 과하주 <조선고유색사전(朝鮮固有色辭典)>

쿠와카슈. 과하주.
술을 파는 가게에서 과하주라고 칭하고, 여름을 지내도 술맛이 변하지 않는 품질을 가진 술을 판매했다. 그러한 술의 이름에는 소국주, 두견주, 도화주, 송순주 등이 있다. 이상은 모두 봄철에 양조한 술이다.

43. 과하주 <조선무쌍신식요리제법(朝鮮無雙新式料理製法)>

술 재료 : 밑술 : 멥쌀 1되, 누룩가루 5홉, 끓는 물(2~3되)
덧술 : 찹쌀 1말, 소주 10식기

술 빚는 법 :

* 밑술 :

1. 멥쌀 1되를 물에 깨끗이 씻어(백세하여) 하룻밤 불렸다가 (다시 씻어 건져서 물기를 뺀 뒤) 가루로 빻는다.
2. 멥쌀가루에 끓는 물(2~3되 정도)을 붓고, 주걱으로 범벅처럼 고루 개어 서늘하게 식기를 기다린다.
3. 식힌 범벅에 누룩가루 5홉을 넣고, 고루 버무려 술밑을 빚는다.
4. 술독에 술밑을 담아 안치고, 예의 방법대로 발효시켜 술맛이 나면 덧술을 준비한다.

* 덧술 :

1. 찹쌀 1말을 물에 깨끗이 씻어(백세하여 하룻밤 불렸다가, 다시 씻어 건져서 물기를 뺀 뒤) 고두밥을 짓는다.
2. (고두밥이 익었으면 고루 펼쳐서 차게 식힌다.)
3. 밑술에 고두밥을 넣고, 고루 버무려서 술독에 담아 안친다.
4. 술독은 예의 방법대로 하여 7일간 발효시키는데, 술맛이 난 후에 준비한 분량의 소주 10식기를 붓는다.
5. 소주를 부은 지 7일~10일 후에 술맛이 나면 채주한다.

* 밑술의 쌀을 불려서 사용하란 말이 없고, 범벅을 쑬 때의 끓는 물의 양도 언급되어 있지 않다. 또 덧술의 쌀 역시 씻거나 불렸다가 고두밥을 지으라는 말이 없고, 식기의 양도 정확히 언급되어 있지 않다. <규합총서>의 방문과 유사하다.
* 1식기 : 800㎖

과하주(過夏酒)

봄이나 여름 사이에 멥쌀 한 되를 작말하야 범벅 개야 식은 후 가루누룩 오홉만 느어 두엇다가 맛이 쓰거든 찹쌀 한 말을 지여 써서 휠신 식혀 술밋헤 버무려 두엇다가 맛이 쓰거든 소주 고아 부엇다가 칠일 만에 쓰되 한 말에 소주 열 그릇을 부으라.

44. 우(又) 과하주 <조선무쌍신식요리제법(朝鮮無雙新式料理製法)>

술 재료 : 찹쌀 1말, 누룩가루 5홉, 물 반 병, 끓인 물 8~9홉, 소주 9~13복자

술 빚는 법 :

1. 봄이나 여름 사이에 찹쌀 1말을 숫자를 세어가며 백세하여 물에 담가 하룻밤 불려놓는다.
2. 물 반 병(1되 5홉)을 팔팔 끓여 식히고, 누룩을 곱게 빻아 5홉을 베주머니에 담아 담가 물누룩(水麯)을 만들어놓는다.
3. 다음날 아침 일찍 불린 쌀을 건져서 (새 물에 다시 씻어 건져서 물기를 뺀 다음) 시루에 안쳐 고두밥을 짓는다.
4. 맑은 물 8~9홉을 끓여서 차게 식혔다가 (고두밥에서 한김 나면) 고두밥에 뿌려서 무르게 찌고, 익었으면 고루 펼쳐서 차게 식기를 기다린다.
5. 불려둔 물누룩 주머니를 주물러 짜서 누룩물을 만들고, 남은 찌꺼기를 버린다.
6. 누룩물에 고두밥을 합하고, 고루 버무려 술밑을 빚는다.
7. 술독에 밑술을 담아 안치고, 예의 방법대로 하여 단단히 봉하고, 3일간 발효시킨다.
8. 술 빚은 지 3일 후에 독을 열어보아, 푹 익었으면 준비해 둔 소주 9~13복자를 붓는다.
9. 술독은 젓지 말고, 다시 예의 방법대로 밀봉하여 다시 7일간 발효시킨다.

* <양주방>*과 <부인필지>의 '과하주법'과 매우 유사하다.
* 앞서의 주방문과 달리 '복자'를 사용하였다. 이로써 식기나 복자의 양이 유사

하다는 추측을 할 수 있다.

과하주(過夏酒) 또 법

찹쌀 한 말을 세여 가며 백 번 씨서 물에 당그고 고흔 누룩가루 닷 홉을 주머니에 느코 끌는 물 반 병을 식혀 주머니를 당그고 그 잇튼날 맑은 양 팔구 홉가량씀 쓰려 식혀 당갓든 찹쌀을 건저 맑은 물을 쌔리고 물으게 찐 후에 누룩 당근 물과 합하되 주머니를 물에서 주물러 빼고 찍기는 버리나니, 항아리에 느코 단단이 봉한 지 사흘 안에 여러 보아 푹 익엇거든 빗갈 희고 성품 준한 소주를 붓되 만일 찹쌀 비진 것이 달거든 아홉 복자를 늘지니 맛을 독하게 하랴거든 서너 복자를 더 너을 거시오, 맛이 단것을 취하랴면 요량하야 감하야 분 뒤에 일헤 만니면 조주에 올리나니라.

45. 우(又) 과하주 <조선무쌍신식요리제법(朝鮮無雙新式料理製法)>

술 재료 : 찹쌀 1말, 누룩가루 5홉, 물 3~4홉, 백소주(중품) 2복자, 소주 9~15복자

술 빚는 법 :

* 밑술 :

1. 찹쌀 1말을 백세하여 하룻밤 반 동안 물에 담가 불렸다가, 다시 씻어 건져서 물기를 뺀다.
2. 불린 쌀을 시루에 안쳐 고두밥을 찌되, (한김 나면) 물 3~4홉을 찹쌀에 뿌려 무르게 짓고, 익었으면 고루 펼쳐서 차게 식기를 기다린다.
3. 차게 식힌 고두밥에 소주 2복자를 합하고, 주걱으로 고루 저어서 밥알이 다 풀리게 만든다.
4. 고두밥에 누룩을 곱게 가루 내어 5홉을 합하고, 고루 버무려 술밑을 빚는다.
5. 술밑을 술독에 담아 안친 뒤, 예의 방법대로 하여 춥지도 덥지도 않은 곳에

두고 익기를 기다린다.
6. 흰소주를 술독에 부어 주되 젓지 말고 (다시 뚜껑을 덮어) 다 익고 숙성되기를 기다린다.

* 주방문 말미에 "맛이 달고 씩씩한 것을 마음대로 할 것이니, 밥이 다 풀리거든 주조에 올려 짜낸다.

과하주(過夏酒) 또 법
찹쌀 한 말을 백 번 씨서 물에 당가 하로밤 반에 건저 내여 물 서너 홉 쌔리고 물으게 찐 후에 수건으로 그릇을 씨서 물기가 업시 하고 찐 밥을 펴서 식히고 소주 두어 복자를 쌔려 버무려 밥알이 다 풀리도록 한 후에 누룩가루 닷 홉을 석거 항아리에 느코 칩도 덥도 아니한 데 두엇다가 다 익기를 기다려 흰소주를 이 우에 법과 가티 하야 부으면 맛이 달고 씩:한 것을 마음대로 할 것이니 밥이 다 풀리거든 주조에 올리나니라.

46. 우(又) 과하주 <조선무쌍신식요리제법(朝鮮無雙新式料理製法)>

술 재료 : 찹쌀 9되, 멥쌀 2되, 누룩가루 7홉, 끓인 물 3사발, 중품소주 10사발

술 빚는 법 :
1. 술 빚기 하루 전날 물 3사발을 팔팔 끓여서 차게 식힌다.
2. 누룩을 가루 내어 깁체에 쳐서 7홉을 마련하고, 모시 주머니에 담아 주둥이를 묶고, 차게 식혀둔 물에 담가(수곡) 하룻밤 불린다.
3. 찹쌀 9되와 멥쌀 2되를 (함께 백세하여 물에 담가 불렸다가, 이튿날 불린 찹쌀을 다시 씻어 건져서 물기를 뺀 후) 시루에 안쳐서 무른 고두밥을 짓는다.
4. (시루에서 한김 나면 주걱으로 고두밥을 뒤집어주고, 찬물을 뿌려 고두밥을

무르게 찌고, 익었으면 고루 펼쳐서 얼음같이 차게) 식기를 기다린다.
5. 다음날 모시 주머니의 누룩을 제물에 주물러 짜서 남은 누룩찌꺼기를 제거한다.
6. 고두밥에 거른 누룩물을 합하고, 고루 버무려 술밑을 빚는다.
7. 소독하여 마련해 둔 독에 술밑을 담아 안친 다음, 중품소주 10사발을 붓는다.
8. 술독에 술밑을 담아 안친 후, 예의 방법대로 하여 (단단히 봉하고) 춥지도 덥지도 않은 곳에 두고 20일간 발효시킨다.

* 주방문 말미에 "비록 여름이 지나도 맛이 변하지 않고, 다른 물을 크게 꺼리니, 소주가 너무 독하면 좋지 못하고, 너무 묽어도 좋지 못하니 반드시 중품소주를 써야 아름다우리라."고 하여 소주의 도수와 품질에 대해 강조한 것을 볼 수 있다.

과하주(過夏酒) 또 법
조흔 누룩을 깁체에 처서 칠홉을 모시 주머니에 느어서 끌는 물 세 사발을 식혀서 누룩 주머니를 당그고 그 이튼날 누룩 주머니를 주물려 집을 다 내고 찍기는 버리고 찹쌀 아홉 되와 흔쌀 두 되를 백 번 씨서 물으게 찌고 식혀서 누룩물과 한데 합하야 독에 느코 중품소주 열 사발을 붓고 차지 아는 데 둔지 스무 날 후에 익을 것이니, 비록 여름이 지나도 맛이 변치 안코 달은 물기를 대기하나니, 소주가 넘우 독하면 조치 못하고 넘우 물거도 조치 못하니 반듯이 중품소주를 써야 아름다우니라.

47. 과하주방문 <주방(酒方)>*

술 재료 : 찹쌀 9되, 묵은 쌀 2되, 누룩가루 5홉, 끓인 물 3대야, 소주 11복자

술 빚는 법 :

1. 찹쌀 9되와 묵은 쌀 2되를 한데 섞고 (백세하여 물에 담가 하룻밤 불렸다가, 다시 씻어 헹궈서 건져 물기를 뺀 후) 무른 고두밥을 짓는다.
2. 누룩을 곱게 가루 내어 모시베에 밭쳐서 가루누룩 5홉을 명주 자루에 담아놓는다.
3. 팔팔 끓여 차지 않게 식힌 물 3대야에 누룩 주머니를 담가 하루 동안 지낸 뒤, 진이 나도록 주물러서 체에 밭쳐 찌꺼기를 제거한 누룩물을 만든다.
4. 고두밥이 익었으면 퍼내고, 고루 펼쳐서 차게 식기를 기다린다.
5. 차게 식힌 고두밥에 누룩물을 넣고, 고루 버무려 술밑을 빚는다.
6. 술밑을 술독에 담아 안치고, 준비한 소주 11복자를 붓는다.
7. 술밑을 안친 술독은 예의 방법대로 하여 차지도 덥지도 않은 곳에 앉혀 두고, 20일간 발효시킨다.

* 주방문 말미에 "스무날 후에 쓰라."고 하고, 술독을 열어보아 술이 많이 익어 "흰 개미 있으면 변치 아니하고, 그 맛이 노주의 청길하니 같으니라."고 하였다.

과하듀방문

탕슈 세 대야ᄅᆞᆯ 잠간 ᄎᆞᆯ 만ᄒᆞ거든 죠ᄒᆞᆫ 누록 칠홉을 ᄀᆞᄂᆞᆫ 뵈에 밧타 모시뵈 ᄀᆞᆺ틔 빠셔 그 물의 ᄃᆞᆷ가 ᄃᆞᆺ다가 이ᄐᆞᆫ날 ᄃᆞᆷ은 째에 ᄆᆞ이 주믈러 누록 젼ᄋᆡᆨ이 다 나거든 그 믈의 겹체에 밧타 ᄇᆡᆨ졈미 아홉 홉과 모호ᄡᆞᆯ 두 되ᄅᆞᆯ ᄒᆞᆫᄃᆡ 섯거 ᄇᆡᆨ셰ᄒᆞ야 밥을 즐게 지어 식거든 제 누록물의 고로 섯거 항의 녀코 ᄀᆞ쟝 ᄆᆞ온 쇼듀 열ᄒᆞᆫ 대야ᄅᆞᆯ ᄒᆞᆫᄃᆡ 녀허 덥도 ᄎᆞ도 아닌 ᄃᆡ 두엇다가 스므날 후의 쓰라. ᄒᆡ쳐 내어도 변미치 아니ᄒᆞ고 마시 쇼듀의 청길히나 ᄀᆞᆺᄐᆞ니라.

48. 과하주 <주방문(酒方文)>

술 재료 : 찹쌀 1말, 누룩가루 5홉, 끓여 식힌 물 1병, 중품소주 9대야

술 빚는 법 :

1. 찹쌀 1말을 백세하여 물에 담가 하룻밤 불렸다가, 다시 살짝 씻어 헹궈서 물기를 뺀다.
2. 물 1병을 팔팔 끓여 차게 식기를 기다린다.
3. 끓여 식힌 물을 등분하여 반 병에 누룩을 고운 가루로 빻아 5홉을 풀어 넣고 (5~6시간 정도) 불려 물누룩을 만들어놓는다.
4. 불린 찹쌀을 시루에 안쳐 찌고 (한김이 나면) 끓여두었던 남은 물 반 병을 골고루 뿌려주고, 뜸을 푹 들여 무른 고두밥을 쪄낸다.
5. 고두밥에 물누룩을 합하고, 고루 버무려 술밑을 빚는다.
6. 술밑을 술독에 담아 안치고, 예의 방법대로 하여 3~4일간 발효시킨다.
7. 술이 끓었으면 준비해 둔 중품소주 9대야를 한가운데 부어주고, 밀봉하여 다시 7일간 발효 · 숙성시킨다.

* 방문 말미에 "맵거든 (중품소주 두 대야나) 서 대야나 더 부었다가 7일 뒤에 꺼내 쓰라."고 하였다.

과하쥬(過夏酒)

ᄎᆞᆸᄡᆞᆯ ᄒᆞᆫ 말 ᄇᆡᆨ셰ᄒᆞ여 믈의 ᄃᆞᆷ고 누록 ᄀᆞᄂᆞᆯ게 작말ᄒᆞ여 다솝을 명지 쟈ᄅᆡ예 녀허 글(힌) 믈 반 병의 ᄃᆞᆷ갓다가 이ᄐᆞᆫ날 ᄂᆡᆼ슈을 ᄭᅳᆯ혀 식거든 ᄎᆞᆸᄡᆞᆯ의 ᄲᅢ려 누록 ᄃᆞᆷ갓던 반 병 믈로 버므려 아홉 다야를 븟고 (ᄆᆡᆸ거) 서 다야나 더 브엇다가 닐웨 디나거든 그ᄌᆞ 내오리라.

49. 과하주법 <주방문초(酒方文抄)>

술 재료 : 찹쌀 1말, 누룩가루 5홉, 끓여 식힌 물 1병, 중품소주 9대야

술 빚는 법 :

1. 찹쌀 1말을 백세하여 (물에 담가 하룻밤 불렸다가, 다시 살짝 씻어 헹궈서 물기를 뺀 후) 시루에 안쳐서 고두밥을 짓는다.
2. 물 2병을 팔팔 끓이다가, 고두밥이 익었으면 그릇에 퍼 담고 끓는 물을 합하여 고루 섞어 고두밥이 물을 다 먹고, 차게 식기를 기다린다.
3. 고두밥에 누룩 2되를 합하고, 고루 치대어 술밑을 빚는다.
4. 술밑을 술독에 담아 안치고, 예의 방법대로 하여 3일간 발효시킨다.
5. 별도로 멥쌀 1말을 예의 방법대로 하여 술을 빚고 발효시켜, 술이 익었으면 걸러서 소주를 내려놓았다가, 준비해 둔 중품소주 4~5되를 한가운데 부어 주고, 밀봉하여 다시 7~8일간 발효·숙성시킨다.

* 여느 '과하주법'과는 다소 상이하다. 누룩의 양이 많고, 특히 진고두밥을 만들어 사용한다는 점이 다르다.

過夏酒法

粘米 一斗 百洗 熟蒸 湯水 二 瓶 調和 後冷 末匊 二 升 和合 釀之 三日後 白米 一斗 釀所燒酒 相和於本酒 過七八日後 用之.

과하듀ᄂᆞᆫ 술에 쇼듀 여허 비즌 술이어와 ᄎᆞᆸᄡᆞᆯ ᄒᆞᆫ 말을 ᄇᆡᆨ 번이나 시서 닉게 ᄡᅧ ᄭᅳᆯ힌 물 두 병의 골나 ᄎᆞ거든 ᄀᆞᄅᆞ누룩 두 되 섯거 비젓다가 사흘 만의 ᄇᆡᆨ미 ᄒᆞᆫ 말의 술 ᄒᆞ야 쇼듀 고와 본듀의 드러브엇더가 일에 여ᄃᆞᆯ애 지나거든 스라.

50. 과하주법 <주식방(酒食方, 高大閨壼要覽)>

술 재료 : 찹쌀 1말, 가루누룩 6홉, 끓여 식힌 물 6복자, 소주 20복자

술 빚는 법 :

1. 소주 20복자가 준비되었으면, 찹쌀 1말을 백세하여 (뜨물 없이 하여 새 물에 담가) 하룻밤 불려놓는다.
2. 쌀 담근 날, 끓여서 날물기 없이 차게 식혀 준비한 물 6복자에 가루누룩 6홉을 곱게 가루 내어 모시 주머니에 담아 따뜻한 방에 하루 동안 지낸다.
3. 누룩물이 우러나면 이튿날 누룩 담그던 시각에 주머니를 힘껏 주물러 짜서 찌꺼기를 제거한 누룩물을 만든 후, 물이 맑아지기를 기다린다.
4. 불린 쌀을 (다시 씻어 헹궈서 물기를 뺀 후) 시루에 안쳐 고두밥을 무르게 짓고, 고두밥이 익었으면 퍼낸 다음, 날물기 없이 하여 고루 펼쳐서 차게 식기를 기다린다.
5. 차게 식힌 고두밥에 누룩물을 넣고 고루 버무려 술밑을 빚는다.
6. 술밑을 술독에 담아 안치고, 예의 방법대로 하여 발효시킨다.
7. 술독을 열어 술이 많이 익었는지를 보아 (쓴맛이 나면) 준비한 분량의 소주 20복자를 붓고, 재차 여러 겹의 종이로 밀봉하여 14일간 숙성시킨다.

과하쥬법

쇼쥬 스무 복ᄌᆞ여든 ᄎᆞᆸᄡᆞᆯ ᄒᆞᆫ 말 담가다가 닉게 ᄢᅵ고 ᄡᆞᆯ 다문 날 물 ᄉᆞᆯ혀 날물긔 업시 ᄒᆞ여 식거든 여ᄉᆞᆺ 복ᄌᆞ의 가로누록 엿 홉 남즉ᄒᆞᄀᆡ 가는 모시 주머니예 너허 ᄉᆞᆯ힌 물의 담가 ᄃᆞᄉᆞᄒᆞᆫ 방의 노하 두엇다가 누록물이 우러나거든 이튼날 누록 담그던 ᄣᅵ예 그 누록물을 쥬머니 녀코 ᄭᆡ ᄌᆞ물너 단ᄂᆡ 나고 물이 ᄇᆞ희거든 밥을 ᄶᅧ 날물긔 업시 시셔 ᄎᆞ거든 누록물의 ᄌᆞ여 담가다가 한숫밥 디이만 ᄒᆞ거든 쇼쥬ᄅᆞᆯ 드러 ᄇᆞ어 단복지로 싸 두 니레 만의 ᄡᅳ라.

51. 과하주 <주식방(酒食方, 高大閨壼要覽)>

술 재료 : 찹쌀 1말, 좋은 누룩가루 5홉, 끓여 식힌 물 3사발, (중품)소주 17식기

술 빚는 법 :

1. 좋은 누룩 5홉을 곱게 가루 내어 고운 베주머니에 담고, 팔팔 끓여 매우 차게 식힌 물 3사발에 담가 하룻밤 불린 물누룩을 준비한다.
2. 찹쌀 1말을 백세하여 (물에 담가 불렸다가, 다시 씻어 헹궈서 건져) 물기를 뺀다.
3. 다음날 누룩 불린 주머니를 쥐어짜서 누룩찌꺼기를 제거한 누룩물을 만든다.
4. 불린 쌀을 시루에 안쳐 고두밥을 짓고, 고두밥이 익었으면 퍼내고 고루 펼쳐서 차게 식기를 기다린다.
5. 고두밥에 누룩물을 넣고, 고루 버무려 술밑을 빚는다.
6. 술밑을 술독에 담아 안치고, 예의 방법대로 하여 술독을 밀봉하고, 1일간 발효시킨다.
7. (술독을 열어보아 술이 많이 익었는지를 살펴서 술맛/쓴맛이 나면) 술독에 준비한 분량의 좋은 (중품)소주 17식기를 붓는다.
8. (소주를 붓되 젓지 말고 그대로) 재차 밀봉하여 14일간 발효 · 숙성시킨다.

과하쥬

죠흔 누룩 닷 홉을 셰말ᄒᆞ고 가ᄂᆞᆫ 뵈 헝거싀 누룩가로를 ᄊᆞ 탕슈 세 사발의 담과 하로밤 지ᄂᆞᆫ 후 마이 주물너 누룩 물이 다 나거든 출쏠 닷 되를 빅셰ᄒᆞ고 밥을 지어 식거든 누룩물의 교합ᄒᆞ여 하로 지ᄂᆞᆫ 후 조흔 쇼쥬를 연일곱 식긔를 한ᄃᆡ 브어 두어 이칠일 후 ᄂᆡ면 죠흐니라.

52. 과하주(별별약주법) <주식시의(酒食是儀)>

술 재료 : 밑술 : 멥쌀 2말 5되, 좋은 누룩 1주발(탕기), 밀가루 1되, 끓는 물 25식기
덧술 : 멥쌀·찹쌀 각 30식기, 끓인 물 62식기, 소주(8~10식기)

술 빚는 법 :

* 밑술 :

1. 멥쌀 2말 5되를 희게 쓿어(도정을 많이 하여 백세한 후) 물에 담가 불렸다가 (다시 씻어 건져서 물기를 뺀 후) 곱게 빻아 가는체로 쳐서 넓은 그릇에 담는다.
2. 솥에 맛 좋은 물 25식기를 고붓지게(솟구치게) 끓여 뜨겁지도 차지도 않게 하여 쌀가루에 붓고 주걱으로 골고루 개어, 멍우리 없는 범벅을 짓는다.
3. 범벅을 온기 없이 차게 식힌 다음, 좋은 누룩 1주발(또는 탕기)과 밀가루 1되를 섞고, 고루 버무려 술밑을 빚는다.
4. 군내 나지 않는 술독을 짚불 연기 쏘여 소독한 후에 술밑을 담아 안치고, 예의 방법대로 하여 덥지도 차지도 않는 곳에 두어 20일간 발효시킨다.

* 덧술 :

1. 좋은 물 62식기를 팔팔 끓여 밤재워 차게 식기를 기다린다.
2. 멥쌀 30식기와 찹쌀 30식기를 희게 쓿어(도정을 많이 하여 백세한 후, 물에 담갔다가, 다시 씻어 건져서 물기를 뺀 후) 각각 시루에 안쳐서 고두밥을 짓는다.
3. 고두밥은 좋은 물을 안친 솥에 올려 찌되, 멥쌀고두밥에는 물을 많이 뿌려서 질게 찌고, 고두밥이 익었으면 각각 퍼내어 차게 식기를 기다린다.
4. 멥쌀고두밥과 찹쌀고두밥에 차게 식혀둔 물을 등분하여 한데 섞는다.
5. 각각의 고두밥에 밑술을 골고루 버무려 술밑을 빚는다.
6. 군내 나지 않는 술독을 짚불 연기 쏘여 소독한 후에 술밑을 담아 안치고, 예

의 방법대로 하여 김이 새지 않게 밀봉한다.

7. 술독은 덥지도 차지도 않는 곳에서 4~5일간 발효시킨 후 준비한 분량의 소주(8~10식기)를 붓고, 다시 밀봉하여 두었다가 푹 가라앉으면 용수 박아 채주한다.

* 주방문 말미에 "술밑을 오래 둘수록 좋으니라. 봄이면 꽃이 피기 전 밑하였다가, 두견화 약간 섞어 하면 두견주요, 여름에 소주 식기 더하면 과하주요"라고 하였으므로, 이에 '과하주' 주방문을 작성하였다.

별별약쥬법(과하주)이라

멥살 슈물다셧 되을 희계 씰러 담가다가 곱계 ᄉᆡᆨ아 가는 체로 쳐셔 물 맛 죠흔 것스로 고부지계 ᄭᅳ려 슈물다셧 식기을 듭도 ᄎᆞ도 안케 ᄒᆞ여 망올 업시 반쥭ᄒᆞᆫ 후 온긔 읍시 식이여 누룩 ᄒᆞᆫ 쥬발 ᄒᆞᆫ 탕긔 진말 ᄒᆞᆫ 식기 녁고 고로 버물리여 군ᄂᆡ 읍은 항아리 집ᄂᆡ 쏘이여 항아리의 너허 덥도 ᄎᆞ도 안이ᄒᆞᆫ ᄃᆡ 두엇ᄃᆞ 이십 일 만의 멥살 셔른 식긔 찹살 셔른 식긔 희계 씰러 쓰되 각각 죠흔 물의 씨계 ᄒᆞ고 메밥은 물 만이 ᄲᅮ려 질계 쪄셔 더운 긔운 읍시 식인 후 죠흔 물 고부지계 ᄭᅳ려 ᄒᆞ로밤 ᄌᆡ운 후의 예슌두 식긔을 ᄒᆞᆫᄃᆡ 여흐되 찹살밥과 멥살밥 밋쳘 ᄂᆡ여 고로 셕거 ᄒᆞᆫᄃᆡ 버무려 알마진 항아리의 군ᄂᆡ 읍시 집ᄂᆡ 쏘이여 넉코 짐 안니 나계 부리을 봉ᄒᆞ여 덥도 ᄎᆞ도 안이ᄒᆞᆫ ᄃᆡ 두고 슐이 다 되면 푹 가라안나이 용슈 너어 ᄡᅥ먹ᄂᆞᆫ니 밋쳘 오ᄅᆡ 둘ᄉᆞ록 조흐이라. 봄이면 ᄭᅩᆺ 피기 젼의 밋 ᄒᆞ여ᄡᅡ가 덧틀 졔 두견화 약간 셕거 ᄒᆞ면 두견쥬요, 여름의 소쥬 식기 더ᄒᆞ면 과하주요, 송슌을 약간 너흐면 송슌쥬요, 이 슐은 날물이 안이 든 슐인 고로 치담ᄒᆞ고 두통이 업ᄂᆞᆫ이라.

53. 과하주 <주찬(酒饌)>

술 재료 : 찹쌀 1말, 누룩가루 5홉, 끓여 식힌 물 4되, 소주 9되

술 빚는 법 :

* 밑술 :

1. 도정을 많이 하여 깨끗한 찹쌀 1말을 백세하여 물에 하룻밤 담가 불려놓는다.
2. 명주 자루에 누룩가루 5홉을 담아 주둥이를 묶은 뒤, 소스라치게 끓여 식힌 물 3복자에 담가 수곡(물누룩)을 만들어놓는다.
3. 찹쌀을 (다시 씻어 건져서 물기를 뺀 후) 시루에 담아 안쳐 고두밥을 짓는다.
4. 물 1복자를 팔팔 끓여서 차게 식힌 뒤 (고두밥에서 한김 나면 골고루 살수하고) 센불로 다시 쪄서 무르게 익힌다.
5. 고두밥이 익었으면 퍼내고, 고루 펼쳐서 차게 식기를 기다린다.
6. 누룩을 담은 명주 자루를 쥐어짜서 자루 안에 밀기울만 남았으면 건져내어 누룩물을 만들어놓는다.
7. 거른 누룩물에 고두밥을 합하고, 고루 치대어 술밑을 빚는다.
8. 술밑을 술독에 담아 안치고, 예의 방법대로 하여 3일간 발효시킨다.
9. 4일째 되는 날 증류식 소주 9복자를 붓고, 다시 밀봉하여 발효시킨다.

* 주방문 말미에 "청명일에 샘물을 길어다 빚으면 오래 간다."고 하였다.

過夏酒

精粘米一斗百洗沈之曲末五合盛紬帒而水四升猛煎待冷以曲末帒浸之翌日始浸粘米蒸飯而水一瓾子煎待冷同調猛烝待冷後以浸曲帒切握盡漉曲汁以其汁水調飯釀之堅封三日後燒酒九鐥注入若欲烈則十鐥注入用之淸明以泉水造酒可留久.

54. 과하주 <주찬(酒饌)>

술 재료 : 찹쌀 9되, 멥쌀 2되, 누룩가루 6~7홉, 물 3되, 중품소주 11되

술 빚는 법 :

1. 물 3복자를 소스라치게 끓여서 차게 식히되, 온기를 남긴다.
2. 누룩가루 6~7홉을 명주 주머니에 담아 준비한 물에 담가서 물누룩을 만든다.
3. 누룩 불린 명주 주머니를 주물러 짜서 찌꺼기를 제거한 누룩물을 만든다.
4. 멥쌀과 찹쌀을 백세하여 (물에 담가 불렸다가, 다시 씻어 맑은 물이 나올 때까지 헹궈서 소쿠리에 밭쳐 물기를 뺀 후) 시루에 안쳐서 무른 고두밥을 짓는다.
5. 고두밥이 익었으면 퍼내고, 고루 펼쳐서 차게 식기를 기다린다.
6. 누룩물에 고두밥을 합하고, 고루 치대어 술밑을 빚는다.
7. 술독에 술밑을 담아 안친 다음, 준비한 중품소주 11되를 붓는다.
8. 술독은 예의 방법대로 하여 춥지도 덥지도 않은 곳에 앉히고 20일간 발효시킨다.

* 주방문에 "1년을 두어도 변치 않는다. 소주가 너무 독하면 거북해서 좋지 않고, 싱거우면 달아서 좋지 않다. 술 빚을 때 '군물(날물)기가 없이' 빚으라." 고 하였다.

過夏酒

猛煎水三鐥待冷而似有溫氣好曲末六七合盛于紬帒仍浸於煎水翌日浸時切握曲帒漉其曲汁其滓棄之後粘米九升白米二升同糅煇烝待冷合曲汁水釀之後中品燒酒十一鐥注入而觀其時節置于不寒不熱處二十日後用之雖過一年不變也若燒酒甚烈毒則窘而不好也其浮淡則甘而不美也故宜取中品可也釀時器

與水皆無客水氣可也.

55. 과하주 <주찬(酒饌)>

술 재료 : 찹쌀 2말, 가루누룩 1되, 좋은 술 9복자

술 빚는 법 :

1. 찹쌀 2말을 백세하여 (물에 담가 불렸다가, 다시 씻어 헹궈서 물기를 뺀 후) 시루에 안쳐서 고두밥을 짓는다.
2. 고두밥이 익었으면 퍼내고, 고루 펼쳐 차게 식기를 기다린다.
3. 고두밥에 가루누룩 1되와 좋은 술(소주) 9복자를 섞고, 고루 버무려 술밑을 빚는다.
4. 술독에 술밑을 담아 안치고, 예의 방법대로 하여 발효시킨다.

* 주방문 말미에 "익으면 가장 좋은 술이 된다."고 하고, "군물기가 없어야 한다."고 하였다.

過夏酒

粘米二斗百洗蒸冷末曲一升最好品酒九鐥合調釀熟則最好也 無客水氣也.

56. 과하주 <주찬(酒饌)>

술 재료 : 찹쌀 1말, 누룩가루 5홉, 끓여 식힌 물 4되, 소주 8~12되

술 빚는 법 :

1. 깨끗한 찹쌀 1말을 백세하여 새 물에 담가 하룻밤 불려놓는다.
2. 고운 누룩가루 5홉을 명주 자루에 담고 주둥이를 묶어놓는다.
3. 물 3되를 솥에 붓고, 소스라치게 끓인 뒤 차게 식힌 후, 자루에 담은 누룩을 넣고 하룻밤 불린다.
4. 다시 솥에 물 1되를 끓여서 차게 식힌다.
5. 찹쌀을 새 물에 헹궈 건져서 물기를 뺀 후, 시루에 안쳐서 무른 고두밥을 짓는다.
6. 고두밥에서 한김 날 때, 차게 식혀둔 물을 뿌려주어 무르게 익힌 다음, 퍼내어 고루 펼쳐서 차게 식기를 기다린다.
7. 물누룩은 자루를 제물에 주물러서 짜서, 누룩찌거기만 제거한 누룩물을 만든다.
8. 누룩물에 고두밥을 합하고, 고루 버무려 술밑을 빚는다.
9. 술독에 술밑을 담아 안치고, 예의 방법대로 하여 3일간 발효시킨다.
10. 3일 후 술이 잘 끓었는지 살핀 다음, 준비한 소주를 붓되, 달게 하려면 8~9되를 붓고, 독하게 하려면 소주를 좀 더 붓는다.

* 주방문에 "군물기를 없이 해야 한다."고 하였다.

過夏酒

精粘米一斗美以百洗浸之細曲末五合盛紬帒而水三升猛煎後曲帒浸之翌日水一升煎沸待冷灑於浸出粘米烝飯待冷以浸曲漉其浸水去滓合釀堅封三日後視爛熟與否以露.

57. 과하주법 <증보산림경제(增補山林經濟)>

술 재료 : 찹쌀 1말, 누룩가루 5홉, 물 5홉, 끓여 식힌 물 8~9홉, 소주 9~11복자

술 빚는 법 :

1. 찹쌀 1말을 숫자를 헤아려가며 백세하여 물에 담가 하룻밤 불렸다가, 다시 씻어 헹궈서 건져 물기를 뺀다.
2. 곱게 가루 내어 만든 누룩가루 5홉을 명주 자루에 담고, 팔팔 끓여 차게 식힌 물 5홉에 불려 하루 동안 지낸 뒤, 체에 밭쳐 찌꺼기를 제거한 누룩물을 만든다.
3. 물 8~9홉을 팔팔 끓여 차게 식히고, 불린 쌀을 시루에 안쳐 고두밥을 무르게 짓되, 식혀둔 물을 고두밥에 뿌리고, 뜸을 들여 푹 익힌다.
4. 고두밥이 익었으면 퍼낸다(고루 펼쳐서 차게 식기를 기다린다).
5. (차게 식힌) 고두밥에 누룩물을 넣고 고루 버무려 술밑을 빚는다.
6. 술밑을 술독에 담아 안치고, 예의 방법대로 하여 3일간 발효시킨다.
7. 술독을 열어보아 술이 많이 익어 술맛(쓴맛)이 나면, 술독에 준비한 분량의 소주 8~11복자를 붓는다.
8. (소주를 붓되 젓지 말고 그대로) 재차 밀봉하여 7일간 숙성시킨다.
9. 술이 익으면 용수나 술자루를 이용하여 채주한다.

* 주방문에 "산주백세침윤(算籌百洗浸潤)"이라고 하여 "수를 헤아려가면서 백 번 씻어 물에 담가 불려서"라고 하여 쌀을 많이 씻을 것을 강조하였다. 또 "술맛을 달게 하려면 소주를 9복자를 붓고, 콕 쏘게 독한 술을 빚으려면 소주를 11~12복자 붓는다."고 하였다. <고사촬요>, <고사십이집>의 주방문과 동일하다.

過夏酒法

欲釀 粘米一斗算籌百洗浸潤又以細末麯五合盛細佈用湯水半瓶候冷浸之 翌日取淨水八九合湯沸候冷取出將粘米以洒勻之蒸熟後和以浸麯水麯佈取麯水中揉先取汁去滓納缸封固至三日開視其爛熟與否以白色性平順露酒洒灌之而若粘釀甘則用九鐥要味烈更加二三鐥要甘則量減灌之後七日上槽.

58. 과하주 우방 <증보산림경제(增補山林經濟)>

술 재료 : 찹쌀 1말, 누룩가루 5홉, 백로주 10~14복자, 물 3~4홉

술 빚는 법 :

1. 찹쌀 1말을 백세하여 물에 담가 하룻밤 불렸다가 (다시 씻어 헹궈서) 물기를 빼놓는다.
2. 불린 쌀을 시루에 안쳐서 고두밥을 짓되, 물 3~4홉을 골고루 살수하여 (뜸을 들인 후) 익었으면 퍼내고 (고루 펼쳐서 차게 식기를 기다린다.)
3. 백로주 2~3복자를 고두밥에 뿌리고 손으로 비벼서, 밥알이 낱낱이 다 떨어지게 만들어놓는다.
4. 누룩가루 5홉을 고두밥에 합하고, 고루 버무려 술밑을 빚는다.
5. 술밑을 술독에 담아 안치고, 예의 방법대로 하여 뜨겁지도 차지도 않은 곳에 두고 (4~5일간) 발효시킨다.
6. 4~5일 후에 술독을 열어보아 술이 농익었으면(끓었으면) 백로주 (8~11)복자를 고루 붓고 저어준다.
7. 술독은 재차 밀봉하여, 밥이 다 삭아서 가라앉을 때까지 발효 · 숙성시킨다.

* 본방과 다른 점은, 탕수를 비롯하여 일체의 양주용수가 사용되지 않는다는 점이다.

過夏酒法 又方

粘米一斗百洗水浸一宿漉水洒水三四合蒸熟後以市拭器使無水氣鋪其蒸飯候冷以白色露酒數鐥洒調以飯粒散解爲度和麯末五合入缸置不熱不冷處待其爛熟以白色露酒如常法灌之甘烈隨意候其飯之盡解而上槽.

59. 과하주 우방 <증보산림경제(增補山林經濟)>

술 재료 : 찹쌀 9되, 멥쌀 2되, 고운 누룩가루 5홉, 중품 백로주 10사발, 끓여 식힌 물 3주발

술 빚는 법 :

1. 곱게 가루 내어 만든 누룩가루 5홉을 명주 자루에 담고, 팔팔 끓여 차게 식힌 물 3주발에 불려 하루 동안 지낸다.
2. 다음날 물누룩을 주물러 체에 밭쳐 찌꺼기를 제거한 누룩물을 만든다.
3. 찹쌀 9되와 멥쌀 2되를 백세하여 물에 담가 하룻밤 불렸다가 (다시 씻어 헹궈서) 물기를 빼놓는다.
4. 불린 쌀을 시루에 안쳐서 고두밥을 짓고, 익었으면 퍼내고 (고루 펼쳐서 차게 식기를 기다린다.)
5. 고두밥에 누룩물을 한데 합하고, 고루 버무려 술밑을 빚는다.
6. 술밑을 술독에 담아 안치고, 그 위에 준비한 분량의 중품 백로주 10사발을 붓는다.
7. 술독은 예의 방법대로 하여 차지 않은 곳에 두고 20일간 발효시켜 익기를 기다린다.

* 주방문 말미에 "이 과하주는 여름을 나도 맛이 변하지 않는다. 절대로 생수기를 금해야 한다. 소주가 너무 독해도 좋지 않고 너무 약해도 좋지 않다. 반

드시 중품을 써야 좋다."고 하였다.

過夏酒法 又方

好麯細羅七合裏於苧布以湯水三鉢候冷浸麯囊於其水待其翌其時取麯囊就其水中以手揉洗出汁良久去其滓用粘米九升白米二升百洗爛蒸候冷合於麯水納甕中以中品燒酒十砂鉢調之置不冷處二十日後方熟雖過夏味不變切忌生水氣燒酒太烈不好太劣亦不好必用中品方佳.

60. 과하주 <치생요람(治生要覽)>

술 재료 : 찹쌀 1말, 누룩가루 5홉, 끓여 식힌 물 3되, 끓인 우물물 1되, 소주 8~9되

술 빚는 법 :

1. 찹쌀 1말을 백세하여 물에 담가 (하룻밤) 불렸다가, 다시 씻어 헹궈서 건져 물기를 뺀다.
2. 누룩을 곱게 가루 내어 5홉을 가는베로 만든 술자루에 담고 끈으로 묶어 놓는다.
3. 팔팔 끓여 차게 식힌 물 3되에 누룩자루를 불려 하룻밤 지낸 뒤, 다음날 체에 밭쳐 찌꺼기를 제거한 누룩물을 만든다.
4. 우물물 1되를 팔팔 끓여 차게 식히고, 불린 쌀을 시루에 안쳐 고두밥을 무르게 짓되, 식혀둔 물을 고두밥에 뿌리고, 뜸을 들여 푹 익힌다.
5. 고두밥이 익었으면 퍼낸다(고루 펼쳐서 차게 식기를 기다린다).
6. (차게 식힌) 고두밥에 누룩물을 넣고, 고루 버무려 술밑을 빚는다.
7. 술밑을 술독에 담아 안치고, 예의 방법대로 하여 3일간 발효시킨다.
8. 술독을 열어보아 술이 많이 익어 술맛(쓴맛)이 나면, 술독에 준비한 분량의 소주 8되를 붓고, 맛을 진하게 하려면 소주 10되를 더 붓는다.

9. (소주를 붓되 젓지 말고 그대로) 재차 밀봉하여 7일간 숙성시킨다.
10. 술이 익으면 용수나 술통에 담아 채주한다.

* 방문에 "술맛을 달게 하려면 소주를 6되를 붓고, 콕 쏘게 독한 술을 빚으려면 소주를 10되를 붓는다."고 하였다. 이때는 되(升)는 소승을 가리킨다.

過夏酒

粘米一斗算以百洗浸水又以細末曲末五合盛細帒沈湯水三升翌日淨水一鉢湯沸待冷洒均上粘米蒸飯和和以沈曲水入瓮封口三日以燒酒灌之六升則甘十升烈七日上槽.

61. 과하주 <한국민속대관(韓國民俗大觀)>

술 재료 : 멥쌀(1말), 누룩가루(2되), 물(1말), 과일(여러 가지 꽃)

술 빚는 법 :

1. 매 3일에 (멥쌀 1말을 백세하여 물에 하룻밤 불렸다가, 다시 씻어 건져서 물기를 뺀 뒤) 고두밥을 짓는다.
2. (고두밥이 익었으면 퍼내고, 고루 펼쳐서 차게 식기를 기다린다.)
3. (쌀 담그는 날 누룩가루(2되)와 물(1말)을 고루 섞어 수곡(물누룩)을 만들어 하룻밤 불려놓는다.)
4. (차게 식은 고두밥에 물누룩을 합하고, 고루 버무려 술밑을 빚는다.)
5. (술독에 술밑을 담아 안치고, 예의 방법대로 하여 (5일간) 발효시킨다.)
6. 술이 숙성되었으면 (물을 적당량 쳐가면서 체에 걸러 막걸리를 만든다.)
7. 예의 방법대로 솥에 막걸리를 담아 안치고, 소줏고리를 얹어 증류한다.
8. 받아낸 소주에 과일이나 여러 가지 꽃을 넣고 밀봉하여, 술독을 땅에 묻어

숙성시켰다가 7일 만에 마신다.

과하주(過夏酒)

이 술은 소주를 원료로 하여 그 속에 여러 가지 꽃을 따다 땅속에 묻어 숙성(熟成)을 시킨 것이다. 원래는 '삼오주(三五酒)'라 하여 3일에 탁주를 만들어 땅속에 묻어두었다가 5일이 되면 꺼내어 이것을 원료로 하여 소주를 뽑고, 다시 그 소주에 여러 가지 과일 혹은 꽃을 넣어 묻어두었다가 7일에 마신다고 한다. 기록의 방법은 이와 같으나, 다른 문헌의 과하주류와는 전혀 다른 방법임을 알 수 있다. 즉 침출주 방식이기 때문이다. 절기주로 구분한다.

62. 과하주 <해동농서(海東農書)>

술 재료 : 밑술 : 찹쌀 1말, 누룩가루 5홉, 물 5홉, 끓여 식힌 물 8~9홉
덧술 : 소주 9~11복자

술 빚는 법 :

* 밑술 :

1. 많이 찧어 도정을 많이 한 찹쌀 1말을 백세하여 물에 담가 하룻밤 불렸다가, 다시 씻어 헹궈서 건져 물기를 뺀다.
2. 곱게 가루 내어 만든 누룩가루 5홉을 명주 자루에 담고, 팔팔 끓여 차게 식힌 물 5홉에 불려 하루 동안 지낸 뒤, 체에 밭쳐 찌꺼기를 제거한 누룩물을 만든다.
3. 물 8~9홉을 팔팔 끓여 차게 식히고, 불린 쌀을 시루에 안쳐 고두밥을 무르게 짓는다.
4. 고두밥에서 한김 나면 식혀둔 물을 고두밥에 뿌리고, 뜸을 들여 푹 익힌 후, 익었으면 퍼낸다(고루 펼쳐서 차게 식기를 기다린다).

5. (차게 식힌) 고두밥에 누룩물을 넣고 고루 버무려 술밑을 빚는다.
6. 술밑을 술독에 담아 안치고, 예의 방법대로 하여 3일간 발효시킨다.
7. 술독을 열어보아 술이 많이 익어 술맛(쓴맛)이 나면, 술독에 준비한 분량의 소주 8~11복자를 붓는다.
8. (소주를 붓되 젓지 말고 그대로) 재차 밀봉하여 7일간 숙성시킨다.
9. 술이 익으면 용수나 술자루를 이용하여 채주한다.

* 방문에 "술맛을 달게 하려면 소주를 9복자를 붓고, 콕 쏘게 독한 술을 빚으려면 소주를 2~3복자 더 붓는다."고 하였다. <고사촬요>를 인용하였다.

過夏酒

粘米一斗算籌百洗浸又以細末麯五合盛細帒湯水半甁候冷浸帒翌日取淨水八九合湯沸候將粘米以灑勻蒸熟後和以半甁浸麯水麯末則不用入缸封口至三日開視其爛熟與否以露酒灌之若粘釀甘則灌九欲其味烈更加二三鐥欲甘則量減灌後七日上槽. <古事>.

63. 과하주 우방 <해동농서(海東農書)>

술 재료 : 찹쌀 1말, 누룩가루 2되, 좋은 소주 10사발, 물 3~4홉

술 빚는 법 :
1. 찹쌀 1말을 백세하여 물에 담가 하룻밤 불렸다가 (다시 씻어 헹궈서) 물기를 빼놓는다.
2. 불린 쌀을 시루에 안쳐서 고두밥을 짓되, 물 3~4홉을 골고루 살수하여 뜸을 들여 푹 익힌다.
3. 고두밥을 펴 담을 그릇을 수건으로 닦아 물기를 없이 하여, 고두밥이 익었으

면 펴 담는다(고루 펼쳐서 차게 식기를 기다린다).

4. 백로주 2~3복자를 고두밥에 뿌리고 손으로 비벼서, 밥알이 낱낱이 다 떨어지게 만들어놓는다.
5. 누룩가루 5홉을 고두밥에 합하고, 고루 버무려 술밑을 빚는다.
6. 술밑을 술독에 담아 안치고, 예의 방법대로 하여 뜨겁지도 차지도 않은 곳에 두고 (4~5일간) 발효시킨다.
7. 4~5일 후에 술독을 열어보아 술이 농익었으면(끓었으면) 노주 (8~11)복자를 고루 붓고 저어준다.
8. 술독은 재차 밀봉하여, 밥이 다 삭아서 가라앉을 때까지 발효·숙성시킨다.

* 본방의 과하주와 다른 점은 탕수를 비롯, 일체의 양주용수가 사용되지 않는다는 점이다.

過夏酒 一方

粘米一斗百洗水浸一宿漉出灑水三四合蒸熟後以巾拭器使無水氣鋪其蒸飯候冷以白露酒數鐥洒調以飯粒散解爲度和麯末五合入缸置不熱不冷處待其爛熟以露酒灌之甘烈隨意候其飯盡解上槽. <水閣方>.

64. 과하주 <홍씨주방문>

술 재료 : 찹쌀 1말, 누룩가루 1되 5홉, 끓는 물 7되, 백소주(3되 정도)

술 빚는 법 :

1. 찹쌀 1말을 백세하여(백 번 씻어 매우 깨끗하게 하여 말갛게 헹궈 불렸다가, 다시 씻어 건져서 물기를 뺀 다음) 작말한다(가루로 빻는다).
2. 시루에 쌀가루를 안치고 쪄서 백설기를 짓고, 솥에 물 7되를 끓인다.

3. 설기떡이 익었으면 퍼서 넓은 그릇에 담아놓고, 끓는 물을 골고루 퍼붓고, 주걱으로 개어(주걱으로 골고루 풀어 된죽같이 만들어) 차게 식기를 기다린다.
4. 떡에 누룩가루 1되 5홉을 한데 섞고, 고루 버무려 술밑을 빚는다.
5. 소독하여 물기 없는 술독에 술밑을 담아 안치고, 예의 방법대로 하여 3일가량 발효시킨다.
6. 술 1말을 고아 소주를 내려 얻어진 백소주 3되 정도를 술독 한가운데에 붓고, 뚜껑을 덮어 7일간 숙성시켜 (용수 박아) 채주하여 마신다.

* 주방문에는 "점미 한 말 백세작말하여 하루밤 담갔다가"로 되어 있으나, 쌀가루를 물에 담가 불리는 경우는 없으므로, "찹쌀을 백세하여 하룻밤 담가 불렸다가 작말한다."로 해석하였다.

과하주

점미 한 말 백세작말하여 하루밤 담갔다가, 익게 쪄 끓인 물 일곱 되 섞어 채와 누룩가루 되가웃 섞어두었다가, 삼일 만에 한 말 고운 소주를 다 가운데 헤쳐 붇었다가, 칠일 만에 쓰라.

두강주

스토리텔링 및 술 빚는 법

‘두강주(杜康酒, 杜江酒)’는 ‘두강춘(杜康春)’이라고도 하며, 단양주(單釀酒)와 이양주(二釀酒), 삼양주(三釀酒) 등의 주방문이 존재하고, 술 빚는 횟수에 따라 청주와 탁주로 나뉜다.

<군학회등(群學會騰)>을 비롯하여 <농정회요(農政會要)>, <민천집설(民天集說)>, <술방>, <시의전서(是議全書)>, <역주방문(曆酒方文)>, <음식디미방>, <음식보(飮食譜)>, <임원십육지(林園十六志, 高麗大本)>, <주방(酒方, 임용기 소장본)>, <증보산림경제(增補山林經濟)>, <홍씨주방문> 등 ‘두강주’를 수록하고 있는 문헌마다에는 ‘두강주(杜康酒)’라고 하였으나, <주찬(酒饌)>에는 ‘두강주(杜江酒)’라고 한 것을 볼 수 있다. 따라서 <주찬>의 ‘두강주(杜江酒)’는 ‘두강주(杜康酒)’의 오기인 듯하다. 이와 유사한 예로 ‘황감주(黃甘酒)’를 ‘황감주(黃柑酒)’로, ‘오향소주(五香燒酒)‘를 ’오향주(五香酒)’로, ‘지골피주(地骨皮酒)’를 ‘지골주(地骨酒)’로, ‘석탄향(惜呑香)’을 ‘석탄향(石炭香)’으로, ‘약산춘(藥山春)’을 ‘낙산

춘(樂山春)'으로 기록한 것을 볼 수 있기 때문이다.

<주찬>의 '두강주(杜江酒)'는 탁주 제조법으로, 다른 문헌의 '두강주(杜江酒)'와는 달리 밑술에는 물이 사용되지 않고 덧술에도 쌀 양의 10% 정도밖에 양주용수를 사용하지 않는 관계로 농도가 매우 진하고 단맛이 강한 술이라는 것을 알 수 있다. 그러한 까닭에선지 주방문 말미에 "소주를 타 마시면 매우 좋다(燒酒和飮太好)."고 하였다. 이로서 탁주 제조법의 '두강주(杜江酒)'를 응용한 혼양주법을 생각해 낸 것으로 볼 수 있다.

사실, "소주를 타 마시면 매우 좋다."라는 문구만을 놓고 보면 완성된 탁주 '두강주(杜江酒)'에 소주를 타 마시는 것으로 해석할 수도 있는데, 그와 같은 방법이라면 '혼돈주'로 보아야 할 것이다.

그러나 "맛이 꿀과 같아 술을 좋아하는 사람은 맛이 달아서 싫어하는데(味如蜜嗜酒人則厭其甘也), 소주를 타 마시면 매우 좋다(燒酒和飮太好)."로 풀이해야 할 것이므로, 단맛이 덜하게 하려면 "소주를 섞어서 빚으면 마시기 좋다."로 해석해야 옳다는 판단에서 여느 '과하주법'을 참고하여 혼양주 '두강주(杜江酒)' 주방문을 작성하였음을 밝혀둔다.

다만, <주찬>의 혼양주법 '두강주(杜江酒)' 역시도 소주의 품질과 사용량에 따라 '두강주(杜江酒)'의 맛과 향기가 달라질 수 있으므로, 탁주 '두강주(杜江酒)'의 단맛 정도를 판단해서 소주의 양을 가감해야 할 것이고, 소주의 양이 한정되어 있을 경우, 소주를 붓는 시기를 앞당길수록 단맛이 많고, 늦출수록 단맛이 적은 술이 된다는 시실은 잊지 말아야 한다.

두강주 <주찬(酒饌)>

술 재료 : 밑술 : 찹쌀 1되, 분곡(가루누룩) 1되
덧술 : 찹쌀 1말, 물 1사발, 중품소주(8~10복자)

술 빚는 법 :

* 밑술 :

1. 찹쌀 1되를 백세하여 (물에 담가 불렸다가, 다시 씻어 헹궈 건져서 물기를 뺀 뒤) 작말한다.
2. 쌀가루를 뜨거운 물로 익반죽한 다음, 구멍떡을 빚고 끓는 물에 넣어 삶는다.
3. 구멍떡이 떠오르면 건져내서 주걱으로 짓이겨 멍우리진 것 없이 풀고, 차게 식기를 기다린다.
4. 풀어놓은 떡에 가루누룩 1되를 합하고, 고루 치대어 술밑을 빚는다.
5. 술밑을 술독에 담아 안치고, 예의 방법대로 하여 4일간 발효시킨다.

* 덧술 :

1. 찹쌀 1말을 백세하여 (물에 담가 불렸다가, 다시 씻어 헹궈 건져서 물기를 뺀 뒤) 시루에 안쳐서 고두밥을 짓는다.
2. 고두밥에서 한김 나면 냉수 1사발을 붓고, 다시 쪄서 무르게 익힌 다음, 퍼내고 고루 펼쳐서 온기가 남게(차게) 식기를 기다린다.
3. 고두밥이 따뜻할 때(차게 식었을 때) 밑술과 합하고, 고루 치대어 술밑을 빚는다.
4. 술독에 술밑을 담아 안치고, 예의 방법대로 하여 7일간 발효시키는데, 아침 저녁으로 죽봉으로 휘저어 준다.
5. 술이 숙성되면 (중품)소주 (8~10복자를) 섞고, 소주 냄새가 가실 때까지 숙성시킨 다음 채주하여 마신다(마실 때 소주를 섞어 마신다.)

* 주방문 말미에 "맛이 꿀과 같아 술을 좋아하는 사람은 맛이 달아서 싫어하는데, 소주를 타 마시면 매우 좋다."고 하였으므로, '과하주법'의 '두강주(杜康酒)'가 존재한다는 것을 알 수 있다. 그리하여 이 주방문을 작성하였다.

杜江酒

粘米一升百洗作末作孔餠烹之待冷末曲一斗合調四日後粘米一斗百洗烝之而

水一碗灑之烝出只去大熱氣方溫時調釀於本酒置于太熱處多擁裹覆而朝夕以竹木揮攪七日後用味如蜜嗜酒人則厭其甘也. 燒酒和飮太好.

백화주

스토리텔링 및 술 빚는 법

"아는 만큼 보인다."고 한다. 그리고 '아는 만큼'은 보고 배우고 익히는 데서 체화되기도 하지만, 끝없이 생각하고 탐구하다 보면 언제부턴지 모르게 술의 원리에 대해 터득하게 되는 것이 있는데, 소위 "물리(物理)가 텄다."고 하는 것이다.

술 빚는 일을 허투로 생각하는 사람들에게는 미안한 얘기지만 술을 빚는 일에도 규칙과 절차, 격식이 있어야 하고, 그렇게 해서 익힌 술이라면 양주인 스스로가 음주에도 격조를 갖추기 위해 노력해야 한다고 생각한다.

매번 강조하는 얘기지만, 술을 빚고자 하면 반드시 목적과 용도가 있어야 한다고 강조해 왔다. 그리고 그 목적과 용도가 뚜렷했을 때 소위 '명주(名酒)'라는 것도 만들어진다고 생각한다.

한글 붓글씨본인 <술방문>에 수록된 '백화주' 주방문을 보고 난 후 떠오른 생각들이다. 먼저 <술방문>은 국립중앙박물관에 소장된 한글 필사본이다. 주품 및 주방문은 모두 7종으로 '송순주'를 비롯하여 '백화주', '향훈주', '진종주', '석탄주', '홍나주', '두견주' 등이 수록되어 있는데, 찬자(撰者) 미상이다.

그런데 <술방문>의 '백화주법'은 엄밀한 의미에서 가향혼양주류의 '백화주(百花酒)'는 아니다. 오히려 약용혼양주류의 한가지인 '오향소주'나 '오종주'에 더 가깝다고 할 수 있다. 부재료로 꽃이 아닌 생강을 비롯하여 후추와 계피 등 약용약재로 이루어졌기 때문이다.

필자의 경험으로 이러한 <술방문>의 '백화주법' 주방문에는 몇 가지 비밀이 숨겨져 있다. 그리고 그것이 한두 해 술을 빚어보고 작성한 주방문이 아닌, 수십 년의 축적된 노하우가 녹아 있다는 것을 알 수 있었다.

<술방문>의 '백화주법'의 주방문을 보면, "경미 일곱 되 오 홉을 희게 술어 씨갓시 싯쳐 담가다가 쪄셔 더운 짐 업시 식거든 가로누록 셔 홉 엿기름가로 칠 홉 너허 버무러 ᄒᆞ로밤 지닌 후의 효쥬 열 ᄉᆞ발 붓고 ᄉᆡᆼ강 셔 홉 갈고 후초 게피가루 ᄒᆞᆫ 돈즁식 게말(세말)을 ᄒᆞ여 ᄇᆡᆨ즙치의 너허 슐 속의 너허다가 칠팔일 만의 용슈박아 써 먹나이라."고 하였다.

주방문을 보면 알 수 있듯 <술방문>의 '백화주법'은 양주기법으로 보면 '과하주'와 같은 혼양주류(混釀酒類)에 속하고, 이미 알려져 있는 '오향소주'나 '오종주', 그리고 전남 지방의 무형문화재로 지정된 '보성 강하주'와 그 주방문이 매우 유사하다.

'오향소주'는 <농정회요(農政會要)>를 비롯하여 <임원십육지(林園十六志)>, <주찬(酒饌)>에서 볼 수 있는데, <농정회요>와 <임원십육지>의 '오향소주' 주방문에는 양주용수에 대한 언급이 없다. 단지 고두밥과 누룩을 섞어 발효시키는 것으로 되어 있다는 점에서는 <술방문>의 '백화주법'과 같으나, '백화주법'은 술 빚은 지 하루 만에 소주와 약재를 넣는 것으로 되어 있지만 '오향소주'는 발효기간에 대한 언급이 없고, 발효된 후에 약재와 소주를 붓는다는 점에서 차이를 발견할 수 있다.

이 두 가지 방법의 차이는 주질의 차이로 나타난다는 점에서 그 의미를 찾을 수 있다고 하겠다. 경험적으로 '백화주법'의 경우 발효과정에서 자칫 실패를 초래할 수가 있다는 점에서 세심한 관리와 기술이 필요하다.

이를테면 '백화주법' 주방문에서 보듯 차게 식은 고두밥과 누룩가루 엿기름가루를 한데 섞어 술밑을 빚는데, 그 과정이 여간 힘들다는 점이다. 자칫 고두밥이 건조되었거나 누룩가루와 충분히 섞이지 않으면, 발효 중에 고두밥의 수분증발을 초래하여 전분은 호화되기 전단계로 돌아가게 되고, 당화는커녕 산패를 일으키기 쉽다는 것이다. 또 고두밥의 당화와 알코올 발효가 이뤄지지 않은 상태에서 소주를 붓게 되면, 오히려 소주로 인하여 발효가 억제되는 문제를 초래하여 또한 감패하기 쉽다는 사실이다.

특히나 '오향소주' 주방문에서와 같이 4~7일 정도 발효시키기 위해서는 양주용수를 사용해야 하는 것으로 주방문을 보완·작성하게 되었으며, 바로 이러한 사실 때문에 '백화주법'은 세심한 주의와 기술이 필요하다는 것이다.

그런 의미에서 <주찬>의 '오향주'는 혼성주 개념의 주방문으로 다소 차이가 있지만, 먼저 수곡(水麯)을 만들어두었다가 고두밥을 지어 차게 식힌 뒤 수곡과 합하여 술밑을 빚고 7일 정도 발효시킨 후, 소주와 5가지 약재를 첨가하는 방법인 전형적인 혼양주법을 취하고 있다는 점에서 매우 합리적인 기법이라고 할 수 있다.

'백화주법'을 성공적으로 이끌기 위해서는 고두밥을 찔 때에 살수량을 충분히 하여 무르고 부드러운 고두밥을 만들어야 하고, 누룩가루도 고운 가루로 사용하여야 한다. 고두밥이 무르고 누룩을 고운 가루로 만들어 사용하면 혼화작업이 용이하지만, 당화가 이루어져야만 발효가 가능하다는 점에서 당화를 촉진시킬 수 있는 방법을 강구하게 된 것이 엿기름가루를 사용하게 된 배경이다.

하지만 문제는 용매로서의 양주용수가 사용되지 않으므로, 최대한 발효를 촉진시킬 수 있는 또 다른 방법을 강구해야만 한다는 것이다. 주방문에서 보듯 '백화주법'은 술밑의 발효기간이 하루이고, 다음날 소주(효주)를 붓는 것으로 되어 있는 만큼, 자칫 초래될 수 있는 감패나 산패를 예방하기 위해서는 술독을 단단히 밀봉하여야만 한다.

이는 발효 시 자체의 품온 상승에 따른 수분증발을 최소화해야만 하기 때문이고, 비교적 따뜻한 곳에서 발효시켜야 고두밥을 삭힐 수 있기 때문이다. 이렇게 되면 특히 엿기름가루로 인해 당화가 빨라져 고두밥은 푹 삭은 농당상태의 술덧이 되지만, 소주(효주)를 붓게 되면 당도는 낮아지고 소주의 도수도 희석이 되어 더디지만 발효가 지속적으로 일어나게 된다.

바로 이러한 발효과정이 <술방문>의 '백화주법'에서 요구되는 기술인데, 생강과 후추, 계핏가루를 사용하면서도 '백화주'라는 주품명을 붙이게 된 배경을 추측해 볼 수 있다.

이들 세 가지 재료는 다 같이 매운 맛을 특징으로 한다는 공통점을 지니고 있는데, 양주용수를 사용하지 않음으로써 농당상태의 술덧을 만들고, 여기에 중품의 소주(효주)를 사용함으로써 의도적으로 지연발효를 유도하는, 그 결과 향기가 풍부하면서도 부드럽고 바디감이 뛰어난 '백화주'를 얻을 수 있다는 것이다.

단, <술방문>의 '백화주'는 당도가 높아 저장성은 좋지만 시간이 오래 경과하면 산화가 빨라서 술 빛깔이 빨리 변하는 단점이 있으므로, 발효가 끝나면 곧바로 채주하여 병입한 후 냉장고에 보관해 두고 마실 것을 권한다.

백화주법 <술방문>

술 재료 : 찹쌀 7되 5홉, 누룩가루 3홉, 엿기름가루 7홉, 생강 3홉, 후추 1돈, 계피 1돈, 소주 10사발

술 빚는 법 :

1. 찹쌀 7되 5홉을 매우 깨끗이 씻어(백세하여) 물에 담가 불린다(다시 헹궈 건져서 물기를 빼놓는다).
2. 불린 쌀을 시루에 안쳐서 무른 고두밥을 찌고, 익었으면 시루에서 퍼내고 주걱으로 고루 펼쳐서 차게 식기를 기다린다.
3. 차게 식은 고두밥에 누룩가루 7홉과 엿기름가루 7홉을 한데 합하고, 고루 버무려 술밑을 빚는다.
4. 술밑을 술독에 담아 안치고, 예의 방법대로 (밀봉)하여 서늘한 곳에서 1일간 발효시킨다.
5. (준비한 분량의 약재를 물로 깨끗하게 씻어서 소쿠리에 건져서 물기를 빼놓

는다. 생강은 껍질을 벗겨서 편으로 썰어놓는다.)

6. 베주머니에 깨끗이 씻어 말린 큼직한 돌멩이와 함께 생강과 후추, 계피를 넣고 끈으로 묶어놓는다.
7. 다음날 술독을 열고 준비한 분량의 소주 10사발을 붓고, 약재 주머니를 술독 한가운데에 쑤셔 박고, 떠오르지 않게 한다.
8. 술독은 다시 예의 방법대로 (밀봉하여 따뜻하지도 서늘하지도 않은 곳에서) 7일간 발효시킨 후 채주하여 마신다.

* 주방문에는 '백화주(百花酒)'라고 하였으나, '과하주'와 같은 혼양주류의 하나인 '오종주'와 방문이 매우 유사하다.

ᄇᆡᆨ화쥬법이라

경미 일곱 되 오 홉을 희게 술어 찌갓시 싯쳐 담가다가 쪄셔 더운 짐 업시 식거든 가로누룩 셔 홉 엿기름가로 칠 홉 너허 버무러 ᄒᆞ로밤 지닌 후의 효쥬 열 ᄉᆞ발 붓고 ᄉᆡᆼ강 셔 홉 갈고 후초 게피가루 ᄒᆞᆫ 돈즁식 게말을 ᄒᆞ여 ᄇᆡᆨ즙치의 너허 숡속의 너허다가 칠팔일 만의 용슈 박아 쪄먹나이라.

산사주

스토리텔링 및 술 빚는 법

배나무과에 딸린 낙엽활엽 중간 키 나무에 4~5월에 하얀 꽃이 피고, 9~10월에 도토리만 한 열매가 빨갛게 익는다. 맛이 시고 달아서 아이들이 더러 따서 먹기도 하는데, 이를 산사라고 하며, 아가위산사 · 적과자 · 산과자 · 찔광이 · 질구배 · 아가배 등으로 불리고 있다. 산사는 그 성질이 약간 따뜻하고 맛은 시고 달다.

<본초강목(本草綱目)>에 "아가위는 음식을 소화시키고 육적(고기에 체한 것)과 담음(늑막염), 함산(위산과다), 체혈통(어혈)을 없앤다. 두통을 없애고, 뿌리는 적취를 다스리고 반위(구토)를 치료한다. 오래된 것일수록 좋은데 쪄서 씨를 버리고 말려서 쓴다."고 하였다.

민간에선 산사가 지방을 분해하는 효소가 들어 있어, 이 효소가 소화액을 잘 나오게 하여 음식을 잘 소화되게 하고 혈압을 낮춘다고 하며, 삶아서 즙을 마시면 설사를 멎게 하고, 또 옻이 오른 데에도 효과가 있다. 심장부정맥이나 심근염 등 심장병에도 효과가 있다고 알려져 있다.

이 산사를 주재료로 하여 소주에 담가 우려서 마시거나 쌀과 함께 발효시킨 술이 '산사주(山査酒)'로, <임원십육지(林園十六志)>에 발효시켜 마시는 '산사주'가 주방문과 함께 등장한다.

이른바 '과하주'와 같은 혼양주류(混釀酒類)에 속한다고 할 수 있겠는데, <음식보(飮食譜)>의 '과하주'와 <임원십육지>, <농정회요(農政會要)> 등의 '오향소주'와 같은 주방문으로 이루어지고 있음을 볼 수 있다.

한편 <고려대규합총서(高麗大閨閤叢書, 異本)>의 '오향소주'와 <주찬(酒饌)>의 '오종주'도 그 성격 면에서는 '오향소주'나 '산사주'와 동일하다고 볼 수 있겠는데, 술 빚는 과정에서는 다소의 차이가 있는 것을 알 수 있다.

이와 같은 주방문은 민간의 전승가양주에서 흔히 볼 수 있는데, 익산 지방의 '쌀술'이나 보성과 영광 지방의 '강하주', 화성 지방의 '약소주' 등이 그와 같은 예에 속한다고 할 것이다.

'산사주'를 빚을 때 주의할 일은 산사의 선택이 첫째이다. 산사는 완숙한 열매를 선택해야 하는데, 덜 익은 것은 삽미가 많아 술맛을 그르칠 뿐만 아니라, 발효를 억지시키게 하는 성질이 있으므로, 빨갛게 익어서 가능한 한 떫은맛이 적고, 달콤새콤한 것이 좋다. 물에 깨끗하게 씻어 벌레나 이물질을 제거한 후, 절구에 넣고 거칠게 짓찧어서 사용한다. 짓찧지 않으면 산사의 과피가 두꺼워 그 성분이나 맛, 효능을 기대하기 어렵다.

다음으로 고두밥은 '반쯤 익게' 찌는 것으로 되어 있는데, 고두밥을 설익게 쪄서는 안 된다. 익게 찌되, 살수를 하지 말고 된고두밥으로 찌라는 것이다.

다만, 뜸을 들이지 않게 되면 술 빚는 일이 힘들게 되고, 결과적으로 고두밥이 삭지 않아 변질될 수 있으므로, 좋은 누룩을 선택해야 한다.

'산사주'는 주방문에도 나와 있듯이 누룩은 '대국(大麴, 중국 누룩)'을 사용하는 것으로 되어 있다. '대국'은 우리나라의 누룩과는 그 크기나 만드는 방법에서 차이가 있다. '대국'은 우리나라처럼 적게 만든 누룩보다는 발효력이 뛰어나다는 장점이 있긴 하지만, 술 빛깔이 검어지는 단점이 있다.

따라서 대국이 없을 때는 법제를 많이 하여 사용하는 것이 술의 향기나 빛깔, 맛 등 주질을 해치지 않는다.

'산사주'는 소주를 사용하는 것이 다른 약용약주와 구별되는 술로, 소주를 사용하되 그 양을 많이 넣어서는 안 된다.

또한 소주는 알코올 도수가 35%를 넘지 않는 중품소주를 사용하는 것이 좋은데, 소주 1근이면 600㎖ 정도에 해당하므로, 그리 많지 않은 양이다.

따라서 소주는 술밑을 다 빚은 후에 넣고, 다시 한 번 고루 버무려주는 것이 좋다. 술독은 김이 새지 않게 밀봉하여야 고두밥이 발효 중에 건조되어 산패하지 않으므로, 여러 겹 밀봉하여 발효시키는 요령이 중요하다.

산사주방 <임원십육지(林園十六志)>

술 재료 : 산사 3말, 기장(1말), 큰누룩 반 덩어리, 소주 1근

술 빚는 법 :

1. 잘 익은 산사를 구하여 벌레를 제거하고, 물에 깨끗이 씻어 건진 후, 절구에 찧어 깨뜨린다.
2. 기장 적당량(1말)을 (백세하여 물에 담가 불렸다가, 다시 씻어 헹궈서 물기를 뺀 후) 시루에 안쳐서 고두밥을 짓는다.
3. 기장고두밥이 반쯤 익었으면 퍼내고, 넓게 펼쳐서 차게 식기를 기다린다.
4. 산사 찧은 것 3말과 기장고두밥, 대국(큰누룩) 반 쪽(덩어리), 소주 1근을 한데 합하고, 고루 버무려 술밑을 빚는다.
5. 술독에 술밑을 담아 안치고, 예의 방법대로 하여 발효시키고 익기를 기다린다.

* <임원십육지>에 '산사주'에 대하여 "술맛이 감미롭고 담백해서 취하지 않으며 소화를 돕는다."고 하였을 뿐 구체적인 주방문을 볼 수 없다.

山査酒方

山查熟時擇擘去蟲洗淨控乾搗半碎每缸用三斗隨添黍米少許亦可以甑烝半熟取出攤冷入大麴半塊燒酒一斤拌如常法其味甘淡不醉人極消食積. <群芳譜>.

송순주

스토리텔링 및 술 빚는 법

'송순주(松笋酒, 松荀酒)'는 우리나라 사람들의 고유한 음주문화적 측면에서 "가장 한국적인 정취를 간직한 술"이라고 할 수 있으며, 다른 한편으로는 "가장 세계적인 술로 자리매김할 수도 있는, 가능성이 무궁한 술"이라는 것이 필자의 소견이다.

우리나라의 전통 술 빚기에서 가장 널리 사용되고 있는 부원료가 바로 소나무에서 얻어지는 송순(松荀)을 비롯하여 송엽(松葉) · 송화(松花) · 송절(松節) · 송령(松鈴) · 송지(松脂) · 송액(松液) · 송근(松根) 등을 이용하여 다양한 주품의 양주가 가능하다는 사실에서다.

우선 소나무는 우리 주변에서 손쉽게 구할 수 있는 재료이면서 가장 친숙하다는 사실이고, 향기뿐만 아니라 여러 가지 성인병에 대한 약효도 인정되고 있다.

특히 소나무를 주원료로 한 주품 가운데 '송순주'는 주독해소(酒毒解消)에 뛰어난 효과를 나타내며, 위장병과 풍치(風齒), 신경 관계 질환의 치료와 예방, 동맥경화 예방, 수족마비(手足痲痹) 등 풍증(風症)과 마비증상을 다스리는 효과를 나타내기 때문이다. 이는 소나무를 부재료로 한 여러 가지 약주류 가운데 으뜸이며, 무엇보다 맛과 향기가 뛰어나다는 데 그 가치가 있다.

이러한 '송순주'는 무엇보다 송순의 선택에 술의 품질이 달려 있다고 해도 과언이 아닐 만큼, 그 재료의 선택에 유의해야 한다.

이른 봄에 새로 자란 송순을 채취하는데, 길이가 15센티미터 이상인 것으로 모엽(母葉)을 제거하고, 수증기로 쪄서 수분을 제거하거나 끓는 물에 삶아서 건조 또는 냉각한 이후에 사용하는 것이 비결이다. 이와 같이 준비한 송순이라야 술맛이 쓰지 않고 향이 좋으며, 이물질과 잡맛이 없는 맑은 술을 얻을 수 있다.

우선 '송순주'는 크게 두 가지 양주법이 전해 오고 있는데, 첫째는 단양주법(單釀酒法) 또는 이양주법(二釀酒法)의 발효주 방식이고, 둘째는 발효주 방식의 '송순주'에 증류식 소주를 합하고 재차 발효·숙성시키는 혼양주법(混釀酒法)이 있다.

그리고 발효주 방식의 '송순주'는 다시 송순을 삶은 물을 양주용수로 사용하는 단양주법이 있고, 덧술에 삶은 송순을 단독으로 사용하거나 송순 삶은 물을 함께 사용하는 이양주법을 볼 수 있다.

본고에서는 혼양주법의 '송순주'에 대해서 다루기로 하고, 발효주 방식의 '송순주'에 대해서는 별도로 다루기로 한다,

혼양주법의 '송순주'는 먼저 별도로 빚은 발효주를 증류하여 소주를 얻고, 재차 범벅이나 죽, 고두밥에 누룩에 송순을 넣는 발효시키는 방법의 발효주 '송순주'에 먼저 빚어둔 증류식 소주를 넣어 발효·숙성시키는 혼양주법이 선호되었음을 알 수 있다. 이러한 혼양주법이라야 저장성이 높고, '송순주' 고유의 맛과 향기를 음미할 수 있기 때문이다.

혼양주법 '송순주'는 <고려대규합총서(高麗大閨閤叢書, 異本)>을 비롯하여 <군학회등(群學會騰)>, <규합총서(閨閤叢書)>, <농정회요(農政會要)>, <봉접요람>, <산림경제촬요(山林經濟撮要)>, <술방>, <술방문>, <술 빚는 법>, <승부리안주방문>, <시의전서(是議全書)>, <양주방>*, <우음제방(禹飮諸方)>, <음식책(飮食冊)>, <이씨(李氏)음식법>, <임원십육지(林園十六志)>, <조선무쌍신식요리제법(朝鮮無雙新式料理製法)>, <주식시의(酒食是儀)>, <증보산림경제

(增補山林經濟)>, <홍씨주방문> 등 20권의 문헌에 24차례나 등장하는데, 특히 <증보산림경제>에는 '송순주방(松笋酒方)'을 비롯하여 '송순주 본법(本法)' 외에도 '들은 방법(更聞法)'이라고 하여 두 가지 주방문을 수록하고 있다는 점에서 '송순주'가 상당한 인기와 사랑을 받았다는 사실을 확인할 수 있다.

특히 <고사촬요>의 '구주법(松荀酒)' 등 발효주 방식의 가향주를 포함하면, 그 인기를 반영한 만큼의 다양한 '송순주'가 세인들의 사랑을 받았을 것이라는 짐작을 할 수 있다.

실제로 <해동잡록(海東雜錄, 本朝)>에 "김정(金淨, 1486~1520년, 조선 전기의 문신)이 일찍이 '송순주'를 빚어 '벽향춘(碧香春)'이라 이름 짓고, 절구 한 수를 지어 심회(心懷)를 기탁하였다."는 기록을 엿볼 수 있는데, 그 내용은 다음과 같다.

汲取碧岩泉(바위틈의 샘물을 길어다가)
釀得蒼松液(짙푸른 송액을 얻으니)
淸香盎胸襟(맑은 향기 가슴속에 넘치고)
至味餘澹泊(좋은 맛 산뜻하구나.)

또 조선시대 중엽의 문신이었던 동춘당 송준길(宋浚吉, 1606~1672년, 조선 중기의 명신)의 가문에 전해 오는 <우음제방>과 <주식시의>에 수록된 '송순주'가 지금까지 가문비주로 전해지고 있으며, 지금은 대전광역시 무형문화재 지정을 받아 오늘에 이르고 있음을 확인할 수 있다. 그리고 경남 함양 지방에 세거했던 일두 정여창 선생의 가문비주도 '송순주'로, 현재 농림축산식품부의 전통식품명인 지정을 받아 '솔송주'라는 브랜드명으로 상품화되고 있음을 엿볼 수 있다.

또한 조선 선조 때 병조정랑을 지냈던 김택(경주김씨, 임진란 때 고제봉, 조중봉과 순사)의 가문에 전승되어 오던 '김제 송순주'가 전라북도 지정 무형문화재로 자리매김해 오고 있는 사실은 '송순주'의 가치와 함께 대중의 공감성을 끌기에 충분하였을 것으로 판단된다.

혼양주법 '송순주'에 대한 최초의 기록이라고 할 수 있는 문헌은 한글 기록인

<승부리안주방문>을 비롯하여 한문 기록인 <산림경제촬요>, <증보산림경제> 등으로 주로 1700년대 기록들이고, 이후의 문헌들은 대부분이 1800년대 기록들이라는 사실에서 혼양주법 '송순주'의 등장 시기가 우리나라 전통주의 전성기 가운데서도 주질의 고급화, 다양화 시기와 맞물려 있다는 점에서 시사하는 바가 크다고 할 것이다.

먼저, <승부리안주방문>보다 앞선 기록인 <고사촬요(故事撮要)>에는 '구주법 송순(救酒法 松荀)'이라고 하였는데, "송순 막 자랄 때 많이(1말) 따다 모엽을 다듬고 깨끗하게 씻어 술독에 가득 채운 뒤 매우 끓인 물을 가득 채워 3~4일간 송순을 우려낸 다음 맑아지기를 기다려 찌꺼기를 제거한 후, 찹쌀 1말을 씻어 불렸다 고두밥을 짓고 식기를 기다려 송순 우린 물과 누룩가루 1되를 섞어 독에 담아 안치고 단단히 밀봉하여 15일 동안 발효시킨다."고 되어 있다. 송순과 물 양이 언급되어 있지 않아 찹쌀 양을 기준으로 하여 그 양을 산정하였다. 또 방문 말미에 "15일이 지나면 먹는데, 그 맛이 매우 진하고 오래 두어도 변하지 않는다."고 하였다.

이는 단양주법으로 송순을 우린 물과 찹쌀고두밥, 누룩가루를 섞어 빚는 방법으로, 같은 문헌인 <고사촬요>의 '송엽주' 주방문에서 파생된 기법으로 여겨지는데, <김승지댁주방문(金承旨宅廚方文)> 및 <민천집설(民天集說)>의 '송엽주' 주방문과도 유사하다는 것을 알 수 있다.

이와 같은 '송순주' 주방문은 <규중세화>, <의방합편(醫方合編)>, <임원십육지(고려대본)>, <조선무쌍신식요리제법>, <주찬(酒饌)>, <치생요람(治生要覽)>을 비롯하여 <구황보유방(救荒補遺方)>에서도 찾아볼 수 있어, <고사촬요>에 '구주법(救酒法)'이라고 한 이유가 되기도 하거니와, 민간에서 질병치료나 예방을 위해 널리 빚어 마셨던 술이었다는 것을 생각해 볼 수 있다.

그리고 <고사촬요>를 중심으로 한 단양주법 '송순주'에 소주를 첨가한 혼양주법이 그것인데, <음식책>의 '송순주 하는 법'에서 볼 수 있다.

그리고 <규합총서>의 '송순주'에서 보듯 "한 말 하려면 멥쌀 두 되를 옥같이 쓸어 씻고 또 씻어 담갔다가 이튿날 가루로 빻아 곱게 쳐 좋은 누룩가루 한 되를 섞는다. 멥쌀가루로 의이만치 쑤어 누룩가루 섞어 넣어둔다. 사오일 만에 찹쌀 한 말을 정히 쓸어 지에를 쪄 얼음같이 차게 식힌다. 그 전에 솔순 한 말 수염 없이 한 것을 살짝 삶아 역시 차게 식힌 후, 술밑을 가는체에 걸러 밥을 고루고루 섞어 알맞은 항아리에 한 켜씩 밥과 솔순을 떡 안치듯 차례로 연하여 넣고 단단히 매어 차도 덥도 않은 곳에 두었다가 한이레 후 독한 백소주 삼십 복자를 부어 익은 후 쓴다. 솔순을 깨끗이 씻고 또 씻되 살짝 삶아 솔향내가 가시지 말게 하고, 밥과 솔순은 얼음같이 식은 뒤에 넣어라. 여러 말 하려면 쌀·누룩·솔순·소주를 배로 써라."고 하여, 이양주법 발효주 '송순주'에 증류식 소주를 첨가한 혼양주법의 '송순주'라는 것을 알 수 있다.

<규합총서>의 '송순주'와 동일한 주방문은 <고려대규합총서(이본)>, <술방문>, <술 빚는 법>, <승부리안주방문>, <시의전서>, <임원십육지>의 '송순주방', <증보산림경제>의 '송순주 본법', <증보산림경제>의 '송순주법(更聞法)', <증보산림경제>의 '송순주법(又更聞法)' 등이 있다.

혼양주법 '송순주'의 등장이 우리나라 전통주의 고급화·다양화와 맞물려 있다는 주장은 <증보산림경제>와 <임원십육지>의 '송순주방'을 들 수 있는데, 멥쌀과 찹쌀 10말로 '삼해주'를 빚고 이를 증류하여 노주(3~4말)를 얻은 다음, 찹쌀 5말로 '송순주'를 빚는 혼양주법을 포함하여 총 25차례나 등장하는 것을 볼 수 있기 때문이다.

<증보산림경제>의 '송순주방'을 보면, "밑술은 찹쌀 5되를 백세작말하여 물 1말 5되로 된죽을 쑨 뒤, 누룩가루 3되 5홉과 섞어 3~4일간 발효시킨다. 덧술은 찹쌀 4말 5되를 백세하여 다시 씻어 건져서 고두밥을 짓고, 차게 식기를 기다리는 동안 밑술을 체에 걸러 누룩찌꺼기를 제거한 막걸리를 걸러놓는다. 또 깊은 쥐꼬리만 한 크기의 송순을 한 광주리를 따다 모엽과 솜털을 제거하고, 끓는 물에 살짝 데쳐서 쓴맛을 빼낸다. 이들 고두밥과 송순, 밑술을 고루 버무려 술을 빚고, 5~6일간 발효시킨 후, 그 맛이 달고 매운맛이 나면, 준비해 둔 '삼해주' 소주를 붓고 기름종이로 밀봉한 후 서늘한 땅에 묻는데, 볏짚이나 솔가지를 이용하여 술독의 옷을 입혀, 흙의 냄새나 기운이 독에 미치지 않도록 하여 재차 10일간 발효·숙성시킨 다음, 10여 일 후 용수를 박아 채주하여 마신다."고 하였는데, <임원십육지>에서는 "15말의 술을 빚으려면 먼저 멥쌀 10말로 삼해주로 빚어서 소

주를 내리면 백색노주가 되고 술맛은 순하고 지나치게 감렬하면 나쁘다. 탄내가 들어가지 않게 해야 한다. 노주(露酒)를 항아리에 담고 밀봉하여 온도가 적당한 실내에 둔다. 4~5월경 소나무의 새순이 5~6치(15~18㎝)가량 자라났을 때 따서 찹쌀 5말 중에서 5되를 퍼내어 가루를 빻아 죽을 쑨다. 식으면 좋은 누룩가루 3되 5홉을 섞어 빚는다. 3~4일 지난 뒤 쥐꼬리처럼 생긴 송순 1광주리를 따서 손으로 솜털을 제거한 뒤 끓는 물에 넣어 데쳐 쓴맛을 뺀다. 서늘한 곳에 펼쳐 식히고, 남은 찹쌀 4말 5되를 물에 담갔다 고두밥을 쪄서 식으면 밑술을 쏟아 걸러서 찌꺼기를 버리고 송순, 찰밥, 밑술 3가지를 한데 골고루 버무려 다시 항아리에 담는다. 5~6일 후 맛이 달고 맵지만 아직 술이 다 익지 않은 상태이므로 앞의 소주 내린 노주를 항아리에 붓고 기름종이로 단단히 봉한 후 서늘한 곳에 항아리를 묻는다. 땅기운이 항아리 안으로 스며들게 해서는 안 된다. 10여 일 후에 용수를 박고 떠낸다. 해가 지나도 맛이 변하지 않는다. 이 술은 비길 데 없이 맛이 좋다. 송순을 삶은 물로 술을 빚어도 좋다. 또 술이 익은 뒤 소주를 내리면 그 맛이 역시 좋다. <증보산림경제>를 인용하였다."고 하여 두 문헌의 주방문과 동일한 주방문이라는 것을 알 수 있고, <규합총서>와는 주원료의 양에서 차이가 있을 뿐이고, 소주를 첨가 한 후의 술독을 땅에 묻는 방법이 덧붙여졌다는 점에서 차이를 발견할 수 있다.

따라서 <증보산림경제>와 <임원십육지>의 '송순주방'에서 주목할 사실은, 이른바 혼양주법의 '송순주' 가운데서도 주질의 고급화를 엿볼 수 있는 대표적인 주방문이라는 것이다.

이른바 '삼해주'는 발효주 가운데서도 '춘주류'로 불릴 만큼 최고급 청주류의 한 가지인데, 이 '삼해주'를 증류한 '소주 삼해주'를 '송순주'에 사용하고 있기 때문이다.

다만, <증보산림경제>의 '송순주방'은 술을 빚는 방법에서 볼 때 문제점을 찾을 수 있는데, 예의 '송순주' 방문은 기타 여러 문헌에 수록된 방문과는 다르게 물의 양이 언급되어 있지 않을 뿐만 아니라, 특이하게 '삼해주'를 빚어 노주를 만든다고 하였다. 그 때문에 '미품(美品)'이라고 한 것인지는 모르겠으나, 10말 빚이 '삼해주'를 증류하여 얻은 중품소주가 3말 이상인 것으로 미루어 볼 때, 본 방문에서 사용되는 양주용수(물)의 양보다 더 많은 소주를 붓는 경우를 찾아볼 수 없다는 것이다.

따라서 이와 같은 방문대로라고 하면, 본주 '송순주'는 발효가 중지될 뿐만 아니라, 소주 맛이 강하여 오히려 그 맛에서 역겨울 수 있으므로, 노주는 1말 이하여야 한다는 결론에 이른다.

<증보산림경제>의 '송순주방'은 문헌에 따라 주원료의 비율과 쌀 가공방법에서 조금씩 차이가 있지만, <군학회등>을 비롯하여 <농정회요>, <봉접요람>, <산림경제촬요>, <술방>, <우음제방>, <이씨음식법>, <임원십육지>, <조선무쌍신식요리제법>, <주식시의>, <홍씨주방문> 등 14종의 문헌에 16차례나 수록되어 있는 것을 볼 수 있어, <고사촬요>를 중심으로 하는 단양주법 발효주 '송순주'와 <규합총서>를 비롯하여 <증보산림경제> 등에 수록된 이양 혼양주법이 '송순주'의 원형을 이루고 있는 것으로 판단된다.

여러 문헌에 반복적으로 강조한 내용으로, 방문에 "송순주를 빚을 때 주의할 일은 송순과 고두밥은 반드시 차게 식혀서 사용하고, 노주의 맛은 반드시 부드럽고 순해야 한다. 진하면 도리어 쓰기에 적당하지 않다. 또 탄내가 들어가지 않게 해야 한다. 탄내가 들어가면 쓰지 못한다."고 하고, "한 해를 두고 먹어도 맛이 변하지 않는다. 이 술은 비길 데 없는 미품이다. 송순을 삶은 물을 함께 넣어 술을 빚어도 좋다고 하고, 또 술이 만들어진 뒤 용수를 박고 떠내어 다 쓴 뒤에, 소주를 전처럼 부어도 술맛이 향기롭다고도 한다."고 하였다.

술을 빚을 때 주의할 사항은, 주방문에서 보듯 송순이나 고두밥이 따뜻하거나 차게 식지 않으면 산패하기 쉽고, 송순의 사용량이 많아지면 탄닌 등 송순에 함유된 여러 가지 성분으로 말미암아 발효에 지장을 초래하기 때문이다.

특히 '송순주'는 송순의 채취 시기와 관련이 있는 만큼, 술을 빚기 시작할 때부터 날씨가 따뜻해지기 시작할 무렵이라는 점에 유념해야 한다. 또 송순의 선택에도 주의를 기울여야 하는데, 송순의 양이 많아지거나 떫은맛이 많으면 밑술의 효모증식이 원활하지 못하고, 솔잎으로부터 유리된 탄닌 때문에 발효가 원활하지 못할 뿐만 아니라, 떫은맛으로 인해 술 빛깔의 빠른 산화를 초래할 수 있기 때문이다. 특히 술의 발효 중에 추가하게 되는 증류식 소주는 품질이 매우 중요하다.

그런데 필자의 경험으로는, 송순주의 양을 많이 얻으려면 30% 이하의 증품소주를 많이 붓고, 주질을 높이려 하면 30% 정도의 증류식 소주를 첨가하는데, 두 가지 경우 다 같이 소주의 품질이 순하고 부드러우며, 탄 냄새나 녹물 맛, 백탁액 현상, 쓴맛이 없고 향기가 좋아야 한다는 것이다.

결국 '송순주'는 혼양주법이 가장 일반적인 방문이라고 할 수 있으며, 술에 사용되는 소주의 양과 알코올 함량에 따라 차이가 있을 수 있으나, 어느 방문이든지 그 맛이 진하고 송순의 향기가 매우 강하게 나타나야 하되 거부감이 없어야 하며, 후발효 기간도 상당히 길게 해서 최소 40일이 지나야 깊은 맛을 즐길 수 있다는 것을 염두에 둘 필요가 있다.

이러한 '송순주'는 그 양주과정이 복잡하고 까다로우면서 무엇보다 비용이 많이 든다는 단점이 있긴 하지만, 다른 주품들과의 차별성과 함께 계절성 · 저장성 · 기호성 · 건강성, 그리고 특히 상품성을 고려한다면 가장 한국적인 술로서 완벽한 스토리를 갖추었다고 할 것이다.

1. 송순주 <고려대규합총서(高麗大閨閤叢書, 異本)>

술 재료 : 밑술 : 멥쌀 2되, 누룩가루 1되, 끓는 물 3되
덧술 : 찹쌀 1말, 송순 1말, 백소주 30복자

술 빚는 법 :

* 밑술 :

1. 멥쌀 2되를 옥같이 찧어(도정을 많이 하여) 백세하여 물에 하룻밤 담갔다가 (다시 씻어 건져서 물기를 뺀 후) 작말한다.
2. 물 3되를 팔팔 끓여 쌀가루에 붓고 주걱으로 골고루 개어 의이 같은 범벅을 만든 후, 차게 식기를 기다린다.
3. 범벅에 체로 친 누룩가루 1되를 넣고, 고루 치대어 술밑을 빚는다.

4. 술독에 술밑을 담아 안치고, 예의 방법대로 4~5일 발효시킨 후 체에 거른다.

* 덧술 :

1. 송순 1말을 꺾어다 물에 깨끗이 씻어 수염을 제거한 다음, 끓는 물에 살짝 데쳐서 차게 식혀놓는다.
2. 찹쌀 1말을 깨끗하게 찧어 (백세하여 물에 담가 불렸다가, 다시 씻어 건져서 물기를 뺀 후) 시루에 안치고, 고두밥을 지어 얼음같이 차게 식기를 기다린다.
3. 술체에 거른 밑술과 고두밥을 한데 합하고, 고루 버무려 술밑을 빚는다.
4. 소독하여 준비한 술독에 술밑과 송순을 켜켜로 안치고, 단단히 싸매어 차지도 덥지도 않은 곳에 앉혀두고 7일간 발효시킨다.
5. 준비해 둔 증류식 소주 30복자를 부어주고, 그대로 두어 소주 냄새가 나지 않고 향기가 좋으면 용수 박아 채주한다.

송순주

한 말 하려면 멥쌀 두 되 옥같이 쓸어 씻고 또 씻어 담갔다 이튿날 가루 빻아 곱게 쳐 좋은 누룩가루 한 되 섞는다. 멥쌀가루로 의이만치 쑤어 누룩가루 섞어 넣어둔다. 사오일 만에 찹쌀 한 말 정히 쓸어 지에 쪄 얼음같이 차게 식힌다. 그전에 솔순 한 말 수염 없이 한 것 살짝 삶아 역시 차게 식힌 후, 술밑 가는체에 걸러 밥을 고루고루 섞어 알맞은 항아리에 밥과 솔순을 떡 안치듯 한 켜씩 차례로 연하여 넣고 단단히 매어 차도 덥도 않은 곳에 두었다 한이레 후 독한 백소주 삼십 복자 부어 익은 후 쓴다. 솔순 깨끗이 씻고 또 씻되 살짝 삶아 솔향내가 가시지 말게 하고, 밥과 솔순은 얼음같이 식은 뒤에 넣어라. 여러 말 하려면 쌀 · 누룩 · 솔순 · 소주를 배로 써라.

2. 송순주방 <군학회등(群學會謄)>

–15말 빚이

술 재료 : 밑술 : 찹쌀 5되, 누룩가루 3되 5홉, 물(1말 5되)
덧술 : 찹쌀 4말 5되, 송순 1광주리, 삼해주 노주(3~4되)

술 빚는 법 :

* 삼해주 소주 내리기 :

1. 멥쌀 1말로 삼해주를 빚어 발효시킨다.
2. 술덧을 체에 걸러 탁주를 채주한 다음, 가마솥에 불을 지피고, 물 2사발을 붓고 끓이다가, 술 2사발을 붓고 끓인다.
3. 술 3사발을 솥에 붓고 저어준 뒤, 끓으면 다시 술을 붓는 방법으로 술을 다 안친 후, 소줏고리를 얹고, 소줏고리 위에 냉각수 그릇을 얹는다.
4. 솥과 소줏고리, 소줏고리와 냉각수 그릇의 틈새를 소줏번을 붙여 막는다.
5. 냉각수 그릇에 찬물을 채우고, 소줏고리 귀때 밑에 수기를 받쳐놓는다.
6. 불을 알맞게 조절하여 소주를 받되, 첫술 1컵 정도는 버리거나 다음에 증류할 술에 섞어 사용한다.
7. 냉각수 그릇의 물이 따뜻하면 즉시 퍼내고, 다시 찬물을 갈아주면서 소주를 받는다.
8. 노주는 반드시 맛이 부드럽고 순해야 하며, 탄내가 나지 않아야 한다. 증류한 노주를 술독에 담아 안치고 밀봉하여 화기가 통하는 곳(따뜻한 곳)에 보관해 놓는다.

* 밑술 :

1. 찹쌀 5말을 빚으려면, 4~5월경에 찹쌀 5되를 (백세하여 물에 담갔다가, 다시 씻어 건져서 물기를 뺀 뒤) 작말한다.
2. 찹쌀가루에 (1말 5되의) 물을 한데 섞고, 묽지도 되지도 않은 죽을 끓여서

넓은 그릇 여러 개에 나눠 펴 담고 차게 식기를 기다린다.
3. 죽에 누룩가루 3되 5홉을 섞고, 고루 버무려 술밑을 빚는다.
4. 술독에 술밑을 담아 안치고, 예의 방법대로 하여 3~4일간 익혀 밑술을 얻는다.

* 덧술 :
1. 밑술 빚은 지 3~4일 후에 깊은 산에 가서 5~6촌 크기의 쥐꼬리만 한 송순을 한 광주리를 따다 모엽과 솜털을 제거하고, 끓는 물에 살짝 데쳐서 쓴맛을 빼낸다.
2. 데쳐낸 송순을 넓은 멍석이나 돗자리에 고루 펼쳐서, 서늘한 곳에서 차게 식힌다.
3. 찹쌀 4말 5되를 (백세하여) 물에 담갔다가, 다시 씻어 건져서 물기를 뺀 뒤, 시루에 안쳐서 고두밥을 짓는다.
4. 고두밥이 투명하고 윤기가 나게 쪄졌으면 고루 펼쳐서 차게 식기를 기다리고, 밑술을 체에 걸러 누룩찌꺼기를 제거한 막걸리를 걸러놓는다.
5. 밑술에 고두밥과 송순을 넣고, 고루 버무려 술밑을 빚는다.
6. 술독에 술밑을 담아 안치고, 위에 별도의 누룩을 뿌려서 덮는다.
7. 술독은 예의 방법대로 하여 5~6일간 발효시킨 후, 숙성되어 그 맛이 달고 매운맛이 나는지를 살핀다.
8. 준비해 둔 삼해주 소주(3~4되)를 붓고 기름종이로 밀봉한다.
9. 술독은 서늘한 땅에 묻는데, 볏짚이나 솔가지를 이용하여 술독의 옷을 입혀, 흙의 냄새나 기운이 독에 미치지 않도록 하여, 재차 10일간 발효·숙성시킨다.
10. 술독을 땅에 묻은 지 10여 일 후 용수를 박아 채주하여 마신다.

* 주방문에 "노주의 맛은 반드시 부드럽고 순해야 한다. 진하면 도리어 쓰기에 적당하지 않다. 또 탄내가 들어가지 않게 해야 한다. 탄내가 들어가면 쓰지 못한다."고 하고, 주방문 말미에 "한 해를 두고 먹어도 맛이 변하지 않는다.

이 술은 비길 데 없는 미품(美品)이다. 송순을 삶은 물을 함께 넣어 술을 빚어도 좋다고 하고, 또 술이 만들어진 뒤 용수를 박고 떠내어 다 쓴 뒤에, 소주를 전처럼 부어도 술맛이 향기롭다고도 한다."고 하였다.

松笋酒法

要釀十五斗者先以白米十斗造三亥酒燒出白色露酒而其味必令平順若烈反不合用 又勿令焦氣犯入不用矣 露酒堅封甕缸置於通火氣之堗留待四五月間松抽新笋五六寸然後另用粘米五斗內除出五升作末作粥攤稀酒得中候冷和好麯末三升五合納甕中此是酒本也 過三四日後採取松笋如鼠尾狀者一筐勿爲剉切以手去其母葉投於釜內沸湯之中少頃取出則苦味盡去矣攤置凉處即以前所餘粘米四斗五升浸潤蒸出候冷遂傾出酒本篩去滓以松笋粘飯酒本三味相和(不用別麯)復入甕內 過五六日後 其味甘辛以猶未成酒旋以所燒置露酒皆灌於松荀酒甕中以油紙封固埋甕凉處以勿令土氣犯入甕內過十許日後插篘取用經年未不變矣 此酒爲無比美品(一云烹笋水同入作酒亦好 又云 此酒成後插篘用盡復以燒酒如前灌之則酒味亦香).

3. 송순주 <규합총서(閨閤叢書)>

–1말 빚이

술 재료 : 밑술 : 멥쌀 2되, 고운 누룩가루 1되, 물 4~5되
덧술 : 찹쌀 1말, 송순 1말, 소주 30복자

술 빚는 법 :

* 밑술 :

1. 멥쌀 2되를 옥같이 쓿어(깨끗하게 도정하여) 백세하여 하룻밤 침지하였다가 (다음날 다시 씻어 헹궈서 물기를 뺀 후) 작말한다.

2. 멥쌀가루에 (물 4되~5되를 붓고) 끓여서 된죽 같은 의이(된범벅)를 쑨 뒤, 차게 식기를 기다린다.
3. 차게 식은 의이(된범벅)에 고운체에 친 누룩가루 1되를 섞어 넣고, 고루 버무려 술밑을 빚는다.
4. 술독에 술밑을 담아 안치고, 예의 방법대로 하여 4~5일 발효시킨다.

* 덧술 :
1. 찹쌀 1말을 (백세하여 물에 담가 불렸다가, 다시 씻어 헹궈서 물기를 뺀 후) 시루에 안치고 쪄서 고두밥을 짓는다.
2. 송순 1말을 수염 없이 하여 끓는 물에 살짝 삶은 뒤, 건져서 고두밥과 함께 고루 펼쳐 차게 식힌다.
3. 고두밥이 익었으면 시루에서 퍼내고, 고루 펼쳐서 얼음같이 차게 식기를 기다린다.
4. 밑술을 고운체에 걸러 찌꺼기를 제거한 후, 고두밥에 합하고 고루 버무려 술밑을 빚는다.
5. 술독에 술밑과 송순을 떡 안치듯 켜켜로 담아 안친다.
6. 술독을 단단히 봉하여 차지도 덥지도 않은 곳에 두었다가 7일간 발효시킨다.
7. 준비한 (중품)백소주 30복자를 붓고, 단단히 봉하여 차지도 덥지도 않은 곳에 두고 다시 익힌다.

* 주방문 말미에 "송순을 그지없이 깨끗하게 씻되, 삶을 때 살짝 삶아서 솔향기가 가시지 않게 하며, 밥과 송순을 얼음같이 차게 식힌 후 넣어라. 여러 말 하려면 쌀, 누룩과 송순을 배(倍)로 하면 된다."고 하였다.

숑슌주

ᄒᆞᆫ 말 ᄒᆞ랴면 뫼ᄡᆞᆯ 두 되 옥ᄀᆞᆺ치 ᄡᆞᆯ허 빅셰ᄒᆞ야 ᄃᆞᆷ가 이튼날 작말ᄒᆞ야 ᄀᆞ늘게 쳐 됴흔 국말 ᄒᆞᆫ 되 섯거 의이만치 ᄀᆞᆯ느로 ᄡᅮ어 누록 합ᄒᆞ야 너헛다가 ᄉᆞ오일 만의 졈미 일두 졍히 ᄡᆞᆯ허 지에 ᄶᅧ 어름ᄀᆞᆺ치 ᄎᆞᆫ 후 그 젼 숑슌 ᄒᆞᆫ 말 슈염 업

시 ᄒᆞᆫ 거 잠간 ᄉᆞᆯ마 역 ᄎᆞ온 후 술밋ᄎᆞᆯ ᄀᆞᄂᆞᆫ 체예 걸너 밥을 고로고로 섯거 마진 항의 ᄒᆞᆫ 켸식 밥과 숑슌을 ᄡᅥᆨ 안치듯 ᄎᆞ려로 연ᄒᆞ여 너코 ᄃᆞᆫᄃᆞᆫ이 ᄆᆡ야 블한블열ᄒᆞᆫ 되 두엇다가 일칠 후 독ᄒᆞᆫ ᄇᆡ쇼쥬 ᄉᆞᆷ십 복ᄌᆞ을 부어 익은 후 ᄡᅳᄂᆞ니 숑슌을 무슈 졍세ᄒᆞᄃᆡ ᄉᆞᆷ기ᄂᆞᆫ 잠간ᄒᆞ야 숑향이 업게 말고 밥과 숑슌 어름ᄀᆞᆺ치 식은 후 너흐라. 여러 말 ᄒᆞ랴면 미국과 숑슌 쇼쥬을 ᄇᆡ용ᄒᆞ라.

4. 송순주방 <농정회요(農政會要)>

–15말 빚이

술 재료 : 밑술 : 찹쌀 5되, 누룩가루 3되 5홉, 물(1말 5되)
덧술 : 찹쌀 4말 5되, 송순 1광주리, 삼해주 노주(3말)

술 빚는 법 :

* 소주 내리기 :

1. 멥쌀 10말로 빚은 삼해주를 준비한다(멥쌀 1말로 흰무리떡을 찌고, 누룩가루 5되, 끓여 식힌 물 3병으로 밑술을 빚고, 멥쌀 7말로 흰무리떡을 찌고, 끓여 식힌 물 21병, 밑술을 합하여 덧술을 빚고, 찹쌀 2말로 고두밥을 지어 덧술과 섞어 2차 덧술을 빚어 발효시킨다).
2. 솥에 술덧을 담아 안치고 끓으면 소줏고리를 얹어 찬물을 갈아주면서 소주를 받으면 3말 정도 얻는다.
3. 노주는 반드시 맛이 부드럽고 순해야 하며, 탄내가 나지 않아야 한다. 증류한 노주를 술독에 담아 안치고 밀봉하여 화기가 통하는 곳(따뜻한 곳)에 보관해 놓는다.

* 밑술 :

1. 4~5월경에 찹쌀 5되를 (백세하여 물에 담갔다가, 다시 씻어 건져서 물기를

뺀 뒤) 작말한다.

2. 찹쌀가루에 따뜻한 물(1말 5되)을 한데 섞고 끓여서, 묽지도 되지도 않은 죽을 쑨 후 (넓은 그릇에 나눠 펴 담고) 차게 식기를 기다린다.
3. 죽에 좋은 누룩가루 3되 5홉을 섞고, 고루 버무려 술밑을 빚는다.
4. 술독에 술밑을 담아 안치고, 예의 방법대로 하여 3~4일간 발효시킨다.

* 덧술 :

1. 밑술 빚은 지 3~4일 후에 깊은 산에 가서 쥐꼬리만 한 크기의 송순을 한 광주리를 따다 모엽과 솜털을 제거하고, 끓는 물에 살짝 데쳐서 쓴맛을 빼낸다.
2. 데쳐낸 송순을 넓은 멍석이나 돗자리에 고루 펼쳐서 차게 식힌다.
3. 찹쌀 4말 5되를 (백세하여 물에 담갔다가, 다시 씻어 건져서 물기를 뺀 뒤) 시루에 안쳐서 투명하고 윤이 나게 고두밥을 짓는다.
4. 고두밥이 익었으면 고루 펼쳐서 차게 식기를 기다린다.
5. 밑술을 체에 걸러 누룩찌꺼기를 제거한 막걸리를 걸러놓는다.
6. 밑술에 고두밥과 송순을 한데 합하고, 고루 버무려 술밑을 빚는다.
7. 술독에 술밑을 담아 안치고, 예의 방법대로 하여 5~6일간 발효시킨다.
8. 술맛이 달고 매운맛이 나면, 준비해 둔 삼해주 소주를 붓고 기름종이로 밀봉한다.
9. 술독은 서늘한 땅에 묻는데, 볏짚이나 솔가지를 이용하여 술독의 옷을 입혀, 흙의 냄새나 기운이 독에 미치지 않도록 하여, 재차 10일간 발효·숙성시킨다.
10. 술독을 땅에 묻은 지 10여 일 후, 용수를 박아 채주하여 마신다.

* 주방문에 "노주의 맛은 반드시 부드럽고 순해야 한다. 진하면 도리어 쓰기에 적당하지 않다. 또 탄내가 들어가지 않게 해야 한다. 탄내가 들어가면 쓰지 못한다."고 하고, 방문 말미에 "한 해를 두고 먹어도 맛이 변하지 않는다. 이 술은 비길 데 없는 미품(美品)이다. 송순을 삶은 물을 함께 넣어 술을 빚어도 좋다."고 하고, 또 "술이 만들어진 뒤 용수를 박고 떠내어 다 쓴 뒤에, 소

주를 전처럼 부어도 술맛이 향기롭다고도 한다."고 하였다.

松笋酒方

要釀十五斗者先以白米十斗造三亥酒燒出白色露酒而其味必令平順若烈反不合用 又勿令焦氣犯入不用矣 露酒堅封瓮缸置於通火氣之堗留待四五月間松抽新笋五六寸然後另用粘米五斗內除出五升作末作粥而稀稠得中候冷和好麯末三升五合納瓮中此是酒本也 過三四日後採取松笋如鼠尾狀者一筐勿爲剉切以手去其尾葉投於釜內沸湯之中少頃取出則苦味盡去矣攤置凉處卽以前所餘粘米四斗五升浸潤蒸出候冷邃傾出酒本篩去滓以松笋粘飯酒本三味相和不用別麯復入瓮內 過五六日後 其味甘辛以猶未成酒旋以所燒置露酒濃荀酒瓮中以油紙封固埋瓮凉處以勿令土氣犯入瓮內過十許日後揷篘取用經年未不變矣此酒爲無比美品. (一云)烹笋水同入作酒亦好此酒雖如前灌之又云此酒成後松笋用盡復以燒酒如前則酒味亦香.

5. 송순주법 <봉접요람>

술 재료 : 밑술 : 찹쌀 5되, 가루누룩 2되, 물(1말~ 5되)
덧술 : 찹쌀 5말, 밥 지은 물(식힌) 2병(7주발), 송순(1말, 적당량), 백소주 10주발

술 빚는 법 :

* 밑술 :

1. 찹쌀 5되를 백세하여 (물에 담갔다가, 다시 씻어 헹궈 건져서 물기를 뺀 다음) 작말한다(가루로 빻는다).
2. 솥에 물 1말 5되를 붓고 끓이다가, 물이 따뜻해지면 쌀가루를 멍우리 없이 풀어 넣고, 팔팔 끓여 죽을 쑨 후, 넓은 그릇에 퍼서 가장 차게 식기를 기다

린다.

3. 차게 식은 죽에 가루누룩 2되를 합하고, 고루 버무려 술밑을 빚는다.
4. 술밑을 술독에 담아 안치고, 예의 방법대로 하여 독 주둥이를 종이로 단단히 봉하여 3일간 발효시켜 익기를 기다린다.

* 덧술 :

1. 찹쌀 5말을 백세하여 물에 담가 하룻밤 불렸다가 (다시 씻어 헹궈 건져서 물기를 뺀 후) 시루에 안쳐서 고두밥을 무르게 짓는다.
2. 고두밥이 익었으면 퍼내고, 고루 펼쳐서 차게 식기를 기다린다.
3. 준비한 송순을 깨끗이 씻어 다듬고, 1치 5푼 길이로 썰어놓는다.
4. 밥 지은 시루물 2병(7주발)을 차게 식힌 후, 밑술에 넣고 체에 밭쳐 걸러서 누룩찌꺼기를 제거한다.
5. 차게 식은 고두밥에 걸러둔 밑술을 합하고 고루 버무려 술밑을 빚는다.
6. 술밑을 술독에 담아 안치는데, 술밑 한 바가지씩과 송순을 켜떡 안치듯 켜켜로 담아 안치고, 맨 위에 송순을 두텁게 덮은 뒤 김이 새지 않게 밀봉한다.
7. 술독은 예의 방법대로 하여 (차지도 덥지도 않은) 마루에 앉혀두고 21일간 발효시킨다.
8. 술독을 열어서 맨 위의 송순을 걷어내고, 증류하여 준비한 백로주 10주발을 따뜻한 김에 술독에 붓고 예의 방법대로 하여 7일간 숙성시킨다.

* 주방문 머리에 "병이 다 없나니라. 그릇에 물기 없이 하여 두면 오래도록 쓰나니라. 송순이 연(하)고 굵어야 좋으니라."고 하였다. 또 주방문 말미에 "삼칠일 후에 위를 걷어버리고, 백소주 뜨게 고아 한 말에 두 주발 두에씩이나 부었다가 일칠일 후 쓰면 맛이 맵고 달고."라고 하였다.

송순쥬법

(병이 다 읍ᄂᆞ이라 그르싀 물긔 읍시ᄒᆞ여 두면 오라도록 쓰ᄂᆞ이라. 송순이 연코 굴거야도 조이라.) 졈미 닷 되 빅셰 작말ᄒᆞ여 풀 쑤듯 익게 쑤어 식거든 날

물긔 읍시 독의 너코 ᄀᆞ로누룩 두 되로 고로고로 섯거 조흐로 단단이 봉ᄒᆞ여 셔눌ᄒᆞᆫ ᄃᆡ 두어 익거든 졈미 오 두 ᄇᆡᆨ셰ᄒᆞ여 ᄒᆞ로밤 담가다 익게 쪄 ᄎᆞ듸ᄎᆞ게 식키고 송슌을 다 ᄃᆞᄃᆞ 드머 치 닷 분 기릐 식이ᄂᆞ 싸호릐 노코 밥 찐 물 두어 병이며 일곱 쥬발ᄂᆞ ᄎᆞ게 식켜 술밋출 그 물의 거르고 셥누룩 두 되가옷만 담가ᄃᆞ 걸너 그 물의 타셔 쏘 밧쳐 밥의 고로고로 부뷔여 되게 섯거 독의 너호되 ᄒᆞᆫ 박젹식 펴 느코 송순을 쪅의 고몰 두듯 케케 노흔 후 송순 우회 만이 덥고 김나지 안이케 봉ᄒᆞ여 셔늘ᄒᆞᆫ 마루의 두어다가 삼칠일 후 우흘 거더 ᄇᆞ리고 ᄇᆡᆨ소쥬 쓰게 고아 ᄒᆞᆫ 말의 두 쥬발 두에식이ᄂᆞ 부엇다가 일칠일 후 쓰면 맛시 ᄆᆡᆸ고 ᄃᆞᆯ고 ᄇᆡᆨ…(낙질)…백병이 다 없나니라. 그릇에 물기 없이 하여 두면 오래도록 쓰나니라. 송순이 연(하)고 굵어야 좋으니라.

6. 송순주법 <산림경제촬요(山林經濟撮要)>

–15말 빚이

술 재료 : 밑술 : 찹쌀 5되, 누룩가루 3되 5홉, 물(1말 5되)
덧술 : 찹쌀 4말 5되, 송순 1광주리, 삼해주 노주(3말)

술 빚는 법 :

* 소주 내리기 :

1. 삼해주(술덧)를 준비한다(멥쌀 1말로 흰무리떡을 찌고, 누룩가루 5되, 끓여 식힌 물 3병으로 밑술을 빚고, 멥쌀 7말로 흰무리떡을 찌고, 끓여 식힌 물 21병, 밑술을 합하여 덧술을 빚고, 찹쌀 2말로 고두밥을 지어 덧술과 섞어 2차 덧술을 빚어 발효시킨다).
2. 술덧을 체에 걸러 탁주를 채주한 다음, 가마솥에 불을 지피고, 물 2사발을 붓고 끓이다가, 술 2사발을 붓고 끓인다.
3. 술 3사발을 솥에 붓고 저어준 뒤, 끓으면 다시 술을 붓는 방법으로 술을 다

안친 후, 소줏고리를 얹고, 소줏고리 위에 냉각수 그릇을 얹는다.
4. 솥과 소줏고리, 소줏고리와 냉각수 그릇의 틈새를 소줏번을 붙여 막는다.
5. 냉각수 그릇에 찬물을 채우고, 소줏고리 귀때 밑에 수기를 받쳐놓는다.
6. 뽕나무나 밤나무 불을 알맞게 조절하여 소주를 받되, 첫술 1컵 정도는 버리거나 다음에 증류할 술에 섞어 사용한다.
7. 냉각수 그릇의 물이 따뜻하면 즉시 퍼내고, 다시 찬물을 갈아주면서 소주를 받으면 3말 정도 얻을 수 있다.
8. 노주는 반드시 맛이 부드럽고 순해야 하며, 탄내가 나지 않아야 한다. 증류한 노주를 술독에 담아 안치고 밀봉하여 화기가 통하는 곳(따뜻한 곳)에 보관해 놓는다.

* 밑술 :
1. 4~5월경에 찹쌀 5되를 (백세하여 물에 담갔다가, 다시 씻어 건져서 물기를 뺀 뒤) 작말한다.
2. 찹쌀가루(1말)에 물을 한데 섞고, 된죽을 끓여서 넓은 그릇 여러 개에 나눠 퍼 담고 차게 식기를 기다린다.
3. 죽에 좋은 누룩가루 3되 5홉을 섞고, 고루 버무려 술밑을 빚는다.
4. 술독에 술밑을 담아 안치고, 예의 방법대로 하여 3~4일간 발효시킨다.

* 덧술 :
1. 밑술 빚은 지 3~4일 후에 깊은 산에 가서 쥐꼬리만 한 크기의 송순을 한 광주리를 따다 모엽과 솜털을 제거하고, 끓는 물에 살짝 데쳐서 쓴맛을 빼낸다.
2. 데쳐낸 송순을 넓은 멍석이나 돗자리에 고루 펼쳐서 서늘한 곳에서 차게 식힌다.
3. 찹쌀 4말 5되를 (백세하여 물에 담갔다가, 다시 씻어 건져서 물기를 뺀 뒤) 시루에 안쳐서 고두밥을 짓는다.
4. 고두밥이 익었으면 고루 펼쳐서 차게 식기를 기다리고, 밑술을 체에 걸러 누룩찌꺼기를 제거한 막걸리를 걸러놓는다.

5. 밑술에 고두밥과 송순을 넣고, 고루 버무려 술밑을 빚는다.
6. 술독에 술밑을 담아 안치고, 예의 방법대로 하여 5~6일간 발효시킨 후, 그 맛이 달고 매운맛이 나면, 준비해 둔 삼해주 소주를 붓고 기름종이로 밀봉한다.
7. 술독은 서늘한 땅에 묻는데, 볏짚이나 솔가지를 이용하여 술독의 옷을 입혀, 흙의 냄새나 기운이 독에 미치지 않도록 하여, 재차 10일간 발효·숙성시킨다.
8. 술독을 땅에 묻은 지 10여 일 후 용수를 박아 채주하여 마신다.

* 주방문 말미에 "노주의 맛은 반드시 부드럽고 순해야 한다. 진하면 도리어 쓰기에 적당하지 않다. 또 탄내가 들어가지 않게 해야 한다. 탄내가 들어가면 쓰지 못한다."고 하고, 방문 말미에 "한 해를 두고 먹어도 맛이 변하지 않는다. 송순을 삶은 물을 함께 넣어 술을 빚어도 좋다고 하고, 또 술이 만들어진 뒤 용수를 박고 떠내어 다 쓴 뒤에, 소주를 전처럼 부어도 술맛이 향기롭다고도 한다."고 하였다.

松笋酒法

要釀十五斗者先以白米十斗造三亥酒燒出白色露酒而其味必令平順若烈反不合用　又勿令焦氣犯入不用矣　露酒堅封瓮缸置於通火氣之堗留待四五月間松新笋五六寸抽出然後另用粘米五斗內除去五升作末作粥而稀稠得中候冷和好麯末三升五合納瓮中此是酒本色過三四日後採取松笋如鼠尾狀者一筐勿爲剉切以手去尾其葉投於釜內沸湯之中少頃取出則苦味盡去矣攤置凉處卽以前所餘粘米四斗五升浸潤蒸出候冷遂傾出酒本篩去滓以松笋粘飯酒本三味相和不用別麯復入瓮內　過五六日後其味甘辛以猶未成酒旋以所燒置露酒皆灌於松荀酒瓮中以油紙封固埋瓮凉處以勿令土氣犯入瓮內過十許日後挿篘取用經年未不變矣. 此酒爲無比美品(一云烹笋水同入作酒亦好.

7. 송순주 <술방>

술 재료 : 밑술 : 찹쌀 5되, 누룩가루 3되 5홉, 물(2말)
덧술 : 찹쌀 4말 5되, 증류식 소주(삼해주)

술 빚는 법 :

* 밑술 :

1. 찹쌀 5되를 백세하여 작말한다.
2. 솥에 물(2말)을 붓고 끓이는데, 물이 따뜻해지면 쌀가루를 넣는다.
3. 주걱으로 쌀가루를 풀어주고 저어가면서 팔팔 끓여 죽을 쑨다.
4. 죽을 넓은 그릇에 퍼 담고 식기를 기다린다.
5. 죽에 좋은 누룩가루 3되 5홉을 섞고, 고루 버무려 술밑을 빚는다.
6. 술밑을 술독에 담아 안치고, 예의 방법대로 하여 3~4일간 발효시킨다.

* 덧술 :

1. 찹쌀 4말 5되를 백세하여 물에 담가 불렸다가, 새 물에 헹구고 소쿠리에 밭쳐 물기를 뺀다.
2. 찹쌀을 시루에 안쳐서 고두밥을 짓고, 돗자리 위에 펼쳐서 얼음같이 차게 식기를 기다린다.
3. 밑술을 퍼서 체에 밭쳐 술찌꺼기를 제거하고 탁주를 만든다.
4. 밑술에 송순과 찹쌀고두밥을 한데 합하고, 고루 버무려 술밑을 빚는다.
5. 술밑을 술독에 담아 안치고, 예의 방법대로 하여 5~6일간 발효시킨 다음, 준비해둔 소주를 붓는다.

* 송순 준비 :

1. 4~5월 중순경에 송순이 쥐꼬리같이 자란 것을 한 광주리 따서 털을 다듬는다.

2. 송순을 가마솥에 물과 함께 넣고 끓이다가 질푸른 색깔이 사라질 정도가 되면 송순을 건져서 서늘한 곳에 펼쳐서 차게 식힌다.

* 소주 증류 :

1. 정월 첫 해일에 멥쌀 1되를 백세하고 불렸다가 세말한 다음, 끓는 물 3홉을 조금씩 쳐가면서 약간 질척하게 익반죽하고, 온기 없이 차게 식혀 준비된 흰 누룩가루, 밀가루 각 1되와 함께 섞어 술밑을 빚는다. 술밑을 새 독에 담아 안친 다음, 깨끗한 한지로 봉하고 실온 25도~28도에서 14~15일 정도 발효시킨다.
2. 이월 첫 해일에 멥쌀 5되를 백세하여 담갔다가, 가루로 빻아 밀가루 1되를 섞는다. 끓는 물 5홉을 조금씩 쳐가면서 반죽하여 덩어리를 만들고, 온기가 남게 식힌다. 범벅에 발효가 끝난 밑술을 섞고 술밑을 빚어, 술독에 안치고 한지로 밀봉하여 밑술에서와 같이 발효시킨다.
3. 3월 첫 해일에 멥쌀 3말을 예의 방법대로 하여 고두밥을 지어 차게 식히고, 물 1말도 끓여서 차게 식힌 다음, 덧술을 섞고, 한지로 뚜껑을 밀봉한다. 덧술에서와 같은 장소에서 발효시킨다.
4. 술이 익기까지는 30일가량 소요되므로, 밑술을 담기 시작하여 100일이 되는 날 술자루에 담아 눌러 짠 뒤, 가마솥에 안치고 예의 방법대로 소줏고리를 이용하여 증류한다.

* 서울 지방의 '삼해주'(무형문화재) 주방문으로 하여, 예의 백소주를 마련하였다.
* 주방문에 '삼해주'를 빚어 소주를 고는데, 고은 백소주의 양을 얼마로 하는지, 언제 사용하는지에 대해 빠트린 것으로 보인다.

송순주

열닷 말 비즈려 하면 백미 여 말로 삼해주를 비져 백소주를 고되, 그 맛시 평순한 거신니, 만일 너모 준열하면 합당 안이하고, 또 불내 나거든 구지 항을

봉하여 불김하는 방의 사오월가지 두어 송순이 대엿 치쯤 자라거든 찹쌀 닷 말 (중에서) 닷 되를 더러내여 작말하여 죽을 맨드러 하되, 묽지도 되도 아니 케 식혀 조흔 누룩가루 서 되 다솝을 섯거 독의 너어 술밋 맨들고 삼사일이 지난 후 송순을 쥐고리 갓튼 것슬 한 광주리 따 털을 다듬고 가마의 너허 물 끄리다가 이슥고 건져내면 쓴맛시 다 업슬 거시니 서늘한 곳데 헛쳐 두고 나 문 찹쌀 너 말 닷 되를 불이워 쪄 식히고 술밋츨 따라내여 체에 닐러내여 거 피하고 송순과 찰밥과 술밋과 세 가지를 한데 섯그되, 별 누룩 너치 말고 다 시 독의 너허 오육일 후 그 맛시 달고 조흐니라.

8. 송순주법 <술방문>

술 재료 : 밑술 : 찹쌀 4되, 누룩가루 1되,
덧술 : 묵은 쌀(진미) 2말, 송순(5되 정도), 효주(20식기 정도), 시루밑물

술 빚는 법 :

* 밑술 :

1. 찹쌀 4되를 (백세하여 물에 담가 불렸다가, 다시 헹궈 건져서 물기를 뺀 뒤) 작말한다(가루로 빻는다.)
2. (솥에 물 1말~1말 2되 정도를 붓고 끓이다가, 따뜻해지면 4되 정도를 떠서 찹쌀가루에 골고루 섞고 주걱으로 개어 아이죽을 만들어놓는다.)
3. (솥의 나머지 물이 끓으면 아이죽을 합하고, 주걱으로 천천히 저으면서) 팔팔 끓여 죽을 쑤고, 무르게 익었으면 넓은 그릇에 펴서 차게 식기를 기다린다.
4. 차게 식은 죽에 누룩가루 1되를 합하고, 고루 버무려 술밑을 빚는다.
5. 술밑을 술독에 담아 안치고, 예의 방법대로 하여 3일간 발효시킨다.

* 덧술 :

1. 산에 가서 길이가 15센티 이상 길게 자란 어린 송순을 많이 채취해서 물로 깨끗하게 씻어서 소쿠리에 건져서 물기를 빼놓는다.
2. 묵은 쌀(진미) 2말을 (백세하여) 물에 담가 (10시간 정도) 불렸다가 (다시 씻어 말갛게 헹궈서 소쿠리에 밭쳐 물기를 뺀 후) 시루에 안쳐서 고두밥을 찐다.
3. 고두밥이 무르게 익었으면, 시루에서 퍼내고 주걱으로 고루 펼쳐서 차게 식기를 기다린다.
4. 고두밥을 쪘던 시루밑물에 씻어두었던 송순을 (5되 정도) 넣고, 다시 데쳐내듯 씻고, 모엽과 이물질을 닦아낸다(차게 식힌다).
5. 고두밥에 밑술과 송순을 한데 섞고, 고루 버무려 술밑을 빚는다.
6. 술밑을 술독에 담아 안치고, 예의 방법대로 하여 서늘한 곳에서 3~4일간 발효시킨다.
7. 준비한 효주 20식기 정도를 술독에 붓고 밀봉하여 소주 냄새가 없어질 때까지 발효·숙성시킨 후에 사용한다.

* 주방문에 "위를 덮고 삼사일 만에 보면 술이 괴고 맛이 달고 좋다."고 하였는데, 주발효가 막 끝나고 술이 고이기 시작하는 상태로, 술이 숙성되려면 21일 이상 경과되어야 한다.

송슌주법이라

경미 너 되 ᄌᆞᆨ반ᄒᆞ여 가는체로 쳐 누근쥭만치 쑤어 식은 후 가로누록 ᄒᆞᆫ 되 너허 저 무러 너흔 지 ᄉᆞᆷ일 만의 진미 두 말 담가다가 씩계 물 쥬지 말고 익게 쪄 그 시로물의 손슌을 시쳐 가지고 찌갓시 시쳐 그 밋과 송슌과 슐밥과 ᄒᆞᆫ틔 버무러 그릇스로 찌 눌너둔 지 ᄉᆞᆷᄉᆞ일 만의 꼬면 날이 더우면 그 독을 들고 보면 그 슐이 괴며 맛시 달고 조코 날이 치우면 사오일 후 보면 달거시니 효쥬를 독ᄒᆞ게 나려 더운 짐의 부의되 져근 효쥬를 만ᄒᆞᆫ 슐의 부으면 효음이 엇스니 두말 밋세 이십그랏시고 더 너도 나누부더 바로 용수 질너 오륙일 잇고 칠팔일 잇스면 ᄂᆞᆫ이라 다 써 먹은 후 도로 효쥬만 부어두면 여람ᄂᆡ라도 두고 먹어도 맛시 흔결갓타니라. 용슈만 쎄치 말고 부어두라.

9. 송순주 <술 빚는 법>

–1말 빚이

술 재료 : 밑술 : 멥쌀 2되, 고운 누룩 1되, 물(4~5되)
덧술 : 찹쌀 1말, 송순 1말, 소주 30복자

술 빚는 법 :

* 밑술 :

1. 멥쌀 2되를 옥같이 쓿어(깨끗하게 도정하여) 백세하여 하룻밤 침지하였다가 (다음날 다시 씻어 헹궈서 물기를 뺀 후) 작말한다.
2. 멥쌀가루를 가는체에 쳐서 내린 후, 솥에 (물 4되~5되를 붓고) 끓인다.
3. 쌀가루에 끓는 물을 골고루 합하고, 주걱으로 고루 개어 된죽 같은 의이(된범벅)를 쑨다(차게 식기를 기다린다).
4. 의이(된범벅)에 좋은 누룩 1되를 섞어 넣고, 고루 버무려 술밑을 빚는다.
5. 술독에 술밑을 담아 안치고, 예의 방법대로 하여 4~5일 발효시킨다.

* 덧술 :

1. 찹쌀 1말을 (백세하여 물에 담가 불렸다가, 다시 씻어 헹궈서 물기를 뺀 후) 시루에 안치고 쪄서 고두밥을 짓는다.
2. 송순 1말을 수염 없이 하여 끓는 물에 살짝 삶아 건져서 고루 펼쳐 얼음같이 차게 식힌다.
3. 고두밥이 익었으면 시루에서 퍼내고, 고루 펼쳐 얼음같이 차게 식기를 기다린다.
4. 밑술을 고운체에 걸러 찌꺼기를 제거한 후, 고두밥에 합하고 고루 버무려 술

밑을 빚는다.

5. 술독에 술밑과 송순을 떡 안치듯 켜켜로 담아 안친다.
6. 술독을 단단히 봉하여 차지도 덥지도 않은 곳에 두었다가 7일간 발효시킨다.
7. 준비한 독한 소주 14복자를 붓고, 단단히 봉하여 차지도 덥지도 않은 곳에 두고 다시 익힌다.

* 주방문 말미에 "송순을 그지없이 깨끗하게 씻되, 삶을 때 잠깐 하며, 밥과 송순을 얼음같이 차게 식히라."고 하였다. <규합총서>와 동일한 주방문이다.

숑순주

송순주 한 말 허려 허면, 빅미 두 되 옥갓치 쓸어 빅셰ᄒᆞ여 담가다가, 그 잇튼날 작말허려 가늘게 쳐 조흔 누룩 한 되 너흐되, 가로을 의이만지 쑤어 누룩 합허여다가, ᄉᆞ오일 만의 졈미 일두 졍히 쓸어 지예 져 어름갓치 식은 후, 그 젼 송순 한 말을 수염 업시 긁여 잠간 살마 역 칙온 물 후, 술밋츨 가는쳬의 걸너 밥을 고로고로 셕거, 알마즌 항의 밥과 송순을 덕켸 안치덧 차례로 넛코, 단단니 싸ᄆᆡ어 불한불열 쳐의 두어다가, 일칠 후 독한 소주 삼ᄉᆞ 복ᄌᆞ을 부어 익은 후 쓰되, 송순을 부ᄃᆡ 졍히 씻고 삼기는 잠간 허고, 젼후 밥과 숑순을 어름갓치 식이라.

10. 송순주 <승부리안주방문>

술 재료 : 밑술 : 멥쌀 2되, 누룩가루 1되, 끓는 물 3되
덧술 : 찹쌀 1말, 송순 1말, 백소주 30복자

술 빚는 법 :
* 밑술 :

1. 멥쌀 2되를 옥같이 찧어(도장을 많이 하여) 백세하여 물에 하룻밤 담갔다가 (다시 씻어 건져서 물기를 뺀 후) 작말하여 가는체에 내린다.
2. 물(3되)을 팔팔 끓여 쌀가루에 붓고 주걱으로 골고루 개어 의이 같은 범벅을 만든 후, 차게 식기를 기다린다.
3. 범벅에 가는체로 친 누룩가루 1되를 넣고, 고루 치대어 술밑을 빚는다.
4. 술독에 술밑을 담아 안치고, 예의 방법대로 하여 4~5일간 발효시킨다.

* 덧술 :
1. 송순 1말을 꺾어다 물에 깨끗이 씻어 수염을 제거한 다음, 끓는 물에 살짝 삶아서 차게 식혀놓는다.
2. 찹쌀 1말을 깨끗하게 찧어 (백세하여 물에 담가 불렸다가, 다시 씻어 건져서 물기를 뺀 후) 시루에 안치고, 고두밥을 지어 얼음같이 차게 식기를 기다린다.
3. 밑술을 체에 걸러 찌꺼기를 제거하여 고두밥을 합하고, 고루 버무려 술밑을 빚는다.
4. 소독하여 준비한 술독에 술밑과 송순을 켜켜로 안치고, 단단히 싸매어 차지도 덥지도 않은 곳에 앉혀두고 7일간 발효시킨다.
5. 준비해 둔 증류식 소주 30복자를 부어주고, 그대로 두어 소주 냄새가 나지 않고 향기가 좋으면 용수 박아 채주한다.

숑슌쥬방문

숑슌쥬 ᄒᆞᆫ 말 ᄒᆞ랴면 뫼ᄊᆞᆯ 두 되 옥갓치 쓸허 ᄇᆡᆨ셰ᄒᆞ여 ᄃᆞᆷ가 이튼날 작말ᄒᆞ여 ᄀᆞ늘게 쳐 죠흔 국말 ᄒᆞᆫ 되 석거 의이만치 ᄀᆞᆯ느로 쑤어 누록 합ᄒᆞ여 너헛다가 ᄉᆞ오일 만의 졈미 일두 졍히 쓸허 지예 쪄 어름갓치 ᄎᆞᆫ 후 그젼 숑슌 ᄒᆞᆫ 말 슈념 업시 글거 잠간 ᄉᆞᆯ마 역 ᄎᆡᄂᆞᆫ 후 술밋ᄎᆞᆯ ᄀᆞᄂᆞᆫ체의 걸너 밥을 고로고로 석거 마즌 항의 ᄒᆞᆫ 켸식 밤과 숑슌을 ᄎᆞ례ᄎᆞ례로 넌ᄒᆞ여 너코 ᄃᆞᆫᄃᆞᆫ이 ᄆᆡ야 불한불열ᄒᆞᆫ 되 두엇다가 일칠 후 독ᄒᆞᆫ ᄇᆡᆨ쇼쥬 삼십 복ᄌᆞ으 부어 ᄂᆡᆨ은 후 쓰ᄂᆞ니 숑슌을 무수 졍셰ᄒᆞ여 ᄉᆞᆷ기ᄅᆞᆫ 잠간ᄒᆞ야 숑향이 업게 말고 밥과 숑슌이 어름갓치 식은 후 녀흐라. 여러 말 ᄒᆞ랴면 미국과 숑슌 쇼쥬을 ᄇᆡ용ᄒᆞ라.

11. 송순주 <시의전서(是議全書)>

술 재료 : 밑술 : 찹쌀 8되, 누룩가루 2되 8홉, 물(1말 6되)
덧술 : 찹쌀 4말, 송순(5되~1말), 소주 적당량(6되~1말)

술 빚는 법 :

* 밑술 :

1. 찹쌀 8되를 매우 희게 씻어 물에 하룻밤 담가 불렸다가 (다시 씻어 헹궈 건져서 물기를 뺀 뒤) 작말한다.
2. 물에 쌀가루를 풀어 넣고 몹시 된죽을 쑨 다음, 넓은 그릇에 퍼 담고 뚜껑을 덮어 차게 식기를 기다린다.
3. 차게 식힌 죽에 누룩가루 2되 8홉을 합하고, 고루 버무려 술밑을 빚는다.
4. 술독에 술밑을 담아 안치고, 예의 방법대로 하여 (서늘한) 마루에서 발효시킨다.
5. 술밑에 단맛과 쓴맛이 돌면 덧술을 준비한다.

* 덧술

1. 송순이 막 자랄 때(필 때) 많이 따다 (모엽을) 다듬고, 깨끗하게 씻어놓는다.
2. 찹쌀 4말을 물에 깨끗이 씻어 하룻밤 담가 불려놓는다.
3. 다음날 불린 찹쌀을 다시 씻어 헹궈서 물기를 뺀 뒤, 시루에 안쳐서 고두밥을 짓는다.
4. 송순을 끓는 물에 넣어 숨이 죽을 정도로 삶고, 건져서 서늘하게 식혀둔다.
5. 고두밥이 익었으면 퍼내고, 고루 펼쳐서 차게 식기를 기다린다.
6. 밑술을 체에 밭쳐 막걸리를 거르고, 찌꺼기를 제거한다.

7. 막걸리에 고두밥과 송순을 한데 합하고, 고루 버무려 (비빔밥 비비듯) 술밑을 빚는다.
8. 술밑을 술독에 담아 안친 후, 예의 방법대로 하여 발효시킨다.
9. 술맛이 달고 쓴맛이 들면 소줏고리를 이용하여 내린 소주를 붓는다.

* 주방문에 밑술의 물 양이 언급되어 있지 않은 채, 죽을 "의이(매우 된죽)만치 쑨다."고 하였으므로, 물의 양을 쌀의 2배로 산정하였다. 또 덧술은 송순과 소주량이 나와 있지 않다. 방문에 "소주 고아 근근하게 부었다가"라고 하였으므로, 소주를 부었을 때 물기가 보일락 말락 할 정도의 양이 되는 8되~1말로 산정하였다. 방문 말미에 맛이 들면 "달고 매워 마치 기절하니라. 술국이 진하거든 다시 소주를 또 고아 부어도 좋다. 밥에 송순을 나물 비빔밥처럼 하거든 좋으니라."고 하였다. 또 첨부하기를 "술밑은 이 방문이 좀 부족하니, 할 때 쌀과 누룩을 더 하여 넉넉히 하고, 송순 피기 전 밑 하였다가, 덧칠 때 송순 길게 나오거든 하였다가, 쓴맛이 들고 쌀알 다 삭거든 소주 붓고, 용수 말고 (술덧을) 헤치고 떠서 쓰라."고 하여, 술이 다 숙성되면 술 양이 많아 밥알은 다 가라앉고 술이 위로 고일 것이므로, 위를 가만히 헤치고 맑은 술을 채주하여 사용하라고 하였다.

松荀酒(송슌쥬)

졈미 팔승 희게 쓸어 하로밤 담갓다가 작말ᄒᆞ여 된 의이만치 쓔어 식은 후 곡말 네칠 홉을 버므려 마루에 노핫다가 맛시 달고 쓴맛 들거든 졈미 너 말 희게 쓸어 ᄒᆞ로 담갓다가 닉게 쪄 송슌 막 필 씩 만히 ᄯᆞ 다듬어 ᄉᆞᆱ 죽을 만치 살마 셔늘케 ᄎᆡ와 다른 물 말고 그 슐밋 쳬에 밧쳐 버무려 너헛다가 달고 쓴맛 들거든 소쥬 고아 근근ᄒᆞ게 부엇다가 맛아올거든 먹으라. 달고 ᄆᆡ와 맛치 긔절ᄒᆞ니라. 슐국이 진ᄒᆞ거든 소쥬 ᄯᅩ 고아 부어도 죠흐니라. 밥에 송슌을 나물 부븸만치 셧거 ᄒᆞ면 죠흐니라. 슐밋슨 이 방문이 좀 부족ᄒᆞ이 ᄒᆞᆯ 졔 쌀과 누룩을 더 ᄒᆞ여 넉넉히 ᄒᆞ고 송슌 픠기 젼 밋 ᄒᆞ엿다가 덧치 송슌 길게 ᄂᆞ오거든 ᄒᆞ엿다가 쓴맛 들고 ᄊᆞᆯ알 다 삭거든 소쥬 붓고 용슈 말고 살살 헤치고 써서 쓰라.

12. 솔순술 <양주방>*

술 재료 : 밑술 : 찹쌀 5되, 누룩 2되, 물(2말~2말 5되)
덧술 : 멥쌀 2말, 가루누룩 2되 5홉, 솔순 반 짐, 백소주 10복자

술 빚는 법 :

* 밑술 :

1. 찹쌀 5되를 깨끗이 씻고 또 씻어(백세하여) 물에 담가 불렸다가 (다시 씻어 헹궈 건져서 물기를 뺀 후) 가루로 빻아 그릇에 담아놓는다.
2. 물(2말~2말 5되)을 팔팔 끓여 쌀가루에 고루 붓고, 주걱으로 고루 개어 범벅을 만든다.
3. 범벅을 넓은 그릇에 퍼 헤쳐 두었다가, 싸늘하게 식기를 기다린다.
4. 범벅에 누룩 2되를 넣고 고루 버무려서 술밑을 빚는다.
5. 술독에 술밑을 담아 안치고, 예의 방법대로 하여 단단히 싸매어 서늘한 곳에서 (3~4일간) 발효시킨다.

* 덧술 :

1. 찹쌀 5말을 깨끗이 씻고 또 씻어(백세하여) 물에 담가 밤재워 불려놓는다.
2. 솔순을 채취하여 물에 깨끗하게 씻은 뒤, 닷분씩 썰어 1말을 준비한다.
3. 솥에 1말의 물을 붓고 솔순과 함께 끓인 뒤, 솔순을 건져놓는다.
4. 불린 쌀은 (다시 씻어 헹궈 건져서 물기를 뺀 후) 시루에 안쳐서 고두밥을 짓고, 고두밥이 익었으면 퍼내고, 고루 펼쳐서 차게 식기를 기다린다.
5. 고두밥 찌던 시루밑물을 2병만 차게 식혀, 밑술에 쳐가면서 술을 체에 거른다.
6. 밑술 거른 술국에 가루누룩 2되 5홉을 넣고 불렸다가, 다시 체에 밭쳐 누룩

술(주곡)을 만들어놓는다.

7. 고두밥에 주곡을 섞고, 고루 버무려 술밑을 빚는다.
8. 밥그릇 뚜껑으로 술밑을 3번씩 떠서 술독에 담아 안치고, 준비해 둔 솔순을 한 켜 안친다.
9. 위와 같이 술밑과 솔순을 시루떡 안치듯 켜켜로 독에 안친 후에 솔순으로 위를 덮고, 식지로 단단히 싸매어 서늘한 곳에 둔다.
10. 21일(세이레)이 지난 후에 독을 열어 맨 위의 솔순을 걷어낸다.
11. 백소주를 뜨게(독하지 않게, 중품소주) 고아 준비해 두었다가, 쌀 1말당 백소주 2복자씩 10복자를 붓는다.
12. 14일 후에 술독을 열어 맛을 보면, 콕 쏘게 맵고도 달고, 향기가 기특하다.

* 주방문 말미에 "14일이 지나 독을 열어보면, 콕 쏘게 맵고도 달고, 기특하여 온갖 병이 다 나으니, 부디 해 먹되, 날물기가 그릇에 없이 깨끗이 쓰면 아무리 오래 두어도 변하지 않는다. 솔순이 연해야 좋고, 굵어야 좋다. <술방문>에는 솔순을 한 말쯤 넣으라 하였으되, 두 말을 넣어도 좋다. 닷 말을 덧빚으려면 분량을 대중하면 된다."고 하였다.

숑슌쥬

졈미 닷 말 비ᄌᆞ랴 ᄒᆞ면 졈미 닷 되 ᄇᆡᆨ셰작말ᄒᆞ야 ᄭᅳᆯ힌 물의 풀ᄀᆺ치 ᄀᆡ야 식거든 날물긔 업시 독을 죄 씨셔 누록 두 되를 섯거 너허 단단이 싸ᄆᆡ야 서늘ᄒᆞᆫ ᄃᆡ 두어 ᄂᆡᆨ거든 졈미 닷 말 ᄇᆡᆨ셰ᄒᆞ야 담가 밤재와 ᄂᆡᆨ게 쪄 밤 재와 ᄀᆞ장 ᄎᆞ거든 숑슌을 다듬어 닷 분식 ᄊᆞ호ᄅᆞ ᄒᆞᆫ 말이나 살마 그 물은 ᄇᆞ리고 밥 쎈 물 두 병만 ᄎᆞ게 시겨 술밋출 그 물의 걸너 국말 두 되 가옷만 거른 물의 타 쏘 바타 출밥의 고로 섯거 물 ᄂᆞᆨ게 말고 뱌ᄇᆡ야 되게 섯거 독의 식긔 두에로 셋식 너코 숑슌을 시로쎡 ᄑᆞᆺ케 놋틋 노흔 후 순 술믄 거술 우흘 덥허 독을 식지로 단단이 싸ᄆᆡ야 서늘ᄒᆞᆫ 마루의 두엇다가 삼칠일 지나거든 우희 것 것고 ᄇᆡᆨ소쥬를 쓰게 고아 ᄒᆞᆫ 말의 두 복ᄌᆞ식 부어 두엇다가 일 칠일 지나거든 보면 ᄆᆡᆸ고 긔특ᄒᆞ야 ᄇᆡᆨ병이 다 업ᄂᆞ니 부ᄃᆡ ᄒᆞ야 먹으ᄃᆡ ᄂᆞᆯ물긔 업시 그ᄅᆞᄉᆡ도 업시

ᄒᆞ라. 정히 히 쓰면 아므리 오라여도 변치 아니 ᄒᆞᄂᆞ니라. 슌이 연ᄒᆞ여야 죠코 굵어야 죠흐니라. 방문의는 슐을 ᄒᆞᆫ 말을 너흐라 하엿셔도 두 말을 너허 죠코 닷말 덜 비ᄌᆞ랴 ᄒᆞ면 헤아려 ᄒᆞᄂᆞ니라.

13. 송순주 <우음제방(禹飮諸方)>

–열 말 빚이

술 재료 : 밑술 : 찹쌀 2말, 누룩가루 7홉, 약주술(술밑 2되), 끓여 식힌 물(4말)
　　　　　덧술 : 찹쌀 8말, 송순 1말, 소주(14~20복자)

술 빚는 법 :

* 밑술 :

1. 찹쌀 2말을 희게 쓿어(깨끗하게 도정하여) 백세하여 물에 담가 하룻밤 불렸다가 (다음날 다시 씻어 헹궈서 물기를 뺀 후) 시루에 안쳐서 고두밥을 짓는다.
2. 고두밥이 익었으면 퍼내어, 고루 펼쳐서 차게 식기를 기다린다.
3. 고두밥에 누룩가루 7홉과 (끓여 식힌 물 4말), 약주술(술밑 2되)을 섞고, 고루 버무려 술밑을 빚는다.
4. 술독에 술밑을 담아 안치고, 예의 방법대로 하여 4~5일 발효시킨다.

* 덧술 :

1. (희게 쓿은 찹쌀 8말을 백세하여 물에 담가 하룻밤 불렸다가, 다시 씻어 헹궈서 물기를 뺀 후, 시루에 안치고 쪄서 고두밥을 짓는다.)
2. 2~3치 정도 자란 송순 1말을 따다가, 수염 없이 하여 끓는 물에 살짝 삶아 건져서 고루 펼쳐 얼음같이 차게 식힌다.
3. (고두밥이 익었으면 퍼내고, 고루 펼쳐 얼음같이 차게 식기를 기다린다.)

4. (밑술을 고두밥에 합하고, 고루 버무려 술밑을 빚는다.)
5. 술독에 술밑과 송순을 떡 안치듯 켜켜로 담아 안친 다음, 예의 방법대로 하여 차지도 덥지도 않은 곳에 두었다가 7~8일간 발효시킨다.
6. 준비한 순한 중품소주 (14~20복자를) 붓고, 단단히 봉하여 차지도 덥지도 않은 곳에 두고 다시 숙성시킨다.

* 주방문에 '열 말 빚으려면' 하였는데 찹쌀 2말로 고두밥을 짓는 것으로 되어 있고, 쌀 10말에 누룩가루 7홉이라고 되어 있어, 문제가 많은 방문임을 알 수 있다. 따라서 밑술법의 '약주술'을 '석임'이나 '주모'로 이해하면 누룩가루 7홉의 비율로도 방문이 가능해진다. 또한 찹쌀 2말로 빚은 술을 소주로 고으라는 것인지, 미리 빚어두었던 별도의 술을 소주로 고으라는 것인지도 불분명하다. 따라서 찹쌀 8말과 송순으로 이용하여 덧술을 빚고, 별도의 술로 소주를 고아서 7~8일 후에 부으라고 하는 것으로 해석하였다.

송슌쥬

열 말 비ᄌᆞ려 ᄒᆞ면 졈미 두 말 희게 쓸허 빅셰ᄒᆞ야 ᄒᆞᄅᆞ밤 ᄌᆡ와 ᄒᆞ억이 쪄 ᄃᆞ ᄎᆡ혜 쳐 차게 식여 누룩ᄀᆞ로 칠 홉 석거 약쥬술의 버무려 송슌 두세 치만 ᄒᆞᆫ 거슬 써거 잠간 ᄉᆞᆯ마 바구니의 건져 물이 빠지고 차거든 격지 두어 가며 밥 버무린 거슬 너허 차도 덥도 아닌 ᄃᆡ 두엇다가 칠팔 일 되거든 소쥬 고와 더운 김의 부엇다가 십여 일 되면 쓰ᄂᆞ니라.

14. 송순주 하는 법 <음식책(飮食冊)>

송슌을 제ᄶᅴ의 마니 ᄶᅡ셔 ᄒᆞ나식 글거 쓸 눈과 마디의 거문 거슬 정이 다 글ᄭᅩ 눈가지 이 난 후의 약쑤술 지어 주내인 ᄃᆡ로 ᄒᆞ고 송슌은 시루쩍 안치드시 케를 노으며 안치고 그 밋치나 중간의 게피 건강 주머니 지어 ᄂᆡ고 술이 십 일 되거든 조ᄒᆞᆫ 소주난 닙분슈 보아 약주의 물 잡듯 소주로 물을 좁아

쏘흔 열망이나 수십 일 되어 소쥬맛 읍시 달솜 쌉쌉 송슌주 마시 완연이 되거든 아조 쓰지 말고 쓰리 만치 종종 써셔 도청ᄒᆞ여 쓰되 다 먹쏘록 무든 지 두고 써 써라.

* 주방문을 해독할 수 없다. 주원료의 가공방법에 대해서는 해독이 가능하나 배합비율이나 술 빚는 횟수, 부재료의 양에 대한 언급이 전혀 없기 때문이다. 또 '송순주 하는 법'라고 하였으나, 주방문을 보면 '오향소주' 또는 '오종주'와 유사하다는 것을 짐작할 수 있을 뿐이다.

15. 송순주 <이씨(李氏)음식법>

술 재료 : 밑술 : 찹쌀 5되, 누룩 2되, 물(2말)
덧술 : 찹쌀 5말, 송순 2말, 시루밑물 2병, 가루누룩 2되, 소주 10복자

술 빚는 법 :

* 밑술 :

1. 찹쌀 5되를 백세하여 (물에 담가 불렸다가, 다시 씻어 헹궈서 물기를 뺀 후) 작말한다.
2. 찹쌀가루에 끓는 물(2말)을 붓고, 주걱으로 고루 개어 풀 같은 죽(범벅)을 쑨 뒤, 차게 식기를 기다린다.
3. 차게 식은 죽(범벅)에 누룩 2되를 섞어 넣고, 고루 버무려 술밑을 빚는다.
4. 날물기 없이 깨끗하게 씻어 (건조시킨 후 연기를 쏘여 소독한) 술독에 술밑을 담아 안치고, 예의 방법대로 하여 단단히 봉하여 서늘한 곳에 두어 발효시킨다.

* 덧술 :

1. 찹쌀 5말을 백세하여 물에 담가 밤재워 불렸다가 (다시 씻어 헹궈서 물기를 뺀 후) 시루에 안치고 쪄서 고두밥을 짓는다.
2. 송순 2말을 (수염 없이 하여 깨끗하게 씻은 뒤) 끓는 물에 살짝 삶은 다음, 건져서 물은 버리고 송순은 차게 식힌다.
3. 고두밥이 익었으면 시루에서 퍼내고, 고루 펼쳐서 차게 식기를 기다린다.
4. 고두밥을 찌던 시루밑물 2병을 차게 식힌 후, 밑술에 섞고 고운체에 걸러 찌꺼기를 제거한 막걸리를 만들어놓는다.
5. 막걸리에 가루누룩 2되를 합하고, 다시 주물러서 체에 밭쳐 술누룩을 만들어놓는다.
6. 고두밥에 걸러둔 술누룩을 한데 합하고, 고루 버무려 된 술밑을 빚는다.
7. 술독에 술밑을 식기 뚜껑으로 3개씩 떠서 안치고, 그 위에 송순을 안치는데, 이와 같이 켜떡 안치듯 켜켜로 담아 안친다.
8. 술독을 단단히 봉하여 (차지 않은 곳에 두고) 21일간 발효시킨 후, 흰것쓸것(술덧 위에 핀 흰 꽃)을 걷어 낸다.
9. 준비한 (중품)백소주 10복자를 붓고 (단단히 봉하여 차지도 덥지도 않은 곳에 두고) 다시 14일간 익힌다.

숑슌쥬

졈미 닷 말 슐 ᄒᆞ려 ᄒᆞ면 졈미 닷 되 ᄇᆡᆨ세작말ᄒᆞ어 셜흰 물의 물 갓치 가여 식거든 날물긔 업시 독을 쇄 씻셔 누룩 두 되 셕거 너허 단단이 봉ᄒᆞ야셔 ᄎᆞᆫ 곳의 두어 익거든 졈미 닷 말 ᄇᆡᆨ셰ᄒᆞ여 담가 밤ᄌᆡ와 익게 쪄셔 ᄆᆡ으 식거든 숑슌을 다담아 닷 부식 잘나 두 말짐 살마 그 살문 물을 바리고 슐밥 찐 물 두 병만 ᄎᆞ게 식여 밋츨 그 물의 걸너 가루누룩 두 되가웃만 걸은 물의 타 ᄯᅩ 밧타 찰밥의 고로 셕거 범무려 물 눅게 말고 되게 범물려 식게 튜의 세식만 너코 ᄡᅧ 켸 ᄂᆞᆺ틋 ᄒᆞ여 단단이 봉ᄒᆞ야다가 ᄉᆞᆷ칠일 후의 흰것쓸것고 ᄇᆡᆨ쇠쥬늘 ᄒᆞᆫ 말의 두 복ᄌᆞ식 부어다가 이칠일 후 먹으라.

16. 송순주방 <임원십육지(林園十六志)>

–15말 빚이

술 재료 : 밑술 : 찹쌀 5되, 누룩가루 3되 5홉, 물(1말 5되)
덧술 : 찹쌀 4말 5되, 송순 1광주리, 삼해주 노주(1말)

술 빚는 법 :

* 삼해주 소주 빚기 :

1. 멥쌀 10말을 나누어 3차례에 걸쳐 삼해주를 빚어 발효시킨다(삼해주 방문 참조).
2. 술이 숙성되면, 술덧을 체에 걸러 탁주를 채주한다(청주를 사용하면 더욱 좋다).
3. 가마솥에 불을 지피고, 물 2사발을 붓고 끓이다가, 술 2사발을 붓고 끓인다.
4. 술 4사발을 솥에 붓고 저어준 뒤, 끓으면 다시 술을 붓는 방법으로 준비한 술을 다 안친다.
5. 소줏고리를 얹고, 소줏고리 위에 냉각수 그릇을 얹는다.
6. 솥과 소줏고리, 소줏고리와 냉각수 그릇의 틈새를 소줏번을 붙여 막는다.
7. 냉각수 그릇에 찬물을 채우고, 소줏고리 귀때 밑에 수기를 받쳐놓는다.
8. 불을 알맞게 조절하여 소주를 받되, 첫술 1컵 정도는 버리거나 다음에 증류할 술에 섞어 사용한다.
9. 냉각수 그릇의 물이 따뜻해지면 즉시 퍼내고, 다시 찬물을 갈아주면서 소주를 받는다. 중품노주 3~4말 정도가 얻어진다.
10. 노주는 이슬처럼 맑고 투명해야 하며, 반드시 맛이 부드럽고 순해야 하며, 탄내가 나지 않아야 한다. 증류한 노주를 술독에 담아 안치고 밀봉하여 화기가 통하는 약간 온기가 있는 곳에 보관해 놓는다.

* 밑술 :

1. 찹쌀 5말을 빚으려면, 4~5월경에 찹쌀 5되를 (백세하여 물에 담갔다가, 다시 씻어 건져서 물기를 뺀 뒤) 작말한다.
2. 찹쌀가루에 (1말 5되의) 물을 한데 섞고, 묽지도 되지도 않은 죽을 끓여서 넓은 그릇 여러 개에 나눠 펴 담고 차게 식기를 기다린다.
3. 죽에 좋은 누룩가루 3되 5홉을 섞고, 고루 버무려 술밑을 빚는다.
4. 술독에 술밑을 담아 안치고, 예의 방법대로 하여 (3~4일간) 익혀 밑술을 얻는다.

* 덧술 :

1. 밑술 빚은 지 3~4일 후에 산에 가서 5~6촌 크기의 쥐꼬리만 한 송순을 한 광주리를 따다, 모엽(毛葉)과 솜털을 제거하고, 끓는 물에 살짝 데쳐서 쓴맛을 빼낸다.
2. 데쳐낸 송순을 넓은 멍석이나 돗자리에 고루 펼쳐서 서늘한 곳에서 차게 식힌다.
3. 찹쌀 4말 5되를 (백세하여) 물에 담갔다가, 다시 씻어 일어서 물기를 뺀 뒤, 시루에 안쳐서 고두밥을 짓는다.
4. 고두밥이 투명하고 윤기가 나게 쪄졌으면, 고루 펼쳐서 차게 식기를 기다린다.
5. 밑술을 체에 걸러 누룩찌꺼기를 제거한 막걸리를 걸러놓는다.
6. 밑술에 고두밥과 송순을 넣고, 고루 버무려 술밑을 빚는다.
7. 술독에 술밑을 담아 안치고, 위에 별도의 누룩을 뿌려서 덮는다.
8. 술독은 예의 방법대로 하여 5~6일간 발효시킨 후, 숙성되어 그 맛이 달고 매운맛이 나는지를 살핀다.
9. 준비해 둔 삼해주 소주(1말)를 붓고, 기름종이로 밀봉한다.
10. 술독은 서늘한 땅에 묻는데, 볏짚이나 솔가지를 이용하여 술독의 옷을 입혀, 흙의 냄새나 기운이 독에 미치지 않도록 하여, 재차 10일간 발효·숙성시킨다.
11. 술독을 땅에 묻은 지 10여 일 후 용수를 박아 채주하여 마시는데, 해가 바뀌도록 술맛이 변하지 않고 매우 아름답다.

松茅酒方

要釀十五斗者先以粳米十斗造三亥酒燒出白色露酒而其味必令平順過烈則不中用矣又勿令凡焦燇氣密封缸口放微溫室內待四五月間松抽新茅五六寸然後另將糯米五斗先取五升搗末作粥稀稠得中候冷和好麴末三升五合釀之此是酒本也.過三四日後採取松茅如鼠尾狀者一筐勿爲剉以手去其母葉投沸湯內少頃取出則苦味盡去矣攤置凉處卽以前所餘糯米四斗五升浸淘炊熟攤冷乃傾出前造酒本瀘去滓同松茅糯飯一處和勻不用別麴復入瓮內過五六日其味甘辛以猶未成酒以前燒置露酒灌入瓮內以油紙密封埋瓮凉處勿令土氣犯入過十許日後揷篘取用經年味不變爲無上美醑 (一云) 烹茅水用以釀酒亦好 (又云) 用盡更以他燒酒灌之則其味亦佳. <增補山林經濟>.

17. 우(又) 송순주 <조선무쌍신식요리제법(朝鮮無雙新式料理製法)>

술 재료 : 소주 : 멥쌀 10말, (누룩 6되, 탕수 30사발)
밑술 : 찹쌀 5되, 누룩 3되 5홉, 물(1말 5되)
덧술 : 찹쌀 4말 5되, 송순(5되), 소주 적당량

술 빚는 법 :

* 소주 내리기 :

1. 멥쌀 10말을 이용하여 삼해주를 빚고, 술이 익었으면 소주를 내린다.
2. 소주는 그 맛이 평평하고 순하며 가히 맹렬한즉, 맛은 좋지 못하다.
3. 소주를 내릴 때 타거나 괄치는(끓어 넘치는) 기운을 들이지 말아야 한다.
4. 소주를 담은 항아리는 아구리를 단단히 봉하여 조금 더운 방에 둔다.

* 밑술 :

1. 4~5월 사이에 새 송순이 5~6치씩 자라나면, 별도의 찹쌀 5말 가운데 5되

를 작말하여 묽지도 되지도 않은 죽을 쑤어 식힌다.

2. 죽에 누룩가루 3되 5홉을 섞고, 고루 버무려 술밑을 빚어 술독에 담아 안치고, 예의 방법대로 하여 3~4일간 발효시킨다.

* 덧술 :

1. 송순은 쥐꼬리만 한 것을 채취하여 물에 깨끗하게 씻어 모엽, 털을 다듬어 물기를 빼서 (5되 정도) 준비한다.
2. 준비한 송순을 큰 광주리에 담아 끓는 물에 넣고, 잠깐 만에 건져 쓴맛을 빼낸다.
3. 찹쌀 4말 5되를 백세하여 물에 담가 불렸다가, 다시 씻어 건져서 물기를 뺀 후, 고두밥을 찌고, 익었으면 고루 펼쳐 차게 식기를 기다린다.
4. 먼저 빚어둔 밑술을 체에 걸러 찌꺼기를 제거한 막걸리를 만든 후, 고두밥과 송순을 합하고, 고루 버무려 술밑을 빚는다.
5. 술밑을 술독에 담아 안치고, 예의 방법대로 하여 5~6일간 발효시킨다.
6. 술맛이 달고 매운맛이 돌면, 소주를 붓고 유지로 꼭 밀봉하여, 서늘한 곳에 둔다.
7. 술독은 토기(땅에 두어 술독에 습기와 흙냄새가 스며드는 것)가 스며들지 않도록 하여 10여 일 숙성시킨 후에 용수를 박아두고 떠서 마신다.

* 주방문 말미에 이르기를, "이 술은 해가 지나도 변하지 않고, 짝 없이 좋은 술이 되나니라. 또 술이 진하여지거든 다른 소주를 들어부으면 맛이 또한 좋다."고 하였다.

송순(松筍酒) 쏘 한 법

가량 열닷 말을 비즈라면 먼저 멥쌀 열 말을 삼해주를 비저서 흔 빗흐로 내리면 그 맛이 평평하고 순하며 과이 맹렬한즉 쓰는데 맛지 못하니라. 쏘는 타거나 괄치는 긔운을 드리지 말고 항아리 아구리를 단:이 봉하야 조곰 더운 방에 두엇다가 사오월 간에 소나무가 새로 순이 대여섯 치 을은 후에 별로이 찹쌀 닷 말 내에 먼저 닷 되를 작말하야 죽을 묵도 되도 안케 쑤워 식힌 후에 조흔 누룩가루 섯 되 닷 홉을 함께 석거 빗는 것이 이것이 술밋이니 삼사일 지난 후에 송순이 쥐ᄭᅩ리만 한 것을 ᄡᅡ서 큰 광주리에 담고 썰지 말고 손으로 렬과 입사귀를 골라버리고 ᄭᅳᆯ는 물에 넛다가 잠ᄭᅡᆫ 만에 ᄭᅳ내면 ᄡᅳᆫ맛이 다 ᄲᅡ지나니 헷처 서늘던 곳에 두고 전에 남앗든 찹쌀 너 말 닷 되를 밥 짓고 전에 만든 술밋을 걸러 ᄶᅵᆨ기는 버리고 송순과 찹쌀밥을 함께 주물러 ᄡᅡᆫ 누룩은 쓰지 말고 그냥 독에 느은 지 오륙일만 지나면 그 맛이 달고 매울 것이니 아직 술이 되지 못하야서 처음 내렷든 소주를 독에 드러붓고 유지로 ᄭᅩᆨ 봉하야 서늘한 곳에 두고 토긔를 범치 아니하얏다가 십여 일 지난 후에 용수를 박고 ᄡᅥ 쓰나니 이 술은 해가 지나도 변치 안코 ᄶᅡᆨ 업시 조흔 술이 되나니라.

18. 송순주 <주식시의(酒食是儀)>

술 재료 : 밑술 : 찹쌀 2말, 누룩가루 7홉, 약주술(술밑 2되), 끓여 식힌 물(4말)
덧술 : 찹쌀 8말, 송순 1말, 소주(14~20복자)

술 빚는 법 :

* 밑술 :

1. 찹쌀 2말을 희게 쓿어(깨끗하게 도정하여) 백세하여 물에 담가 하룻밤 불렸다가 (다음날 다시 씻어 헹궈서 물기를 뺀 후) 시루에 안쳐서 고두밥을 짓는다.
2. 고두밥이 익었으면, 퍼내어 차게 식기를 기다린다.
3. 고두밥에 누룩가루 7홉과 (끓여 식힌 물 4말), 약주술(술밑 2되)을 섞고, 고루 버무려 술밑을 빚는다.
4. 술독에 술밑을 담아 안치고, 예의 방법대로 하여 4~5일 발효시킨다.

* 덧술 :

1. (희게 쓿은 찹쌀 8말을 백세하여 물에 담가 하룻밤 불렸다가, 다시 씻어 헹궈서 물기를 뺀 후, 시루에 안치고 쪄서 고두밥을 짓는다.)
2. 2~3치 정도 자란 송순 1말을 따다가, 수염 없이 하여 끓는 물에 살짝 삶아 건져서 고루 펼쳐 얼음같이 차게 식힌다.
3. (고두밥이 익었으면 퍼내고, 고루 펼쳐 얼음같이 차게 식기를 기다린다.)
4. (밑술을 고두밥에 합하고 고루 버무려 술밑을 빚는다.)
5. 술독에 술밑과 송순을 떡 안치듯 켜켜로 담아 안친 다음, 예의 방법대로 하여 차지도 덥지도 않은 곳에 두었다가 7~8일간 발효시킨다.
6. 준비한 순한 중품소주 (14~20복자를) 붓고, 단단히 봉하여 차지도 덥지도 않은 곳에 두고 다시 숙성시킨다.

* 주방문에 '열 말 빚으려면' 하였는데 찹쌀 2말로 고두밥을 짓는 것으로 되어 있고, 쌀 10말에 누룩가루 7홉이라고 되어 있어, 문제가 많은 방문임을 알 수 있다. 따라서 밑술법의 '약주술'을 '석임'이나 '주모'로 이해하면 누룩가루 7홉의 비율로도 방문이 가능해진다. 또한 찹쌀 2말로 빚은 술을 소주로 고으라는 것인지, 미리 빚어 두었던 별도의 술을 소주로 고으라는 것인지도 불분명하다.
  따라서 찹쌀 8말과 송순을 이용하여 덧술을 빚고, 별도의 술로 소주를 고아서 7~8일 후에 부으라고 하는 것으로 해석하였다.

송슌쥬

열 말 비ᄌᆞ려 ᄒᆞ면 졈미 두 말 희게 쓸허 빅셰ᄒᆞ야 ᄒᆞ로밤 ᄌᆡ와 흐억이 ᄶᅧ ᄃᆞ ᄎᆡ혜 처 차게 식여 누룩ᄀᆞ로 칠 홉 셕거 감쥬슐의 버무려 송슌 두세 치 만ᄒᆞᆫ 거ᄉᆞᆯ ᄶᅥ거 잠간 ᄉᆞᆯ마 바구리의 건져 물리 ᄲᅡ지고 차거든 격지 두어 가며 밥 버무린 거ᄉᆞᆯ 너허 차도 덥도 아닌 ᄃᆡ 두엇다가 칠일 팔일 되거든 쇼주 고와 더운 김의 부엇다가 십여 일 되면 쓰ᄂᆞ니라.

19. 송순주법 <증보산림경제(增補山林經濟)>

–15말 빚이

술 재료 : 밑술 : 찹쌀 5되, 누룩가루 3되 5홉, 물(1말 5되)
덧술 : 찹쌀 4말 5되, 송순 1광주리, 삼해주 노주(3말)

술 빚는 법 :

* 소주 내리기 :

1. 삼해주(술덧)를 준비한다(멥쌀 1말로 흰무리떡을 찌고, 누룩가루 5되, 끓여 식힌 물 3병으로 밑술을 빚고, 멥쌀 7말로 흰무리떡을 찌고, 끓여 식힌 물 21병, 밑술을 합하여 덧술을 빚고, 찹쌀 2말로 고두밥을 지어 덧술과 섞어 2차 덧술을 빚어 발효시킨다).
2. 술덧을 체에 걸러 탁주를 채주한 다음, 가마솥에 불을 지피고, 물 2사발을 붓고 끓이다가, 술 2사발을 붓고 끓인다.
3. 술 3사발을 솥에 붓고 저어준 뒤, 끓으면 다시 술을 붓는 방법으로 술을 다 안친 후, 소줏고리를 얹고, 소줏고리 위에 냉각수 그릇을 얹는다.
4. 솥과 소줏고리, 소줏고리와 냉각수 그릇의 틈새를 소줏번을 붙여 막는다.
5. 냉각수 그릇에 찬물을 채우고, 소줏고리 귀때 밑에 수기를 받쳐놓는다.
6. 뽕나무나 밤나무 불을 알맞게 조절하여 소주를 받되, 첫술 1컵 정도는 버리거나 다음에 증류할 술에 섞어 사용한다.
7. 냉각수 그릇의 물이 따뜻하면 즉시 퍼내고, 다시 찬물을 갈아주면서 소주를 받으면 3말 정도 얻을 수 있다.
8. 노주는 반드시 맛이 부드럽고 순해야 하며, 탄내가 나지 않아야 한다. 증류한 노주를 술독에 담아 안치고 밀봉하여 화기가 통하는 곳(따뜻한 곳)에 보관해 놓는다.

* 밑술 :

1. 4~5월경에 찹쌀 5되를 (백세하여 물에 담갔다가, 다시 씻어 건져서 물기를 뺀 뒤) 작말한다.
2. 찹쌀가루에 1말 5되의 물을 한데 섞고, 묽지도 되지도 않은 죽을 끓여서 넓은 그릇 여러 개에 나눠 펴 담고 차게 식기를 기다린다.
3. 죽에 누룩가루 3되 5홉을 섞고, 고루 버무려 술밑을 빚는다.
4. 술독에 술밑을 담아 안치고, 예의 방법대로 하여 3~4일간 발효시킨다.

* 덧술 :
1. 밑술 빚은 지 3~4일 후에 깊은 산에 가서 쥐꼬리만 한 크기의 송순(송이)을 한 광주리를 따다 모엽과 솜털을 제거하고, 끓는 물에 살짝 데쳐서 쓴맛을 빼낸다.
2. 데쳐낸 송순을 넓은 멍석이나 돗자리에 고루 펼쳐서 차게 식힌다.
3. 찹쌀 4말 5되를 (백세하여 물에 담갔다가, 다시 씻어 건져서 물기를 뺀 뒤) 시루에 안쳐서 고두밥을 짓는다.
4. 고두밥이 익었으면 고루 펼쳐서 차게 식기를 기다리고, 밑술을 체에 걸러 누룩찌꺼기를 제거한 막걸리를 걸러놓는다.
5. 밑술에 고두밥과 송순을 넣고, 고루 버무려 술밑을 빚는다.
6. 술독에 술밑을 담아 안치고, 예의 방법대로 하여 5~6일간 발효시킨 후, 그 맛이 달고 매운맛이 나면, 준비해 둔 삼해주 소주를 붓고 기름종이로 밀봉한다.
7. 술독은 서늘한 땅에 묻는데, 볏짚이나 솔가지를 이용하여 술독의 옷을 입혀, 흙의 냄새나 기운이 독에 미치지 않도록 하여, 재차 10일간 발효·숙성시킨다.
8. 술독을 땅에 묻은 지 10여 일 후 용수를 박아 채주하여 마신다.

* 주방문에 "노주의 맛은 반드시 부드럽고 순해야 한다. 진하면 도리어 쓰기에 적당하지 않다. 또 탄내가 들어가지 않게 해야 한다. 탄내가 들어가면 쓰지 못한다."고 하고, 방문 말미에 "한 해를 두고 먹어도 맛이 변하지 않는다. 이

술은 비길 데 없는 미품(美品)이다. 송순을 삶은 물을 함께 넣어 술을 빚어도 좋다고 하고, 또 술이 만들어진 뒤 용수를 박고 떠내어 다 쓴 뒤에, 소주를 전처럼 부어도 술맛이 향기롭다고도 한다."고 하였다. 또 "이 술은 비길 데 없는 미품(美品)이다. 송순을 삶은 물을 함께 넣어 술을 빚어도 좋다."고 하고, 또 "술이 익은 뒤, 용수를 박고 떠내어 다 쓴 후에 소주를 전처럼 부어도 술맛이 향기롭다고도 한다."고 하였다.

이로써 본 방문은 술을 직접 빚어본 것이 아닌, 주워들은 방문을 기록한 것으로 생각해 볼 수 있다.

왜냐하면 예의 '송순주' 주방문은 기타 여러 문헌에 수록된 방문과는 다르게 물의 양이 언급되어 있지 않을 뿐만 아니라, 특이하게 삼해주를 빚어 노주를 만든다고 하였는데, 그 때문에 '미품'이라고 한 것인지는 모르겠으나, 10말 빚이 '삼해주'를 증류하여 얻은 중품소주가 3말 이상인 것으로 미루어 볼 때, 본 방문에서 사용되는 양주용수(물)의 양보다 더 많은 소주를 붓는 경우를 찾아볼 수 없으며, 이와 같은 방문대로라고 하면, 본주 '송순주'는 발효가 중지될 뿐만 아니라, 소주 맛이 강하여 오히려 그 맛에서 역겨울 수 있다는 사실 때문이다.

松笋酒法

要釀十五斗者先以白米十斗造三亥酒燒出白色露酒而其味必令平順若烈反不合用 又勿令焦氣犯入不用矣 露酒堅封甕缸置於通火氣之堗留待四五月間松抽新笋五六寸然後另用粘米五斗內除出五升作末作粥攤稀酒得中候冷和好麯末三升五合納甕中此是酒本也 過三四日後採取松笋如鼠尾狀者一筐勿爲剉切以手去其母葉投於釜內沸湯之中少頃取出則苦味盡去矣攤置凉處卽以前所餘粘米四斗五升浸潤蒸出候冷遂傾出酒本篩去滓以松笋粘飯酒本三味相和(不用別麯)復入甕內 過五六日後 其味甘辛以猶未成酒旋以所燒置露酒皆灌於松荀酒甕中以油紙封固埋甕凉處以勿令土氣犯入甕內過十許日後揷篘取用經年未不變矣 此酒爲無比美品(一云烹笋水同入作酒亦好 又云 此酒成後揷篘用盡復以燒酒如前灌之則酒味亦香).

20. 송순주 본법 <증보산림경제(增補山林經濟)>

술 재료 : 밑술 : 찹쌀 2되, 누룩 7홉, 물(5되)
덧술 : 찹쌀 1말, 송순 1광주리, 죽(찹쌀 2되, 물 5되), 소주(1말)

술 빚는 법 :

* 밑술 :

1. 송순이 한창 나올 때, 찹쌀 2되를 (백세하여 물에 담갔다가, 다시 씻어 건져서 물기를 뺀 뒤) 물(5되)과 섞고 의이 쑤듯 끓여서 죽을 쑨다.
2. 찹쌀죽이 익었으면, 넓은 그릇에 퍼내고 완전히 차게 식기를 기다린다.
3. 찹쌀죽에 좋은 누룩 7홉을 섞고, 잘 버무려 술밑을 빚는다.
4. 술밑을 술독에 담아 안치고, 예의 방법대로 하여 발효시키는데, 그 맛이 달콤 씁쓸한 맛이 나면 덧술을 준비한다.

* 소주 준비 :

1. 쌀 3말에 누룩을 많이(5~6되) 섞고, 물(3말)을 합하여, 보통 술 빚는 방법으로 발효시킨다.
2. 술덧을 체에 걸러 탁주를 채주한 다음, 탁주를 가마솥에 안치고 불을 지펴 술이 끓기 시작하면, 소줏고리를 얹어 증류한다.
3. 증류한 소주는 맛이 독하지도 싱겁지도 않아야 하므로 1말 정도를 받아내야 한다.
4. 소주는 술독에 담아서 밀봉한 후, 따뜻한 곳에 보관하였다가 사용한다.

* 덧술 :

1. 산에 들어가서 새로 나온 어린 송순을 채취하여 송진기가 있을까 염려되는 아랫부분을 1치쯤 잘라낸다.
2. 송순에 붙어 있는 가는 잎을 제거하지 말고, 잘 다듬어 끓는 물에 데쳐내는

데, (잘게) 썰지 말고 고루 펼쳐서 차게 식혀놓는다.

3. 찹쌀 1말을 (백세하여) 물에 담가 불렸다가 (다시 씻어 건져서 물기를 뺀 후) 시루에 안쳐서 고두밥을 짓는다.
4. 밑술을 체에 걸러 찌꺼기를 제거한 막걸리를 만들어놓는다.
5. 고두밥이 익었으면 퍼내고, 돗자리에 고루 펼쳐서 차게 식기를 기다린다.
6. 다시 죽(찹쌀 2되를 물에 깨끗하게 씻어 불린 뒤, 물 5되와 섞고, 팔팔 끓여)을 쑨 뒤, 넓은 그릇에 퍼서 차게 식힌 후, 체에 걸러 밥찌꺼기를 제거한다.
7. 걸러둔 밑술 막걸리와 송순, 고두밥을 합하고, 술밑을 빚은 뒤, 다시 죽을 합하고 진흙처럼 고루 이겨서 술밑을 빚는다.
8. 술밑을 술독에 담아 안치고, 예의 방법대로 하여 4~5일간 발효시킨다.
9. 술맛이 단맛이 좀 나고 쓴맛은 아직 나기 전에 다음과 같이 발효시킨 술을 증류한 소주를 붓고, 고루 섞어준 뒤, 밀봉하여 21일간 발효 · 숙성시킨다.
10. 삼칠일(21일)이 지난 뒤 용수를 박고, 3~4일 후 떠서 마신다. 술을 다 떠내고 나면 다시 다른 소주를 전처럼 붓고, 또 다 쓰면 역시 전처럼 소주를 부어도 솔향기가 여전하다.

* 주방문 말미에 "이 술은 여름을 나도 맛이 변하지 않고, 한 해를 경과하더라도 변함이 없다. 독을 땅에 묻어 두어도 좋다. 송순은 대략 1말 정도 쓰는데 이 방법을 감안해서 많은 양을 빚는 것도 가능하다."고 하였다.

松笋酒 本法

松笋正發時以粘米二升作粥如薏苡粥候極冷好曲七合打匀納缸待味甘苦另以粘米一斗水爛蒸飯又以松笋採新嫩者截去近下一寸許恐有松脂氣故也不去細葉精理之經沸湯取出不必折切候冷與冷飯相和卽取粥篩去滓又與笋飯相和與泥仍納缸待甘味生而若味未出之時以白米三斗多入麯釀常酒作燒酒味要猛劣得中盡灌松笋缸中三味相合之過三七日後挿篘取用 用盡又以他白燒酒如前灌之又盡用又如前灌之松氣如舊此酒經夏味不改雖過暮年無變埋甕地中亦好松笋略用一斗許推此法多釀可也.

21. 송순주법 <증보산림경제(增補山林經濟)>

–들은 방법(更聞法)

술 재료 : 밑술 : 찹쌀 2되, 누룩 7홉, 물(5되)

덧술 : 찹쌀 1말, 송순 4되, 죽(찹쌀 2되, 물 5되), 소주(1말 5되)

술 빚는 법 :

* 밑술 :

1. 송순이 한창 나올 때, 찹쌀 2되를 (백세하여 물에 담갔다가, 다시 씻어 건져서 물기를 뺀 뒤) 물(5되)과 섞고 의이 쑤듯 끓여서 죽을 쑨다.
2. 찹쌀죽이 익었으면, 넓은 그릇에 퍼내고 완전히 차게 식기를 기다린다.
3. 찹쌀죽에 좋은 누룩 7홉을 섞고, 잘 버무려 술밑을 빚는다.
4. 술밑을 술독에 담아 안치고, 예의 방법대로 하여 발효시키는데, 그 맛이 달콤 씁쓸한 맛이 나면 덧술을 준비한다.

* 소주 준비 :

1. 쌀 3말에 누룩을 많이(5~6되) 섞고, 물(3말)을 합하여, 보통 술 빚는 방법으로 발효시킨다.
2. 술덧을 체에 걸러 탁주를 채주한 다음, 탁주를 가마솥에 안치고 불을 지펴 술이 끓기 시작하면, 소줏고리를 얹어 증류한다.
3. 증류한 소주는 맛이 독하지도 싱겁지도 않고, 탄내가 나지 않아야 하므로, 1말 정도를 받아내야 한다.
4. 소주는 술독에 담아서 밀봉한 후, 따뜻한 곳에 보관하였다가 사용한다.

* 2차 소주 준비 :

1. 쌀 1말 5되에 누룩을 많이(5~6되) 섞고, 물(3말)을 합하여, 보통 술 빚는 방법으로 발효시킨다.

2. 술덧을 체에 걸러 탁주를 채주한 다음, 탁주를 가마솥에 안치고 불을 지펴 술이 끓기 시작하면, 소줏고리를 얹어 증류한다.
3. 증류한 소주는 맛이 독하지도 싱겁지도 않고, 탄내가 나지 않아야 하므로, 소주 5되 정도를 받아내야 한다.
4. 소주는 술독에 담아서 밀봉한 후, 따뜻한 곳에 보관하였다가 사용한다.

* 덧술 :
1. 산에 들어가서 새로 나온 어린 송순을 채취하여, 솜털은 놓아둔 채 노두(蘆頭)만 제거하고 역시 썰지는 않는다.
2. 송순에 붙어 있는 가는 잎을 제거하지 말고, 잘 다듬은 것으로 4되 정도를 마련하여, 끓는 물에 데쳐내고 고루 펼쳐서 차게 식혀놓는다.
3. 찹쌀 1말을 (백세하여) 물에 담가 불렸다가 (다시 씻어 건져서 물기를 뺀 후) 시루에 안쳐서 고두밥을 짓는다.
4. 밑술을 체에 걸러 찌꺼기를 제거한 막걸리를 만들어놓는다.
5. 고두밥이 익었으면 퍼내고, 돗자리에 고루 펼쳐서 차게 식기를 기다린다.
6. 다시 죽(찹쌀 2되를 물에 깨끗하게 씻어 불린 뒤, 물 5되와 섞고, 팔팔 끓여)을 쑨 뒤, 넓은 그릇에 퍼서 차게 식힌 후, 체에 걸러 밥찌꺼기를 제거한다.
7. 걸러둔 밑술 막걸리와 송순, 고두밥을 합하고, 술밑을 빚은 뒤, 다시 죽을 합하고 진흙처럼 고루 이겨서 술밑을 빚는다.
8. 술밑을 술독에 담아 안치고, 예의 방법대로 하여 4~5일간 발효시킨다.
9. 술맛이 단맛이 좀 나고 쓴맛은 아직 나기 전에 다음과 같이 발효시킨 술을 증류한 소주를 붓고, 고루 섞어준 뒤, 밀봉하여 21일간 발효·숙성시킨다.
10. 삼칠일(21일)이 지난 뒤 용수를 박고, 3~4일 후 떠서 마신다. 술을 다 떠내고 나면 다시 전처럼 소주(쌀 1말 5되로 빚어 만든 소주)를 부어도 솔향기가 여전하다.

* 주방문 말미에 "찹쌀 1말을 빚을 경우, 송순 4되가 들어가는데, 많이 넣으면 술맛이 쓰다. 쌀 3말로 빚은 술을 증류한 것을 전부 붓는데, 그 맛이 진하면

진할수록 좋다. 소주에 만일 탄내가 나면 쓰지 못한다."고 하였다.

松笋酒 更聞法

更聞之則松笋不生去毛只去蘆頭亦不切剉每粘一斗釀入笋四升許若多則味苦耳燒酒則每粘一斗釀所灌卽白米三斗酒所燒者盡灌之甚味愈烈益好耳燒酒若有焦氣則不用.

22. 송순주법 <증보산림경제(增補山林經濟)>

–또 들은 방법(又更聞法)

술 재료 : 밑술 : 찹쌀 2되, 누룩 7홉, 물(5되)
덧술 : 찹쌀 1말, 송순 4되, 죽(찹쌀 2되, 물 5되), 소주(1말 7되 5홉)

술 빚는 법 :

* 밑술 :

1. 송순이 한창 나올 때, 찹쌀 2되를 (백세하여 물에 담갔다가, 다시 씻어 건져서 물기를 뺀 뒤) 물(5되)과 섞고 율무죽을 쑤듯 끓여서 죽을 쑨다.
2. 찹쌀죽이 익었으면, 넓은 그릇에 퍼내고 완전히 차게 식기를 기다린다.
3. 찹쌀죽에 좋은 누룩 7홉을 섞고, 잘 버무려 술밑을 빚는다.
4. 술밑을 술독에 담아 안치고, 예의 방법대로 하여 서늘한 곳에 보관하여 두고 발효시키는데, 그 맛이 달콤 씁쓸한 맛이 나면 덧술을 준비한다.

* 소주 준비 :

1. 쌀 3말에 누룩을 많이(5~6되) 섞고 물(3말)을 합하여, 보통 술 빚는 방법으로 발효시킨다.
2. 술덧을 체에 걸러 탁주를 채주한 다음, 탁주를 가마솥에 안치고 불을 지펴

술이 끓기 시작하면, 소줏고리를 얹어 증류한다.
3. 증류한 소주는 맛이 독하지도 싱겁지도 않고, 탄내가 나지 않아야 하므로, 1말 정도를 받아내야 한다.
4. 소주는 술독에 담아서 밀봉한 후, 따뜻한 곳에 보관하였다가 사용한다.

* 2차(3차) 소주 준비 :
1. 쌀 1말 5되(7되 5홉)에 누룩을 많이(5~6되) 섞고, 물(3말)을 합하여, 보통 술 빚는 방법으로 발효시킨다.
2. 술덧을 체에 걸러 탁주를 채주한 다음, 탁주를 가마솥에 안치고 불을 지펴 술이 끓기 시작하면, 소줏고리를 얹어 증류한다.
3. 증류한 소주는 맛이 독하지도 싱겁지도 않고, 탄내가 나지 않아야 하므로, 소주 5되(2되 5홉) 정도를 받아내야 한다.
4. 소주는 술독에 담아서 밀봉한 후, 따뜻한 곳에 보관하였다가 사용한다.

* 덧술 :
1. 산에 들어가서 새로 나온 어린 송순을 채취하여, 솜털은 놓아둔 채 노두(蘆頭)만 제거하고 역시 썰지는 않는다.
2. 송순에 붙어 있는 가는 잎을 제거하지 말고, 잘 다듬은 것으로 4되 정도를 마련하여, 끓는 물에 데쳐내고 고루 펼쳐서 차게 식혀놓는다.
3. 찹쌀 1말을 (백세하여) 물에 담가 불렸다가 (다시 씻어 건져서 물기를 뺀 후) 시루에 안쳐서 고두밥을 짓는다.
4. 죽을 쑤어 빚은 밑술을 체에 걸러 찌꺼기를 제거한 막걸리를 만들어놓는다. 죽을 쑨 뒤 차게 식힌다(쌀 2~3되를 물에 깨끗하게 씻어 불린 뒤, 물 5~6되와 섞고, 팔팔 끓여서 죽을 쑨 뒤, 넓은 그릇에 펴서 차게 식힌다).
5. 고두밥이 익었으면 퍼내고, 돗자리에 고루 펼쳐서 차게 식기를 기다렸다가, 송순과 합하여 고루 섞어놓는다.
6. 걸러둔 밑술 막걸리와 식으면 송순과 버무린 고두밥을 합하고, 진흙처럼 고루 잘 이겨서 술밑을 빚는다.

7. 술밑을 술독에 담아 안치고, 예의 방법대로 하여 4~5일간 발효시킨다.
8. 술맛이 단맛이 좀 나고 쓴맛은 아직 나기 전에 다음과 같이 발효시킨 술을 증류한 소주를 붓고, 고루 섞어준 뒤, 밀봉하여 21일간 발효 · 숙성시킨다.
9. 삼칠일(21일)이 지난 뒤 용수를 박고, 3~4일 후 떠서 마신다. 술을 다 떠내고 나면 다시 다른 소주(멥쌀 3말로 빚어 증류한 소주)를 전처럼 붓고, 또 다 쓰면 역시 소주(쌀 1말 5되로 빚어 만든 소주)를 전처럼 붓고, 또 다 쓰면 역시 전처럼 소주(쌀 7되 5홉으로 빚어 만든 소주)를 부어도 솔향기가 여전하다.

* 주방문 말미에 "다 쓴 다음 다시 세 번째 붓는 술은 두 번째보다 양을 반으로 줄이는데, 그 맛은 처음 것보다 못하다. 네 번째 붓는 것은 말할 것도 없다."고 하였다.
"또 두 번째로 소주를 붓고 3~7일 지난 뒤에 쓴다."고 하여 본법과 같다는 것을 알 수 있다.

松笋酒 本法

又聞初以三斗釀燒酒灌之揷蒳用盡再灌一斗五升釀燒酒灌之則味好如初用盡三灌之酒又半減於再次而其味劣於初云耳四灌非所論也.

23. 송순주법 <증보산림경제(增補山林經濟)>

–또 들은 방법(又更聞法)

술 재료 : 밑술 : 찹쌀 2되, 누룩 7홉, 물(5되)
덧술 : 찹쌀 1말, 송순 4되, 죽(찹쌀 2되, 물 5되), 소주(1말 7되 5홉)

술 빚는 법 :

* 밑술 :

1. 송순이 한창 나올 때, 찹쌀 2되를 (백세하여 물에 담갔다가, 다시 씻어 건져서 물기를 뺀 뒤) 물(5되)과 섞고 율무죽을 쑤듯 끓여서 죽을 쑨다.
2. 찹쌀죽이 익었으면, 넓은 그릇에 퍼내고 완전히 차게 식기를 기다린다.
3. 찹쌀죽에 좋은 누룩 7홉을 섞고, 잘 버무려 술밑을 빚는다.
4. 술밑을 술독에 담아 안치고, 예의 방법대로 하여 서늘한 곳에 보관하여 두고 발효시키는데, 그 맛이 달콤 씁쓸한 맛이 나면 덧술을 준비한다.

* 소주 준비 :

1. 쌀 3말에 누룩을 많이(5~6되) 섞고, 물(3말)을 합하여, 보통 술 빚는 방법으로 발효시킨다.
2. 술덧을 체에 걸러 탁주를 채주한 다음, 탁주를 가마솥에 안치고 불을 지펴 술이 끓기 시작하면, 소줏고리를 얹어 증류한다.
3. 증류한 소주는 맛이 독하지도 싱겁지도 않고, 탄내가 나지 않아야 하므로, 1말 정도를 받아내야 한다.
4. 소주는 술독에 담아서 밀봉한 후, 따뜻한 곳에 보관하였다가 사용한다.

* 2차(3차) 소주 준비 :

1. 쌀 1말 5되(7되 5홉)에 누룩을 많이(5~6되) 섞고, 물(3말)을 합하여, 보통 술 빚는 방법으로 발효시킨다.
2. 술덧을 체에 걸러 탁주를 채주한 다음, 탁주를 가마솥에 안치고 불을 지펴 술이 끓기 시작하면, 소줏고리를 얹어 증류한다.
3. 증류한 소주는 맛이 독하지도 싱겁지도 않고, 탄내가 나지 않아야 하므로, 소주 5되(2되 5홉) 정도를 받아내야 한다.
4. 소주는 술독에 담아서 밀봉한 후, 따뜻한 곳에 보관하였다가 사용한다.

* 덧술 :

1. 산에 들어가서 새로 나온 어린 송순을 채취하여, 솜털은 놓아둔 채 노두(蘆

頭)만 제거하고 역시 썰지는 않는다.

2. 송순에 붙어 있는 가는 잎을 제거하지 말고, 잘 다듬은 것으로 4되 정도를 마련하여, 끓는 물에 데쳐내고 고루 펼쳐서 차게 식혀놓는다.
3. 찹쌀 1말을 (백세하여) 물에 담가 불렸다가 (다시 씻어 건져서 물기를 뺀 후) 시루에 안쳐서 고두밥을 짓는다.
4. 죽을 쑤어 빚은 밑술을 체에 걸러 찌꺼기를 제거한 막걸리를 만들어놓는다.

죽을 쑨 뒤 차게 식힌다(쌀 2~3되를 물에 깨끗하게 씻어 불린 뒤, 물 5~6되와 섞고, 팔팔 끓여서 죽을 쑨 뒤, 넓은 그릇에 펴서 차게 식힌다).

5. 고두밥이 익었으면 퍼내고, 돗자리에 고루 펼쳐서 차게 식기를 기다렸다가, 송순과 합하여 고루 섞어놓는다.
6. 걸러둔 밑술 막걸리와 식으면 송순과 버무린 고두밥을 합하고, 진흙처럼 고루 잘 이겨서 술밑을 빚는다.
7. 술밑을 술독에 담아 안치고, 예의 방법대로 하여 4~5일간 발효시킨다.
8. 술맛이 단맛이 좀 나고 쓴맛은 아직 나기 전에 다음과 같이 발효시킨 술을 증류한 소주를 붓고, 고루 섞어준 뒤, 밀봉하여 21일간 발효 · 숙성시킨다.
9. 삼칠일(21일)이 지난 뒤 용수를 박고, 3~4일 후 떠서 마신다.
10. 술을 다 떠내고 나면 다시 다른 소주(멥쌀 3말로 빚어 증류한 소주)를 전처럼 붓고, 3~7일 후에 떠서 마신다.

* 주방문 말미에 "또 두 번째로 소주를 붓고 3~7일 지난 뒤에 쓴다."고 하여 본법과 같다는 것을 알 수 있다.

松筝酒 本法

又聞再灌燒酒過三七日而用之如本法.

24. 송순주법 <홍씨주방문>

술 재료 : 밑술 : 멥쌀 5되, 섬누룩 2되, 물(2말~2말 5되)
덧술 : 찹쌀 5말, 가루누룩 2되 5홉, 송순 1말, 시루밑물 2병, 백소주 10 복자

술 빚는 법 :

* 밑술 :

1. 멥쌀 5되를 백세하여(백 번 씻어 매우 깨끗하게 하여 말갛게 헹궈 불렸다가, 다시 씻어 건져서 물기를 뺀 다음) 작말한다(가루로 빻는다).
2. 쌀가루를 넓은 그릇에 담아놓고, 물(2말~2말 5되)을 솥에 붓고 솟구치게 팔팔 끓여서 쌀가루에 골고루 붓고, 주걱으로 고루 개어 범벅을 쑨다.
3. 범벅이 투명한 풀죽같이 익었으면, 그릇 여러 개에 나눠 담고 차게 식기를 기다린다.
4. 식은 범벅에 섬누룩 2되를 섞고, 고루 버무려 술밑을 빚는다.
5. 소독한 술독에 술밑을 담아 안치고, 예의 방법대로 하여 유지로 싸매고, 서늘한 곳에서 발효시켜 익기를 기다려 덧술을 해 넣는다.

* 덧술 :

1. 찹쌀 5말을 백세하여(백 번 씻어 옥같이 깨끗하게 하여 말갛게 헹궈 건졌다가) 새 물에 하룻밤 담가 불린다.
2. 송순 1말을 채취하여 깨끗하게 다듬고, 닷부(한 줌 길이)로 잘라서 끓는 물에 넣고 삶아, 물은 버리고 송순을 건져 식혀놓는다.
3. 시루와 솥을 깨끗하게 씻어 불린 쌀을 (다시 씻어 건져서 물기를 뺀 다음) 시루에 쌀을 안쳐서 고두밥을 짓고, 익었으면 고루 펼쳐서 차게 식기를 기다린다.
4. 시루밑물 2병을 차게 식힌 후, 밑술에 섞고 체에 걸러 찌꺼기를 제거한 탁주

를 만들어 가루누룩 2되 5홉을 섞어 불려놓는다.

5. 고두밥에 밑술(탁주)과 송순을 한데 합하고, 고루 버무려 술밑을 빚는다.
6. 술밑을 식기 뚜껑으로 세 번씩 떠 담고, 그 위에 송순을 덮는 방법으로 켜켜이 안친다.
7. 송순을 조금 남겨 술밑 맨 위에 덮고, 예의 방법대로 하여 식지로 주둥이를 싸맨 후, 뚜껑을 덮고 서늘한 마루에 받침을 괴어 안쳐두고, 21일간 발효시켜 술이 익기를 기다린다.
8. 소주를 내려 얻어진 백소주를 쌀 1말당 2복자씩 계량하여 술독 한가운데에 붓고, 뚜껑을 덮어 14일간 숙성시킨다.

* 주방문 말미에 "이칠 지나거든 보면 맵고 달고 거룩하여 백병이 다 없나니 부티하여(?) 먹으라. 날물기 그릇에는 기척 없이 정히 두면 가을까지 두어도 변치 아니하고 순이 연하여야 좋고 방문이 순이 한 말이라 하여도 두 말이나 하여도 좋으니라."고 하였다.
* 식기두에 : 식기 뚜껑

송순주법

점미 닷 말 하랴면 백미 닷 되 백세작말하여 풀같이 개여 식거든 날물기 없이 섬누룩 두 되 섞어 넣고 유지로 쳐매여 서늘한 데 두었다가 익거든 점미 닷 말 백세하여 안날 담갔다가 밥 쪄 식히고 송순을 정히 다듬어 닷부씩 짤라 삶아 그 물은 버리고 밥 찐 물을 두어 병만 차게 식히고 술밑 ○○ 그 물에 걸러 가루누룩 두 되가웃 거른 물에 타 또 바탄 찰밥에 고루고루 분에 넣어 되게 섞어 식기두에로 셋씩 떠 넣고 사이사이 송순을 떡 팥 두듯 켜로 한 후 송순 남은 것을 위로 덮어 식지로 싸 뚝쳐 개여 서늘한 마루에 두었다가 삼칠 지나거든 위에 삭은 것 핀 것을 백소주 ○ 뜨게 고아 한 말에 두 복자씩 부어 두었다가 또 이칠 지나거든 보면 맵고 달고 거룩하여 백병이 다 없나니 부티하여(?) 먹으라.

25. 송순주 <홍씨주방문>

술 재료 : 밑술 : (멥쌀 5되), 가루누룩 2되
덧술 : 찹쌀(5말), 가루누룩 2되 5홉, 송순(1말), 끓인 물 2병, 백소주 10 복자

술 빚는 법 :

* 밑술 :

1. (멥쌀 5되를 백 번 씻어 매우 깨끗하게 하여 말갛게 헹궈 불렸다가) 다시 씻어 건져서 물기를 뺀 다음) 시루에 안쳐서 (고두밥을) 찌고, 헤쳐서 (차게 식힌다.)
2. 누룩을 (거칠게 빻아두었다가, 체에 내려서) 가루누룩 2되를 골라(고두밥에 골고루 섞어서) 술밑을 빚는다.
3. 술밑을 술독에 담아 안치고, 단단히 싸매서 찬 데 두었다가, 술이 익기를 기다려, 덧술을 해 넣는다.

* 덧술 :

1. (찹쌀 5말을 백 번 씻어 옥같이 깨끗하게 하여 말갛게 헹궈 건졌다가) 새 물에 하룻밤 담가 불린다.
2. 송순(1말)을 채취하여 깨끗하게 다듬고, 닷푼(한 줌) 길이로 잘라서 끓는 물에 넣고 잠깐 데치고(삶아), 물은 버리고 송순을 건져 식혀놓는다.
3. 깨끗하게 씻어 불린 찹쌀을 (다시 씻어 건져서 물기를 뺀 다음) 시루에 쌀을 안쳐서 고두밥을 짓고, 익었으면 고루 펼쳐서 매우 차디차게 식기를 기다린다.
4. 새로 길어 온 물 (대여섯) 식기를 팔팔 끓여 매우 차디차게 식힌다.
5. 식힌 물에 가루누룩 2되가웃을 섞어 (대여섯 시간) 불려두고, 누룩이 불었으면 주물러서 체에 밭쳐 걸러서 찌꺼기를 제거한 누룩물을 만들어놓는다.

6. 밑술을 (끓여서 차게 식힌 물을 쳐가면서) 체에 걸러 찌꺼기를 제거한 탁주를 만들고, 누룩물에 한데 섞어놓는다.
7. 고두밥에 밑술(탁주)과 누룩물을 한데 합하고, 약밥 섞듯 고루 많이 쳐서 술밑을 빚는다.
8. 술밑을 술독에 안치는데, 먼저 송순을 한 켜 안치고, 그 위에 술밑 한 켜 안치고 하여 켜켜로 안친 후, 맨 위에 송순을 얇게 한 켜 덮어 안친다.
9. 술밑을 안친 독은, 예의 방법대로 하여 단단히 싸맨 후, 찬 데 두고, 세이레(21일간) 발효시켜 술이 익기를 기다린다.
10. 소주를 내려 얻어진 백소주를 쌀 1말당 2식기씩 계량하여 술독 한가운데에 붓고, 김이 새지 않게 밀봉하여 다시 세이레(21일간) 후발효 · 숙성시킨다.

* 원문에는 술 이름이 밝혀져 있지 않았으며, 그 내용을 분류한바 '송순주' 로 여겨진다. 또 방문 머리의 오자와 해석이 불가능한 표기로 인하여 주방문을 판별하기 어려우나, 앞서의 방문을 참고하여 위와 같이 작성하였다.

송순주

수서(?) 물기 없이 ○○○○○○ 고허셔셔(?) 누룩 ○○ 두어 식은 후 가루누룩 두 되 골나 싸서 단단히 싸매여 찬 데 두었다 사 홉 한 되 타고 밥을 쪄 매우 매우 식혀 쳐 송순 정히 다드 다치분씩(?) 끊어 두 말 씻은 물 끓이다가 잠간 데쳐 식히고 새로 뒷식기를 고붓지게 끓여 매우 매우 식혀 가지고 가루누룩 두 되가옷만 식힌 물에 거르고, 밑술도 한테 걸러 가지고 밥에 조금씩 쳐 가며 약밥 섞듯 매우 (오래) 쳐서 독에 날물기 조심하여 송순 한 켜 밥 한 케 켜켜 넣어 송순으로 위를 낮게 덮어 단단히 싸매여 찬 데 두었다 세니레 만에 소주를 고아 한 말에 이식기씩 부어 김나지 아니게 싸매여 또 세니레 만에 뜨면 쓸 만하고 뜨지 말고 떠 쓰다가 뜬 후에 또 소주를 고아 가장자리로 둘러 두면 칠월, 팔월까지 떠도 좋으니라. 용수 넣을 적에 가운데를 가만히 헤치고 용수(를) 가만히 넣으면 맑은 것만 올라오나니라.

오가피주

스토리텔링 및 술 빚는 법

술에 대한 기호는 사람마다 다르다. 한 가지 술을 두고도 저마다의 취향이나 목적하는 바가 다르다는 얘긴데, 특히 우리나라 사람들의 술에 대한 기호는 지나치게 주관적이어서 소위 '명주(名酒)'에 대한 사회적 동의를 구하기는 더욱 어렵다.

그리고 다른 한편으로, 현재 우리나라 술 가운데는 명주가 없다는 얘기에 대해서는 대체적으로 공감하는 분위기인 것 같다. 그렇다면 어떤 종류의 술이 명주에 해당할까? 조선시대에는 어떤 주품들이 명주의 반열에 올랐을까? 명주의 맛과 향기는 어떠할까? 이런 궁금증이 전통주의 복원에 대한 계기가 되었는데, 아직까지도 소위 약용약주류에 대하여는 부정적인 인식을 지울 수 없다는 것이 필자의 견해이다.

조선시대의 10대 명주를 보더라도 '관서 감홍로(關西 甘紅露)'와 '전라도 죽력고(竹瀝膏)', '황해 · 전라도 이강고(梨薑膏)', 서울의 '삼해주(三亥酒)', '백로주(白露酒)', '방문주(方文酒)', '하향주(荷香酒)', '경액춘(瓊液春)', '부의주(浮蟻酒)', '이화주(梨花酒)'가운데 약용증류주는 3종이 있으나, 발효주 가운데는 약용약주류가 단 한 가지도 존재하지 않는다. 또한 조선시대 10대 특산주 가운데도 발효주로서 '약산춘(藥山春)', '호산춘(壺山春)', '노산춘(魯山春)', '벽향주(碧香酒)', '청명주(淸明酒)', '김천 과하주(過夏酒)' 등 순곡주류가 주류를 이루는 가운데 약용증류주류로 '전통홍주(紅酒)'와 '약소주(藥燒酒)'가 있고, 혼양주류로 '송순주(松荀酒)'가 있으며, 가향주류로 '두견주(杜鵑酒)'가 포함되지만 약용약주류는 단 한 가지도 존재하지 않는다는 점에서 명주에 대한 우리의 인식을 달리할 필요가 있다고 생각된다.

1. (오가피주 우법) <감저종식법(甘藷種植法)>

술 재료 : 밑술 : 오가피 1근(마른 것 10냥), 멥쌀 1말, 누룩가루 4되, 물 10병
덧술 : 찹쌀 5되, 누룩 7홉, 오가피물 3병(오가피 1근, 물 6병), 노주

술 빚는 법 :

* 밑술 :

1. 4~5월에 물이 오른 오가피 줄기를 많이 채취하여 외피(겉껍질)를 제거한다.
2. 멥쌀 1말을 백세한다(물에 담가 불려놓는다).
3. 오가피 줄기 1근(건조시킨 것은 10냥)을 물 10병에 넣고, 달여서 물이 4~5병이 되면 찌꺼기(건더기)는 제거한다.
4. (불린 쌀을 다시 씻어 건져서 물기를 뺀 후. 시루에 안쳐서 고두밥을 짓는다).
5. (고두밥이 익었으면 넓은 그릇에 펴 담고, 팔팔 끓고 있는 오가피 달인 물 4~5병도 차게 식기를 기다린다.
6. 오가피물과 고두밥, 누룩가루 4되를 합하고, 고루 버무려 술밑을 빚는다.
7. 술독에 술밑을 담아 안치고, 예의 방법대로 하여 발효시킨다.
8. 술이 익었으면 소줏고리를 이용하여 증류하여 노주(露酒)를 받아놓는다.

* 덧술 :

1. 찹쌀 5되를 백세하여 (물에 담가 불렸다가, 다시 씻어 건져서 고두밥을 짓는다).
2. 외피(겉껍질)를 제거한 오가피 줄기 1근(건조시킨 것은 10냥)을 물 6병에 넣고 달여서 3병이 되면 찌꺼기(건더기)는 제거한다(오가피물을 차게 식힌다).
3. (고두밥이 익었으면 퍼내고, 주걱으로 고루 헤쳐서 차게 식기를 기다린다.)
4. (고두밥에) 오가피물 6병과 누룩 7홉을 합하고, 고루 버무려 술밑을 빚는다.
5. 술독에 술밑을 담아 안치고, 예의 방법대로 하여 발효시키고 익기를 기다린다.
6. 술맛을 보아 단맛이 적으면, 받아둔 노주를 항아리 가운데 붓는다.
7. 술독을 기름종이로 밀봉하여 약간 따뜻한 곳(微溫處)에 안쳐두고, 7~8일간 발효 숙성시킨 다음, 주조에 올려 짜낸다.

* 주방문 말미에 "옛 사람이 이르기를 '만일 한 줌의 오가피를 얻으면 옥이 수레에 가득한 것보다 낫다'고 하였다."고 하고, 또 이르기를 "오가피를 일명 문장초라 하는데, 문장초로 술을 빚으면 금을 귀하다고 이르지 못하리라. 오가피는 상품의 약 중에 영약이다."고 하였다.

(五加皮酒 又法)

白米一斗百洗入麴末四升以五加煎水四五瓶釀酒熬作露酒又以粘米五升百洗入細末麴七合用五加水三瓶釀酒待其味少甘多烈以露酒注于其中以油紙封置微溫處過七八日上槽. 故人云寧得一把五加不用金玉滿車又曰文章(五加一名文章草)作酒金不言貴五加皮盖上品靈藥也.

2. 오가피주법 <보감록>

술 재료 : 밑술 : 오가피 줄기 썬 것(10냥), 멥쌀 2말 5되, 가루누룩 5되, 끓는 물 (2말 5되)
덧술 : 멥쌀 2말 5되, 오가피물 3병(오가피 1근, 물 6병), 노주

술 빚는 법 :

* 밑술 :

1. 물이 오른 오가피 줄기를 많이 채취하여 외피(겉껍질)를 제거한 다음, 유협도로 잘게 썰어놓는다.
2. 멥쌀 2말 5되를 백세하여 (물에 담가 불렸다가, 다시 씻어 건져서 물기를 뺀 후) 작말하여 놓는다.
3. 오가피 줄기 잘게 썬 것을 술독에 먼저 안친다.
4. 쌀가루에 끓는 물 2말 5되를 붓고, 주걱으로 고루 개어 범벅을 쑨 후, 차게 식기를 기다린다.
5. 범벅에 가루누룩 5되를 합하고, 고루 버무려 술밑을 빚는다.
6. 술독에 술밑을 담아 안치고, 예의 방법대로 하여 발효시켜서 술이 괴어오르기를 기다린다.

* 덧술 :

1. 멥쌀 2말 5되를 백세하여 (물에 담가 불렸다가, 다시 씻어 건져서) 시루에 안쳐서 고두밥을 짓는다.
2. 고두밥이 익었으면 퍼내고, 주걱으로 고루 헤쳐서 차게 식기를 기다린다.
3. 고두밥에 밑술과 끓여서 차게 식힌 물 2말 5되를 한데 합하고, 고루 버무려 술밑을 빚는다.
4. 술독에 술밑을 담아 안치고, 예의 방법대로 하여 약간 따뜻한 곳(微溫處)에 안쳐서 발효시키고 익기를 기다린다.

5. 술맛을 보아 익었으면 채주하고, 따뜻하게 하여 공복에 마신다.

* 주방문 말미에 "공심의 알맞게 먹으면 풍병과 반신불수를 고칠 뿐 아니라, 옛 윤공도와 맹작이란 사람이 이 술을 먹으니, 나이 삼백씩 살고 아들을 서른을 낫느니라."고 하고, "오가피 일명은 금염이오, 일명은 문장초니, 위로 오차셩 정기를 응한 고로 잎이 오출이니, 고인(故人)이 이르기를, 만일 한 줌 오가피를 얻으면, 금옥이 수레에 가득한 것을 귀히 여기지 아니하나라." 하고, "우왕이 이르기를, 문장초로 술을 하면 금이 귀함을 알지 못한다 하니라."고 하여 오가피의 가치에 대해 설명하였다.

오가피쥬법

오가피 물 모을 ᄣᅵ에 만히 벗겨 음건ᄒᆞ야 유협도의 줄게 쓰러 독 밋테 너코 ᄡᆞᆯ 닷 말 ᄒᆞ랴면 반식 ᄇᆡᆨ셰ᄒᆞ야 ᄌᆞᆨ말ᄒᆞ야 범벅 ᄀᆡ여 식힌 후 ᄀᆞ로누록 닷 되 섯거 비져서 다 괴거던 남은 ᄡᆞᆯ ᄇᆡᆨ세ᄒᆞ야 늬게 써 ᄎᆞ게 식혀 탕수을 다른 슐물과 갓치 잡아 정히 ᄒᆞ엿다가 다ᄉᆞᄒᆞ게 데여 공심의 알맛게 먹그면 풍병과 반신불슈을 고칠 불 안이라 옛 윤공도와 ᄆᆡᆼ작소란 ᄉᆞ람이 이 슐을 먹그니 나흔 삼ᄇᆡᆨ식 살고 아달은 서흔을 나흐니라. 오가피 일명은 금념이오 일명은 문쟝초니 우흐로 오ᄎᆞ셩 정기을 응ᄒᆞᆫ 고로 닙피 오츌이니 고인이 왈 만일 ᄒᆞᆫ 모슴 오가피를 어드면 금옥이 슈릐에 ᄀᆞ득ᄒᆞᆫ 거살 쓰지 안이 여기니라 ᄒᆞ고 우왈 문쟝초로 슐을 ᄒᆞ면 금이 귀ᄒᆞ믈 니아지 못ᄒᆞᆫ다 ᄒᆞ니라.

3. 오가피주 우법 <학음잡록(鶴陰雜錄)>

술 재료 : 밑술 : 오가피 1근(마른 것 10냥), 멥쌀 1말, 누룩가루 4되, 물 10병
덧술 : 찹쌀 5되, 누룩 7홉, 오가피물 3병(오가피 줄기 1근, 물 6병), 노주

술 빚는 법 :

* 밑술 :

1. (4~5월에 물이 오른 오가피 줄기를 많이 채취하여 외피(겉껍질)를 제거한다.)
2. (오가피 줄기 1근을 물 10병에 넣고 달여 물이 4~5병이 되면 찌꺼기를 제거한다.)
3. 멥쌀 1말을 백세하여 (물에 담가 불렸다가, 다시 씻어 건져 헹궈서 물기를 뺀 뒤) 시루에 안쳐서 고두밥을 짓는다.
4. (고두밥이 익었으면, 시루에서 퍼내어 고루 펼쳐서 차게 식기를 기다린다.)
5. 오가피 달인 물 4~5병에 고두밥과 누룩가루 4되를 합하고, 고루 버무려 술밑을 빚는다.
6. 술독에 술밑을 담아 안치고, 예의 방법대로 하여 발효시킨다.
7. 술이 익었으면 소줏고리를 이용하여 증류하여 노주(露酒)를 받아놓는다.

* 덧술 :

1. 찹쌀 5되를 백세하여 (물에 담가 불렸다가, 다시 씻어 건져서 물기를 뺀 후) 시루에 안쳐서 고두밥을 짓는다.
2. 외피(겉껍질)를 제거한 오가피 줄기 1근을 물 6병에 넣고 달여서 찌꺼기는 제거한 오가피물 3병을 준비한다.
3. 고두밥이 익었으면, 시루에서 퍼내어 넓은 그릇에 담고, 끓고 있는 오가피물을 합하고, 주걱으로 고루 개어서 차게 식기를 기다린다.
4. 고두밥이 오가피물을 다 먹고 차게 식었으면, 누룩 7홉을 합하고, 고루 버무려 술밑을 빚는다.
5. 술독에 술밑을 담아 안치고, 예의 방법대로 하여 발효시키고 익기를 기다린다.
6. 술 빚은 지 (3~4일 지나) 술맛을 보아 단맛이 적고 매운맛이 나면, 받아둔 노주를 항아리 가운데 붓고 젓지 않는다.
7. 술독을 기름종이로 밀봉하여 상온(常溫)에 안쳐두고, 7~8일간 발효 · 숙성시킨 다음, 주조에 올려 짜낸다.

五加皮酒 又方

白米一斗, 百洗, 入麴末四升, 以五加水四五甁, 釀酒, 熬作露酒. 又以粘米五升, 百洗, 入細末麴七合, 用五加水三甁, 釀酒. 待其味少甘多烈, 以露酒注于其中, 以油紙封, 置尙溫處, 過七八日, 上槽. 安家方.

오종주

스토리텔링 및 술 빚는 법

<고려대규합총서(高麗大閨閤叢書, 異本)>에 '오종주(五種酒)' 방문이 등장한다. 처음에는 '오정주(五精酒)'라고 생각했다. 주품명이 유사하기 때문이었는데, 이들 주품이 서로 다른, 달라도 너무 다른 성격의 술이라고는 생각지 못하였다.

'오정주'는 <수운잡방(需雲雜方)>과 <요록(要錄)>에 수록되어 있고, 영주 지방의 전승가양주 '오정주'도 있어, 그 역사가 일천하지 않다는 것을 알 수 있다.

<수운잡방>과 <요록>의 '오정주'와 민간 전승가양주 '오정주'는 동일한 의미의 주품명으로, 두 문헌의 기록에 의한 오정주는 이양주법(二釀酒法)의 발효주인 반면, 민간 전승주인 '오정주'는 삼양주법(三釀酒法)의 증류식 소주로서 4대째 전승되고 있다는 점에서 차이가 있다는 것을 알 수 있다.

따라서 <고려대규합총서(이본)>의 '오종주'는 단양주법(單釀酒法)의 혼양주(混釀酒)로 분류하는 것이 옳을 것 같다. 앞서 소개한 '오정주'와 어떻게 다른지를 주방문을 보면 알 수 있는데, 먼저 '오종주'는 "찹쌀 1말을 쓸어 담그는 날 가루누룩 한 되를 물에 담근다. 찰밥을 지어 서늘하게 식혀 누룩 담근 물을 체에 걸

러 찰밥에 버무려 넣어둔다. 사흘이 되어 비틀 달콤한 맛이 들거든 소주 사십오 복자를 부어 한이레쯤 되면 밥알이 끓어오른다. 한이레고 두이레고 소주와 빛이 각각 나지 않고 맛이 어울거든 떠먹으면 된다. 여름이라도 소주를 부어 나지 않고 맛이 어울거든 떠먹으면 된다."고 하였다.

또한 주방문 말미에 술을 빚는 방법에 대하여 "여름이라도 소주를 부어 더운 데 덮어두어야 쉬이 된다."고 하고, "후추 · 계피는 가루로 만들어 베조각으로 주머니를 지어 넣고, 생강을 두드려 그저 넣고, 잣은 가루 만들어 그저 넣고, 대추는 깨끗이 씻어 그저 넣는다. 후추 한 돈, 계피 한 돈 · 잣가루 한 돈 · 생강 한 돈 · 대추 한 되, 누룩 한 되. 담는 물은 두 사발가웃. 누룩을 극히 가려야 한다."고 하였다.

반면, '오정주'는 주원료인 멥쌀 외 황정을 비롯하여 천문동, 솔잎, 백출, 구기자 등 5가지 약재의 종류에 따른 명칭이라는 것을 알 수 있는데, 이들 약재를 달인 물을 술 빚는 물로 사용하고, 쌀가루와 섞어 끓여서 만든 죽으로 밑술을 빚는다는 것을 특징으로 생각할 수 있으며, 덧술은 고두밥만을 사용하는 것을 볼 수 있다. 이들 재료는 식물의 정기(精氣)가 모여 있는 열매와 뿌리, 잎 등 '뿌리(根)'의 의미를 담고 있는데, <요록>의 주방문 머리에 "만병을 치료하고 허한 것을 보하며, 오래 살고 백발도 검어지고 빠진 이가 다시 난다."고 하여, 질병 예방과 함께 보양주로 빚어 마셨다는 것을 짐작해 볼 수 있어, 약재의 차이와 술 빚는 과정에서 각각 차이를 알 수 있다.

결국 <고려대규합총서(이본)>의 '오종주'는 혼양주법을 도입함으로써, 일반 발효주보다는 높은 알코올 도수를 통하여 약재가 갖는 약성을 효율적으로 이용할 수 있다는 점에서 보다 합리적이라는 생각이 든다.

굳이 문제를 지적하자면 주원료로 사용되는 약재의 양이 많다는 것이다. <고려대규합총서(이본)>에 수록된 '오종주' 주방문대로 술을 빚을 경우 정상적인 발효에 의한 술맛을 느끼기 어렵기 때문이다. 약재의 맛이나 향이 너무 강하여 한약이라는 느낌이 들 정도여서 술이 지녀야 할 기호음료로서의 특성에는 부합되지 않는다는 사실이다.

주방문 말미에 "누룩을 극히 가려야 한다."고 강조한 이유도 거기에 있다. <고려대규합총서(이본)>에 '오종주'는 숙성될수록 대추 등 약재의 맛과 향이 강하게 발현되므로, 그 분량을 줄여서 원활한 발효를 도모하는 한편으로, 술로서의 기호에 부합되도록 주방문의 약재 분량과 소주의 양을 조절할 필요가 있다는 것이 필자의 개인적인 의견이다.

특히 '소주'는 주원료인 쌀의 분량보다 많기 때문에 혼양주 특유의 맛과 향기를 살리기 어려울 것으로 판단된다. '소주' 냄새와 맛이 지나치게 많이 난다는 것이다.

따라서 보다 좋은 주질을 얻고자 한다면, 수곡을 만들 때의 물 양을 적게 하고, '소주'의 양도 20복자 이하로 줄이면 최상의 '오종주'를 얻을 수 있을 것이다.

오종주방문 <고려대규합총서(高麗大閨閤叢書, 異本)>

술 재료 : 찹쌀 1말, 가루누룩 1되, 물(2~3사발), 소주 45복자, 잣가루 1되, 후추가루 1돈, 계핏가루 1돈, 생강 1돈, 대추 1되

술 빚는 법 :

1. 찹쌀 1말을 (백세하여 물에 담가 불렸다가, 다시 씻어 건져서 물기를 뺀 후) 준비한다.
2. 물(2사발)에 가루누룩 1되를 섞어 불려두었다가, 주물러서 체에 밭쳐 찌꺼기를 제거한다.
3. 불린 쌀을 시루에 안쳐서 고두밥을 짓고, 고두밥이 익었으면 시루에서 퍼내고, 고루 펼쳐서 차게 식기를 기다린다.
4. 고두밥을 누룩물에 합하고, 고루 버무려 술밑을 빚는다.
5. 술독에 술밑을 담아 안치고, 예의 방법대로 하여 3일간 발효시킨다.
6. 3일이 지나 술맛이 달콤한 맛이 들면, 여름이라도 소주 45복자를 붓고 더운 곳에 덮어놓으면 빨리 익는다.
7. 7일후 술이 괴면서 밥알이 떠오르고, 소주 맛이 없으면 떠 마셔도 된다.
8. 오종 약재를 넣되, 분량의 후추와 계피는 가루로 만들어 베주머니에 넣고,

생강은 두드려서 그대로 넣는다.

9. 잣은 가루를 만들고, 대추는 깨끗이 씻어 물기 없이 하여 넣는다.
10. 7일이고 14일이고 소주 냄새와 빛이 각각 나지 않고, 맛이 어울리면 떠 마신다.

오종주방문

한 제 하려면, 찹쌀 한 말·가루누룩 한 되. 찹쌀을 쓸어 담그는 날 누룩을 물에 담근다. 찰밥을 지어 서늘하게 식혀 누룩 담근 물을 체에 걸러 찰밥에 버무려 넣어둔다. 사흘이 되어 비틀달콤한 맛이 들거든 소주 사십오 복자를 부어 한이레쯤 되면 밥알이 끓어오른다. 한이레고 두이레고 소주와 빛이 각각 나지 않고 맛이 어울거든 떠먹으면 된다. 여름이라도 소주를 부어 나지 않고 맛이 어울거든 떠먹으면 된다. 여름이라도 소주를 부어 더운 데 덮어두어야 쉬이 된다. 후추·계피·생강·대추·잣 다섯 가지를 넣되, 후추·계피는 가루로 만들어 베조각으로 주머니를 지어 넣고, 생강을 두드려 그저 넣고, 잣은 가루 만들어 그저 넣고, 대추는 깨끗이 씻어 그저 넣는다. 후추 한 돈·계피 한 돈·잣가루 한 돈·생강 한 돈·대추 한 되·누룩 한 되. 담는 물은 두 사발가웃. 누룩을 극히 가려야 한다.

오향소주

스토리텔링 및 술 빚는 법

전통적으로 '오향소주(五香燒酒)'와 같은 방법과 과정으로 이루어지는 술을 혼양주(混釀酒)로 분류한다.

'오향소주'는 다섯 가지 향기가 좋은 약재를 주원료로 하여 발효시키되, 술덧의 발효 중에 소주와 약재를 첨가하여 좋은 향기는 물론이고 알코올 도수를 높임으로써 약효를 최대한 끌어올리는 한편, 저장성을 부여하고자 개발된 주품이라고 할 수 있다.

발효주는 주원료가 함유하고 있는 각종 영양성분을 비롯하여 발효 중에 생성되는 미량의 화합물들로 인해 생리활성을 돕기도 하고 신진대사에 관여해 건강해진다는 과학적 사실이 밝혀지면서 전 세계적으로 주목을 받고 있다.

하지만 발효주는 선천적으로 재발효나 변질 등 단점을 안고 있는데, 이러한 문제점을 보완한 세계 최고의 발효기술이 혼양주법이다. 혼양주법의 대표적인 술로 '과하주(過夏酒)'를 꼽을 수 있는데, 이 '과하주'를 바탕으로 하여 여러 가지 가향재나 약용약재들을 사용함으로써, 향기와 색은 물론이고 약효까지를 얻고자 한 주품들이 개발되기에 이르렀는데, '오향소주'를 비롯하여 '오종주(五種酒)', '한산춘(韓山春)' 등이 대표적인 주품들이다.

'오향소주'는 1800년대 문헌에 등장하는데, <농정회요(農政會要)>를 비롯하여 <임원십육지(林園十六志)>와 <주찬(酒饌)>에서 찾아볼 수 있다. 1670년대 저술된 <음식디미방>에 처음으로 '과하주'가 등장하는 것으로 미루어, '과하주'의 보급이 이뤄진 후에 개발된 것으로 여겨진다.]

'오향소주'와 그 과정이 유사한 '오종주'의 주방문을 응용하였을 것이라는 추측을 할 수 있다. <음식디미방>보다 130~140년 후의 문헌인 1800년대 간행된 <임원십육지>에 처음으로 '오종주'가 등장하는 것으로 미루어, '과하주'를 응용한 주방문이라는 사실을 추측할 수 있기 때문이다.

이러한 여러 가지 사실로 미루어 '오향소주' 또한 혼양주법인 '과하주류'의 한 가지임을 확인할 수 있다.

'오향소주'는 <임원십육지>의 기록이 가장 앞선 것으로 밝혀졌는데, 이후 <농정회요>에 수록된 주방문과 동일한 것으로 미루어 <임원십육지>의 주방문을 참고하였을 것으로 생각된다. <농정회요>보다 훨씬 후기의 기록인 <주찬>에는 '오향주(五香酒)'로 수록되어 있는데, 앞서의 두 문헌과는 주방문이 다소 다르다는 것을 알 수 있다.

<주찬>의 '오향주'는 채주한 발효주에 '소주'와 약재를 넣어 숙성시키는 방법으로, 혼양주가 아닌 혼성주(混成酒)로 보아야 하기 때문이다.

<임원십육지>와 <농정회요>에서는 "찹쌀 5말로 고두밥을 쪄서 누룩 15근과 함께 상법으로 술을 빚는다."고 하였는데, 양주용수가 사용되는지 그 여부를 알 수 없으나, 발효 중인 술덧에 준비한 분량의 약재와 함께 소주를 넣고 49일간의 후발효 과정을 거치는 과정으로 이루어지는데, <주찬>에서는 "찹쌀 1말로 고두밥을 짓고, 끓여서 식힌 물 3되와 누룩 7홉으로 빚는다."고 하여 주원료의 정확한 분량이 나와 있고, 3일 발효 후 술덧을 여과하여 채주한 청주(淸酒)를 술병에 담고, 준비한 분량의 소주와 약재를 넣는 것으로 되어 있어, 시대가 앞선 두 문헌의 '오향소주'와는 다소 차이가 있음을 알 수 있다.

여기서 문제는 <임원십육지>와 <농정회요>의 '오향소주' 주방문에는 물의 양

이나 사용여부에 대한 구체적인 언급이 없다는 사실이다. 따라서 물을 사용할 것인지 말 것인지가 관건인데, 주목할 것은 소주의 투입시기를 고려하면 물이 사용된다는 사실을 알 수 있다는 것이다.

다시 말하면, '오향소주'는 혼양주법의 주류로 분류되지만, 엄밀하게 발효주라는 사실이다. 또한 "찹쌀 5말로 지은 고두밥을 누룩 15근으로 발효시키는데, 양주용수를 사용하지 않고 단기간에 발효시킬 수 있는가?" 하는 문제와 함께, "과하주의 주방문에서 보듯, 고두밥이 삭아서 어느 정도 발효가 이루어진 후에 소주를 넣는다."고 하는 사실에서 양주용수를 사용하는 것이 합리적이라는 사실이다.

문제는 '소주'의 사용량이 많아지면 통상적으로는 물의 사용량이 많아진다는 사실과 함께, 이때의 '소주'는 그 양과 알코올 도수 정도에 따라 달라지는데, 양이 많아지면 도수가 낮아지고, 양이 적어지면 알코올 도수가 높아져도 되지만, 최고 알코올 도수 30%를 넘지 않는 중품소주를 사용하여야 한다는 전제가 있다.

특히 '오향소주'는 '소주'의 투입시기를 언제로 할 것이냐가 '오향소주'의 품질을 결정짓는 만큼, 술덧의 발효상태를 잘 살피는 것이 중요하다. 주방문이 우선이지만, 보다 중요한 것은 술은 정해진 시간에 예정된 대로 발효가 진행되는 것만은 아니라는 데 어려움과 우리의 고민이 있다는 것이다. '소주'를 투입할 시기는 '과하주' 편을 참고하기 바란다.

1. 오향소주 <농정회요(農政會要)>

술 재료 : 찹쌀 5말, 누룩가루 15근, 단향·유향·목향·천궁·몰약 각 1냥 5전, 정향 5전, 인삼 4냥, 백당 15근, 호도 200개, 대추 3근, (끓여 식힌 물 1~2말), 소주 3항아리

술 빚는 법 :

1. 찹쌀 5말을 (백세하여 물에 담갔다가, 다시 씻어 건져서 물기를 뺀 후) 시루

에 안쳐서 고두밥을 짓는다.

2. 고두밥이 익었으면 시루에서 퍼내고, 고루 펼쳐서 차게 식기를 기다린다.
3. 고두밥에 누룩가루 15근과 (끓여서 식힌 물 1~2말을) 합하고, 고루 버무려 술밑을 빚는다.
4. 술독에 술밑을 담아 안치고, 예의 방법대로 하여 (덥지도 차지도 않은 곳에서 3~4일간) 발효시킨다.
5. 술밑이 발효되면 단향(檀香)·유향(乳香)·목향(木香)·천궁(川芎)·몰약(沒藥) 각 1냥 5전, 정향(丁香) 5전, 인삼(人蔘) 4냥 등을 가루로 만든다.
6. 백당(白糖) 상 15근, 껍질 깐 호도 200개, 씨를 제거한 대추 3되 등과 함께 약재가루를 술독에 넣는다.
7. 소주 3항아리를 술독에 붓고, 김이 새지 않도록 단단히 밀봉한다.
8. 7일 후에 술독 뚜껑을 열어보고 한 번 휘저어 준 후, 다시 밀봉하고 다시 7일 후에 열어보고 휘젓고 밀봉하길 7회 반복한 후 채주한다.

* 주방문에는 양주용수에 대한 언급이 없다. 고두밥과 누룩을 섞어 발효시키는 것으로 되어 있으나, 양주용수 없이는 발효가 불가능해 보이므로 탕수를 차게 식혀서 사용하는 것으로 주방문을 작성하였다. 주방문 말미에 "7일마다 뚜껑을 열어 한 번 휘젓고 다시 봉하기를 7주까지 한 후, 보통 방법과 같이 거른다. 1~2잔을 마시고 절임음식(醃物)을 안주로 먹어 술기운을 눌러주면, 봄바람과 같은 온화이고 따뜻한 묘미를 갖는다."고 하였다.

五香燒酒

每料糯米五斗細麴十五斤白燒酒三大罈檀香木香乳香川芎沒藥各一兩五錢丁香五錢人蔘四兩各爲末白糖十五斤胡桃肉二百箇紅棗三升去核先將米烝熟晾冷炤常下酒法則要落再瓮口缸內好封口待簇微熱入糖幷燒酒香料桃棗等物在內將缸口厚封不令出氣每七日開打一次仍封至七七日上搾如常服一二杯以醃物壓之有春風和煦之妙.

2. 오향소주방 <임원십육지(林園十六志)>

술 재료 : 찹쌀 5말, 누룩가루 15근, 단향·유향·목향·천궁·몰약 각 1냥 5전, 정향 5전, 인삼 4냥, 백당 15근, 껍질 깐 호도 200개, 씨 뺀 대추 3되, (끓여 식힌 물 1~2말), 백소주 3큰항아리

술 빚는 법 :

1. 찹쌀 5말을 (백세하여 물에 담가 불렸다가, 다시 씻어 건져서 물기를 뺀 후) 시루에 안쳐서 고두밥을 짓는다.
2. 고두밥이 익었으면 퍼내고, 고루 펼쳐서 차게 식기를 기다린다.
3. 고두밥에 누룩가루 15근과 (끓여 식힌 물 1~2말을) 합하고, 고루 버무려 술밑을 빚는다.
4. 술독에 술밑을 담아 안치고, 예의 방법대로 하여 밀봉하여 약간 온기가 있는 곳에서 발효시킨다.
5. 단향(檀香) 1냥 5전, 유향(乳香) 1냥 5전, 목향(木香) 1냥 5전, 천궁(川芎) 1냥 5전, 몰약(沒藥) 1냥 5전, 정향(丁香) 5전, 인삼(人蔘) 4냥 등을 가루로 만든다.
6. 백당(白糖) 15근, 껍질 깐 호도(胡桃) 200개, 씨를 뺀 대추(大棗) 3되를 약재가루와 함께 술독에 넣는다.
7. 소주 3항아리를 술독에 붓고, 김이 새지 않도록 단단히 밀봉한다.
8. 7일 후에 술독 뚜껑을 열고, 주걱으로 한 번 저어주었다가, 다시 밀봉하여 49일 후에 술자루에 담고 짜서 채주한다.

* 주방문에는 양주용수에 대한 언급이 없다. 고두밥과 누룩을 섞어 발효시키는 것으로 되어 있으나, 양주용수 없이는 발효가 불가능해 보이므로 탕수를 차게 식혀서 사용하는 것으로 주방문을 작성하였다. 주방문 말미에 "매일 1~2잔을 마시는데, 절임음식(醃物)을 안주로 먹어 술기운을 눌러주면 봄바

람과 같이 온화해지고 따뜻해지는 묘미가 있다."고 하였다.

五香燒酒方

每糯米五斗細麴十五斤白燒酒三大罈檀香木香有香川芎沒藥各一兩五錢丁香五錢人蔘四兩各爲末白糖十五斤胡桃肉二百箇紅棗三升去核先將米烝熟(晾/凉)冷炤常下酒法則要落在瓮口缸內好封口待發微熱入糖並燒酒香料桃棗等物在內將缸口厚封不令出氣每七日開打一次仍(對/待)至七七日上榨如常服一二杯以醃物壓之有春風和煦之妙. <遵生八牋>.

3. 오향주 <주찬(酒饌)>

술 재료 : 찹쌀 1말, 가루누룩 7홉, 냉수 3되, 약재(정향, 팔각향, 자단향 각 냥), 소주 3병

술 빚는 법 :

1. 찹쌀 1말을 백세하여 물에 하룻밤 담가 불렸다가 (다시 씻어 헹궈 건져서 물기를 뺀 후) 시루에 안쳐서 고두밥을 짓는다.
2. 고두밥이 익었으면 퍼내고, 고루 펼쳐 차게 식기를 기다린다.
3. 고두밥에 가루누룩 7홉과 냉수 3되를 섞고, 고루 버무려 술밑을 빚는다.
4. 술밑을 술독에 담아 안치고, 예의 방법대로 하여 3일간 발효시킨다.
5. 3일 후 술독에 용수를 박아 채주한 맑은 청주를 채주한다.
6. 채주한 술에 보통 소주 3병과 정향, 팔각향, 자단향을 술독에 넣은 후, 다시 밀봉하여 3개월간 숙성시킨다.

* 여름 지나도 변하지 않는다. 숙성 후 채주한 술병에 소주와 약재를 넣는 것으로 되어 있어, '오향소주'와 유사하나 혼성주법(混成酒法)임을 알 수 있다.

五香酒

粘米一斗浸宿熟蒸待冷末曲七合冷水三升調釀三日後平常燒酒三瓶注之調釀三朔後用若三朔內則味苦不美也丁香八脚香紫檀香竝納瓶口也雖過夏不變.

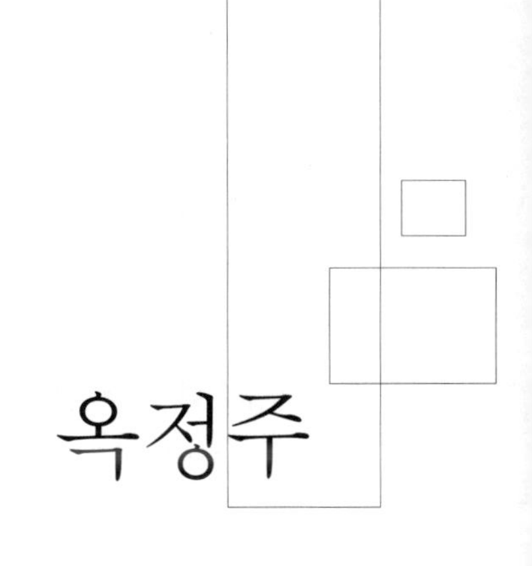

옥정주

스토리텔링 및 술 빚는 법

'옥정주'는 <승부리안주방문>에 처음 등장하는 주품이다. '옥정주'라는 주품명에 대한 유래나 의미를 알 수 있는 자료는 없다.

따라서 주방문을 근거로 하여 직접 술을 빚어볼 수밖에 없었는데, "술 빛깔이 우물 속의 맑은 물같이 맑고 깨끗하다."는 사실을 근거로 '옥같이 맑고 깨끗한 술'이라는 의미를 부여할 수 있겠다.

<승부리안주방문>에 수록된 '옥정주' 주방문을 보면, <임원십육지(林園十六志)>에 수록된 '왜미림주(倭美淋酒)'와 매우 유사하다는 것을 알 수 있다.

우선, '옥정주' 주방문에 "졈미 삼 승 닉게 찌고 국말 ᄒᆞᆫ ᄒᆞᆸ 버무려 ᄃᆞᆫ∶ 뭉쳐 죠ᄒᆞᆫ 항의 버려 노코 쇼쥬 두 병을 밥이 허여지∶ 아니케 붓고 ᄃᆞᆫ∶이 싸믜야 ᄎᆞᆫ ᄃᆡ ᄃᆞᆺ다가 밥 낫치 쓰거든 쓰라."고 하였다.

<승부리안주방문>의 '옥정주'는 찹쌀로 지은 고두밥과 누룩가루를 한데 합하고, 가능한 한 많이 치대고 단단히 뭉쳐서 술밑을 주먹밥처럼 만든다는 것인데, 술독에 술밑을 안친 후에 준비한 분량의 소주를 붓되, 술밑이 흩어지지 않도록

하는 것이다.

한편, <임원십육지>의 '왜미림주방'은 "찹쌀 3되를 물에 하룻밤 담갔다가 고두밥을 쪄서 식힌 후, 누룩 2되와 소주 1말을 섞어 빚는다. 7일마다 한 번씩 저어 주고 3주째 되는 날 술을 거른다. 술맛이 달아 부녀자들도 좋아하고 술지게미도 달아서 천민이 과자로 대신 이용한다."고 하여, '옥정주'와 '왜미림주'의 술 빚기에 사용된 주원료의 종류나 배합비율이 매우 유사한 것을 알 수 있다.

또한 '왜미림주'가 고두밥과 누룩, 소주를 한꺼번에 섞어서 술밑을 빚고, 자주 저어주는 방법이라는 점에서 '옥정주'와 차이가 있다는 것을 알 수 있는데, 이 두 가지 주방문에 따른 양주실습 결과, 발효가 끝난 상태의 술맛과 술 색깔, 술 향기가 매우 유사하다는 것이다.

다만, '옥정주'를 빚을 때 주의할 일은, 찹쌀은 반드시 백세하여 불린 후에 다시 살짝 씻어서 쌀눈과 부유물을 깨끗하게 제거하여야 하고, 고두밥을 찔 때는 한김 올랐을 때 찬물을 2~3홉 정도 살수하여 푹 뜸을 들여야 한다는 것이다.

또한 고두밥은 마르지 않게 차게 식히고, 누룩가루와 섞어 혼화를 하는데, 고두밥을 짓이겨서 인절미처럼 되지 않도록 해야 좋은 결과를 얻을 수 있다.

고두밥과 누룩가루가 대충 섞이게 되면 소주를 부을 때 반드시 풀어지게 되고, 누룩가루가 밑으로 가라앉게 되어 소기의 목적을 달성할 수 없다.

술은 느끼하고 비린 맛이 나며, 향이나 맑은 술 빛깔을 기대할 수 없게 된다.

따라서 가능한 한 많이 치대되 고두밥의 형태를 잃지 않도록 치대는 요령이 필요하다.

옥정주법 <승부리안주방문>

술 재료 : 찹쌀 3되, 누룩가루 1홉, 소주 2병

술 빚는 법 :

1. 찹쌀 3되를 준비한다(백세하여 물에 담가 불렸다가, 다시 씻어 헹궈서 물기를 뺀다).
2. 불린 쌀을 시루에 안쳐서 고두밥을 익게 쪄낸다(차게 식기를 기다린다).
3. 고두밥에 누룩가루 1홉을 고루 버무려 넣고 단단히 뭉쳐서 술밑을 빚는다.
4. 알맞은 항에 술밑을 담아 안친다.
5. 준비한 분량의 소주 2병을 조심스레 붓되, 술밑이 흩어지지 않게 붓는다.
6. 술독은 예의 방법대로 하여 단단히 싸매고, 찬 곳에 두고 발효시킨다.
7. 술독을 열어보아 밥알(浮蟻)이 떠올랐으면 채주하여 마신다.

옥졍쥬법

졈미 삼 승 닉게 찌고 국말 ᄒᆞᆫ 홉 버무려 ᄃᆞᆫ〻 뭉쳐 죠ᄒᆞᆫ 항의 버려 노코 쇼쥬 두 병을 밥이 허여지〻 아니케 붓고 ᄃᆞᆫ〻이 싸ᄆᆡ야 ᄎᆞᆫ ᄃᆡ ᄃᆞᆺ다가 밥 낫치 쓰거든 쓰라.

왜미림주

스토리텔링 및 술 빚는 법

음식 맛을 부드럽게 해주고 단맛을 내고자 할 때 사용하는 천연발효 조미료 가운데 '미림(美淋)'이 있다. 이 미림은 일본에서 들어온 요리문화의 하나라고 할 수 있는데, 그것이 일본 요리문화라는 사실은 별로 인식하지 못하고 있는 것 같다.

이 미림을 대신한 전통조리법이 조청(造淸)이나 물엿에 양조식초(釀造食醋)를 적당량 섞어 조리함으로써, 생선 등의 비린맛과 냄새를 제거할 수 있다고 한다.

조선 후기의 기록으로 1823년 서유구에 의해 저술된 <임원십육지(林園十六志)>는 중국의 술뿐만 아니라 일본의 술까지도 포함시켜 놓고 있음을 볼 수 있다. <임원십육지>에는 '왜백주(倭白酒)'를 비롯하여 '왜미림주(倭美淋酒)', '왜예주(倭醴酒)', '왜소주(倭燒酒)' 등의 주방문을 목격할 수 있기 때문이다.

'왜미림주'는 <임원십육지>에서만 목격되는데, 그 주방문을 살펴보면 우리나라의 '과하주법'과 유사하다는 것을 알 수 있다.

특히 1830년대 저술된 것으로 알려진 <농정회요(農政會要)>의 '과하주 우방'이 그것으로, 찹쌀로 지은 고두밥에 소주를 섞어서 고두밥이 낱알 낱알이 되게 만든 후, 누룩가루와 섞어서 술밑을 빚고, 독에 담아 안친 후 다시 소주를 붓고 밀봉하여 발효시킨다.

이 '과하주'의 제조에 따른 주원료의 배합비율은 찹쌀 1말, 누룩가루 2되, 좋은 백로주 11~15복자로 쌀 양에 대하여 누룩은 20%, 소주의 양은 110~150%의 비율이다.

본고에서 다루고자 하는 <임원십육지>의 '왜미림주'는 찹쌀 3되, 누룩가루 2되, 소주 1말로 빚는 것으로 되어 있다,

특히 양주용수를 대신하여 소주를 사용하는 것이 특징인데, <농정회요>의 '과하주 우방'과 비교하면, '과하주 우방'이 찹쌀 양이 1말이고 상대적으로 누룩가루 5홉, 좋은 백로주 11~15복자, 물 3~4홉으로, 누룩과 소주의 양은 훨씬 더 적게 사용되는 차이뿐이라는 것을 알 수 있다.

따라서 "이 두 방문의 차이는 무엇을 뜻하며, 술맛의 차이는 어떠할까?" 하는 의문과 함께 그 답에서 '왜미림주'의 특징과 비밀을 찾을 수 있다는 것이 필자의 결론이었다.

그 비밀을 풀고자 여러 차례 두 방문에 따른 양주실험을 실시했는데, 그 비밀은 의외로 쉽게 풀리고 말았다.

'과하주'는 찹쌀의 양이 많은 탓에 소주 맛이 적게 나고 독한 반면, '왜미림주'는 찹쌀의 양이 적은 반면 소주의 양이 많은데 따른 발효부진으로, 단맛이 많으면서 소주의 맛은 적게 난다는 것이 특징이다.

따라서 '왜미림주'에서 누룩은 발효제의 역할보다는 당화제의 역할을 하는 것으로 나타나, 찹쌀 3되(말)의 전분이 당화되면서 농당(濃糖) 상태가 되어 소주 맛이 적고 단맛이 많은 '왜미림주'가 된다.

결국 '왜미림주'는 '과하주'를 바탕으로 한 양조기술의 응용 또는 변용이라고 할 수 있고, '과하주'보다 '의도적으로 단맛을 높인 술'이라고 할 수 있으며, 단맛이 많기 때문에 그에 따른 향기 또한 아름다울 수밖에 없다는 결론이다.

이러한 사실 때문에 주방문 말미에도 언급되어 있듯 "그 맛이 향기롭고 심히 달아 부녀들도 좋아한다."고 하였다. 또 "술찌꺼기도 단맛이 있어 천민들이 과자로 먹는다."고 한 것을 볼 수 있다.

'왜미림주'의 주방문은 "<화한삼재도회>를 인용하였다."고 한 것과 관련하여, 혹시 '왜미림주'가 우리나라의 '과하주'보다 먼저 개발된 주품은 아닌가 하고 <화한삼재도회>의 간행시기를 조사하였는데, 다행스럽게도 '과하주'보다 훨씬 뒤늦게 등장하는 주품으로 밝혀졌다.

<화한삼재도회>는 1713년에 간행된 저술로, 일본의 한방 의사였던 데라지마 료안(寺島良安, 尙順)이 편찬한 105권의 방대한 유서(類書)를 가리키는데, 김문식(서울대학교 사학과) 교수에 따르면, "<화한삼재도회>는 1607년에 명나라 왕기(王圻)가 편찬한 <삼재도회> 106권의 체제와 정보를 바탕으로 하면서, 일본에 관한 정보를 중심으로 다시 편찬한 책"이라는 것이다.

따라서 우리나라의 '과하주'가 17세기 중엽 <음식디미방>에 수록된 사실과 관련하여 '왜미림주'의 등장 시기를 비교해 보면, '과하주'가 '왜미림주'보다 43년 이상 앞선 양주기술이라고 할 수 있으며, '왜미림주'는 '과하주'의 변용 또는 응용에 불과한 것으로 해석해도 무방할 것 같다.

하지만 문제는 일본의 경우 이러한 '미림주(美淋酒)'를 일식의 요리용 천연조미료로 적극 활용하는 한편, 획기적 상품으로 개발하여 수출까지 하고 있는 상황인데, 우리나라는 아직도 일본주 탐색에 빠져 있다는, 실로 부끄러운 모습을 지금까지도 벗지 못하고 있다는 사실일 것이다.

왜미림주방 <임원십육지(林園十六志)>

술 재료 : 찹쌀 3되(말), 누룩가루 2되, 소주 1말

술 빚는 법 :

1. 찹쌀 3되(말)를 백세하여 물에 하룻밤 담갔다가, 다음날 (다시 씻어 헹궈 건져서 물기를 뺀 후) 시루에 안쳐서 고두밥을 짓는다.
2. 고두밥이 익었으면 퍼내고, 고루 펼쳐서 차게 식기를 기다린다.

3. 고두밥에 누룩가루 2되와 소주 1말을 합하고, 고루 버무려 술밑을 빚는다.
4. 술독에 술밑을 담아 안치고, 예의 방법대로 하여 발효시킨다.
5. 7일마다 뚜껑을 열고 술덧을 한 번 저어준 뒤, 다시 밀봉하여 21일간 발효시킨다.
6. 술이 익으면, 주자에 올려 술을 거른다.

* 주방문 말미에 "그 맛이 향기롭고 심히 달아 부녀들도 좋아한다."고 하였다. 또 "술찌꺼기도 단맛이 있어 천민들이 과자로 먹는다."고 하였다.
* 주원료인 쌀의 양이 3되로 되어 있으나 3말(斗)의 오기인 듯하다.

倭美淋酒方

糯米二升漬水一宿　烝飯待冷麴二升燒酒一斗和勻釀之每七日一次攪之三七日以成榨去糟飮之其味甚甘婦女喜飮之其糟亦甘賤民用代菓子. <和漢三才圖會>.

한산춘

스토리텔링 및 술 빚는 법

'한산춘(韓山春)'이라고 하는 주품명은 1800년대 초기의 문헌인 <고려대규합총서(高麗大閨閤叢書, 異本)>에 등장하는데, 아마도 <고려대규합총서(이본)>에 수록된 것이 유일한 기록이 아닌가 생각된다.

'한산춘'은 단양주법(單釀酒法)의 혼양주(混釀酒)로 찹쌀과 누룩, 물로 빚는 순곡발효주에 증류식 소주와 잣, 대추, 후추 등이 사용되는 것으로 미루어 '오향소주'나 '오종주'와 유사한 주품이라고 할 수 있다.

일테면 약재의 종류와 가짓수가 다를 뿐, 술을 빚는 과정이나 원리는 '오향소주'나 '오종주'와 동일하다는 것이다.

특히 '한산춘'은 '오향소주'나 '오종주'에 뿌리를 두고 있다고 할 정도로 약재의 종류에서도 닮아 있다.

주지하다시피 '한산춘'이 대추와 잣, 후추 등 3가지 약재를 사용하고 있는데, '오향소주'나 '오종주'에는 잣을 비롯하여 후추와 계피, 생강, 대추 등을 사용, '한산춘'에 비하여 계피와 생강이 추가되었을 뿐이라는 것을 알 수 있다.

따라서 '오향소주'나 '오종주'가 대추 등 5가지 약재를 사용한 데서 유래한 주품명이라면, '한산춘'은 '삼종주'의 다름 아닌 셈이다.

이러한 이유로 '한산춘'은 <고려대규합총서(이본)>에 수록된 '오종주'의 별법(別法)이 아닐까 하는 생각을 할 수도 있는데, 그러기에는 몇 가지 의문이 생긴다.

첫째, '한산춘'이 '오종주'의 별법이라면 '한산춘' 대신 '오종주 별법'으로 수록되어 있어야 옳다는 것이다.

그런데도 굳이 전혀 다른 명칭인 '한산춘'으로 수록된 배경에는 다른 이유가 있을 것이라는 생각을 갖게 한다는 것이다.

어떠한 연유로 '한산춘'으로 불렸는지 알 수 없으나, 아마도 '한산(韓山)'이라는 지방의 명주로 알려지면서 춘주(春酒)의 반열에 오를 정도로 유명세를 띠게 되면서 '한산춘'으로 불렸을 가능성을 추측하는 것이다.

우리 술의 '과하주'를 비롯하여 '오향소주'나 '오종주' 등 혼양주류의 술 빚는 법을 살펴보면 알 수 있듯 '한산춘' 역시 예삿술이 아니라는 것이 그 이유이다.

조선시대 후기에는 농사법이 발달하여 쌀의 생산량이 늘었다고는 하지만, 여전히 서민층에서는 '쌀밥 먹기'가 쉽지 않았고, '보릿고개'로 인하여 굶어 죽는 사람이 많았던 시절임을 생각하면, 멥쌀로 빚은 술을 증류하여 소주를 내리고, 다시 찹쌀로 술을 빚은 뒤, 증류한 소주와 함께 대추와 잣, 후추 등의 약재를 첨가하여 술을 빚는 '한산춘'은 그야말로 고급술이었기 때문이라는 것이 그 이유이다.

이러한 연유로 가장 기본적인 '과하주'를 비롯하여 '한산춘'과 같은 혼양주류는, 부유층과 반가의 전유물처럼 인식되어 왔기 때문에 민간에 널리 전파되지 못하였다는 사실이다.

필자가 1987년부터 전국을 돌며 전승가양주를 조사하였었는데, 울릉도와 흑산도에 이르기까지 13년간 전국을 조사하였지만, '과하주'를 비롯하여 혼양주법의 가양주를 목격한 것은 전주 지방의 '장군주'와 김제의 '송순주', 화성의 '약소주', 해남의 '솔술(송피주)' 등이 전부였다고 할 수 있다.

그리고 전주 지방의 '장군주'를 비롯하여 민간에서 전승되고 있는 이들 과하주류의 공통점은, 모두가 약용 목적이거나 질병 치료 목적의 혼양주였다는 사실과 함께, 이들 집안이 한결같이 부유층이거나 명문의 반가였다는 점에서 그와 같은 사실을 뒷받침해 준다고 할 것이다.

술을 빚는 법과 관련하여 중요한 사항은 주방문에 자세하게 소개되어 있어, 이를 살펴보면서, 구차하나마 부연하여 설명하고자 한다.

<고려대규합총서(이본)>의 '한산춘' 주방문에 "찹쌀 한 말을 씻고 또 씻어 담갔다가 쪄 얼음같이 식히라. 좋은 누룩 바래고 또 바래어 칠 홉을 끓인 물에 담가 하룻밤 지낸 후 명주 술자루에 넣어 녹말 내듯 죄 내어 밥을 버무리되 항아리에 넣어 술자루에 넣어 자작자작할 만치 물을 잡아라."고 하였다.

주방문에 물의 양이 나와 있지 않으나 '자작자작할 만치 물을 잡아라.'고 하였으므로, 물의 양은 5되를 넘지 않는다는 것을 알 수 있다.

또한 "실백자 오 홉을 두어 쪽 내고 후추 한 돈을 굵게 갈아 모시 주머니에 넣어 부리를 막고, 살찐 대추 스물한 개와 한가지로 넣되, 후추 주머니는 밑에 넣고, 밥과 잣과 대추는 켜켜 넣어 항아리 부리를 두꺼운 종이로 단단히 매고, 또 쟁반이나 항아리 뚜껑이나 유기로 눌러 덮어 차도 덥도 않은 곳에 두라."고 하였으므로, 사용할 재료의 특성에 따라 가루로 만들어 사용하기도 하고, 대추와 같은 열매는 씨앗을 제거해야 한다는 것을 알 수 있다.

그리고 주방문 말미에 "사흘 후 보면 쓴맛이 적고 막 달거든 감렬한 백소주 일곱 복자만 부어 예니레 후 보면, 위는 틱틱하며 가으로는 물이 돌거든, 헤치면 잣과 개미가 뜨고 몹시 감렬하다."고 한 것으로 미루어, 소주의 알코올 도수와 양, 소주를 붓는 시기를 짐작할 수 있다.

필자가 '한산춘'을 빚어본 실험양주의 결과, 잣의 고소한 맛과 대추의 단맛, 후추의 매운 맛이 고루 조화되어 매우 강한 향취를 즐길 수 있었으나, 오래도록 즐길 수 있는 술은 아니라는 생각이 들었다.

한산춘 <고려대규합총서(高麗大閨閤叢書, 異本)>

술 재료 : 찹쌀 1말, 누룩 7홉, 잣 5홉, 대추 21개, 후추 1돈, 물 6되, 소주 7복자

술 빚는 법 :

1. 물 6되를 팔팔 끓인 뒤 차게 식히고, 햇볕에 바래고 바랜 좋은 누룩가루 7홉을 섞고, 하룻밤 불려 물누룩을 만들어놓는다.
2. 찹쌀 1말을 백세하여 (물에 담가 불렸다가, 다시 씻어 건져서 물기를 뺀 후) 시루에 안치고 고두밥을 짓는다.
3. 고두밥이 익었으면 시루에서 퍼내고, 돗자리에 고루 펼쳐서 얼음같이 차게 식기를 기다린다.
4. 술자루(酒帶)에 물누룩을 담고 짜서 찌꺼기를 제거한 누룩물을 만들어놓는다.
5. 누룩물을 고두밥에 쏟아 부어, 물이 자작하게 되면 고루 버무려 술밑을 빚는다.
6. 후추 1돈을 가루 내어 잣은 고깔을 제거하고, 술자루에 담아 술독 맨 밑에 넣는다.
7. 잣은 5홉을 준비하여 고깔을 떼어내고, 대추는 21개를 준비하여 두 쪽을 내어 씨를 발라낸 다음, 술밑과 함께 켜켜로 담아 안친다.
8. 술밑을 안친 술독은 두꺼운 종이로 단단히 밀봉하고, 뚜껑을 덮어 차지도 덥지도 않은 곳에 앉혀둔다.
9. 3일 후에 술맛을 보아 쓴맛이 적고 단맛이 들면, 증류식 소주 7복자를 준비한다.
10. 증류하여 마련해 둔 분량의 소주 7복자를 술독에 붓고, 젓지 말고 그대로 재차 밀봉하여 6~7일(30일)가량 발효시킨다.
11. 술이 익었으면 용수를 박아 채주하는데, 맛이 몹시 감렬(甘烈)하다.

ᄒᆞᆫ산츈

점미 일두을 ᄇᆡᆨ세ᄒᆞ야 ᄃᆞᆷ가다가 ᄡᅧ 어ᄅᆞᆷᄀᆞᆺ치 식은 후 됴ᄒᆞᆫ 누록 무슈히 바라여 칠 홉을 ᄭᅳᆯ힌 믈 담가 일야 딘닌 후 명지쥬ᄂᆡ예 너허 녹말 ᄂᆡᄃᆞᆺ 죄 ᄂᆡ여 밥을 범므리되 항의 너허 ᄌᆞ즈을홀 만치 믈을 ᄌᆞᆸ고 실ᄇᆡᆨᄌᆞ 오홉 이삼 편의 버히고 호쵸 ᄒᆞᆫ돈 ᄀᆞᆰ게 잘말ᄒᆞ야 모시 쥼치예 너허 부리 막고 육후ᄒᆞᆫ ᄃᆡ조 삼칠 ᄀᆡ와 ᄒᆞᆫ가지로 너흐ᄃᆡ 호초 ᄌᆞᆷ치ᄂᆞᆫ ᄆᆡᆺ히 너코 밥과 다뭇 ᄇᆡᆨᄌᆞ ᄃᆡ쵸ᄂᆞᆫ 케케 너허 항 부리을 ᄃᆞᆺ거온 됴흐로 ᄃᆞᆫᄃᆞᆫ이 ᄆᆡ고 ᄯᅩ ᄌᆡᆼ반이나 항 두에에나 유긔로 눌너 덥허 불한불열처의 두엇다가 삼일 후 보면 ᄡᅳᆫ맛 젹고 막 달거든 감녈ᄒᆞᆫ ᄇᆡᆨ쇼쥬 일곱 복ᄌᆞ만 부어 ᄂᆞᆨ칠 후 보면 우흔 ᄐᆡᆨᄐᆡᆨᄒᆞ여도 ᄀᆞ으로 믈이 돌거든 헤치면 ᄇᆡᆨᄌᆞ와 ᄀᆞ야미 ᄡᅳ고 극히 감녈ᄒᆞᄂᆞ니라.

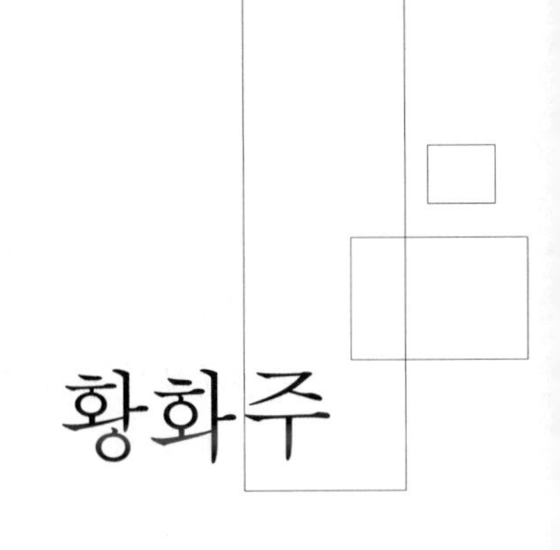

황화주

스토리텔링 및 술 빚는 법

'황화주(黃花酒)'는 <요록(要錄)>에 처음 등장한다.

'황화주'라는 주품명으로 인하여 황국화를 연상하게 되고, '국화주(菊花酒)'가 아닌가 하는 생각을 불러오는데, 물론 가향주(佳香酒)로서 국화주는 더욱 아니다. '황화주'는 '과하주'의 한 가지이다.

주지하다시피 '과하주'는 순곡주(純穀酒)의 발효과정에 증류주인 소주를 첨가하여 발효와 숙성을 거친 술로서, 발효주와 증류식 소주의 중간 형태의 술이라고 할 수 있으며, 우리나라에서 개발된 주종의 한 가지이다.

이러한 '과하주'는 <음식디미방>에 처음 등장하는 것으로 미루어, 17세기 초엽에서 중엽 사이에 개발된 것으로 여겨진다. '과하주'의 등장 이후, 이 '과하주법'을 응용한 '송순주'를 비롯하여 초재와 약재를 사용한 '오향주'와 '오종주'가 개발되기에 이르렀고, <요록>의 '황화주'와 <술방문>의 '백화주' 등 가향재를 사용한 과하주류에 이어 조리용 술인 '미림주'에 이르기까지 한층 다양한 '과하주류'가 등장하게 되었다는 사실은 이미 과하주류에서 열거한 바 있다.

<요록>의 '황화주'는 '과하주'의 형태를 띠고 있으면서도 일반 과하주법이 아닌, 처음부터 '소주'를 사용하는 방법을 채용하고 있는데, 그 배경에는 술이 갖고 있는 향기와 관련이 있다.

가향주로서 '국화주'와 같은 국화 향기를 띤다는 사실과 관련이 있다.

어떻게 해서 '과하주'가 부재료나 첨가물 없이 국화 향을 띠는 '황화주'가 되었는지, 그 요인은 주방문에서 찾을 수 있다.

<요록>에 수록된 '황화주'의 주방문을 보면, "흰 찹쌀 1말을 백 번 씻어서 무르익게 찌는데 이때 물을 뿌리며 푹 익도록 한다. 식은 후에 누룩가루 5홉을 골고루 섞어서 항아리에 담아놓고, 소주 3병을 아울러 함께 섞어놓는다. 항아리 뚜껑을 단단히 봉해서 김이 새지 못하도록 한다. 7일 후에 사용하면 달고 쓴맛이 함께 갖추어 매우 좋다."고 하여, 찹쌀 1말로 고두밥을 무르게 짓고, 누룩가루 5홉을 첨가하여 술밑을 빚는데 양주용수가 사용되지 않는다.

또한 고두밥과 누룩가루만으로 빚은 술밑을 술독에 담아 안치고, 술밑 위에 증류식 소주를 뿌려서 붓는다. 고두밥과 누룩가루가 소주를 받아들이도록 하기 위한 조치이다. 그리고 "술독은 김이 새어나가지 않도록 단단히 밀봉하여 7일간 발효시킨다."고 하였다.

이상의 과정이 '황화주' 주방문의 핵심이다.

혹자는 '소주'가 양주용수의 역할을 하게 된다고 할는지 모르겠으나, '과하주'에서 증류식 소주는 오히려 발효를 억제시키는 요인으로 작용한다.

더욱이 '황화주'처럼 증류식 소주의 사용량이 많은 경우라면 더 말할 것도 없다.

그런데 7일 후면 황국화 향을 띠는 '황화주'가 된다는 것이니, 그 요인이 무엇인지 궁금하지 않을 수가 없다.

<요록>의 주방문에서 관찰되는, 어쩌면 보통 사람의 눈에는 보이지 않는 몇 가지 비밀이 숨겨져 있다.

이를테면, 첫째는 주원료인 찹쌀고두밥을 냉각시켜서 사용할 것이냐 아니면 뜨거운 그대로 사용할 것이냐이다. 주방문에는 차게 식히라는 말이 없다.

둘째는 증류식 소주의 양이 3병(1말)이냐, 1되들이 소주병 3병이냐 하는 문제와 함께, 증류식 소주의 알코올 도수가 몇 %이냐 하는 문제의 해결이 황국화 향을 띠는 '황화주'의 비법이라고 생각된다.

그 비밀을 풀기 위해 수차례 실험양주를 해보았는데, 결론을 말하자면 대략 이렇다.

환언하면, 고두밥이 냉각되지 않은 상태에서 술을 빚게 되면 반드시 산패한다는 것은 상식이다.

따라서 고두밥은 어떠한 경우라도 차디차게 냉각시킨 후에 술을 빚는 것이 원칙이다.

이제 남은 문제는 증류식 소주의 양과 알코올 도수이다.

경험적으로 '소주'의 양은 많을수록 좋은 맛의 술을 얻기가 어렵다. 그리고 알코올 도수는 30% 정도가 가장 알맞다.

그러나 '황화주'처럼 그 사용량이 많을 때는 25% 이하로 낮춰야 한다. '소주'의 알코올 도수가 높으면 숙성기간을 아무리 늘려도 소주 맛을 제거할 수가 없어 '소주'인지 발효주인지 구분할 수가 없게 된다.

이러한 조건만 맞추면 <요록>의 '황화주'는 제 이름값에 준하는 맛과 향기를 갖게 된다.

그리고 이 과정에서 얻어진 '황화주'는 황국화 향이 가득하면서도 특히 술 빛깔이 황국화 색을 띤다는 데서 유래한 주품명이라는 사실을 알게 되었다.

그 옛날 사람들이 어떻게 이러한 양주기법(釀酒技法)을 생각해 내고 또 양주를 해왔는지 생각하면 머리끝이 쭈뼛쭈뼛하게 곤추서고, "나의 길은 멀어도 한참 멀구나!" 하는 생각에 이르면 다리에 힘이 빠져 그만 주저앉고 만다.

황화주 <요록(要錄)>

술 재료 : 찹쌀 1말, 누룩가루 5홉, 소주 3병(1말)

술 빚는 법 :

1. 찹쌀 1말을 백세한다(물에 하룻밤 담가 불렸다가, 다시 씻어 건져서 물기를 뺀다).
2. 쌀을 시루에 안쳐 고두밥을 짓는데, (한김 나면) 물을 뿌려가며 푹 무르게 익힌다.
3. (고두밥이 익었으면, 고루 펼쳐서 차게 식기를 기다린다.)
4. 고두밥에 좋은 누룩가루 5홉을 합하고, 골고루 힘껏 치대어 술밑을 빚는다.
5. 술독에 술밑을 담아 안치고, 준비한 분량의 소주 3병(1말)을 골고루 뿌려 붓는다.
6. 술독은 김이 새지 않게 단단히 밀봉하여, 예의 방법대로 7일간 발효시킨다.
7. 술이 익으면 달고, 쓴맛이 함께 어우러져 맛이 좋다.

黃花酒

白粘米一斗百洗浸蒸時洒水熟蒸待冷好麴末五合均和納瓮幷○沙(缸)中燒酒三瓶幷納極勻褁結瓮口全不洩氣七日後開用甘苦備俱極好.

제3부
양주잡방

1. 연기(緣起) <임원십육지(林園十六志)>

1. 세상에서 말하는 술의 기원은 5가지다.
   의적(儀狄, 하나라 때 사람)이 처음으로 술을 빚었다고 하는데, 우(禹)임금과 같은 시대 사람이라고 한다.
   요(堯)임금이 천종(千鍾, 1종의 천 배로, 종은 6斛 4斗, 일설에는 10斛이라 한다.)의 술을 마셨다고 하므로, 술은 요임금 때부터 시작되었다고 한다.
2. <신농본초(神農本草)>에 술의 특성과 맛이 기록되어 있고, <황제내경(皇帝內徑)>에 '술이 병을 낫게 한다.' 하였으니, 술이 의적으로부터 시작되었다고 하는 것은 잘못된 것이다.
3. 하늘에는 주성(酒聖)이 있으니, 술이 만들어진 것은 천지와 같은 시대라고 한다.
   두강(杜康)이 술을 빚었다고 한다.
   의적의 이름은 경전(經典, 유가 경전, 오경, 육경)에 보이지 않고 세본(世本, <한서> '예문지 육예략'에 15편 수록. 황제에서 춘추까지 여러 나라 제후, 대부의 씨성과 세계, 도읍, 제작 등을 수록)에만 나오는데, 세본은 믿을 만한 책이 못 된다. 요임금이 천종의 술을 마셨다고 하는 말은 <공총자>에 나오는데, 항간에서 떠도는 말이다.
4. <본초(本草)>는 염제(炎帝) 때부터의 기록이 전해지는 책이지만, 근세의 사물이 부기(附記)되어 있는 것이 있으므로, 반드시 염제의 서적이라고는 할 수 없다.
   <내경(內徑)>은 삼분 : 신농(神農), 복희(伏義), 황제(皇帝) 중에 하나이지만, 그 문장을 살펴보면 갑자기 이루어진 것임을 알 수 있다.
   이 책은 전국시대 혹은 진한시대의 것이라 생각된다. 별 이름은 벼슬 이름과 같은 것으로, 분묘(墳墓) · 호시 弧矢) · 하고(河鼓)는 모두 별 이름으로 이는 태고에 없던 것들이다.
   그런데 그보다 앞서 주성이 있었다고 한다면, 그 시기를 유추할 수 있을 것이다.
   두강에 대해서는 위무제의 <악부(樂府, 조조의 단가행)>에 나오지만, 두씨는 본래 유루(劉累)한테서 나왔고, 상나라 때에는 시위 씨가 되었으며, 무왕이 두 땅에 봉하여 나라를 계승하도록 하였다.

5. <진어>의 위주에는 '주나라 성왕이 당을 멸망시키고 아우인 당숙우를 봉하여 당을 두로 옮기게 한 뒤, 이를 두백이라 하였다.' 한다. 두백이 주나라 선왕에게 죽임을 당하자 자손들이 진나라로부터 달아나 마침내 두씨를 성씨로 삼은 사람이 있게 되었다. 어떤 사람은 강이 술을 잘 빚는 사람이었을 것이라고 하나, 이것은 잘못된 것이다. 두강이라는 지혜로운 사람이 후세에 술을 빚었는데, 그 이름을 그대로 따르게 되었다.
   그러므로 술이 누구로부터 시작되었는지 명확히 알 수 없다. 옛날부터 제수에서 술은 빠져서는 안 되는 것이지만, 제사에 처음으로 술을 쓴 사람은 알 수 있다.

緣起

世言酒之所自有五一日儀狄始作酒禹同時一日堯酒千鍾則酒作於堯一日神農本草著酒之性味黃帝內經亦言酒之致病則非始於儀狄矣一日天有酒星酒之作與天地並一日杜康作酒是五者皆不足以考據也儀狄之名不見於經而獨出於世本世本非信書也堯酒千鍾其言本出孔叢子蓋委巷之說也本草雖傳自炎帝亦有近世之物附見者未必皆炎帝之書也內經雖三墳之書然考其文章知卒成是書者六國秦漢之際也星名如宦者墳墓弧矢河鼓皆太古所無而先有是星則酒星亦可類推矣至於杜康見於稷武樂府而杜氏本出劉累在商爲豕韋氏武王封之於杜傳國至杜伯爲宣王所誅子孫奔晉逐有以杜爲氏者或者康以善釀名乎謂酒始於康則非也大抵智者作之後世循之而莫能廢亦安知其始於雖乎古者食飮必祭先酒亦未嘗言所祭者爲雖玆可見矣. <竇氏酒譜>.

1. 향음주례를 행하다 <임하필기(林下筆記, 春明逸史)>

북쪽의 습속이 평소부터 억세고 사납다고 일컬어졌는데, 새로 백성들의 소요를 겪은 뒤로는 걸핏하면 못된 짓을 저지르는 버릇이 있었으므로, 나는 이들을 감화시킬 만한 방도를 궁리하였다.

이에 향음주례(鄕飮酒禮)를 행하였는데, 이 예(醴)는 곧 삼대(三代)에 읍양(揖讓)하던 풍속이 남아 있는 것이었다.

유사(儒士) 백여 명을 선발하여 의주(儀註)를 강정(講定)하고, 길일을 택하여 설행하였는데, 구경하는 사람들이 담처럼 둘러서서 바라보며 거의 느껴 깨닫는 뜻이 있었다.

대체로 추로(鄒魯)의 풍속으로써 형초(荊楚) 사람들을 대한 셈이니, 자연히 백성을 교화하고 미풍양속을 조성하는 일단(一端)이 될 수 있었다.

의주는 교원(校院)에 소장하였다.

2. 향음주례 <성호사설(星湖僿說, 人事門)>

부모에게 효도는 하면서 어른에게 공순하지 않는 자는 있지만, 어른에게 공순하면서 부모에게 불효하는 자는 없다.

<예경(禮經)> 경해(經解)에 "향음주(鄕飮酒)의 예가 폐해지면 장유(長幼)의 질서가 없어져서 싸우고 송사하는 일이 많아질 것이다." 하였다.

군자는 처음을 삼가서 먼저 향당(鄕黨)의 예부터 거행하므로, 사람들이 날로 자신도 모르게 착해져서 죄를 짓지 않는다. 이 예를 후세에도 혹 행하기는 하나, 그 명칭만 가지고 있을 뿐이고, 그 진실을 힘쓰지 않으며, 몇 년 만에나 한 번씩 거행하고 마니, 어찌 효험이 있겠는가?

옛날 횡거(橫渠, 송宋 나라 장재張載 의 호)가 운암현령(雲巖縣令)으로 있을 때, 매월 초하룻날이면 주식(酒食)을 준비한 다음, 그 고을에 나이 많은 사람들을 불러 현정(縣庭, 현의 관아)에 모아 놓고 친히 주식을 권하여, 사람들로 하여

금 늙은이를 봉양하고 어른을 섬기는 의(義)를 알게 하였으며, 인하여 백성의 질고(疾苦)를 묻고 또 자제(子弟)들을 훈계하는 의를 말해 주었으니, 이것이 가장 본받을 만한 일이다.

사람들이 흔히 비용이 드는 것을 걱정한다.

그러나 <예기> 향음주의(鄕飮酒義)에 의하면, 60세(歲)는 세 접시(三豆), 70세는 네 접시, 80세는 다섯 접시, 90세는 여섯 접시를 공양(供養)한다고 하였으나, 여기에서 삭감할 수는 있지만 더할 수는 없다. 혹 사람이 너무 많으면 그 중에 가장 존장자(尊長者)만 골라서 하고, 혹 여러 고을을 교대해 가면서 하는 것도 안 될 바 아니니, 이렇게 대략 의식(儀式)을 정하기를 헌수(獻酬)하는 예와 같이 하여 하정(下情)으로 하여금 위에 알리게 한다면 어찌 도움이 적다고 하겠는가?

무릇 이런 일을 하기가 번잡하기 때문에 사람들이 행하기 어려움을 걱정한다. 국가(國家)에서 친경(親耕)하는 것도 몇 대 만에 한 번씩 하니, 무슨 이익이 있겠는가?

나는 국가에서 경비(經費)를 대략 계산해 주어 각 고을에서 다 시행하게 한다면, 이것이 바로 풍화(風化)의 일단(一端)이 되리라고 생각한다.

내가 늘, 향례(鄕禮)를 별도로 찬(撰)하여 번거로운 것은 삭제하고 간편하게 만들어 시행하기 쉽게 하려하고 있지만 아직 여가를 얻지 못하였다.

1. 음론(飮論) <고려대규합총서(高麗大閨閤叢書, 異本)>

1. 꽃에 취하기는 낮이 마땅하고, 취해서 흥겹거든 노래를 곱게 부르는 것이 마땅하다.
   취해 장차 헤어질 때는 북을 울리는 것이 마땅하고, 또 발(鉢)을 치니, 문인이 취하는 데에는 마땅히 지나친 음악을 삼가고, 장정(章程)을 조심해야 한다(절주는 예요, 장정은 벌이다).
   준걸이 사람 취하는 데 있어서는 마땅히 술잔을 더하고, 기치(기상)를 높여야 한다. 대(臺)에 취하는 데에는 여름이 좋고, 물가에서 취하기에는 가을이 좋다.
2. 소동파의 <계주편인(戒酒編引)>에 이르기를, "술은 천록이니, 술이 될 때 그 맛의 아름답고 사나움으로 주인의 길흉을 점친다."고 했다.
   그러기에 "지금 풍속에 술맛이 시고 나쁘면 주인집에 근심이 생긴다."고 한다.
3. 중국인들은 술 빚기를 재(灰)를 많이 쓰는 고로 무회주(無灰酒)를 약(藥)에 많이 쓰니, 육노망의 시에 이르되, 주적회향사거년(酒適灰香似去年)이라 하였다.
4. 박물편에 이르되, 백년(百年) 고총(古冢) 광중(壙中)에 술이 일되, 준(罇)을 넣었다가 내면 그 기운이 콱 쏘아, 비록 해포를 두어도 맛과 빛이 변치 않는다고 하였다.

1. 논화동음법(論華東飮法) <임원십육지(林園十六志)>

동국(조선) 사람 음주법

1. 우리나라 사람들은 독하게 술을 마신다.
2. 큰 사발로 가득 담아 단숨에 쭉 들이켜는데, 이것은 붓는 것이지 마시는 것이 아니다.
3. 배를 부르게 하는 것이지, 흥취를 위해서가 아니다.
4. 그러므로 마셨다 하면 반드시 취하고, 취하면 술주정을 하게 마련이다.

중국인 음주법

1. 중국 사람들의 술 마시는 법은 매우 우아하게 마신다.
2. 무더운 여름이라도 반드시 술을 데워 마시고, 소주 · 노주(露酒) 역시 데워서 마신다.
3. 잔은 살구만 한 크기이고, 술을 치아에 살짝 대었다 상 위에 놓는다.
4. 우리나라와 같이 큰 종지와 큰 사발에 마시는 사람은 없다.

論華東飮法

東人飮酒毒於天下必以大椀戯願一倒此灌也非飮也要飽也非要趣也故必一飮則醉醉則輒(酲)中國飮法甚雅雖盛夏必湯飮雖燒露亦湯盃如杏子掛齒細呷留餘卓上移時更呷未嘗健倒如我東所謂大鍾大椀絶無飮者. <熱河日記>.

1. 논음저(論飮儲) <임원십육지(林園十六志, 高麗大本)>

–술을 눌러주는 음식에 대하여 논함

1. 술을 눌러주는 음식을 음저(飮儲)라고 한다.
2. 술안주는 색으로 구분하는 것이다.
   첫째, 청품(淸品)은 신선한 조개, 술지게미에 담근 새고막조개, 술에 담근 게 종류이다.
   둘째, 이품(異品)은 웅백(熊白 : 웅지熊脂. 곰의 기름), 서시유(西施乳 : 복어 수컷의 이리)가 이에 속한다.
   셋째, 부품(賦品)은 새끼 양구이나 새끼 거위구이류이다.
   넷째, 과품(果品)은 잣, 살구씨류이다.
   다섯째, 소품(蔬品)은 신선한 죽순이나 햇부추류이다.
3. 그러나 가난한 집에서는 이런 재료를 살 수 없는 형편이므로, 질동이에 채소를 끓여 안주로 삼아도, 그 고상한 운치가 덜하지 않을 것이다.

論飮儲

下酒物色謂之飮儲一淸品如鮮蛤糟蚶酒蟹之類二異品如能白西施乳之類三膩品如羔羊子鵞炙之類四果品如松子杏仁之類五蔬品如鮮笋早韭類然下邑貧士安從辨此政使瓦盆蔬具亦何損其高致也. <觴政>.

1. 오재·삼주(五齊·三酒) <성호사설(星湖僿說)>

오재(五齊)와 삼주(三酒)라는 구별은 일정한 설이 있지 않다.

소가(疏家)들은 후·박(厚薄)을 가지고 해설을 하였다.

그러나 대개 술맛이 좋고 나쁨은 쌀과 물이 많고 적은 데 달렸기 때문에 쌀과 물을 똑같이 넣으면 술맛이 좋게 되고, 물을 많이 잡고 쌀을 적게 넣으면 술맛이 나쁘게 되는 것이다.

그런데 오재·삼주라는 그 글 뜻을 자세히 검토해 보니, 꼭 그렇지도 않은 듯하다.

옛날에는 단술(醴)이 있었는데, 의적(儀狄)에게서부터 술이 있게 되었다.

예운(禮運)에는, "현주(玄酒)는 방 안에 진설하고, 예·잔(醴醆)은 문 밖에 진설하고, 자재(粢齊)는 마루에 진설하고, 징주(澄酒)는 마루 아래에 진설한다." 하였으니, 제사에는 예·앙(醴盎)을 숭상한다.

추측컨대, 이 예·앙의 맛이 단 까닭에 박(薄)하다고 한 듯하다.

정씨(鄭氏)는, "범재(泛齊)는 의성료(宜城醪)라 했고 예재(醴齊)는 염주(恬酒), 앙재(盎齊)는 찬백(酇白), 제재(緹齊)는 하주(下酒), 침재(沉齊)는 조청(造淸)이라." 했으니, 이는 모두 맛이 단 것이다.

술을 달게 만드는 데는 방법이 있다.

술쌀은 수수(秫)로 하고 술을 빚는 데는 술밥이 식기 전에 엿기름(麥孼)을 섞어서 하면 술맛이 달게 되는 것이다. 술이 다 되어서 찌끼가 위로 뜨는 것을 '의성료(宜城醪)'라 하였으니, 이는 곧 지금의 부의(浮蟻)라는 술이고, "집과 찌꺼기를 거르지 않고 그대로 먹는 것을 '염주(恬酒)'라 했는데, 염(恬) 자는 괄(餂) 자의 뜻과 같으니, 이는 곧 지금의 하룻밤만 지나면 이뤄진다는 술이다.

더러는 이것을 첨주(甜酒)라고도 한다.

그리고 술이 제대로 다 되어서 하얀 빛깔이 나는 것을 '찬백(酇白)'이라 했으니, 이는 곧 맑아지기 전에 체(篩)로 거른 것이오, 술이 맛 든 후에 불그스름한 빛이 나는 것을 '하주(下酒)'라 하였으니, 이는 곧 빚은 기간이 조금 오래 되어서 빛이 짙어진 것이며, 술이 다 된 후에 찌꺼기가 가라앉은 것을 '조청(造淸)'이라 하였으니, 이는 곧 위에 뜬 찌꺼기가 다 가라앉은 것인데, 대개 맛이 싱거워서 취기가 약한 것이다.

정씨는 또, "사주(事酒)는 역주(醳酒), 석주(昔酒)는 지금의 추구백주(酋久白酒)니, 이른바 구역(舊醳)이고, 청주(淸酒)는 지금 중산(中山)에서 만드는, 즉 겨울에 빚어서 여름에 이르러서 이뤄진 것이다."라고 하였으니 이는 다만 술을 만드는데 더디 되게도 하고 혹은 빨리 되게도 한다는 것으로써 단정 지은 말에 불과한 것이다.

소(疏)에는, "역주(醳酒)는, 겨울에 빚어서 봄에 이르러 이뤄진 것이다." 하였으니, 이는 "겨울에 빚어서 여름에 이르러 이루어진 것이다."라는 말과 서로 비슷하다. 또 "구역은 추구 백주이다."고 하였으나 대개 술이란 오래 묵어도 빛이 희어지는 것이 아니다.

그런즉, 이 구역이란 술은 반드시 오래 된 후에 다시 술밥을 만들어 넣는 까닭에 빛이 희게 되는 것이다.

자서(字書)에는, "두 번 빚는 술(重酘酒)이 있는데 이름을 도미(酴醿)라 한다. 후세에 와서는 예닐곱 차례까지 술밥을 만들어 넣는 이가 있다." 하였다.

양 원제(梁元帝)의 시에,

宜城酘酒今行熟(의성에 두 번 빚은 술이 지금은 익었을 터이니)
停鞍駐馬暫栖宿(달리는 말을 멈추고 하룻밤 자고 가야 하겠구나.)

라는 말이 바로 이것이다.

그러나 지금 실험해 보니, 이 구역이란 술도 꼭 겨울에 빚을 필요가 없다.

큰 술집에 삼해(三亥)와 오병(五丙)이란 술이 있는데, 이는 빚은 후에 흰 골마지가 끼고 맛이 시어져서 좋은 술이 될 수 없을 듯하나, 한 달쯤 지나면 바로 징주(澄酒)가 되어서 맛이 아주 감렬(甘烈)하다.

무릇 술이란 오래 된 것이 제일 좋고 새로 만든 것은 반드시 맛이 좋지 않다.

그러나 옛글 뜻은 반드시 이와 같지는 않을 터이지만, 다만 정씨의 주에 의거해서 이처럼 말해 보는 것이다.

나는 평생 청명주(淸明酒)를 가장 좋아한다.

이 청명주를 만드는 방법은 봄철 청명(淸明) 때에 찹쌀 두 말을 여러 번 깨끗이 씻어서 사흘 동안 물에 담가둔다. 또 딴 찹쌀 두 되를 물에 담가두었다가 불은 후에 먼저 건져서 가루로 만든 다음, 두 말쯤 되는 물에 타서 누그름하게 죽을 끓인다.

이 죽이 식은 후에 좋은 누룩가루 한 되와 밀가루 두 되를 넣고 동쪽으로 뻗은 복숭아 가지로 휘휘 저어서 사흘 동안을 덮어둔다.

그리고 술이 된 후에는 체로 걸러서 찌꺼기는 버리고 독에 넣는데 겉물은 보태지 않는다.

전일에 담가둔 두 말 쌀을 건져서 술밥을 만들어 식기 전에 함께 독에 넣어서 시원한 곳에 덮어둔다.

그러나 너무 춥거나 또는 햇빛이 비치는 곳만은 피해야 한다.

이렇게 해서 스무하루를 지나면 비로소 술이 익게 되는데 맛이 매우 감렬하다.

비록 더운 여름철이라도 또한 만들 수 있으나, 다만 술밥이 식은 후에 독에 넣어야 한다.

만약 술 마시기를 즐겨하는 자가 맛이 단 것을 싫어한다면, 비록 빚는다 하더라도 술밥을 식힌 후에 물 두 되를 더 넣으면 단맛은 오재라는 것과 비슷하고 독하기는 삼주라는 것과 흡사하다.

이 청명주 만드는 방법은 양계 처사(良溪處士)에게 배운 것인데, 혹 잊어버릴까 두려운 까닭에 기록해 둔다.

* 오재·삼주(五齊三酒) : 오재(五齊)와 삼주(三酒)는 다섯 가지의 술, 세 가지의 술이란 뜻인데, <주례(周禮)> 천관(天官) 총재 하(冢宰下) 주정(酒正)에 다음과 같이 보인다. "辨五齊之名 一曰泛齊 二曰醴齊 三曰盎齊 四曰緹齊 五曰沈齊". 그 주에, '泛者 成而滓浮泛泛然如今宣成醪矣 醴猶體也 成而汁滓相將 如今恬酒矣盎猶翁也 成而翁翁然葱白白色 如今鄭白矣 緹者 成而紅赤 如今下酒矣 沈者 成而滓沈 如今造淸矣'라 했다. "辨三酒之物 一曰事酒 二曰昔酒 三曰淸酒." 그 주에 '鄭司農云 事酒 有事而飮也 昔酒 無事而飮也

淸酒 祭祀之酒 玄謂 事酒 酌有事者之酒 其酒 則今之醳酒也 昔酒 今之酋久白酒 所謂舊醳者也 淸酒 今中山冬釀接夏而成'이라 했다. <類選> 卷5中 人事篇 8 服食門.

* 소가(疏家) : 주가(註家)라는 말과 같음.
* 후(厚)·박(薄) : 좋고 나쁨.
* 의적(儀狄) : 하우씨(夏禹氏) 때 사람. 처음 술을 만들었다 함.
* 예운(禮運) : 예기 편명.
* 예·잔(醴醆) : 예운(禮運)의 정의(正義)에 "醴 醴齊 醆 醆齊"라 하였음.
* 예·앙(醴盎) : 예재(醴齊)와 앙재(盎齊).
* 정씨(鄭氏) : 정현(鄭玄).
* 사주(事酒) : 일이 있을 때 마시는 술.
* 역주(醳酒) : 맛이 텁텁한 술.
* 석주(昔酒) : 놀 때 마시는 술.
* 청주(淸酒) : 제사에 드리는 술.
* 중산(中山) : 지명.
* ……이뤄진 것이다 : "사주(事酒)는 역주(醳酒) ……이뤄진 것이다."까지의 인용문에서 "爲酋久白酒"라는 爲 자와 "爲中山……"이란 爲 자는 <주례>에 금(今) 자로, "赤謂久醳"이란 것은 <주례>에 "所謂舊醳"으로 되었으므로 고쳐 번역했다.
* 소(疏) : 당(唐) 나라 공영달(孔穎達)의 주(註).
* 도미(酴醾) : 맥주(麥酒).
* 양 원제(梁元帝) : 남북조(南北朝) 때 양(梁)나라 제3대의 임금. 성은 소씨(蕭氏). 이름은 역(繹).
* 삼해(三亥)·오병(五丙) : 삼해(三亥)는 음력 정월 제3해일(亥日)에 빚은 즉 삼해주(三亥酒). 오병(五丙)은 동지(冬至) 후 제5 병일(丙日)에 빚은 즉 오병주(五丙酒). 이 삼해와 오병이란 술 이름은 우리나라에서 유래된 말.
* 양계 처사(良溪處士) : 성호의 사촌 이진.

1. 주(酒) <동의보감(東醫寶鑑, 脈)>

술의 혈맥을 통하게 하는 힘은, 다른 여러 가지 약보다 낫다.

따뜻하게 하여 약간 취할 정도로 마시면 묘한 효과가 있다. <본초(本草)>를 인용하였다.

酒

通血脈, 爲百藥之先. 溫服微醺爲妙 <本草>.

2. 주(酒) <동의보감(東醫寶鑑, 穀部)>

1. 성질이 아주 뜨겁고, 맛을 쓰고 달고 매우며, 독이 있다. 주로 약 기운을 운행시키고 온갖 사기와 나쁘고 독한 기운을 없애며, 혈맥을 통하게 하고 장위(腸胃)를 두텁게 하며, 피부를 윤기 있게 하고 우울함을 없애며, 화내기도 하고 흉금을 털어놓고 마음껏 이야기하게 한다. <본초(本草)>를 인용하였다.
2. 오랫동안 마시면 신(神)이 손상되고 수명이 줄어든다. <본초(本草)>를 인용하였다.
3. 대한(大寒) 무렵에 바다는 얼더라도 술은 얼지 않으니, 온갖 사물 중에 술이 가장 뜨거운 것이 분명하다. 사람이 마시면 몸이 말을 듣지 않고 정신이 혼미해지니, 독이 있기 때문이다. <본초(本草)>를 인용하였다.
4. 술은 모든 경락을 쉬지 않고 운행시킬 수 있어 부자와 비슷하다. 매운맛은 발산시킬 수 있고, 쓴맛은 저하시킬 수 있으며, 단맛은 비위를 완화시킬 수 있다. 이들은 약 기운을 이끌어 전신의 체표를 통행시키고, 가장 높은 곳까지 이르도록 할 수 있다. 맛이 담백한 것은 소변을 잘 나오게 하고 빨리 내려가게 한다. <탕액(湯液)> 편을 인용하였다.
5. <본경(本經)>에서는 '뜨겁고 독이 있다.'고만 하였고, 습하면서 발열하는 것이 상화와 비슷함을 말하지 않았다. 이것은 사람이 매우 취하면 덜덜 떠는

것에서 알 수 있다. <단심(丹心)> 편을 인용하였다.

6. 술에는 여러 가지 있지만 오직 미주(米酒)만 약에 넣는다. 찹쌀과 맑은 물, 흰 밀가루누룩으로 빚은 것이 좋다. <서경(書經)>에서 "술이나 단술을 만들려면 누룩과 길금으로 만들어야 한다."고 했으니, 술을 빚는 데는 누룩을 써야 하고, 단술을 만들 때는 길금을 쓴다. <본초(本草)>를 인용하였다.
7. 여러 가지 술의 이름은 뒤에 나열하였다.

酒

性大熱, 味苦甘辛, 有毒, 主行藥勢, 殺百邪惡毒氣. 通血脈, 厚腸胃, 潤皮膚, 消憂發怒, 宣言暢矣. <本草> 久飮傷神, 損壽. <本草> 大寒凝海, 惟酒不氷, 明其性熱, 獨冠群物. 人飮之便體廢, 神昏, 是其有毒故也. <本草> 酒能行諸經不止, 與附子相同. 味辛者能散, 味苦者能下, 味甘者居中而난, 爲守引, 可以通行一身之表, 至極高之分. 若味淡者, 則利小便而速下. <湯液> 本草止言熱而有毒, 不言其濕中發熱近於相火, 人大醉後,振寒戰慄可見矣. <丹心> 酒有諸般, 惟米酒入藥, 當以糯米, 用淸水, 白麪麴所造爲正. 書曰, 若作酒醴爾, 爲麴蘗. 酒則須用麴, 醴故用蘗也. <本草> 諸酒名, 開列于後.

3. 주(酒) <달생비서(達生秘書)>

1. 성질이 아주 뜨겁고, 맛을 쓰고 달고 매우며, 독이 있다. 주로 약 기운을 운행시키고 온갖 사기와 나쁘고 독한 기운을 없애며, 혈맥을 통하게 하고 장위(腸胃)를 두텁게 하며, 피부를 윤기 있게 하고, 우울함을 없애며, 화내기도 하고 흉금을 털어놓고 마음껏 이야기하게 한다. <본초(本草)>를 인용하였다.
2. 오랫동안 마시면 신(神)이 손상되고 수명이 줄어든다. <본초(本草)>를 인용하였다.
3. 대한(大寒) 무렵에 바다는 얼더라도 술은 얼지 않으니, 온갖 사물 중에 술이 가장 뜨거운 것이 분명하다. 사람이 마시면 몸이 말을 듣지 않고 정신이 혼

미해지니, 독이 있기 때문이다. <본초(本草)>를 인용하였다.

4. 술은 모든 경락을 쉬지 않고 운행시킬 수 있어 부자와 비슷하다. 매운맛은 발산시킬 수 있고, 쓴맛은 저하시킬 수 있으며, 단맛은 비위를 완화시킬 수 있다.
   이들은 약 기운을 이끌어 전신의 체표를 통행시키고, 가장 높은 곳까지 이르도록 할 수 있다.
   맛이 담백한 것은 소변을 잘 나오게 하고 빨리 내려가게 한다. <탕액(湯液)> 편을 인용하였다.
5. <본경(本經)>에서는 '뜨겁고 독이 있다.'고만 하였고, 습하면서 발열하는 것이 상화와 비슷함을 말하지 않았다.
   이것은 사람이 매우 취하면 덜덜 떠는 것에서 알 수 있다. <단심(丹心)> 편을 인용하였다.
6. 술에는 여러 가지 있지만 오직 미주(米酒)만 약에 넣는다. 찹쌀과 맑은 물, 흰밀가루누룩으로 빚은 것이 좋다.
   <서경(書經)>에서 "술이나 단술을 만들려면 누룩과 길금으로 만들어야 한다."고 했으니, 술을 빚는 데는 누룩을 써야 하고, 단술을 만들 때는 길금을 쓴다. <본초(本草)>를 인용하였다.
7. 여러 가지 술의 이름은 뒤에 나열하였다.

酒

性大熱, 味苦甘辛, 有毒, 主行藥勢, 殺百邪惡毒氣. 通血脈, 厚腸胃, 潤皮膚, 消憂發怒, 宣言暢矣. <本草> 久飮傷神, 損壽. <本草> 大寒凝海, 惟酒不氷, 明其性熱, 獨冠群物. 人飮之便體廢, 神昏, 是其有毒故也. <本草> 酒能行諸經不止, 與附子相同. 味辛者能散, 味苦者能下, 味甘者居中而난, 爲守引, 可以通行一身之表, 至極高之分. 若味淡者, 則利小便而速下. <湯液> 本草止言熱而有毒, 不言其濕中發熱近於相火, 人大醉後,振寒戰慄可見矣. <丹心> 酒有諸般, 惟米酒入藥, 當以糯米, 用淸水, 白麪麴所造爲正. 書曰, 若作酒醴爾, 爲麴蘖. 酒則須用麴, 醴故用蘖也. <本草> 諸酒名, 開列于後.

4. 주(酒) <성호사설(星湖僿說)>

옛사람의 말에 “한 고을의 정치는 술에서 보고, 한 집의 일은 장맛에서 본다.”고 했다.

대개 이 두 가지가 좋으면 그 밖의 일은 자연 알 수가 있다는 말이다.

<이아(爾雅)>에 보면, ‘술에는 범제(泛齊) · 부의(浮蟻)가 있다’고 했다. 그래서 후세 사람들이 술을 가리켜 ‘춘의(春蟻)’니 ‘녹의(綠蟻)’니 한다.

주례(周禮) 범제(泛齊) 주(註)에 보면, ‘범(泛)이란 익어서 범범(泛泛)하고 찌꺼기가 뜨는 것이다.’라고 했다.

지금의 찹쌀로 술을 빚어 익혀서 말갛게 되기를 기다려 술지게미를 조금 띄운 것을 ‘부의주(浮蟻酒)’라고 하는 것이 바로 이것이다.

한(漢)나라에서 승상에게 좋은 술을 하사했다고 하는 주에 보면, “술에는 찹쌀을 제일 상으로 치고, 피(稷)를 중으로 치며, 조(粟)를 제일 하로 친다.”라고 했다.

동월(董越)의 조선부(朝鮮賦)에 보면, “술을 빚는 데는 멥쌀을 가지고 하고 차조를 쓰지 않는다. 아무리 다른 좋은 술이 있더라도 이 술과 우열을 따질 수는 거의 없을 것이다.”라고 하였다.

<본초(本草)>에는 “출미(秫米)를 ‘누른 쌀’이라고 하는데, 이것으로 술을 빚으면 가장 맛이 좋다.”고 했다.

<오학편(吾學編)>에는 ‘“선에서는 멥쌀로 술을 빚는다.”라고 했다.

이것으로 본다면 멥쌀을 가지고 술을 만드는 것은, 오직 우리나라뿐인 듯하다.

‘춘주(春酒, 봄술로 해석하는 경우도 있다)’를 의방(醫方)에서는 ‘미주(美酒)’라고 한다.

아마도 이것은 지금의 ‘삼해주(三亥酒 : 음력 정월의 세 해일亥日에 빚는 술) 따위인 듯싶다.

상고하건대 <창려집(昌黎集)> 주에 말하기를, “시(詩)에 ‘이 봄술을 만든다(爲此春酒).’라고 한 구절이 있다.”라고 했다.

이것을 후세 사람들은 술 이름이라고 해서 ‘국미춘(麴米春)’ · ‘나부춘(羅浮春)’ · ‘연각춘(軟脚春)’ · ‘옥굴춘(玉窟春) ’등이라고 하니 이루 셀 수가 없다.

술에 취하면 천일(千日) 만에 깨는 것이 있으니, '중산주(中山酒)'이다. 또 취한 지 열흘 만에 깨는 것이 있으니 구루국(枸樓國)의 '선장주(仙漿酒)'이다.

마시고 나서 천리 길을 가면 비로소 취하는 술은 계양(桂陽) '정향주(程鄕酒)' 이다. 또 여러 해가 되어도 상하지 않는 술은 서역(西域)의 '포도주(葡萄酒)'와 '일본주(日本酒)'이다. 금시에 만들어지는 술은 '준순주(逡巡酒)'이다.

서역(西域)에는 '포도주'가 있고, 가릉(訶陵)에는 '야자주(椰子酒)'가 있다.

오손(烏孫)에는 '청전핵주(靑田核酒)'가 있고, 파사(波斯)에는 '육즙주(肉汁酒)'가 있다. 북로(北虜)에는 '마동주(馬潼酒)', 남만(南蠻)에는 '빈랑주(檳榔酒)', 부남안(扶南安)에는 '석류주(石榴酒)' · '감자주(甘蔗酒)'가 있다. 또 진랍(眞臘)의 '미인주(美人酒)'는 아름다운 여인이 입 속에 넣고 만드는데, 하룻밤 동안에 만들어진다.

<오학편(吾學編)>에 말하기를, "유구국(琉球國)의 부인이 쌀을 씹어서 술을 만든다."라고 한 것이 이것이다.

또 <식감본초(食鑑本草)>에 보면, "섬라(暹羅)의 소주는 한두 잔만 마시면 묵은 병이 모두 낫는다."라고 했다.

왕감주(王芥酒)는 말하기를, "지금 사이(四夷)의 술 중에서는 섬라(暹羅)의 술을 제일로 친다."라고 했다.

<식감본초>에 말하기를 "술의 독은 이빨이 먼저 받는다. 술을 한 잔 마시고 곧 물을 머금어 씻으면 취하지 않는다."라고 했다.

근래에 이상국(李相國) 양원(陽元)이 한평생 술 마시기를 좋아했다.

그러나 양에 차면 곧 그쳤다. 그리고 소주 한 잔을 마시고나면 곧 냉수 한 잔으로 씻어 넘겼다. 그렇게 하기 때문에 술에 상하지 않았다고 한다.

소동파의 <계주송인(桂酒頌引)>에 보면, "술은 천록(天祿)이다. 술이 잘되고 못되는 것이나, 맛이 좋고 나쁜 것으로써 그 집 주인의 길하고 흉한 것을 점칠 수가 있다."라고 하였다.

지금 풍속에 술맛이 시고 나쁜 집에는 액운이 있다고 한다. 그 말은 대개 이런 데에서 근본한 것이다.

술맛이 오랫동안 변치 않는 것이 있다. 듣건대 백 년 된 옛 무덤을 파고 보니 광중(壙中) 속에 술 한 항아리가 들어 있었다. 그 술을 기운이 몹시 독하고 또한 그릇에 가득하여 조금도 줄어든 흔적이 없었다. 일하던 사람들이 각각 한 잔씩 마셨더니 모두 취했다고 하니 괴상한 일이다.

소주는 원(元)나라 때에 생긴 술인데, 오직 이것은 약으로만 쓸 뿐이지 함부로 먹지는 않았다. 그런 때문에 풍속에 작은 잔을 가지고 '소주잔'이라고 했다.

근세에 와서는 사대부들이 호사스러워 마음대로 마신다.

여름이면 소주를 큰 잔으로 많이 마신다. 그리하여 잔뜩 취해야만 그만두니 그래서 갑자기 죽는 자들도 많다.

명묘조(明廟朝) 때 김치운(金致雲)은 교리(校理)로서 홍문관(弘文館)에서 수직을 하다가 임금이 내린 '자소주(紫燒酒)'를 지나치게 마시어 그 자리에서 죽었으니, 소주의 해독은 참혹한 것이다.

술의 독이란 또한 심한 것이다. 평시에 내섬사(內贍寺)에는 술을 만드는 방이 있다. 그 방 위에 덮은 기와는 쉽게 상해서 몇 해 만에 한 번씩 바꿔야 했다.

그리고 그 위에는 까마귀나 참새 떼가 모여들지 않는다. 이것은 술기운이 서려 있는 때문이다.

내가 보기에, 세상 사람으로서 함부로 술을 마시던 사람치고 일찍 죽지 않은 자가 드물다. 또 죽지 않는다고 해도 역시 병으로 폐인이 된다. 또 그 밖에도 화를 불러 자기 몸을 망치는 자는 이루 셀 수가 없다.

혹은 말하기를 '술이 사람을 상하는 것이 여색(女色)보다도 더 심하다.'고 하니 그 말은 진실로 그러하다.

<의방(醫方)>에 보면 "모든 중독 중에도 술에 중독된 것은 고치기가 힘들다고 한다. 술기운이 모든 혈맥에 통하여 온몸에 퍼지기 때문이다.

그리고 다른 음식에 중독된 것은 고치기가 쉽다. 먹는 것이나 약은 다만 위에 들어가서 혹은 대변으로 나와서 그 독기를 없앨 수도 있어서, 혈맥으로 흘러 들어가지는 못하기 때문에 이렇게 말하는 것이다."라고 했다.

또 말하기를 "모든 독을 푸는 약즙은 모두 데워서 먹어서는 안 된다. 이렇게 하면 그 독기가 더욱 심해지기가 쉽다. 그러니 마땅히 차게 해서 먹어야만 효력이 있다." 라고 했다.

이 말도 알아두어야 할 것이다.

<소설(小說)>에 말하기를 "사람이 소주를 지나치게 많이 마시고 불 가까이 가면, 입 속에서 불이 나온다. 여기에 물을 마시면 그 불길이 더욱 타올라서 타버린 다음에야 그치게 된다. 그러니 여기에는 오직 오래 된 식초를 써야만 불기운이 꺼진다." 라고 했다.

<수양서(壽養書)>에 말하기를, "소주를 마시고 취해서 깨어나지 못하는 자에게는 급히 녹두가루를 끓여서 젓가락으로 이빨을 벌리고 찬 것을 흘려 넣으면 곧 깨어난다."라고 했다.

<본초(本草)>에 보면, "말고기를 먹고 중독되었을 때는 청주(淸酒)를 마시면 곧 독이 풀리지만, 탁주를 마시면 더해진다." 라고 했다. 또 말하기를, "말의 간에는 독이 있어서 이것을 먹으면 사람이 상한다."라고 했다.

진나라 목공(穆公)이 말하기를 "좋은 말고기를 먹었어도 술을 마시지 않으면 사람이 상한다."고 한 것이 이것이다.

그렇다면 한서(漢書)에 문성(文成)이 말의 간을 먹고 죽었다는 것도 역시 이를 말한 것이다.

<양생기요(養生紀要)>에 보면 "날이 저물 무렵에 너무 취하지 말라." 라고 했다. 또 "두세 번 연거푸 밤술에 취하지 말라."라고도 했다.

이것은 대개 술의 독이 한데 머물러 모여 있어서 사람의 창자를 해치는 것을 두려워해서 하는 말이다.

지금 사람들은 손님을 모아다가 잔치하고 마시는 것을 반드시 늦은 밤으로 한다. 그런 때문에 속담에 "유시(酉時)에 잔치에 나간다."라고 한다.

그러나 이렇게 늦게 술을 마시면 사람을 상하게 하는 것이 반드시 심하다. 또 <산거사요(山居四要)>에는 말하기를 "그믐날에는 크게 취하지 말라."고 하였고, <연수서(延壽書)>에는 말하기를 "그믐날에 노래를 부르면 흉한 일을 불러온다."고 하였다. 그러니 이 말도 잔치하고 놀지 말라는 뜻임을 알 것이다.

유일(酉日)에는 객을 모으지 않는다. 상고하건대 <사문유취(事文類聚)>에 보면 "두강(杜康)은 술을 잘 만들더니 유일(酉日)에 죽었다. 그런 까닭에 이날에는 손을 모아놓고 술을 마시지 않는다."라고 했다.

나는 생각하기에 이 말은 옳지 않은 것 같다. 주(酒)란 글자는 유(酉) 변에 쓰는 것이니, 이것은 아마 스스로 깊은 뜻이 있는 것일 것이다.

도연명(陶淵明)의 술주시(述酒詩)의 주(註)에 말하기를 "의적(儀狄)은 술을 만들었고, 두강(杜康)은 술에 빛깔을 냈다."고 했다.

<세본(世本)>에는 또 "소강(少康)이 술을 만들었다."고 했고, 또 혹은 "두강은 출주(秫酒)를 만들었다."고 했다.

<설문(設文)>에 말하기를 "소강(少康)의 이름을 혹은 두강(杜康)이라고도 한다."고 했다.

옛날에 "우정국(于定國)은 술을 몇 섬을 마셔도 취하지 않았다.

정강성(鄭康成)은 한 곡(斛)을 마시고, 여식(盧植) · 주의(周頭) · 유영(劉伶)은 모두 한 섬씩을 마셨다."고 한다.

상고하건대 <주보(酒譜)>에 보면 수나라 때 새로 도량(度量)을 제정해서 말(斗)이나 섬(石)의 분량이 배로 커졌다. 그런 까닭에 당나라 이후로는 술 마시는 양이 와 같은 자가 없었다.

<오행지(五行志)>에 보면 "진(晋)나라 혜제(惠帝) 원강연중(元康年中)에 귀족의 자제들은 머리를 푸는 모임을 가지고 종과 첩들을 데리고 놀았다. 이것을 거역하는 자는 의리를 상하고, 이것을 하지 않는 자는 남에게 조롱을 받는다. 그러나 이 모임의 꼴이란 말이 아니었다."라고 하였다.

상고하건대 "유영 · 필탁(畢卓)은 발가벗고 앉아서 술을 마셨고, 주의(周頭)는 술에 취해서 기첨(紀瞻)의 종을 간통하려 하여 그 추태를 보였다."고 하니 모두 그런 말들이다.

장적(張籍)의 시에 말하기를, "술을 빚는 데는 마른 반죽으로 빚는 것이 좋다(釀酒愛乾和)."고 했다.

상고하건대 <주보(酒譜)>에 말하기를 "이것은 지금 사람들이 물을 붓지 않고 만드는 술이다. 병주(并州)와 분주(汾州) 땅에서는 이것을 맛 좋은 술이라 하여 이름을 '건작주(乾酌酒)'라고 한다."라고 했다. 또 술의 좋은 것으로는 검남(劍南)의 '소춘(燒春)', 하동(河東)의 '건화(乾和)', 의성(宜城)의 '구온(九醖)' 등이 있다고 한다.

지금 우리나라에서는 삭주(朔酒)의 술이 가장 이름이 있다. 또 중국 사람은 술을 빚는 데 재를 많이 넣는다. 그런 때문에 의방에선 무회주(無灰酒)가 약에 들어간다.

육방옹(陸放翁)이 말하기를 "당나라 사람은 적주회(赤酒灰)를 좋아한다."라고 했다. 육노망의 시에, "술이 재에 떨어지는 향기 지난해와 같네(酒滴灰香似法年)." 라고 한 것이 이것이다.

송나라 진종(眞宗)이 "당나라 때는 술값이 어떠했느냐?" 하고 묻자, 좌우 사람들이 이에 대답하는 자가 없었다.

정위(丁謂)가 앞으로 나와 말하기를 "당나라 술은 한 말에 삼백 냥씩 했습니다. 두보의 시에 '속히 와서 서로 나가 술 한 말을 마시니, 그 값 청동전 삼백 냥일세(速來相就飮一斗 恰有三百靑銅錢)'라고 한 것으로 알 수 있습니다." 하니, 진종이 크게 기뻐했다고 한다.

나는 생각하기에 왕유(王維)의 시에 "신풍(新豊)의 좋은 술 한 말에 십천 냥일세(新豊美酒 斗十千)."라고 했고, 또 최국보(崔國輔)의 시에 "흥치 있게 한 말 술에 취하니 흡족히 돈 십천 냥을 썼네(興一斗酒 恰用十千錢)."라고 해서 모두 두시(杜詩)와는 다르다.

그런데 여기에서는 오직 두시만을 말하고 이들의 시는 말하지 않았으니, 무슨 까닭인가. 옛사람들도 시를 넓게 아는 자가 역시 드물었던 것이다.

"대백(大白)은 벌작(罰爵)이다."라는 말은 <설원(說苑)>에서 나왔다.

그러나 성제(成帝)가 장방(張放) 등과 함께 금중(禁中)에서 잔치를 벌이고 술을 마실 때에 "모두 잔에 차도록 술을 따라 마셨다(引滿擧白)." 하니, 이는 벌작은 쓰지 않았을 것이다.

어떤 이는 "이 대백이란 것은 술을 다 마신 후에 잔을 들고 술이 다했다고 고하는 뜻이다."고 한다.

만약 그렇다면, 위후(魏侯)가 무엇 때문에 대백을 넘게 따르도록(浮之大白) 했으며, 공승불인(公乘不仁)이 또 무엇 때문에 백을 들어 임금을 뜨게(擧白浮君) 했겠는가?

나는 추측컨대, 무릇 꾸밈없는 것을 백(白)이라고 한 것이 아닌가 싶다.

명당위(明堂位)에 술잔(爵)을 열거했는데, "하후씨(夏后氏)는 잔(琖), 은(殷) 나라는 가(斝), 주(周) 나라는 작(爵)으로 했다." 하였다. 하후씨의 잔은 옥으로 꾸몄고, 은나라의 가는 화가(禾稼)를 그렸기 때문에 이름을 가라 하였으며, 주나라에도 역시 옥으로 꾸민 것이 있었다 한다.

이로 본다면, 옛사람이 술잔에 그림으로 꾸민 것은 술을 마실 때에 마음속으로 경계하라는 뜻을 붙이지 않음이 없다.

아무 경계가 없이 그냥 명칭만 백(白)이라 했다면, 이는 남에게 벌주(罰酒)나 먹이고 또 아무 조심성 없이 실컷 마시는 술잔에 알맞았을 뿐일 것이다.

또 기둥은 둘, 발은 셋으로 창(戈)과 흡사하게 만들어진 술잔이 있다. 기둥은 술을 다 마시면 취해 자빠진다는 것을 경계시키는 상징이고, 발은 너무 지나치면 다친다는 것을 경계시키는 상징인데, 그 기둥과 발도 역시 꾸민 것이다.

이로 본다면 위에 이른 '잔에 차도록 술을 따라 마셨다.'는 말은 너무 넘쳤다는 뜻이고, 또 '백(白)을 들고'라는 말은 꾸밈없는 술잔으로 술을 기울여 다 한다는 뜻인데, '보궤(簠簋)가 꾸며지지 않았다(簠簋不飾).'는 말과 같은 것이다.

이 보궤의 뚜껑에 반드시 거북을 그려 꾸민 것은 음식에 탐내는 욕심을 경계한다는 뜻인데, 꾸미지 않았다면 이는 음식에 탐낸다는 뜻을 지칭한 것이다. 까닭에 희다(白)는 것은 꾸미지 않았다는 뜻이고, 또 뜬다(浮)는 것은 잔에 차도록 술을 따른다는 뜻이다. 무릇 그릇이란 가득 차면 넘는 까닭에 혹 너무 넘칠까 경계해서 한 말이다.

지금도 그림으로 꾸며 만든 술잔을 보면 반드시 술을 얼마쯤 따르라는 한도가 있어서 지나치게 마시지 못하도록 하였다.

그런데도 음식에 욕심을 부리는 자는 반드시 가득 차게 따라 마시기를 좋아하니, 이는 술 마시는 예(禮)를 모르고 하는 짓이다.

<예기> 투호(投壺)의 주에도 부(浮) 자를 혹은 포(匏) 자, 혹은 병부라는 부(符) 자로 해설하였으니, 모두 이 뜬다는 뜻을 제대로 깨닫지 못했다.

* 대백(大白) : 술잔 이름.

* 벌작(罰爵) : 벌주 먹이는 잔. 옛날 군신 간에 연음(燕飮)할 때 실례한 자가 있

으면 술을 먹이는 것으로 주었던 것임.

* <설원(說苑)> : 책 이름. 서한(西漢) 때 문장가 유향(劉向)이 지었음.
* 성제(成帝) : 서한(西漢) 제9대의 임금. 성은 유(劉), 이름은 오(驁).
* 위후(魏侯) : 춘추(春秋)시대 위(魏)나라 임금 문후(文侯). 이름은 사(斯). 문후는 그의 시호.
* 명당위(明堂位) : <예기>의 편명이자, 옛날 임금이 정치에 대해 신하와 의논하고 또는 나라의 제사를 지내던 집 이름.
* 잔(琖)·가(斝)·작(爵) : 다 같이 옥 술잔.
* 화가(禾稼) : 벼이삭.
* 보궤(簠簋)가 꾸며지지 않았다(簠簋不飾) : 이 말은 청렴치 못함을 비유한 말. 보궤불칙(簠簋不飭)이라고도 함. 보궤(簠簋)는 제기(祭器)임.
* 투호(投壺) : <예기>의 편명이자, 옛 예법에 연회(宴會)를 열면 주인과 손님이 화살을 쏘아 병에 던져 넣고 서로 승부를 겨루는 놀이인데, 이긴 사람이 진 사람에게 벌주를 먹였다 함.

1. 주(酒) <도문대작(屠門大嚼)>

개성부 '태상주(太常酒)'가 최고로 좋고, '자주(煮酒)'가 다음으로 아름답다. 삭주(朔州)의 (술) 역시 좋다.

酒

開城府太常酒最好而煮酒庀佳其次朔州亦好.

1. 약주란 말은 무슨 뜻입니까? <조선상식문답(朝鮮常識問答)>

답(答) : 술을 대접하여 말할 때 약주라고 하고, 특별히 다른 술에 대하여 맑은 술을 약주라고 함은, 얼른 보기에 이상합니다.

그러나 물건 이름에 약자를 붙이는 실례를 보건대, 약밥이란 것은 여러 가지 재료로서 가장 별미로 지은 밥이요, 약과란 것은 귀중한 감을 써서 훌륭하게 만들어낸 과자를 말하는 것처럼, 약주란 것은 술 가운데 좋고 맛난 것이라는 의미를 나타내는 말로 보면, 맨술을 가지고 약주라고 하게 된 까닭을 깨달을 것입니다.

2. 조선술의 유명한 것은 무엇이 있습니까?
<조선상식문답(朝鮮常識問答)>

답(答) : 가장 널리 퍼진 것은 평양의 감홍로니, 소주에 단맛 나는 재료를 넣고, 홍곡으로서 밝으레한 빛을 낸 것입니다. 그 다음은 전주의 이강고니, 뱃물과 생강즙과 꿀을 섞어서 고은 소주입니다. 그 다음은 전라도의 죽력고니 청대를 숯불 위에 얹어 뽑아낸 즙을 섞어서 고은 소주입니다. 이 세 가지가 전날에 전국적으로 유명하던 것입니다.

이 밖에 김천의 두견주, 경성의 과하주처럼 부분적 또 시기적으로 좋게 치는 종류도 여기저기 꽤 많으며, 뉘 집 무슨 술이라고 비전하는 법도 서울, 시골 퍽 많았습니다마는, 근래 시세에 밀려 대개 없어지는 것이 매우 아깝습니다.

1. 약소주 <조선상식문답(朝鮮常識問答, 風俗)>

'약소주(藥燒酒)'란 술 이름이 방문과 함께 기록된 문헌으로는 <조선상식문답(朝鮮常識問答, 風俗)>이 유일한 것으로 여겨진다.

'약소주'란 일반적인 방법으로 제조한 술덧을 증류한 소주에 여러 가지 약성을 간직한 초재나 약재를 넣어 그 성분이 우러나게 하여 마시는 술을 가리킨다.

그러나 엄밀하게는 혼성주(混成酒)나 약용주(藥用酒) 또는 리큐르(Riqure)에 해당한다고 할 수 있다.

'약소주'의 주방문을 보면 일반적인 소주제법, 즉 밑술을 범벅으로 하여 빚고 덧술은 고두밥으로 빚는 방법으로 <김승지댁주방문(金承旨宅廚方文)>의 사절소주나 <음식디비방>의 점미소주 등과 비교했을 때 별반 차이가 없음을 알 수 있다.

다만, 소주를 증류하는 방법에 있어서는 진도 지방의 '홍주'나 평양 지방의 '감홍로' 주방문과 같다.

때문에 '약소주'는 일반적인 소주제법과 증류주 홍주 방문을 응용한 것으로 이해할 수 있다.

그 증거로 '약소주'에 대한 기록이 여타의 방문보다 훨씬 후기인 최남선의 <조선상식문답(풍속)>에 수록되어 있다는 사실이다.

그러나 '약소주'의 특징은 무엇보다 술 빚기에 사용되는 발효제로 홍국(紅麴)을 사용한다는 점이다.

홍국은 찹쌀이나 멥쌀을 부식시켜 국모나 누룩을 섞어 발효시킨 누룩으로 붉은색을 띤다. 홍국은 누룩을 이용하여 만든 누룩이라는 점에서 그 특징을 찾을 수 있는데, 이 홍국으로 술을 빚게 되면 레드와인처럼 붉은 술 빛깔을 띠게 된다.

발효가 끝나 숙성된 술덧을 소줏고리에 안치고 예의 방법대로 증류하여 소주를 내려 받는데, 이때 소줏고리의 귀때 밑에 수기를 받치고 그 위에 계피와 사향, 지흔을 놓아 귀때에서 떨어져 내리는 계피 등의 약재를 통과하면서 착색 및 착향 효과와 함께 약성을 추출하게 되는데, 이렇게 받아낸 소주를 '약소주'라고 한다.

이러한 '약소주'는 사향과 계피의 강한 향기와 함께 건위, 정장, 혈행 개선, 진정,

강심의 효과가 있으며 특히 사향은 흥분시키는 효과가 있어, '약소주'는 음주에 따른 취향을 한껏 높일 수 있다.

1. 회주(灰酒) <성호사설(星湖僿說)>

주자(朱子)의 편지에, "술을 마심에 재(灰)가 있다."는 말이 있는데, 이 재란 것은 찌꺼기라는 뜻이다.

육방옹(陸放翁)이 이른, "당(唐) 나라 사람은 적주(赤酒)의 찌꺼기를 좋아했다."고 한 것과, 육노망(陸魯望)의 시에, "술 따르니 재 향기는 지난해와 같구나(酒滴灰香似去年)." 한 말이 모두 이를 가리킨 것이다.

<주례(周禮)>에, "주정(酒正)이 오재(五齊)의 이름을 정했다. 그 중 범재(泛齊)란 술은 맛이 들면 찌꺼기가 제대로 둥둥 뜨는데 지금 의성료(宜城醪)와 같고, 예재(醴齊)란 술은 다 익으면 즙과 찌꺼기가 모두 가라앉는데 지금 소위 염주(恬酒)라는 것과 같고, 제재(緹齊)란 술은 다 되면 붉은빛이 나는데 지금 소위 하주(下酒)라는 것과 같다."고 하였다.

이른바 적주(赤酒)란 앙재(盎齊)의 유로서, 이하(李賀)의 시에, "작은 통에 술 따르니 진주처럼 붉구나(小槽酒滴眞珠紅)."라고 한 것이고, 회주(灰酒)란 곧 범재·예재의 유로서 두보(杜甫)의 시에, "밥알이 동동 뜨니 섣달 술맛 그대로세(蟻浮仍臘味)."라고 했으니, 이는 의성료를 가리킨 것이다.

예소(禮疏)에도, 조식(曹植)의 주부(酒賦)에, "의성(宜城)의 예료(醴醪)이고 창오(蒼梧)의 표청(縹淸)이다."라고 한 말을 인용하여 증거를 삼았으니, 범(泛)과 요(醪)라는 것은 옛사람도 혼용하여 일컬은 것이다.

그리고 의가(醫家)에서 찌꺼기가 없는 술을 약용으로 쓰니, 이는 찌꺼기가 없고 맑은 술을 이르는 것이다.

이지봉(李芝峯)은 육노망의 시를 인용하여, "중국 사람은 술을 빚는 데 재[灰]를 많이 사용하였다." 했으니, 지봉 같은 박식으로도 또한 이 회주(灰酒)가 있는 줄은 미처 생각지 못했던 것인가?

* 주정(酒正) : 주(周)나라 주정(酒政)을 맡았던 벼슬 이름.
* 오제(五齊) : 다섯 가지 술, 즉 범재(泛齊)·예재(醴齊)·앙재(盎齊)·제재(緹齊)·침제(沈齊)를 말함. 침재는 술이 다 되면 찌꺼기는 가라앉고 말끔한 것

이 조청(造淸)과 같다고 함.
* 예소(禮疏) : 공영달(孔穎達)의 <예기> 소를 말함.
* 이지봉(李芝峯) : 지봉은 이수광(李睟光)의 호.

1. 부백(浮白) <성호사설(星湖僿說)>

“대백(大白)은 벌작(罰爵)이다.”라는 말은 <설원(說苑)>에서 나왔다.

그러나 성제(成帝)가 장방(張放) 등과 함께 금중(禁中)에서 잔치를 벌이고 술을 마실 때에, “모두 잔에 차도록 술을 따라 마셨다(引滿擧白).” 하니, 이는 벌작은 쓰지 않았을 것이다.

어떤 이는, “이 대백이란 것은 술을 다 마신 후에 잔을 들고 술이 다했다고 고하는 뜻이다.” 한다.

만약 그렇다면, 위후(魏侯)가 무엇 때문에 대백을 넘게 따르도록(浮之大白) 했으며, 공승불인(公乘不仁)이 또 무엇 때문에 백을 들어 임금을 뜨게(擧白浮君) 했겠는가?

나는 추측컨대, 무릇 꾸밈없는 것을 백(白)이라고 한 것이 아닌가 싶다. 명당위(明堂位)에 술잔(爵)을 열거했는데, “하후씨(夏后氏)는 잔(琖), 은(殷)나라는 가(斝), 주(周)나라는 작(爵)으로 했다.” 하였다.

하후씨의 잔은 옥으로 꾸몄고, 은나라의 가는 화가(禾稼)를 그렸기 때문에 이름을 가라 하였으며, 주나라에도 역시 옥으로 꾸민 것이 있었다 한다.

이로 본다면, 옛사람이 술잔에 그림으로 꾸민 것은 술을 마실 때에 마음속으로 경계하라는 뜻을 붙이지 않음이 없다.

아무 경계가 없이 그냥 명칭만 백(白)이라 했다면, 이는 남에게 벌주(罰酒)나 먹이고, 또 아무 조심성 없이 실컷 마시는 술잔에 알맞았을 뿐일 것이다. 또 기둥은 둘, 발은 셋으로 창[戈]과 흡사하게 만들어진 술잔이 있다.

기둥은 술을 다 마시면 취해 자빠진다는 것을 경계시키는 상징이고, 발은 너무 지나치면 다친다는 것을 경계시키는 상징인데, 그 기둥과 발도 역시 꾸민 것이다.

이로 본다면 위에 이른, ‘잔에 차도록 술을 따라 마셨다.’는 말은 너무 넘쳤다는 뜻이고, 또 ‘백(白)을 들고’라는 말은 꾸밈없는 술잔으로 술을 기울여 다 한다는 뜻인데, “보궤(簠簋)가 꾸며지지 않았다(簠簋不飾).”는 말과 같은 것이다.

이 보궤의 뚜껑에 반드시 거북을 그려 꾸민 것은 음식에 탐내는 욕심을 경계한다는 뜻인데, 꾸미지 않았다면 이는 음식에 탐낸다는 뜻을 지칭한 것이다.

까닭에 희다(白)는 것은 꾸미지 않았다는 뜻이고, 또 뜬다[浮]는 것은 잔에 차도록 술을 따른다는 뜻이다.

무릇 그릇이란 가득 차면 넘는 까닭에 혹 너무 넘칠까 경계해서 한 말이다.

지금도 그림으로 꾸며 만든 술잔을 보면 반드시 술을 얼마쯤 따르라는 한도가 있어서 지나치게 마시지 못하도록 하였다.

그런데도 음식에 욕심을 부리는 자는 반드시 가득 차게 따라 마시기를 좋아하니, 이는 술 마시는 예(禮)를 모르고 하는 짓이다.

<예기> 투호(投壺)의 주에도 부(浮) 자를 혹은 포(匏) 자, 혹은 병부라는 부(符) 자로 해설하였으니, 모두 이 뜬다는 뜻을 제대로 깨닫지 못했다.

* 대백(大白) : 술잔 이름.
* 벌작(罰爵) : 벌주 먹이는 잔. 옛날 군신 간에 연음(燕飮)할 때 실례한 자가 있으면 술을 먹이는 것으로 주었던 것임.
* <설원(說苑)> : 책 이름. 서한(西漢) 때 문장가 유향(劉向)이 지었음.
* 성제(成帝) : 서한(西漢) 제9대의 임금. 성은 유(劉), 이름은 오(驁).
* 위후(魏侯) : 춘추(春秋)시대 위(魏) 나라 임금 문후(文侯). 이름은 사(斯). 문후는 그의 시호.
* 명당위(明堂位) : <예기>의 편명이자, 옛날 임금이 정치에 대해 신하와 의논하고 또는 나라의 제사를 지내던 집 이름.
* 잔(琖)·가(斝)·작(爵) : 다 같이 옥 술잔.
* 화가(禾稼) : 벼이삭.
* 보궤(簠簋)가 꾸며지지 않았다(簠簋不飾) : 이 말은 청렴치 못함을 비유한 말. 보궤불칙(簠簋不飭)이라고도 함. 보궤(簠簋)는 제기(祭器)임.
* 투호(投壺) : <예기>의 편명이자, 옛 예법에 연회(宴會)를 열면 주인과 손님이 화살을 쏘아 병에 던져 넣고 서로 승부를 겨루는 놀이인데, 이긴 사람이 진 사람에게 벌주를 먹였다 함.

1. 주식(酒食)·유상(遊賞)·시포(市舖)·시문(詩文)

<경도잡지(京都雜誌, 風俗條)>

1. 주식(酒食) : 이름 난 술에는 소곡, 도화, 두견, 등이 있는데, 모두 봄에 빚는 좋은 술이다 지역별로는 평양(패성)의 감홍로, 황해도(해서)의 죽력고, 전라도(호남)의 죽력고 등이 또한 권할 만한 술이다(酒名 小麴桃花杜鵑 皆春釀之佳者 浿城甘紅露 海西梨薑膏 湖南竹瀝膏 亦有餉到者).
2. 유상(遊賞) : 필운대 행화, 북둔의 복사꽃, 흥인문 밖 버들(양유), 천연정(天然亭) 연꽃, 삼청동 탕춘대(湯春臺)의 수석(水石)이 술과 노래를 즐기려는 자들이 많이 모이는 곳이다(弼雲臺杏花 北屯桃花 興仁門外楊柳 天然亭荷花 三淸洞湯春臺 觴詠者多集于此).
3. 시포(市舖) ; 남산 아래에서는 술을 잘 빚고 북부에서는 떡집이 많다고 하여 남주북병(南酒北餠)이라는 속담도 생겨났다(南山下善釀酒北部多賣餠家俗稱南酒北餠).
4. 시문(詩文) : 유생들은 여름 과제로 시부(詩賦)를 짓는데, 산의 절이나 들의 정자에 모이는 것을 접(接)이라고 한다. 시는 제목 중에 운자(韻字)로 한 자를 찍어 20개의 운을 만드는데, 5운과 6운을 입제(立題)라 하고, 7운과 8운을 포두(鋪頭), 9운과 10운을 포서(鋪叙)라고 하여 조금씩 층절(層節)을 변화시키다가, 회제(回題)에 이른다. 부는 30개의 운을 돌리는데, 7운과 8운을 파제(破題), 9운과 10운을 포두(鋪頭) 라고 하는 것 말고는, 시(詩)의 경우와 대략 동일하다. 시율(詩律)을 속칭 풍월(風月)이라고 하는 것은, 음풍영월(吟風詠月)을 말하는 것이다. 잔치에 모여 운자를 집고 즐겨 청색·황색·황색·홍색·백색의 측리(側理, 종이의 일종으로 태지苔紙이다), 취우(翠羽, 취조의 깃털로 시축(詩軸)이나 책의 겉장 장식으로 많이 사용) 등 전지(箋紙)에 폭을 이어 베껴 나간다.

2. 원일(元日)·정월 보름날·유월 보름

<경도잡지(京都雜誌, 歲時)>

1. 원일(元日) : 이날 쓰는 술은 세주(歲酒)이다. 세주는 데우지 않는데, 봄을 맞이하는 의미를 갖는다(酒曰歲酒 歲酒不溫寓迎春之意).
2. 정월 보름날 : 소주 한 잔을 마시면서 귀를 밝게 해달라고 한다. 내 생각에는 섭정규(葉廷珪, 중국 송대 사람, 자는 사충嗣忠)가 쓴 <해록쇄사(海錄碎事)>에 "사일(社日)에 치롱주(癡聾酒)를 마신다."고 했는데, 지금 이 풍속이 보름으로 옮겨진 것 같다(又飮燒酒一盞令人耳聰按葉廷珪海錄碎事社日飮 癡聾酒 今俗移於上元).
3. 유월 보름 : 이날은 속칭 유두절(流頭節)이라고 한다. 분단(粉團)을 만들어 꿀물에 넣어 먹으므로 수단(水團)이라고도 한다. 내 생각에는 <고려사(高麗史)>에 "희종(熙宗)이 즉위년(1204) 6월에 시어사(侍御史, 어사대와 감찰사의 종 5품 벼슬) 두 사람과 관리 최동수(崔東秀)가 광진사(廣鎭寺)에 모여 유두음(流頭飮)을 가졌다."고 하였는데, 나라 풍속에 이날 15일에 동쪽으로 흐르는 물에 머리를 감으면서 상서롭지 못한 것들을 떨쳐버리고, 모여 술을 마시는 풍속을 유두음이라고 한다(俗稱流頭節 作粉團澆以蜜水食之號水團按高麗史熙宗卽位六月丙寅有侍御史二人與臣官崔東秀會于廣鎭寺作流頭飮國俗以是月十五日浴髮東流水발除不祥因會飮號流頭飮).

3. 원일(元日)·유두(流頭)·8월 추석(秋夕)

<동국세시기(東國歲時記)>

1. 원일(元日)

이날 시절음식으로 손님을 대접하는 것을 세찬(歲饌)이라고 하며, 대접하는 술을 세주(歲酒)라고 한다. 내 생각에는 중국 후한대의 사람인 최식(崔寔)의 <월령(月令)>에 "설날 조상에게 깨끗한 제사를 올리고 산초와 잣을 넣어 빚은 초백주(椒栢酒)를 마신다."고 했고, 또 종름(宗懍)의 <형초세시기(荊楚歲時記)>에는 "설날 길경 등을 넣어 만든 도소주(屠蘇酒)와 엿을 드린다." 고 하였는데, 이것이 세주와 세찬의 시초다(饋以時食曰 歲饌 酒曰歲酒 按崔寔月令正日潔祀祖禰飮椒栢酒 又按宗懍荊楚歲時記元日進屠蘇酒膠牙餹 此卽歲酒歲饌之始).

* 청주 한 잔을 데우지 않고 마시면 귀가 밝아진다고 하는데, 이 술을 귀밝이 술(治聾酒)이라고 한다. 내 생각에는 송나라 사람 섭정규(葉廷珪)가 쓴 <해록쇄사(海錄碎事)>에 "사일에 귓병을 낫게 하는 치롱술을 마신다."고 하였는데 지금 풍속에는 이를 보름날이라 한다(飮淸酒一盞不溫冷人耳聰 謂之治聾酒 按葉廷珪海錄碎事社日飮治聾酒).
* 기타 3월 행사
  술집에서는 과하주(過夏酒)를 빚어 판다. 술 이름으로는 소국주, 두견주, 도화주, 송순주 등이 있는데, 모두 봄에 빚는 좋은 술들이다.
  소주로는 서울 마포 공덕동에서 대흥동 사이에 있는 독막(甕幕) 주변에서 만드는 삼해주가 최고 좋은데, 수천 수백 독을 빚어낸다. 평안도 지방에서 쳐주는 술로는 감홍로와 벽향주가 있고, 황해도 지방에서는 이강고, 호남 지방에서는 죽력고와 계당주, 충청도에서는 노산춘 등을 각각 가장 좋은 술로 여기며, 이것 역시 선물용으로 서울에 올라온다(賣酒家造過夏酒以賣 酒名少麴桃花杜鵑松荀皆春釀之佳者 燒酒卽孔德甕幕之間三亥酒 甕釀千百 最有名稱關西甘紅露碧香酒海西梨薑膏湖南竹瀝桂當酒湖西魯山春皆佳品亦有餉到者).
* 서울의 남산 아래에서는 술을 잘 빚고 북부에서는 맛 좋은 떡을 많이 만들기 때문에 '남주북병'이란 말이 생겼다(南山下善釀酒北部多佳餠都俗稱南酒北餠).
* 네 번의 오일을 이용하여 술을 거듭 빚으면 봄이 지나야 익게 되는데, 해가 지나도 변하지 않는다. 이러한 술을 사마주라고 한다. 동악(東岳) 이안눌(李安訥, 1571~1637)이 남궁적(南宮績)이 준 이 사마주를 마시고 지은 '음남

궁적사마주(飮南宮績四馬酒)'이라는 시에 "그대 집의 이름난 술은 해를 지나도 변하지 않으니 응당 옥해주(玉薤酒) 빚는 법을 따랐나 보다."라는 구절이 있다(用四午日重釀酒經春乃熟 酒歲不敗 名曰四馬酒 李東岳安訥飮南宮績四馬酒詩曰君家名酒 貯經年 釀法應從 玉瀣傳).

* 옥해주 : 중국 수나라 양제(煬帝)가 만들었다는 술이다.

2. 유두

밀가루를 반죽하여 구슬 모양의 누룩을 만드는데 이것을 유두국이라 한다. 거기에다 오색 물감을 들여 세 개를 이어서 색실로 꿰어 차고 다니며, 혹 문 위에 걸어 액을 막기도 한다(用小麥麵造麯如珠形名曰流頭麯染五色連三枚以色絲穿而佩之或掛於門楣以禳之).

* 기타 유월 행사 : 서울 서대문 밖 천연동에 있는 천연정의 연꽃과 삼청동의 탕춘대와 정릉의 수석에는 술과 문학을 즐기는 사람들이 많이 모여들어 옛날 중국 하삭(河朔, 중국 황하 북쪽으로 후한 말기에 유송劉松이 원소袁紹의 자제들과 술을 마시며 피서했다는 고서가 있음) 지방에서 했다는 식으로 술을 마시며 피서를 한다. 서울 풍속에는 또 남산과 북악 골짜기에 흐르는 물에 발 담그기(탁족濯足)를 하는 놀이가 있다(天然亭河花三淸洞湯春臺貞陵水石觴詠者多集于此以倣河朔之飮 都俗又於南北溪澗爲濯足之遊).

3. 8월 추석

이날 사람들은 닭을 잡고 술을 빚어 온 동네가 취하고 배부르게 먹으면서 즐긴다(黃鷄白酒四隣醉飽以樂之).

술집에서는 햅쌀술을 빚어 팔며, 떡집에서는 햅쌀송편과 무와 호박을 넣은 시루떡을 만든다. 또 찹쌀가루를 찐 다음, 그것을 쳐서 떡을 만들고, 거기에 볶은 검은콩가루나 누런콩가루를 묻혀 파는데, 이것을 인절미라고 한다(賣酒家造新稻酒 賣餠家造早稻松餠菁根南苽甑餠 又蒸糯米粉打爲糕熟黑豆黃豆之磨紛粘之名曰引餠以賣之).

* 기타 10월 행사

서울 풍속에 숯불을 피워 놓고 석쇠를 올려놓은 다음, 쇠고기를 기름, 간장, 계란, 파, 마늘, 후춧가루 등으로 양념하여 구우면서 화롯가에 둘러앉아 먹는데, 이것을 '난로회'라 한다. 숯불구이는 곧 옛날의 난로회와 같은 것이다. 또 쇠고기나 돼지고기에 무, 오이, 채소, 나물 등 푸성귀와 계란을 섞어 장국을 만들어 먹는데, 이것을 열구자탕, 또는 신선로라고 부른다. 내 생각에는 <세시잡기(여원명의 세시잡기)>에 "서울 사람들은 시월 초하룻날에 술을 준비해 놓고, 저민 고깃점을 화로 안에 구우면서 둘러앉아 마시며 먹는데, 이것을 난로라고 한다."고 했고, 또 <동경몽화록>에 "시월 초하루에 유사들이 난로에 피울 숯을 대궐에 올리고, 민간에서는 모두 술을 가져다 놓고 난로회를 갖는다."고 하였는데, 지금의 풍속도 그러한 것이다(都俗熾炭於爐中置煎鐵炙牛肉造油醬鷄卵葱蒜番椒屑圍爐도之稱煖爐會　自是月爲禦寒之時食卽古之煖爐會也 又以牛豬肉雜菁苽葷菜鷄卵作醬湯有悅口子神仙爐之稱 按歲時雜記京入十月朔沃酒乃炙臠肉醬於爐中團坐飮嚼謂之暖爐 又按東京夢華錄十月朔有司進煖爐炭民間皆置酒作煖爐會. 今俗亦然).

4. 정월(正月)·유월(六月) 보름·중추(中秋)

<열양세시기(列陽歲時記)>

1. 정월(正月) : 설날부터 초열흘까지 승정원에서는 각방(各房)의 공사(公事)를 받아들이지 않고, 내외(內外) 아문(衙門)에서도 출근하지 않으며 시전도 문을 닫고 감옥은 비워 놓으며, 지체 높은 관리들은 집에 손님을 들이지 않고 명함만 받는다. 농암(農巖) 김창협(1651–1708, 김매순의 고조부 김창흡의 형)의 시에 "대문에 놓인 손님 명함 사흘을 머물고 비취색 잔의 도소주가 소년을 일으킨다."고 하였다. 내 생각에는 <사민월령>에 술을 드리는 순서는 마땅히 작은 데서 시작된다고 한 것으로 보아, 나이 어린 자가 먼저 일어나 술을 받는다는 뜻일 것이다(自元日至三日承政院不入各房公事 內外衙門

不開坐 市塵閉闤闠空 公卿家不許輒通門刺 農巖詩曰朱門賓刺留三日翠勺屠蘇起少年 按四民月令云 進酒次第當從小起以年少者先起).

이날 날이 밝아 올 때 술을 한 잔 마시는데, 이를 귀밝이술(이명주)이라 한다(淸晨飮酒一盞曰耳明酒).

2. 유월(六月) 보름 : 부녀자들은 밀가루로 바둑알 만하게 누룩을 둥글게 만든 다음, 비단을 오려 붙이면 오색이 서로 어울려 번쩍인다. 세 개씩 이어 달고 그 위에는 실 고리를 만들어 찰 수 있게 한다. 이것을 서로 선물로 보내는데, 유두국이라고 한다(婦女取小麥屑作團麯如棊子 大剪綵帛塗之 五色相間斑斕然 三三連繼 上作絲鉤 令可佩 以相贈遺 名曰流頭麯).

3. 중추(中秋) : 이날 아무리 궁벽한 시골의 가난한 집이라도 으레 모두 쌀로 술을 빚고 닭을 잡아먹는다. 안주나 과일도 분수에 넘치게 가득 차린다. 그래서 "더도 말고 덜도 말고 한가위만 같아라."는 말도 있다(是日難窮鄕下戶 例皆釀稻爲酒殺鷄爲饌 肴果之品侈然滿盤爲之 語曰加也勿減也勿 但願長似嘉排日).

1. 주명(酒名) 고(膏)·로(露)·약(藥) 칭(稱) '상(霜)'
<오주연문장전산고(五洲衍文長箋散稿)>

酒名 膏·露·藥 稱 '霜' 辯證說

중원의 술명에 '고(膏)', '로(露)', '약(藥)'의 술명을 "상(霜)"이라고 칭하는 것은, 또한 바깥 오랑캐로부터 시작된 것이다.

고(膏)라고 하는 술은 당나라 소실이 옛날에 처사 이초연이 궁중에 불려 들어와서 '용고주'를 얻어 마셨는데, 검기가 옻칠 같았다. 그 술을 마시니 사람으로 하여금 정신이 맑고 상쾌하였다.

이것은 본래 다른 곳에서 중국에 바쳐진 것이다.

우리 동방은 '이강고', '계당로', '죽력고' 등의 명주가 있었다.

왕자년이라는 사람의 <습유기>에 보면은 제국시대에 서, 북 오랑캐가 삼위 땅에 있는 서로류(瑞露類)의 글을 진상했다.

전구 땅의 등소가 잔(觴)을 지니고 늦게 길을 가다가 서생을 만났는데, 말하기를 "나에게 서로(瑞露)의 술이 있는데, 꽃이 만발한 가운데서 빚는다. 그대의 '건화오구주'는 잘 모르지만, 누가 더 나은가?" 하고 더불어 마시니, 그 맛이 달고 향기가 비할 데 없었다.

명나라 황제 만력에 이르러, 서백이 중국으로 들여오기 시작한 '포도로주(포도로 빚은 소주)'를 와서 바쳐 소주를 '노주'라 하였다.

중국은 '오향로주'가 있고, 우리나라는 평양부에 '감홍로주'가 있고, 미공 비급이 북융장호 대왕에게 바친 것으로 제순시대의 백랑의 상(霜)은 10번 구르면 자화가 팽창하여 길게 자라면 신선이 천지와 더불어 서로 따르는바, 이후 약(藥)으로 불에 올려 달궈서 서(瑞)라 칭하는 것으로, 가루서리(분상粉霜)와 같은 것으로 심히 많다. 또 백초의 서리(霜) 파두상(巴豆霜)은 달궈서 그 이름을 얻을 수 있는 것이 아니다.

1. 주기보(酒器譜) <성호사설(星湖僿說)>

<설문(說文)>에, "한 되들이 잔은 작(爵), 두 되들이 잔은 고(觚), 서 되들이 잔은 치(觶), 너 되들이 잔은 각(角), 닷 되들이 잔은 산(散)이라 한다.

작(爵)이란 것은 한껏 넉넉하다는 뜻이고, 고(觚)란 것은 적다는 뜻인데, 분량을 조금 적게 마셔야 한다는 것이며, 치(觶)란 것은 알맞다는 뜻인데 양에 맞게 마셔야 한다는 것이다.

그리고 각(角)이란 것은 닿는다[觸]는 뜻인데, 양에 따라 알맞도록 마시지 않으면 죄가 닥쳐온다는 것이고, 산(散)이란 것은 나무란다는 뜻인데 스스로 한정해 마시지 않으면 남에게 나무람을 당하게 된다는 것이다.

그러나 술잔에 대한 총칭은 모두 작(爵)이라 한다. 술을 가득 부은 잔은 상(觴)이라 하는데, 이 상(觴)이란 것은 여러 사람에게 먹인다는 뜻이고, 굉(觥)이란 잔 또한 닷 되들이인데, 이는 술을 과히 마시고 공경한 모습을 잃은 자에게 벌주는 잔이다.

굉(觥)이란 것은 또 넓다는 뜻이며 밝은 모습을 나타낸다는 것이기도 하다.

그러나 군자(君子)는 허물이 있으면 거리낌 없이 활짝 나타내게 된다.

그러므로 벌주를 굳이 먹이지 않았을 것이니, 술잔도 따로 이름하지 않았을 것이다." 하였다.

옛날 한 되[升]란 지금 우리나라에서 쓰는 되와 비교하면 두 홉이 조금 넘는 것이고, 다섯 되란 한 되 남짓한 것이었다.

<주례(周禮)> 고공기(考工記)에, "작(勺)은 한 되, 작(爵)은 두 되, 고(觚)는 서 되다."라고 하였으니, 이와 같지 않으며, <시경(詩經)>에, "나는 아직껏 저 시굉(兕觥)으로 술을 마시고 있다(我姑酌彼兕觥)." 하였으니, 이 또한 벌주로 먹는다는 것은 아니다. 대개 굉(觥)은 잔으로서는 큰 것인 까닭에 벌주를 마시게 할 적에는 굉을 쓰는 것이 마땅할 뿐이다.

아(盃)는 음이 아인데 이는 술잔이다. 이 아(盃)란 글자는, 옛날은 아(疋) 자로서 아(雅) 자와 통용했다. 삼아(三雅)라는 명칭도 아마 여기에서 유래되었으리라.

잔(琖)이란 글자의 뜻은 잔(琖)·잔(盞) 두 글자가 같은데, 작은 술잔이다.

하(夏)나라는 잔(琖), 은(殷) 나라는 가(斝), 주(周)나라는 작(爵)이라 했는데, 가(斝)란 잔은 술이 여섯 되나 든다는 것이다.

두(斗)라는 잔은 술이 열 되나 드는데, <시경>에, "말처럼 큰 잔으로 술을 마신다[酌以大斗]." 하였고, 포(匏)란 잔은 박[瓠] 따위인데, <시경>에, "술 마시는데 바가지를 잔으로 쓴다(酌之用匏)." 하였다.

<예기> 예기(禮器)에는, "다섯 번 드린다(五獻)는 준(尊)은 문 밖에서 쓸 때는 부(缶)로 하고, 문 안에서 쓸 때는 호(壺)로 하며, 임금이 쓰는 술통은 와무(瓦甒)로 한다." 하였으니, 이는 작은 것을 귀하게 여김이었다.

이에 대한 정씨(鄭玄)의 주에는, "호(壺)란 것은 크기가 한 섬 들 만하고, 무(甒)란 것은 닷 되들이며, 부(缶)란 것은 큰지 작은지 모르겠다.

호(壺)라는 병은, 모가지 길이는 일곱 치, 복판 길이는 다섯 치, 지름 길이는 한 치 반인데, 한 말 닷 되를 담을 수 있고, 무(甒)라는 병은 중간이 넓고 아래가 좁으며, 위는 뾰족하고 밑은 평평한데, 작게 생겼다." 하였으며, <이아(爾雅)>에는, "부(缶)라는 것은 술 4곡(斛)이 든다." 하였다.

병(瓶)은 술을 담는 그릇이다. <시경(詩經)>에, "병에 술이 다하면 잔(罍)이 부끄러워한다(瓶之罄矣惟罍之耻)." 했는데, 뇌(罍)란 글자는 본래는 뇌(櫑)였던 것이다.

귀목(龜目)이란 것은 나무로 만든 술통인데, 겉에다 구름과 우레의 형상을 새겼으니, 이는 술이 마르지 않는다는 것을 상징한 것이다.

곽박(郭璞)은, "뇌(罍)라는 것은 병[壺]처럼 생겼는데, 큰 것은 술 한 섬을 담을 수 있고, 앵(罌)이란 병은 서 되 일곱 홉이 든다." 하였다.

온(温)이란 것도 술그릇이고 치(卮)라는 것도 술그릇인데, 온달처럼 둥근 것도 있고,, 반달처럼 굽은 것도 있다.

그리고 옹(甕)이란 질그릇으로서의 큰 것이고, 이(彝)라는 것은 종묘(宗廟) 제사에 울창(鬱鬯)과 술을 담는 그릇인데, 크기도 하고 작기도 한 것이 일정하지 않으나, 이(彝)라는 것이 이 모두의 총칭이다.

<주례(周禮)> 소종백(小宗伯)에는, "이(彝)란 따위가 여섯 가지나 있는데, 유(卣)라는 것이 준(尊)에서 중간이고, 준(尊)이란 것도 세 품등이 있는데, 상품이

이(彝), 중품이 유(卣), 하품이 뇌(罍)라." 하였다.

곽박은, "유(卣)란 것은 크지도 작지도 않게 알맞게 만들어진 것이 이(彝)와 뇌(罍)에 비교하면 중간이다." 하였고, <이아(爾雅)>의 소(疏)에는, "이(彝)란 것은 술 다섯 말을 담을 수 있고, 유(卣)란 것은 술 서 말을 담을 수 있으며, 뇌(罍)란 것은 술 한 말을 담을 수 있다." 하였다.

합(榼)이란 것도 역시 술그릇인데, <좌전(左傳)>에 "행인(行人)이 합(榼)을 잡고 잇따라 마신다." 하였다.

치(瓻)란 것도 역시 술그릇으로서 큰 것은 한 섬, 작은 것은 다섯 말을 담을 수 있다는 것인데, "서책을 남에게 빌려 주는 자도 한 치(瓻)이고, 빌려 온 서책을 되돌려 주는 자도 한 치(瓻)이다."라는 말은 여기에서 나온 것이다.

이 외에도 대백(大白)·상만(常滿)·강라(江螺)·목영(木癭)·호로(胡盧)·치이(鴟夷)·어금(棜禁)·점풍(坫豊)·주반(舟槃)·표창(杓鎗) 따위의 여러 가지가 있으나 다 기록할 수 없다.

그리하여 이것만을 합쳐서 주기보(酒器譜)를 만든다.

* 주기보(酒器譜) : <유원(類苑)> 권(卷) 36 기용문(器用門).
* <설문(說文)> : 한(漢)나라 허신(許愼)이 지은 <설문해자(說文解字)>의 약칭.
* 나는 아직껏 ……마시고 있다(我姑酌彼兕觥) : 이 말은 국풍(國風) 주남(周南) 권이(卷耳)장에 보임.
* 삼아(三雅) : 세 가지의 잔 이름. 옛날 중국 사천성(四川省) 낭중현(閬中縣) 어느 못(池) 속에서 발견한 세 개의 동기(銅器)인데, 백아(伯雅)·중아(仲雅)·계아(季雅)라는 전자(篆字)가 각각 새겨져 있었기 때문에 이 동기에 새겨진 그대로 술잔 이름을 했다 함.
* 잔(琖) : 옥 술잔.
* 말처럼 큰 잔으로 물을 마신다(酌以大斗) : 이 말은 대아(大雅) 생민지십(生民之什) 행위(行葦)장에 보임.
* 술 마시는 ……쓴다(酌之用匏) : 이 말은 대아 생민지십 공유(公劉)장에 보임.

* 부(缶) : 동이.
* 병에 술이 …… 한다(甁之罄矣惟罍之耻) : 이 말은 소아(小雅) 곡풍지십(谷風之什) 육아(蓼莪)장에 보임.
* 행인(行人)이 …… 마신다 : 이 말은 성공(成公) 16년조에 보임. 행인(行人)은 주(周)나라 때 벼슬 이름.

1. 갱기(羹器) <고려대규합총서(高麗大閨閤叢書, 異本)>

1. 황제 대에 마노 한 독이 있어, 그 가운데 보배로운 이슬이 있으니, 요순 때에도 아직 있었다.
   시절이 순박한즉, 이슬이 가득하고 세상이 어지러운즉, 이슬이 마르더라.
2. 주나라 잔은 경배, 남창국에서는 대모분, 주 무왕 때에는 서역에서 상만배(늘 가득한 잔)를 드리고, 진시황은 적옥옹(붉은 옥독)이오, 한 무제 때에 방사 신원연이 옥배를 드리고, 당무덕 이년에 서역이 파라배를 드렸다.
   내고의 한 잔이 푸른빛이 무늬 어지러운 실 같으니, 그 엷기가 풀잎 같고, 그 발에 금으로 새긴 글자가 있어, 자란배(스스로 덮는 잔)라 하였음에, 상이 명하여 술을 부어두게 하니, 따뜻하기 마치 새로 부어 끓인 것 같더라.
3. 위후에게 마노합이 있어, 크기가 서 되나 들고, 옥술잔이 있으니, 사람이 서역귀신이 만든 것이라 하더라.
4. 당나라 때에 고려국에서는 자하배(붉은 노을 잔), 선비국에서는 수정배, 발해국에서는 앵부 나무혹바히, 파지국은 문라치 무늬 있는 소라잔을 드렸다.
5. 주비등은 서응에서 나는데 장건이가 대완국 사신 가서 얻어 온 것이다.
   등이 크기 풀 같고, 잎은 칡 같고, 꽃은 오동 같고, 열매가 단단하여 술잔을 만들면 무늬가 비치어 사랑스럽고, 술을 담으면 맛이 두고두고 향긋하여 아름답고, 꽃을 술에 띄우면 술이 깨니 보배더라.
6. 산마한아국은 즉, 한대 선비국이다. 한 잔을 드리니, 이름이 조세보(세상을 비취는 보배)라 하여 빛나고 맑아서 비취면 자질구레한 것을 가히 알 수 있다.

1. 고인주량설(故人酒量說) <오주연문장전산고(五洲衍文長箋散稿)>

故人酒量說 辯證說

술이라는 것은 하늘이 내린 아름다운 복이다. 그런고로 술을 마시고서 술의 기운을 평안히 누리는 자는 드물다.

술을 마시고서 술의 기운을 평안히 누릴 수 있는 사람은 천지간에 복을 받은 사람이다.

도종의라는 사람이 송나라 조숭순이 지은 글 '사계륵편(하잘것없는 글)'에서 말하기를, "고인의 주량은 한나라 우정국(도)이 정위(법관)가 되어 술을 마시는데, 두어 섬을 마시는데 이르렀으나 취하여 혼란하지 않았고, 겨울 추운 날 옥사를 다루고 윗사람에게 보고를 드림에도 술을 마시면 정신이 더욱 맑았다.

정나라 강성은 술 한 섬(한 섬 곡, 열여섯 말)을 마셨고, 여식 또한 한 섬(열 말)을 마셨다. 진나라 주개는 술 한 섬을 마셨고, 유영은 한 섬 5말을 마시면 먼저 마신 술이 도리어 깼다.

연나라 황보진은 한 섬을 더 마시고도 혼란하지 않았고, 뒤에 위나라 유조는 한 섬을 마시고 취하지 않았다.

남쪽의 제침은 5말까지 마시고, 그의 처 왕석녀 또한 세 말까지 서로 대작하여 마셨는데, 업무 보기를 폐하지 않았다.

등원기는 한 섬을 마시고도 취하지 않았다. 유건지는 한 섬을 마시고 취하지 않았다. 진나라 후주는 아들과 더불어 한 섬을 마셨고, 공규는 일고여덟 말을 마셨으며, 진나라 산도는 항상 여덟 말을 마셨다고 한다.

이는 술을 마시고서 복을 누리는 자들이다.

중국 명나라 사조제의 <오잡조>라는 책에 의하면, 근대의 주인(酒人)은 관복을 입고 술 백 잔 이상을 마시고도 목소리와 얼굴빛에 변동이 없는 사람으로서, 이를 호걸이라고 했다.

증학사 계빙이 벼슬을 하고 연호 땅 종재인 종헌과 왕사마 도근이 스스로 자부하여 말하기를, 술로 상대할 자가 없다고 하였다. 위에 증학사가 구리쇠를 녹여서 자기 몸과 똑같이 동인(銅人)을 만들어 그 동인의 몸에 술이 넘어 나도록 부어서 그 들어가는 바를 보고 마셔도 오히려 취하지 않았다.

풍사성이 춘방(진시 합격자 명단)을 내걸 때에 매 진사 합격자마다 1잔씩 올리게 해서 드디어 3백 배를 마셨는데도 흥이 아직 미진하면, 그 합격자 중에서 술 잘 마시는 5인을 택하여 더불어 수작(酬酌)을 하여 또 백여 잔을 하고 나면 5인이 모두 다리를 비틀거리면서 자기 몸을 이기지 못하였는데, 풍사마는 태연무량하였다.

옛날에 석중이 있을 때에 향리를 방문한 사람을 영접할 때도 또한 그러하였다.

왕사마가 매번 식사할 때마다 크고 작은 술통들을 섞어서 진열해 놓고, 그 술통 하나를 다 비울 때까지 마시는 것을 규칙으로 삼았다.

이는 역시 하늘이 준 복을 다 누리는 사람들이다.

우리 동방 역시 술 마시는 주량으로 소문난 사람이 없고, 역대에 누가 감히 술을 마시고 굉음을 했는가?

우리 국조 근세에 들어서 유호인과 정응두와 오도일, 이문원이 고을의 어른으로서 술을 잘 마신다고 일컬었다고 하지만, 중원의 옛사람과 비교하면 생각하는 것만 같지 못하다 .

청대 우서당 동이가 한 주설은 술의 흥취에 대해 설명했다.

중국 중고대에 술을 마신 사람은 근심과 걱정이 있어서 술을 마신 것 같다.

그렇다고 한다면, 굴원은 마땅히 술에 취해 있어야 했는데, 홀로 깨어 멱라수에 빠져서 후회하지 않았고, 이백은 마땅히 깨어 있어야 할 사람이었으나, 오래도록 취해 마침내 채석강에 빠져 죽음을 사양하지 않았다.

진나라의 유영, 완적(죽림칠현의 2인)은 거의 그들과 비슷하다. 이 두 사람이 어찌 술 마시기를 좋아했겠는가. 부득이 마신 것이다.

산공(진나라 때 위정자의 호, 명사를 뽑아 올리는 사람으로 유명했다. 그의 명사 반열에 올라야 출세할 수 있었다고 함)의 명사반열에 오르는 귀한 벼슬은 내가 하지 않았고, 계생(국가시책에 반대해서 죽은 사람)의 화 또한 내가 알고 면했다.

완적은 흉중에 돌무더기 같은 근심이 많았기 때문에 술로서 그것을 씻어냈으니, 완적의 의향은 사람들이 알아주는 이가 있었다.

하늘이 유영을 태어나게 해서 술을 잘 마시는 것으로 이름을 나게 하였는데, 유영의 뜻은 그 아내도 알아주지 않았다.

사비가 그 아우를 가리키며 말하기를, "이 중에도 마땅히 마셔야 할 사람이 있다. 원증이 유독 술동이를 지적하여 말하기를, '날마다 술독째 마시면서 무하지향에 갈 뿐이다(무하지향 : 근심 걱정 없는 신선의 경지, 복희, 신농씨의 세상).'" 고 하였다.

<논어>에 이르기를, "위험한 나라에 들어가지 말고 난이 와 있는 나라에 살지도 말라."고 했는데, 불행히 이런 일을 만나면 오로지 술 마시는 것만이 마땅할 것이다. 술동이 끌고 다니면서 술지게미까지 질질 흘리며 마시다가, 흙덩이처럼 우두커니 앉아서 하루 종일 마시며 세상과 더불어 버려졌다. 물어도 대답 없고 충고를 해도 아랑곳 않으며 세상에 원망도 성냄도 없으니, 무엇을 염려하고 무엇을 생각하리오.

세상 사람들은 말세에 살거늘, 나는 태고의 편안한 세상에 놀고 있다

그래서 죽으면 누구라도 묻어줄 것이요 다시 태어나더라도 또한 그렇게 살 것이다.

* 참고 : <고문진보>의 '주덕송' 원문

提壺挈榼 餔粗歠醨 塊然終日 與世相遺

問之不答 告之不知 无怨无怒 何慮何思

人在末世 我遊黃羲 死便埋我 生復中之

저 큰 고관대작들이 잔치하고 향연을 할 때는 주빈이 주고받아도 1말에 불과했다. 또 말하기를 세 잔을 마시면 정신이 황당하고 술에 폭 빠져서 다리가 떨리고 더 취하면 지나치게 푹 빠져서 머리에서 우레 소리가 났으니 술을 제대로 마시려면 한 잔 마시고 백 번 절하며 주고(<서경> '주고' 편의 술을 마시는 법에 따라)에 나오는 술 마시는 법대로 다 실행한 연후에야 비로소 옛날에 우환이 있을 때 술에 취하고 안락할 때는 깨어 있는 원리를 알 것이다.

옛사람 '소식(蘇軾)'의 시(詩)에 "어찌 중성 땅의 좋은 '천일주'를 얻어서 멍하니 취해 곧바로 태평한 시대에 이를 수 있겠느냐. 세상에 가는 길은 멀고머니 장차 뭐 급히 하려고 하리오. 다만, 길게 취해서 깨지 않고 살기를 원하노라."고 하였다.

이런 글을 읽으니, 나의 탄식만 더하노라. 어리석은 내가 생각건대 술이라는 것이 과연 이와 같으니, 환자야가 어찌할까 하며 탄식한 것을 모방할 뿐이다.

그래서 또 나로 하여금 어찌할까 하며 탄식할 뿐이다.

옛날에 공자께서 "<주역(周易)>을 지은 사람은 우환이 있었을 것"이라고 말했다.

지금 서당 노인이 '술을 마시는 사람은 근심걱정이 있었다.'고 말했다.

내가 말하건대 '술을 마시는 자는 우환이 있어서 술을 마셨다.'고 하니, 그것은 반드시 남에게 말하기 어려운 근심걱정이 있는 자이다.

슬프구나! 그렇다면 비록 술을 많이 마셨다고는 하나, 끝내 천록을 누린 자는 아닌가 보다.

술로서 글을 만드는 것은, 각기 다 각각의 취지가 있었으므로, 그것에 미쳐서 모았다. 또 옛사람의 주량은 당시의 말(斗) 섬(石, 10두), 곡(斛, 열 말)이라 하는 것은, 후대의 도량과 비교하면 용량에 조금 차이가 있은즉, 유백륜이 1번에 한 섬 5말을 마시면 묵은 술이 깼다고 하는 것은, 지금 말과 섬으로 환산해 보면 양인즉 1섬은 3말에 불과하니, 이는 3말과 또 1말 5되를 마신 것이다. 그 3말, 5말, 7~8말이라고 하는 것도 이로 미루어 알 수 있다.

백 잔이라고 칭하는 것은 그 잔의 크고 작음이 옛 법제와 달라서 1잔에 들어가는 양이 1홉에 불과하다면 2작은 1홉이 되고, 10홉이 1되가 되니, 그것을 헤아릴 수 있다.

이른바 100잔은 1말일 뿐이다. 이백의 시에 1일에 3백 배를 기울였다고 하나, 3백 배라는 것은 겨우 3말에 불과하다.

서영이라는 사람이 혹 이르기를, 술을 마시는데 1석의 '석'은 진시황이 저울과 섬으로, 서류를 과정해서 일을 결재했다(주 : 1석은 120근으로 문서를 날마다 120근씩 처리했다).

한나라의 감로동(한대 쓰던 저울)으로 한 섬(斛)을 계산해 보면, 당시의 사십사(44) 근이었다.

* 환자야 : 전국시대 사람

1. 소줏불 끄는 법 <고려대규합총서(高麗大閨閤叢書, 異本)>

1. 소주 고을 제 받는 그릇에 불이 가까우면 인화하기 때문에 초항에 당기어 불이 나면 끌 수가 없으니, 푸른 보로 덮치면 즉시 꺼진다.
2. 사람이 소주를 너무 먹으면 입 코에서 불이 난다. 만일 찬물을 먹이면 즉사하니, 더운물을 먹이고, 배꼽에 황토를 에워싸고 더운물을 부으면 꺼진다.

2. 소주불 난 데 <규합총서(閨閤叢書)>

소주(燒酒) 그릇에 불이 나거든 푸른 헝겊으로 덮치면 즉시 꺼진다. 사람이 과음(過飮)하고, 콧구멍에서 불이 나는데, 냉수(冷水)를 먹으면 즉사(卽死)하니, 더운물을 먹이고, 배꼽을 (황토)로 에워싸고 더운물을 부으면 꺼진다. 술에 가지나무 재가 들어가면 변(變)하여 물이 된다.

3. 소줏불 난 데 <부인필지(夫人必知)>

소주(燒酒) 그릇에 불이 나거든 푸른 헝겊으로 덮치면 즉시 꺼진다. 사람이 과음(過飮)하고, 콧구멍에서 불이 나는데, 냉수(冷水)를 먹으면 즉사(卽死)하니, 더운물을 먹이고, 배꼽을 (황토)로 에워싸고 더운물을 부으면 꺼진다. 술에 가지나무 재가 들어가면 변(變)하여 물이 된다.

4. 소줏불 끄는 법 <사시찬요초(四時纂要抄)>

소주(燒酒) 내릴 때 그릇에 불이 나거든 푸른 베로 덮으면 꺼지고, 사람이 과히 먹으면 콧구멍에 불이 나거든 냉수 먹으면 죽나니, 더운물 먹이고, 황초로 배꼽을 에워싸고 더운물 부으면 깨나니라.

5. 치로주화염법(治露酒火焰法) <임원십육지(林園十六志, 高麗大本)>

술에 불이 붙었을 때 푸른색 천을 덮으면 저절로 불이 꺼진다. <물류상감지(物類相感志)>를 인용하였다.

治露酒火焰法
酒中火焰以青布拂之自滅. <物類相感志>.

1. 술 빚는 길일 <간본규합총서(刊本閨閤叢書)>

정묘, 경오, 계미, 갑오, 을미, 춘 : 제일, 하 : 항일 추 : 규일, 동 : 오일, 책력에 이십팔수라.

2. 술 빚는 길일 <고려대규합총서(高麗大閨閤叢書, 異本)>

술 빚기 좋은 날 : 정묘(丁卯), 경오(庚午), 계미(癸未), 갑오(甲午), 을미(乙未), 춘저(春邸), 하항(夏亢), 추규(秋奎), 동위(冬危), 만(滿)·성(成)·개(開) 일(日)이다.

* 책력의 건제만평을 짚어보라.

3. 술 못 빚는 날 <고려대규합총서(高麗大閨閤叢書, 異本)>

술 못 빚는 날 : 무자일(戊子日), 갑진일(甲辰日), 멸몰일(滅沒日), 수혼일(水昏日) 정유일(丁酉日)

* 정유일은 두강(두강은 옛날 술 잘 빚던 사람)이 죽은 날이니 꺼리는 고로, 팽조 백기일에 유일에는 손님 대접을 않는다 하였다.
* 무릇 술을 빚음에 물을 가려야 하니, 물맛이 사나우면 술이 또한 아름답지 않은 법이다.

4. 술 빚기 좋은 날과 꺼리는 날 <규합총서(閨閤叢書)>

1. 술 빚기 좋은 날 : 정묘(丁卯)·경오(庚午)·기미(己未)·갑오(甲午)·을미

(乙未)일과 · 춘저(春邸) · 하원(下元) · 추지(秋至) · 동위(冬危)이다.

2. 술 빚기 꺼리는 날 : 무자(戊子) · 갑진일(甲辰日), 멸몰일(滅沒日), 정유일(丁酉日), 두강(杜康)이 죽은 날이니 꺼리는 고로, 주일(酒日)에는 손님 대접을 않는다 하였다.

5. 조주길일법(造酒吉日法) <군학회등(群學會騰)>

정묘(丁卯), 경오(庚午), 계미(癸未), 갑오(甲午), 기미(己未)일이다. 봄에는 저(氐)와 기(冀), 여름에는 항(亢), 가을에는 규(奎), 겨울에는 위(危)일(이십팔수二十八宿를 일자에 배열하여 날짜를 헤아리는 것)이 좋다. 또 만(滿), 성(成), 개(開)일이 좋다.

* 매월 초하루는 술 빚고, 누룩 만들고, 식초 만드는 길일이다.
* 정월 정묘(丁卯), 을유(乙酉), 갑진(甲辰), 정미(丁未), 병진(丙辰), 기미(己未)일, 2월은 기사(己巳), 정사(丁巳)일, 3월은 기사(己巳), 병자(丙子), 경자(庚子), 을사(乙巳)일, 4월은 을축(乙丑), 정묘(丁卯), 정축(丁丑), 신묘(辛卯), 을묘(乙卯)일, 5월은 병인(丙寅), 갑신(甲申), 경신(庚申)일, 6월은 임신(壬申), 무인(戊寅), 기묘(己卯), 정유(丁酉), 기유(己酉)일, 7월은 경오(庚午), 무자(戊子), 무술(戊戌), 경술(庚戌)일, 8월은 기사(己巳), 정해(丁亥), 계사(癸巳), 기해(己亥)일, 9월은 신사(辛巳), 무자(戊子), 병신(丙申), 무신(戊申), 신해(辛亥), 경신(庚申)일, 10월은 정묘(丁卯), 갑술(甲戌), 기묘(己卯), 계사(癸巳), 갑오(甲午), 경자(更子), 기미(己未)일, 11월은 기축(己丑), 무인(戊寅), 갑신(甲申), 을미(乙未), 임인(壬寅), 무신(戊申), 갑인(甲寅)일, 12월은 정묘(丁卯), 임신(壬申), 기묘(己卯), 갑신(甲申), 경자(庚子), 임인(壬寅), 을묘(乙卯), 경신(庚申)일이다.
* 무자(戊子), 갑진(甲辰)일과 멸몰일(滅沒日)을 금기하고, 또 정유(丁酉)일을 금기한다. 정유일은 두강(杜康, 전설상 중국에서 최초로 술을 빚었다고 하는

사람의 이름)이 죽은 날이다.

1. 造酒諸法(여러 가지 술 빚는 법)—造麯忌甲旬蛀日(누룩을 만들 때, 육갑순六甲旬과 주일蛀日을 꺼린다).
2. 造麯吉日(누룩 디디는 길일)—辛未 · 乙未 · 庚子 又除 · 滿 · 開 · 成日 · 三伏中合麯 不生蟲 初伏後最佳 中伏後末伏前 次之 · 木日造麯 則酸 · 每朔 造麯吉日 <見釀酒>.

   신미(辛未), 을미(乙未), 경자(庚子)일, 그리고 제(除), 만(滿), 개(開), 성(成)일이다. 삼복(三伏) 중에 누룩을 만들면 벌레가 생기지 않는다. 초복 뒤가 가장 좋고, 중복 후 말복 전이 다음으로 좋다. 오행(五行)상의 목일(木日)에 누룩을 만들면 쉰다. 매달 초하루는 누룩 만드는 길일이다. <양주(釀酒)> 편에 나온다.

* 명리가(命理家)들이 쓰는 용어로 십이신(十二神 : 定, 執, 破, 危, 成, 收, 開, 閉, 建, 除, 滿, 平)이 용사(用事)하는 날을 일자에 배열한 것.

6. 조주길일(造酒吉日) <농정찬요(農政纂要)>

1. 정묘(丁卯), 경오(庚午), 계미(癸未), 갑오(甲午), 기미(己未)일이다.
2. 봄에는 저(氐)와 기(箕), 여름에는 항(亢), 가을에는 규(奎), 겨울에는 위(危)일(이십팔수二十八宿를 일자에 배열하여 날짜를 헤아리는 것)이 좋다.
3. 만(滿), 성(成), 개(開)일이 좋다.
4. 매월 초하루는 술 빚고, 누룩 만들고, 식초 만드는 길일이다.
5. 정월 정묘(丁卯), 을유(乙酉), 갑진(甲辰), 정미(丁未), 병진(丙辰), 기미(己未)일, 2월은 기사(己巳), 정사(丁巳)일, 3월은 기사(己巳), 병자(丙子), 경자(庚子), 을사(乙巳)일, 4월은 을축(乙丑), 정묘(丁卯), 정축(丁丑), 신묘(辛卯), 을묘(乙卯)일, 5월은 병인(丙寅), 갑신(甲申), 경신(庚申)일, 6월은 임신(壬申), 무

인(戊寅), 기묘(己卯), 정유(丁酉), 기유(己酉)일, 7월은 경오(庚午), 무자(戊子), 무술(戊戌), 경술(庚戌)일, 8월은 기사(己巳), 정해(丁亥), 계사(癸巳), 기해(己亥)일, 9월은 신사(辛巳), 무자(戊子), 병신(丙申), 무신(戊申), 신해(辛亥), 경신(庚申)일, 10월은 정묘(丁卯), 갑술(甲戌), 기묘(己卯), 계사(癸巳), 갑오(甲午), 경자(更子), 기미(己未)일, 11월은 기축(己丑), 무인(戊寅), 갑신(甲申), 을미(乙未), 임인(壬寅), 무신(戊申), 갑인(甲寅)일, 12월은 정묘(丁卯), 임신(壬申), 기묘(己卯), 갑신(甲申), 경자(庚子), 임인(壬寅), 을묘(乙卯), 경신(庚申)일이다.

6. 무자(戊子), 갑진(甲辰)일과 멸몰일(滅沒日)을 금기하고, 또 정유(丁酉)일을 금기한다. 정유일은 두강(杜康, 전설상 중국에서 최초로 술을 빚었다고 하는 사람의 이름)이 죽은 날이다.

7. 조주길일(造酒吉日) <민천집설(民天集說)>

술 빚기 좋은 날은 정묘(丁卯)·경오(庚午)·계미(癸未)·갑오(甲午)·기미(己未)일이다

造酒吉日
丁卯庚午癸未甲午己未。<攷事>.

8. 조국길일(造麴吉日) <산림경제촬요(山林經濟撮要)>

1. 조국길일 : 누룩 디디기 좋은 날은 신미(辛未) · 을미(乙未) · 경자(庚子)일이다. <거가필용(居家必用)>, <고사촬요(故事撮要)>.
2. 또 좋은 날은 제(除) · 만(滿) · 개(開) · 성(成)일이다. <고사촬요(故事撮要)>.
3. 삼복중에 누룩을 디디면 벌레가 안 꾄다. <동파집(東坡集)>.

4. 매달 누룩을 디디는 길일은, 다음 술 빚는 길일을 참고할 것.

造麴吉日

辛未乙未庚子 又除滿開成日. 三伏中合麴不生蟲. 初伏後最佳 中伏後末伏前 次之 木日造麴則酸. 凡酒味之厚薄 專在於造麯之善不善.

9. 술 담그는 날(造酒日)

<조선무쌍신식요리제법(朝鮮無雙新式料理製法)>

1. 육갑에 정묘 경신 계미 갑오 기미일이요, 봄에는 저(底)와 기(箕)와 여름에는 항(亢)과 가을에는 규(奎)와 겨울에는 위(危)일이요, 또 만(滿)과 성(成)과 개(開)일이 좋으니라.
2. 또는 매 삭에 누룩과 술과 초를 만드는 데 좋은 날은 정월에는 정묘 무진 을유 정미 기미일인데, 축일을 꺼리고 이월은 기사 정사일인데 미일을 꺼린다. 삼월은 기사 병자 경자 을사일인데 인일을 꺼린다. 사월은 정묘 을축 정축 신묘 을묘 신축일인데 유일을 꺼린다. 오월은 병인 갑신 경신일인데 묘일을 꺼린다. 유월은 임신 무인 기묘 기유일인데 유일을 꺼리고, 다른 유일이니라. 칠월은 경오 무자 경술일인데 진일을 꺼리고, 팔월은 기사 정해 계사 기해일인데, 축일을 꺼리고, 구월은 신사 무자 병신 신해 경신일인데, 사일(다른 사일이다)을 꺼린다. 시월은 정묘 갑술 기묘 계미 을미 경자 기미일인데, 해일을 꺼리고, 십일월은 기축 무인 갑신 을미 임인 무신 갑인일인데, 오일을 꺼리고, 십이월은 정묘 임신 기묘 갑신 경자 임인 무신 갑인일인데, 자일을 꺼리니라.

10. 양주기일(釀酒忌日)

<조선무쌍신식요리제법(朝鮮無雙新式料理製法)>

1. 무자 갑인일, 멸몰(滅沒)일과 또 정유일을 두강(杜康, 중국의 술 만드는 사람)이 죽은 날이라 꺼리니라.
2. 대저 술과 장과 초와 누룩과 김치 담그는 날을 말하였으나, 이것이 옛 풍속이라 타국에서는 이렇게 보지 않고도 잘 만든다 하였으나, 업수이 여기지는 말 것이 조수 들어올 때, 연수물만 넣어도 그 이튿날 조수가 들어올 때면 연수에서 물이 넘쳐 나오나니, 술이나 장을 담글 때 조수를 모르고 담그면 죄다 넘어나오고, 낭패를 보나니 그런 고로 날을 보아 담그는 것도 또한 한 이치니라. 조수 들어오는 때를 토정(土亭) 선생이 토정이란 강에서 여러 해를 두고 경험한 것이니 누구든지 이때에 무엇이든지 담그지 말 것이니라.
3. 매 삭에 초하룻날부터 엿새날까지는 진시에 들어오고 초이렛날부터 아흐렛날까지는 사시에 들어오고, 초열흘날은 오시에 들어오고 열하룻날부터 열사흘날까지는 미시에 들어오나, 열나흘날부터 보름까지는 신시에 들어오나니, 보름을 지내고 열엿새날은 다시 초하룻날과 같아 보름날과 그믐날이 마찬가지이니 달이 적으면 열나흗날과 스무아흐레와 같고 그믐날은 없어지느니라.

11. 조주길일(造酒吉日) <증보산림경제(增補山林經濟)>

1. 정묘(丁卯), 경오(庚午), 계미(癸未), 갑오(甲午), 기미(己未)일이다.
2. 봄에는 저(氐)와 기(箕), 여름에는 항(亢), 가을에는 규(奎), 겨울에는 위(危)일(이십팔수二十八宿를 일자에 배열하여 날짜를 헤아리는 것)이 좋다.
3. 만(滿), 성(成), 개(開)일이 좋다.
4. 매월 초하루는 술 빚고, 누룩 만들고, 식초 만드는 길일이다.
5. 정월 정묘(丁卯), 을유(乙酉), 갑진(甲辰), 정미(丁未), 병진(丙辰), 기미(己未)일, 2월은 기사(己巳), 정사(丁巳)일, 3월은 기사(己巳), 병자(丙子), 경자(庚子), 을사(乙巳)일, 4월은 을축(乙丑), 정묘(丁卯), 정축(丁丑), 신묘(辛卯), 을묘(乙卯)일, 5월은 병인(丙寅), 갑신(甲申), 경신(庚申)일, 6월은 임신(壬申), 무인(戊寅), 기묘(己卯), 정유(丁酉), 기유(己酉)일, 7월은 경오(庚午), 무자(戊

子), 무술(戊戌), 경술(庚戌)일, 8월은 기사(己巳), 정해(丁亥), 계사(癸巳), 기해(己亥)일, 9월은 신사(辛巳), 무자(戊子), 병신(丙申), 무신(戊申), 신해(辛亥), 경신(庚申)일, 10월은 정묘(丁卯), 갑술(甲戌), 기묘(己卯), 계사(癸巳), 갑오(甲午), 경자(更子), 기미(己未)일, 11월은 기축(己丑), 무인(戊寅), 갑신(甲申), 을미(乙未), 임인(壬寅), 무신(戊申), 갑인(甲寅)일, 12월은 정묘(丁卯), 임신(壬申), 기묘(己卯), 갑신(甲申), 경자(庚子), 임인(壬寅), 을묘(乙卯), 경신(庚申)일이다.

6. 무자(戊子), 갑진(甲辰)일과 멸몰일(滅沒日)을 금기하고, 또 정유(丁酉)일을 금기한다. 정유일은 두강(杜康, 전설상 중국에서 최초로 술을 빚었다고 하는 사람의 이름)이 죽은 날이다.

술 빚는 길일(造酒吉日)

丁卯 庚午 癸未 甲午 己未 春 氐 冀 夏 亢秋奎 冬危 · 滿 成 開日 · 매월 초하루는 술 빚고, 누룩 만들고, 식초 만드는 길일이다.

정월 정묘(丁卯), 을유(乙酉), 갑진(甲辰), 정미(丁未), 병진(丙辰), 기미(己未)일, 2월은 기사(己巳), 정사(丁巳)일, 3월은 기사(己巳), 병자(丙子), 경자(庚子), 을사(乙巳)일, 4월은 을축(乙丑), 정묘(丁卯), 정축(丁丑), 신묘(辛卯), 을묘(乙卯)일, 5월은 병인(丙寅), 갑신(甲申), 경신(庚申)일, 6월은 임신(壬申), 무인(戊寅), 기묘(己卯), 정유(丁酉), 기유(己酉)일, 7월은 경오(庚午), 무자(戊子), 무술(戊戌), 경술(庚戌)일, 8월은 기사(己巳), 정해(丁亥), 계사(癸巳), 기해(己亥)일, 9월은 신사(辛巳), 무자(戊子), 병신(丙申), 무신(戊申), 신해(辛亥), 경신(庚申)일, 10월은 정묘(丁卯), 갑술(甲戌), 기묘(己卯), 계사(癸巳), 갑오(甲午), 경자(更子), 기미(己未)일, 11월은 기축(己丑), 무인(戊寅), 갑신(甲申), 을미(乙未), 임인(壬寅), 무신(戊申), 갑인(甲寅)일, 12월은 정묘(丁卯), 임신(壬申), 기묘(己卯), 갑신(甲申), 경자(庚子), 임인(壬寅), 을묘(乙卯), 경신(庚申)일이다.

무자(戊子), 갑진(甲辰)일과 멸몰일(滅沒日)을 금기하고, 또 정유(丁酉)일을 금기한다. 정유일은 두강(杜康, 전설상 중국에서 최초로 술을 빚었다고 하는 사람의 이름)이 죽은 날이다.

造酒諸法
造麯忌甲旬蛀日.

12. 조곡길일(造麯吉日) <증보산림경제(增補山林經濟)>

造麯吉日
辛未 · 乙未 · 庚子 又除 · 滿 · 開 · 成日 · 三伏中合麯 不生蟲 初伏後最佳 中伏後末伏前 次之 · 木日造麯 則酸 · 每朔 造麯吉日 <見釀酒>.

* 명리가(命理家)들이 쓰는 용어로 십이신(十二神 : 定, 執, 破, 危, 成, 收, 開, 閉, 建, 除, 滿, 平)이 용사(用事)하는 날을 일자에 배열한 것.

13. 조국길일(造麴吉日) <해동농서(海東農書)>

1. 신미(辛未), 을미(乙未), 경자일(庚子日), 그리고 제(除) · 만(滿) · 개(開) · 성(成)일이다. <거가필용>과 <고사촬요>를 인용하였다.
2. 삼복(三伏) 중에 누룩을 만들면 벌레가 생기지 않는다. <고사촬요>를 인용하였다.
3. 초복 뒤가 가장 좋고, 중복 후 말복 전이 다음으로 좋다.

* 명리가(命理家)들이 쓰는 용어로 십이신(十二神 : 定, 執, 破, 危, 成, 收, 開, 閉, 建, 除, 滿, 平)이 용사(用事)하는 날을 일자에 배열한 것.

造麯吉日

辛未·乙未·庚子 又除·滿·開·成日·三伏中合麯 不生蟲, 初伏後最佳 中伏後末伏前 次之. <見釀酒>.

14. 조주길일(造酒吉日) <해동농서(海東農書)>

1. 정묘(丁卯), 경오(庚午), 계미(癸未), 갑오(甲午), 기미(己未)일이다.
2. 봄에는 저(氐)와 기(冀), 여름에는 항(亢), 가을에는 규(奎), 겨울에는 위(危)일(이십팔수二十八宿를 일자에 배열하여 날짜를 헤아리는 것)이 좋다.
3. 정월 정묘(丁卯), 을유(乙酉), 갑진(甲辰), 정미(丁未), 병진(丙辰), 기미(己未)일, 2월은 기사(己巳), 정사(丁巳)일, 3월은 기사(己巳), 병자(丙子), 경자(庚子), 을사(乙巳)일, 4월은 을축(乙丑), 정묘(丁卯), 정축(丁丑), 신묘(辛卯), 을묘(乙卯)일, 5월은 병인(丙寅), 갑신(甲申), 경신(庚申)일, 6월은 임신(壬申), 무인(戊寅), 기묘(己卯), 정유(丁酉), 기유(己酉)일, 7월은 경오(庚午), 무자(戊子), 무술(戊戌), 경술(庚戌)일, 8월은 기사(己巳), 정해(丁亥), 계사(癸巳), 기해(己亥)일, 9월은 신사(辛巳), 무자(戊子), 병신(丙申), 무신(戊申), 신해(辛亥), 경신(庚申)일, 10월은 정묘(丁卯), 갑술(甲戌), 기묘(己卯), 계사(癸巳), 갑오(甲午), 경자(更子), 기미(己未)일, 11월은 기축(己丑), 무인(戊寅), 갑신(甲申), 을미(乙未), 임인(壬寅), 무신(戊申), 갑인(甲寅)일, 12월은 정묘(丁卯), 임신(壬申), 기묘(己卯), 갑신(甲申), 경자(庚子), 임인(壬寅), 술신(戌申), 갑인(甲寅)일이다.

造酒吉日

丁卯·庚午·癸未·甲午·己未日. <古事>. 忌戊子·甲辰·丁酉(杜康死日). 正月 丁卯·乙酉·甲辰·丁未·丙辰·己未日, 二月 己巳·丁巳日, 三月 己巳·丙子·庚子·乙巳日, 四月 乙丑·丁卯·丁丑·辛卯·乙卯日, 五月 丙寅·甲申·庚申日, 六月 壬申·戊寅·己卯·丁酉·己酉日, 七月 庚午·戊子·戊戌·庚戌日, 八月 己巳·丁亥·癸巳·己亥日, 九月 辛巳·戊子·丙申·戊申·辛亥·庚申日, 十月 丁卯·甲戌·己卯·癸巳·甲午·更子·己未日, 十一月 己丑·戊寅·甲申·乙未·壬寅·戊申·甲寅日, 十二月 丁卯·壬申·己卯·甲申·庚子·壬寅·戊申·甲寅.

15. 조주기일(造酒忌日) <해동농서(海東農書)>

무자(戊子), 갑진(甲辰)일과 멸몰일(滅沒日)을 금기하고, 또 정유(丁酉)일을 금기한다. 정유일은 두강(杜康, 전설상 중국에서 최초로 술을 빚었다고 하는 사람의 이름)이 죽은 날이다.

造酒忌日

戊子 甲辰 滅沒日 禁忌. 丁酉 禁忌 丁酉日則 杜康死日.

1. (음주금기) <감저종식법(甘藷種植法)>

1. <양생기요(養生紀要)>에 '날 저물어서는 많이 마시지 말라.' 하였고, 또 '거듭 밤에 취하지 말라.' 하였으니, 대개 술의 독이 머물러 사람의 장부(臟腑)를 상할까 두려워서이다.
2. 그믐날 크게 취해서는 안 된다.
3. 두강(杜康)이 술을 잘 빚었는데, 정유일(丁酉日)에 죽었기 때문에 이날은 술을 마시거나 손님과 연회를 않는다.

(飮酒禁忌)

養生記要云 暮母大醉暮毋大醉 又云 再三防夜醉盖恐酒毒停聚害人臟腑也. 晦日不可大醉. 晦日不可大醉. 杜康善調酒以丁酉日死故是日不飮酒會客.

2. 식면후욕음주(食麵後欲飮酒) <감저종식법(甘藷種植法)>

–국수 먹은 뒤 술 마시는 법

1. 먼저, 알맹이를 빼어낸 한초(漢椒) 2~3알을 먹으면 탈이 나지 않는다.
2. 낙양 사람 유궤(劉几)는 나이 일흔에도 오히려 술을 마구 마셨는데, 술 한 번 마실 적마다 양치질을 하여, 아무리 취할 때도 거르는 일이 없었다. 그러므로 이앓이가 없었다.

食麵後欲飮酒

先以酒嚥去目漢椒二三粒則不爲病. 洛陽人有几年七十猶劇飮每一飮酒輒一漱口雖醉不忌因此無齒病.

3. 음주금기 <고려대규합총서(高麗大閨閤叢書, 異本)>

1. 주객의 병은 게지탕을 먹지 못하는 법이니, 양기를 얻은즉 반드시 토한다. 그렇기 때문에 주객은 단맛을 즐기지 않는다.
2. 탁주를 먹고 면을 먹으면 기운 구멍이 막히고 취한 후 바람을 맞이해 누우면 끝이 그릇된다. 술 마신 뒤 몹시 목마르더라도 찬물을 마시지 말아야 하니, 찬 기운이 방강에 들어가면 수종 · 치질 · 소갈증이 생기고, 홍시 · 살구 · 버찌 · 조기 등 음식이 상극이니 먹으면 안 된다.

4. 성주불취 <고려대규합총서(高麗大閨閤叢書, 異本)>

1. 늘 술의 독이 이에 들기 때문에 상하기 쉬우니, 한 번 먹은 후에는 꼭 한 번 양치질 한다 즉, 이앓이 않는다. 낙양 사람 유궤가 이 법을 써서 취하여도 잊지 않기 때문에 일흔에도 이가 상하지 않았다 한다.
2. 대취하여 밀실 안에서 뜨거운 물로 세수하고 머리를 수십 번 빗질하면 깨고, 소금으로 이를 닦고 더운물로 양치를 하면 세 번만 하여도 통쾌하여진다.

5. 선취법(鮮醉法) <고사신서(攷事新書)>

1. <의감(醫鑑)>의 '본초(本草)'에, '술의 독이 이(齒)에 남는다. 매번 술을 한 잔 마시고 즉시 물을 마셔 양치해 주면 취하지 않는다.'고 하였다.
2. <양생기요(養生記要)>에, 저녁에 크게 취하지 마라. 또 거듭 이르되, '밤에 술 취하는 일을 막아라. 대개 술독이 남아서 사람의 장부(臟腑)를 해치게 할까 두렵다.'고 하였다. 그믐날에는 크게 취하면 안 된다.
3. 두강(杜康, 중국 고대에 처음으로 술을 만든 사람)은 술 빚기를 좋아했는데 정유일(丁酉日)에 죽었으므로 이날은 손님과 만나 술을 마시지 않는다.

鮮醉法

<醫鑑><本草>曰 酒之毒在齒每飮一杯卽吸水漱滌卽不醉(<養生記要> 云 暮毋大醉暮毋大醉 又云 再三防夜醉盖恐酒毒停聚害人臟腑也. 晦日不可大醉(杜康善調酒以丁酉日死故是日不飮酒會客.

6. 식면후음주(食麵後飮酒) <고사신서(攷事新書)>

-국수를 먹고 술을 마시고자 할 때

1. 국수를 먹고 술을 마시고자 하면, 먼저 술을 마신 뒤에 알맹이가 없는(去目) 한초(漢椒) 2~3알을 술로 삼키면 병이 생기지 않는다.
2. 낙양 사람 유(劉) 아무개는 나이가 70인데도 오히려 많이 마셨는데, 매번 술을 마시고 나면 양치질을 하였다. 비록 취해도 이를 잊지 않음으로써 이(齒)에 병이 없었다고 한다.

食麵後飮酒

先以酒嚥去目漢椒二三粒則不爲病. 洛陽人有凡年七十猶劇飮每一飮酒輒一漱口雖醉不忘因此無齒病.

7. (음주방병법) <고사신서(攷事新書)>

1. 낙양 사람 유(劉) 아무개는 나이가 70인데도 오히려 많이 마셨는데, 매번 술을 마시고 나면 양치질을 하였다. 비록 취해도 이를 잊지 않음으로써 이(齒)에 병이 없었다고 한다.
2. <의감(醫鑑)>의 <본초(本草)>에 "술의 독이 이(齒)에 남는다. 매번 술을 한 잔 마시고 즉시 물을 마셔 양치해 주면 취하지 않는다."라고 되어 있다.
3. <양생기요(養生記要)>에 "저녁에 크게 취하지 마라." 또 거듭 이르되, "밤에

술 취하는 일을 막아라. 대개 술독이 남아서 사람의 장부(臟腑)를 해치게 할까 두렵다."라고 되어 있다.

4. 그믐날에는 크게 취하면 안 된다.
5. 두강(杜康, 중국 고대에 처음으로 술을 만든 사람)은 술 빚기를 좋아했는데, 정유일(丁酉日)에 죽었다. 그러므로 이날은 손님과 만나 술을 마시지 않는다.

飮酒防病法

洛陽人有凡年七十猶劇飮每一飮酒輒一漱口雖醉不忘因此無齒病. <醫鑑>·<本草>曰酒之毒在齒每飮一杯卽吸水漱滌卽不醉. <養生記要> 云暮母大醉暮毋大醉 又云 再三防夜醉盖恐酒毒停聚害人臟腑也. 晦日不可大醉 杜康善調酒以丁酉日死故是日不飮酒會客.

8. 식면후음주법(食麵後飮酒法) <고사십이집(攷事十二集)>

1. (국수 먹은 뒤) 술을 마시려거든, 먼저 술을 마시고, 알맹이를 빼어낸 한초(漢椒) 두어 알을 먹으면 병이 나지 않는다.
2. 무릇 주독은 이(치아)에 이르니 매번 술을 한 잔 마실 때마다 즉시 물로 헹구면 취하지 않는다.
3. 저물도록 크게 취하지 말라.
4. 빈속에 술을 마시면 사람의 장부(臟腑)를 해치게 된다. 정유일(丁酉日)은 두강이 죽은 날이므로 사람과 만나 술을 마시지 않는다.

食麵後飮酒法

先嚥去目漢椒二三粒則不爲病酒之毒在齒每飮一杯卽吸水漱滌卽不醉暮母大醉恐酒毒停人臟腑也. 丁酉日勿飮酒以杜康死日也.

1. <醫鑑>·<本草> 曰 酒之毒在齒每飮一杯卽吸水漱滌卽不醉.
2. <養生記要> 云暮母大醉暮毋大醉 又云 再三防夜醉盖恐酒毒停聚害人臟

腑也. 晦日不可大醉.

3. 杜康善調酒以丁酉日死故是日不飮酒會客.

9. (음주방병법) <군학회등(群學會騰)>

1. 국수를 먹은 뒤에 술을 마실 경우, 먼저 눈을 따낸 한초(漢椒, 조피나무 열매의 껍질로 천촌川椒이라고도 함) 2~3알을 술로 삼키면 병이 되지 않는다.
2. 한 번 술을 마실 때마다 입을 한 번씩 헹구어 내면 잇병이 없다. 이렇게 하는 것은 주독이 치아에 남아 있기 때문이다. 이 방법은 또한 사람을 취하지 않게 한다.
3. <양생기요(養生紀要)>에 이르기를, "저녁에 크게 취하지 마라!"고 하고, 또 "밤에 취하는 것을 재삼 피하라!"고 하였다. 이는 주독이 남아 사람의 장부를 해칠까 염려한 것이다.
4. 매달 그믐에는 크게 취해서는 안 된다.
5. 두강(杜康)이 술을 잘 만들었는데 정유일(丁酉日)에 죽었다. 이 때문에 이날은 술을 마시고 손님을 부르지 않는다. 백기일(百忌日, 일자별 갖가지 금기를 적어놓은 글)에, "유일(酉日)에는 손님을 부르지 않는다(酉不會客)."고 한다.
6. 몹시 배부른 뒤에 술을 마시거나 몹시 취한 뒤에 포식하는 것을 모두 금기한다. 대취한 후에 말을 몰거나 방사(房事)를 행하는 것을 매우 금기한다.
7. 소주 마시기를 좋아하는 자는 오랜 기간 마시면 반드시 소중(消中, 한의학에서 소갈증의 하나를 일컫는 말)을 앓는다. 소주는 심하게 마시면 안 된다. 간혹 사람이 죽기도 한다.
8. 여름철에 술에 취한 상태에서 복사, 살구 따위를 먹으면 간혹 서곽(暑癨, 한의학에서 더위로 인하여 일어나는 토사곽란을 지칭)을 일으키는데 치료하기 어렵다.
9. 몹시 취했다가 깬 뒤에 냉수를 많이 들이켜면 물이 콩팥으로 들어가 병이 나는 경우가 적지 않다.

10. 초과(草果, 초두구草頭蔻, 생강과에 속하는 열대초의 한 종류로 열매가 가지만 하고 씨는 굵고 맛이 신데 한방에서 건위, 소화제로 쓴다) 가루 조금을 잔에 넣어두면 금세 취한다.

(飮酒防病法)

食麵後要飮酒先以酒嚥去目漢椒二三粒則不爲病.

10. 술 먹은 뒤 먹지 말 것(酒後食忌) <규합총서(閨閤叢書)>

홍시(紅柿), ○○, 행자(杏子), 가조기(석어 石魚)

11. 음주방병법(飮酒防病法) <농정회요(農政會要)>

1. 국수를 먹은 뒤에 술을 마실 경우, 먼저 눈을 따낸 한초(漢椒, 조피나무 열매의 껍질로 천촌川椒이라고도 함) 2~3알을 술로 삼키면 병이 되지 않는다.
2. 한 번 술을 마실 때마다 입을 한 번씩 헹구어 내면 잇병이 없다. 이렇게 하는 것은 주독이 치아에 남아 있기 때문이다. 이 방법은 또한 사람을 취하지 않게 한다. 낙양 사람 유궤(劉几)가 이 방법을 행하여 아무리 취해도 정신을 잃지 않아 나이 일흔에도 많이 마셨다.
3. 소주 한 잔을 마시고 나서 곧 냉수 한 잔을 마시면 술에 몸이 상하지 않는다. 이는 상국(相國) 이양원(李陽元, 조선시대의 문신. 생몰 연대는 1533/중종 28~1592/선조 25. 벼슬이 우의정에 이르렀음)의 방법이다. <양생기요(養生紀要)>에 이르기를, "저녁에 크게 취하지 마라!"고 하고, 또 "밤에 취하는 것을 재삼 피하라!"고 하였다. 이는 주독이 남아 사람의 장부를 해칠까 염려한 것이다.
4. 매달 그믐에는 크게 취해서는 안 된다.

5. 두강(杜康)이 술을 잘 만들었는데 정유(丁酉)일에 죽었다. 이 때문에 이날은 술을 마시고 손님을 부르지 않는다. 백기일(百忌日, 일자별 갖가지 금기를 적어놓은 글)에, "유일(酉日)에는 손님을 부르지 않는다(酉不會客)."고 한다.
6. 몹시 배부른 뒤에나 저물어서 대취하거나, 포식한 뒤에 술 마시는 것을 모두 금기한다. 대취한 후에 말을 몰거나 방사(房事)를 행하는 것을 매우 금기한다.
7. 소주 마시기를 좋아하는 자는 오랜 기간 마시면 반드시 소중(消中, 한의학에서 소갈증의 하나를 일컫는 말)을 앓는다. 소주는 심하게 마시면 안 된다. 간혹 사람이 죽기도 한다.
8. 여름철에 술에 취한 상태에서 복사, 살구 따위를 먹으면 간혹 서곽(暑癨, 한의학에서 더위로 인하여 일어나는 토사곽란을 지칭)을 일으키는데 치료하기 어렵다.
9. 몹시 취했다가 깬 뒤에 냉수를 많이 들이켜면 물이 콩팥으로 들어가 병이 나는 경우가 적지 않다.
10. 술내기를 하는 자가 술 마시기 전에 소금 한 숟가락을 삼키면 두 배는 마실 수 있다. 그러나 자주 행하면 몸을 상할까 염려된다.
11. 초과(草果, 초두구草頭蔻, 생강과에 속하는 열대초의 한 종류로 열매가 가지만 하고, 씨는 굵고 맛이 신데 한방에서 건위, 소화제로 쓴다) 가루 조금을 잔에 넣어 두면 금세 취한다.

飮酒防病法

食麵後要飮酒先以酒嚥去目漢椒二三粒則不爲病矣. 每一飮酒輒一吸口則(雖醉不忘因此)無齒疾 盖酒毒在齒故也 此法亦令不醉 洛陽人劉几行此法雖醉不忘年七十猶飮. 喫燒酒一盃則卽吸冷水一杯不爲酒傷此卽李相國陽元法也. <養生記要> 云暮母大醉 又云 再三防夜醉盖恐酒毒停聚害人臟腑也. 杜康善調酒以丁酉日死故是日不飮酒會客. 百忌日曰酉不會客. 凡大飽後飮酒 大醉後飽食皆忌之 凡大醉後馳馬大醉後行房甚忌之. 好飮燒酒者久必患消中 凡燒酒不可劇飮或致殺身矣. 夏月醉酒喫桃杏之類 或致署癨難救. 大醉醒後痛

飮冷水則引水歸腎生病不少. 凡賭飮者 先呑 鹽一匙則飮酒必醅然頻數行之則恐損人. 以草果末少許置盞內卽醉.

12. 음주금기(飮酒禁忌) <동의보감(東醫寶鑑, 內傷)>

-술 마실 때 금할 것

1. 술꾼이 병들었을 때는 계자탕을 복용하면 안 된다. 약을 먹으면 토하는 것은, 술꾼은 단것을 좋아하지 않기 때문이다. 단것은 모두 금해야 한다. <중경>을 인용하였다.
2. 탁주에 국수를 먹으면 안 된다. 땀구멍을 막기 때문이다. <입문>을 인용하였다.
3. 얼굴이 흰 사람은 술을 많이 마시면 안 된다. 혈을 소모하기 때문이다. <단심>을 인용하였다.
4. 술은 석 잔을 넘기면 안 된다. 많이 마시면 오장을 상하고, 마음을 어지럽혀 발광하게 된다. <활인심방>을 인용하였다.
5. 술을 지나치게 마시면 안 된다. 많이 마시면 급히 토하는 것이 좋다.
6. 취한 후에 억지로 음식을 먹으면 안 된다. 간혹 옹저가 생기기 때문이다.
7. 술에 취해 잠자다가, 바람을 쏘이면 목소리가 나오지 않는다.
8. 취하거나 배부를 때 수레나 말을 타거나 뛰면 안 된다.
9. 취한 후 성생활을 하면 안 된다. 가벼우면 얼굴에 기미가 생기며 기침하고, 심하면 오장의 맥을 끊어 수명을 손상시킨다. <득효>를 인용하였다.
10. 술은 기분을 좋게 하고 혈맥을 통하게 하지만, 저절로 풍을 부르고, 신을 상하며, 장을 짓무르게 하고 옆구리를 썩게 하는 것이 이보다 더 심한 것이 없다. 포식한 후에는 술을 더욱 금해야 한다. 술은 마구 마시거나 빨리 마시면 안 된다. 폐를 상할 수 있기 때문이다. 술이 깨기 전에 몹시 갈증이 날 때 물을 마시거나 차를 마시지 말아야 한다. 이것들은 대부분 술에 이끌려 신장으로 들어가 독한 물이 되어 허리와 다리가 무겁고 방광을 차갑고 아프

게 하며, 수종·소갈이 생기게 하고 앉은뱅이가 되게 하기 때문이다. <활인심방>을 인용하였다.

飮酒禁忌

酒客病, 不可服桂枝湯, 得湯則响, 以酒客不喜甘故也. 凡甘物皆宜忌之. <仲景>. 物飮濁酒食麵, 使寒氣孔, <入門>. 凡面白人, 不可多飮酒, 耗血故也. <丹心>. 酒不過三盃. 多則傷五藏, 亂性發狂. <活人心方>. 飮酒不欲過多, 多卽速吐之爲佳, 醉後不可强食, 或發癰疽. 醉臥當風, 使人失音. 醉飽不可走車馬及도越. 醉不可入房, 小者, 面䵟咳嗽, 大者, 傷絶藏脈損壽命. <得效>. 酒雖可以陶性情通血脈, 自然招風敗腎亂腸腐脇, 莫過於此. 飽飮之後, 尤宜忌之. 飮酒不宜麤及速, 恐傷破肺也. 當酒未醒, 大喝之際, 不可喫水及啜茶. 多被酒引入腎藏, 爲停毒之水, 令腰脚重墜, 兼水腫, 消渴, 攣躄之疾. <活人心方>.

13. 선취법(鮮醉法) <민천집설(民天集說)>

술 한 번 마실 적마다 냉수로 양치질을 하여, 아무리 취할 때도 거르는 일이 없었다. 그러므로 이앓이가 없었다. 수를 누리려면 술을 마시지 말라.

鮮醉法

每飮酒以冷水滾齒則不滌鮮醉不皆.壽不飮酒.

14. 금기 <부인필지(夫人必知)>

술에 가지나무 재가 들어가면 물이 되나니라.

15. 음주법(飮酒法) <산림경제(山林經濟)>

1. <식감(食鑑本草)>에 이렇게 되어 있다. "술의 독(毒)이 이(齒)에 있으니, 술 한 잔 마실 적마다 물로 입안을 가셔내면 취하지 않는다. 정승 이양원(李陽元)이 소주 한 잔 마시고는 바로 냉수 한 잔을 마셨기 때문에 술병에 걸리지 않았다." <지봉유설>을 인용하였다.
2. <양생기요(養生紀要)>에 "날 저물어서는 많이 마시지 말라." 하였고, 또 "거듭 밤에 취하지 말라." 하였으니, 대개 술의 독이 머물러 사람의 장부(臟腑)를 상할까 두려워서이다. <지봉유설>을 인용하였다.
3. 그믐날 크게 취해서는 안 된다. <산거사요>를 인용하였다.
4. 두강(杜康)이 술을 잘 빚었는데, 정유일(丁酉日)에 죽었기 때문에 이날은 술을 마시거나 손님과 연회를 않는다. <사문유취>를 인용하였다.

飮酒法

閑情 食鑑本草曰, 酒之毒在齒. 每飮一杯, 卽吸水漱滌, 則不醉. 李相國陽元, 喫燒酒一杯, 卽吸冷水一杯, 故不得酒傷. <類說> 養生紀要云, 暮毋大醉. 又云再三防夜醉, 蓋恐酒毒停聚, 害人臟腑. 上同. 晦日不可大醉, <四要> 杜康善造酒. 以丁酉日死, 故是日不飮酒會客. <事文>.

16. 식면후욕음주(食麵後欲飮酒) <산림경제(山林經濟)>

국수 먹은 뒤 술을 마시려거든, 먼저 술로 알맹이를 빼어낸 한초(漢椒) 두어 알을 먹으면 탈이 나지 않는다. <신은지>.

낙양 사람 유궤(劉几)는 나이 일흔에도 오히려 술을 마구 마셨는데, 술 한 번 마실 적마다 양치질을 하여, 아무리 취할 때도 거르는 일이 없었다. 그러므로 이 앓이가 없었다. <한정록>.

食麵後欲飮酒

先以酒嚥去目漢椒二三粒, 則不爲病. <神隱> 洛陽人劉几. 年七十猶劇飮, 每一飮酒, 輒一嗽口. 雖醉不忘, 因此無齒疾. <閑情>.

17. 음주기(飮酒忌) <산림경제촬요(山林經濟撮要)>

1. 몹시 배부른 뒤에 술을 마시거나 몹시 취한 뒤에 포식하는 것을 모두 금기한다. 대취한 후에 말을 몰거나 방사(房事)를 행하는 것을 매우 금기한다.
2. 여름철에 술에 취한 상태에서 복사, 살구 따위를 먹으면 간혹 서곽(暑癨, 한의학에서 더위로 인하여 일어나는 토사곽란을 지칭)을 일으키는데 치료하기 어렵다.
3. 몹시 취했다가 깬 뒤에 냉수를 많이 들이켜면 물이 콩팥으로 들어가 병이 나는 경우가 적지 않다.
4. 술내기를 하는 자가 술 마시기 전에 소금 한 숟가락을 삼키면 두 배는 마실 수 있다. 그러나 자주 행하면 몸을 상할까 염려된다.

飮酒忌

夏月醉酒痛飮桃杏之類 或致署癨難救. 凡大醉後馳馬大醉後行房甚忌之. 大醉醒後痛飮冷水則引水歸腎生病不少. 凡賭飮者先呑鹽一匙則飮酒必倍然頻數行之則恐損人.

18. 음주불취법(飮酒不醉法) <임원십육지(林園十六志)>

1. 술을 마셔도 취하지 않게 하려면 붕사가루를 조금 먹으면 된다. <물류상감지>를 인용하였다.
2. 술의 독은 이빨에 남으므로 술 1잔을 마실 때마다 물로 입을 헹구면 취하지

않는다. <지봉유설>을 인용하였다.

3. 술을 마시기 전에 소금 1숟가락을 먹으면 술을 많이 마실 수 있으나 몸에 해롭다.

<증보산림경제>를 인용하였다.

飮酒不醉法

飮酒欲不醉服硼砂末. <物類相感志>. 酒之毒在齒每飮一盃吸水嗽滌不醉. <芝峯類說>. 凡賭飮者先呑鹽一匙則飮酒必倍然恐損人. <增補山林經濟>.

19. 음주즉취법(飮酒卽醉法) <임원십육지(林園十六志)>

초과(草果), 초두구(草頭蔻 : 생강과에 속하는 열대초의 한 종류로 열매가 가지만 하고 씨는 굵고 맛이 신데 한방에서 건위, 소화제로 쓴다) 가루 소량을 잔 안에 넣고 마시면 즉시 취한다.

飮酒卽醉法

以草果末少許置盞內卽醉. <增補山林經濟>.

20. 음주방병법(飮酒防病法) <임원십육지(林園十六志)>

밀가루음식을 먹은 뒤 술을 마실 때 씨를 뺀 한초(漢椒) 2~3알을 먹으면 병에 걸리지 않는다.

飮酒防病法

食麵後欲飮酒以酒嚥去目漢椒二三粒則不爲病. <臞仙神隱書>.

21. 음주방병법(飮酒防病法) <증보산림경제(增補山林經濟)>

1. 국수를 먹은 뒤에 술을 마실 경우, 먼저 눈을 따낸 한초(漢椒, 조피나무 열매의 껍질로 천촌川椒이라고도 함) 2~3알을 술로 삼키면 병이 되지 않는다.
2. 한 번 술을 마실 때마다 입을 한 번씩 헹구어 내면 잇병이 없다. 이렇게 하는 것은 주독이 치아에 남아 있기 때문이다. 이 방법은 또한 사람을 취하지 않게 한다. 낙양 사람 유궤(劉几)가 이 방법을 행하여 아무리 취해도 정신을 잃지 않아 나이 일흔에도 많이 마셨다.
3. 소주 한 잔을 마시고 나서 곧 냉수 한 잔을 마시면 술에 몸이 상하지 않는다. 이는 상국(相國) 이양원(李陽元, 조선시대의 문신. 생몰 연대는 1533/중종 28 ~ 1592/선조 25. 벼슬이 우의정에 이르렀음)의 방법이다.
4. <양생기요(養生紀要)>에 이르기를, "저녁에 크게 취하지 마라!"고 하고, 또 "밤에 취하는 것을 재삼 피하라!"고 하였다. 이는 주독이 남아 사람의 장부를 해칠까 염려한 것이다.
5. 매달 그믐에는 크게 취해서는 안 된다.
6. 두강(杜康)이 술을 잘 만들었는데 정유(丁酉)일에 죽었다. 이 때문에 이날은 술을 마시고 손님을 부르지 않는다. 백기일(百忌日, 일자별 갖가지 금기를 적어놓은 글)에, "유일(酉日)에는 손님을 부르지 않는다(酉不會客)."고 한다.
7. 몹시 배부른 뒤에 술을 마시거나 몹시 취한 뒤에 포식하는 것을 모두 금기한다. 대취한 후에 말을 몰거나 방사(房事)를 행하는 것을 매우 금기한다.
8. 소주 마시기를 좋아하는 자는 오랜 기간 마시면 반드시 소중(消中, 한의학에서 소갈증의 하나를 일컫는 말)을 앓는다. 소주는 심하게 마시면 안 된다. 간혹 사람이 죽기도 한다.
9. 여름철에 술에 취한 상태에서 복사, 살구 따위를 먹으면 간혹 서곽(暑癨, 한의학에서 더위로 인하여 일어나는 토사곽란을 지칭)을 일으키는데 치료하기 어렵다.
10. 몹시 취했다가 깬 뒤에 냉수를 많이 들이켜면 물이 콩팥으로 들어가 병이 나는 경우가 적지 않다.

11. 술내기를 하는 자가 술 마시기 전에 소금 한 숟가락을 삼키면 두 배는 마실 수 있다. 그러나 자주 행하면 몸을 상할까 염려된다.
12. 초과(草果, 초두구草頭蔻, 생강과에 속하는 열대초의 한 종류로 열매가 가지만 하고 씨는 굵고 맛이 신데 한방에서 건위, 소화제로 쓴다) 가루 조금을 잔에 넣어두면 금세 취한다.

飮酒防病法

食麵後要飮酒先以酒嚥去目漢椒二三粒則不爲病.

22. (음주방병법) <해동농서(海東農書)>

<의감(醫鑑)>의 '본초(本草)'에, '술의 독이 이(齒)에 남는다. 매번 술을 한 잔 마시고 즉시 물을 마셔 양치해 주면 취하지 않는다.'고 하였다. 상국 이양원이 소주 한 잔을 마시고 나서 곧 냉수 한 잔을 마시어 술에 몸이 상하지 않았다. <양생기요(養生紀要)>에 이르기를, "저녁에 크게 취하지 마라!"고 하고, 또 "밤에 취하는 것을 재삼 피하라!"고 하였다. 이는 주독이 남아 사람의 장부를 해칠까 염려한 것이다. 매달 그믐에는 크게 취해서는 안 된다. 두강(杜康)이 술을 잘 만들었는데 정유(丁酉)일에 죽었다. 이 때문에 이날은 술을 마시고 손님을 부르지 않는다.

(飮酒防病法)

<醫鑑>·<本草>曰 酒之毒在齒每飮一盞卽吸水吸(○)滌卽不醉. 李相國陽元 喫燒酒一盃則卽吸冷水一盃故不爲酒傷云. <養生記要> 云暮毋無大醉 又云 再三防夜醉盖恐酒毒停聚害人臟腑也. 晦日不可大醉. 杜康善調酒以丁酉日死故是日不飮酒會客.

1. 모든 술이 깨고 병이 들지 않는 약방문

<고려대규합총서(高麗大閨閤叢書, 異本)>

1. 신선불취단(神仙不醉丹) : 갈화 · 갈근 · 백복령 · 소두화꽃 · 목향 · 천문동 · 축사 · 목단피 · 단삼 · 관계 · 구기자 · 진피 · 택사 · 감초 · 백염(흰 소금)을 각각 등분하여 가루 만들어 꿀에 개어 탄자 크기로 환을 만들어 한 알씩 더운 술에 타서 씹어 삼키면, 한 알에 열 잔을 마셔도 취하지 않는다.
2. 만배불취단(萬杯不醉丹) 탄화산 : 갈근 4냥을 소금물에 하루 종일 불렸다가, 꺼내어 볕에 말리고, 은행육과 푸른 움(백과아) 1냥을 꿀물에 담갔다가, 기와에 볶아 말리고, 세아다(작설차) 4냥 · 녹두화 4냥을 그늘에 말리고, 갈화 1냥을 동변(童便, 아이 오줌)에 담가 7일 후에 볶고, 진피 4냥을 소금물에 담가 하루 동안 불렸다가 볶고, 피기 전 국화 푸른 것 4냥 · 완두꽃 5전 · 진우황 1전 · 청염(푸른 소금) 4냥을 소 쓸개 속에 넣어 쪄 향 한 자루를 쓸개 껍질과 한가지로 곱게 가루 내어 소 쓸개에 화합하여 환을 만드는데, 오동나무 씨 크기로 지었다가, 술 마실 때 반 취한 뒤, 이 환 1알을 삼키면 술기운이 스스로 풀리니, 매양 이렇게 하면 해가 지나도 취하지 않는다.
3. 쌍화산(雙花散) : 갈화 · 소두화 각 등분하여 작말하여 취한 후, 2돈씩 백탕에 타 먹으면 즉시 깬다.
4. 취향보설(醉鄕寶屑) : 갈근 · 백두구 · 택사 · 영향 각 5전, 백약전 · 감초 각 2전 반, 모과 4냥, 초염 1냥을 갈아서 더운물로 먹으면, 취한 자는 즉시 깨고, 술 마시지 못한 자도 타 먹으면 능히 술을 마시게 된다.
5. 부유황배법(浮硫黃杯法) : 이 잔이 배합조화하고 조리음양하여 천지충화지기요, 수화기체지방이니, 해마다 늙지 않는 공이 있고, 눈귀를 밝히는 묘가 있어, 상하승강하여 백병에 신효하다.

   만드는 법은, 사기그릇에 호도를 문지르고 모래 없는 겨자황색 석류황을 개어도 소리 없는 것이 진품이니, 깨어 그릇에 넣고, 불이 너무 싸면 그릇 속에 불이 나 버리니, 뭉근한 불로 녹이면 물이 된다. 그러면 빛 맑은 백반 조금 갈아 넣어 같이 녹인다. 막대로 저으면 거품과 틔(티)가 이니, 다른 그릇에 무명으로 밭쳐 거재하면 도로 엉길 것이다. 다시 불에 놓아 녹여 만일 빛을 푸르게 하려면 포도 넣고, 붉게 하려면 주사를 섞되, 빛이 엷고 진하기는 주사의 다소에 있다. 넣은 후, 한참 끓여 화합하거든 막대로 저어 주사가 밑에 처지지 않게 하여 모양 좋은 잔에 끓는 김에 붓고, 그릇을 받치고 잔을 손에 들고 잘 돌려 유황 녹은 물이 잔 속에 골고루 오르게 한다. 두께를 화기 두께만치 오른 후, 남은 즙을 다 그릇에 쏟고, 식거든 빼어내어 더운 김에 잘 드는 칼로 가장자리를 잘 염정하여 종이에 싸서 땅속에 묻는다. 하룻밤 지난 후 내어 목속새로 닦아 빛을 내되, 거죽은 말고 안쪽과 한 가로 문질러 반반하게 하여 물에 씻어라. 매일 이른 아침에 더운 술을 부어 두 잔씩 먹으면 풍담에 신기하고 백병이 다 낫는다.

이 방문이 본초(本草) · 총서(叢書)에 다 있되, 시험한 이 없는데, 우연히 장난삼아 만들어 보니 과연 그대로되, 병에 유익한지는 아지 못하거니와, 그릇이 곱기가 꽃잔보다 낫다. 깊이 붉고 은은히 붉기는 주사를 고루고루 젓지 않으면 자연 무늬가 생겨 기이하고, 잔 속에 금박을 뿌리거나 주사를 물에 개어 좌로 써 부어 넣어 빼면 잔에 한 것이 유황배에 올라 박히나, 다만 본방에 포도를 넣으면 푸르다 하였으되, 포도즙을 시험하니 되지 아니하니 그 까닭을 알지 못하겠다. 줏 없이 제 빛으로 만들면 밀화 같다. 돌려 올리기를 잘못하면 잔 안이 거칠고, 즐지니 전혀 손 놀리기의 잘잘못에 달렸다. 한갓 잔이 안 될 뿐 아니라 만들고자 하는 그릇 속에 올리면 크기가 모나고 둥글기가 본 그림 같되, 다만, 굽이 없으니 아름다운 그릇이나 극히 연약하고 조심스럽고, 더운 것을 부으면 터지니 본방에 뜨거운 술을 부으라 한 것이 도무지 이해가 안 된다.

6. 자하배법(紫霞杯法) : 석류황을 줌치에 넣어 위에 달고 자배부평 물에 한가지로 열 번 끓여내어 물에 넣어 10냥, 진주 · 호박 · 주사 · 우황 · 유향 · 양기석 · 적석지 · 편뇌자분 · 백지 · 감송 · 삼내 · 목향 · 혈갈 · 몰약 · 소뇌 · 안식향 각 1전, 사향 7푼, 금박 십편을 곱게 가루 내어 구리그릇 속에 다 한데 넣어 뭉근한 불로 끓여 녹여 모양 좋은 잔에 분지를 위에 덮고 가운데 구멍을 내어 훑어 부어 완전히 고르게 하여 냉수에 넣어 뺀다. 이 잔에 술을 먹으면

사귀를 물리치고, 노쇄에 신효하고 살아 있는 신선이라, 이 잔을 만들어 시험하지 못하였다. 유황이 오금을 다 검게 하고 비록 잔이라도 사기잔에 하는 것만 빛이 못하다. 만든 것을 더운 데 두지 말라.
술은 사람의 마음을 변하게 하는 미친 약이니, 인가에 숭상할 것이 못되지만 또한 없지 못할 것이요. 아낙네의 할 일이 다만 술과 밥을 의론하기에 있으므로, 술방문을 첫 머리에 얹되, 사람에게 유익한 것만 다 기록하고 유황배법을 덧붙였다.

2. 성주령불취(聖酒令不醉) <동의보감(東醫寶鑑, 內傷)>
-술을 깨는 법

1. 술에 취했을 때는 뜨거운 물로 양치질을 해야 한다. 술독이 치아에 있기 때문이다. 몹시 취했을 때는 밀실에서 뜨거운 물로 몇 차례 얼굴을 씻고, 머리를 수십 번 빗으면 술이 깬다. <단심>을 인용하였다.
2. 술과 음식에 상하여 적(積)이 생기거나 사람들이 권하여 술을 많이 마셨을 때에는 소금버캐로 치아를 문지르고, 따뜻한 물로 양치 하면, 3번이 지나지 않아 상쾌해진다. <의감>을 인용하였다.
3. 혹 청피(볶은 것) 2냥, 갈근 1냥, 사인 5돈
   * 복용법 : 약들을 곱게 가루 내어 1~2돈을 진한 차에 타서 마시면 술이 깨고 소화된다. <단심>을 인용하였다.
4. 술을 깨고 취하지 않게 할 때는 만배불취단 · 신선불취단 · 취향보설 · 익비환 · 용뇌탕 · 갈화산 · 삼두해정탕을 써야 한다.

醒酒令不醉

酒醉, 宜以熱湯연口, 盖其毒在齒也. 大醉則以熱湯於密室洗面數次, 梳頭數十遍卽醒 <丹心>. 酒食傷積, 或被人勸過傷. 以鹽花擦牙, 溫水嗽下, 不過三次卽爲痛快. <醫鑑>. 一方, 靑皮炒二兩. 葛根一兩, 縮砂五錢,右爲細末, 濃茶調

一二錢, 服之能醒酒消食. <丹心>. 醒酒不醉, 宜萬盃不醉丹, 神仙不醉丹,醉鄕寶屑, 益脾丸, 龍腦湯, 葛花散, 三豆解酲湯.

1) 갈화해정탕(葛花解酲湯) : 이것은 어쩔 수 없을 때 써야 한다. 어찌 이것을 믿고 날마다 술을 마실 수 있겠는가? 자주 복용하면 수명을 덜 것이다. <동원>을 인용하였다 : 지나친 음주로 상하여 구토하고, 가래가 올라오며, 손발이 떨리고, 정신이 어지러우며, 먹는 것이 감소하는 것을 치료한다.

* 갈화 · 사인 · 백두구 각 5돈, 청피 3돈, 백출 · 건강 · 신국 · 택사 각 2돈, 인삼 · 저령 · 복령 · 귤피 각 1.5돈, 목향 5푼.

* 복용법 : 약재들을 가루 내어 3돈씩 끓인 물에 타서 마시고 약간의 땀을 내면 술병이 없어진다.

2) 주증황련환(酒蒸黃連丸) : 술에 지나치게 상하여 장위에 적열하거나 토혈 · 하혈하는 것을 치료한다(처방은 형문에 나온다). '소황룡원'이라고도 한다. <득효>를 인용하였다.

3) 백배환(百杯丸) : 술이 흉격에 정체되어 안색이 검누렇게 변하고, 벽(癖)이 되려 하며, 점점 야위는 것을 치료한다. 술을 마시려는 사람이 이것을 먼저 복용하면 술에 취하지 않는다.

* 재료 : 생강(1근을 껍질을 벗기고 얇게 썰어 소금 2냥에 하룻밤 동안 절인 뒤, 불에 쬐어 말린 것) · 귤홍 · 건강 각 3냥, 봉출(습지에 싸서 구운 것) · 삼릉(습지에 싸서 구운 것) · 감초(구운 것) 각 2돈, 목향 · 회향(볶은 것) 각 1돈, 정향 50개, 사안 · 백두구 · 각 30알, 익지인 20알

* 복용법 : 이 약들을 가루 내고 꿀로 반죽하여 1냥에 5알씩 환을 만든다. 주사로 겉을 입혀 꼭꼭 씹어 생강 달인 물에 먹는다. <역로>를 인용하였다.

4) 대금음자(對金飮子) : 술이나 음식에 상한 것을 치료한다. 위를 조화시키고 담을 삭인다.

* 재료 : 진피 3돈, 후박 · 창출 · 감초 각 7푼

* 복용법 : 이 약들을 썰어 1첩으로 하여, 생강 3쪽을 넣어 물에 달여 먹는다. 여기에 갈근 2돈, 저복령 · 사인 · 신국 각 1돈을 넣으면 더욱 좋다. <활인

심방>을 인용하였다.

5) 해주화독산(解酒化毒散) : 술에 상하여 열이 나고, 번갈이 있으며, 소변이 벌겋고 시원하게 나오지 않는 것을 치료한다.

* 재료 : 활석 4냥, 갈근 1.25냥, 감초 7.5돈

* 복용법 : 이 약들을 가루 내어 찬물이나 뜨거운 물에 하루에 2~3번 2~3돈씩 타서 마신다. <화춘>을 인용하였다.

6) 갈황환(葛黃丸) : 음주로 적열(積熱)이 많아 피를 토하거나 코피가 나서 죽을 것 같은 것을 치료한다(처방은 혈문에 나온다).

7) 승마갈근탕(승마갈근탕) : 술에 상하여 가슴에 열이 있고, 입이 헐며, 목이 아픈 것을 치료한다(처방은 상한문에 나온다).

8) 인삼산(人蔘散) : 술 마신 뒤, 성생활을 하여 술이 모든 경맥에 들어가서 정신이 없는 것을 치료한다.

* 재료 : 숙지황 2돈, 인삼 · 백작약 · 천화분 · 지각 · 복신 · 산조인 · 감초 각 1돈.

* 복용법 : 이 약들을 썰어 1첩으로 하여 물에 달여 먹는다. <득효>를 인용하였다.

9) 만배불취단(萬杯不醉丹) : 몇 년이고 취하지 않는다.

* 재료 : 소금물에 하룻밤 담갔다가 꺼내어 말린 흰 갈근 4냥, 꿀물에 하룻밤 담갔다가 사기그릇에서 불을 쬐어 말린 백과아, 곧 은행 속의 푸른 싹 1냥, 작설차 1냥, 그늘에서 말린 녹두꽃 4냥, 동변(童便)에 7일 동안 담갔다가 불에 쬐어 말린 갈화 1냥, 소금물에 하루 동안 담갔다가 불에 쬐어 말린 진피 4냥, 국화에, 곧 아직 피지 않은 푸른 꽃봉오리 4냥, 완두꽃 5돈, 좋은 우황 1돈, 청염 4냥을 소 쓸개 속에 넣고, 향 1개를 태울 동안 달인 뒤, 소 쓸개와 함께 쓴다.

* 복용법 : 이 약들을 곱게 가루 내어 쓸개(소)에 반죽하여 오자대로 환을 만든다. 술이 약간 취했을 때 1알씩 먹으면 술이 저절로 깬다. 다시 마셨을 때는 또 먹는다. <종행>을 인용하였다.

10) 신선불취단(神仙不醉丹) : 술 10잔을 마셔도 취하지 않는다.

* 재료 : 갈화 · 갈근 · 백복령 · 팥꽃 · 목향 · 천문동 · 사인 · 목단피 · 인삼 · 육

계(향이 좋고 둥글게 말린 것) · 구기자 · 진피 · 택사 · 백염 · 감초 동일한 양

* 복용법 : 이 약들을 모두 가루 내어 꿀로 반죽하여 탄자대로 환을 만든다. 1알씩 꼭꼭 씹어 뜨거운 술에 먹으면 술 10잔을 마셔도 취하지 않는다. <회춘>을 인용하였다.

11) 취향보설(醉鄕寶屑) : 술을 먹어도 취하지 않게 한다.

* 재료 : 갈근 · 백두구 · 사인 · 정향 각 5돈, 백약전 · 감초 각 2.5돈, 모과 4냥, 볶은 소금 1냥

* 복용법 : 이 약들을 가루 낸다. 술을 마시지 못하는 사람이라도 따뜻한 술에 1돈을 타서 먹으면 술을 마실 수 있다. <입문>을 인용하였다.

12) 익비환(益脾丸) : 술을 마셔도 취하지 않게 하고, 비위의 기를 더한다.

* 재료 : 갈화 2냥, 팥꽃 · 초두구 각 1냥, 녹두꽃 · 목향 각 5돈.

* 복용법 : 이 약들을 가루 내고 꿀로 반죽하여 오자대로 환을 만든다. 홍화 달인 물에 10알씩 먹는다. 술을 마실 때 침으로 5알씩 먹으면 묘한 효과가 있다. <단심>을 인용하였다.

13) 용뇌탕(龍腦湯) : 술을 깨게 하고 음식을 소화시킨다.

* 재료 : 사인 2냥, 감초 1. 5냥

* 복용법 : 이 약들을 가루 내어 0.5돈이나 1돈씩 찬물에 타서 먹는다. <수역>을 인용하였다.

14) 갈화산(葛花散) : 술을 마셔도 취하지 않게 한다.

* 재료 : 갈화 · 팥꽃 동일한 양

* 복용법 : 이 꽃들을 같은 양으로 불에 쬐어 말린 뒤, 가루 내어 2돈씩 끓인 물에 타 먹는다. '쌍화산' 이라고도 한다. <어원>을 인용하였다.

15) 삼두해정탕(三豆解酲湯) : 주상으로 인한 두통 · 구토 · 번갈을 치료하고, 주독을 풀며, 많이 마셔도 취하지 않게 한다. 주상으로 소갈이 되었을 때는 더욱 적합하다.

* 재료 : 갈근 2돈, 창출 1.5돈, 진피 · 적복령 · 모과 · 반하 각 1돈, 신국 7푼, 택사 5푼, 건생강 3푼, 검정콩 · 팥 · 녹두 각 2돈

* 복용법 : 이 약들을 1첩으로 하여 물에 달여 아무 때나 미지근하게 해서

마신다. 여름철 술로 인한 갈증이 있을 때는 황련(黃連) 5푼을 더한다. <신방>을 인용하였다.

3. 주독변위제병(酒毒變爲諸病) <동의보감(東醫寶鑑, 內傷)>

–주독이 변하여 여러 가지 병이 된다

1. 좋은 술은 성질이 매우 뜨겁고, 매우 독하다. 맑고 향기로우며 맛이 좋아 입에 맞고 기를 잘 돌게 하고, 혈을 조화롭게 하여 몸에도 좋다. 이 때문에 마시는 사람이 지나친 것을 깨닫지 못한다. 술의 성질은 올라가는 것을 좋아한다. 술을 따라 기가 올라가면 위에서는 담(痰)이 쌓이고, 밑에서는 소변이 시원하게 나오지 않으며, 폐는 적사를 받아 금체(金體)는 반드시 마르고, 마음대로 찬 것을 마셔 열이 속에 뭉쳐 폐기가 열을 받아 반드시 크게 상한다. 사람들은 이러한 사실을 알지 못한다. 처음에는 병이 가벼워서 구토를 하거나, 땀이 나거나, 창양이 생기거나, 비사가 되거나, 설사를 하거나, 명치가 아프다. 발산시키면 제거할 수 있다. 오래되어 병이 깊어지면 소갈이 되거나, 황달이 되거나, 폐위가 되거나, 내치가 생기거나, 고창이 되거나, 실명이 되거나, 효친이 되거나, 노수가 되거나, 전간이 되거나, 알기 어려운 병이 생긴다. 잘 보는 사람이 아니면 쉽게 치료할 수 없으니, 조심하지 않을 수 있겠는가? <단심>.
2. 오랫동안 술을 마셔 장부에 독이 쌓이면 근을 훈증하고, 신(神)을 상하며 수명을 짧게 만든다. <득효>를 인용하였다.

酒毒變爲諸病

醇之性, 大熱有大毒, 淸香美味, 旣適於口一 行氣和血, 亦宜於體, 由是飮者不子覺其過於多也. 不知酒性喜升, 氣必隨之,痰鬱於上, 尿澁於下, 肺受賊邪, 金體必燥, 恣飮寒凉, 其熱內鬱, 肺氣得熱, 必大傷耗, 其始也病淺, 或嘔吐 或自汗, 或瘡瘍, 或鼻齇, 或自洒, 或心肺痛, 尙可發散而去之, 及其久而病深, 則爲消渴, 爲黃疸, 爲肺痿, 爲內痔, 爲鼓脹, 爲失明, 爲哮喘, 爲勞嗽, 爲癲癎, 爲難

明之疾 倘非具眼未易處治, 可不謹乎. <丹心>. 久飮酒者, 藏腐積毒, 致命蒸筋, 傷神, 損壽. <得效>.

4. 소주독(燒酒毒) <동의보감(東醫寶鑑, 解毒)>

1. 소주를 지나치게 마셔서 중독되면, 입술이 퍼렇게 되고 입을 악물며, 정신이 혼미하여 인사불성이 된다.
2. 심하면 내장이 썩고, 옆구리가 터지며, 온몸이 검푸르게 되며, 혹 토혈이나 하혈을 하여 곧 죽게 된다.
3. 초기에 옷을 벗기고 몸을 밀고 뒤집기를 수없이 하여 토하게 해야 곧 깨어난다.
4. 또 온탕에 나체로 들어간 후, 늘 따뜻하게 물을 부어주는데, 찬물을 부으면 곧 죽는다.
5. 또 오이나 덩굴을 찧어낸 즙을 입을 벌려 계속 먹인다.
6. 또 얼음을 부수어 입이나 항문으로 자주 넣는다.
7. 갈근을 찧어서 낸 즙을 먹이면 점차 깨어나면서 낫는다.

燒酒毒

過飮燒酒中毒, 則面靑口噤, 昏迷不省, 甚則腐腸穿脇, 遍身靑黑, 或吐下血, 死在須臾. 初覺, 便脫衣推身衮轉之無數, 吐之卽甦. 又以溫湯裸體 浸灌常令溫煖, 若灌冷水卽死, 又取生苽及蔓, 搗取汁, 斡開口灌之不住, 又碎氷,頻納口中及肛門. 又葛根搗取汁, 灌口中, 漸醒而愈. <俗方>.

5. 주상(酒傷) <동의보감(東醫寶鑑, 內傷)>

–술로 인한 내상

1. <내경>에 "술이 위에 들어가면 낙맥이 가득 차고, 경맥이 허해진다. 비는 주로 위를 위해 진액을 운행한다. 음기가 허하면 양기가 들어가고, 양기가 들어가면 위기가 고르지 못하다. 위기가 고르지 못하면 정기가 다하고, 정기가 다하면 사지에 영양을 공급하지 못한다."고 하였다.
2. 취하고 배불리 먹은 후, 성교하면 주기와 곡기가 비에 모여 흩어지지 못하고, 부딪쳐 속에서 열이 성해진다. 그래서 열이 몸에 두루 퍼져서 속에 열이 나면서 소변이 벌겋게 되는 것이다. <내경>을 인용하였다.
3. 술을 많이 마시면 기가 거슬러 올라간다. 주(註)에 "많이 마시면 폐포엽이 들리기 때문에 기가 위로 거슬러 올라 달려간다."고 하였다. <내경>을 인용하였다.
4. 술은 오곡의 진액이고 쌀누룩의 정수이다. 사람을 이롭게도 하지만 상하게도 한다. 왜냐하면, 술은 열이 많고 매우 독하기 때문이다. 몹시 추울 때 바닷물은 얼지만 술은 얼지 않는 것은 열이 있기 때문이다. 술이 사람의 본성을 변하게 하여 어지럽히는 것은 독이 있기 때문이다. 풍한을 쫓아내거나 혈맥을 잘 통하게 하거나 사기를 없애주거나 약의 기세를 이끄는 것은 술보다 나은 게 없다. 그러나 술을 취하도록 마셔 한 말이나 되는 술동이를 비우면 독기가 심장을 공격하고 장을 뚫어 옆구리가 썩으며, 정신이 혼미하고 착란되며, 눈이 보이지 않게 된다. 이는 생명의 근원을 잃는 것이다. <유취>를 인용하였다.
5. 술은 열이 많고 독이 있으며, 기미(氣味)가 모두 양(陽)인 무형의 물질이다. 술에 상하면 단지 발산시켜야 하니, 땀이 나면 낫는다. 그 다음은 소변을 잘 나가게 하여 위아래로 습을 나누어 없애야 한다. 갈화해정탕을 주로 쓴다. <동원>을 인용하였다.
6. 술은 물과 같은 액체지만, 술로 장위(腸胃)를 상하면 올려도 흩어지지 않고 내려도 내려가지 않아 기분(氣分)의 형(形)이 없는 곳에 쌓인다. 기를 따라

오르내리면서 반은 소모되나, 요즈음 사람들이 술을 마시면 소변이 적은 것이 그 증거이다. 그러므로 치료할 때는 땀을 내거나 소변을 잘 나오게 하는 것이 상책이다. 동원이 술을 무형의 물질로 여긴 것도 잘못된 것이지만, 후인들이 상음식(傷飮食)과 같이 치료하는 것도 잘못된 것이다. <단심>을 인용하였다.

7. 술의 성질이 비록 열은 있으나 형(形)은 물과 같다. 동원이 마시는 것을 무형의 기라고 말한 것은 의심하지 않을 수 없다. 땀을 내거나 소변이 잘 나가게 하면 제거되는데 무형의 기라고 할 수 있겠는가? <단심>을 인용하였다.

酒傷

內徑曰, 酒人於胃, 則㕖脈滿而經脈處. 脾主爲胃行其津液者也. 陰氣處則陽氣入, 陽氣入則胃不和, 胃不和則精氣竭, 精氣竭則不營其四肢也. 醉飽入房, 則氣聚脾中而不得散, 酒氣與穀氣相薄, 熱盛於中. 故熱遍於身, 內熱而尿亦也. <內徑>. 因而大飮則, 氣逆, 註曰, 飮多則肺布葉擧, 故氣逆而上奔也. <內徑>. 酒者, 五穀之津液, 米麴之華英, 雖能益人, 亦能損人, 何者, 酒有大熱大毒, 大寒凝海, 惟酒不氷, 是其熱也. 飮之, 昏亂易人本性, 是其毒也. 若辟風寒, 宣血脈, 消邪氣, 引藥勢, 無過於酒也. 若醉飮過度, 盆傾斗量, 毒氣攻心, 穿腸腐脇, 神昏錯謬, 目不見物, 此則喪生之本也. <類聚>. 酒者, 大熱有毒, 氣味俱陽, 乃無形之物也. 若傷之, 止當發散, 汗出則愈矣. 其次莫如利小便, 便上下分消其濕可也. 葛花解酲湯主之. <東桓>. 酒雖與水同體, 然傷於腸胃, 則升之不散, 降之不下, 鬱於氣分無形之位, 盖逐氣升降, 而半有消耗之矣 令人飮醇酒則小便少, 此其可驗. 故治法, 宜汗宜利小便爲上策. 東桓以爲無形之物, 固不可, 後人以傷飮食同治, 亦不可. <丹心>. 酒性雖熱, 體同於水, 今東恒乃謂飮者無形之氣, 此亦不能無疑也. 旣待發汗利小便以去之. 其可謂無形之氣乎. <丹心>.

6. 주병치법(酒病治法) <동의보감(東醫寶鑑, 內傷)>

−술병의 치료법

1. 지나친 음주로 병이 되었을 때는 갈화해정탕 · 주증황련환 · 백배환 · 대금음자 · 해주화독산 · 갈황환 · 승마갈근탕을 써야 한다. 술로 두통과 구토, 혈흔이 있을 때는 보중익기탕에서 백출을 빼고 반하 · 백작약 · 황금 · 황백 · 갈근 · 천궁을 넣는다. 혹, 대금음자에 갈근 · 적복령 · 반하 각 1돈씩 넣고, 달여 먹는다. <입문>을 인용하였다.
2. 술 마신 뒤, 풍에 상하여 몸에 열이 나며 깨질 듯한 두통이 있을 때는 방풍통성산(처방은 풍문에 나온다)에 황련 2돈, 총백(뿌리가 달린 것) 10개를 넣고 달여 먹으면 곧 낫는다. 이 약은 술의 열독에 상한 것도 치료할 수 있다.
3. 술 마신 뒤 번갈이 있을 때는 오두탕(처방은 소갈문에 나온다)이 좋다. <단심>을 인용하였다.
4. 술을 잘 마시는 사람이 매일 아침 길게 트림하면서 토하지 않을 때는 소조중탕(처방은 담음문에 나온다)이 가장 좋다. 한 달에 3~5번 복용하는 것도 좋다. <입문>을 인용하였다.
5. 술에 취하거나 포식한 후, 성생활을 하여, 병이 되었을 때는 인삼산을 써야 한다. 혹 출혈이 되어 위의 입구가 아플 때는 대조중탕(처방은 담음문에 나온다)이나 팔물탕(처방은 허로문에 나온다)에 사인을 넣고 달여 먹는다. <입문>을 인용하였다.

酒病治法

飮酒過多成病, 宜葛花解酲湯, 酒蒸黃連丸, 百杯丸, 對金飮子, 解酒化毒散, 葛黃丸, 升摩葛根湯, 中酒頭痛, 嘔吐眩暈, 補中益氣湯, 去白朮, 加半夏, 白芍藥, 黃芩, 黃柏, 乾葛, 川芎, 或對金飮子, 加乾葛, 赤茯苓, 半夏各一錢煎服. <入門>. 酒後傷風, 身熱, 頭痛如破, 防風通聖散. <方見風門>. 加黃連二錢, 連鬚葱白十根, 煎服立愈. 此藥能治傷酒熱毒. <活人心方>. 酒後煩渴, 飮五豆湯. <方見消渴>. 最妙. 善飮酒, 每朝長噯不吐者, 小調中湯. <方見痰飮>. 最妙. 一月三五服亦可. <入門>. 醉飽行房得病, 宜用人蔘散. 或致蓄血, 胃口作痛者, 宜大調中湯. <方見痰飮>. 或八物湯. <方見虛勞>. 加縮砂煎服. <入門>.

7. 잡기(雜忌) <임원십육지(林園十六志)>

1. 대개 술을 빚을 때의 쌀, 쌀겨, 삼(瀋), 즙(汁), 분(饙), 반(飯) 등은 사람과 개, 쥐가 먹으면 안 된다. <제민요술(齊民要術)>을 인용하였다.
2. 술에 가자자회(茄子紫灰, 가지대를 태운 재)가 들어가면 밤사이에 물로 변한다. <물류상감지(物類相感志)>를 인용하였다.
3. 술을 동으로 만든 그릇에 담아 밤을 지나면 안 된다. <물류상감지>를 인용하였다.

雜忌

凡釀酒其米糠潘汁(饋/饋)飯皆不用人及狗鼠食之. <齊民要術>. 酒中置茄子紫灰則酒到夜成水. <物類相感志>.

1. 단주방 <고려대규합총서(高麗大閨閤叢書, 異本)>

1. 술 7되를 병에 넣고, 주사 곱게 간 것 5돈을 한데 넣어 부리를 단단히 막아 돼지 우리 속에 두어, 돼지가 제멋대로 뭉개고 흔들게 두었다가, 7일 뒤에 내어 먹이면 스스로 다시는 술을 마시지 않게 된다.
2. 또 한 방법은, 우물에 거꾸로 난 풀을 물에 달여 먹이면 즉효가 있고, 또 댓잎 위에 있는 이슬을 술에 섞어 먹이면 신효하나, 다 먹는 사람에게는 알리지 말아야 한다.
3. 매(鷹) 똥을 불에 사른 재 한 돈을 술에 타 먹여도 즉효하다.

단쥬방(숧 그치게 ᄒᆞᄂᆞᆫ 방문)

숧 일곱 되를 병의 너코 쥬ᄉᆞ 세 말 오을 ᄒᆞᆫ가지로 너허 부리ᄅᆞᆯ ᄃᆞᆫᄃᆞᆫ 막아 되야지 우리 속의 두어 돗치 임의로 요동ᄒᆞ기을 칠 일 후의 내야 먹이면 스ᄉᆞ로 다시 숧 먹지 아니ᄒᆞ고 일방은 우믈의 것구로 난 플을 믈의 다려 먹이면 즉효ᄒᆞ고 ᄯᅩ ᄃᆡ닙 우희 이슬을 숧의 섯거 먹이면 신효ᄒᆞ나 다 먹ᄂᆞᆫ ᄌᆞ를 알게 아니ᄒᆞᄂᆞ니라. ᄆᆡᄯᅩᆼ 술온 ᄌᆡ ᄒᆞᆫ 돈 술의 먹여도 즉효ᄒᆞ니라.

1. 각국 술 이름(諸國酒名) <고려대규합총서(高麗大閨閤叢書, 異本)>

1. 고금 술에 대하여(古今酒議) : 오손국(烏孫國, 한나라 때 서역국, 지금의 신라성이리하新羅省伊犂河 유역의 땅)에서는 청전해(靑田核, 靑田酒)라는 것이 있어, 그 나무는 알지 못하되 꽃과 그 열매는 너댓 되 드는 박(瓟) 같으니, 속을 비우고 물을 담아두면 술이 된다고 한다. 유장(劉章, 한나라 때 사람, 재도혜왕자齋棹惠王子)이 일찍이 두 개를 얻어(得二個) 목거지(宴會)를 베풀면 스무 남은 사람들(餘人)을 먹이니, 한 씨가 겨우 다 없어지면 다른 한 개가 다시 술이 되니, 오래 둔즉 써진다.
2. 천축국(天竺國) : 인도의 옛 이름. 천축국에서는 술을 수타락(水酡酪)이라 하고, 북(北)에 있는 중들은 많이 반야탕(般若湯, 술, 승려의 은어)이라 하더라.
3. 진납국(眞臘國) : 지금의 크메르. 사람들은 술을 먹지 않고 음란(淫亂)한 데 비기니, 오직 그 아내와 함께 방 속에서만 먹고, 어른(長者) 보는 데는 피(避)하더라.
4. 부남전(扶南傳 : 태국 동부 지역. 부남전에 이르되, 돈손국(頓孫國)서 안석류(安石榴)가 있어, 그 꽃즙을 옹기에 담아 며칠 두면 아름다운 술(美酒)이 된다 하였다.
5. 강릉국(江陵國) : 강릉국에서는 버들꽃과 씨로 술을 만들되, 또한 취하더라.
6. 섬라국(暹羅國 : 샴. 술은 오랑캐들(四夷) 가운데 신약(神藥)이니, 소주를 다시 고으기를 두 번 하니, 이제환소주(二製還燒酒)라. 보(褓)에 이상한 향(香)을 넣어 한 항아리에 단향(丹香) 수십 근을 살러 그 내를 풍겨 옻칠 하듯이 된 후에, 술에 넣고 밀(蜜)로 봉하여 흙 가운데 두어 해나 묻었다가 내어 쓴다. 그 술을 가지고 배(船) 위에서 먹으면 서너 잔에 곧 취하니, 그 값이 예사 술보다 스무 배나 더 되고, 병든 이가 두어 잔을 마시면 곧 낫고, 또 고통을 덜어준다.
7. 대완국(大宛國) : 중앙아시아의 시르하 중류 유역. 이 지역에서는 포도주 빚는 이가 많아서 많은 자는 천만 석이나 하여, 비록 수십여 년이 지나도 맛이

그르지 않더라.

8. 중산(中山) 천일주(千日酒) : 먹으면 취하여 천일(千日) 만에 깨더라.
9. 구루국(句漏國 : 한대 광서 부고 안남 교주부 일대. 선장주(仙漿酒)는 먹으면 취하여 십여 일 만에 깨더라.
10. 계양(桂陽) 정향주(程鄕酒) : 먹고 천리(千里)를 간 뒤에야 비로소 취하더라.
11. 유리국(琉璃國) 미인주(美人酒) : 미인(美人)이 입 가운데 머금어 하룻밤을 지내면 향기로운 술이 되더라.
12. 어아주(魚兒酒) : <청이록(淸異錄)>에 이르기를, "배도(裵度, 중당의 문인)가 용뇌 엉긴 것에다가, 작은 고기를 삭혀서 더운 술에 하나씩 녹여 먹어 이것을 어아주라고 한다." 했다. 또 다른 데에도 어아주의 법이 많이 있는데, <무언록(無言錄)>에 이르기를 "용뇌 한 돈을 뜨거운 술에 타서 먹으면, 칠규(七竅 : 눈, 귀, 코, 입 등 일곱 구멍)에서 피를 토하고 죽는다." 했으니 어아주가 독약인 것을 알 수 있다. 두 말의 허실을 알 수 없지만, 경솔히 시험해 볼 일이 아니다.

2. 술 이름 소사(酒小史) <고려대규합총서(高麗大閨閤叢書, 異本)>

1. 춘추(春秋)적 : 초장주(椒漿酒, 호초장술)
2. 고우 : 오가피주(五加皮酒, 약재술)
3. 안성(安城) : 의춘주(宜春酒, 봄에 마땅한 술)
4. 서경(西京) : 금장료(金漿醪, 금장의 술)
5. 장안(長安) : 신풍주(新豊酒, 유명한 술)
6. 나주(螺舟) : 진주홍(眞珠紅, 붉은 진주 같은 술)
7. 항성(杭城) : 추로백(秋露白, 가을이슬로 빚어 순수한고 매운 술)
8. 관장 : 상락주(桑落酒), 뽕잎이 떨어질 때 빚는 술)
9. 처주(處酒) : 금반로(金盤露, 금반의 이슬)

10. 상주(尙州) : 쇄옥(碎玉, 옥을 빻은 것)
11. 비현(郫縣) : 비통주(郫筒酒, 대통에 빚은 술)
12. 회남(淮南) : 예륵춘(醴菉春, 녹두로 빚은 술)
13. 계주(桂州) : 의이인주(薏苡仁酒, 율무로 빚은 술)
14. 운안(雲安) : 국미주(麴米酒, 쌀누룩으로 빚은 술)
15. 정주(鄭州) : 사가홍(謝家紅, 사가의 붉은 술)
16. 강서(江西) : 마고주(麻姑酒, 마고의 방문주)
17. 서역(西域) : 포도주(葡萄酒, 기운 보하나 성이 뜨거워 부인은 좋고 남편은 나쁨)
18. 오손국(烏孫國) : 청전주(靑田酒, 청전핵으로 빚은 술)
19. 안정군왕(安庭群王) : 동정춘색(洞庭春色, 동정의 봄빛)
20. 남만(南蠻) : 빈랑주(檳榔酒, 약재로 빚은 술)
21. 호주(湖州) : 옥정추향(玉精秋香, 이태백이 즐겼던 술)
22. 소동파(蘇東坡) : 나부춘(羅浮春, 나부산 이름)
23. 육사형(陸士衡) : 송로(松露, 솔잎술)
24. 왕공권(王公權) : 여지록(蘧枝綠, 여지 푸른 것)
25. 송덕융월 : 월파(月波, 달물결)
26. 한무(漢武) : 백미지주(百味旨酒, 백 가지 맛의 술)
27. 위징영(魏徵玲) : 농치도(瀧醉濤, 맑고 아름다운 푸른 물결)
28. 송유후 : 옥유(玉油, 옥기름)
29. 유습유(劉拾遺) : 옥로춘(玉露春, 이슬 같은 맛있는 술)
30. 이태백(李太白) : 옥부량(玉浮梁, 이태백이 즐겼던 술)

3. 옛 후비(后妃)가 만든 주명(酒名)

<고려대규합총서(高麗大閨閤叢書, 異本)>

1. 고 태황(太皇)태후(太后) : 향천(香泉, 향샘)

2. 조 태후(太后) : 영옥, 영취, 옥정, 황군의, 곤의(서해도)
3. 장은성 황후(皇后) : 영록(맑고 아름다운 술)
4. 향 태후(太后) : 천순(天純, 하늘 순정한 것)
5. 유명달 황후(皇后) : 요지(瑤池, 구슬 못)
6. 주 태비(太妃) : 경주(瓊酒)

4. 제주품(諸酒品) <달생비서(達生秘書)>

1. 조하주(糟下酒) : 性煖, 溫胃, 禦風寒, 疑是未搾酒也. <風門>. 성질이 따뜻하다. 위(胃)를 따뜻하게 하고 풍한(風寒)을 막는다(처방은 풍문에 나온다).
2. 두림주(豆淋酒) : 侈風痕, 角弓反張. <方見風門>. 풍(風)으로 인한 경련과 각궁반장(角弓反張)을 치료한다(처방은 풍문에 나온다).
3. 총시주(蔥豉酒) : 和解風寒, 出汗, 治傷寒. <方見寒門>. 풍한(風寒)을 화해시키고 땀을 내게 하나, 상한(傷寒)을 치료한다(처방은 상한문에 나온다).
4. 포도주(葡萄酒) : 駐顔, 煖腎. <方見雜方>. 얼굴이 늙지 않고, 신(腎)을 따뜻하게 한다(처방은 잡방문에 나온다).
5. 상심주(桑椹酒) : 補五臟, 明耳目, 取汁釀酒也. 오장을 보하고, 귀와 눈을 밝게 한다. 오디의 즙을 짜서 술을 빚는다.
6. 구기주(枸杞酒) : 補虛, 肥健人. <方見雜方>. 허(虛)한 것을 보하고, 사람을 살찌고 튼튼하게 한다(처방은 잡방문에 나온다).
7. 지황주(地黃酒) : 和血, 駐顔. <方見雜方>. 혈(血)을 조화롭게 하고, 얼굴이 늙지 않게 한다(처방은 잡방문에 나온다).
8. 무술주(戊戌酒) : 大補陽氣. <方見雜方>. 양기(陽氣)를 크게 보한다(처방은 잡방문에 나온다).
9. 송엽주(松葉酒) : 治脚氣, 風痹. <方見風門>. 각기(脚氣)와 풍비(風痹)를 치료한다(처방은 풍문에 나온다).
10. 송절주(松節酒) : 治曆節風. <方見風門>. 역절풍(歷節風)을 치료한다(처

방은 풍문에 나온다).

11. 창포주(菖蒲酒) : 治風痹連年. <方見雜方> 풍비(風痹)를 치료하고, 오래 살게 한다. (처방은 잡방문에 나온다.)
12. 녹두주(鹿頭酒) : 補氣血, 煮鹿頭取汁釀酒也. 기혈(氣血)을 보한다. 사슴머리를 삶은 물로 술을 빚는다.
13. 고아주(羔兒酒) : 肥健人, 煮羔兒取汁釀酒也. 사람을 살찌고 튼튼하게 한다. 새끼 양을 삶은 물로 술을 빚는다.
14. 밀주(密酒) : 補益, 療風疹. <方見雜方>. 보(補)하고 풍진(風疹)을 치료한다(처방은 잡방문에 나온다).
15. 춘주(春酒) : 美酒也. 疑今三亥酒之類也. 술맛이 좋다. 아마도 지금의 삼해주(三亥酒)와 비슷한 것 같다.
16. 무회주(無灰酒) : 不雜他物者, 卽醇酒也. 다른 것이 섞이지 않은 술. 즉 순주(醇酒)이다.
17. 병자주(餠子酒) : 糯米粉合和諸藥爲麴釀之. 曰餠子酒. 찹쌀가루를 다른 약들과 섞어 누룩을 만들어 술을 빚어서 병자주라고 한다.
18. 황련주(黃連酒) : 解酒毒, 不傷人, <方見雜方>. 술독을 풀어 사람을 상하게 하지 않는다(어떤 술인지 분명하지 않다).
19. 국화주(菊花酒) : 延年益壽, 治風眩. <方見身形>. 오래 살게 하고 수명(壽命)을 늘리며 풍현(風眩)을 치료한다(처방은 신형문에 나온다).
20. 천문동주(天門冬酒) : 補氣血, 連年. <方見身形>. 기혈을 보하고, 수명을 늘린다(처방은 신형문에 나온다).
21. 섬라주(暹羅酒) : 自暹羅國來, 能破積, 殺蠱. <入門>. 섬라국(暹羅國)에서 온 것이다. 적취(積聚)를 깨트리고 고독(蠱毒)을 죽일 수 있다. (입문)
22. 홍국주(紅麴酒) : 大熱有毒, 辟瘴氣,療打傷 <入門>. 아주 뜨겁고 독이 있다. 장기(瘴氣)를 물리치고 타박상(打撲傷)을 치료한다. (입문)
23. 동양주(東陽酒) : 酒味淸香, 自古擅名, 隣邑皆不及 <入門>. 술맛이 맑고 향기로워 예로부터 유명했다. 이웃 지역의 술이 모두 이 술에 미치지 못했다. (입문)

24. 금분로(金盆露) : 出處州, 醇美可尙, 然劣於東陽. <入門>. 처주(處州)에서 난다. 술맛이 좋기는 하지만, 동양주보다는 못하다. (입문)

25. 산동 추로백(山東 秋露白) : 色純, 味列. <入門>. 색깔이 순수하고 맛이 차갑다. (입문)

26. 소주 소병주(蘇州 小甁酒) : 麴有熱藥, 飮之, 頭痛口渴. <入門>. 누룩에 뜨거운 약이 들어 있어, 마시면 머리가 아프고 갈증이 난다. (입문)

27. 남경 금화주(南京 金華酒) : 味太甛, 多飮留中聚痰. <入門>. 맛이 매우 달기 때문에 많이 마시면 속에 머물러 담아 뭉친다. (입문)

28. 회안 녹두주(淮安 菉豆酒) : 麴有菉豆, 乃解毒良物. <入門>. 누룩에 녹두가 들어 있어서 해독에 좋다. (입문)

29. 강서 마고주(江西 麻姑酒) : 以泉得名, 味殊勝. <入門>. 샘 이름을 따서 이름을 지었다. 술맛이 매우 뛰어나다. (입문)

30. 소주(燒酒) : 自元時始有, 味極辛烈, 多飮傷人. 원나라 때부터 있어 왔다. 맛이 매우 맵고 강렬해서 많이 마시면 사람을 상한다.

31. 자주(煮酒) : 味殊佳, 夏月宜飮. <俗方>. 맛이 매우 좋다. 여름에 마시는 것이 좋다. (속방)

32. 이화주(梨花酒) : 色白, 味醺, 宜於春夏. <俗方>. 색깔이 희고 맛이 얼큰하다. 봄 · 여름에 마시는 것이 좋다. (속방)

33. 조(糟) : 性溫, 味鹹, 無毒. 罯損撲瘀血, 浸洗凍瘡, 乃付蛇蜂叮毒, 去蔬菜毒. 又能藏物不敗, 柔物能軟. <本草>. 성질이 따뜻하고 맛은 짜며 독이 없다. 다쳐서 멍든 곳에 덮어주고, 동창(凍瘡)에 담가서 씻어주며, 뱀이나 벌에 쏘인 데에 붙여주고, 채소 독을 풀어준다. 또 물건을 저장할 때 썩지 않게 할 수 있고, 물건을 연하게 만들 수도 있다. (본초)

5. 제주품(諸酒品) <동의보감(東醫寶鑑, 穀部)>

1. 조하주(糟下酒) : 性煖, 溫胃, 禦風寒, 疑是未搾酒也. <風門>. 성질이 따뜻

하다. 위(胃)를 따뜻하게 하고 풍한(風寒)을 막는다(처방은 풍문에 나온다).

2. 두림주(豆淋酒) : 侈風痕, 角弓反張. <方見風門>. 풍(風)으로 인한 경련과 각궁반장(角弓反張)을 치료한다(처방은 풍문에 나온다).
3. 총시주(蔥豉酒) : 和解風寒, 出汗, 治傷寒. <方見寒門>. 풍한(風寒)을 화해시키고 땀을 내게 하나, 상한(傷寒)을 치료한다(처방은 상한문에 나온다).
4. 포도주(葡萄酒) : 駐顔, 煖腎. <方見雜方>. 얼굴이 늙지 않고, 신(腎)을 따뜻하게 한다(처방은 잡방문에 나온다).
5. 상심주(桑椹酒) : 補五臟, 明耳目, 取汁釀酒也. 오장을 보하고, 귀와 눈을 밝게 한다. 오디의 즙을 짜서 술을 빚는다.
6. 구기주(枸杞酒) : 補虛, 肥健人. <方見雜方>. 허(虛)한 것을 보하고, 사람을 살찌고 튼튼하게 한다(처방은 잡방문에 나온다).
7. 지황주(地黃酒) : 和血, 駐顔. <方見雜方>. 혈(血)을 조화롭게 하고, 얼굴이 늙지 않게 한다(처방은 잡방문에 나온다).
8. 무술주(戊戌酒) : 大補陽氣. <方見雜方>. 양기(陽氣)를 크게 보한다(처방은 잡방문에 나온다).
9. 송엽주(松葉酒) : 治脚氣, 風痹. <方見風門>. 각기(脚氣)와 풍비(風痹)를 치료한다(처방은 풍문에 나온다).
10. 송절주(松節酒) : 治曆節風. <方見風門>. 역절풍(歷節風)을 치료한다(처방은 풍문에 나온다).
11. 창포주(菖蒲酒) : 治風痹連年. <方見雜方>. 풍비(風痹)를 치료하고, 오래 살게 한다(처방은 잡방문에 나온다).
12. 녹두주(鹿頭酒) : 補氣血, 煮鹿頭取汁釀酒也. 기혈(氣血)을 보한다. 사슴 머리를 삶은 물로 술을 빚는다.
13. 고아주(羔兒酒) : 肥健人, 煮羔兒取汁釀酒也. 사람을 살찌고 튼튼하게 한다. 새끼 양을 삶은 물로 술을 빚는다.
14. 밀주(密酒) : 補益, 療風疹. <方見雜方>. 보(補)하고 풍진(風疹)을 치료한다(처방은 잡방문에 나온다).
15. 춘주(春酒) : 美酒也. 疑今三亥酒之類也. 술맛이 좋다. 아마도 지금의 삼해

주(三亥酒)와 비슷한 것 같다.

16. 무회주(無灰酒) : 不雜他物者, 卽醇酒也. 다른 것이 섞이지 않은 술. 즉 순주(醇酒)이다.
17. 병자주(餠子酒) : 糯米粉合和諸藥爲麴釀之. 曰餠子酒. 찹쌀가루를 다른 약들과 섞어 누룩을 만들어 술을 빚어서 병자주라고 한다.
18. 황련주(黃連酒) : 解酒毒, 不傷人, <方見雜方>. 술독을 풀어 사람을 상하게 하지 않는다(어떤 술인지 분명하지 않다).
19. 국화주(菊花酒) : 延年益壽, 治風眩. <方見身形>. 오래 살게 하고 수명(壽命)을 늘리며 풍현(風眩)을 치료한다(처방은 신형문에 나온다).
20. 천문동주(天門冬酒) : 補氣血, 連年. <方見身形>. 기혈을 보하고, 수명을 늘린다(처방은 신형문에 나온다).
21. 섬라주(暹羅酒) : 自暹羅國來, 能破積, 殺蠱. <入門>. 섬라국(暹羅國)에서 온 것이다. 적취(積聚)를 깨트리고 고독(蠱毒)을 죽일 수 있다. (입문)
22. 홍국주(紅麴酒) : 大熱有毒, 辟瘴氣,療打傷 <入門>. 아주 뜨겁고 독이 있다. 장기(瘴氣)를 물리치고 타박상(打撲傷)을 치료한다. (입문)
23. 동양주(東陽酒) : 酒味淸香, 自古擅名, 隣邑皆不及 <入門>. 술맛이 맑고 향기로워 예로부터 유명했다. 이웃 지역의 술이 모두 이 술에 미치지 못했다. (입문)
24. 금분로(金盆露) : 出處州, 醇美可尙, 然劣於東陽. <入門>. 처주(處州)에서 난다. 술맛이 좋기는 하지만, 동양주보다는 못하다. (입문)
25. 산동 추로백(山東 秋露白) : 色純, 味列. <入門>. 색깔이 순수하고 맛이 차갑다. (입문)
26. 소주 소병주(蘇州 小甁酒) : 麴有熱藥, 飮之, 頭痛口渴. <入門>. 누룩에 뜨거운 약이 들어 있어, 마시면 머리가 아프고 갈증이 난다. (입문)
27. 남경 금화주(南京 金華酒) : 味太甛, 多飮留中聚痰. <入門>. 맛이 매우 달기 때문에 많이 마시면 속에 머물러 담아 뭉친다. (입문)
28. 회안 녹두주(淮安 菉豆酒) : 麴有菉豆, 乃解毒良物. <入門>. 누룩에 녹두가 들어 있어서 해독에 좋다. (입문)

29. 강서 마고주(江西 麻姑酒) : 以泉得名, 味殊勝. <入門>. 샘 이름을 따서 이름을 지었다. 술맛이 매우 뛰어나다. (입문)

30. 소주(燒酒) : 自元時始有, 味極辛烈, 多飮傷人. 원나라 때부터 있어 왔다. 맛이 매우 맵고 강렬해서 많이 마시면 사람을 상한다.

31. 자주(煮酒) : 味殊佳, 夏月宜飮. <俗方>. 맛이 매우 좋다. 여름에 마시는 것이 좋다. (속방)

32. 이화주(梨花酒) : 色白, 味醺, 宜於春夏. <俗方>. 색깔이 희고 맛이 얼큰하다. 봄·여름에 마시는 것이 좋다. (속방)

33. 조(糟) : 性溫, 味鹹, 無毒. 罯損撲瘀血, 浸洗凍瘡, 乃付蛇蜂叮毒, 去蔬菜毒. 又能藏物不敗, 柔物能軟. <本草>. 성질이 따뜻하고 맛은 짜며 독이 없다. 다쳐서 멍든 곳에 덮어주고, 동창(凍瘡)에 담가서 씻어주며, 뱀이나 벌에 쏘인 데에 붙여주고, 채소 독을 풀어준다. 또 물건을 저장할 때 썩지 않게 할 수 있고, 물건을 연하게 만들 수도 있다. (본초)

諸酒品

조하주(糟下酒) : 性煖, 溫胃, 禦風寒, 疑是未搾酒也. <風門>. 두림주(豆淋酒) : 侈風痕, 角弓反張. <方見風門>. 총시주(蔥豉酒) : 和解風寒, 出汗, 治傷寒. <方見寒門>. 포도주(葡萄酒) : 駐顔, 煖腎. <方見雜方>. 상심주(桑椹酒) : 補五臟, 明耳目, 取汁釀酒也. 구기주(枸杞酒) : 補虛, 肥健人. <方見雜方>. 지황주(地黃酒) : 和血, 駐顔. <方見雜方>. 무술주(戊戌酒) : 大補陽氣. <方見雜方>. 송엽주(松葉酒) : 治脚氣, 風痹. <方見風門>. 송절주(松節酒) : 治曆節風. <方見風門>. 창포주(菖蒲酒) : 治風痹連年. <方見雜方>. 녹두주(鹿頭酒) : 補氣血, 煮鹿頭取汁釀酒也. 고아주(羔兒酒) : 肥健人, 煮羔兒取汁釀酒也. 밀주(密酒) : 補益, 療風疹. <方見雜方>. 춘주(春酒) : 美酒也. 疑今三亥酒之類也. 무회주(無灰酒) : 不雜他物者, 卽醇酒也. 병자주(餠子酒) : 糯米粉合和諸藥爲麴釀之. 曰餠子酒. 황련주(黃連酒) : 解酒毒, 不傷人, <方見雜方>. 국화주(菊花酒) : 延年益壽, 治風眩. <方見身形>. 천문동주(天門冬酒) : 補氣血, 連年. <方見身形>. 섬라주(暹羅酒) : 自暹羅國來, 能破積,

殺蟲. <入門>. 홍국주(紅麴酒) : 大熱有毒, 辟瘴氣,療打傷 <入門>. 동양주(東陽酒) : 酒味清香, 自古擅名, 隣邑皆不及 <入門>. 금분로(金盆露) : 出處州, 醇美可尙, 然劣於東陽. <入門>. 산동 추로백(山東 秋露白) : 色純, 味列. <入門>. 소주 소병주(蘇州 小瓶酒) : 麴有熱藥, 飮之, 頭痛口渴. <入門>. 남경 금화주(南京 金華酒) : 味太甛, 多飮留中聚痰. <入門>. 회안 녹두주(淮安 菉豆酒) : 麴有菉豆, 乃解毒良物. <入門>. 강서 마고주(江西 麻姑酒) : 以泉得名, 味殊勝. <入門>. 소주(燒酒) : 自元時始有, 味極辛烈, 多飮傷人. 자주(煮酒) : 味殊佳, 夏月宜飮. <俗方>. 이화주(梨花酒) : 色白, 味醺, 宜於春夏. <俗方>. 조(糟) : 性溫, 味澁, 無毒. 罯損撲瘀血, 浸洗凍瘡, 乃付蛇蜂叮毒, 去蔬菜毒. 又能藏物不敗, 柔物能軟. <本草>.

6. 주(酒) <조선고유색사전(朝鮮固有色辭典)>

사케. 술. 약주. 소주. 백주. 탁주. 혼성주. 혼돈주

조선의 주류 중에서 가장 많이 이용되는 술은 약주, 소주, 백주, 탁주(약주, 소주, 백주, 탁주의 각항 참조) 등이 있으나, 별도로 다음과 같은 소주, 탁주, 혼성주(혼돈주) 그 외가 있다.

감홍로 : 홍색을 띠고 감미가 있는 평양산 소주

황소주 : 황색의 소주

계당주 : 계피와 당귀를 혼합하여 제조한 소주

홍주 : 홍색의 술

감주(醴) : 아마자케. 감주

모주 : 술지게미에 물을 섞어서 거른 탁주

후주 : 술지게미에 물을 더하여 다시 빚은 술

이강주 : 배즙, 생강즙, 꿀을 혼합한 술

송순주 : 소나무의 어린잎(嫩葉)을 넣고 빚은 술

송엽주 : 소나무의 잎을 넣고 빚은 술

연엽주 : 쌀과 누룩을 연잎에 싸서 빚은 술

상심주 : 뽕나무 열매로 빚은 술

귤주 : 귤로 빚은 술

구기주 : 구기자나무로 빚은 술

도화주 : 도화를 넣고 빚은 술

민괴주 : 민괴(장미)를 넣어 빚은 술

최근, 회사에서 술을 양조하여 판매하는 지역도 있지만, 종래에는 많은 주막들에서 집집마다 양조하여 판매하는 것이 일반적이었다.

가격은 대체로 저렴하고, 상하 모두 술을 즐기는 분위기가 있다.

제4부
주방문 없는 주품

1. 강서마고주(江西麻姑酒)

<달생비서(達生秘書)> <동의보감(東醫寶鑑)>

샘 이름을 따서 이름을 지었다. 술맛이 매우 뛰어나다. (입문)

江西麻姑酒

以泉得名, 味殊勝. <入門>.

2. 거승주(巨勝酒) <임원십육지(林園十六志)>

풍을 없애고, 허리와 무릎 아픈 데 마시면 좋다. 방법은 <보양지>를 참조하라. <본초강목>을 인용하였다.

巨勝酒

<本草綱目> 治風虛痺弱腰膝疼痛. (案)方見 <葆養志> (又案).

3. 견우주(牽牛酒) <동의보감(東醫寶鑑)>

누창 속의 나쁜 물을 대장으로 나가게 한다. 흑축(가루 내어 체로 쳐서 처음 나온 가루를 쓴다)가루 2전을 돼지 콩팥에 넣어 줄로 묶고 축축한 종이로 싼다. 이것을 약한 잿불에 묻어 구워서 꼭꼭 씹어 따뜻한 술로 빈속에 먹는다.

일명 저신주(猪腎酒)라고도 한다. 수(水)는 신(腎)에 속한다. 신허로 수가 넘치면 누창으로 새어 나온다. 신의 수를 흐르게 하는 것은 흑축만 한 것이 없다. 이것을 곱게 가루 내어 돼지 콩팥에 넣어 먹으면 신의 기를 빌려 신으로 들어가서 대소변으로 내보내게 된다. 나쁜 물이 나오면 고름물이 다시 나오지 않는다. <입문>을 인용하였다. <직지>에 나온다.

牽牛酒

引漏瘡中惡水, 自大腸出. 黑牽牛頭末二錢, 入猪腰字內, 以線札縛, 濕紙包, 慢火煨熱, 空心, 細嚼, 溫酒送下. 一名 猪腎酒. 夫水屬腎也. 腎虛水㐰溢, 則滲洒漉於漏瘡. 行腎之水, 無如黑牽牛. 取細末, 入猪腎服之, 則借腎入腎, 兩得其便, 惡水旣洒 則不復淋漓矣.

4. 고아주(羔兒酒) <달생비서(達生秘書)> <동의보감(東醫寶鑑)>

사람을 살찌고 튼튼하게 한다. 새끼 양을 삶은 물로 술을 빚는다.

羔兒酒

肥健人, 煮羔兒取汁釀酒也.

5. 괴지주(槐枝酒) <임원십육지(林園十六志)>

마비증상에 효과가 크고 위비를 다스린다. 괴지(槐枝, 느릅나무 가지) 삶은 즙으로 보통 방법대로 술을 빚어서 마신다. <본초강목>을 인용하였다.

槐枝酒

<本草綱目> 治大痲痿痺槐枝煮汁如常釀酒飮.

6. 금분로(金盆露) <달생비서(達生秘書)> <동의보감(東醫寶鑑)>

처주(處州)에서 난다. 술맛이 좋기는 하지만, 동양주보다는 못하다. (입문)

金盆露

出處州, 醇美可尙, 然劣於東陽. <入門>.

7. 남경금화주(南京金華酒)

<달생비서(達生秘書)> <동의보감(東醫寶鑑)>

맛이 매우 달기 때문에 많이 마시면 속에 머물러 담아 뭉친다. <입문>.

南京金華酒

味太甛, 多飮留中聚痰. <入門>.

8. 남등주(南藤酒) <임원십육지(林園十六志)>

풍과 허약함을 치료하고 냉기를 몰아내며 마비통을 없애고 허리와 다리를 튼튼하게 한다. 석남등(石南藤) 달인 즙과 누룩가루로 술을 빚어 마신다. <본초강목>을 인용하였다.

南藤酒

<本草綱目> 治風虛逐冷氣除痺痛强腰脚石南藤煎汁同麴米釀酒飮.

9. 녹두주(鹿頭酒) <달생비서(達生秘書)> <동의보감(東醫寶鑑)>

1. 기혈(氣血)을 보한다. 사슴 머리를 삶은 물로 술을 빚는다.
2. 허로와 당뇨병을 치료하고, 정과 기를 보하는 효과가 있다. 사슴의 머리를 삶아 짓이긴 즙과 함께 누룩과 쌀로 술을 빚어서 마신다. 파와 천초를 조금 넣

는다. <본초강목>을 인용하였다.

鹿頭酒

補氣血, 煮鹿頭取汁釀酒也.

鹿頭酒

<本草綱目> 治虛勞不足消渴夜夢鬼物補益精氣鹿頭煮爛搗泥連汁和麴米釀酒飮少入葱椒.

10. 녹용주(鹿茸酒) <임원십육지(林園十六志)>

양기가 허약하여 저린 것, 소변을 자주 보는 것, 모든 허약함을 치료한다. <본초강목>을 인용하였다.

鹿茸酒

<本草綱目> 治陽虛痿弱小便頻數勞損諸虛. (案)方見 <葆養志>.

11. 두림주(豆淋酒) <달생비서(達生秘書)> <동의보감(東醫寶鑑)>

1. 풍(風)으로 인한 경련과 각궁반장(角弓反張)을 치료한다(처방은 풍문에 나온다). 산후풍을 치료한다. 검정콩 한 되를 볶아 익혀서 뜨거울 때 청주 3되 속에 넣고 밀봉하여 주량대로 마신다. <본초(本草)>를 인용하였다. <부인(婦人)>에 나온다.
2. 중풍으로 입을 열지 못하여 말을 못하고, 구안와사와 반신불수가 있는 것을 치료한다. 흑두를 매우 뜨겁게 볶고, 이것을 술에 담가두었다가, 하루에 세 번씩 마신다. <본초(本草)>를 인용하였다. <풍(風)>에 나온다.

豆淋酒
侈風痕, 角弓反張. <方見風門>. 治産後風. 黑豆一升炒熟, 乘熱, 投三升淸酒中, 密封 隨量飮之.

豆淋酒
治中風, 口噤不語, 喎斜, 癱瘓, 取豆炒令極熱, 投酒中飮之, 日三, 名曰 豆淋酒.

12. 마인주(麻仁酒) <임원십육지(林園十六志)>

골수의 풍독으로 거동할 수 없는 사람을 치료해 준다. 대마의 씨를 볶아서 향주머니 속에 넣고 술에 담갔다 마신다. <본초강목>을 인용하였다.

麻仁酒
<本草綱目> 治骨髓風毒痛不能動者取大麻子中仁炒香袋盛浸酒飮之.

13. 무회주(無灰酒) <달생비서(達生秘書)> <동의보감(東醫寶鑑)>

다른 것이 섞이지 않은 술, 즉 순주(醇酒)이다.

無灰酒
不雜他物者, 卽醇酒也.

14. 미골주(糜骨酒) <임원십육지(林園十六志)>

음이 허하고 신장이 약한 데 효과가 있으며 계속 마시면 몸이 건강해진다. 미골

(橐骨, 고라니 뼈)를 삶은 즙과 누룩가루를 함께 넣어 보통 술 빚는 방법대로 빚어서 마신다. <본초강목>을 인용하였다.

橐骨酒

<本草綱目> 治陰虛腎弱久服令人肥白橐骨煮汁同麴米如常釀酒飮之.

15. 반도주(蟠桃酒) <동의보감(東醫寶鑑)>

심통 및 주심통을 치료한다. 도노를 가루 내어 2돈씩 데운 술로 빈속에 마신다. 이것을 '반도주(蟠桃酒)라 한다. <의감(醫鑑)>을 인용하였다. <흉(胸)>에 나온다.

桃奴(蟠桃酒)

治心痛急疰痛, 桃奴爲末, 每二錢, 溫酒下, 空心, 名曰 蟠桃酒.

16. 백부주(百部酒) <임원십육지(林園十六志)>

오래된 해수병을 치료한다. 백부근(百部根)을 썰어서 볶아 주머니에 넣어 술 속에 담가 두고 자주 마신다. <본초강목>을 인용하였다.

百部酒

<本草綱目> 治一切久近咳嗽百部根切炒袋盛浸酒頻頻飮之.

17. 백출주(白朮酒) <동의보감(東醫寶鑑)>

중습으로 입을 악물고 인사불성이 된 것을 치료한다. 백출 1냥을 썰어 1첩으로 하여 술 2잔에 넣고 1잔이 될 때까지 달여 한 번에 마신다. 술을 싫어하면 물에 달여 마신다. <득효(得效)>를 인용하였다. <습(濕)>에 나온다.

병을 없애 주고 수명을 연장시키며 머리가 희어지지 않고 치아를 튼튼하게 한다. <준생팔전>를 인용하였다.

白朮酒
治中濕, 口噤不省 白朮一兩, 坐作一貼, 以酒二盞煎之一盞, 頓服. 惡酒則水煎服

白朮酒
<遵生八牋> 除病廷年變髮堅齒. 方見 <葆養志>.

18. 병자주(餠子酒) <달생비서(達生秘書)> <동의보감(東醫寶鑑)>

찹쌀가루를 다른 약들과 섞어 누룩을 만들어 술을 빚어서 병자주(餠子酒)라고 한다.

餠子酒
糯米粉合和諸藥爲麴釀之. 曰餠子酒.

19. 복령주(茯笭酒) <임원십육지(林園十六志)>

오로칠상을 치료한다. <본초강목>을 인용하였다.

茯苓酒
<本草綱目> 治五勞七傷 (案)方見 <葆養志>.

20. 사근주(沙根酒) <임원십육지(林園十六志)>

몸속의 열을 식히고 기를 내린다. 사근(沙根) 1근을 썰어 삶아 향주머니에 넣어 술에 담그고 아침저녁으로 마시면 좋다. <본초강목>을 인용하였다.

沙根酒
<本草綱目> 治心中客熱膀胱脇下氣鬱常憂不樂以莎根一斤切熟香袋盛浸酒日夜服之常令酒氣相續.

21. 산동추로백(山東秋露白)

<달생비서(達生秘書)> <동의보감(東醫寶鑑)>

색깔이 순수하고 맛이 차갑다. <입문>.

山東秋露白
色純, 味列. <入門>.

22. 선묘주(仙茆酒) <임원십육지(林園十六志)>

정기와 허약함을 치료하고 양기와 약한 무릎, 허리의 통증을 완화시키며 모든 허약한 병을 치료한다. 선묘(仙茆)를 구증구포하여 술에 담갔다 마신다. <본초강목>을 인용하였다.

仙茆酒
<本草綱目> 治精氣虛寒陽痿勝弱腰痛痺緩諸虛之病用仙茆九烝九晒浸酒飮.

23. 섬라주(暹羅酒) <동의보감(東醫寶鑑)>

섬라국(暹羅國)에서 온 것이다. 적취(積聚)를 깨트리고 고독(蠱毒)을 죽일 수 있다. <입문>.

暹羅酒
自暹羅國來, 能破積, 殺蠱. <入門>.

24. 소주소병주(蘇州小甁酒)
<달생비서(達生秘書)> <동의보감(東醫寶鑑)>

누룩에 뜨거운 약이 들어 있어, 마시면 머리가 아프고 갈증이 난다. <입문>.

蘇州小甁酒
麴有熱藥, 飮之, 頭痛口渴. <入門>.

25. 송절주(松節酒)·황송절(黃松節)
<동의보감(東醫寶鑑)> <임원십육지(林園十六志)>

1. 복신(茯神)이 싸고 있는 소나무의 뿌리이다. 편풍으로 인한 구안와사와 독풍으로 근육이 떨리고 뼈가 병든 것을 치료한다. 술에 담가 먹는다. 이것을 송절주(松節酒)라고 한다. 처방은 곡문에 나온다. <방견잡방(方見雜方)>을

인용하였다. <풍(風)>에 나온다.

2. 냉풍과 허약함을 치료하고 근육과 골격의 마비, 각기병을 완화한다. <본초강목>을 인용하였다.

松節酒(黃松節)

治偏風, 口眼喎斜, 毒風,筋攣骨病 浸酒服, 名松節酒

松節酒

治曆節風. <方見風門>.

松節酒

<本草綱目> 治冷風虛弱筋骨攣痛脚氣緩痺. (案)方見 <葆養志>.

26. 올눌제주(膃肭臍酒) <임원십육지(林園十六志)>

올눌(膃肭)은 살찐 물개이다. 이 술은 양기를 돋우고 정수를 보하는 효력이 있다. <본초강목>을 인용하였다.

膃肭臍酒

<本草綱目> 助陽氣益精髓破癥結冷氣大補益人. (案)方見 <葆養志>.

27. 요주(蓼酒) <임원십육지(林園十六志)>

귀와 눈을 총명하게 하고 비장과 위를 튼튼하게 한다. <천금방>을 인용하였다.

蓼酒

<千金方> 聰耳目健脾胃. (案)方見 <葆養志>.

28. 우담주(牛膽酒) <음식책(飮食冊)>

우담주

우담주라 하는 것도 이취로 하여 우담을 많이 씻지 아니하게 먹을 만치 쉽게 먹을려면 백병 총체하나니라. (불분명하다.)

29. 우방주(牛蒡酒) <임원십육지(林園十六志)>

모든 풍독(風毒)을 다스리고 허리와 다리에 이롭다. 우방 뿌리를 편으로 썰어서 술에 담갔다 마신다. <본초강목>을 인용하였다.

牛蒡酒

<本草綱目 >治諸風毒利腰脚用牛蒡根切片浸酒飮之.

30. 우슬주(牛膝酒) <임원십육지(林園十六志)> <주찬(酒饌)>

근육과 골격 그리고 비장을 튼튼히 하고 허한 것을 보충해 주는 효능이 있다. 오래된 학질을 치료한다. <본초강목>을 인용하였다.

牛膝酒

<本草綱目> 壯筋骨治痿痺補虛損除久瘧. (案)方見 <葆養志>.

牛膝酒

壯筋治痿痺補虛損除久瘧用牛膝煎汁和曲米釀酒或切碎袋盛浸酒煮飮. <酒饌>.

31. 윤회주(輪廻酒) <동의보감(東醫寶鑑)>

윤회주 만드는 법

누런 수소의 기름진 고기 20근이나 15근과 장류수를 큰 솥에 넣고 푹 삶는다. 물이 줄어들면 뜨거운 물을 다시 붓는다. 찬물을 부으면 안 된다. 문드러진 고기가 풀어져 끓는 물에 녹아 액체가 될 때까지 끓이다 천으로 걸러 찌꺼기를 버리고 국물만 모은다. 다시 솥에 넣고 중간불로 호박색이 될 때까지 졸인다. 매번 반 되씩 마시는데, 잠시 후 마시고 또 마셔서 수십 번을 마신다. 겨울에는 중탕하여 데워 마신다. 병이 상초에 있으면 많이 토하게 하고, 병이 하초에 있으면 많이 설사하게 하고, 병이 중초에 있으면 많이 토하고 설사하게 한다. 이것의 효과는 전적으로 도창법을 시행하는 방법에 달려있는데, 나오는 것을 보아 병의 뿌리가 다 뽑힐 때까지 한다. 토하고 설사한 뒤 갈증이 날 때는 끓인 물을 마시면 안 되고 자기 소변을 1~2사발 마셔야 한다. 이것을 '윤회주'라고 한다. '윤회주'는 '환혼탕(還魂湯)'이라고도 한다. 갈증을 멎게 할 뿐만 아니라 남은 찌꺼기를 씻어낸다. 이것을 마시고 배가 고프면 묽은 죽을 먹어야 한다. 비로소 3일 후 비로소 채소를 넣은 국을 준다. 보름 후 정신이 깨어나는 것을 느끼고 몸이 가볍고 튼튼해지며 고질병이 다 사라진다. 그 후 5년 동안 쇠고기를 먹으면 안 된다. 소는 곤토이고 황토색이다. 순종을 미덕으로 삼고 강건함을 본받아 일을 해내는 것이 수소의 쓰임이다. 고기는 위가 좋아하는데, 삶아서 국물을 만들었으므로 이것은 형이 없는 것이다. 적취가 오래되면 덩어리가 되어 장위가 굽어지는 곳에 붙어서 자리 잡는다.

輪廻酒

倒倉法, 全籍自飮輪廻酒十餘盃, 以祛逐餘垢, 迎接調匀, 神布榮衛, 使藏府肓膜生意敷暢, 有脫胎換骨之功也. 多嫌其穢, 因致中輟而功虧一簣, 若非明物理通造化者, 其肯視爲美醞良味乎.

32. 의이인주(薏苡仁酒) <임원십육지(林園十六志)>

풍습(風濕)을 제거하고, 근육과 골격을 강하게 하며, 비위를 튼튼하게 하는 효력이 있다. <본초강목>을 인용하였다.

薏苡仁酒
<本草綱目> 去風濕强筋骨健脾胃 (案)方見 <葆養志>.

33. 인삼주(人蔘酒) <임원십육지(林園十六志)>

보중익기하는 효력이 있다. <본초강목>을 인용하였다.

人蔘酒
<本草綱目> 補中益氣. (案)方見 <葆養志>.

34. 장송주(長松酒) <임원십육지(林園十六志)>

모든 풍과 허를 보한다. <한씨의통(韓氏醫通)>을 인용하였다.

長松酒
<韓氏醫通> 滋補一切風虛. (案)方見 <葆養志>.

35. 조(糟) <달생비서(達生秘書)> <동의보감(東醫寶鑑)>

성질이 따뜻하고 맛은 짜며 독이 없다. 다쳐서 멍든 곳에 덮어주고, 동창(凍瘡)

에 담가서 씻어주며, 뱀이나 벌에 쏘인 데에 붙여주고, 채소 독을 풀어준다. 또 물건을 저장할 때 썩지 않게 할 수 있고, 물건을 연하게 만들 수도 있다. (본초) <달생비서>, <동의보감>.

타박상이나 떨어져 생긴 어혈로 붓고 아픈 데 주로 쓴다. 술지게미와 식초의 지게미를 섞어 쪄서 따뜻할 때 눌러서 찜질하면 묘한 효과가 있다. <속방(俗方)>을 인용하였다. <제상(諸傷)>에 나온다. <동의보감>.

糟

性溫, 味鹹, 無毒. 署損撲瘀血, 浸洗凍瘡, 乃付蛇蜂叮毒, 去蔬菜毒. 又能藏物不敗, 柔物能軟. <本草>.

酒糟

主打撲墮落損傷, 瘀血腫痛. 酒糟, 和醋滓, 蒸溫熨之妙.

36. 조하주(槽下酒) <달생비서(達生秘書)> <동의보감(東醫寶鑑)>

성질이 따뜻하다. 위(胃)를 따뜻하게 하고 풍한(風寒)을 막는다. (처방은 풍문에 나온다.)

糟下酒

性煖, 溫胃, 禦風寒, 疑是未搾酒也. <風門>.

37. 주귀음(酒歸飮) <동의보감(東醫寶鑑)>

두창을 치료한다. 술로 법제한 당귀 · 백출 각 1돈 반, 술로 법제한 황금 · 술로 법제한 작약·천궁·진피 각 1돈, 술로 법제한 천마·창이 각 7돈 5푼, 술로 법제한 황백·술로 법제한 감초 각 1푼, 방풍 3푼 이 약들을 썰어 첩으로 만들어 물에 달여 하루에 세 번씩 먹은 후에 잠시 편안하게 잔다. <입문(入門)>을 인용하였다. <제창(諸瘡)>에 나온다.

酒歸飮

治痘瘡. 酒當歸, 白朮各一錢半, 酒笭, 酒芍藥, 川芎, 陳皮各一錢, 酒天麻, 蒼朮, 蒼耳各七分半, 酒黃柏, 酒甘草各四分 防風三分, 右剉, 作一貼, 水煎, 日三服, 服後穩睡片時.

38. 주자독서환 <온주법(醞酒法)>

쥬ᄌᆞ독셔환

지골피 이냥 셕챵포 오미ᄌᆞ 싱건지황 쳔궁 토ᄉᆞᄌᆞ 술의 ᄃᆞᆷ가 원지 감초 물의 복가 각 일냥을 작말ᄒᆞ야 풀을 ᄆᆞ이 (쌔)어 오동씨마곰 쵸ᄒᆞ고 ᄆᆡ양 팔구십 환이나 ᄇᆡᆨ탕의 먹거나 님와 의식ᄒᆞ라 사 ᄒᆞ여곰 날노 만언을 긔록하고 능히 ᄇᆡᆨ병을 더ᄂᆞ니라.

39. 지실주(枳實酒) <동의보감(東醫寶鑑)>

온몸에 흰 반진이 생겨 가려운 것을 치료한다. 지식 적당량을 밀기울과 함께 누렇게 볶아서 잘라 3돈씩 따뜻한 술 1잔에 잠시 담갔다가, 지실은 버리고 마신다. <득효(得效)>를 인용하였다. <피(皮)>에 나온다.

枳實酒

治遍身白疹瘙痒, 枳實不拘多少, 麩炒黃切片 每三錢, 溫酒一盞, 浸一時, 去枳實, 飮酒.

40. 청호주(靑蒿酒) <임원십육지(林園十六志)>

허로와 오래된 학질을 치료한다. 쑥을 찧어 즙을 취하여 보통 술 빚는 방법과 같이 빚어서 마신다. <본초강목>을 인용하였다.

靑蒿酒

<本草綱目> 治虛勞久瘧靑蒿搗汁煎過如常釀酒飮.

41. 총시주(蔥豉酒) <달생비서(達生秘書)> <동의보감(東醫寶鑑)>

풍한(風寒)을 화해시키고 땀을 내게 하나, 상한(傷寒)을 치료한다(처방은 상한문에 나온다).

蔥豉酒

和解風寒, 出汗, 治傷寒. <方見寒門>.

42. 총주(葱酒) <동의보감(東醫寶鑑)>

상한에 걸린 것을 막 알았을 때 쓴다. 수염뿌리가 달린 총백을 얇게 썰어 뜨거운 술에 넣어 마신다. 땀을 내면 낫는다. <속방(俗方)>을 인용하였다. <한(寒)>에 나온다.

葱酒

治感寒初覺, 連鬚葱白細切, 投熱酒中飮之取汗.

43. 축사주(縮砂酒) <임원십육지(林園十六志)>

음식을 소화시키고 기를 내려 준다. 심장과 복통을 그치게 한다. 사인을 볶아 가루로 빻아 주머니 속에 넣어 술 속에 담갔다 달여 마신다. <본초강목>을 인용하였다.

縮砂酒
<本草綱目> 消食和中下氣止心腹痛砂仁炒研佫盛浸酒煮飮.

44. 출소주(秫燒酒) <조선무쌍신식요리제법(朝鮮無雙新式料理製法)>

* 술에 사용되는 재료의 비율이나 술을 빚는 구체적인 방법이 전혀 언급되어 있지 않다.

수수소주(秫燒酒)
수수는 여러 곡식보다 매우 흔할 뿐더러 소쥬 밋흘 삼으면 소쥬가 만히 나고 맛도 독하고 하기도 쉬우니 대개 수수로 만히 만드나니라.

45. 침사주(鍼砂酒) <동의보감(東醫寶鑑)>

침사 1냥에 천산갑 가루 내어 1돈을 하루 동안 버무려서 재운다. 천산갑만 가려내고 침사는 술 1사발에 3~4일 동안 담가놓는다. 이 술을 입 안에 머금고, 겉으로는 자석 1덩어리를 솜에 싸서 귀를 막는다. 성내는 것과 색욕을 금한다. <의

감(醫鑑)>을 인용하였다. <이(耳)>에 나온다.

鍼砂酒

鍼砂一兩, 穿山甲末一錢, 拌鍼砂養一晝夜, (○)出山甲, 將鍼砂以酒一椀浸三四日, 噙酒口內, 外用磁石一塊綿裏塞耳, 忌怒戒色.

46. 통초주(通草酒) <임원십육지(林園十六志)>

오장의 기를 통하게 하고 12경락에 이롭다. 통초자(通草子, 으름, 목통) 삶은 즙과 누룩, 쌀로 술을 빚어 마신다. <본초강목>을 인용하였다.

通草酒

<本草綱目> 續五臟氣通十二經脉利云焦通草子煎汁同麴末釀酒服.

47. 해조주(海藻酒) <임원십육지(林園十六志)>

기를 치료한다. 해조(海藻) 1근을 깨끗이 씻어 술 속에 담갔다 아침저녁으로 마신다. <본초강목>을 인용하였다.

海藻酒

<本草綱目> 治癭氣海藻一斤洗淨浸酒日夜細飮.

48. 호골주(虎骨酒) <임원십육지(林園十六志)> <동의보감(東醫寶鑑)>

팔다리가 아픈 데, 신장이 약한 데, 관절염에 효과가 크다. 호수골(虎脺骨, 호랑이 뇌의 뼈) 1구(具)를 노랗게 구어서 빻아 누룩가루와 섞어 보통 술 빚는 방법대로 술을 빚어서 마신다. 또 술에 담갔다 마셔도 좋다. <본초강목>을 인용하였다.

팔과 다리의 통증을 치료한다. 병의 깊이에 관계없이 모두 효과가 있다. 호랑이의 정강이뼈를 누렇게 볶고 찧어서 가루를 내어 2냥과 영양각을 깎아서 가루 낸 것 1냥, 백작약 썬 것 2냥을 좋은 술 5되에 담가서 봄과 여름에는 7일간, 가을과 겨울에는 14일 동안 놓아둔다. 이것을 매일 빈속에 1잔씩 마신다. 겨울에 빨리 마시고 싶으면 은그릇에 가득 채워 화로 속에 2~3일 놓아두면 먹을 수 있다. <본초(本草)>를 인용하였다. <수(手)>에 나온다. <동의보감>.

근골의 독풍으로 떨리고 당기거나 구부리고 펴는 것을 제대로 할 수 없거나 여기저기로 돌아다니며 아픈 데 주로 쓴다. 뼈를 가루 내어 술에 담가 먹는다. 이것을 '호골주(虎骨酒)'라 한다. <본초(本草)>를 인용하였다. <풍(風)>에 나온다. <동의보감>.

虎骨酒

<本草綱目> 治臂脛疼痛歷節風腎虛膀胱寒痛虎脛骨一具炙黃搥碎同麴米如常釀酒飮亦可浸酒. (案)詳見 <仁濟志>.

虎骨酒

治臂脛通, 不計深淺皆效. 虎脛骨熬黃擣末二兩, 羚羊角屑一兩 白灼藥剉二兩, 右以好酒五升浸之, 春夏七日, 秋冬倍之, 每日, 空腹飮一盃, 冬月欲俗服, 銀器盛, 置爐中三兩日, 卽可服.

虎骨酒

主筋骨, 毒風攣急, 屈伸不得, 走注疼痛, 取骨末, 浸酒服, 名虎骨酒.

49. 홍국주(紅麴酒) <동의보감(東醫寶鑑)> <임원십육지(林園十六志)>

아주 뜨겁고 독이 있다. 장기(瘴氣)를 물리치고 타박상(打撲傷)을 치료한다. <입문>.

뱃속의 어혈과 산후의 어혈을 치료한다. 홍국을 물에 담갔다 끓여 마신다. <본초강목>을 인용하였다.

紅麴酒

大熱有毒, 辟瘴氣,療打傷 <入門>.

紅麴酒

<本草綱目> 治腹中及産後瘀血紅麴侵水煮飮.

50. 화사주(花蛇酒) <임원십육지(林園十六志)>

여러 풍증, 마비증, 경련, 부스럼 등을 치료하는 데 효과적이다. 백화사육(白花蛇肉) 1조(條)를 주머니에 싸서 누룩과 함께 항아리 밑에 놓고 그 위에 찹쌀밥으로 덮어두었다 21일 후 술이 익으면 마신다. 염사주(蚺蛇酒), 오사주(烏蛇酒), 복사주(蝮蛇酒) 등 여러 방법은 <인제지(仁濟志)>를 참조하라. <본초강목>을 인용하였다.

花蛇酒

<本草綱目> 治諸風頑痺癱緩攣急疼痛惡瘡疥癬用白花蛇肉一條俗盛同麴置於缸底糯飯盖之三七日取酒飮. (案)蚺蛇酒烏蛇酒蝮蛇酒諸方並詳見. <仁濟志>.

51. 황련주(黃連酒) <달생비서(達生秘書)> <동의보감(東醫寶鑑)>

술독을 풀어 사람을 상하게 하지 않는다. (어떤 술인지 분명하지 않다.) <달생비서>.

아주 뜨겁고 독이 있다. 장기(瘴氣)를 물리치고 타박상(打撲傷)을 치료한다. <입문>. 누룩에 녹두가 들어 있어서 해독에 좋다. <입문>. <달생비서>, <동의보감>.

입이나 혀가 헌 것을 치료한다. 좋은 술로 황련을 달여서 삼키면 바로 낫는다. <단심(丹心)>을 인용하였다. <구설(口舌)>에 나온다. <동의보감>.

黃連酒

解酒毒, 不傷人, <方見雜方>.

黃蓮(酒)

治口舌生瘡, 以好酒煮黃蓮取汁, 呷下, 入愈.

52. 회향주(茴香酒) <임원십육지(林園十六志)>

신장의 기운을 돋우며 어깨 결림, 심장과 복통을 치료한다. 회향을 술 속에 담갔다 마신다. <본초강목>을 인용하였다.

茴香酒

<本草綱目> 治卒腎氣痛偏墜牽引及心腹痛茴香浸酒煮飲之舶茴尤妙. (案)方見 <葆養志>.

제5부
누룩방문

누룩방문

스토리텔링 및 누룩 빚는 법

전통주에 대한 열정만으로 '전통주 교실'을 열고 강의를 시작한 지 얼마 되지 않은 때였다.

강의 시간에 교육생으로부터 "양주에 따른 주원료 가운데 무엇에 우선순위를 두는가?"라는 질문을 받은 적이 있었다.

처음에는 '술 빚을 때 가장 중요한 원료가 무엇인가?' 하는 물음인 줄 알았으나, '당신이 생각하는 가장 중요한 주원료가 무엇이냐?'는 뜻이었다.

사실 이러한 질문은 누구나 할 수 있고, 누구라도 간과할 수 있는 얘기이기도 하다. 원료가 좋아야 좋은 술을 빚을 수 있기 때문이다.

그런데도 '섬뜩'했다. 매일같이 대면하는 문제이면서도 심각하게 고민해 본 적이 없었다고 하는 것이 필자의 솔직한 고백이다.

흔히 술을 빚는 데 따른 필수조건으로서 '육재(六材)'를 얘기하는 까닭은, 어느 것 한 가지도 빼놓을 수 없는 것이기는 하지만, 동일한 조건에 놓였을 때의 결과물을 두고 생각해 보면 무엇이 가장 중요한지를 알 수 있을 것이다.

과거에는 좋은 원료와 물을 중요한 요소로 꼽았다. 지금처럼 농약이나 화학비료를 사용하지 않는 자연친화적 농사법과 자동차의 배기가스를 비롯한 산업현장의 매연과 건축자재 등으로 인한 생활환경 오염이 심각하지 않아, 전국 방방곡곡에서 깨끗한 공기와 물을 공급받을 수 있었고, 특히 발효에 따른 우수한 미생물의 생육조건도 좋았다.

하지만 산업화 과정에서의 환경파괴와 대기오염은 심각한 수준에 달했고, 생활주변은 다이옥신 등 각종 유해물질로 뒤덮여 좋은 미생물을 확보하기 힘든 상황에 처해 있다.

특히 술의 발효미생물인 누룩곰팡이와 효모균은 오염되지 않는 좋은 환경이 필요한데, 그렇지 못한 환경이 되고 말았다.

지금은 깊은 산속에서도 대기오염으로 인한 폐해를 실감하게 되는 만큼, 우수한 야생 누룩곰팡이와 효모균을 얻기가 힘들게 되었다.

배양 방식의 누룩곰팡이와 효모균은 획일화된 술맛으로 나타나 개성화 · 다양화로 대변되는 현대인들의 입맛과 기호를 충족시키기에는 한계성과 함께 '술맛이 단조로워 식상하다.'는 평가로 귀결된다.

그러니 "현대의 양주는 누룩에 달려 있다."고 할 수 있다.

결론적으로 "우리나라 전통주의 세계화를 위해서는 '다양한 누룩의 개발'이 절대적이며, 무엇보다 시급하다."는 것이 필자의 견해이다.

술 빚는 데 따른 제일 중요한 요소가 바로 누룩이라는 얘기다.

더러 "우리나라 전통주의 특성에 맞는 '양주호적미'와 '새로운 누룩균의 개발'이 필요하다."고 강조하지만, 기존의 다양한 누룩들에 대한 연구 결과부터 내놓아야 할 것이다.

조선시대 문헌에 등장하는 누룩의 종류만도 50여 가지나 되는데, 기존의 누룩에 대한 연구결과는 백지상태라고 해도 과언이 아니다.

생활환경이 나빠져서 다양하고 새로운 누룩곰팡이와 효모균의 배양이 어렵다는 변명만 늘어놓을 것이 아니라, 기존의 다양한 종류의 누룩을 복원하고 재현하려는 노력, 한 단계 더 나아가 다양한 종류의 누룩을 혼용한 발효미생물의 발효특성 등에 대한 연구도 실행되어야 한다.

그 결과를 놓고 새로운 미생물의 연구가 필요한 것인지를 결정해야 하는 것이 올바른 순서일 것이다.

물론, 이러한 연구가 한두 해의 짧은 시간으로 될 일이 아니다. 시간과 비용도 많이 든다.

그렇다고 해서 언제까지 일본의 연구결과물을 베껴 쓰는 얄팍한 수단을 계속 할 것인가?

<고사촬요(故事撮要)>를 비롯하여 <수운잡방(需雲雜方)>, <음식디미방>, <산림경제(山林經濟)>, <증보산림경제(增補山林經濟)> 등 고식문헌 몇 권만 뒤져도 다양한 누룩방문이 숱하게 나온다.

이들 문헌에는 누룩 빚는 법, 디디는 법, 발효방법과 갈무리하는 법까지 누룩 연구에 부족한 게 없다.

옛 조상들이 술 빚는 데 따른 누룩의 중요성을 설파해 놓은 사례들을 중심으로, 전통주의 양주에 필요한 사항들을 살펴보기로 한다.

조선시대 양주 관련 문헌으로는 76권을 바탕으로 누룩에 관하여 기록된 내용들을 중심으로 소개하면, <감저종식법(甘藷種植法)>의 '조주법(造酒法)'을 시작으로 <농정찬요(農政纂要)>의 '조곡법(造麯法)', <농정회요(農政會要)>의 '주(酒)'와 '주 속법(酒 俗法)', <산림경제>의 '누룩 만드는 법(造麴)', <음식디미방>의 '주국방문', <임원십육지(林園十六志)>의 '논국품(論麴品)' 및 '치국법(治麴法)', <조선무쌍신식요리제법(朝鮮無雙新式料理製法)>의 '누룩 만드는 법(造麯法)', <증보산림경제(增補山林經濟)>의 '누룩 만드는 방법(造麯方)' 및 '누룩 만드는 방법 속법(造麯方 俗法)', <해동농서(海東農書)>의 '누룩 만드는 법(造麯)' 등이 그것이다.

누룩에 관한 구체적인 사례들을 살펴보면, <감저종식법>에 '조주법'과 <농정찬요>에 '조곡법'에는 "밀 10말에 밀가루 2말의 비율로 누룩을 만든다."고 하고, "녹두를 물에 담갔다가, 녹두즙을 받고, 꼿꼿한 여뀌(속료, 蓼, 달여뀌)를 따서 녹두즙과 섞어 해 뜨기 전에 반죽한다. 누룩을 단단하게 디디려면, 그날 디딜 만한 인력(人力)을 헤아려야 한다. 반죽한 것은 하루 재워서 더 디딜 수 없기 때문이다. 단단하게 디디려면 한 덩이마다 연잎이나 도꼬마리 잎으로 꼭꼭 싸서 바람맞이 서늘한 곳에 매달았다가, 10월에야 잘 마무리해 두면 된다. 누룩을 잘 디디는 비결은, 전적으로 되게 반죽하여 꼭꼭 밟는 데에 있으니, 만약 반죽이 되지 않으면, 꼭꼭 밟으려고 해도 물기가 있어 뭉그러져 나오고, 꼭꼭 디디지 않으면, 누룩 기운이 이내 없어져 쌀을 이겨내지 못한다."고 한 내용을 볼 수 있다.

<농정회요>에 '주 속법'에는 "누룩 틀 안에 베보자기를 깔고 보자기 안에 풀이나 마 잎을 깔고 나서 반죽한 밀기울을 넣는다. 그 위에 다시 풀잎이나 마 잎을 덮은 뒤, 바로 보자기를 덮고 견고하게 밟는다. 누룩의 가운데가 약간 움푹 들어가게 해야 한다. 그렇지 않으면 가운데가 두꺼워 습기가 모이므로 가운데가 검게 썩을 염려가 있다."고 하고, "별도로 생제비쑥을 대청의 바람이 없는 건조한 곳에 깔고 뽑아낸 누룩 덩어리를 그 위에 올려놓고 다시 쑥으로 덮는다. 그 위에 다시 빈 대나무 그릇을 덮고 5~6일 동안 띄워 곰팡이가 누렇게 피면 비로소 매달아 놓는다."고 하였으며, <산림경제>에 '누룩 만드는 법'에는 <감저종식법>의 '조주법'과 동일한 내용을 신는 한편으로 "찹쌀을 달여꿔즙에 하룻밤 담갔다가 건져내어, 마른 밀가루와 고루 섞어 뜨는 것은 체로 건져 버리고, 종이봉지에 담아 바람맞이에 저장하여 한여름에 만든다. 두 달이면 쓸 수 있으니, 술을 빚으면 아주 전국술(醇)이 된다."고 하였다.

이들 방법은 한결같이 자연조건을 거스르지 않은, 습도와 온도, 바람 등 그때그때의 자연적 기후조건을 수용하는 자세이라는 점에서 의미가 크다고 생각한다.

사람이 살고 있는 집안이나 생활공간은 그 조건에 맞는 미생물의 생육활동이 이루어지므로, 발효도 술을 빚는 사람과 동떨어진 것으로 생각할 수 없다.

술을 빚는 사람마다의 몸에도 발효에 관여하는 미생물이 존재하고 각각 다른 맛과 향기를 나타내는 것으로 생각해야 한다.

똑같은 조건과 환경에서도 각기 다른 맛과 향기의 술이 되는 까닭이다.

효율적이고 합리적인 것만을 추구하는 현대인들의 성향에 대해 잘잘못을 논하자는 것이 아니라, 가장 자연적인 맛과 향기의 술을 빚으려는 노력을 하지 않는 양주산업은 반쪽짜리일 뿐이라고 생각한다.

가장 자연적인 발효와 인위적 배양균을 활용한 발효의 차이점과 그에 따른 장단점을 규명해 내지 못한다면 과학이라고도 할 수 없기 때문이다.

<음식디미방>에 '주국방문'에는 "비가 오면 반죽할 물을 데워서 쓴다. 날이 서늘하면 짚방석을 깔고 서너 두레씩 재워놓고, 짚방석으로 덮어주고 자주 뒤집어 주어 썩지 않게 고루 띄운다. 띄운 후에 하루 볕을 쬐여서 거두어들여 재워두고, 다시 많이 뜨거든 밤낮 이슬 맞히길 여러 날 하되, 비가 올까 싶으면 들여놓는다."고 하고, "봉상시(奉常寺, 조선조 개국 초기에 세워진 기관으로, 제사와 시호詩號를 논의하는 관청)에서는 6월에 두 두레씩 한데 매어달아 띄우다가, 또 두 두레씩 달아서 말린다."고 하여 궁중법의 누룩 제조법을 소개하고 있다.

<임원십육지>에 '논국품' 및 '치국법'에는 "옛사람들은 밀로 누룩을 디디고 기장으로 술을 빚었는데, 그 '맛이 맵고 성질이 뜨거우며 독이 있다.'고 여겼다. 그러나 오늘날에는 오두(烏頭), 파두(巴豆), 비상(砒霜), 생강, 계피, 석회, 아궁이재 등을 일부러 넣어 술맛을 내고 있으니, 몸을 해칠 뿐 아니라, 정신적인 해도 적지 않다."고 하여 술의 폐해가 누룩에 달려 있다는 사실을 경계하고, "누룩에 파, 팥, 천오(川烏) 등을 넣어 술을 빚어 마시면 머리가 아프고, 갈증이 나며, 석회(石灰)를 넣어 빚은 술을 마시면 가래가 생긴다."고 하여 누룩의 원료를 선택하는 데 따른 주의사항을 열거하였다.

그리고 "누룩을 만들 때 약재를 넣어 디딘 누룩이 성행한 것은 당나라 때부터다. 송나라 주굉(송나라 때 호주 사람. 자는 익중翼中. 자호는 무구자無求子, 대은옹大隱翁. 상한론에 조예가 깊고 휘종 때 의학박사를 받음)의 북산주경(北山酒經, 총 3권으로 된 양조 관련 서책, 총론總論, 제국制麴, 조주造酒로 구성)에 실린 누룩 만드는 법에서는 대체로 많은 경우, 맵고 강하며 독이 있고 뜨거운 것들을 빌려 그 기미를 돕는다. 그러므로 왕호고(王好古, 자는 진지進之, 호는 해장海藏. <탕액본초>의 저자)가 '충화를 상하고 정신을 축낸다.'고 한 것은 지나친 말이 아니다."고 하여 누룩의 효용성에 관하여 소개하고 있음을 볼 수 있다.

<임원십육지>의 '치국법'에는 "술을 빚을 때 우선 누룩을 밤알 크기로 부순다. 부순 누룩가루를 3일 동안 햇볕에 말린 후, 밤에는 이슬을 맞혀서 술을 빚을 때 사용한다. 사용하는 항아리는 물을 3일 동안 담았다가 버리고, 완전히 말린 후 연기로 그을려서 사용한다."고 하여 법제(法製)하는 방법과 술독의 사용법에 대해 언급한 것을 볼 수 있다.

<조선무쌍신식요리제법>에 '누룩 만드는 법'에서는 "보리를 썩힌 것을 누룩(麯)이라 하고, 곡식을 싹을 내는 것을 엿기름(얼, 蘖)이라 하나니, 누룩을 빚는(釀須)것이요, 엿기름은 달게 하는 재료(酣料)라. 지나 사람이 누룩 쓰기를 술(酒)과 초(酢)와 장(醬)과 젓(醢) 세 가지 다 넣어 만들되, 우리나라 사람은 술 빚고 초만 만들 뿐이요, 엿기름에 당하여서는 우리나라나 지나에서나 다만 엿을 고아 만드는 데만 쓰는 것이 매우 적으니라. 예부터 누룩과 엿기름을 합하여 국얼(麴蘖)이라 하는 고로, 이 끝에 말하였나니, 엿기름은 싹이라 하는 말이니라. 이것은 첫번에 보리로 썩힌다 하는 것은, 아마 옛적에는 밀보다는 보리를 많이 한 것인 듯하노라."고 하여 누룩과 엿기름(맥아)의 차이에 대해 구체적으로 언급하였다. 또 "술 담그는 쌀이 좋지 못하나 누룩은 정하게 하고 물은 맑은 걸로 하는 고로, 누룩이 제일 약이 되는 것이니, 만일에 누룩이 좋지 못하면 술맛을 어디다가 찾으리오. 그런고로 묘방을 이 아래 만이 말하였노라."고 하고, "무릇 술맛이 좋고 흉하기는 전수 이 누룩이 좋고 좋지 못한 데 있나니라. 밀을 얼마든지 물에 담가서 모래와 물에 뜨는 것을 다 건져 버리고 볕에 쬐어 말린 후 갈든지 찧되, 밀 한 말에 누룩이 두 되 가는 것을 표준하고, 누룩을 만들 때 먼저 녹두를 물에 담가 즙을 내었다가, 매운 여뀌와 녹두즙에 만들지니, 해 돋을 때에 누룩을 반죽하되, 강하게 하기를 사람의 힘닿는 대로 하여야 할 것이요, 또 반죽하고 밤은 지내지 못할지라. 밟기를 또 극히 단단하게 할지나 둥글게 한 것을 한 장씩 연잎이나 도꼬마리 잎으로 단단히 싸고 바람이 서늘하여 통하는 곳에 달았다가, 시월이면 거두나니 무릇 누룩이 좋은 것은 전수이 되게 반죽하고, 단단하게 밟으려면 즙이 나는 것이요, 만일 단단히 밟지 않으면 누룩 힘을 잃어버려 쌀을 능히 죽이지를 못하나니라."고 하여 누룩 디디는 법에 대해 자세하게 수록하였다. 또한 "시속법은 나무로 틀을 짜되, 우물정자와 같이하여 크기가 작은 말과 같이 하고, 틀 안에 베보자기를 펴고 보자기 안에 피마자잎을 깔고 그 속에 비로소 밀기울 반죽을 잔뜩 다져 넣고, 또 피마자잎을 깔고 보자를 싸서 단단히 밟나니, 밟을 때 누룩 한가운데를 당하거든 발뒤꿈치로 몹시 짓찧어 누룩 한가운데가 우묵하게 할지니, 그렇지 않으면 가운데가 두껍거나 축축하게 모디어 가운데가 썩을 염려가 있나니라. 만일 누룩 만들 때를 어긋쳐 팔구월에 이르거든 처음 만들어 짚둥을 이어

게를 담고, 한 둥우리에 한 냥중 누룩을 넣고 덮어서 더운 곳에 둔 지 오륙일 되거든 잠깐 바람 부는 데 내어놓았다가, 곧 도로 넣고 덮은 지 삼칠일이면 되나니라. 누룩이 너무 낮게 되면 술맛이 슴슴하나니, 대개 밀이 열 말에 누룩 두 말을 취하는 것이 법이니라. 누룩은 밀과 보리와 밀과 쌀로 만드는 것이 한결같지 아니한데, 술이나 초에나 넣어서 공을 일우는 효험은 모두 저지 아니하난이라."고 하여 다시 민간의 누룩 만드는 법과 디디는 법, 술을 빚을 때 양 등에 대해서도 언급한 것을 볼 수 있다.

<증보산림경제>에 '누룩 만드는 방법' 및 '누룩 만드는 방법 속법', 그리고 <해동농서>에 '누룩 만드는 법'도 위의 문헌들에 수록된 내용과 같은 것이다.

이처럼 누룩에 관한 상세한 기록들을 두고도 그간 우리는 무관심으로 일관해왔다. 오히려 '우리 것'이라 하여 내팽개쳐 버리고 일본식 누룩(粒麴, 입국)에 열을 올린 결과, 산업화를 시작한 지 100년이 지나도록 이렇다 할 성과를 나타내지 못한 것이 아니냐 하는 비판을 받기에 마땅하다.

심지어 국가기관에서까지 "전통누룩보다 입국이 간편하고 수월하며, 비용이 적게 든다." 하여 일본의 입국방식의 양주를 추구해 왔거나, "전통누룩에 관해서는 '아는 바도 없거니와 연구해 본 경험도 없다.' 하여 100년이 넘는 세월 동안 지금까지 추구해 온 입국방식에 안주해 오지 않았나." 하는 의구심을 갖기에 이른다.

언젠가 온라인상에서 국세청의 양주 전담자가 전통방식의 주모(석임)에 대하여 "미신적이고 미개한 방법"이라고 매도한 글을 본 적이 있는 필자로서는 그들의 정체성을 의심할 수밖에 없었다.

필자는 "막걸리가 대중화될수록 일본의 사케가 덕을 볼 것"이라는 경고를 해왔었다. 지금의 사케 열풍은 한동안 계속될 것이다.

이러한 현상이 한동안의 열풍으로 그치고, 사케 소비 인구가 전통주로 입맛을 바꿔주기를 희망한다.

그리고 그 배경에 우리 전통누룩에 대한 연구와 결실이 반영되었으면 하는 바람이다.

1. 논국품(論麴品) <임원십육지(林園十六志)>

1. 옛사람들은 밀로 누룩을 디디고 기장으로 술을 빚었는데, 그 '맛이 맵고 성질이 뜨거우며 독이 있다.'고 여겼다.

그러나 오늘날에는 오두(烏頭), 파두(巴豆), 비상(砒霜), 생강, 계피, 석회, 아궁이재 등을 일부러 넣어 술맛을 내고 있으니, 몸을 해칠 뿐 아니라 정신적인 해도 적지 않다. <탕액본초(湯液本草)>를 인용하였다.

2. 누룩에 파, 팥, 천오(川烏) 등을 넣어 술을 빚어 마시면 머리가 아프고 갈증이 나며, 석회(石灰)를 넣어 빚은 술을 마시면 가래가 생긴다. <식물본초(植物本草)>를 인용하였다.
3. 누룩을 만들 때 약재를 넣어 디딘 누룩이 성행한 것은 당나라 때부터다. 송나라 주굉(송나라 때 호주 사람. 자는 익중翼中. 자호는 무구자無求子, 대은옹大隱翁. 상한론에 조예가 깊고 휘종 때 의학박사를 받음)의 북산주경(총 3권으로 된 양조 관련 서책, 총론總論, 제국制麴, 조주造酒로 구성)에 실린 누룩 만드는 법에서는 대체로 많은 경우, 맵고 강하며 독이 있고 뜨거운 것들을 빌려 그 기미를 돕는다. 그러므로 왕호고(王好古, 자는 진지進之, 호는 해장海藏. <탕액본초>의 저자)가 '충화를 상하고 정신을 축낸다.'고 한 것은 지나친 말이 아니다. 지금은 모두 수록하지 않으니, 만약 술 빚는 법에 누룩 만드는 법을 아울러 제시하지 않을 수 없는 것은, 각각 본방 안에서 보라.

論麴品

古人惟以麥造麴釀黍已爲辛熟有毒今之造者加以烏頭巴豆砒霜薑桂石灰竈灰之類大毒大熟之藥以增其氣味豈不傷冲和損精神涸榮衛竭天癸而夭夫人壽耶. <湯液本草> 麴有葱及紅豆川烏之類者飮之頭痛口渴用灰者聚痰. <植物本草>. 案藥麴之盛粤自唐宋朱肱北山酒經所載麴法大抵多假辛烈毒熱之物以助其氣味王海藏所謂傷冲和損精神非過語也今槩不收錄若其釀法之不得不並擧麴法者各見本方之內.

1. 치국법(治麴法) <임원십육지(林園十六志)>

1. 술을 빚을 때 우선 누룩을 밤알 크기로 부순다.
2. 부순 누룩가루를 3일 동안 햇볕에 말린 후, 밤에는 이슬을 맞혀서 (법제를 한 후) 술을 빚을 때 사용한다.
3. 사용하는 항아리는 물을 3일 동안 담았다가 버리고, 완전히 말린 후 연기로 그을려서 사용한다.

* 주방문 말미에 "염인(染人 : 잡인雜人의 오기誤記이거나 성관계를 가진 사람, 전염병과 같은 질병이 있는 사람으로 추측할 수 있겠으나 뜻이 명확하지 않다), 임신부, 상중인 사람, 승려가 가까이 있으면 안 된다."고 하였다. <삼산방>을 인용하였다.

治麴法
造酒者先期碎麴如栗子大曝晒三日夜承露氣去其艾氣用熟瓮沈水三日淨洗薰以稿烟用之最忌染人孕婦孝子僧髡. <三山方>.

1. 경각화준순주국(頃刻花浚巡酒麴)

<오주연문장전산고(五洲衍文長箋散稿)>

–경각국(頃刻麴)

누룩 재료 : 도화 3냥 3돈, 마란화 5냥 5돈, 지미화 6냥 6돈, 황감국 9냥 9돈, 납수 3말, 거피도인 49매, 흰밀가루 10근

준비 물품 : 술독, 자배기, 맷돌/절구, 종이봉투

누룩 빚는 법 :

1. 삼월 삼짇날 도화 3냥 3돈을 음건한다.
2. 5월 5일에 마란화 5냥 5돈을 음건한다.
3. 6월 6일에 지미화 6냥 6돈을 음건한다.
4. 9월 9일에 황감국 9냥 9돈을 음건한다.
5. 12월 8일에 납수를 3말 길어다 독에 담고 춘분이 되기를 기다린다.
6. 춘분일에 도인 49매를 취해서 거피하고, 끄트머리를 제거하여 놓는다.
7. 흰밀가루 10근에 도화 및 미란화, 지미화, 황감국을 한데 합하고, 독에 길어다 놓은 납수를 쳐가면서 절구통에 넣고 떡메로 찧는다.
8. 밀가루 반죽을 진흙처럼 만들어서 구슬 같은 환약 빚듯 누룩밑을 빚는다.

9 누룩밑을 한데 모아서 종이에 싸서 (시렁에 매달아 놓고) 49일간 띄워 누룩을 만들어놓는다.

술 빚는 법 :

1. 매번 솥에 물 1대접을 백비탕으로 끓인다.
2. 백비탕에 누룩환 1개와 닭알만 한 누룩(비선국) 1덩어리 넣고 완전히 봉해서 한참을 두면 술이 된다. 만약 술맛이 싱거우면 누룩환을 1개 더 넣고 잠깐 두었다가 마신다.

* 경각화준순주법의 주방문이 곧 누룩 제조법이기도 하다. '경각국(頃刻麴)'이라고도 한다. 누룩방문 말미에 "만드는 방법은 비록 이와 같지만, 내 생각에는 약의 근량에 구애받지 말고, 시간에 구애받지 말고 약을 등분해서 밀가루를 섞어서 땅속에 묻었다 쓰는 것은 가능하다고 생각한다. 마합화는 속명인데 정란화이다. <물리소지>에 '하북주에는 모두 오두(부자)로 누룩을 만들었다.'고 하니, 이것이 술 빚는 누룩을 만드는 대략이다."고 하였다.

頃刻麴

도화 3냥 3전, 마란화 5냥 5전, 지마화 6냥 6전, 작고 노란 감국 9냥 9전을 모두 음건해서 12월 8일에 납수(臘水) 3말을 취해서 춘분까지 두어라. 도인 49매를 껍질을 벗기고 끄트머리를 제거하고 흰밀가루 10근과 동량의 꽃과 섞어 누룩을 만드는데, 종이에 싸서 49일을 띄운 다음에 꺼내어 총알 만하게 환을 만든다. 매번 쓸 때마다 백비탕 한 대접에 누룩환 하나와 위에 닭알만 한 누룩 1덩어리 넣고 완전히 봉해서 한참을 두면 술이 된다. 만약 술맛이 싱거우면 누룩환을 1개 더 넣어서 잠깐 있다가 취해서 마시라고 했는데, 만드는 방법은 비록 이와 같지만, 내 생각에는 약의 근량에 구애받지 말고 시간에 구애받지 말고 약을 등분해서 밀가루를 섞어서 땅속에 묻었다 쓰는 것은 가능하다고 생각한다. 마란화는 속명인데 정란화이다. <물리소지>에 하북주에는 모두 오두(부자)로 누룩을 만들었다고 하니, 이것이 술 빚는 누룩을 만드는 대략이다.

1. 경향옥액주 누룩 <양주방>*

누룩 재료 : 멥쌀 2말, 솔잎 또는 볏짚, 빈 섬
준비 물품 : 자배기, 맷돌/절구, 고운체, 김체, 쳇다리, 솔잎/볏짚

누룩 빚는 법 :

1. 2월 초순에 희게 쓿은 멥쌀 2말을 백세작말하여 그릇에 담아놓는다.
2. 쌀가루가 말랐으면 물을 적당량 뿌려가면서 섞어 고운체에 내린다.
3. 쌀가루를 두 손으로 쥐어 달걀 크기로 단단히 뭉쳐 배꽃술누룩(이화곡)밑을 만든다.
4. 종이상자나 시루에 솔잎이나 볏짚을 깔고, 누룩밑을 켜켜로 넣고 띄운다.
5. 3~4일이나 7일 간격으로 바꿔쌓기 하여 21일가량 띄운다.
6. 배꽃술누룩이 완성되면 법제한 후, 가루로 빻고 깁체에 내려 준비한다.

* '경향옥액주' 주방문 머리에 누룩 빚는 법이 나와 있으므로 여기에 수록하였다.

경향옥익쥬
이월 쵸싱의 빅미 두 말을 빅셰작말흐야 니화쥬 민드라 두고 동월 념후 졈미 두 말 빅셰작말하야……

1. 곡자(麯子) <조선고유색사전(朝鮮固有色辭典)>

누룩 재료 : 통밀, 엿기름가루

준비 물품 : 시루, 맷돌/절구, 체, 쳇다리, 청호(쑥의 한 가지), 종이상자/빈 섬

누룩 빚는 법 :

1. 여름부터 가을 사이에 통밀을 물에 깨끗하게 씻어 잠깐 불렸다가, 다시 헹궈서 소쿠리에 밭쳐 물기를 빼놓는다.
2. 씻어 불린 통밀을 시루에 안쳐서 쪄낸다.
3. 쪄낸 통밀에 엿기름가루를 섞고, 고루 힘껏 오랫동안 치대어 반죽을 만든다.
4. 누룩틀(크기 : 1되형, 2되형, 3되형)에 소창을 깔고 누룩반죽을 채워서 단단히 디뎌서 누룩밑을 성형한다.
5. 누룩틀에서 누룩밑을 빼낸 후, 종이상자나 빈 섬에 청호를 깔고 켜켜이 묻어서 온돌방에 두고 띄운다.
6. 2~3일 간격으로 바꿔쌓기를 거듭하여 30일가량 띄운 다음, 옆세워서 건조시킨다.
7. 술 빚기 2~3일 전 법제하여 사용한다.

麯子

카우지. 쿄크시. 누룩. 국자. 조곡. 분곡. 국. 면국. 곡자. 곡벽(백). 주매.

곡자(麯子, 麴)는 여름부터 가을에 걸쳐 띄우는 것이 보통이다.

밀을 쪄서 엿기름과 혼합하여 발바닥으로 짓눌러 반죽하고, 한 되형, 두 되형, 다섯 되형 등의 크기로 뭉쳐서 온돌 장치가 되어 있는 방에 넣고, 청호(菁蒿)를 사이사이 깔아주고 쌓아서 띄워 누룩곰팡이(麯黴)를 번식시키고, 1개월 내외를 경과하여 뒤집어 옆으로 늘어놓는다.

누룩곰팡이는 하등균류의 일종이다. 하나의 세포로부터 다음의 신세포를 출아하며, 독립된 신세포가 되어 번식한다. 발효작용을 가지며, 전분을 당류로

산화시킨다. 곡자는 가루가 성긴 것을 조곡(粗麯)이라 하고, 가루가 고운 것을 분곡(粉麯)이라 하며, 조곡은 탁주(濁酒)의 원료로, 분곡은 약주(藥酒)의 원료로 사용한다.

1. 조국(造麴) <감저종식법(甘藷種植法)>

누룩 재료 : 밀 10말, 녹두, 여뀌잎, 창이잎(도꼬마리, 또는 연잎) 물

누룩 빚는 법 :

1. 소맥(밀)의 양에 관계없이 (맷돌에) 갈거나 (방아에) 찧는다.
2. 밀 10말에서 밀가루 2말을 취하여 누룩을 만드는데(누룩이 적으면 술맛이 싱겁다), 밀가루를 넓은 그릇에 담아놓는다.
3. 녹두를 물에 담가 3~4시간 불렸다가, 맷돌에 갈아서 베주머니에 담고 짜서 그 즙을 취하고 찌꺼기를 제거한다.
4. 매운 여뀌를 채취하여 (잎을 따서 깨끗하게 씻어 짓찧어) 녹두즙에 넣어 하룻밤 불려놓는다.
5. 해가 아직 뜨지 않은 이른 아침에 녹두즙에서 여뀌잎을 건져낸다.
6. 준비한 밀가루에 녹두즙을 뿌려가면서 섞고, 중간체에 한 번 내린다.
7. 밀가루를 반죽하는 데 따른 녹두즙의 양은 주먹으로 쥐어서 덩어리가 만들어질 정도가 되도록 그 양을 조절한다.
7. 밀가루가 뭉쳐지면, 준비한 누룩틀에 젖은 베보자기를 깔고, 밀가루 반죽을 채워 넣고 다진 다음, 누룩틀 위로 올라가 발뒤꿈치로 매우 단단히 다져 디딘다.
8. 누룩밑이 완성되었으면, 틀에서 빼내어 창이잎이나 연잎으로 단단히 싸고 볏짚으로 묶어놓는다.
9. 바람이 잘 드나드는 마루나 대청의 시렁이나 벽에 매달아 두었다가, 10월이 되면 거두어들인다.

造麴

初伏後最佳中伏後末伏前次之小麥不拘多少磨搗率麥十斗取麪二斗爲准踏麴(麴劣則酒味薄)先浸菉豆取汁取辢蓼與菉豆汁和造日未出時溲麴欲剛量是日

人力可踏溲之不可經宿踏欲極堅每團用蓮葉蒼耳葉密裏懸當風處十月收之造麴全在剛溲堅踏若不剛溲雖欲堅踏濃潰而出若不堅踏麴力頓失不能殺米.

2. 조국법(造麴法) <고사신서(攷事新書)>

누룩 재료 : 밀 10말, 녹두, 여뀌잎, 창이잎(도꼬마리) 또는 연잎, 누룩틀, 베보자기, 물

누룩 빚는 법 :

1. 소맥(밀)의 양에 관계없이 (맷돌에) 갈거나 (방아에) 찧는다.
2. 밀 10말에서 밀가루 2말을 취하여 누룩을 만드는데(누룩이 적으면 술맛이 싱겁다), 밀가루를 넓은 그릇에 담아놓는다.
3. 녹두를 물에 담가 3~4시간 불렸다가, 맷돌에 갈아서 베주머니에 담고 짜서 그 즙을 취하고 찌꺼기를 제거한다.
4. 매운 여뀌를 채취하여 (잎을 따서 깨끗하게 씻어 짓찧어) 녹두즙에 넣어 하룻밤 불려놓는다.
5. 해가 아직 뜨지 않은 이른 아침에 녹두즙에서 여뀌잎을 건져낸다.
6. 준비한 밀가루에 녹두즙을 뿌려가면서 섞고, 중간체에 한 번 내린다.
7. 밀가루를 반죽하는 데 따른 녹두즙의 양은 주먹으로 쥐어서 덩어리가 만들어질 정도가 되도록 그 양을 조절한다.
8. 밀가루가 뭉쳐지면, 준비한 누룩틀에 젖은 베보자기를 깔고, 밀가루 반죽을 채워 넣고 다진다.
9. 누룩틀 위로 올라가 발뒤꿈치로 매우 단단히 다져 디딘다(누룩을 잘 디디는 비결은 전적으로 되게 반죽하여 꼭꼭 밟는 데에 있으니, 만약 반죽이 되지 않으면 꼭꼭 밟으려고 해도 물기가 있어 뭉그러져 나오고, 꼭꼭 디디지 않으면 누룩 기운이 이내 없어져 쌀을 이겨내지 못한다).

10. 누룩밀이 완성되었으면, 틀에서 빼내어 창이잎이나 연잎으로 단단히 싸고 볏짚으로 묶어놓는다.
11. 바람이 잘 드나드는 마루나 대청의 시렁이나 벽에 매달아 두었다가, 10월이 되면 거두어들인다.

* 주의사항 :
  1) 삼복(三伏)중에 누룩을 디뎌두면 벌레가 꼬이지 않는다.
  2) 목일(木日)에 누룩을 만들면 (술이) 시어진다.
  3) 누룩을 디디는 시기는 초복 후가 가장 좋고, 중복 후 말복 전은 그 다음이다.
  4) 누룩을 디디기 전에 인력을 헤아려 하루해를 넘기지 않도록 한다.

造酒法

三伏中合麴不生蟲 木日造麴則酸.

初伏後最佳中伏後末伏前次之小麥不拘多少磨搗率麥十斗取麪二斗爲准踏麴(麴劣則酒味薄)先浸菉豆取汁取蘚蓼與菉豆汁和造日未出時溲麴欲剛量是日人力可踏溲之不可經宿踏欲極堅每團用蓮葉蒼耳葉宻裹懸當風處十月收之造麴全在剛溲堅踏若不剛溲雖欲堅踏濃潰而出若不堅踏麴力頓失不能殺米.

3. 조국법(造麴法) <고사십이집(攷事十二集)>

누룩 재료 : 밀 10말, 녹두, 여뀌잎, 창이잎(도꼬마리) 또는 연잎, 누룩틀, 베보자기, 물

누룩 빚는 법 :

1. 소맥(밀)의 양에 관계없이 (맷돌에) 갈거나 (방아에) 찧는다.
2. 밀 10말에서 밀가루 2말을 취하여 누룩을 만드는데(누룩이 적으면 술맛이

싱겁다), 밀가루를 넓은 그릇에 담아놓는다.

3. 녹두를 물에 담가 3~4시간 불렸다가, 맷돌에 갈아서 베주머니에 담고 짜서 그 즙을 취하고 찌꺼기를 제거한다.
4. 매운 여뀌를 채취하여 (잎을 따서 깨끗하게 씻어 짓찧어) 녹두즙에 넣어 하룻밤 불려놓는다.
5. 해가 아직 뜨지 않은 이른 아침에 녹두즙에서 여뀌잎을 건져낸다.
6. 준비한 밀가루에 녹두즙을 뿌려가면서 섞고, 중간체에 한 번 내린다.
7. 밀가루를 반죽하는 데 따른 녹두즙의 양은 주먹으로 쥐어서 덩어리가 만들어질 정도가 되도록 그 양을 조절한다.
8. 밀가루가 뭉쳐지면, 준비한 누룩틀에 젖은 베보자기를 깔고, 밀가루 반죽을 채워 넣고 다진다.
9. 누룩틀 위로 올라가 발뒤꿈치로 매우 단단히 다져 디딘다(누룩을 잘 디디는 비결은 전적으로 되게 반죽하여 꼭꼭 밟는 데에 있으니, 만약 반죽이 되지 않으면 꼭꼭 밟으려고 해도 물기가 있어 뭉그러져 나오고, 꼭꼭 디디지 않으면 누룩 기운이 이내 없어져 쌀을 이겨내지 못한다).
10. 누룩밀이 완성되었으면, 틀에서 빼내어 창이잎이나 연잎으로 단단히 싸고 볏짚으로 묶어놓는다.
11. 바람이 잘 드나드는 마루나 대청의 시렁이나 벽에 매달아 두었다가, 10월이 되면 거두어들인다.

* 주의사항 :
  1) 삼복(三伏)중에 누룩을 디뎌두면 벌레가 꼬이지 않는다.
  2) 목일(木日)에 누룩을 만들면 (술이) 시어진다.
  3) 누룩을 디디는 시기는 초복 후가 가장 좋고, 중복 후 말복 전은 그 다음이다.
  4) 누룩을 디디기 전에 인력을 헤아려 하루해를 넘기지 않도록 한다.

* <고사신서>에는 수록된 '조국법'은 사실 '누룩 디디기 좋은 날(조국길일)'이다.

造酒法

三伏中合麴不生蟲. 木日造麴則酸.

造麴

初伏後最佳中伏後末伏前次之小麥不拘多少磨搗率麥十斗取麪二斗爲准踏麴(麴劣則酒味薄)先浸菉豆取汁取䔖蓼與菉豆汁和造日未出時溲麴欲剛量是日人力可踏溲之不可經宿踏欲極堅每團用蓮葉蒼耳葉密裏懸當風處十月收之造麴全在剛溲堅踏若不剛溲雖欲堅踏濃潰而出若不堅踏麴力頓失不能殺米.

4. 조곡법(造麯法) <군학회등(群學會騰)>

누룩 재료 : 밀 1말, 녹두, 여뀌잎, 연잎 또는 창이잎(도꼬마리), 베보자기, 물

누룩 빚는 법 :

1. 밀을 양에 구애받지 말고 일어, 모래와 물에 뜬 찌꺼기를 제거하고 햇볕에 말려 맷돌에 가는데, 대체로 밀 1말에 밀가루 2되를 얻는 것을 기준으로 한다.
2. 준비한 분량의 녹두를 물에 담가 즙을 취한 뒤, 날료(辣蓼, 달여뀌)와 섞는다.
3. 해 뜨기 전에 누룩을 반죽하는데, 단단하게 해야 한다.
4. 누룩을 밟을 수 있는 그날의 일손을 헤아려 반죽해야지, 반죽하고 나서 하룻밤을 묵혀서는 안 된다.
5. 누룩을 밟을 때는 아주 견고하게 해야 한다. 덩어리마다 연잎이나 도꼬마리 잎으로 꼭 싸 바람이 통하는 서늘한 곳에 걸어두었다가 10월에 거둔다.

造麯方

凡酒味之厚薄 專在於造麯之善不善矣 小麥不拘多少 淘去砂石反浮水者 晒乾磨搗 率麥一斗 取麪二升爲准 留麯先浸菉豆取汁 取辣蓼(달엿귀) 與菉豆

汁和造 日未出時搜麯 浴剛 量是日人力可踏而搜之 不可旣搜而經宿也 踏浴極堅 每圓 用蓮葉蒼耳葉密裹.

5. 조곡법 속법(造麯法 俗法) <군학회등(群學會騰)>

누룩 틀 안에 베보자기를 깔고 보자기 안에 풀이나 마잎을 깔고 나서 반죽한 밀기울을 넣고, 그 위에 다시 풀잎이나 마잎을 덮은 뒤, 바로 보자기를 덮고 견고하게 밟는데 누룩의 가운데가 약간 움푹 들어가게 해야 한다. 그렇지 않으면 가운데가 두꺼워 습기가 모이므로 가운데가 검게 썩을 염려가 있다. 별도로 생제비쑥을 대청의 바람이 없는 건조한 곳에 깔고 뽑아낸 누룩 덩어리를 그 위에 올려놓고 다시 쑥으로 덮는다. 그 위에 다시 빈 대나무 그릇을 덮고 5~6일 동안 띄워 곰팡이가 누렇게 피면 비로소 매달아 놓는다.

造麯方 俗法(민가 누룩 디디는 방법)
麯機內布布袱袱內布草麻葉始下搜麩又其上布葉卽掩袱堅踏而要麯心梢凹不然心厚濕聚致有中心腐黑之患矣另以生靑蒿布以軒廳無風乾燥處安卽出之麯於蒿上復以蒿盖之其上又以空(篅)復之痷之五六日上黃衣方懸掛.

6. 조곡법(造麯法) <농정찬요(農政纂要)>

−麯味甘澁食消血下義也

1. 누룩을 디디는 시기는 초복 후가 가장 좋고, 중복 후 말복 전은 그 다음이다.
2. 밀을 얼마든지 좋으니, 갈아서 밀 10말에 밀가루 2말을 취하여 누룩을 만든다.
3. 녹두를 물에 담갔다가 녹두즙을 받고, 꽂꽂한 여뀌(속료, 蓼, 달여뀌)를 따서 녹두즙과 섞어 해 뜨기 전에 반죽하되, 누룩을 단단하게 디디려면, 그날

디딜 만한 인력(人力)을 헤아려야 한다.

4. 반죽한 것은 하루 재워서 더 디딜 수 없기 때문이다. 단단하게 디디려면 한 덩이마다 연잎이나 도꼬마리잎으로 꼭꼭 싸서 바람맞이 서늘한 곳에 매달았다가, 10월에야 잘 마무리해 두면 좋은 누룩이 된다.
5. 누룩을 잘 디디는 비결은, 전적으로 되게 반죽하여 꼭꼭 밟는 데에 있으니, 만약 반죽이 되지 않으면 꼭꼭 밟으려고 해도 물기가 있어 뭉그러져 나오고, 꼭꼭 디디지 않으면 누룩 기운이 이내 없어져 쌀을 이겨내지 못한다.
6. 신미(辛未)·을미(乙未)·경자(庚子)일이다. 또 제·만·개·성(除·滿·開·成)일이다. 육갑 순으로 돌아온다.
7. 삼복(三伏)중에 누룩을 만들면 벌레가 생기지 않는다. 초복 뒤가 가장 좋고, 중복 후 말복 전이 다음으로 좋다.
8. 오행(五行)상의 목일(木日)에 누룩을 만들면 쉰다.
9. 이외 "매달 초하루는 누룩 만드는 길일이다."라고 하였다.

* 명리가(命理家)들이 쓰는 용어로 십이신(十二神 : 定, 執, 破, 危, 成, 收, 開, 閉, 建, 除, 滿, 平)이 용사(用事)하는 날을 일자에 배열한 것.

造麯方

三伏中合麯 不生蟲 初伏後最佳 中伏後末伏前 次之 小麥不拘多少 淘去砂石 反浮水者 晒乾磨擣 率麥一斗 取麪二升爲准 留麯先浸菉豆取汁 取辣蓼(달엿미) 與菉豆汁和造 日未出時搜麯 欲剛量是日人力可踏而搜之不可旣搜而經宿也踏浴極堅. 每圓 用蓮葉蒼耳葉密裹. 懸當風通涼處至十月收之造麯良好全在剛溲堅踏若不剛溲. 雖欲堅踏濃潰而出若不堅踏麯力頓失不能殺米.

7. 주(酒) <농정회요(農政會要)>

1. 무릇 술맛이 좋고 나쁨은 오로지 누룩을 잘 만드는가 여부에 달려 있다.

2. 밀을 양에 구애받지 말고 일어, 모래와 물에 뜬 찌꺼기를 제거하고 햇볕에 말려 맷돌에 가는데, 대체로 밀 1말에 밀가루 2되를 얻는 것을 기준으로 한다.
3. 우선 녹두를 물에 담가 즙을 취한 뒤, 날료(辣蓼, 달여뀌)와 섞어 만든다.
4. 해 뜨기 전에 누룩을 반죽하는데, 단단하게 해야 한다.
5. 누룩을 밟을 수 있는 그날의 일손을 헤아려 반죽해야지, 반죽하고 나서 하룻밤을 묵혀서는 안 된다.
6. 밟을 때는 아주 견고하게 해야 한다.
7. 덩어리마다 연잎, 도꼬마리잎으로 꼭 싸 바람이 통하는 서늘한 곳에 걸어두었다가 10월에 거둔다.
8. 누룩을 잘 만드는 것은 전적으로 단단하게 반죽하고 견고하게 밟는 데에 달려 있다.
9. 만일 단단하게 반죽하지 않으면 아무리 견고하게 밟고자 해도 진물이 흘러나오고, 견고하게 밟지 않으면 누룩의 효능이 크게 없어져 술밥을 삭히지 못한다.

酒

凡酒味之厚薄 專在於造麯之善不善矣 小麥不拘多少 淘去沙石及浮水者 晒乾磨搗 率麥一斗 取麪二升爲准 留麯先浸菉豆取汁 取辣蓼(달엿괴) 與菉豆汁和造 日未出時搜麯 欲量是日人力可踏而搜之不可旣搜而經宿也踏浴極堅. 每團 用蓮葉蒼耳葉密裹. 懸當風通涼處至十月收之造麯良好全在剛溲堅踏若不剛溲. 雖欲堅踏濃漬而出若不堅踏麯力頓失不能殺米.

8. 주 속법(酒 俗法) <농정회요(農政會要)>

1. 누룩 틀 안에 베보자기를 깔고 보자기 안에 풀이나 마잎을 깔고 나서 반죽한 밀기울을 넣는다.
2. 그 위에 다시 풀잎이나 마잎을 덮은 뒤, 바로 보자기를 덮고 견고하게 밟는다.

3. 누룩의 가운데가 약간 움푹 들어가게 해야 한다. 그렇지 않으면 가운데가 두꺼워 습기가 모이므로 가운데가 검게 썩을 염려가 있다.
4. 별도로 생제비쑥을 대청의 바람이 없는 건조한 곳에 깔고 뽑아낸 누룩 덩어리를 그 위에 올려놓고 다시 쑥으로 덮는다.
5. 그 위에 다시 빈 대나무 그릇을 덮고 5~6일 동안 띄워 곰팡이가 누렇게 피면 비로소 매달아 놓는다.

酒 俗法

麯機內布布袱袱內布草蓏葉始下搜麩又其上布葉卽掩袱堅踏而要麯心捎凹不然心厚濕聚致有中心腐黑之患矣另以生青蒿布以軒廳無風乾燥處安卽出之麯於蒿上復以蒿盖之其上又以空(篖)復之痷之五六日上黃衣方懸掛. 三伏中合麴不生虫初伏後最佳中伏後末伏前次之.

9. 조곡법(造麯法) <민천집설(民天集說)>

누룩 재료 : 밀 10말(밀가루 2말), 녹두즙, 연잎 또는 도꼬마리잎, 여뀌잎

누룩 빚는 법 :

1. 누룩 디디는 시기는 초복 후가 가장 좋고, 중복 후 말복 전은 그 다음이다.
2. 밀을 얼마든지 좋으니 갈아서 가루를 만들되, 밀 10말에 밀가루 2말의 비율로 섞어 반죽을 한다.
3. 우선 녹두를 물에 담갔다가, 맷돌에 갈아서 녹두즙을 받고, 꼿꼿한 여뀌(竦蓼, 달여뀌)를 따서 녹두즙과 섞어 해 뜨기 전에 반죽한다.
4. 반죽한 것은 하루 재워서 디딜 수는 없으므로, 누룩을 단단하게 디디려면, 그날 디딜 만한 인력(人力)을 헤아려, 누룩틀에 채워 넣고 발로 단단히 디딘다.

5. 한 덩이마다 연잎이나 도꼬마리 잎으로 꼭꼭 싸서 바람맞이 서늘한 곳에 매달았다가, 10월에야 갈무리해 두면 된다.

* 누룩방문 말미에 "누룩을 잘 디디는 비결은 전적으로 되게 반죽하여 꼭꼭 밟는 데에 있으니, 만약 반죽이 되지 않으면 꼭꼭 밟으려고 해도 물기가 있어 뭉그러져 나오고, 꼭꼭 디디지 않으면 누룩 기운이 이내 없어져서 쌀을 이겨내지 못한다."고 하였다.

造麯法

<造麯法> 麴味甘溫淸令以消血下氣也. <四時纂要> 以初伏後最佳. 中伏後末伏前爲次之. 少麥不拘多少磨擣. 取造麴. 麴劣. 致酒味薄. 率麥十斗. 取麵二斗爲准留麴. 先浸菉豆取汁 取竦蓼(달엿긔) 與菉豆汁和造 日未出時溲麴 欲剛. 量是日人力可踏溲之 不可經宿踏 欲極堅 每團 用蓮葉蒼耳葉密裹. 懸當風通冷處 至十月收之 造麴良好. 全在剛溲堅踏也 若不剛溲 則雖欲堅踏 濃潰而出 若不堅踏 麴力頓失 不能殺米 纂要 <四時纂要> <山林經濟>.

10. 조국법(造麴法) <사시찬요초(四時纂要抄)>

누룩 재료 : 밀 10말(밀가루 2말), 녹두 적당량, 여뀌 적당량, 연잎 또는 도꼬마리잎

누룩 빚는 법 :

1. 밀을 얼마든지 좋으니 (물에 깨끗이 씻어 건져서 볕에 말린다.)
2. 밀을 맷돌에 갈아서 밀 10말에 2말 비율의 밀가루를 분리한다.
3. 녹두를 물에 깨끗하게 씻어 담갔다가, 맷돌에 갈아 녹두즙을 받아낸다.
4. 무성하게 자란 여뀌(속료, 蓼, 달여뀌)를 따서 녹두즙과 섞어 하룻밤 재워 놓는다.

5. 다음날 해 뜨기 전에 녹두즙과 밀가루를 반죽하되, 밀가루에 녹두즙을 고루 뿌려 섞고, 중간체에 한 번 내린다.
6. 밀가루를 손으로 쥐어서 뭉친 다음, 밀가루가 풀어지지 않고 뭉쳐지되, 축축한 느낌이 들지 않으면 알맞은 반죽 상태이다.
7. 단단하게 디디려면 누룩틀에 젖은 베보자기를 깔고, 그 안에 밀가루를 다져 채운 뒤 베보자기로 덮고, 누룩틀 위로 올라가 발뒤꿈치로 단단히 다져 디딘다.
8. 누룩밑이 단단히 다져졌으면 틀에서 빼내고, 한 덩이마다 연잎이나 도꼬마리잎으로 꼭꼭 싸고, 볏짚이나 끈으로 묶어놓는다.
9. 누룩밑을 바람맞이 서늘한 곳에 매달았다가, 10월이 되면 잘 마무리해 두면 된다.

* 누룩방문 말미에 "무릇 술맛의 진하고 박한 것은 누룩 디디는 데 달려 있다." 고 하고, "누룩을 잘 디디는 비결은 전적으로 되게 반죽하여 꼭꼭 밟는 데에 있으니, 만약 반죽이 되지 않으면 꼭꼭 밟으려고 해도 물기가 있어 뭉그러져 나오고, 꼭꼭 디디지 않으면 누룩 기운이 이내 없어져 쌀을 이겨내지 못한다. 누룩을 단단하게 디디려면, 그날 디딜 만한 인력(人力)을 헤아려야 한다. 반죽한 것은 하루 재워서 더 디딜 수 없기 때문이다."고 하였다.

造麴法

造麴初伏後最佳中伏候末伏前次之小麥不拘多小磨擣取造麴麴劣致酒味薄率麥十斗取麵二斗爲惟留麴先浸菉豆取汁取簌蓼(달엿긔)與菉豆汁和造日未出時溲麴欲剛量是日人力可踏溲之不可經宿踏欲極堅每團用蓮葉蒼耳葉密○懸當風通凉處至十月收之造麴良好全在剛溲堅踏若不剛溲雖欲堅踏濃潰而出若不堅踏麴力頓失不能殺米.

11. 조국법(造麴法) <산가요록(山家要錄)>

누룩 재료 : 밀기울 1섬, 녹두 1말, 여뀌잎, 연꽃, 연잎, 닥나무잎

누룩 빚는 법 :

1. 복날 전날 저녁에 녹두를 깨끗이 물에 담갔다가, 복날 건져내어 푹 쪄내고 차게 식힌다.
2. 여뀌잎과 연꽃을 같이 맷돌에 넣고 갈아서 베주머니에 넣고 짜서 녹즙을 취한다.
3. 밀기울 1섬에 찐 녹두 1말의 비율로 준비한 녹즙에 섞어 (절구에 넣고) 짓찧어 둥글게 빚는다(둥근 누룩틀에 채워서 디뎌도 된다).
4. 누룩을 디디는데 단단할수록 좋으므로 단단히 오랫동안 밟아 디딘다.
5. 연잎과 닥나무잎으로 싸고 일반적인 방법으로 띄운다.
6. 21일이 지나면 곰팡이가 생기는데, 더 이상 따뜻해지지 않거나 부풀어 오르지 않으면 내어서 햇볕에 말려두었다가 쓴다.
7. 대개 술을 빚을 때는 누룩을 밤알만큼 부수어 햇볕에 3일간 말리고 밤에 이슬 맞히기를 반복한다.
8. 술을 빚을 때는 아주 잘 말려서 빚어야 실수가 전혀 없다.

造麴法

三伏時爲貴. 伏日前夕 彔豆淨洗浸水. 伏日朝前全蒸. 蓼葉蓮花等 分磨石上取汁. 其火與彔豆 合其水. 熟擣上槽 作圓. 其火一石 彔豆一斗 爲率 以堅爲貴. 各以荷葉楮葉裹之 懸乾. 經三七日. 生黃毛 晒乾用之. 凡造酒者. 碎匊如栗大 晒乾三日. 浸水二日 每朝改水. 釀時極燥 釀之 萬不一失.

12. 조국법 우법(造麴法 又法) <산가요록(山家要錄)>

–가을철용

누룩 재료 : 겉보리 1말, 밀가루 1~2되, 물

누룩 빚는 법 :

1. 가을에 쓸 겉보리 1말을 깨끗이 씻어서 먼지나 돌이 하나도 없게 한다.
2. 보리를 절구에 빻은 보릿가루에 밀가루 1~2되를 섞고, 물을 조금씩 뿌려서 다시 섞는다.
3. 보릿가루와 밀가루 섞은 것을 오랫동안 치대어 반죽을 한 후, 얇고 단단하게 밟아 누룩을 디딘다.
4. 연기에 쐬어서 띄우는 법은 복날 누룩 만드는 법과 같다(연잎과 닥나무잎으로 싸고 일반적인 방법으로 띄운다. 21일이 지나면 곰팡이가 생기는데, 더 이상 따뜻해지지 않거나 부풀어 오르지 않으면 내어서 햇볕에 말려두었다가, 대개 술을 빚을 때는 누룩을 밤알만큼 부수어 햇볕에 3일간 말리고 밤에 이슬 맞히기를 반복한다).
5. 술을 빚을 때 가는체로 쳐서 그 껍질을 걸러내고 빚어야 색이 희고 맛이 좋다.

造麴法 又法

秋節用. 眞麥一斗 淨洗. 令無塵石 舂正不去末. 惑添眞末一二升 小水 和合. 體薄堅踏. 薰乾之法. 卽與伏匊同. 造酒時 細篩 去其皮. 釀之. 色白而味好.

13. 양국법(良麴法) <산가요록(山家要錄)>

–좋은 누룩 만드는 법

누룩 재료 : 밀기울(밀가루) 1말, 녹두 1되, 물

누룩 빚는 법 :

1. 삼복 때 녹두 1되(초복 때는 녹두 1되, 중복 때는 녹두 2되)를 맷돌에 타서 껍질을 벗기고 물에 담가서 불린다.
2. 녹두가루 불린 것을 체에 건져서 물기를 뺀 뒤, 시루에 안쳐서 떡고물같이 찐다.
3. 초복에는 밀을 물에 깨끗하게 씻어 볕에 말렸다가, 맷돌에 갈아서 가루를 빻는다.
4. 밀기울(밀가루) 1말 찐 녹두 1되를 골고루 섞어서 누룩반죽을 만든다.
5. 누룩틀에 누룩밀을 채워 담고, 발로 단단히 디뎌서 누룩밀을 만든다.
6. 연잎과 닥나무잎으로 싸고 일반적인 방법으로(시렁에 매달아) 띄운다.
7. 21일이 지나면 곰팡이가 생기는데, 더 이상 따뜻해지지 않거나 부풀어 오르지 않으면 내어서 햇볕에 말려두었다가 쓴다.
8. 대개 술을 빚을 때는 누룩을 밤알만큼 부수어 햇볕에 3일간 말리고 밤에 이슬 맞히기를 반복한다.
9. 술을 빚을 때는 아주 잘 말려서 빚어야 실수가 전혀 없다.

良麴法

三伏時 彔豆磨去皮 浸水. 熟蒸如餠槊.

14. 양국법 우법(良麴法 又法) <산가요록(山家要錄)>

−좋은 누룩 만드는 또 다른 방법

누룩 재료 : 초복(밀기울 1말, 녹두 1되), 중복(밀기울 1말, 녹두 2되), 말복(밀기울 1말, 녹두 3되), 삼복(밀기울 1말, 녹두 3되), 여뀌 1섬(2섬), 닥잎(피마자잎)

누룩 빚는 법 :

1. 초복 때는 밀기울 1말에 녹두 1되, 중복 때는 밀기울 1말에 녹두 2되, 말복 때는 녹두 3되의 비율로 준비한다.
2. 녹두는 묵 안치듯이 거피하여 녹두를 갈아 녹두즙을 만든다.
3. 녹두즙을 준비한 밀기울과 섞고, 오랫동안 치대어 반죽을 한다.
4. 누룩틀은 엷은 두께로 준비하여 반죽을 채우고, 단단히 디디고, 조그마한 누룩밑을 만든다.
5. 누룩밑을 닥나무잎이나 피마자잎으로 두껍게 싸 (시렁에) 매달이 띄우는데, 10월이 거둬들인다.

* 누룩방문 말미에 "누룩틀이 크면 잘라서 두 조각으로 만들어도 된다. 녹두가 적으면 1말에 1되로 해도 된다."고 하였다.

良麴法 又法

磨破去皮 洗淨浸水. 以磨石水磨之 亦可. 瓶以初伏則. 其火一斗 菉豆一升 中伏則一斗二升. 末伏則一斗三升 和堅踏之. 蒼平葉厚裹 懸乾. 匊槽若大則 剖作兩片 爲可. 若菉豆小則 每斗一升 亦可.

15. 조국(造麴) <산림경제(山林經濟)>

누룩 재료 : 밀 10말, 녹두 적당량, 여뀌 적당량, 연잎 또는 도꼬마리잎

누룩 빚는 법 :

1. 밀을 얼마든지 좋으니 (물에 깨끗이 씻어 건져서 볕에 말린 다음) 맷돌에 갈아서 밀 10말에 2말 비율의 밀가루를 분리한다.
2. 녹두를 물에 깨끗하게 씻어 담갔다가, 맷돌에 갈아 녹두즙을 받아낸다.

3. 무성하게 자란 여뀌(속료, 蓼, 달여뀌)를 따서 녹두즙과 섞어 하룻밤 재워 놓는다.
4. 다음날 해 뜨기 전에 녹두즙과 밀가루를 반죽하되, 밀가루에 녹두즙을 고루 뿌려 섞고, 중간체에 한 번 내린다.
5. 밀가루를 손으로 쥐어서 뭉친 다음, 밀가루가 풀어지지 않고 뭉쳐지되, 축축한 느낌이 들지 않으면 알맞은 반죽 상태이다.
6. 단단하게 디디려면 누룩틀에 젖은 베보자기를 깔고, 그 안에 밀가루를 다져 채운 뒤 베보자기로 덮고, 누룩틀 위로 올라가 발뒤꿈치로 단단히 다져 디딘다.
7. 누룩밑이 단단히 다져졌으면 틀에서 빼내고, 한 덩이마다 연잎이나 도꼬마리잎으로 꼭꼭 싸고, 볏짚이나 끈으로 묶어놓는다.
8. 누룩밑을 바람맞이 서늘한 곳에 매달았다가, 10월이 되면 잘 마무리해 두면 된다.

* 누룩방문 머리에 "조국길일(누룩 디디기 좋은 날)은 신미(辛未)·을미(乙未)·경자(庚子)일이다."고 하였다. <거가필용>과 <고사촬요>를 인용하였다.
* 또 좋은 날은, <고사촬요>를 인용하여 "제(除)·만(滿)·개(開)·성(成)일이다."고 하였다. 또 <동파집>을 인용하여 "삼복중에 누룩을 디디면 벌레가 안 꾄다. 목일(木日)에 누룩을 디디면 술맛이 시다."고 하였다.

造麴

初伏後最佳. 中伏後末伏前次之. 少麥不拘多少磨擣 率麥十斗 取麪二斗爲准留麴. 麴劣, 則酒味薄 先浸菉豆取汁. 取竦蓼(달엿괴) 與菉豆汁和造. 日未出時溲麴 欲剛. 量是日人力可踏溲之. 不可經宿踏. 欲極堅 每團 用蓮葉蒼耳葉密裹 懸當風通涼處 至十月收之. 造麴良好 全在剛溲堅踏. 若不剛溲 雖欲堅踏 濃潰而出 若不堅踏. 麴力頓失 不能殺米. <纂要>.

16. 조국(造麴) <산림경제촬요(山林經濟撮要)>

1. 조국길일(누룩 디디기 좋은 날)은 신미(辛未) · 을미(乙未) · 경자(庚子)일이다. <거가필용>, <고사촬요>를 인용하였다.
2. 또 좋은 날은, 제(除) · 만(滿) · 개(開) · 성(成)일이다. <고사촬요>를 인용하였다.
3. 삼복중에 누룩을 디디면 벌레가 안 꾄다. <동파집>을 인용하였다.
4. 매달 누룩을 디디는 길일은, 다음 술 빚는 길일을 참고할 것.
5. 목일(木日)에 누룩을 디디면 술맛이 시다.
6. 누룩을 디디는 시기는 초복 후가 가장 좋고, 중복 후 말복 전은 그 다음이다. 밀을 얼마든지 좋으니, 갈아서 밀 10말에 밀가루 2말의 비율로 누룩을 만든다. 우선 녹두를 물에 담갔다가, 녹두즙을 받고, 꽂꽂하 여뀌(속료, 蓼, 달여뀌)를 따서 녹두즙과 섞어 해 뜨기 전에 반죽하되, 누룩을 단단하게 디디려면 그날 디딜 만한 인력(人力)을 헤아려야 한다. 반죽한 것은 하루 재워서 더 디딜 수 없기 때문이다. 단단하게 디디려면 한 덩이마다 연잎이나 도꼬마리잎으로 꼭꼭 싸서 바람맞이 서늘한 곳에 매달았다가, 10월에 잘 마무리해 두면 좋은 누룩이 된다.
7. 누룩을 잘 디디는 비결은 전적으로 되게 반죽하여 꼭꼭 밟는 데에 있으니, 만약 반죽이 되지 않으면 꼭꼭 밟으려고 해도 물기가 있어 뭉그러져 나오고, 꼭꼭 디디지 않으면 누룩 기운이 이내 없어져 쌀을 이겨내지 못한다. <사시찬요>를 인용하였다.
8. 달여뀌(蓼)로 누룩 디디는 법은, 찹쌀을 달여뀌즙에 하룻밤 담갔다가, 뜨는 것은 체로 건져 버리고, 마른 밀가루와 고루 섞어 종이봉지에 담아 바람맞이에 저장하여 한여름에 만든다. 두 달이면 쓸 수 있으니, 술을 빚으면 아주 전국술(醇)이 된다. <신은(神恩)>을 인용하였다.

造麴

少麥不拘多少淘去沙石及浮水者晒乾磨擣 率麥一斗 取麪二升爲准留麴. 先

浸菉豆取汁 取竦蓼(달엿고) 與菉豆汁和造 日未出時溲麴 欲剛 量是日人力可踏溲之 不可 旣搜而經宿則踏 欲極堅 每團 用蓮葉蒼耳葉密裹 當風通涼處至十月收之. 凡造麴良好 全在剛溲堅踏 若不剛溲 雖欲堅踏 濃潰而出 若不堅踏 麴力頓失 不能殺米.

造麯 俗法

麯機內布布袱袱內布草麻葉始下搜麩又其上布葉卽俺袱堅踏而要麯心捎凹不然心厚濕聚致有中心腐黑之患矣另以生靑蒿布以軒廳無風乾燥處安卽出之麯於蒿上復以蒿盖之其上又以空(簣)復之(掩)之五六日上黃衣方懸掛.

17. 누룩 만드는 법 <언서주찬방(諺書酒饌方)>

누룩 재료 : 녹두 1~3되, 밀기울(가루) 1말, 초재(쑥잎), 누룩틀, 면보자기, 맷돌

누룩 빚는 법 :

1. 삼복 때에 녹두를 갈아 거피하여 물에 담갔다가, 익게 쪄서 떡소같이 무른 듯 하게 뭉개어 가는 어레미로 쳐서 내린다.
2. 밀을 물에 씻어 잠깐 불렸다가 물기를 뺀다.
3, 씻은 밀을 맷돌에 갈아 가루(기울)를 만든다.
4. 누룩을 디딜 때가 초복이면 밀기울 1말에 녹두 1되, 중복이면 녹두 2되, 말복이면 녹두 3되를 섞는다.
5. 누룩틀에 녹두가루 섞은 밀기울을 넣고 채운 뒤, 발로 단단히 디딘다.
6. 디딘 애누룩을 틀에서 빼내어 (잠깐 두었다가) 초재(쑥잎)로 두터이 싸 말리되, 누룩이 열흘이 되어야 좋다.

누록 ᄆᆞᄃᆞᆫ 법一初伏麥末一斗菉末一升 中伏菉末二升 末伏菉末三升

삼복 저긔 녹두를 ᄀᆞ라 거피ᄒᆞ야 믈에 ᄃᆞᆷ갓다가 닉게 뼈 쎡소 ᄀᆞ티 ᄂᆞ론이 뭉긔여 ᄀᆞᄂᆞᆫ 어러미로 처셔 초복이어든 기울 ᄒᆞᆫ 말애 녹도 ᄒᆞᆫ 되를 섯고 듕복이어든 두 되 식 섯고 말복이어든 서 되 식 섯거 ᄀᆞ장 오래 ᄃᆞᆫ:케 드듸여 ᄡᅮᆨ닙흐로 두터이 빠 ᄆᆞᆯ뢰오ᄃᆡ 누록이 열웨야 됸ᄂᆞ니라.

18. 누룩 만드는 또 한 법 <언서주찬방(諺書酒饌方)>

누룩 재료 : 녹두 1~3되, 밀 1말, 누룩틀, 면보자기, 초재(쑥잎), 맷돌

누룩 빚는 법 :

1. 삼복 때에 녹두를 갈아 거피하여 물에 담갔다가, 두부 앗듯이 물을 쳐가면서 곱지도 거칠지도 않게 갈아 녹두가루즙을 만든다.
2. 밀을 물에 씻어 잠깐 불렸다가 물기를 뺀다.
3, 씻은 밀을 맷돌에 갈아 밀가루(밀기울)를 만든다.
4. 누룩을 디딜 때가 초복이면 밀기울 1말에 녹두 1되즙, 중복이면 녹두 2되즙, 말복이면 녹두 3되즙을 섞고, 힘껏 치댄다.
5. 누룩틀에 녹두가루즙 섞은 밀기울을 넣고 채운 뒤, 발로 단단히 디뎌서 애누룩을 만든다.
6. 디딘 애누룩을 틀에서 빼내어 (잠깐 두었다가) 초재(쑥잎)로 두터이 싸 말리되(띄우되), 열흘이 되어야 누룩이 좋다.

누록 ᄆᆞᆫᄃᆞᄂᆞᆫ 법

ᄯᅩ ᄒᆞᆫ 법은 녹두를 ᄀᆞ라 거피ᄒᆞ야 믈에 ᄃᆞᆷ갓다가 두부 앗ᄃᆞ시 ᄂᆞ론케 ᄀᆞ라 기울에 섯ᄂᆞᆫ 수ᄂᆞᆫ 우흿 법 ᄀᆞ티 ᄒᆞ야 드듸여 ᄡᅮᆨ에 빠 ᄆᆞᆯ뢰야 녹뒤 젹거든 ᄒᆞᆫ 되 식도 므던 ᄒᆞ니라.

19. 누룩 만드는 또 한 법 <언서주찬방(諺書酒饌方)>

누룩 재료 : 밀, 녹두, 여뀌, 생쑥

누룩 빚는 법 :

1. 밀을 물에 깨끗이 씻어 일어 건져서 물기를 뺀 다음, 잠깐 말린다.
2. 밀을 맷돌에 갈아 작말하여(가루로 빻아) 그릇에 담아놓는다.
3. 녹두를 두부 만들듯이 맷돌에 갈아 물에 풀어놓는다.
4. 녹두 푼 물에 생여뀌를 짓찧어 풀어 넣으면, 그 물이 푸르고 맛이 가장 맵게 된다.
5. 밀가루에 녹두와 여뀌 푼 물을 뿌려 섞고, 고루 치대어 반죽을 만든다.
6. 누룩 한 두레에 닷 되 분량씩 나누어 누룩틀에 다져 넣고, 단단히 밟아 애누룩을 디딘다.
7. 공석을 탁자 위에 서너 벌 깔고, 그 위에 마른 쑥을 깔고 애누룩을 새끼로 매어 격지격지 놓는다.
8. 누룩 위에 생쑥을 두터이 덮고, 다시 공석을 서너 벌 덮어 덥게 하여 21일 후에 열어보아, 말랐으면 다른 데 옮긴다.

* 누룩방문 말미에 "누룩을 술 빚을 때 밤낮 마곰(이슬 맞히고 햇볕 쬐어) 마아(빻아) 사흘 볕 쬐어 쑥내 없앤 후에 찧어 쓰라. 독을 가장 익은 것을 가려서 물 부어 2~3일간 우려내어 쓰라. 물을 자주 갈아 잡내 없어지면 조심하여 빚으면 좋다."고 하여 누룩과 술독의 전처리 방법을 언급하였다.

누록 ᄆᆞᆫᄃᆞᄂᆞᆫ 법—菉豆 一圓五升

밀흘 죄 시서 이러 잠ᄭᅡᆫ ᄆᆞᆯ뢰야 작말ᄒᆞ고 녹두ᄅᆞᆯ 두부 ᄋᆞᆺᄃᆞᆺ ᄀᆞ라 믈에 플고 그 믈에 ᄉᆡᆼ엿괴ᄅᆞᆯ 촉 미ᄃᆞ시 즈티면 그 믈이 프ᄅᆞ고 마시 ᄀᆞ장 ᄆᆡᆸ거ᄃᆞᆫ 밀ᄀᆞᆯᄅᆡ 섯거 ᄒᆞᆫ 두레예 닷 되식 드듸여 공셕을 탁ᄌᆞ 우희 서너 ᄇᆞᆯ ᄭᆞᆯ고 그 우희 ᄆᆞ른

ᄡᅮᆨ을 ᄭᆞᆯ고 누록을 ᄉᆞᄎᆞ로 ᄆᆡ야 격지 두어 노코 누록 우희 ᄉᆡᆼᄡᅮᆨ을 두터이 덥고 ᄯᅩ 공셕 서너 블을 더펴 덥게 ᄒᆞ야 세 닐웨 후에 보면 ᄆᆞᆯ랏거든 다른 ᄃᆡ 옴기라.

20. 주국(酒麴) <오주연문장전산고(五洲衍文長箋散稿)>

酒麴 辨證說

무릇 술을 빚는 데는 반드시 누룩을 기다려야 한다. <예기>에 "술을 빚는 데는 육재가 있어야 한다."고 했다. 누룩은 반드시 그때에 맞는 법이 있어야 하는데, 특별히 소맥으로 누룩을 할 뿐만 아니라, 곡식으로 명칭을 삼고, 이것을 아울러 제조해서 누룩이 완성되는데, 반드시 기후에 쪄지고 답답하고 어둡고 따뜻한 힘(따뜻하고 어두운 곳에서 잘 덮어서 띄워야 함)이 있어야 그 힘으로 비로소 완성된다. 다시 누룩이 완성된 후에 '정화곡'으로 그 매운 성질을 도와야 술을 빚어서 술맛이 변하지 않게 된다. 그런고로 혹은 그 누룩의 명칭을 '국신(麴信)'이라 하고 신(信)은 또 신(汛) 혹은 신(迅)이라고도 했다. 다시 누룩을 제조하는 증거를 변론해 놓았다. 위의 누룩을 빚는 데는 목일(木日)을 꺼렸는데, 목일에 빚은 누룩으로 술을 담그면 바로 술이 시게 된다. 그래서 누룩은 귀한 것인데, 누룩은 삼복중에 빚는 것이 가장 마땅하다. 단단하게 밟아서 딱딱하게 되어야 하니, 거칠게 되면 기운이 새고, 멥쌀이 뜨기가 어려워 술의 진한 맛을 잃게 된다.

홍국이 있는데, 소맥이 아니면 멥쌀로 빚었다. 그 제법은 <본초강목>과 <물리소지>와 <천공개물>에 나타나 있다. 그래서 내가 다 연문과 장전 중에 변증을 했으므로, 자세한 것은 거기서 상고할 수 있다.

민소기(중국 오랑캐)에 '양능'은 주명(酒名)인데, 그 누룩은 밤에는 이슬을 먹고, 낮에는 다시 햇볕을 쬐어서 그 맛이 맵고 독하다. 주량이 커도 5되를 마시지 못한다. 그런데 술을 빚을 때 녹두를 넣으면 술맛이 순하고 두터우며, 만약 의인을 넣으면 술맛이 텁텁하고 미끌거린다. 때문에 의인으로 누룩을 만드는 것도 있다.

<물리소지>에 약으로 빚는 '약국(藥麴)' 비법이 있는데, 빚는 법은 음양곽, 지황, 산양피, 오가피를 작말하고, 지각(탱자 껍질) 안에 넣어서 알을 품은 닭 둥우리 안에 넣었다가, 전 누룩에 합해서 술 빚을 때 쓰거나 소주를 내릴 때 물에 넣고 끓여서 소주를 땅에 묻는다. 3년 되어 꺼내 쓰면 약효가 매우 묘하니, 편의에 따라서 증품을 하는 것이니, 이것을 대략 변증하였다.

21. 조국법 <온주법(醞酒法)>

누룩 재료 : 초복(밀기울 1말, 녹두 1되), 중복(밀기울 1말, 녹두 2되), 말복(밀기울 1말, 녹두 3되), 삼복(밀기울 1말, 녹두 3되), 여뀌 1섬(2섬), 닥잎(피마자잎)

누룩 빚는 법 :

1. 초복 때는 밀기울 1말에 녹두 1되, 중복 때는 밀기울 1말에 녹두 2되, 말복 때는 (밀기울 1말에) 녹두 3되의 비율로 준비한다.
2. 녹두는 묵 안치듯이 거피하여, 녹두를 갈아 녹두즙을 만든다.
3. 녹두즙을 준비한 밀기울과 섞고, 오랫동안 치대어 반죽을 한다.
4. 누룩틀은 엷은 두께로 준비하여 반죽을 채우고, 단단히 디디고, 조그마한 누룩밑을 만든다.
5. 누룩밑을 닥나무잎이나 피마자잎으로 뚜껍게 싸 (시렁에) 매달아 말린다.

* 누룩방문 말미에 "녹두가 적을 때는 1되씩 넣어 디디되, 삼복에 술항아리에 녹두 3말 거피하여 물에 담갔다가, 여뀌잎 2섬을 섞어 맷돌에 갈아 즙 짜 주대에 받치고 기울 섞어 디디되, 한 두레에 닷 되씩 넣어 많이 겸시게 디디어 닥잎을 두꺼이 싸고 질그릇에 밖을 싸 바람 없는 데 두라. 음건하여 무수히

바래어 가을에 햇볕 든 데 달아두라."고 하였다.

조국법

삼복시예 누룩 드딜 졔 초복의ᄂᆞᆫ 기울 ᄒᆞᆫ 말의 녹두 ᄒᆞᆫ 되 즁복의ᄂᆞᆫ 기울 한 말의 녹두 두 되 말복의ᄂᆞᆫ 서 되를 ᄒᆞᄃᆡ 묵 앗듯 거피ᄒᆞ여 ᄀᆞ라 기울의 섯거 여른 틀의 ᄃᆞᆫᄃᆞᆫ 드듸고 죠고마치 남 ᄌᆞ닙 듯거이 싸 돌아 말뇌고 녹두 젹거든 ᄒᆞᆫ 되식 여흐ᄃᆡ 삼복의 기울 한 녹두 서 말 거피ᄒᆞ여 물의 ᄃᆞᆷ으고 엿귀닙 두 셤 섯거 ᄆᆡᆺ돌의 ᄀᆞᆯ아 즙 짜 쥬리 ᄇᆞ리고 길울 섯거 드ᄃᆡᄂᆞᆫ ᄃᆡ ᄒᆞᆫ 두레예 닷 되식 여허 ᄆᆞ이 견실케 드듸여 닥닙흘 듯거이 싸고 쟈르 그ᄅᆞᄉᆞ로 밧글 싸 ᄇᆞ람 업ᄉᆞᆫ ᄃᆡ ᄃᆞ라 음건ᄒᆞ여 무수히 ᄇᆞᄅᆡ여 ᄀᆞ을의 힛살 든 ᄃᆡ ᄃᆞ라 두라.

22. 주국방문 <음식디미방>

누룩 재료 : 밀기울 5되, 물 1되, 누룩틀 1개, 면보자기 1장, 볏짚, 공석

누룩 빚는 법 :

1. 밀기울 5되에 물 1되씩의 비율로 섞는다(찰기가 생길 때까지 고루 버무리고 치대어놓는다).
2. (누룩틀 안에 면보자기를 물에 적신 후에 꼭 짜서 겹치지 않게 깔고, 그 안에 밀반죽을 넣고 다진 후 보자기로 싼다.)
3. 누룩은 발로 밟되 (발뒤꿈치로 단단히) 아주 많이(오랫동안) 디뎌 밟는다.
4. (단단히 밟아졌으면, 틀에서 빼낸다.)
5. 누룩은 음력으로 6월에 디디면 좋고, 7월 초순도 좋다.
6. 더울 때는 마루방에 두 두레씩 재워놓고, 자주 서로 뒤집어 놓으며 썩을 염려가 있으면 한두 차례씩 바람을 쏘인다.
7. 비가 오면 반죽할 물을 데워서 쓴다.

8. 날이 서늘하면 짚방석을 깔고 서너 두레씩 재워놓고, 짚방석으로 덮어주고 자주 뒤집어 주어 썩지 않게 고루 띄운다.
9. 띄운 후에 하루 볕을 쬐여서 거두어들여 재워두고, 다시 많이 뜨거든 밤낮 이슬 맞히길 여러 날 하되, 비가 올까 싶으면 들여놓는다.

* 누룩방문 말미에 "봉상시(奉常寺 : 조선조 개국 초기에 세워진 기관으로, 제사와 시호詩號를 논의하는 관청)에서는 6월에 두 두레씩 한데 매어 달아 띄우다가, 또 두 두레씩 달아서 말린다."고 하였다.

쥬국방문
누록을 뉵월 드듸면 죠코 칠월 쵸싱도 죠ᄒᆞ니라 더운 제어든 말방의 두 둘에식 가혀 노코 ᄌᆞ로 서로 두의시러 노흐며 석을가 시보거든 ᄒᆞᆫ 두레식 ᄇᆞ롬벽의 셰우라 기울 닷 되예 물 ᄒᆞᆫ 되식 섯거 ᄀᆞ장 ᄆᆞ이 드듸ᄃᆡ 비 오거든 믈을 데여 드듸라 날이 서늘커든 ᄇᆡᆨ병을 ᄭᆞᆯ고 서너 두레식 가혀 노코 우희 ᄇᆡᆨ병으로 더퍼 두고 ᄌᆞ로 두의여 석지 아니케 고로 ᄯᅴ오라 ᄯᅴ온 후에 ᄒᆞᄅᆞ 볏 뵈여 드려 가혀 두면 다시 ᄆᆞ이 ᄯᅳ거든 밤낫 이ᄉᆞᆯ 마치기ᄅᆞᆯ 여러 날 ᄒᆞᄃᆡ 비 올가 시보거든 드리라 봉샹시ᄂᆞᆫ 뉵월에 두 두레식 ᄒᆞᆫᄃᆡ ᄆᆡ여 ᄃᆞ라 ᄯᅴ으다가 ᄯᅩ 두 두레식 ᄃᆞ라 ᄆᆞᆯ노이ᄂᆞ라

23. 누룩 만드는 법(造麯法)

<조선무쌍신식요리제법(朝鮮無雙新式料理製法)>

누룩 재료 : 밀 10말, 녹두 적당량, 여뀌 적당량, 연잎 또는 도꼬마리잎

누룩 빚는 법 :
1. 밀을 얼마든지 좋으니 (물에 깨끗이 씻어 건져서 볕에 말린 다음) 맷돌에 갈

아서 밀 10말에 2말 비율의 밀가루를 분리한다.
2. 녹두를 물에 깨끗하게 씻어 담갔다가, 맷돌에 갈아 녹두즙을 받아낸다.
3. 무성하게 자란 여뀌(속료, 蓼, 달여뀌)를 따서 녹두즙과 섞어 하룻밤 재워 놓는다.
4. 다음날 해 뜨기 전에 녹두즙과 밀가루를 반죽하되, 밀가루에 녹두즙을 고루 뿌려 섞고, 중간체에 한 번 내린다.
5. 밀가루를 손으로 쥐어서 뭉친 다음, 밀가루가 풀어지지 않고 뭉쳐지되, 축축한 느낌이 들지 않으면 알맞은 반죽 상태이다.
6. 단단하게 디디려면 누룩틀에 젖은 베보자기를 깔고, 그 안에 밀가루를 다져 채운 뒤 베보자기로 덮고, 누룩틀 위로 올라가 발뒤꿈치로 단단히 다져 디딘다.
7. 누룩밑이 단단히 다져졌으면 틀에서 빼내고, 한 덩이마다 연잎이나 도꼬마리잎으로 꼭꼭 싸고, 볏짚이나 끈으로 묶어놓는다.
8. 누룩밑을 바람맞이 서늘한 곳에 매달았다가, 10월이 되면 잘 마무리해 두면 된다.

누룩 만드는 법(造麯法)

보리를 썩킨 것을 누룩(麯)이라 하고 곡식을 싹(糵)을 내는 것을 엿기름(糵)이라 하나니 누룩은 빗는(釀須) 것이요 엿기름은 달게 하는 재료(酣料)라. 지나 사람이 누룩 쓰기는 술(酒)과 초(酢)와 장(醬)과 젓(醢) 세 다 느어 만들되 우리나라 사람은 술 빗고 초 만들 뿐이요 엿기름에 당하여서는 우리나라나 지나에서나 담엇 엿을 고아 만드는 데만 쓰니 그 쓰는 것이 매우 적으니라

녯부터 누룩과 엿기름을 합아야 국얼(麴糵)이라 하는 고로 이 ᄉᆞ테 말하엿나니 엿기름은 싹이라 하는 말이니라. 이것은 첫 번에 보리로 썩횐다 하는 것은 아마 녯적에는 말보담 보리를 만이 한 것인 듯하노라.

술 당그는 쌀이 조치 못하나 누룩은 정하게 하는 것이니 만일에 누룩이 조치 못하면 술맛을 어되다가 차지리요. 그런고로 묘방을 이아레만이 말하얏노라.

누룩 만드는 날은 신미 을미 경자일이요 또 제(除)와 만(滿)과 개(開)와 성(成)일이요, 또 삼복즁에 만들면 별에가 아니나나니 초복 지낸 뒤가 술이 조코 즁복 뒤나 말복 전이 다음이요, 목(木)일에 만들면 시여 지나니 매삭 만드는 날은 술 당그는 날에 잇나니라. 매삭 열흘 안에 사(巳)일을 기하나니라. 무릇 술맛이 조코 흉하기는 전수 이 누룩이 조코 조치 못한 데 잇나니라 밀을 얼마든지 물에 당가서 모래와 물에 쓰는 것을 다 건저 버리고 볏헤 쬐야 말린 후 갈든지 씻되 밀 한 말에 누룩이 두 되 가는 것를 표준하고 누룩을 만들 제 몬저 녹두를 물에 당가 집얼 내엿다가 매운 역귀(辣蓼)와 녹두집에 만들지니 해 도들 때에 누룩을 반죽하되 강하게 하기를 사람의 심드는 대로 하여야 할 것이요 또 극히 단단하게 할지니 둥굴게 한 것을 한 장식 연닙히나 독고머리닙흐로 단단이 싸고 바람이 서늘하야 통하는 곳에 다랏다가 십월이면 거두나니 무릇 누룩이 조흔 것은 전수이 되게 반죽하고 단단하게 발기에 잇나니 만일 반죽을 되게 아니하고 단단이 발부랴면 집이 나울 것이요 만일 단단이 밥지 아느면 누룩심을 일어버려 쌀을 능히 죽기지를 못하나니라 시속봅은 나무로 틀을 짯퇴 우물정자와 가티하야 크기가 적은 말과 가티 하고 틀 안에 베보자를 펴고 보자 안에 피마주닙흘 깔고 그 속에 비로소 밀기울을 반죽하야 잔득 다저 느코 또 피마주닙흘 깔고 그 위에 보자를 싸서 단단이 밥나니 발불 제 누룩한가운데를 당가거든 발뒤굼치로 몹시 짓찌어 누룩 가운데가 우묵하데 할지니 그러치 안으면 가운데가 두거와 축축하게 모듸여 가운데가 썩을 염녀가 잇나니라.

만일 누룩 만들 때를 어긋처 팔구워이 일으거든 처음 만드러 집둥을 이여 재를 담고 한 둥우리에 한 냥즁 누룩을 느코 덥허서 더운 곳에 둔 지 오륙일 되거든 잠간 바람 부는 데 닉여 노앗다가 곳 도로 느코 덥흔 지 삼칠일이면 되나니라. 누룩이 넘우낫게 되면 술맛이 슴슴하나니 대개 밀이 열 말에 누룩 두 말을 취하는 것이 법이니라. 누룩은 보리와 밀과 쌀로 만드는 것이 한갈 갓 아니한데 술이나 초에나 느어서 공을 일우는 효험은 모다 저지 아니하나니라

24. 누룩 빚는 속법(造麯 俗法)

<조선무쌍신식요리제법(朝鮮無雙新式料理製法)>

누룩 재료 : 밀 10말, 녹두 적당량, 여뀌 적당량, 연잎 또는 도꼬마리잎

누룩 빚는 법 :

1. 밀을 얼마든지 좋으니 (물에 깨끗이 씻어 건져서 볕에 말린 다음) 맷돌에 갈아서 밀 10말에 2말 비율의 밀가루를 분리한다.
2. 녹두를 물에 깨끗하게 씻어 담갔다가, 맷돌에 갈아 녹두즙을 받아낸다.
3. 무성하게 자란 여뀌(속료, 蓼, 달여뀌)를 따서 녹두즙과 섞어 하룻밤 재워 놓는다.
4. 다음날 해 뜨기 전에 녹두즙과 밀가루를 반죽하되, 밀가루에 녹두즙을 고루 뿌려 섞고, 중간체에 한 번 내린다.
5. 밀가루를 손으로 쥐어서 뭉친 다음, 밀가루가 풀어지지 않고 뭉쳐지되, 축축한 느낌이 들지 않으면 알맞은 반죽 상태이다.
6. 나무로 우물 정(井) 형태로 작은말(斗)과 같이 짠 누룩틀에 베보자기를 깔고, 그 위에 피마자잎을 깔고 밀가루 반죽을 가득 채워 다져 넣는다.
7. 밀가루 반죽 위에 다시 피마자잎을 덮은 뒤 보자기를 덮어서 발로 단단히 밟아서 디딘다.
8. 밟을 때 누룩 한가운데 부분을 발뒤꿈치로 몹시 디뎌서 한가운데가 우묵하게 들어가도록 밟는다.
9. 더울 때는 마루방에 볏짚이나 초재를 깔고 덮어서 두 두레씩 재워놓고 자주 서로 뒤집어 놓으며, 썩을 염려가 있으면 한두 차례씩 바람을 쏘인다.
10. 날이 서늘하면 짚방석을 깔고 서너 두레씩 재워놓고, 짚방석으로 덮어주고 자주 뒤집어 주어 썩지 않게 고루 띄운다.
11. 띄운 후에 하루 볕을 쬐여서 거두어들여 재워두고, 다시 많이 뜨거든 밤낮 이슬 맞히길 여러 날 하되, 비가 올까 싶으면 들여놓는다.

누룩 만드는 속법(造麴法 俗法)

시속법은 나무로 틀을 짜되, 우물 정 자와 같이 하여 크기가 작은말과 같이 하고, 틀 안에 베보자기를 펴고 보자기 안에 피마자잎을 깔고 그 속에 비로소 밀기울 반죽을 진뜩 다져 넣고, 또 피마자잎을 깔고 보자를 싸서 단단히 밟나니, 밟을 때 누룩 한가운데를 당하거든 발뒤꿈치로 몹시 짓찧어 누룩 한가운데가 우묵하게 할지니, 그렇지 않으면 가운데가 두껍거나 축축하게 모디어 가운데가 썩을 염려가 있나니라. 만일 누룩 만들 때를 어긋쳐 팔구월에 이르거든 처음 만들어 짚둥을 이어 게(겨)를 담고 한 둥우리에 한 냥중 누룩을 넣고 덮어서 더운 곳에 둔 지 오륙일 되거든 잠깐 바람 부는 데 내어놓았다가, 곧 도로 넣고 덮은 지 삼칠일이면 되나니라. 누룩이 너무 낮게 되면 술맛이 슴슴하나니, 대개 밀이 열 말에 누룩 두 말을 취하는 것이 법이니라. 누룩은 밀과 보리와 밀과 쌀로 만드는 것이 한결같지 아니한데 술이나 초에나 넣어서 공을 일우는 효험은 모두 저지 아니하난니라.

25. 조곡방(造麯方) <증보산림경제(增補山林經濟)>

누룩 재료 : 밀 10말, 녹두 적당량, 여뀌 적당량, 연잎 또는 도꼬마리잎

누룩 빚는 법 :

1. 밀을 얼마든지 좋으니 물에 깨끗이 씻어 건져서 볕에 말린 다음, 맷돌에 갈아서 밀 10말에 2말 비율의 밀가루를 분리한다.
2. 녹두를 물에 깨끗하게 씻어 담갔다가, 맷돌에 갈아 녹두즙을 받아낸다.
3. 무성하게 자란 여뀌(속료, 蓼, 달여뀌)를 따서 녹두즙과 섞어 하룻밤 재워 놓는다.
4. 다음날 해 뜨기 전에 녹두즙과 밀가루를 반죽하되, 밀가루에 녹두즙을 고루 뿌려 섞고, 중간체에 한 번 내린다.

5. 밀가루를 손으로 쥐어서 뭉친 다음, 밀가루가 풀어지지 않고 뭉쳐지되, 축축한 느낌이 들지 않으면 알맞은 반죽 상태이다.
6. 단단하게 디디려면 누룩틀에 젖은 베보자기를 깔고, 그 안에 밀가루를 다져 채운 뒤 베보자기로 덮고, 누룩틀 위로 올라가 발뒤꿈치로 단단히 다져 디딘다.
7. 누룩밑이 단단히 다져졌으면 틀에서 빼내고, 한 덩이마다 연잎이나 도꼬마리 잎으로 꼭꼭 싸고, 볏짚이나 끈으로 묶어놓는다.
8. 누룩밑을 바람맞이 서늘한 곳에 매달았다가, 10월이 되면 잘 마무리해 두면 된다.

* 누룩방문 머리에 "무릇 술맛이 좋고 나쁨은 오로지 누룩을 잘 만드는가 여부에 달려 있다."고 하여 누룩의 중요성을 강조하였다.

造麴方
凡酒味之厚薄 專在於造麴之善不善矣 小麥不拘多少 淘去砂石反浮水者 晒乾磨擣 率麥一斗 取麪二升爲准 留麴先浸菉豆取汁 取辣蓼(달엿미) 與菉豆汁和造 日未出時搜麴 欲剛量是日人力可踏而搜之不可旣搜而經宿也踏浴極堅. 每圓 用蓮葉蒼耳葉密裹. 懸當風通涼處至十月收之造麴良好全在剛溲堅踏若不剛溲. 雖欲堅踏濃潰而出若不堅踏麴力頓失不能殺米.

26. 조곡방 속법(造麴方 俗法) <증보산림경제(增補山林經濟)>

누룩 재료 : 밀 1말(밀가루 2되), 녹두, 여뀌잎, 풀, 마잎, 제비쑥, 대나무그릇

누룩 빚는 법 :
1. 밀을 양에 구애받지 말고 일어, 모래와 물에 뜬 찌꺼기를 제거하고 햇볕에 말

려 맷돌에 가는데, 대체로 밀 1말에 밀가루 2되를 얻는 것을 기준으로 한다.

2. 준비한 분량의 녹두를 물에 담가 즙을 취한 뒤, 날료(辣蓼, 달여뀌)와 섞는다.
3. 해 뜨기 전에 누룩을 반죽하는데, 단단하게 해야 한다.
4. 누룩을 밟을 수 있는 그날의 일손을 헤아려 반죽해야지, 반죽하고 나서 하룻밤을 묵혀서는 안 된다.
5. 누룩을 밟을 때는 누룩틀 안에 베보자기를 깔고, 보자기 안에 풀이나 마잎을 깔고, 그 위에 누룩 반죽을 채운다.
6. 누룩을 밟을 때는 아주 견고하게 디뎌야 하고, 한가운데가 오목하게 들어가도록 하여 누룩밑을 완성해야 한다.
7. 누룩밑을 틀에서 빼낸 다음, 대청의 바람 기운이 없는 곳에 생제비쑥잎을 깔고, 그 위에 누룩밑을 펼친 다음, 다시 쑥잎으로 덮는다.
8. 쑥 위에 빈 대나무그릇(채반이나 석작)을 덮어 5~6일간 발효시킨다.
9. 덩어리마다 누렇게 누룩곰팡이가 자라 있으면, 바람이 통하는 서늘한 곳에 매달아두었다가 숙성되면 거둔다.

造麯方 俗法

麯機內布布袱袱內布草麻葉始下搜麩又其上布葉卽掩袱堅踏而要麯心梢凹不然心厚濕聚致有中心腐黑之患矣另以生靑蒿布以軒廳無風乾燥處安卽出之麯於蒿上復以蒿盖之其上又以空(篅)復之痷之五六日上黃衣方懸掛.

27. 누룩법(麯法) <침주법(浸酒法)>

누룩 재료 : 밀 1말, 녹두 1홉, 누룩틀, 면보 1장, 물 2되

누룩 빚는 법 :

1. 밀을 물에 깨끗하게 씻어 물기를 뺀 후, 볕에 꾸들꾸들하게 말린다.
2. 밀을 맷돌에 갈아 가루를 내고, 녹두 1홉도 맷돌에 갈아 가루를 낸다.
3. 녹두가루를 물 2되에 담가 불려놓는다.
4. 밀가루를 체에 치지 말고, 그대로 녹두 불린 물 2되 정도를 뿌려 반죽을 한다.
5. 밀가루가 끈적거리면서 주먹으로 쥐어 뭉쳐지면 디디기 시작한다.
6. 면보자기를 물에 적셔 탈수한 뒤, 누룩틀 안에 펼쳐서 깐다.
7. 밀가루 반죽을 채워 넣고 베보자기 끝을 오므려 매듭을 짓고, 한가운데에 자리를 잡아놓는다.
8. 매듭이 풀어지지 않게 하여 누룩틀을 뒤집고, 손으로 누룩틀과 반죽을 함께 발로 밟아서 매듭의 자리를 잡아준다.
9. 다시 누룩틀을 뒤집고, 누룩틀 위로 올라가서 본격적으로 밟아 디딘다.
10. 누룩밀이 단단히 밟아졌으면, 누룩밀을 틀에서 빼내고 베보자기를 벗겨내어, 예의 방법대로 띄운다.

누룩법(麴法)

누룩 드될 제 기울 츠지 말고 ᄀᆞᄅᆞ조차 드듸되, ᄒᆞᆫ 두레예 ᄒᆞᆫ 말식 드려 드듸고 ᄇᆞ은 녹두 ᄒᆞᆫ 홉식 교합ᄒᆞ야 드듸라.

28. 조국(造麴) <태상지(太常志)>

누룩 재료 : 소맥 15석, 녹두 6말 6되 5홉

누룩 빚는 법 :

1. 소맥(밀) 15석을 (물에 깨끗하게 씻고 일어서 돌이나 이물질을 제거한 후, 물기를 빼서 꾸들하게 말린다.)
2. 밀을 맷돌에 타서 기울이 섞인 흰 가루를 만든다(체에 치거나 밀가루를 빼

지 않는다).
3. 녹두 6말 6되 5홉을 맷돌에 갈아낸다.
4. 갈아낸 녹두가루를 물에 깨끗하게 씻어 거피한 후, 불렸다가 다시 물을 쳐 가면서 곱게 갈아 녹두즙을 만들어놓는다.
5. 밀가루와 녹두즙을 한데 섞고, 끈적거릴 때까지 고루 치대어놓는다.
6. 밀가루 반죽을 누룩틀에 채워 넣고, 가장자리를 특히 단단히 밟아 누룩을 디딘다.
7. 틀에서 누룩밑을 빼내고, 예의 방법대로 하여 띄운다.
8. 띄우기가 끝난 누룩은 3~4일 볕에 내어 법제하여 거둬들이고, 서늘하고 바람이 잘 통하는 곳에 매달아두고 사용한다.

造麴

小麥十五石交入 菉豆 六斗六升五合 (匀棹踏邊) 正月限 六月間.

29. 조국법(造麴法) <학음잡록(鶴陰雜錄)>

누룩 재료 : 밀 10말, 녹두, 여뀌잎, 연잎이나 창이잎(도꼬마리), 베보자기, 물

누룩 빚는 법 :
1. 소맥(밀)의 양에 관계없이 (맷돌에) 갈거나 (방아에) 찧는다.
2. 밀 10말에서 밀가루 2말을 취하여 누룩을 만드는데(누룩이 적으면 술맛이 싱겁다), 밀가루를 넓은 그릇에 담아놓는다.
3. 녹두를 (3~4시간) 물에 담가 불렸다가, 맷돌에 갈아서 베주머니에 담고 짜서 그 즙을 취하고 찌꺼기를 제거한다.
4. 매운 여뀌를 채취하여 (잎을 깨끗하게 짓찧어) 녹두즙에 하룻밤 불려놓는다.
5. 해가 아직 뜨지 않은 이른 아침에 녹두즙에서 여뀌잎을 건져낸다.

6. 준비한 밀가루에 녹두즙을 뿌려가면서 섞고, 중간체에 한 번 내린다.
7. 밀가루를 반죽하는 데 따른 녹두즙의 양은 주먹으로 쥐어서 덩어리가 만들어질 정도가 되도록 그 양을 조절한다.
8. 밀가루가 뭉쳐지면, 준비한 누룩틀에 젖은 베보자기를 깔고, 밀가루 반죽을 채워 넣고 다진다.
9. 누룩틀 위로 올라가 발뒤꿈치로 매우 단단히 다져 디딘다. 누룩을 잘 디디는 비결은 전적으로 되게 반죽하여 꼭꼭 밟는 데에 있으니, 만약 반죽이 되지 않으면 꼭꼭 밟으려고 해도 물기가 있어 뭉그러져 나오고, 꼭꼭 디디지 않으면 누룩 기운이 이내 없어져 쌀을 이겨내지 못한다.
10. 누룩밀이 완성되었으면, 틀에서 빼내어 창이잎이나 연잎으로 단단히 싸고 볏짚으로 묶어놓는다.
11. 바람이 잘 드나드는 마루나 대청의 시렁이나 벽에 매달아 두었다가, 10월이 되면 거두어들인다.

造麯

辛未·乙未·庚子 又 除·滿·開·成日. 三伏中合麯 不生蟲 初伏後最佳 中伏後末伏前 次之. 木日造麯 則酸. 每朔 造麯吉日 <見釀酒> 凡酒味之厚薄 專在於造麯之善不善矣 小麥不拘多少 淘去砂石反浮水者 晒乾磨擣 率麥一斗 取麪二升爲准 留麯先浸菉豆取汁 取辣蓼(달여뀌) 與菉豆汁和造 日未出時搜麯欲剛量是日人力可踏而搜之不可旣搜而經宿也踏浴極堅. 每圓 用蓮葉蒼耳葉密裹. 懸當風通涼處至十月收之造麯良好全在剛溲堅踏若不剛溲. 雖欲堅踏濃潰而出若不堅踏麯力頓失不能殺米.

30. 조곡(造麯) <해동농서(海東農書)>

1. 밀을 양에 구애받지 말고 일어, 모래와 물에 뜬 찌꺼기를 제거하고 햇볕에 말려 맷돌에 가는데, 대체로 밀 1말에 밀가루 2되를 얻는 것을 기준으로 한

다. (누룩을 만들어 보관하는 방법은 이렇다.) 우선 녹두를 물에 담가 즙을 취한 뒤 날료(辣蓼, 달여뀌)와 섞어 만든다.

2. 해 뜨기 전에 누룩을 반죽하는데 단단하게 해야 한다. 누룩을 밟을 수 있는 그날의 일손을 헤아려 반죽해야지, 반죽하고 나서 하룻밤을 묵혀서는 안 된다. 밟을 때는 아주 견고하게 해야 한다. 덩어리마다 연잎, 도꼬마리잎으로 꼭 싸 바람이 통하는 서늘한 곳에 걸어두었다가 10월에 거둔다. 누룩을 잘 만드는 것은 전적으로 단단하게 반죽하고 견고하게 밟는 데에 달려 있다. 만일 단단하게 반죽하지 않으면 아무리 견고하게 밟고자 해도 진물이 흘러나오고, 견고하게 밟지 않으면 누룩의 효능이 크게 없어져 술밥을 삭히지 못한다. <사시찬요(四時纂要)>를 인용하였다.

造麯

小麥不拘多少磨搗十斗淘取麪二斗爲准留麴(麴劣酒薄) 先浸菉豆汁取去辣蓼(달엿괴)與菉豆汁和造日未出時搜麴欲剛量是日人力可踏搜之不可經宿 欲極堅每圓用蓮葉蒼耳葉密封裹 懸當風通涼處至十月收之造麴良好全在剛溲堅踏若不剛溲. 雖欲堅踏濃潰而出若不堅踏麴劣頓失不能殺米. <纂要>.

1. 금경로국방(金莖露麴方) <임원십육지(林園十六志)>

–금경(金莖, 이슬 받는 안반)의 이슬로 누룩 디디는 법

누룩 재료 : 밀가루 15근, 녹두 3말, 찹쌀 3말

준비 물품 : 맷돌, 자배기, 누룩틀, 면보자기, 체, 쳇다리, 볏짚, 멍석, 빈 가마니

누룩 빚는 법 :

1. 누룩 디디기 하루나 이틀 전 저녁에 여러 개의 금경을 마당에 펼쳐놓고, 밤새 이슬을 받는다.
2. 다음날 새벽에 금경을 모아 맺힌 이슬을 한데 모으고, 뚜껑을 덮어 마르지 않게 한다.
3. 녹두와 찹쌀을 각각 물에 깨끗이 씻어 불렸다가, 다시 씻어 건져서 물기를 빼놓는다.
4. 녹두와 찹쌀을 맷돌에 갈아 가루를 만든다.
5. 통밀을 물에 깨끗하게 씻어 잠깐 불렸다가, 물기를 뺀 후 가루를 만든다.
6. 통밀가루를 체에 한 번 내려서 밀기울을 제거한 밀가루 15근을 준비한다.
7. 밀가루와 녹두가루, 찹쌀가루를 한데 섞고, 이슬을 골고루 뿌려 뒤섞은 후, 거친 체에 한 번 내린다.
8. 네모진 방형(方形) 누룩틀에 면보자기를 깔고, 그 안에 가루를 채운 뒤, 발로 단단히 밟아서 누룩밑을 만든다.
9. 누룩밑을 누룩틀에서 빼낸다.
10. 멍석에 볏짚을 두툼하게 깔고, 그 위에 누룩을 펼쳐놓고 볏짚을 덮는다.
11. 햇볕이 드는 곳에 두고, 20여 일간 띄운다.
12. 발효가 끝난 누룩은 건조시켜 곰팡이를 털어내고, 법제하여 사용한다.

金莖露麴方

麪十五斤綠豆三斗糯米三斗爲末踏. <遵生八牋>.

1. 내부비전곡방(內附秘傳麯方) <농정회요(農政會要)>

누룩 재료 : 밀가루 100근, 녹두 3말, 좁쌀(황미) 4말, 물 3말
준비 물품 : 자배기, 바가지, 물동이, 맷돌, 면보자기, (멍석, 볏짚)

누룩 빚는 법 :

1. 삼복 안에 녹두를 물에 씻어 건져서 맷돌에 갈아서 가루와 껍질을 분리한다.
2. 넓은 그릇에 분량의 물을 붓고 녹두 껍질을 담가 불려둔다.
3. 황미를 물에 깨끗이 씻어서 불렸다가, 녹두와 함께 건져서 물기를 뺀 후, 맷돌에 갈아서 가루로 만든다.
4. 황미가루에 녹두가루와 밀가루 100근을 합하고, 고루 섞은 뒤 체에 한 번 내린다.
5. 반죽할 가루에 녹두 껍질 불린 물을 골고루 뿌려서 섞고, 체에 한 번 내린다.
6. 네모난 누룩틀에 면보자기를 깔고, 그 위에 반죽을 채워 넣는다.
7. 예의 방법대로 반죽을 발로 단단히 밟아서 누룩밑을 만든다.
8. 멍석에 볏짚을 두툼하게 깔고, 그 위에 누룩을 펼쳐놓고 볏짚을 덮는다.
9. 햇볕이 드는 곳에 두고, 60일간 띄운다.

* 방문에 "밀가루 100근, 좁쌀 4말, 녹두 3말로 한다. 우선 녹두를 맷돌에 갈아 껍질을 제거하고 까불러낸 껍질은 물에 담가두었다가 좁쌀가루를 밀가루, 녹두물과 같이 반죽하여 거친 베로 싸서 네모난 모양으로 밟아서 60일간 볕에 말린다. 삼복 때 디디는 것이 좋다. 술을 빚을 때 곡물 1석에 누룩 7근을 넣으면 술맛이 맑고 달며 독하다."고 하였다.

內附秘傳麯方

白麪一百斤黃米四斗菉豆三斗先將荳磨去殼將殼撤出水浸放置一妻聽用次將黃米磨水入麯並豆末和作一處將收起荳殼浸水傾入米麵荳末內和起如乾

再加浸荳穀水以可揄成塊爲準踏作方麯以宲爲佳以粗卓晒六十日三伏內做方好造酒每石入麯七斤不可多放其酒淸冽.

2. 내부비전국방(內府秘傳麴方) <임원십육지(林園十六志)>

–왕실 비전 누룩 디디는 법

누룩 재료 : 밀가루 100근, 녹두 3말, 좁쌀(황미) 4말, 물 3말
준비 물품 : 자배기, 바가지, 물동이, 맷돌, 면보자기, (멍석, 볏짚)

누룩 빚는 법 :

1. 삼복 안에 녹두를 물에 씻어 건져서 맷돌에 갈아서 가루와 껍질을 분리한다.
2. 넓은 그릇에 분량의 물을 붓고 녹두 껍질을 담가 불려둔다.
3. 황미를 물에 깨끗이 씻어서 불렸다가, 건져서 물기를 뺀 후, 맷돌에 갈아서 가루로 만든다.
4. 황미가루에 녹두가루와 밀가루 100근을 합하고 체에 한 번 내린다.
5. 반죽할 가루에 녹두 껍질 불린 물을 골고루 뿌려서 섞고, 체에 한 번 내린다.
6. 네모난 누룩틀에 면보자기를 깔고, 그 위에 반죽을 채워 넣는다.
7. 예의 방법대로 반죽을 발로 단단히 밟아서 누룩밑을 만든다.
8. 멍석에 볏짚을 두툼하게 깔고, 그 위에 누룩을 펼쳐놓고 볏짚을 덮는다.
9. 햇볕이 드는 곳에 두고, 60일간 띄운다.

內府秘傳麴方

白麪一百斤黃米四斗綠豆三斗先將豆磨去殼將穀篩出水浸放置一處聽用次將黃米磨末入麪竝豆末和作一処將收起豆殼浸水傾入米麪豆末內和起如乾再加浸豆殼水以可捻成塊爲准躧作方麴以實爲佳以粗安罩曬六十日三伏內做方好造酒每石入麴七斤不可多放其酒淸烈. <遵生八牋>.

3. 내부비전국(內府秘傳麴)

<조선무쌍신식요리제법(朝鮮無雙新式料理製法)>

누룩 재료 : 찹쌀가루 1말, 여뀌즙

준비 물품 : 자배기, 절구(맷돌), 면보자기, 누룩틀, 베보자기, 체, 쳇다리, 닥나무잎, 새끼

누룩 빚는 법 :

1. 찹쌀 1말을 백세하여 물에 담가 불렸다가 가루로 빻는다.
2. (찹쌀가루를 체에 내려서 거친 무거리를 제거한다.)
3. 생여뀌잎을 짓찧어 즙을 짜낸다.
4. 찹쌀가루에 여뀌즙을 촉촉하게 적셔서 고루 섞은 후, 체에 한 번 내린다.
5. 둥근 누룩틀에 베보자기를 펴고, 그 위에 가루 반죽을 가득 채운다.
6. 면보자기로 반죽을 싼 뒤, 올라가서 발로 단단히 밟아 '애누룩'을 만든다.
7. 다 디뎌졌으면 보자기를 풀고 틀에서 애누룩을 빼낸다.
8. 애누룩을 닥나무잎으로 싸고, 새끼로 애누룩을 동여맨다.
9. 바람 부는 곳에 애누룩을 매달아 두고, 누룩을 띄우기 시작한 지 49일 만에 누룩을 꺼내어 낮에 볕에 말린다.

내부비전국(內府秘傳麴)

밀가루 일백 근과 눌은쌀(黃米) 너 말과 녹두 서 말을 가티 만들되, 녹두를 몬저 가라 싸불러 썹질은 물에 당가 노코 누른쌀을 가라서 밀가루와 녹두가루와 함데 석고, 녹두썹질물을 처가며 반죽을 되게 하야 발바서 네모지게 만드러, 대광주리에 느어서 볏뵈힌 지 륙십 일이면 되나니, 이것은 상복 안에 만드는 것이 조흐니, 술 당들 제 밋치 한 섬이면 이 누룩은 일곱 근이면 되나니, 만이 느으면 술이 맑고 씩씩하지 못하나라.

1. 녹두곡법(菉豆麯法) <군학회등(群學會騰)>

쌀과 녹두 각각 1말을 (각기 다른 용기를 이용하여 하룻밤 동안 물에 불린다. 녹두만을 취하여 자리에 펴고 말려 반쯤 건조되면) 바로 쌀을 건져내어 녹두와 함께 절구에 빻은 다음 꺼내어 누룩을 밟는데 작고 얇게 반대기를 지어야 한다. 그렇지 않으면 습기가 속에 남아 벌레가 생기는 것을 막을 수 없다. 띄우는 방법은 위와 같다. 술을 빚을 때, 쌀 1말에 누룩가루 2되가량을 넣는데 술이 아주 맑고 맛이 차다. 여름 술을 빚기에 적당하다(방법은 비록 이렇지만 쌀을 5되로 줄여도 된다. 혹은 녹두만을 써서 밀가루 조금을 넣는다고도 하고, 혹은 쌀을 쓰지 않고 찹쌀을 쓰면 좋다고도 한다).

菉豆麯法

白米菉豆各一斗用各器浸水經宿攤乾席上待半乾卽漉出白米並菉豆臼內爛搗取出踏麯而圓要小而薄不然則留濕生蛀難禁(菴)法上同　造酒　每米一斗入麯末二升許　味甚淸洌宜用夏月之釀(法雖如此米減五升可或云單用菉豆可眞麵少許. 或云 不用白米用粘米好.

2. 조녹두곡법(造菉豆麯法) <농정회요(農政會要)>

누룩 재료 : 녹두 3말, 찹쌀 3말

준비 물품 : 누룩틀, 체, 볏짚, 빈 가마니, 면보자기

누룩 빚는 법 :

1. 녹두와 찹쌀을 각각 물에 깨끗이 씻어 불려놓는다.
2. 녹두를 먼저 건져서 볕에 내놓아 약간 꾸들꾸들하게 건조시킨 후, 찹쌀을 씻어 건져서 물기를 뺀다.

3. 녹두 말린 것과 찹쌀을 한데 섞고, 절구에 찧어 덩어리로 뭉쳐지도록 만든다.
4. 둥근 누룩틀에 면보자기를 깔고, 녹두 · 찹쌀가루 반죽을 쳐서 반대기를 지어 넣고 단단히 밟아 누룩밑을 만든다.
5. 누룩밑을 누룩틀에서 빼낸 후, 두 겹으로 만든 종이봉투에 담고, 끈으로 주둥이를 단단히 묶는다.
6. 누룩밑을 바람이 들고 따뜻한 곳에 매달아 둔다.
7. 2개월가량 지난 후에 종이봉투를 풀어보면, 쌀알에 곰팡이가 자라는데, 균사가 번식하면서 덩이 모양으로 뭉쳐 있으면 발효가 끝난 것이다.

* 주방문 말미에 "방법은 비록 이렇지만 쌀을 5되로 줄여도 된다. 혹은 녹두만을 써서 밀가루 조금을 넣는다고도 하고, 혹은 쌀을 쓰지 않고 찹쌀을 쓰면 좋다고도 한다."고 하였다

造菉豆麯法

白米菉豆各一斗用各器浸水經宿只取菉豆攤乾席上待半乾卽漉出白米並菉豆臼內爛搗取出踏麯而圓欲小而薄不然則留濕生蛀難禁(掩)法上同 造酒 每米一斗入麯末二升許味甚淸冽宜用夏月之釀(法雖如此米減五升眞麵少許或云不可或云單用菉豆可用.白米用粘米好.

3. 녹두곡(菉豆麯) <민천집설(民天集說)>

누룩 재료 : 녹두곡(녹두 1말, 찹쌀 4되, 솔잎)
준비 물품 : 맷돌(절구), 체, 시루, 솔잎, 그릇(큰 단지 또는 시루)

누룩 빚는 법 :

1. 월초에 녹두 1말을 준비하였다가, 찹쌀 4되를 작말하여 녹두와 함께 시루에

안쳐서 반만 익게 쪄낸다.
2. 쪄낸 녹두와 쌀을 절구에 넣고, 공이로 쳐서 뭉쳐질 때까지 거칠게 찧는다.
3. 반죽을 주먹으로 단단히 쥐어서 단자처럼 오리알 크기만 한 애누룩을 빚는다.
4. 그릇(시루나 단지)에 솔잎을 두텁게 깔고, 그 위에 애누룩을 격지격지 놓고, 다시 솔잎으로 덮어서 가득 채운다.
5. 애누룩을 담은 그릇을 불한불열처(차지도 덥지도 않은 곳)에 두고 7일간 띄운다.
6. 띄운 지 7일 후에 솔잎을 걷어내고, 다시 14일간 띄운 후, 녹두누룩이 완성되었으면 꺼내어 법제한다.
7. 바람이 잘 통하고 햇볕이 잘 받는 곳에 내어 완전히 건조시키되, 칼이나 거친 솔로 표면의 솔잎이나 곰팡이를 완전히 제거한다.
8. 누룩에서 곰팡이 냄새가 사라지고 하얗게 바랬으면 거둬들이고, 여러 겹으로 된 종이봉투에 담아 보관하여 두고 사용한다.

菉酒豆(菉豆酒)曲

月初菉豆一斗去皮粘米四升作末與菉豆蒸熟不造兩同春称泥水旱子入盛抑器中心松葉隔置兩置之不寒不熱處以不寒之爛浮七日後松葉又諸宿二七後攤去松葉鋪上(○○○○)和後釀之.

4. 녹두누룩 <봉접요람>

누룩 재료 : 녹두 5되, 찹쌀 1되, 솔잎 1말, 광주리 1개

누룩 빚는 법 :
1. 녹두 5되를 물에 깨끗하게 씻어 건조시킨 뒤, 맷돌에 타서 가루를 만들어 (물에 담가 불렸다가) 거피를 한 후, 건져서 물기를 빼놓는다.

2. 찹쌀 1되를 백세하여 물에 잠깐 불렸다가 건져놓는다.
3. 녹두를 시루에 안쳐서 잠깐 쪄 설익혀서 절구에 퍼낸다.
4. 쪄낸 녹두를 절굿공이로 찧는데, 건져두었던 찹쌀을 넣어가면서 고루 짓찧는다.
5. 녹두와 찹쌀 찧은 것을 (두 주먹으로 단단히 쥐어) 장기쩍만치(오리알 크기)로 누룩밑을 빚는다.
6. 광주리에 누룩밑과 솔잎을 켜켜 두어가며 안쳐, 더위에는 시렁에나 서늘한데 얹어두었다가 누렇게 다 뜨면 (꺼내어 솔잎과 껍질을 벗겨낸다.)
7. 누룩을 낮에는 햇볕에 내어 건조시키고, 밤에는 이슬도 맞혀가며 (2~3일 법제한 후) 거둬들여서, 술 빚을 때 찧어서 가루로 만들어 사용한다.

녹두누룩숧법

녹도로 누룩을 ᄆᆡᆼ그되 녹도 닷 되 타 그픠ᄒᆞ여 건져 셜 쪄서 방아의 쓸 젹의 ᄎᆞᆸᄡᆞᆯ ᄒᆞᆫ 되를 잠간 담가다가 일건져 지을 젹 지버너허 가며 지여 누룩을 ᄆᆡᆼ그되 쟝거쪽 만치 ᄆᆡᆼ그러 광쥬리의 솔입을 케케 두어가며 안쳐 더위에ᄂᆞᆫ 시령의 ᄂᆞ 셔늘ᄒᆞᆫ ᄃᆡ 언져다가 써지거든 볏틔 말이우고 밤이슬도 맛쳐 가며 씨여 ᄎᆞᆸᄡᆞᆯ ᄇᆡᆨ미 ᄒᆞᆫ 말 ᄇᆡᆨ셰ᄒᆞ여 익게 쪄 ᄉᆞᆯ힌 물 여ᄃᆞᆲ 되로 골ᄂᆞ 식거든 셥누룩 닷 홉을 밋술의 셧거 익거든 쓰라.

5. 녹두주(곡) <온주법(醞酒法)>

누룩 재료 : 녹두 1말, 찹쌀 5되, 솔잎 적당량

누룩 빚는 법 :
1. (늦은 겨울에) 녹두 1말과 찹쌀 5되의 (비율로 하여) 누룩 재료를 준비한다.
2. 녹두 1말을 물에 깨끗하게 씻어 맷돌에 갈아 작말하고, 물에 담가 불려서 거

피한 후, 소쿠리에 건져서 물기를 빼놓는다.

3. 찹쌀 5되를 백세하여 물에 담가 불렸다가, 다시 씻어 건져서 물기를 뺀 후, 작말하여 절구에 넣는다.
4. 녹두를 시루에 안쳐서 익을 정도만 찌고, 익었으면 퍼서 쌀가루를 넣은 절구에 합한다.
5. 절굿공이로 떡을 치듯 찧는데, 녹두가루와 쌀가루가 고루 섞이도록 하여 뭉쳐질 정도가 되게 찧는다.
6. 녹두가루 찧은 것을 이화국같이(달걀 크기로 약간 기름하게) 주먹으로 단단히 쥐어서 누룩밑을 빚는다.
7. (종이상자나 단지에) 솔잎을 깔고 그 위에 누룩밑을 늘어놓는데, 누룩밑이 서로 닿지 않도록 한다.
8. 다시 솔잎으로 덮고, 그 위에 누룩밑을 한 켜 놓는 방식으로 격지격지 놓고, 다시 솔잎으로 덮는다.
9. (단지나 시루 위를 종이로 덮어씌우고, 따뜻한 곳에 놓고) 7일간 띄운다.
10. 7일 후, 솔잎을 걷어내고 누룩을 꺼내어, 겉면에 누룩곰팡이가 자란 것을 볼 수있는데, 칼이나 거친 솔을 이용하여 껍질을 벗겨낸다.
11. (다시 전과 같은 방법으로 솔잎에 격지격지 놓고, 솔잎으로 덮어서 재차 14일간 띄운다.)
12. 누룩을 띄우기 시작하여 삼칠일 만에 전부 꺼내어 햇볕에 말리고 건조시킨 후 (가루로 빻아 종이봉투에 담아 보관한다.)

녹되(두)듀(곡)

정월 (초)승 (녹두) 한 말 거피ᄒᆞ야 닉을 만치 찌고 졈미 오승 빅셰작말ᄒᆞ(야) 찌흘 제 ᄒᆞᆫ듸 고로게 섯거 찌허 이화국ᄀᆞ치 든든히 쥐이겨 송녑 격지노화 띄워 칠일 만의 다(시) (꺼내야) 거풍ᄒᆞ야 삼칠일 만의 볏히 말노여 봄의 비즈듸……

6. 조녹두곡법(造菉豆麯法) <증보산림경제(增補山林經濟)>

누룩 재료 : 녹두 1말, 찹쌀 1말, 솔잎 적당량

누룩 빚는 법 :

1. (늦은 겨울에) 녹두 1말과 찹쌀 1말의 (비율로 하여) 누룩 재료를 준비한다.
2. 녹두 1말을 물에 깨끗하게 씻어 맷돌에 갈아 작말하고, 물에 담가 불려서 거피한 후, 소쿠리에 건져서 물기를 빼놓는다.
3. 찹쌀 1말을 백세하여 물에 담가 불렸다가 (다시 씻어 건져서) 물기를 빼놓는다.
4. 녹두를 돗자리에 펼쳐서 반쯤 말린 후, 쌀과 함께 절구에 넣는다.
5. 절굿공이로 떡을 치듯 찧는데, 녹두와 쌀이 고루 섞이도록 하여 뭉쳐질 정도가 되게 찧는다.
6. 녹두와 찹쌀 찧은 것을 주먹으로 단단히 쥐어서 작고 얇게 반대기를 지어 누룩밑을 빚는다.
7. 대청이나 건조한 곳에 생제비쑥을 깔고 그 위에 누룩밑을 늘어놓는데, 누룩밑이 서로 닿지 않도록 한다.
8. 다시 쑥으로 덮고, 그 위에 다시 빈 대나무그릇(소쿠리나 석작)으로 덮어놓은 후, 5~6일간 띄운다.
9. 5~6일 후 누룩을 꺼내어, 겉면에 누렇게 누룩곰팡이가 자란 것을 볼 수 있는데, 시렁에 매달아 놓는다.
10. 누룩을 건조시키기 시작하여 삼칠일 만에 내려서 햇볕에 말리고 건조시킨다(가루로 빻아 종이봉투에 담아 보관한다).

造菉豆麯法

白米菉豆各一斗舂各器浸水經宿只取菉豆雖乾席上待半乾卽漉出白米並菉豆舂內爛搗取出踏麯而圓要小而薄不然則留濕生蛀難禁(菴)法上同(造蓼麯法)

造酒每一斗入麯末二升許味甚清冽宜用夏月之釀(法雖如此米減五升可或云用菉豆如眞麵小許或云不用白米用粘米好)

1. 녹미주(곡) <온주법(醞酒法)>

누룩 재료 : 녹두 1말, 찹쌀 5되, 누룩틀, 면보자기 1장, 물 2되

누룩 빚는 법 :

1. 정월 초순에 녹두 1말을 물에 깨끗하게 씻은 다음, 맷돌에 타서 거피한다.
2. 거피한 녹두를 물에 담가 불렸다가, 다시 깨끗하게 씻어 물기를 뺀 후, 시루에 안쳐서 겨우 익을 만큼만 쪄낸다.
3. 찹쌀 5되를 백세하여 물에 담가 불렸다가, (다시 씻어 건져서) 물기를 뺀 후 가루로 빻는다.
4. (쪄낸 녹두를 돗자리에 펼쳐서 반쯤 말린 후, 쌀과 함께 절구에 넣는다.)
5. 절구에 녹두와 찹쌀가루를 섞어 넣고, 절굿공이로 떡을 치듯 찧는데, 녹두와 쌀이 고루 섞이도록 하여 뭉쳐질 정도가 되게 찧는다.
6. 녹두와 찹쌀 찧은 것을 주먹으로 단단히 쥐어서 오리알처럼 반대기를 지어 누룩밑을 빚는다.
7. (종이상자나 단지에) 솔잎을 깔고 그 위에 누룩밑을 늘어놓는데, 누룩밑이 서로 닿지 않도록 한다.
8. 다시 솔잎으로 덮고, 그 위에 누룩밑을 한 켜 놓는 방식으로 격지격지 놓고, 다시 솔잎으로 덮는다.
9. (단지나 시루 위를 종이로 덮어씌우고, 따뜻한 곳에 놓고) 7일간 띄운다.
10. 7일 후, 솔잎을 걷어내고 누룩을 꺼내어, 겉면에 누룩곰팡이가 자란 것을 볼 수 있는데, 칼이나 거친 솔을 이용하여 껍질을 벗겨낸다.
11. (다시 전과 같은 방법으로 솔잎에 격지격지 놓고, 솔잎으로 덮어서 재차 14일간 띄운다.)
12. 누룩을 띄우기 시작하여 삼칠일 만에 전부 꺼내어 햇볕에 말리고 건조시킨 후 (가루로 빻아 종이봉투에 담아 보관한다.)

녹미듀(곡)

정월 (초)승 (녹두) 한 말 거피ᄒᆞ야 닉을 만치 ᄶᅵ고 졈미 오승 빅셰작말ᄒᆞ(야) ᄶᅵ흘 제 ᄒᆞᆫᄃᆡ 고로게 섯거 ᄶᅵ허 이화국ᄀᆞ치 ᄃᆞᆫᄃᆞᆫ히 죄ᄋᆡ겨 숑녑 격지 노화 ᄯᅴ워 칠일 만의 다(시) (꺼내야) 거풍ᄒᆞ야 삼칠일 만의 볏ᄒᆡ 말노여 봄의 비ᄌᆞᄃᆡ……

1. 단국(丹麴) <오주연문장전산고(五洲衍文長箋散稿)>

누룩 재료 : 쌀, 물

누룩 빚는 법 :

1. 밥을 지어서 쌓고, 물에 담그면(醮水 물에 담글 잠, 醮의 속자. 제사 지낼 초, 빌 초, 술 따를 초, 다할 초, 憔 야윌 초와 통용) 저절로 붉은색이 된다.
2. 밥쌀이 과심(過心)한 것을 일러 '생황'이라고 하는데, 햇볕과 바람에서 어느 정도 있으면 처음에는 설백색(雪白)이 되고, 이틀이 지나면 검은색에 이른다.
3. 흑색이 갈색, 갈색이 자색, 자색이 홍색, 홍색이 극에 달하면 황색으로 바뀐다.
4. 자연바람 가운데서 변환이 되어 생황(生黃)이라고 한다.
5. 약에 넣으려면 오래 묵히면 좋다. 이른바 국모라고 하는 것은 발효한 것이다.
6. 이 국모 2근에 홍국 한 말을 만들 수 있다.

* 누룩방문 말미에 "술에 넣거나 젓이나 젓갈(鮓 : 소금에 절인 어물, 해파리, 醢 : 물고기 절임)에 집어넣으면 선홍색이 매우 아름다우나, 그 밥이 과심이 되지 못한 것은 아름답지가 못하다."고 하였다. 또 "<천공개물방>에 올벼쌀을 물에 담가 썩혀서 냄새가 날 때 씻어서 불을 때 쪄서 국신을 넣는다."고 하였다.

丹麴 辨證說

옛날 <식보주경>에 전하는 바는, 이른바 단국은 없고 단국은 홍국이다. 이동벽은 "근세로부터 거의 나타나지 않는다."고 하였다. 그러나 이창곡 시에 "술이 떨어져 붉은 진주가 된다."고 하였고, 하언강이 말하기를, "강남인은 홍국주를 만든다."고 하였으니, 예부터 또한 있었다. 누룩은 소맥으로 만든다. 낮에는 햇볕을 쬐기를 날마다 깨끗이 하고 밤에 달빛을 받는다. 그 방법은 매우 많으나 흰쌀로 만든 누룩은 아직 듣지 못했다. 대개 메벼누룩은 누룩 중에 별종(別種)이다. 당·송대에 이 법이 시작되었다. 연나라 때부터 술 재료와 약용으로 많이 썼다. 또 우리나라에서는 다만 설사와 이질에 함께 마시는 것을 알 뿐, 가지런히 빚는 법은 알지 못한다. 그 방법은 4~5개 있다. <본초강목>의 이세진이 전하는바, <물리소지방>에 기록한 방에 기록한 바가 지혜롭다. <통소록방>, <천공개물소재방>, <서금소조방>, <복주고전소재방>이 있다. 이 중 <이동벽방>, <중통방>, <대동출이방>이 지혜로운 방으로 쓰였다.
멥쌀밥과 염적령지초즙(붉은색 영지초즙)으로 만든다. <동벽방>은 다만 "누룩을 넣으라."고 말했을 뿐, 모국이 나타나 있지 않다. <중통방>에는 국모를 만드는 법이 자세하게 나와 있다. <복산방(宓 : 사람 이름 복, 또는 편안할 밀)>은 대략 국모에 대해서 언급했으나, <중통방>과 달라서 글(文)이 많고 밝지(瑩) 못하다. <천공방>이 '국신(麴信)'이라고 했으나, 그 제조법에 대해서는 말하지 않았다. 서금복주 땅에 우전이 오직 그 제조법을 기록하고, 그 방문은 기록하지 않았다. '국모'는 즉 복산이 말한 국모인데 사현에서 나왔다고 하니, 이는 국모라는 것이 사현에서 나온 것이 더욱 좋기 때문이다. 그러므로 표기해서 그것을 드러낸 것이다.
<동벽>과 <중통지법>에는 밥을 지어서 쌓고, 물에 담그면(蘸水 물에 담글 잠, 醮의 속자. 제사 지낼 초, 빌 초, 술 따를 초, 다할 초, 憔 야윌 초와 통용) 저절로 붉은색이 된다. 밥쌀이 과심(過心)한 것을 일러 '생황'이라고 하는데, 술에 넣거나 젓이나 젓갈(鮓 : 소금에 절인 어물, 해파리, 醢 : 물고기 절임)에 집어넣으면 선홍색이 매우 아름다우나, 그 밥이 과심이 되지 못한 것은 아름답지가 못하다. 약에 넣으려면 오래 묵히면 좋다. 이른바 국모라고 하는 것은 발효한 것이다. 이 국모 2근에 홍국 한 말을 만들 수 있다. <천공개물방>에 올벼쌀을 물에 담가 썩혀서 냄새가 날 때 씻어서 불을 때 쪄서 국신을 넣는다. '과반(過礬)등법'과 더불어 아주 다른 방법이다.
햇볕과 바람에서 어느 정도 있으면 처음에는 설백색(雪白)이 되고, 이틀이 지나면 검은색에 이른다. 흑색이 갈색, 갈색이 자색, 자색이 홍색, 홍색이 극에 달하면 황색으로 바뀐다. 자연바람 가운데서 변환이 되어 생황(生黃)이라고

한다. 무릇 누룩을 만들 때에는 손을 지극히 깨끗이 씻고, 터럭 한 올이라도 더러운 찌끼가 있으면 성공할 수가 없다. 그 만드는 노력과 공력이 모든 누룩의 배가 된다. 당초에 처음 만드는 이가 냄새나고 썩는 것이 변하여 되는 것을 보고 신기해 하였다. 변하는 것에 효능이 있음이 가장 많은데, 그 가운데 매우 기이하고 별다른 것은 일체의 생선이 상하는 것, 고기가 썩는 것을 구제할 수 있다. 무릇 생선과 육류는 모든 먹을 것(物) 중에서 가장 쉽게 썩고 부패하는데, 누룩물을 진흙처럼 얇게 펴서 발라놓으면, 그 바탕을 견고하게 해서 무더운 더위(炎暑之中)에서 열흘이 지나도 구더기가 감히 접근을 못하고 파리가 살지 못한다. 또 색과 맛이 변하지 않는 기이한 것이니 요리사에게 하루라도 없으면 안 되는 것이다. 일찍이 사람들이 동벽방에 의지해서 국모를 시험 제조하였으나 완성하지 못한 것은, 국모의 원리를 알지 못하고 임의대로 보통의 법대로 국말을 밥에다 섞었기 때문에 실패한 것이다. 나는 네다섯 가지의 방문이 있고, 또 국모 만드는 법도 알고 있으니, 알면서 변증하지 않을 수 없다. 그러므로 대략 설명을 해서 훗날의 사람으로 하여금 증거가 있게 한다.

1. 단술누룩법 <주방문(酒方文)>

누룩 재료 : 밀 5~6되

누룩 빚는 법 :

1. 밀 5~6되를 매우 많이 씻어 바구니에 담아 (따뜻한) 방에 둔다.
2. 3일 후에 엄(싹)이 디밀거든(자라나거든) 그늘지고 바람이 잘 통하는 곳에서 음건한다.
3. 싹이 자란 밀을 작말(맷돌에 갈아 가루로 빻음)하여 보관해 두고, 필요할 때 사용한다.

* 단술누룩이라고 하였으나 엄밀하게는 맥아(麥芽)를 만드는 방법이다. 다만, 예사 맥아는 보리를 이용한 엿기름을 가리키는 것인데, 일반 누룩과 같이 밀로 만들었으므로 '단술누룩법(甘酒麴造法)'이라고 한 것으로 여겨진다.

ᄃᆞᆫ술누록법

밀 다엿 되ᄅᆞᆯ 시어 바고리예 다마 방의 ᄃᆞᆺ다가 사흘 후에 엄이 내밀거든 음건ᄒᆞ여 작말ᄒᆞ여 두고 쓰라.

1. 동양주국(東陽酒麴) <농정회요(農政會要)>

누룩 재료 : 밀가루 100근, 도인 3근, 행인 3근, 바곳 뿌리 1근, 거피오두 3근, 거피한 녹두 5되, 목향 4냥, 관계 8냥, 여뀌 10근, 도꼬마리 10근, 창이잎 1석

준비 물품 : 볏짚, 빈 가마니, 면보자기

누룩 빚는 법 :

1. 열매(도인, 행인)는 맷돌에 갈아 가루를 내어 준비한다.
2. 바곳 뿌리는 껍질을 벗겨 준비한다.
3. 목향, 육계, 매운 여뀌는 물에 7일간 담가둔다.
4. 창이잎을 절구에 찧어 즙을 내어 준비한다.
5. 약재 불린 물에 녹두를 가루 내어 넣고, 약재의 맛이 들도록 삶아낸다.
6. 밀가루에 불려 삶은 녹두와 껍질, 약재가루, 창이즙을 섞고, 체에 한 번 내린다.
7. 누룩틀에 가루를 채워 넣고 발로 단단히 디뎌서 누룩밑을 만든다.
8. 누룩틀에서 누룩밑을 빼내어 볏짚과 빈 가마니 등을 이용하여 예의 방법대로 띄운다.

東陽酒麴

白麪一百斤桃仁三斤杏仁三斤草烏一斤烏頭三斤去皮可減去其半菉豆五升煮氣木香四兩官桂八兩簌蓼十斤水浸七日瀝母藤十斤蒼耳草十斤(二〇〇包)同蓼草三味入鍋煎煮菉荳每石米內放麯十斤多則不熟.

2. 동양주국(東陽酒麴) <오주연문장전산고(五洲衍文長箋散稿)>

누룩 재료 : 흰밀가루 100근, 도인(桃仁) 20냥 2전(1전=3.75g), 뽕잎 20근, 행인 20냥, 연화 20송이, 창이자(도꼬마리의 약명, 풍증을 다스림) 20근, 천오 20냥, 녹두 20근, 담죽엽(조릿대) 20근, 숙호과(늙은 오이) 10근, 속모 등 나두(담쟁이넝쿨이 대가리만 늘어진 것) 20근, 속모 등 넝쿨의 어린 잎사귀 20근, 물 3짐(6통)

누룩 빚는 법 :

1. 도인 20냥 2전과 행인 20냥을 모두 거피해서(살구 씨를 물에 담갔다가 불려서 누르면 껍질이 벗겨진다고 함) 갈아서 진흙처럼 되게 만든다.
2. 천오 20냥을 구어서 껍질과 배꼽을 제거하여 놓는다.
3. 숙호과(늙은 오이) 10근을 껍질을 벗기고, 연화 20송이와 함께 갈아서 진흙처럼 만들어놓는다.
4. 뽕잎 20근, 창이자(도꼬마리) 20근, 담죽엽(조릿대) 20근, 속모 등 나두(담쟁이넝쿨이 대가리만 늘어진 것) 20근, 담쟁이넝쿨 어린 잎사귀 20근 등 5가지 잎사귀를 함께 전대에 넣어 큰 항아리에 안치고, 물 3짐(6통)을 써서 하루 동안 담가놓는다.
5. 뽕잎 등을 담은 전대를 건져서 7일 동안 햇볕에 말린다.
6. 뽕잎 등을 담갔던 물에 5가지 잎사귀를 두드려 찧어서 앙금처럼 만든 후, 다시 가지와 줄기를 대발로 건져내고, 그 물에 콩을 넣고 지극히 익도록 끓인다.
7. 흰밀가루 100근에 복숭아, 살구 씨를 진흙같이 만든 것과 숙호과와 연화를 갈아 만든 즙, 녹두 20근, 삶은 콩과 더불어 잘 섞고 치대어 반죽을 한다.
8. 누룩틀에 채워 넣고 발로 밟아, 단단하고 딱딱하게 누룩밑을 만들어놓는다.
9. 누룩밑을 뽕나무잎으로 밖을 한 번 싸고, 두 번째로 종이로 싸서 바람이 직접 들지 않는 곳에 3~5일 걸어놓는다.

10. 누룩밑을 방 윗목 창문종이를 찢어내고, 그 곳에 걸어서 바람을 쏘여 건조, 숙성시킨다.

* 누룩방문 말미에 "그렇게 하지 않으면 탈날까 두렵다(봄을 지내지 못하고 썩거나 벌레가 생겨 망친다)."고 하였다.

東陽酒麴 辨證說

동양주가 해내(海內, 우리나라)에 이름이 난 것이 오래 되었으나, 얻어서 입술에 적셔보지도 못했다. 단지 방법만 글로 써서 갈증을 푸는 자료를 기다려서 누룩 만드는 법과 술 빚는 법을 변증해 놓았다.
전여성이 거가에 동양국방을 필용하니, 흰밀가루 백 근에 도인(桃仁) 20냥 2전(1전 3.75g)과 뽕잎 20근, 행인 20냥을 모두 거피해서(살구 씨를 물에 담갔다가 불려서 누르면 껍질이 벗겨진다고 함) 갈아서 진흙처럼 되게 하고, 연화 20송이, 창이자 20근(도꼬마리의 약명), 천오 20냥을 구어서 껍질과 배꼽을 제거하고, 녹두 20근, 담죽엽(조릿대) 20근, 숙호과(늙은 오이) 10근을 껍질을 벗기고 갈아서 진흙처럼 만들고, 속모 등 나두(담쟁이넝쿨이 대가리만 늘어진 것) 20근, 속모 등 넝쿨의 어린 잎사귀 20근의 위의 5가지 잎사귀를 다 한데 전대에 넣어서 큰 항아리에 집어넣고 물 3짐(6통)을 써서 하루 동안 담갔다가 꺼내서 일주일 동안 말려라. 담갔던 물에 5가지 잎사귀를 두드려 찧어서 앙금처럼 만든 후에 다시 가지와 줄기를 대발로 건져내고 그리고 난 후에 물에 콩을 끓이기를 지극히 익도록 해서 먼저 위에 나온 복숭아 살구 씨를 진흙같이 만든 것을 흰밀가루와 삶은 콩과 더불어 잘 섞어서 단단하고 딱딱하게 발로 밟아서 조각을 만들어라 그리고 뽕나무잎으로 밖을 한 번 싸고 두 번째로 종이로 싸서 바람이 직접 타지 않는 곳에 걸어놓기를 3~5일 걸어 놓았다가 그 누룩을 방 윗목 창문종이를 찢어내고 그곳에 걸어서 바람을 쐬게 하라. 그렇게 하지 않으면 탈날까 두렵다.

3. 동양주국(東陽酒麴) <오주연문장전산고(五洲衍文長箋散稿)>

–유태종 해석본(한국의 명주)

누룩 재료 : 굵은 등나무 머리 20근, 연한 등나무잎 20근, 백면(흰국수) 100근, 도인(복숭아씨) 20냥중, 두잎 진 뽕나무 20근, 행인(살구씨) 20냥중, 연꽃 20타(송이) 창이심 20근, 볶아서 껍질을 벗긴 천오 20냥중, 싹 튼 녹두 20근, 엷은 대잎사귀 20편, 익은 오리 10근, 초재(두잎 진 뽕나무잎)

누룩 빚는 법 :

1. 굵은 등나무 머리 20근, 연한 등나무잎 20근을 합쳐 큰 독에 넣고 물을 두 동이쯤 부어 하루 동안 담가놓는다.
2. 다음날 등나무 머리와 잎을 건져서 물기를 뺀 후, 햇볕에 내어 바짝 말린다.
3. 모두 마른 후에 다시 물을 적당히 붓고, 떡메로 쳐서 흐물흐물하게 찧는다.
4. 짓찧은 것을 체로 쳐서 나뭇가지나 덩어리 등 찌꺼기를 제거한 즙액을 받는다.
5. 백면(흰국수) 100근에 도인(복숭아씨) 20냥중, 두잎 진 뽕나무 20근, 행인(살구씨) 20냥중 등을 껍질을 벗겨서 맷돌에 갈아 끈끈한 진흙처럼 만든다.
6. 연꽃 20타(송이) 창이심 20근, 볶아서 껍질을 벗긴 천오 20냥중, 싹 튼 녹두 20근, 엷은 대잎사귀 20편, 익은 오리 10근을 껍질을 벗겨서 준비한다.
7. 연꽃과 창이심, 볶아서 껍질을 벗긴 천오, 싹 튼 녹두, 엷은 대잎사귀, 익은 오리를 한데 합하고, 맷돌에 갈아서 진흙처럼 끈끈하게 만든다.
8. 위의 세 가지 재료를 한데 합하고, 반죽하여 누룩틀에 채워 넣고 발로 디뎌서 누룩밑을 만든다.
9. 누룩밑을 두잎 진 뽕나무잎으로 싸고, 다시 큰 부대에 넣어 바람이 통하지 않는 곳에 두고 3일 이상 5일 정도 띄운다.
10. 누룩이 다 띄워졌으면, 햇볕에 내어 건조시켜 사용한다.

* '동양주'는 고려 말기에 제조된 술인데, '동양국'이라는 특수누룩을 사용한다.

1. 동파주국방(東坡酒麴方) <임원십육지(林園十六志, 高麗大本)>

동파주방(東坡酒方) 주방문 머리에 "남쪽 지방에서는 찹쌀 또는 멥쌀에 풀과 약을 섞어서 떡을 만든다. 냄새를 맡으면 향기롭고 씻으면 맵고 속이 비고 가벼우니 이것이 떡 중에 좋은 것이다. 내가 처음에 밀가루를 가지고 반죽하여 생강즙을 섞어 쪄서 열십자로 갈라 새끼로 꿰어 바람을 쏘이면 오래될수록 더욱 성미가 강해지니 이것이 누룩 가운데 좋은 것이다."고 하여 누룩 '정화국'을 만드는 법을 소개하고 있다.

東坡酒麴方
南方之氓以糯與秔雜以卉藥而爲餠嗅之香嚼之辣揣之喝然而(輕)此餠之良者也吾始取麪而起之和之以薑汁蒸之使十裂繩穿而風戾之愈久而盖悼此麴之精者也米五斗爲率而五分之爲三斗者一爲五升者四三斗者以釀五升者以投三投而止尙有五升之羸也始釀以四兩之餠而每投以三兩之麴皆澤以少水足以解散以勻.

2. 동파주국(東坡酒麴) <조선무쌍신식요리제법(朝鮮無雙新式料理製法)>

동파주국(東坡酒麴)
동파 선생이 갈오되 남방에 백성이 찹쌀과 멥쌀에 풀과 약을 석거서 떡을 만드나니 마르면 향기롭고 씹으면 맵고 만든 것이 속이 비여 갑여우니, 이 떡을 조타 하나니라. 내가 처음에 밀가루를 가지고 치고 주물러 강집에 쪄서 열십자로 찌저서 노끈을 꾀여 바람을 쐬엿드니 오랠스록 더욱 굿세니 이것이 누룩의 정기니라.

1. 만전향주국방(滿殿香酒麴方) <임원십육지(林園十六志)>

누룩 재료 : 밀가루 100근, 찹쌀가루 5근, 연화 200타, 백지(白芷) 2냥 5전, 정향 2냥 5전, 광령(廣笭) 2냥 5전, 영향(苓香) 2냥 5전, 파초향 0.5냥, 백단 5냥, 곽향(藿香) 5냥, 축사 5냥, 감초 5냥, 백출 10냥, 참외 100개

누룩 빚는 법 :

1. 백지 2냥 5전, 정향 2냥 5전, 광령 2냥 5전, 영향 2냥 5전, 파초향 0.5냥, 백단 5냥, 곽향 5냥, 축사 5냥, 감초 5냥, 백출 10냥을 가루로 빻는다.
2. 참외 100개는 껍질을 벗기고 강판에 갈아서 즙을 낸다.
3. 연화(蓮花)는 다듬어서 꽃받침을 제거하고, 믹서나 맷돌에 갈아 즙을 낸다.
4. 밀가루 100근에 찹쌀가루 5근과 약재가루를 섞고, 참외즙과 연화즙으로 반죽을 한 후, 중간체나 어레미에 한 번 내린다.
5. 반죽을 누룩틀에 담아 단단히 밟아 성형을 한다.
6. 애누룩은 한 덩어리마다 종이로 싸서 바람이 잘 통하는 곳에 매달아 둔다.
7. 49일(일곱이레)만에 거둬들이고 법제하여 술을 빚는다.

* <거가필용>을 인용하였다.

滿殿香酒麴方

麴方白麪一百斤糯米粉五斤木香半兩白朮十兩白檀五兩甛瓜一百箇香熟去皮子取汁縮砂甘草藿香各五兩白芷丁香廣芩苓香各二兩半蓮花二百朶去蒂取汁右件九味碾爲細末入麪粉內用蓮花瓜汁和勻踏作片紙袋盛掛通風處七七日可用.

1. 맥국법(麥麴法) <임원십육지(林園十六志)>

누룩 재료 : 통보리 1섬, 물 2말
준비 물품 : 누룩틀, 면보자기, 맷돌, 자배기, 물동이, 닥나무잎, 새끼

누룩 빚는 법 :

1. 보리 또는 밀 1섬을 물에 깨끗이 씻어 햇볕에 놓아 바짝 말린다.
2. 음력 6월 6일에 보리나 밀 1섬을 맷돌에 거칠게 갈아 가루를 만들어놓는다.
3. 보릿가루에 보리를 씻었던 물을 뿌려서 반죽하고, 고루 섞고 치댄다.
4. 밀가루 반죽이 끈적한 느낌이 들면, 누룩틀을 이용하여 예의 방법대로 성형하여 누룩밑을 만든다.
5. 누룩밑을 닥나무잎으로 싸서 새끼로 묶고, 바람이 잘 통하는 곳에 매달아서 70일간 발효·숙성시킨다.
6. 누룩이 잘 띄워졌으면 햇볕에 내놓아 바짝 말린 뒤, 바람이 잘 통하고 서늘한 곳에 보관한다.

麥麴法

用大麥米或小麥連皮井水淘淨曬乾六月六日磨碎以淘麥水和作塊楮葉包紮懸風処七十日可用. <本艸綱目>

2. 조국(造麴) <임원십육지(林園十六志)>

–맥국법(麥麴法)

누룩 재료 : 통밀 10근, 밀가루 2근, 녹두즙 2근 반, 여뀌
준비 물품 : 누룩틀, 맷돌, 자배기, 면보자기, 연잎·도꼬마리잎 적당량, 새끼

누룩 빚는 법 :

1. 삼복 때 아침에 녹두 2근 반을 물에 깨끗하게 씻어 불려놓는다.
2. 녹두가 충분히 불었으면, 다시 씻어 건져서 맷돌에 갈아 즙을 내고, 넓은 그릇에 담아둔다.
3. 녹두즙에 여뀌를 절구에 짓찧어서 넣어놓는다.
4. 밀을 물에 깨끗하게 씻어 건져서 건조시켰다가, 맷돌에 거칠게 갈아서 가루로 만든다.
5. 해가 지기 전에 통밀가루와 밀가루 2근을 섞고, 녹두즙을 뿌려가면서 고루 치대어 반죽한다.
6. 밀가루 반죽에 점성이 생기기 시작하면, 누룩틀에 면보자기를 깔고, 그 위에 반죽을 채워 넣는다.
7. 반죽을 채운 누룩틀을 발로 밟아 단단히 디뎌서 누룩밑을 만든다.
8. 누룩밑을 연잎과 도꼬마리잎으로 싸고, 새끼로 묶는다.
9. 누룩을 서늘한 곳에 매달아 두고 띄워, 10월에 거둬들인다.

造麴

初伏後最佳中伏後末伏前次之小麥不拘多少磨擣[麴劣致酒味薄率麥十斗取麴二斗爲准]先浸綠豆取汁取辣蓼與綠豆汁和造日未出時溲麴欲剛量是日人力可踏盡然後始可溲之不可經宿踊欲極堅每團用蓮葉蒼耳葉密裹懸當風通涼处至十月收之.

良好全在剛溲堅踊若不剛溲雖欲堅踊濃潰而出若不堅踊麴力頓失不能殺米.

<四時纂要>

3. 조국 속방(造麴 俗方) <임원십육지(林園十六志)>

–맥국(麥麴 俗法)

누룩 재료 : 통밀 10근, 녹두(2근 반), 생여뀌잎 적당량, 물(3근 반)

준비 물품 : 5되들이 우물정(井)자 누룩틀, 쑥, 볏짚, 자배기, 물동이, 맷돌, 면보자기

누룩 빚는 법 :

1. 통밀을 물에 깨끗하게 씻어 맷돌에 갈아서 거친 가루로 만든다.
2. 녹두를 맷돌에 갈아서 가루로 만들고, (3배 되는) 물에 담가 불려서 녹두물(즙)을 만들어놓는다.
3. 녹두물에 생여뀌를 짓찧어서 만든 즙을 넣는다.
4. 밀기울에 여뀌를 넣은 녹두물을 뿌려가면서 골고루 흡수하도록 힘껏 치대서 반죽한다.
5. 5되들이 크기의 우물정(井)자 형태의 누룩틀에 면보자기를 깔아놓는다.
6. 누룩틀 안에 누룩 반죽을 다져 넣고, 발로 밟아 단단히 디뎌서 누룩밑을 만든다.
7. 시렁 위에 두꺼운 광목을 펴고, 그 위에 마른 볏짚과 쑥을 켜켜이 쌓고, 그 위에 누룩밑을 늘어놓는다.
8. 누룩밑을 다시 마른 쑥과 볏짚으로 3~4차례 덮어준다.
9. 누룩을 띄운 지 21일 후에 누룩을 꺼내 볕에 말린 후 통풍 잘되는 곳에 걸어둔다.

* <옹희잡지(饔饎雜誌)>에서는 "볏짚을 이어 겨를 담고 한 묶음에 한 냥쭝의 누룩을 넣고 띄워 따뜻한 곳에 두어 5~6일 만에 꺼내어 바람을 쏘였다가, 다시 묻어둔 지 21일이면 잘 뜬다."고 하고, "50~60일이면 쓸 수 있으며, 초복 후, 중복 후, 말복 전에 디뎌서 띄우면 좋다."고 하였다.

造麴 俗方

小麥淨洗碾磨又將綠豆碾磨如豆泡和水生蓼爛推於泡水如推藍狀水色甚淸味且辛烈乃與麥末和合每圓五升入擊堅踊布稾穰于架上又厚布乾艾于稾穰上以稾索縛麴置其上又厚布生艾于麴上又覆稾穰三四重令極烝熟三七日後麴乾則移置通風处. <山林經濟補>

4. 조국 속법(造麴 俗法) <임원십육지(林園十六志)>

–맥국법(麥麴法)

누룩 재료 : 통밀 10근, 녹두(2근 반), 생여뀌잎 적당량, 물(3근 반)

준비 물품 : 5되들이 우물정(井)자 누룩틀, 볏짚, 자배기, 물동이, 맷돌, 면보자기

누룩 빚는 법 :

1. 통밀을 물에 깨끗하게 씻어 맷돌에 갈아서 거친 가루로 만든다.
2. 녹두를 맷돌에 갈아서 가루로 만들고, (3배 되는) 물에 담가 불려서 녹두물(즙)을 만들어놓는다.
3. 녹두물에 생여뀌를 짓찧어서 만든 즙을 넣는다.
4. 밀기울에 여뀌를 넣은 녹두물을 뿌려가면서, 골고루 흡수하도록 힘껏 치대서 반죽한다.
5. 5되들이 크기의 우물정(井)자 형태의 누룩틀에 면보자기를 깔고, 그 위에 피마자잎을 깔아놓는다.
6. 누룩틀 안에 누룩 반죽을 다져 넣고, 발로 밟아 단단히 디뎌서 누룩밀을 만든다.
7. 시렁 위에 두꺼운 광목을 펴고, 그 위에 마른 볏짚과 쑥을 켜켜이 쌓고, 그 위에 누룩밀을 늘어놓는다.
8. 누룩밀을 다시 마른 쑥과 볏짚으로 3~4차례 덮어준다.

9. 누룩을 띄운 지 21일 후에 누룩을 꺼내 볕에 말린 후 통풍 잘되는 곳에 걸어둔다.

造麴 俗法

用木造鑿機形如井字大如小斗機內鋪布袱袱內鋪蓖麻子葉始溲麥麩塡實機內又鋪蓖麻葉于其上卽掩袱堅蹯而每蹯到麴之中心輒以趾猛築令麴心稍凹不然心厚濕聚致有中心腐黑之患矣[增補山林經濟]　春秋麰皆可造麴而用以釀酒酒味不烈 <同上(山林經濟補)>.

如有蹉誤失時至八九月始造者槀篅盛稻糠每一篅納一兩麴罨之置溫處五六日暫出風之旋卽依前罨之三七日成[饔(食+熙)雜志].

5. 맥국법(麥麴法) <임원십육지(林園十六志)>

누룩 재료 : 통밀 10근, 녹두(2근 반), 생여뀌잎 적당량, 물(3근 반)
준비 물품 : 우물정(井)자 누룩틀, 둥구미, 쌀겨, 자배기, 물동이, 맷돌, 면보자기

누룩 빚는 법 :

1. 누룩 디디는 시기를 놓쳐서 8~9월에 하려면, 통밀을 물에 깨끗하게 씻어 맷돌에 갈아서 거친 가루로 만든다.
2. 녹두를 맷돌에 갈아서 가루로 만들고, (3배 되는) 물에 담가 불려서 녹두물(즙)을 만들어놓는다.
3. 녹두물에 생여뀌를 짓찧어서 만든 즙을 넣는다.
4. 밀기울에 여뀌를 넣은 녹두물을 뿌려가면서 골고루 흡수하도록 힘껏 치대서 반죽한다.
5. 우물정(井)자 형태의 누룩틀에 면보자기를 깔고, 그 위에 피마자잎을 깔아

놓는다.
6. 누룩틀 안에 누룩 반죽을 다져 넣고, 발로 밟아 단단히 디뎌서 누룩밑을 만든다.
7. 둥구미(가마니)에 쌀겨를 담고, 그 인에 누룩밑 10냥(덩이)씩 넣어 따뜻한 곳에 두었다가, 5~6일 후에 꺼낸다.
8. 누룩밑을 볕이 잘 들고 바람이 통하는 곳에 내어 21일간 숙성시킨다.

* <옹희잡지>를 인용하였다.

맥국법(麥麴法)
如有蹉誤失時至八九月始造者稾篅盛稻糠每一篅納一兩麴罨之置溫處五六日暫出風之旋卽依前罨之三七日成. <饔饎雜志>

6. 보리누룩(麥麴) <조선무쌍신식요리제법(朝鮮無雙新式料理製法)>

누룩 재료 : 보리, 맷돌(절구), 보릿가루 뜨물, 베보자기, 닥나무잎, 누룩틀, 볏짚 약간

누룩 빚는 법 :
1. 보리를 껍질 벗기지 말고 우물물에 인 후 깨끗하게 씻어 건져서 물기를 뺀다.
2. 씻은 보리를 햇볕에 내어 바짝 말린다.
3. (음력) 6월 6일에 매에 밀을 갈아서 가루를 만든다.
4. 밀가루에 보리 뜨물을 뿌려가면서 반죽하여 끈적거리고 뭉쳐지게 만든다.
5. 누룩틀에 베보자기를 펴고, 그 위에 닥나무잎을 깔아놓은 후, 그 위에 보릿가루 반죽을 가득 채운다.
6. 반죽이 다 채워졌으면 닥잎으로 덮고 보자기로 싼 뒤 올라가서 발로 단단히 밟아 '애누룩'을 만든다.

7. 다 디뎌졌으면 보자기를 풀고 틀에서 애누룩을 빼낸다.
8. 애누룩을 볏짚으로 묶어 바람 통하는 곳에 매달아 70일간 띄운다.
9. (누룩의 발효가 끝났으면, 닥잎을 벗기고 햇볕에 내어 건조시킨 후에 사용한다.)

* 누룩방문 말미에 "가을보리나 봄보리가 다 누룩을 만들어 술을 빚으나, 술맛이 맹렬치 못하나니라."고 하였다.

보리누룩(麥麴)

보리를 껍질 벗기지 말고 우물물에 이러 씨서서 볏헤 밧삭 말린 뒤에 륙월 륙일에 매에 가라서 보리 쓰물에 반죽하야 덩어리를 만드러 달아두어 칠십일이면 쓰나니라. 가을보리나 봄보리가 다 누룩을 만드러 술을 비즈나 술맛이 맹렬치 못하니라.

7. 밀누룩(小麥麴) <조선무쌍신식요리제법(朝鮮無雙新式料理製法)>

누룩 재료 : 소맥, 누룩틀, 베보자기, 맷돌, 밀 뜨물, 생쑥잎, 마른 쑥잎, 볏짚

누룩 빚는 법 :

1. 보리누룩과 같이 만드는데, 밀을 껍질째 물에 일어 씻어서 물기를 뺀다.
2. 씻은 밀을 햇볕에 내어 바짝 말린다.
3. (음력) 6월 6일에 매에 밀을 갈아서 가루를 만든다.
4. 밀가루에 밀 뜨물을 뿌려가면서 반죽하여 끈적거리고 뭉쳐지게 만든다.
5. 누룩틀에 베보자기를 펴고, 그 위에 닥나무잎을 깔아놓은 후, 그 위에 밀가루 반죽을 가득 채운다.
6. 반죽이 다 채워졌으면 닥잎으로 덮고 보자기로 싼 뒤 올라가서 발로 단단히

밟아 '애누룩'을 만든다.

7. 다 디뎌졌으면 보자기를 풀고 틀에서 애누룩을 빼낸다.
8. 애누룩을 볏짚으로 묶어 바람 통하는 곳에 매달아 70일간 띄운다.
9. (누룩의 발효가 끝났으면, 닥잎을 벗기고 햇볕에 내어 건조시킨 후에 사용한다.)

밀누룩(小麥麴)

밀누룩은 보리누룩과 가티 하나니 썹질 재물에 이러 씨서 서볏헤 밧삭 말린 후에 륙월 육일에 매에 가라서 밀쓰물에 반죽하야 덩어리를 만드러 당나무 닙사귀로 쏙 싸서 바람 통하는 곳에 달아두어 칠십 일이면 쓰나니라.

8. 밀누룩 시속법(小麥麴 時俗法)

<조선무쌍신식요리제법(朝鮮無雙新式料理製法)>

누룩 재료 : 통밀, 누룩틀, 맷돌, 베보자기, 생여뀌잎, 녹두즙, 닥나무잎, 새끼

누룩 빚는 법 :

1. 밀을 정히 씻어서 물기를 뺀다.
2. 씻은 밀을 맷돌에 갈아서 가루를 만든다.
3. 녹두를 (깨끗이 씻어 물에 담가서 불렸다가) 맷돌에 갈아 두부같이 자루에 넣고 꼭 짜서 즙액을 만든다.
4. 생여뀌잎을 짓이겨 녹두즙에 담가 비벼대면 쪽 비빈 것과 같이 물빛이 심히 맑고 또 맵고 씩씩해진다.
5. 간 밀가루에 녹두즙을 쳐가면서 매우 치대어 끈적거리고 뭉쳐지게 반죽을 한다.
6. 누룩틀에 베보자기를 펴고, 그 위에 밀가루 반죽을 가득 채우는데, 한 둘레

에 5되씩 만든다.

7. 반죽이 다 채워졌으면 보자기로 싼 뒤, 발로 단단히 밟아 애누룩을 만든다.
8. 다 디뎌졌으면 보자기를 풀고 누룩틀에서 애누룩을 빼낸다.
9. 시렁 위에 볏짚을 깔고, 그 위에 마른 쑥을 두껍게 펴고, 새끼로 애누룩을 동여매어 쑥 위에 놓는다.
10. 다시 생쑥을 두껍게 덮고 또 볏짚을 덮으되, 같은 방법으로 켜켜이 층을 쌓는다.
11. 누룩을 띄우기 시작한 지 21일 후에 누룩을 꺼내어 볕에 말려서 바람 통하는 곳에 매달아 두고 쓴다.

* 누룩방문 머리에 "말(밀)누룩은 밀누룩으로, 보리누룩과 같이 하나니"라고 하여 보리누룩과 밀누룩은 재료만 다를 뿐, 제조법이 한 가지인 것을 알 수 있다.

시속법

밀을 정이 씨서 매에 가라노코 또 녹두를 매에 가라 두부가티 물을 짜고 날역귀닙흘 짓익여 녹두물에 부비면 쏙 부빈 거와 가티 물빗이 심이 맑고 또 맵고 씩씩할지니 그제야 밀가루와 합하야 한 둘레에 닷 되식 만드러 틀에 느코 단단이 발바서 시렁 우에 집을 쌀고 집우에 말은 쑥을 둑겁게 게고 색기로 누룩된 것을 동여매여 쑥 위에 노코 다시 생쑥을 둑겁게 펴고 또 집을 덥흐되 이러케 누룩을 세네칭을 하고 다 씌여 익힌 지 삼칠일 후에 누룩을 집어내여 말려서 바람 통하는 곳에 달아두나니라.

1. 맥완법(麥䴷法) <임원십육지(林園十六志)>

누룩 재료 : 통밀, 물억새잎 또는 도꼬마리잎
준비 물품 : 시루, 채반, 돗자리

누룩 빚는 법 :

1. 6월 중에 밀을 물에 깨끗하게 씻어 항아리에 넣고, 물을 붓고 담가 불린다.
2. 며칠이고 시간이 지나 밀이 시어진 후에 건져서 물기를 빼고, 시루에 안쳐서 푹 찐다.
3. 채반에 돗자리를 깔고, 그 우에 찐 밀을 2치(6㎝) 두께로 얇게 편 다음, 채반째 시렁 위에 올려놓는다.
4. 하루 전에 베어두었던 물억새잎으로 얇게 덮고, 물억새가 없을 때는 호시(도꼬마리)를 사용한다.
5. 1주일 후에 밀밥에 노란 곰팡이가 피면 꺼내서 햇볕에 말려 도꼬마리잎을 제거하되, 절대로 까부르지 않는다.

* 맥완 방문에 "제(齊)나라 사람들은 바람에 날려 곰팡이를 제거하는 것을 좋아하는데, 이것은 큰 잘못이다. 밀누룩으로 무엇을 만들든지 곰팡이의 작용을 바라는데, 곰팡이를 날려버리면 좋지 못하다. 밀로 밥을 짓고 펴 놓았다가, 노란 곰팡이가 피면 볕에 말린다."고 하였다. <당본초(唐本草)>를 인용하였다.

麥䴷法(一名黃子一名黃衣)

六月中取小麥淨陶納於甕中以水浸之令醋漉出熟烝之槌箔上敷席置麥於上攤令厚二寸許豫前一日刈亂葉薄無亂葉者刈胡葉(注胡葈蒼耳也)擇去雜艸無令有水露氣候麥冷以胡葉覆之七日看黃衣色足便出曝之去胡葉而已愼勿颺簸齊人喜當風颺去黃衣此大謬凡有所造作用麥䴷者皆仰其衣爲勢今反颺去之作物必不善. <齊民要術> 小麥爲飯和成罨之待上黃衣 取曬. <唐本艸>.

1. 면국방(麪麴方) <임원십육지(林園十六志)>

누룩 재료 : 통밀가루 5되, 녹두 5되, 여뀌가루 5냥, 행인가루 10홉, 여뀌잎, 닥나무잎(2말)

준비 물품 : 누룩틀(1~2되 크기), 맷돌, 면보자기, 새끼

누룩 빚는 법 :

1. 삼복 때 통밀을 깨끗이 씻어 물기를 뺀 다음, 볕에 바짝 말려서 맷돌에 갈아 거친 가루를 제거한 고운 밀가루 5되를 얻는다.
2. 맷돌에 녹두 5되를 넣고 갈아서 녹두가루를 만든다.
3. 여뀌를 말려서 절구에 찧어 가루를 만들어 5냥을 준비한다.
4. 행인(껍질 벗긴 살구씨)을 맷돌에 갈아 가루를 내어 10홉(1되)을 준비한다.
5. 준비해 둔 밀가루와 녹두가루에 삶은 여뀌즙을 넣어 섞고, 체에 한 번 내린 후, 시루에 안쳐서 쪄낸 다음 차게 식힌다.
6. 쪄낸 가루에 여뀌가루 5냥, 찧은 행인 10냥을 넣어 섞고 고루 버무려 반죽을 만든다.
7. 누룩 반죽을 누룩틀에 채워 넣고, 발로 단단히 밟아서 누룩밑을 만든다.
8. 누룩밑을 닥나무잎으로 싸고, 새끼로 묶어 바람이 잘 통하는 시렁에 매달아 띄운다.

* 누룩방문에 "삼복 때 밀가루 5되와 녹두 5되를 여뀌즙에 삶는다. 여뀌가루 5냥, 찧은 행인 10냥을 넣어 섞어 밟아서 덩어리를 빚어 닥나무잎에 싸서 바람이 잘 통하는 곳에 걸어두면 누룩이 뜬다."고 하였다. <본초강목>을 인용하였다. 또 방문에 "누룩을 디딜 때는 밀가루를 되게 반죽하고 단단히 밟아야 하며, 덩어리가 작고 얇아야 한다. 띄우는 방법은 위와 같다."고 하였다. <증보산림경제>를 인용하였다.

麪麴方

三伏時用自麪五升絲豆五升以蓼汁煮爛辣蓼末五兩杏仁泥十兩和踏成餠楮葉裹懸風處俟生黃收之. <本艸綱目> 造麳麪麴麪要剛溲圓要小而薄罨法上同. <增補山林經濟>.

1. 미곡법(米麯法) <군학회등(群學會騰)>

정월 초하루에 쌀 혹은 찹쌀을 물에 담갔다가 가루를 내어 살짝 찐 다음, 누룩을 밟아 솔잎을 덮고서 띄운다. 쌀 1말을 빚을 때 누룩가루 2되를 넣으면, 술맛이 달고 맵고 좋다.

米麯法
正月初一日以白米或粘米水浸作末微蒸過踏作麯埋松葉(菴)成 每釀米一斗入麯末二升烈.

2. 조미곡법(造米麯法) <농정회요(農政會要)>

누룩 재료 : 멥쌀 또는 찹쌀
준비 물품 : 누룩틀, 체, 볏짚, 빈 가마니, 면보자기, 솔잎, 맷돌(절구), 종이봉투

누룩 빚는 법 :

1. 정월 초하룻날 멥쌀 또는 찹쌀을 물에 깨끗하게 씻어 불려서 놓는다.
2. 불린 쌀을 다시 씻어 건져서 절구에 찧거나 맷돌에 갈아 가루를 만든다.
3. 쌀가루를 시루에 안쳐서 김이 들 정도로 살짝 쪄내고, 고루 펼쳐서 차게 식힌다.
4. 누룩틀에 면보자기를 깔고, 그 안에 쪄낸 쌀가루를 담아 채우고, 발로 단단히 밟아 누룩밑을 만든다.
5. 가마니에 솔잎을 넣고, 그 안에 누룩밑을 넣어 띄운다.
6. 3~4일 후에 누룩의 표면에 누룩곰팡이가 잘 펴져 있고 냄새가 좋으면, 한 번 뒤집어 주길 몇 차례 반복한다.
7. 두 겹으로 만든 종이봉투에 담아, 바람이 들고 따뜻한 곳에 매달아 둔다.

* 방문에 "정월 초하루에 쌀 혹은 찹쌀을 물에 담갔다가 가루를 내어 살짝 찐 다음 누룩을 밟아 솔잎을 덮고서 띄운다. 쌀 1말을 빚을 때 누룩가루 2되를 넣으면 술맛이 좋다. 가을보리로도 누룩을 만들지만 술맛이 맵지 않다."고 하였다.

造米麯法

正月初一日以白米或粘米水浸作末微蒸過踏作麯埋松葉(掩)成 每釀米一斗入麯末二升烈.

3. 조미곡법(造米麯法) <산림경제촬요(山林經濟撮要)>

누룩 재료 : 멥쌀 또는 찹쌀, 솔잎

누룩 빚는 법 :

1. 정월 초하룻날에 멥쌀 또는 찹쌀을 물에 불렸다가, 다시 씻어 건져서 물기를 뺀 후 작말한다.
2. 쌀가루를 살짝 쪄서 (누룩틀에 다져 넣고) 발로 힘껏 밟아 누룩밑을 만든다.
3. 누룩밑을 솔잎에 묻어 띄운 후 (햇볕에 내어 껍질을 벗겨내고 햇볕에 내어 말려서 법제한다.)
4. 술을 빚을 때 쌀 1말에 누룩가루 2되를 넣는데, 매달 누룩을 띄워 술 빚는 길일을 택해 빚는다.

* 방문 말미에 조국길일에 대하여 언급하였다. "정월의 정묘(丁卯)·을유(乙酉)·정유(丁酉)·갑진(甲辰)·정미(丁未)·병진(丙辰)·기미일, 2월의 기사(己巳)·정사(丁巳)일, 3월의 기사(己巳)·병자(丙子)·경자(庚子)·을사(乙巳)일, 4월의 을축(乙丑)·정묘(丁卯)·정축(丁丑)·신묘(辛卯)·을묘(乙卯)일, 5월의

병인(丙寅)·갑신(甲申)·경신(庚申)일, 6월의 임신(壬申)·무인(戊寅)·기묘(己卯)·정유(丁酉)·기유(己酉)일, 7월의 경오(庚午)·무자(戊子)·무술(戊戌)·경술(庚戌)일, 8월의 기사(己巳)·정해(丁亥)·계사(癸巳)·기해(己亥)일, 9월의 신사(辛巳)·무자(戊子)·병신(丙申)·무신(戊申)·신해(辛亥)·경신(庚申)일, 10월의 정묘(丁卯)·갑술(甲戌)·기묘(己卯)·계미(癸未)·갑오(甲午)·경자(庚子)·기미(己未)일, 11월의 을축(乙丑)·무인(戊寅)·갑신(甲申)·을미(乙未)·임인(壬寅)·무신(戊申)·갑신(甲申)일, 12월의 정묘(丁卯)·임신(壬申)·기묘(己卯)·갑신(甲申)·경자(庚子)·임인(壬寅)·을묘(乙卯)·경신(庚申)일이다." 그리고 "무자일(戊子日)·갑진일(甲辰日)과 정유일(丁酉日)을 꺼린다."고 하였다.

造米麯法
正月初一日以白米或粘米水浸作末微蒸過踏作麯埋松葉(菴)成 每釀米一斗入麯末二升.

4. 미국방(米麴方) <임원십육지(林園十六志)>

누룩 재료 : 찹쌀 1말, 천연여뀌즙(생여뀌 1석) 2되
준비 물품 : 맷돌, 자배기, 절구, 맷돌, 닥나무잎

누룩 빚는 법 :

1. 찹쌀 1말을 물에 씻어 불린 다음, 맷돌에 갈아 체에 내린다.
2. 여뀌를 채취하여 절구에 넣고 짓찧어, 2되가량의 즙을 채취한다.
3. 쌀가루에 여뀌즙을 넣고 골고루 섞이도록 체에 한 번 내린다.
4. 쌀가루 반죽을 둥글고 납작한 형태로 단단히 뭉쳐서 거위알 같은 누룩밑을 만든다.
5. 누룩밑을 닥나무잎으로 싸고, 새끼로 묶어놓는다.

6. 밑누룩 멍석에 볏짚을 두툼하게 깔고, 그 위에 누룩밑을 놓고, 닥나무잎으로 덮어 바람 드는 곳에 두고 49일간 띄운다.
7. 햇볕 좋은 날 볕을 쬐어 건조시킨 후, 종이봉투에 담아두고 사용한다.

米麴方

用糯米粉一斗自然蓼汁和作圓丸楮葉包掛風處七七日曬收. <本艸綱目>.

5. 미국방(米麴方) <임원십육지(林園十六志)>

-우리나라의 방법

누룩 재료 : 찹쌀(멥쌀) 1말, 천연여뀌즙(생여뀌 1석)
준비 물품 : 누룩틀, 맷돌, 자배기, 체, 솔잎

누룩 빚는 법 :

1. 찹쌀(멥쌀) 1말을 물에 씻어 불린 다음, 시루에 넣고 살짝 쪄서 식으면 가루로 빻는다.
2. 쪄낸 쌀가루를 거친 체에 한 번 내린 후, 둥글고 납작한 형태의 누룩틀에 다져 넣고 발로 단단히 디뎌서 누룩밑을 만든다.
3. 단단히 디딘 누룩밑을 솔잎에 묻어 (30여 일간) 띄운다.
4. 누룩을 햇볕 좋은 날 볕을 쪼이고 건조시켰다가, 종이봉투에 담아 보관하여 사용한다.

米麴方

東法正月初一日以白米或粘米水浸作末微烝過踏作麴埋松葉內罨成每釀酒米一斗入麴末二升烈. <增補山林經濟>.

6. 쌀누룩(米麴) <조선무쌍신식요리제법(朝鮮無雙新式料理製法)>

누룩 재료 : 찹쌀가루 1말, 누룩틀, 맷돌, 베보자기, 체, 닥나무잎, 새끼

누룩 빚는 법 :

1. 찹쌀 1말을 백세하여 물에 담가 불렸다가 가루로 빻는다.
2. (찹쌀가루를 체에 내려서 거친 무거리를 제거한다.)
3. 생여뀌잎을 짓찧어 즙을 짜낸다.
4. 찹쌀가루에 여뀌즙을 촉촉하게 적셔서 고루 섞은 후, 체에 한 번 내린다(수분을 맞춘다).
5. 둥근 누룩틀에 베보자기를 펴고, 그 위에 가루 반죽을 가득 채운다.
6. 반죽이 다 채워졌으면 보자기로 싼 뒤 올라가서 발로 단단히 밟아 '애누룩'을 만든다.
7. 다 디뎌졌으면 보자기를 풀고 틀에서 애누룩을 빼낸다.
8. 애누룩을 닥나무잎으로 싸고, 새끼로 애누룩을 동여맨다.
9. 바람 부는 곳에 애누룩을 매달아 두고, 누룩을 띄우기 시작한 지 49일 만에 누룩을 꺼내어 낮에 볕에 말린다.

쌀누룩(米麴)

찹쌀가루 한 말을 역귀집에 반죽하야 둥굴게 만든 후에 낙나무닙헤 싸서 바람 곳에 거럿다가 사십구일 만에 볏뵈야 두나니라.

7. 또 쌀누룩(米麴) <조선무쌍신식요리제법(朝鮮無雙新式料理製法)>

누룩 재료 : 찹쌀(멥쌀)가루 1말, 누룩틀, 맷돌, 베보자기, 체, 닥나무잎, 새끼

누룩 빚는 법 :

1. 정월 초하룻날 멥쌀이나 찹쌀 1말을 백세하여 물에 담가 불렸다가 가루로 빻는다.
2. 쌀가루를 절구에 넣고 대강 찧어놓는다.
3. 쌀가루에 물을 촉촉하게 적셔서 고루 섞은 후, 체에 한 번 내린다(수분을 맞춘다).
4. 누룩틀에 베보자기를 펴고, 그 위에 가루 반죽을 가득 채운다.
5. 반죽이 다 채워졌으면 보자기로 싼 뒤 올라가서 발로 단단히 밟아 '애누룩'을 만든다.
6. 다 디뎌졌으면 보자기를 풀고 틀에서 애누룩을 빼낸다.
7. 애누룩을 솔잎으로 싸고(묻어두고), 예의 방법대로 하여 띄운다.
8. 바람 부는 곳에 누룩을 꺼내어 낮에 볕에 말린다.

* 누룩방문 말미에 "술밑이 쌀 한 말에 이 누룩가루 두 되면 매우 독하니라." 고 하였다.

쌀누룩(米麴) 또

정원 초하룻날 흰쌀이나 찹쌀을 물에 당가 가루 만드러 대강 써서 단々이 발바 누룩을 만드러 솔닙헤 싸서 씌울지니 술밋이 쌀 한 말에 이 누룩가루 두 되면 매우 독하니라.

8. 조미곡법(造米麯法) <증보산림경제(增補山林經濟)>

누룩 재료 : 찹쌀(멥쌀) 1말, 누룩틀, 맷돌, 베보자기, 체, 닥나무잎, 새끼

누룩 빚는 법 :

1. 정월 초하룻날 멥쌀이나 찹쌀 1말을 백세하여 물에 담가 불렸다가 가루로 빻는다.
2. 쌀가루를 절구에 넣고 대강 찧어놓는다.
3. 쌀가루에 물을 촉촉하게 적셔서 고루 섞은 후, 체에 한 번 내린다(수분을 맞춘다).
4. 누룩틀에 베보자기를 펴고, 그 위에 가루 반죽을 가득 채운다.
5. 반죽이 다 채워졌으면 보자기로 싼 뒤 올라가서 발로 단단히 밟아 '애누룩'을 만든다.
6. 다 디뎌졌으면 보자기를 풀고 틀에서 애누룩을 빼낸다.
7. 애누룩을 솔잎으로 싸고(묻어두고), 예의 방법대로 하여 띄운다.
8. 바람 부는 곳에 누룩을 꺼내어 낮에 볕에 말린다.

* 누룩방문 말미에 "가을보리로도 누룩을 만들지만 술맛이 좋지 않다."고 하고, "누룩을 두 해 묵히면 효능이 없어지고, 한 해 묵히면 좋다. 그해 누룩은 겨울에 방문주(方文酒)를 만들 수 있다."고 하였다.

造米麯法

正月初一日以白米或粘米水浸作末微蒸過踏作麯埋松葉(菴)成 每釀米一斗入麯末二升烈.

1. 조반하국법(造半夏麴法) <동의보감(東醫寶鑑)>

누룩 재료 : 반하(半夏) 많은 양, 생강즙 · 백반 달인 물 동량, 응용(풍담 : 조각 달인 물, 화담 · 노담 : 죽력에 생강즙, 습담 · 한담 : 생강을 진하게 달인 물, 반하 3냥, 구운 백반 1냥)

누룩 빚는 법 :

1. 반하(半夏)를 양에 관계없이 가루를 낸다.
2. 생강을 갈아 즙을 내고, 백반 달인 물을 생강즙과 동량으로 고루 섞는다.
3. 반하가루와 생강즙, 백반 달인 물을 한데 섞고, 고루 치대고 뭉쳐서 누룩 디디는 방법으로 디뎌서 누룩밑을 만든다.
4. 누룩밑을 닥잎으로 싸고 바람에 말린(띄운) 후, 약에 넣는다.
5. 풍담(風痰)에는 조각자나무 달인 물에서 찌꺼기를 제거한 후, 졸인 고약을 넣는다.
6. 화담(火痰) · 노담(老痰)에는 죽력에 생강즙을 넣은 것을 섞어서 사용한다.
7. 습담(濕痰) · 한담(寒痰)에는 생강을 진하게 달이고, 구운 백반 1/3을 넣은 것(만약 반하가 3냥이면 구운 백반 1냥을 섞은 것)을 섞어 앞의 방법대로 누룩을 만든다.
8. 하천고에 백개자가 2/3이 되도록 넣은 뒤, 생강즙과 백반 달인 물, 죽력을 넣고 만든 누룩은 담적이 오래된 것을 대소변으로 내보낸다.

造半夏麴法

半夏不以多少爲末, 以生薑汁, 白礬湯等分和勻, 造麴, 楮葉包裹風乾, 然後乃入藥. 風痰, 以皂角煮汁, 去渣軟膏和. 火痰, 老痰, 以竹瀝, 入薑汁和, 濕痰, 寒痰, 以薑薑濃煎湯, 加枯白礬三分之一和(如半夏三兩, 枯白礬一兩), 造麴如前法, 又以霞天膏(方見吐門), 加白芥子三分之二, 薑汁, 礬湯, 竹瀝造麴, 能使痰積沈病, 隨大小便出. <丹心>.

1. 백곡법(白麯法) <농정회요(農政會要)>

누룩 재료 : 밀가루 1짐(担), 찹쌀가루 1말, 물

준비 물품 : 누룩틀, 종이, 면보자기

누룩 빚는 법 :

1. 통밀을 맷돌에 갈아 가루를 만든 후, 고운체에 내려서 밀기울을 제거한 흰 밀가루 1짐을 준비한다.
2. 찹쌀을 물에 깨끗하게 씻어 불렸다가, 건져서 물기를 뺀 후, 맷돌에 갈아 가루를 만들어 1말을 준비한다.
3. 찹쌀가루와 밀가루를 고루 섞고, 물을 골고루 뿌려 뒤섞은 다음, 중간체에 한 번 내린다.
4. 누룩틀에 면보자기를 깔고, 체에 내린 가루를 골고루 채워 넣고, 발로 단단히 밟아 디뎌서 누룩밑을 만든다.
5. 성형을 마친 누룩밑을 틀에서 빼낸 다음, 종이로 싸고 새끼로 묶는다.
6. 누룩밑을 바람이 잘 통하는 곳에 매달아(시렁에 매달아) 두었다가, 50일 후에 거둬들이고 분쇄하여, 술 빚을 때 법제한 후 사용한다.

* 방문에 "밀가루 1짐(担), 찹쌀가루 1말을 물로 반죽하여 덩어리로 빚어 꼭꼭 밟고 종이로 싸서 바람이 잘 통하는 곳에 50일간 걸어두었다가 낮에는 햇볕에 말리고 밤에는 이슬을 맞힌다."고 하였다.

白麯法

白麪一担糯米粉一斗水拌令乾濕調均篩子格過踏或成餅子紙包封當風處五十日取下日晒夜露 每米一斗下麯十兩.

2. 백국방(白麴方) <임원십육지(林園十六志)>

누룩 재료 : 밀가루 5근, 찹쌀가루 1말, 물(1되 5홉 내외)
준비 물품 : 누룩틀, 닥나무잎, 면보자기

누룩 빚는 법 :

1. 통밀을 맷돌에 갈아 가루를 만든 후, 고운체에 내려서 밀기울을 제거한 흰 밀가루 5근을 준비한다.
2. 찹쌀을 물에 깨끗하게 씻어 불렸다가, 건져서 물기를 뺀 후, 맷돌에 갈아 가루를 만들어 1말을 준비한다.
3. 찹쌀가루와 밀가루를 고루 섞고, 물을 골고루 뿌려 뒤섞은 다음, 중간체에 한 번 내린다.
4. 누룩틀에 면보자기를 깔고, 체에 내린 가루를 골고루 채워 넣고, 발로 단단히 밟아 디뎌서 누룩밑을 만든다.
5. 성형을 마친 누룩밑을 틀에서 빼낸 다음, 닥나무잎으로 싸고 새끼로 묶는다.
6. 누룩밑을 바람이 잘 통하는 곳에 매달아(시렁에 매달아) 두었다가, 50일 후에 거둬들이고 분쇄하여, 술 빚을 때 법제한 후 사용한다.

白麴方

用麪五斤糯米粉一斗水拌微濕篩過踹餅楮葉包掛風處五十日成. <本草綱目>

3. 백국방(白麴方) <임원십육지(林園十六志)>

누룩 재료 : 밀가루 1짐(担), 찹쌀가루 1말, 물
준비 물품 : 누룩틀, 종이, 면보자기

누룩 빚는 법 :

1. 통밀을 맷돌에 갈아 가루를 만든 후, 고운체에 내려서 밀기울을 제거한 흰 밀가루 1짐을 준비한다.
2. 찹쌀을 물에 깨끗하게 씻어 불렸다가, 건져서 물기를 뺀 후, 맷돌에 갈아 가루를 만들어 1말을 준비한다.
3. 찹쌀가루와 밀가루를 고루 섞고, 물을 골고루 뿌려 뒤섞은 다음, 중간체에 한 번 내린다.
4. 누룩틀에 면보자기를 깔고, 체에 내린 가루를 골고루 채워 넣고, 발로 단단히 밟아 디뎌서 누룩밑을 만든다.
5. 성형을 마친 누룩밑을 틀에서 빼낸 다음, 종이로 싸고 새끼로 묶는다.
6. 누룩밑을 바람이 잘 통하는 곳에 매달아(시렁에 매달아) 두었다가, 50일 후에 거둬들이고 분쇄하여, 술 빚을 때 법제한 후 사용한다.

白麴方

白麪一担糯米 粉一斗水拌令乾濕調勻篩子格過踏成餠子紙包掛當風處五十日取下日曬夜露. <遵生八牋>

4. 흰누룩(白麴) <조선무쌍신식요리제법(朝鮮無雙新式料理製法)>

누룩 재료 : 흰밀가루 1짐, 찹쌀가루 1말, 누룩틀, 맷돌, 베보자기, 체, 닥나무잎, 새끼

누룩 빚는 법 :

1. 찹쌀 1말을 백세하여 물에 담가 불렸다가 가루로 빻는다.
2. (쌀가루를 체에 내려서 거친 무거리를 제거한다.)
3. 밀가루 한 짐(擔, 5말)과 쌀가루를 합하고, 물을 촉촉하게 적셔서 고루 섞은 후, 체에 한 번 내린다(수분을 맞춘다).

4. 누룩틀에 베보자기를 펴고, 그 위에 가루 반죽을 가득 채운다.
5. 반죽이 다 채워졌으면 보자기로 싼 뒤 올라가서 발로 단단히 밟아 '애누룩'을 만든다.
6. 다 디뎌졌으면 보자기를 풀고 틀에서 애누룩을 빼낸다.
7. 애누룩을 닥나무잎으로 싸고, 새끼로 애누룩을 동여맨다.
8. 바람 부는 곳에 애누룩을 매달아 두고, 누룩을 띄우기 시작한 지 50일 만에 누룩을 꺼내어 낮에 볕에 말리고 밤에는 이슬을 맞혀서 (종이봉투에 담아) 두고 쓴다.

* 누룩방문 말미에 "쌀 한 말에 이 누룩은 열 냥중이 드나니라."고 하였다.

흰누룩(白麴)

밀가루 한 짐(一擔 或 五斗)과 찹쌀가루 한 말을 축축하게 버무려 체에 옥개여 단단하게 발바 만든 후에 닥나무닙헤 싸서 바람 곳에 거럿다가 오십일 만에 내려서 낫에 볏뵈고 밤에 이슬을 맛칠지니라. 매양 쌀 한 말에 니 누룩은 여 량즁이 드나니라.

1. 백수환동주누룩법 <승부리안주방문>

누룩 재료 : 녹두 1말, 찹쌀 5되
준비 물품 : 돗자리(고석), 자배기, 절구, 체, 솔잎

누룩 빚는 법 :

1. 정월 상순일에 녹두 한 말을 맷돌에 타서 껍질을 벗겨, 물에 깨끗이 씻어 불렸다가, 껍질을 제거한 후, 건져서 물기를 빼놓는다.
2. 찹쌀 5되를 (물에 깨끗이 씻고 또 씻어 물에 담가 불렸다가, 다시 씻어 건져서 물기를 뺀 후) 가루로 빻는다.
3. 불린 녹두를 시루에 안쳐서 겨우 익을 만큼 쪄낸다.
4. 녹두 찐 것에 찹쌀가루를 켜켜로 넣어 한데 섞고, 고루 섞이도록 방아에 찧는다.
5. 녹두찹쌀가루 반죽을 배꽃술누룩같이 두 손으로 단단히 쥐어서 솔잎에 격지격지 묻어 재워놓는다.
6. 한이레째 되면 한 번 뒤집어 다시 재워놓고, 14일째엔 바람을 쐬고, 21일째엔 꺼내어 햇볕에 아주 말려서 법제하여 놓는다.

빅슈환동법

정월 샹슌일의 녹두 ᄒᆞᆫ 말 ᄆᆡ예 타 믈의 ᄃᆞᆷ갓다가 거피ᄒᆞ여 겨유 닉게 쪄 졈미 닷 되 작말ᄒᆞ여 녹두을 방하의 찌흐며 ᄎᆞᆯᄀᆞ로을 케ᆢ 녀허 도합ᄒᆞ거든 니화쥬누록갓치 쥐여 숑엽의 싀여 칠일 만의 되ᄌᆡ여 이칠의 거풍ᄒᆞ여 삼칠 되거든 볏ᄒᆡ ᄆᆞᆯ니워……

2. 백수환동주 <양주방>*

–속칭 상천삼원춘(上天三元春)

누룩 재료 : 녹두 1말, 찹쌀 5되

준비 물품 : 돗자리(고석), 자배기, 절구, 솔잎

누룩 빚는 법 :

1. 정월 초열흘 전에 녹두 한 말을 맷돌에 타서 껍질을 벗겨 (물에 깨끗이 씻어 불렸다가, 껍질을 제거한 후) 건져서 물기를 빼놓는다.
2. 찹쌀 5되를 물에 깨끗이 씻고 또 씻어 (물에 담가 불렸다가, 다시 씻어 건져서 물기를 뺀 후) 가루로 빻는다.
3. 불린 녹두를 시루에 안쳐서 겨우 익을 만큼 쪄낸다.
4. 녹두 찐 것에 찹쌀가루를 켜켜로 넣어 한데 섞고, 고루 섞이도록 방아에 찧는다.
5. 녹두가루 반죽을 배꽃술누룩같이 두 손으로 단단히 쥐어서 솔잎에 격지격지 묻어 재워놓는다.
6. 한이레째 되면 한 번 뒤집어 다시 재워놓고, 14일째엔 바람을 쐬고, 21일째엔 꺼내어 햇볕에 아주 말려서 법제하여 놓는다.

백수환동주국

정월 초열흘 전에 녹두 한말을 맷돌에 타서 껍질을 벗겨, 겨우 익을 만큼 찌고 찹쌀 닷되를 깨끗이 씻고 또 씻어 가루로 만들어 녹두 찐 것을 방아에 찧으며, 찰가루를 켜켜로 넣어 한데 섞이거든 배꽃술 누룩같이 쥐어서 솔잎에 재워 두어라. 한 이레엔 뒤집어 재고 두 이레엔 바람을 쐬고, 세 이레엔 아주 말려 두어라.

3. 백수환동주국(白首還童酒麴)

<오주연문장전산고(五洲衍文長箋散稿)>

누룩 재료 : 녹두 1말, 찹쌀 5되, 솔잎

준비 물품 : 체, 돗자리(고석), 자배기, 절구, 볏짚

누룩 빚는 법 :

1. 정월 상순 전에 녹두 1말 물에 씻어 담갔다가, 다시 씻어 거피해서 건져내어 물기를 뺀다.
2. 불린 녹두를 약간 찌되 설익게 쪄낸다.
3. 찹쌀 5되를 백세하여 물에 불렸다가, 다시 씻어 건져서 물기를 뺀 후 작말한다.
4. 녹두를 절구통에 넣고 찧을 때에, 찹쌀가루를 층층이 넣어가며 고루 찧어 떡처럼 만든다.
5. 녹두반죽을 조금씩 떼어서 두 주먹으로 단단히 쥐어서 환을 만드는데, 계란 크기와 같은 누룩밑을 만든다.
6. 먼저 거적자리 위에 솔잎을 한 층 깔고, 그 위에 누룩환약(누룩밑)을 펴놓고, 다시 솔잎을 덮고 하기를 차례로 켜켜이 쌓은 후, 따뜻하게 덮어서 7일을 둔다.
7. 누룩밑을 꺼내서 위에 있던 것을 아래로 하고, 아래에 있던 것을 위로 가게 다시 차례대로 바꿔 쌓고, 솔잎으로 덮어서 7일이 되면 꺼내서 바람을 쐬어 준다.
8. 누룩밑을 다시 또 바꿔쌓기 한 다음, 또 7일이 되면 꺼내서 뜨거운 햇볕에 내어 건조시킨다.
9. 완성된 누룩을 '백수환동주국'이라고 하는데, 부대에 넣고 쌓아두었다가 사용한다.

白首還童酒麴

정월 상순 전에 녹두 1말 물에 씻어 담갔다가, 다시 씻어 거피해서 건져내어 물기를 뺀다. 약간 찌고 찹쌀 5되를 백세작말해서 녹두를 찧을 때에 층층이 넣어가며, 고루 찧어서 적은 환을 지어라. 계란 크기와 같이 만들어 먼저 거적자리 위에 솔잎을 한 층 깔고 그 다음에 누룩환약을 펴놓고, 다시 덮고 하기를 차례로 쌓은 후 따뜻하게 덮어서 1칠일을 둔 다음, 꺼내서 위에 있던 것을 아래로 하고 다시 차례대로 바꿔놓고 덮어서 2칠일이 되면 꺼내서 바람을 쐬고 또 바꾼다. 3칠일이 되어 꺼내서 뜨거운 햇볕에 쬐어 말려서 푸대에 넣고 쌓아두었다가 쓸 수 있다. 이 누룩을 만들 적에 약품을 넣는 것을 위의 누룩 넣는 법과 같이 하면 '경각주'를 빚을 수 있다.

4. 백수환동주국 일법(白首還童酒麴 一法)

<오주연문장전산고(五洲衍文長箋散稿)>

-준순주

누룩 재료 : 백미 1말, 녹두 1말

준비 물품 : 돗자리(고석), 자배기, 절구, 볏짚, 달걀 껍질

누룩 빚는 법 :

1. 백미와 녹두 각 1말을 각각 백세하여 물에 담가서 하룻밤 재워놓는다.
2. 먼저 녹두를 씻어 건져서 물기를 뺀 후, 햇볕에 널어서 꾸들꾸들하도록 반만 건조시킨다.
3. 멥쌀을 다시 씻어 헹궈서 물기를 뺀 후, 녹두와 한데 섞고, 절구통에 넣고 뜨겁도록 찧어서 반죽을 한다.
4. 쌀과 녹두 찧은 것을 작은 크기로 만들어서 누룩틀에 채워 넣고, 발로 밟아서 누룩밑을 만든다.

5. 누룩밀은 볏짚으로 싸서 건조하고, 밝은 처마 밑에 매단다.
6. 낮에는 햇볕을 쬐고 밤에는 이슬을 맞혀서, 족히 7일 후에 거둬들인다.
7. 누룩밀을 볏짚과 함께 켜켜로 쌓아, 후발효와 숙성이 되도록 한다.
8. 누룩이 완성된 후, 다시 가루를 내어 체에 쳐서 무거리가 없게 가루로 만든다.
9. 계란 빈 껍질에 누룩가루를 넣어서 새지 않게 단단히 봉한 후, 달걀을 품고 있는 닭으로 하여금 49일을 품도록 한 후, 꺼내어 사용한다.

白首還童酒麴 一法
백미 녹두 각 1말을 각각 물에 담가서 재우고 먼저 녹두를 취해서 헤쳐서 반만 말리고 멥쌀을 씻어서 물기를 빼고 녹두와 아울러 뜨겁도록 찧어서 꺼내어 누룩을 적게 만들어서 밟아서 띄우기를 위의 법과 같이 하고 쌀 1말을 밥을 지어서 누룩을 2되 넣어서 빚기를 공식으로 삼아라. 이 누룩은 마땅히 여름에 취해서 술을 빚어야 한다. 무릇 누룩이 완성된 후에 다시 가루를 내어 계란 빈 껍질에 넣어서 새지 않게 단단히 봉해서 알 품은 닭한테 넣어서 49일을 지나서 꺼내어 술을 빚으면 더욱 쉽게 익고, '준순주'라 할 수 있다.

5. 백수환동주국 <홍씨주방문>

누룩 재료 : 녹두 1말, 찹쌀 5되
준비 물품 : 자리(고석), 자배기, 절구, 솔잎, 체

누룩 빚는 법 :
1. 정월 상수일(초 삼사일)에 녹두 1말을 물에 깨끗이 씻고 (맷돌에 올려 많이 타개어) 불려서 거피한다.
2. 녹두가루를 물에 담갔다가, 충분히 불었으면 씻어 건져서 시루에 안치고, 익을 만치 쪄서 차게 식힌다.

3. 찹쌀 5되를 백세하여(백 번 씻어 매우 깨끗하게 하여 말갛게 헹궈 건졌다가, 물기를 뺀 후) 가루로 빻는다.
4. 찐 녹두와 찹쌀가루를 방아에 넣고 절굿공이로 쳐서 찧은 뒤, 한 주먹씩 쥐어 오리알만 한 크기로 단단히 뭉쳐 애누룩을 만든다.
5. 애누룩을 이화곡 띄우듯 솔잎에 묻고, 빈 섬으로 싸서 7일간 띄우고 햇볕에 내어 잠깐 동안 말린다.
6. 애누룩을 다시 솔잎에 묻고, 예의 방법대로 하여 7일간 띄웠다가, 다시 별에 내어 거풍하여 다시 묻어 띄운다.
7. 누룩을 띄운 지 21일 정도 되었으면, 햇볕에 내어 바짝 말려서 고운 가루로 빻아서 쓴다.

백수환동주국

원월 상수일에 녹두 한 말 매우 타닥이다가 거피하여 익을 만치 찌고, 점미 닷 되 백세작말하여 누룩을 방아에 찧으며, 찰가루를 케케히 넣어 교합하거든, 이화국같이 쑤어 송잎에 띄웠다가, 이칠일 또 거풍하여 재와 삼칠일 넘거든, 별에 말라 두었다가……

1. 법국(法麴) <오주연문장전산고(五洲衍文長箋散稿)>

–<물리소지>

누룩 재료 : 누룩 100근, 녹두 1말 2되, 행인 12냥, 날료(생여뀌) 가지와 잎을 끓여 만든 즙

누룩 빚는 법 :

1. 여름에 날료(생여뀌) 가지와 잎을 채취하여 물에 깨끗하게 씻은 뒤, 물을 넉넉히 붓고 팔팔 끓여 삶은 후, 즙을 걸러서 준비한다.
2. 녹두 1말 2되를 백세하여 물에 담가 불렸다가, 다시 헹궈 건져서 물기를 뺀다.
3. 누룩 100근과 불린 녹두 1말 2되, 날료 달인 즙을 한데 합하고 고루 섞어 버무려놓는다.
4. 상자(누룩틀)에 버무린 재료를 단단히 채워 넣고, 발로 밟아서 매 조각을 한 장씩 누룩밑을 만든다.
5. 누룩밑을 볏짚으로 싸서 건조하고, 밝은 처마 밑에 매단다.
6. 낮에는 햇볕을 쬐고 밤에는 이슬을 맞혀서, 족히 7일 후에 거둬들인다.
7. 누룩밑을 볏짚과 함께 켜켜로 쌓아, 후발효와 숙성이 되도록 한다.

法麴

'법국(法麴)' 만드는 법은, 누룩 100근에 녹두 1말 2되, 행인 12냥, 여름에 날료 가지와 잎을 따서 끓여 즙을 내어 앞의 3가지 맛을 섞어서 상자에 넣고, 눌러서 단단히 채워서 매 조각을 한 장씩 만들어서 볏짚으로 싸서 건조하고, 밝은 처마 밑에 매단다. 낮에는 햇볕을 쬐고, 밤에는 이슬을 맞혀서 족히 7일 후에 거둬들여 쌓아놓아야 발효가 된다. 중국 북경 땅 궁중 안에서 빚던 누룩은, 홍두구(건위재로 쓰임), 곽향, 백지, 초과인, 행인, 죽엽, 백련, 날료(여뀌), 창이, 녹두를 꾸러미 싸서 떡을 만든다. 또 '설향국'은, 찹쌀가루 5근에 누룩 6근을 고루 섞어서 1되씩 계산해서 베로 싸서 꽉 채워서 떡을 만든

다. 선달에 술 빚을 때에 이르러서 찹쌀 1섬과 누룩 1덩이 떡을 가지고 젖은 백근채(돌미나리)로 싸서 저장한다. <물리소지>를 인용하였다.

1. 비선국(飛仙麴) <오주연문장전산고(五洲衍文長箋散稿)>

누룩 재료 : 고운 밀가루 4근, 찹쌀가루 1말, 후추와 고양강 3냥, 계수나무 꽃(만약 계화가 없으면 계수나무 가지와 세신) 4냥, 껍질 벗긴 행인 500알, 보릿가루 5홉
준비 물품 : 자배기, 시루, 맷돌(절구, 돌확), 체, 쳇다리, 항아리, 종이

누룩 빚는 법 :

1. 고운 밀가루 4근에 찹쌀가루 1말을 합하고 고루 섞은 후, 시루에 안쳐서 찐다.
2. 찹쌀떡이 익었으면 퍼내고, 고루 펼쳐서 따뜻하게 식기를 기다린다.
3. 후추와 고양강 3냥, 계수나무 꽃(만약 계화가 없으면 계수나무 가지와 세신) 4냥을 깨끗하게 씻어 준비한다.
4. 껍질 벗긴 행인 500알을 보릿가루 5홉과 함께 돌확에 넣고 갈아서 가루로 만든다.
5. 온기가 있는 고두밥에 후추와 고양강 3냥, 계수나무 꽃(만약 계화가 없으면 계수나무 가지와 세신) 4냥과 합해서 떡처럼 찧는다.
6. 찧은 고두밥에 세말한 약재가루를 합하고, 고루 타서 누룩밑을 빚는다.
7. 누룩밑을 항아리에 안치고, 두꺼운 종이로 항아리 주둥이를 단단히 봉해서 차지도 덥지도 않은 곳에 놓아두는데, 봄여름에는 7일, 가을 겨울에는 반달을 둔다.
8. 해 돋을 때에 항아리 주둥이를 열어서 알맹이를 꺼내어 뜨겁도록 찧어서(3천 번을 공이질을 해서) 다시 환을 짓는다.
9. 환은 무릇 닭알처럼 크게 만들고, 아침 묘시에 말려 저녁까지 말려서 저장해 둔다.

飛仙麴

비선곡이 있는데, 고운 밀가루 4근에 찹쌀가루 1말을 쪄서 밥을 만들어 후

추, 고양강 3냥, 계화(계수나무 꽃, 만약 계화가 없으면 계수나무 가지와 세신) 4냥하고, 행인 500알을 보릿가루 반 되에 함께 갈아서 나머지는 앞의 약과 찧어서 세말한 것과 합쳐서 고루 타서 항아리 안에 다시 넣는다. 항아리에 집어넣고 두꺼운 종이로 항아리 주둥이를 단단히 봉해서 차지도 덥지도 않은 곳에 놓아두는데 봄여름에는 7일 가을 겨울에는 반달을 둔 후에 해 돋을 때에 항아리 주둥이를 열어서 알맹이를 꺼내어 뜨겁도록 찧어서(3천 번을 공이질을 해서) 다시 환을 짓는데, 무릇 닭알처럼 크게 해서 아침 묘시에 말려 저녁까지 말려서 저장해 둔다. 매번 1알을 물 두 대접에 끓여서 끓은 물에 누룩을 집어넣으면 1시간을 기다리지 않아서도 문득 술이 완성된다.

1. 생곡(生麯) <한국민속대관(韓國民俗大觀)>

누룩 재료 : 생누룩(밀누룩/통밀) 100근, 녹두 2되, 행인 2냥중, 여뀌 적당량

누룩 빚는 법 :

1. 기존에 사용하던 밀누룩(생밀) 100근을 법제하여(물에 깨끗하게 씻어 볕에 건조시킨 후 맷돌에 갈아 가루로 만든다) 곱게 빻아 준비한다.
2. 녹두를 물에 씻어 불린 후, 불었으면 건져서 물기를 빼고, 맷돌에나 절구에 찧어 놓는다(거피하면 더욱 좋다).
3. 여뀌(1말)를 채취하여 물(1말)에 깨끗하게 씻어 물솥에 넣고, 은근한 불로 달인 후 찌꺼기를 제거하고 달인 물은 차게 식혀놓는다.
4. 행인(살구씨) 2냥중을 물에 씻어 물기를 닦아내고, 건조시킨 후 맷돌에 갈아 체에 한 번 내린다.
5. 누룩가루(통밀가루)와 녹두가루, 행인가루를 한데 합하고, 여뀌 달인 물을 뿌려 가면서 치대어 반죽을 한다.
6. 누룩 반죽은 주먹으로 쥐어서 풀어지지 않을 정도로 뭉쳐져야 한다.
7. 누룩틀에 젖은 베보자기를 펴서 깔고, 그 안에 누룩 반죽을 채운다.
8. 반죽을 단단히 다져 넣고 베보자기로 덮은 후, 올라가서 발뒤꿈치를 이용하여 힘 있게 디뎌서 단단히 오랫동안 밟는다.
9. 디디기가 끝났으면, 누룩틀에서 빼내고, 베보자기를 풀어서 누룩밀과 분리한다.
10. 방이나 창고 등 적당한 곳에 볏짚을 깔고, 그 위에 누룩밀을 서로 닿지 않게 나란히 펼쳐놓는다.
11. 누룩밀 위에 볏짚을 펴서 덮고, 그 위에 다시 누룩밀을 올려놓는다.
12. 누룩밀 위에 볏짚을 펴서 덮고, 얇은 이불이나 공석으로 덮어놓는다.
13. 누룩을 띄우기 시작한 지 2~3일 또는 3~4일 만에 볏짚을 걷어내고, 누룩의 위치를 바꿔준다(누룩을 뒤집어서 밑으로 가게 하고, 위의 것은 뒤집어

서 아래로 가게 자리를 바꾸어준 다음, 다시 볏짚과 이불 또는 공석으로 덮어준다).

14. 누룩을 뒤집어 준 지 2~3일 또는 3~4일 만에 앞의 방법으로 다시 위치를 바꾸어준다.
15. 누룩을 띄우기 시작한 지 15~21일 정도가 되어, 누룩에 열이 없으면 꺼내어 바람과 햇볕이 잘 통하는 곳에 펼쳐서 여러 날 완전히 건조시킨다.

* 기록에 '누룩'에 대하여, "누룩은 곰팡이의 색깔에 따라 황곡균, 흑곡균, 홍곡균 등이 있는데, 우리의 막걸리나 약주에 쓰이는 것은 주로 황곡균이다. 누룩은 밀로만 만드는 것이 아니라, 다른 곡식으로도 만들어왔다. 그러나 대부분이 밀로 만든 누룩에다 쌀을 섞어 한 번 쪄서 섞고, 거기에 다시 약초(藥草)를 넣어 맛을 독하게 하여 빚는 것도 있었다."고 하여 개략적인 방법을 설명하고 있음을 엿볼 수 있다.
  또한 "필요한 곰팡이를 마음대로 옮겨 심는 방법을 몰랐던 시절에는 막연하게 솜씨에만 의존할 수밖에 없었던 것이다. 근대에 와서 누룩은 분국과 조곡으로 크게 나뉘어졌는데, 분국은 약주 합주 과하주 제조에 쓰였다. 조국은 막걸리, 소주 제조에 쓰였던 것으로 밀을 거칠게 갈아서 만들었다. 소주용의 조국은 증류하기 쉽게 밀을 몇 쪽으로 탄 것으로 만든 면곡이 쓰여서 막걸리용 조국과는 구별된다."고 하여 누룩의 미생물 배양법 및 종류별 성격과 용도에 대해서도 언급하고 있다.

생곡(生麯)

'생곡(生麯)'이라 하여 생누룩(밀) 100근에 녹두 2되, 행인 2냥중, 여뀌 댓가지를 잘라 달여 그 물을 끼얹어 만든 후, 상자에 넣어 단단히 밟아 만든 것도 있었다.

1. 설향국(雪香麴) <오주연문장전산고(五洲衍文長箋散稿)>

누룩 재료 : 찹쌀가루 5근, 누룩 6근

누룩 빚는 법 :

1. 찹쌀을 백세하여 하룻밤 담가 불렸다가, 다시 씻어 건져 물기를 빼지 말고 그대로 가루로 빻아 5근을 그릇에 담아놓는다.
2. 흰누룩 6근을 가루로 빻고, 고운체에 쳐서 고운 밀가루처럼 만들어놓는다.
3. 쌀가루를 물을 치지 말고 체에 내린 후, 분곡가루와 한데 합하고 골고루 섞은 후 다시 중체로 한 번 내린다.
4. 쌀가루와 누룩가루 섞은 것 1되씩 계량하여 나눠놓는다.
5. 누룩틀에 베보자기를 깔고 그 안에 쌀가루와 누룩가루 섞은 것 1되씩을 다져 채운다.
6. 누룩 반죽을 발로 단단히 디뎌서 누룩밑을 빚고, 틀에서 조심스럽게 빼낸다.
7. (누룩밑은 종이봉투에 담아 바람이 통하는 곳에 매달아서 50일간 띄운다.)
8. 띄우기가 끝난 누룩은 법제하였다가, 보관하여 두고 필요할 때 다시 법제하여 사용한다.

雪香麴

찹쌀가루 5근에 누룩 6근을 고루 섞어서 1되씩 계산해서 베로 싸서 꽉 채워서 떡을 만든다. 섣달에 술 빚을 때에 이르러서 찹쌀 1섬과 누룩 1덩이 떡을 가지고 젖은 백근채(돌미나리)로 싸서 저장한다.
관석가법(관석 집안의 누룩)은, 누룩을 섞어 질그릇에 담아서 서쪽에 두고 이칠일을 햇볕에 쬐어 누룩을 만드는데, 애당초부터 약재를 쓰지 않았다. 술을 빚을 때에 쌀 5말에 물 4말 반, 누룩 2근 반으로 빚었다.

2. 설향곡(雪香麯) <조선무쌍신식요리제법(朝鮮無雙新式料理製法)>

누룩 재료 : 찹쌀가루 1말, 흰누룩 1장(2되)

누룩 빚는 법 :

1. 찹쌀(1말)을 백세하여 하룻밤 담가 불렸다가, 다시 씻어 건져 물기를 빼지 말고 그대로 가루로 빻는다.
2. 흰누룩(분곡) 1장(2되 분량)을 가루로 빻고, 고운체에 쳐서 고운 밀가루처럼 만들어놓는다.
3. 쌀가루를 물을 치지 말고 체에 내린 후, 분곡가루와 한데 합하고 골고루 섞은 후 다시 중체로 한 번 내린다.
4. 누룩틀에 베보자기를 깔고 그 안에 쌀가루 반죽을 다져 채운다.
5. 누룩 반죽을 발로 단단히 디뎌서 누룩밑을 빚고, 틀에서 조심스럽게 빼낸다.
6. 누룩밑은 종이봉투에 담아 바람이 통하는 곳에 매달아서 50일간 띄운다.
7. 띄우기가 끝난 누룩은 법제하였다가 보관하여 두고, 필요할 때 다시 법제하여 사용한다.

설향곡(雪香麯)

술에 선악은 전혀 누룩이 정하고 물이 깨끗한 데 잇는 고로 누룩이 제일 요긴한 약이 되나니라. 매양 흰누룩 한 장(一擔)과 찹쌀가루 한 말에 물 치고 반죽하야 말으고 축축한 것을 고르게 하야 체에 처서 발바 떡처럼 만드러 조희에 싸서 바람곳에 달앗다가 오십일 만에 내려서 나제 볏 뵈고 밤에 이슬 맛처서 매양 쌀 한 말에 이 누룩 열 량중을 늣코 술을 비즐 제 한서를 잘 맛추워야 하나니 심이 차거든 더웁게 반죽을 하고 심이 더웁거든 밥은 헷처 식혀서 반죽을 하되 밥이 단ㅅ하면 술맛이 맵고 밥이 묽으면 술맛이 달아지나니라.

1. 상원주곡 <이씨(李氏)음식법>

누룩 재료 : 녹두 1말, 찹쌀 5되, 솔잎 적당량

누룩 빚는 법 :

1. 정월 상순에 녹두 1말을 물에 깨끗하게 씻어 불렸다가, 헹궈 건져서 맷돌에 갈고 물에 담가 불려서 거피한 후, 소쿠리에 건져서 물기를 빼놓는다.
2. 찹쌀 5되를 백세하여 물에 담가 불렸다가, 다시 씻어 건져서 물기를 뺀 후 작말한다.
3. 녹두를 시루에 안쳐서 익을 정도만 찌고, 익었으면 퍼서 절구에 담고, 쌀가루를 쳐가면서 절굿공이로 찧는다.
4. 절굿공이로 떡을 치듯 찧되, 녹두가루와 쌀가루가 고루 섞이도록 하여, 뭉쳐질 정도가 되게 찧는다.
5. 녹두가루 찧은 것을 이화국같이(달걀 크기로 약간 기름하게) 주먹으로 단단히 쥐어서 누룩밑을 빚는다.
6. (종이상자나 단지에) 솔잎을 깔고 그 위에 누룩밑을 격지격지 놓는데, 누룩밑이 서로 닿지 않도록 한다.
7. 다시 솔잎으로 덮고, 그 위에 누룩밑을 한 켜 놓는 방식으로 격지격지 놓고, 다시 솔잎으로 덮어 14일간 띄운다.
8. 솔잎을 걷어내고 누룩을 꺼내어 보면, 겉면에 누룩곰팡이가 자란 것을 볼 수 있는데, 칼이나 거친 솔을 이용하여 껍질을 벗겨낸다.
9. 껍질 벗긴 누룩을 3일간 거풍하여(햇볕에 말리고 바람을 쏘여 건조시켜) 냄새를 없앤 후 (가루로 빻아 종이봉투에 담아 보관한다.)

샹원쥬(곡)

뎡월 ᄉᆞᆼ슌에 녹두 ᄒᆞᆫ 말을 갈아 거피ᄒᆞ엿다가 겨우 싱긔 업슬 만치 찌고 졈미 닷 되을 빅셰작말ᄒᆞ야 녹두 찐 거슬 방아에 찌으며 졈미 갈우을 쟉쟉 너허 합ᄒᆞ거든 니화쥬 누룩 갓치 쥐여 송엽에 ᄡᅴ여 이칠일의 거풍ᄒᆞ야 ᄉᆞᆷ일 만에 볏헤 말이여……

1. 조신국(造神麯) <농정회요(農政會要)>

−여름용(夏月用)

누룩 재료 : 밀가루 100근, 청호 자연즙 3되(청고 1석), 붉은팥 3되, 행인 3되, 창이즙 3되, 들여뀌즙 3되

준비 물품 : 누룩틀, 마잎(닥나무잎), 면보자기, 빈 가마니

누룩 빚는 법 :

1. 청호를 절구에 찧어 만든 자연즙 3되를 마련한다.
2. 붉은팥 3되를 기름기 없는 프라이팬에 볶고, 찧어서 가루를 마련한다.
3. 행인 3되를 찧어 만든 가루를 준비한다.
4. 창이잎을 절구에 찧어 3되를 마련한다.
5. 들여뀌잎을 절구에 찧어 3되를 마련한다.
6. 밀가루 100근에 볶은 팥가루와 행인가루를 골고루 섞고, 청호를 비롯하여 창이즙, 들여뀌즙을 각각 넣어 다시 뒤섞는다.
7. 밀가루 등을 중간체에 한 번 내린 후, 고루 버무려 단자 같은 떡을 만든다.
8. 떡을 누룩틀에 채워 넣고, 단단히 밟아 성형하여 누룩밀을 만든다.
9. 누룩밀을 마잎이나 닥나무잎에 싸서 띄우되, 생황이 피기를 기다렸다가 볕에 내어 법제한다.

造神麴

神麴所以供藥力也賈思魏齊民要術雖有造神麴法幣瑣不便近時造法更簡爲也夏月用白麪百斤菁蒿自然汁三升赤小豆末杏仁湟各三升蒼耳自然汁野蓼自然汁各三升用汁和麵豆杏仁作餅麻葉成楮葉包署如造醬黃法待生黃衣晒收之.

2. 조신국법(造神麴法) <동의보감(東醫寶鑑)>

누룩 재료 : 통밀가루 25근, 창이 생즙 1되, 들여뀌 생즙 1되 3홉, 청호 생즙 1되, 행인 간 것 1되 3홉, 팥을 삶아 찧은 것 1되

누룩 빚는 법 :

1. 백호(白虎) : 밀기울이 섞인 하얀 밀가루 25근을 준비한다.
2. 구진(句陳) : 창이 생즙 1되를 준비한다.
3. 슬사(膝蛇) : 들여뀌 생즙 1되 3홉을 준비한다.
4. 청룡(青龍) : 청호 생즙 1되를 준비한다.
5. 현무(玄武) : 행인의 껍질을 벗기고 뾰족한 끝을 떼어낸 다음, 씨가 2개 든 것을 제거하여 잘게 간 것 1되 3홉을 준비한다.
6. 주작(朱雀) : 팥을 삶아서 잘게 찧은 것 1되를 준비한다.
7. 이들 약재를 말복 전에 함께 반죽하여 상순의 인일에 발로 밟아 디딘다.
8. 누룩을 띄우는 방법은 예의 방법대로 한다.
9. 띄우기가 끝나 누룩이 완성되었으면 여러 날 법제하여 사용한다.

* 주방문 머리에 "6월 6일은 여러 신들이 모여 회의하는 날이기 때문에 신국(神麴)이라고 한다. 이날이 지나서 만든 것은 신국이 아니다. 혹은, '이날 약재를 갖추어 상순의 인일(寅日)에 누룩을 밟는다.'고 하였는데, 이것도 옳다."고 하고, "백호(白虎, 밀기울이 섞인 하얀 밀가루) 25근, 구진(句陳, 창이 생즙) 1되, 등사(螣蛇, 들여뀌 생즙) 1되 3홉, 청룡(青龍, 청호 생즙) 1되, 현무(玄武, 행인을 껍질 벗기고 뾰족한 끝을 떼어낸 다음, 씨가 2개 든 것을 제거하여 잘게 간 것) 1되 3홉, 주작(朱雀, 팥을 삶아 잘게 찧은 것) 1되를 준비한다. 이들 약재를 말복 전에 함께 반죽하여 상순 인일에 매우 단단해지도록 발로 밟아 디딘다. (누룩을 띄우는 방법은 예의 방법대로 한다.)"고 하였다. 또 "갑인(甲寅)·무인(戊寅)·경인(庚寅)이 삼기(三奇)이다."고 하고, "신국은 6가지

신의 누룩이니, 반드시 6가지가 되어야 '신(神)'이라고 할 수 있다."고 하였다. 따라서 '신국'은 여섯 신을 상징하는 여섯 가지 색의 식물과 곡물을 사용하여 만든 누룩이라는 것을 알 수 있다.

造神麴法

六月六日, 謂諸神集會之晨, 故名爲神麴, 如過此日造者, 非神麴也. 或云, 此日辯藥料, 至上寅日踏麴, 亦是, 白虎, 卽帶麩白麪二十五斤, 句陳, 卽蒼耳自然汁一升, 螣蛇, 卽野蓼自然汁一升三合, 靑龍, 卽靑蒿自然汁一升, 玄武, 卽杏仁去皮劣雙仁, 硏如泥一升三合, 朱雀, 卽赤小豆煮熟, 擣如泥一升, 右共修合三伏乃, 用上寅日, 踏極實爲度, 又云, 或甲寅, 戊寅, 庚寅日, 乃三奇也. 神麴, 六神之麴也. 必六物備, 可謂之神也. <丹心>.

3. 조신곡법(造神麯法) <민천집설(民天集說)>

누룩 재료 : 통밀가루 25근, 창이 생즙 1되, 들여뀌 생즙 1되 3홉, 청호 생즙 1되, 행인 간 것 1되 3홉, 팥을 삶아 찧은 것 1되

누룩 빚는 법 :

1. 밀기울이 섞인 하얀 밀가루(白虎) 25근을 준비한다.
2. 창이 생즙(句陳) 1되를 준비한다.
3. 들여뀌 생즙(螣蛇) 1되 3홉을 준비한다.
4. 청호 생즙(靑龍) 1되를 준비한다.
5. 행인의 껍질을 벗기고 뾰족한 끝을 떼어낸 다음, 씨가 2개 든 것을 제거하여 잘게 간 것(玄武) 1되 3홉을 준비한다.
6. 팥을 삶아서 잘게 찧은 것(朱雀) 1되를 준비한다.
7. 이들 약재를 말복 전에 함께 반죽하여 상순의 인일에 발로 밟아 디딘다.

8. 누룩을 띄우는 방법은 예의 방법대로 한다.
9. 띄우기가 끝나 누룩이 완성되었으면 여러 날 법제하여 사용한다.

造神麯法

麥麩白麪二十五斤 次謂白虎, 蒼耳自然汁一升次謂句陳, 野蓼自然汁一升三合螣蛇, 青蒿自然汁一升青龍, 杏仁去皮劣雙仁硏如泥一升三合玄武, 赤小豆煮熟擣如泥一升朱雀, 合右共種踏麯六月六日諸神集會之晨匊皆此日踏之名曰神曲,或云此日辯藥料以三作曲上亥日踏之六是. 又云甲寅戊寅庚寅乃三奇.

4. 조신국법(造神麴法) <색경(穡經, 搜聞補錄)>

누룩 재료 : 기울 섞인 메밀가루 25근, 창이(蒼耳, 도꼬마리) 자연즙 1되, 야료(野蓼, 여뀌잎) 자연즙 1되 3홉, 청호(靑蒿, 제비쑥) 자연즙 1되, 행인(杏仁) 간 것 1되 3홉, 적소두(赤小豆) 삶은 것 1되

누룩 빚는 법 :

1. 6월 6일을 여러 신(神)들이 집회(集會)하는 날이므로 신국(神麴)이라 하는데, 이날을 지나면 신국이 아니니, 이날 누룩 재료를 준비한다.
2. 백호(帶麩白麪, 메밀)를 맷돌에 갈아 기울 섞인 메밀가루 25근을 준비한다.
3. 등사(野蓼, 여뀌잎)를 절구에 찧어 짜낸 자연즙 1되 3홉을 준비한다.
4. 청룡(靑蒿, 제비쑥)을 절구에 찧어 짜낸 자연즙 1되를 준비한다.
5. 현무(杏仁, 쌀구씨) 중에서 쌍인(雙仁)을 골라내고 껍질 벗긴 뒤, 싹이 난 자리의 끝을 제거하여 절구에 찧고 진흙같이 갈아서 1되 3홉을 준비한다.
6. 주작(赤小豆, 붉은팥)을 솥에 삶은 후, 절구에 짓찧어 진흙같이 갈아서 1되를 준비한다.
7. 위의 준비한 모든 재료들을 한데 합하고, 고루 치대어 반죽을 한다.

8. 삼복 안의 상인일에 예의 방법대로 누룩을 밟되, 아주 단단해질 때까지 디딘다.
9. 누룩밀이 만들어졌으면, 틀에서 빼내고, 볏짚이나 쑥잎, 초재 속에 묻어서 상법대로 띄운다.

造神麴法

六月六日。謂諸神集會之晨。故名爲神麴。如過此日非神麴也。白虎卽帶麩白麪二十五斤。句陳卽蒼耳自然汁一升。縢蛇卽野蓼自然汁一升三合。青龍卽青蒿自然汁一升。玄武卽杏仁去皮尖雙仁。研如泥一升三合。朱雀卽赤小豆煮熟如泥一升。右共修合。三伏內用上寅日。踏極實爲度。或云甲寅戊寅庚寅日。乃三奇也. <山林經濟>.

1. 약국(藥麴) <오주연문장전산고(五洲衍文長箋散稿)> –<물리소지>

누룩 재료 : 음양곽, 지황, 산양피, 오가피, 지각

누룩 빚는 법 :

1. 음양곽, 지황, 산양피, 오가피를 작말한다.
2. 탱자를 따서 칼밥을 넣어 씨와 속을 파낸 지각(껍질)을 준비한다.
3. 지각(탱자 껍질) 안에 준비한 약재가루를 채워 넣고, 밀봉하여 달걀을 품은 닭둥우리 안에 넣어둔다.
4. 닭이 49일간 품게 두었다가, 다른 누룩과 합하여 술을 빚을 때 사용한다.

藥麴

약으로 빚는 '약국(藥麴)' 비법이 있는데, 빚는 법은 음양곽, 지황, 산양피, 오가피를 작말하고, 지각(탱자 껍질) 안에 넣어서 알을 품은 닭 안에 넣었다가, 전 누룩에 합해서 술 빚을 때 쓰거나 소주를 내릴 때 물에 넣고 끓여서 소주를 땅에 묻는다고 하고, 또 3년 되어 꺼내 쓰면 약효가 매우 묘하니, 편의에 따라서 증품을 하는 것이니, 이것을 대략 변증하였다. <물리소지>를 인용하였다.

1. 양능곡(襄陵麯) <농정회요(農政會要)>

누룩 재료 : 밀가루 150근, 찹쌀 3말, 꿀(당밀) 5되, 천초 8냥
준비 물품 : 누룩틀, 면보자기, 체, 자배기, 믹서, 볏짚

누룩 빚는 법 :

1. 찹쌀을 물에 씻어 불린 후, 건져서 맷돌에 갈아 가루를 만들고, 준비한 분량의 밀가루와 고루 뒤섞어 놓는다.
2. 버무린 곡물가루에 꿀과 천초를 넣고 재차 뒤섞은 뒤, 체에 한 번 내린다.
3. 누룩틀에 면보를 깔고, 가루를 담아 채우고 발로 단단히 디뎌서 누룩밑을 만든다.
4. 누룩밑을 틀에서 빼내고 예의 방법대로 띄운다.
5. 잘 뜬 누룩은 구수한 냄새가 나며, 누룩 표면의 곰팡이는 거친 솔로 털어내고, 햇볕에 내어 바짝 말린다.
6. 누룩은 술 빚기 2~3일 전에 법제하여 사용한다.

襄陵麯

麵一百五十斤糯米三斗糖蜜五斤川椒八兩.

2. 양능국방(襄陵麴方) <임원십육지(林園十六志)>

–양능(襄陵, 中國 湖北省 襄樊市) 지방의 누룩 디디는 법

누룩 재료 : 밀가루 150근, 찹쌀 3말, 천초 8냥, 꿀 5근
준비 물품 : 누룩틀(얇은 형태), 짚방석(고석), 면보자기, 볏짚

누룩 빚는 법 :

1. (삼복 안에) 찹쌀 3말을 물에 깨끗이 씻어 불렸다가, 맷돌에 갈아 가루를 만든다.
2. 통밀 600근을 물에 깨끗하게 씻어 잠깐 불렸다 건져서 물기를 뺀 후, 볕에 말려서 맷돌에 갈아 가루를 만든다.
3. 통밀가루를 고운체에 쳐서 흰밀가루 150근을 마련한다.
4. 천초 8냥을 절구에 찧어 가루를 만든다.
5. 반죽할 가루를 한데 골고루 섞고, 꿀 5근을 골고루 뿌려서 섞고, 중간체에 한 번 내린다.
6. 네모난 누룩틀에 면보자기를 깔고, 그 위에 반죽을 채워 넣는다.
7. 예의 방법대로 반죽을 발로 단단히 밟아서 누룩밑을 만든다.
8. 멍석에 볏짚을 두툼하게 깔고, 그 위에 누룩을 펼쳐놓고 볏짚을 덮는다.
9. 햇볕이 드는 곳에 두고, 21일간 띄운다.
10. 발효가 끝난 누룩은 건조시켜 곰팡이를 털어내고, 법제하여 사용한다.

襄陽麴方

麪一百五十斤糯米三斗[磨末]密五斤川椒八兩如常造蹯. <遵生八牋>.

1. 조얼방(造糱方) <임원십육지(林園十六志)>

–엿기름 만드는 법

* 방문에 “8월 중에 동이 속에 밀을 담갔다 기울여서 물을 따르고 햇볕을 쪼인다. 하루 1번씩 물을 부었다 다시 따른다. 싹이 트면 돗자리 위에 2치(6㎝) 두께로 펴서 넌다. 하루 1번씩 물을 뿌려 싹이 나면 그친다. 곧 헤쳐 널어 말린다. 덩어리가 지면 안 된다. 이것은 흰엿을 고는 엿기름이다. 만약 검은엿을 고는 것이라면 싹이 나와 푸르게 되기를 기다려 덩어리를 만든 다음에 칼로 풀어 말린다. 엿을 호박색으로 하고 싶으면 보리로 엿기름을 만든다.”고 하였다. <제민요술>을 인용하였다.
* 방문에 “조, 기장, 쌀, 밀 등을 물에 담갔다 싹이 나오면 햇볕에 말린다. 우리나라에서 엿을 만들 때 맥얼(麥糱)을 사용하나, 사실 쌀, 조, 기장 등의 얼(糱)도 가능하다.”고 하였다. <본초강목>을 인용하였다.
* 누룩방문에 “맥아(麥芽)는 가을보리가 좋으며, 2~3월, 9~10월도 할 수 있다. 싹이 나면 햇볕에 말렸다 저장한다. 봄밀과 소맥도 역시 기를 수 있으나, 가을보리로 기른 것만은 못하다.”고 하였다. <증보산림경제>를 인용하였다.

造糱方

八月中作盆中浸小麥卽傾去水日曝之一日一度著水卽去之脚生布麥于席上厚二寸一日一度以水澆之芽生便止卽散收令乾勿使餠餠則不復任用此煮白湯糱若煮黑餳卽待芽生靑成餠然後以刀劚取乾之欲令餳如琥珀色者以大麥爲其糱. <齊民要術>.

有粟黍稻麥諸糱皆水浸脹候生芽曝乾[按東人造錫餹之類只知用麥糱其實稻及粟黍一切穬穀皆可依法造糱也. <本艸綱目> 麥芽須用秋麥二三月或九十日可以養芽曬乾收之春麥及小麥亦可養芽而終不如秋麥. <增補山林經濟>.

1. 연화곡(蓮花麯) <농정회요(農政會要)>

누룩 재료 : 연꽃 3근, 밀가루 150냥, 녹두 3말, 찹쌀 3말, 천초 8냥
준비 물품 : 누룩틀(얇은 형태), 짚방석(고석), 면보자기, 볏짚

누룩 빚는 법 :

1. 삼복 안에 찹쌀 3말을 물에 깨끗이 씻어 불렸다가, 맷돌에 갈아 가루를 만든다.
2. 녹두 3말을 물에 깨끗하게 씻어 불렸다가, 건져서 물기를 뺀 후, 맷돌에 갈아 가루를 만든다.
3. 천초 3냥을 절구에 찧어 가루를 만든다.
4. 연꽃 3근을 절구에 짓찧어 즙을 짜낸다.
5. 반죽할 가루에 연꽃 즙을 골고루 뿌려서 섞고, 체에 한 번 내린다.
6. 네모난 누룩틀에 면보자기를 깔고, 그 위에 반죽을 채워 넣는다.
7. 예의 방법대로 반죽을 발로 단단히 밟아서 누룩밑을 만든다.
8. 멍석에 볏짚을 두툼하게 깔고, 그 위에 누룩을 펼쳐놓고 볏짚을 덮는다.
9. 햇볕이 드는 곳에 두고, 21일간 띄운다.
10. 발효가 끝난 누룩은 건조시켜 곰팡이를 털어내고, 법제하여 사용한다.

蓮花麯

연꽃 3근, 밀가루 150냥, 녹두 3말, 찹쌀 3말을 갈아서 가루로 한다. 천초 8냥을 함께 섞어 보통 누룩 딛는 방법과 같이 디딘다.

2. 연화주국(蓮花酒麴) <산가요록(山家要錄)>

–무국주라 이른다(一云 無麴酒), 쌀 3말 3되 빚이

술 재료 : 누룩(멥쌀 3되, 닥나무잎, 청호), 술밑(멥쌀 3말)

술 빚는 법 :

1. 멥쌀 3되를 (백세하여 물에 담갔다가, 다시 씻어 건져서 물기를 뺀 후) 시루에 안쳐서 고두밥을 짓는다.
2. 쌀을 찌는 동안 베보자기 위에 청호(菁蒿, 쑥)를 깔고, 그 위에 닥나무잎(楮葉)을 펴놓는다.
3. 고두밥이 무르게 푹 익으면, 퍼서 닥나무잎 위에 펼쳐서 늘어놓고, 다시 닥나무잎고 쑥으로 덮어 (바람이 통하지 않는 밀폐되고 따뜻한 곳에서) 7일간 띄운다.
4. 7일 후 (밑술이 다 되었으면) 청호와 닥나무잎을 거두고 냄새가 가시기를 기다린다.
5. 밑술(누룩)을 술독에 담아 안치고, 3일간 숙성시킨다(고두밥이 삭아 흐물흐물해지고, 물이 생길 때까지 기다려야 한다).

蓮花酒(麴) – 一云 無麴酒 – 米一斗三升

白米三升 熟蒸 先鋪艾草 次鋪楮葉 攤板於其上 又以楮葉艾草 覆之 七日 去其覆草 歇氣吹正 盛器三日.

3. 연화주(곡) <언서주찬방(諺書酒饌方)>

–일명 무국주(一名 無麴酒)

누룩 재료 : 멥쌀 3되, 초재(닥나무잎, 쑥잎 각 약간), 돗자리(고석)

누룩 빚는 법 :

1. 멥쌀 3되를 백세하여 (물에 담가 불렸다가, 다시 씻어 헹궈 건져서 물기를 뺀 후) 시루에 안쳐서 고두밥을 짓는다.
2. 돗자리나 고석에 쑥을 깔고, 닥잎을 덮어 깔아놓는다.
3. 고두밥이 익게 쪄졌으면 초재 위에 고루 펴서 닥잎으로 위를 덮고, 다시 쑥잎으로 덮어 놓는다.
4. 고두밥(누룩밑)이 식고 뜨기를 반복하는데, 7일 후에는 위에 덮은 것을 벗겨낸다.
5. 고두밥(누룩밑)이 저절로 식고 냄새가 없어지기를 기다렸다가, 밥에 묻은 더러운 것들을 깨끗하게 제거한 누룩을 얻는다.
6. 누룩을 그릇(독)에 담아 (뚜껑을 덮어) 3일을 지낸다.

년화쥬(곡)

ᄇᆡᆨ미 서 되ᄅᆞᆯ ᄇᆡᆨ셰ᄒᆞ야 ᄃᆞᆷ갓다가 닉게 ᄧᅵ고 몬져 ᄲᅮᆨ을 ᄭᆞᆯ고 버거 닥닙 ᄭᆞᆯ고 그 밥을 그 우희 펴고 그 우희 ᄯᅩ 닥닙 덮고 ᄯᅩ 그 우희 ᄲᅮᆨ으로 더퍼 ᄃᆞᆺ다가 닐웨 후에 더픈거슬 다 업시ᄒᆞ고 제 긔운이 다ᄒᆞ고 내옴이 업거ᄃᆞᆫ 조히 취졍ᄒᆞ야 그르세 다마……

4. 연화주방(蓮花酒方) <역주방문(曆酒方文)>

누룩 재료 : 멥쌀 3되, 닥나무잎, 청호

누룩 빚는 법 :

1. 멥쌀 3되를 물에 백세하여 (매우 깨끗하게 헹군 뒤) 새물에 담가 불렸다가 다시 씻어 말갛게 헹궈서 물기를 뺀다.
2. 불린 쌀을 시루에 안쳐서 무른 고두밥을 짓는다.
3. (한갓진 곳에 멍석이나 볏짚을 두툼하게 깔고) 청호(菁蒿, 푸른 쑥)를 깔아 놓는다.
4. 고두밥이 익었으면, 청호 위에 쪄낸 고두밥을 고루 펼쳐놓고, 고두밥 위에 닥나무잎을 펴서 덮고, 다시 청호를 덮은 뒤, 이 상태로 7일간 지낸다.
5. 고두밥을 띄우기 시작한 지 7일 후에 청호와 닥나무잎을 거두고 냄새가 가시기를 기다렸다가 고두밥을 깨끗한 술독에 담아 안치고, 밀봉하여 3일간 발효시킨다.

* '연화주방'이 곧 '연화주국'이라는 누룩방문이다.

蓮花酒方

白米三升百洗浸水拯出濃熟作飯先布菁蒿菁蒿上攤飯飯上布楮葉楮葉上又覆菁蒿置之經七日後除去所覆蒿楮等物待其臭息移置淨器過三日後……

5. 연화국방(蓮花麴方) <임원십육지(林園十六志)>

누룩 재료 : 연꽃 3근, 밀가루 150냥, 녹두 3말, 찹쌀 3말, 천초 8냥
준비 물품 : 누룩틀(얇은 형태), 자리(고석), 면보자기, 볏짚

누룩 빚는 법 :

1. 삼복 안에 찹쌀 3말을 물에 깨끗이 씻어 불렸다가, 맷돌에 갈아 가루를 만든다.
2. 녹두 3말을 물에 깨끗하게 씻어 불렸다가, 건져서 물기를 뺀 후, 맷돌에 갈아 가루를 만든다.
3. 천초 3냥을 절구에 찧어 가루를 만든다.
4. 연꽃 3근을 절구에 짓찧어 즙을 짜낸다.
5. 반죽할 가루에 연꽃 즙을 골고루 뿌려서 섞고, 체에 한 번 내린다.
6. 네모난 누룩틀에 면보자기를 깔고, 그 위에 반죽을 채워 넣는다.
7. 예의 방법대로 반죽을 발로 단단히 밟아서 누룩밑을 만든다.
8. 자리에 볏짚을 두툼하게 깔고, 그 위에 누룩을 펼쳐놓고 볏짚을 덮는다.
9. 햇볕이 드는 곳에 두고, 21일간 띄운다.
10. 발효가 끝난 누룩은 건조시켜 곰팡이를 털어내고, 법제하여 사용한다.

蓮花麴方

蓮花三斤白麪一百五十兩綠豆三斗糯米三斗[俱磨爲末]川椒八兩如常造踏. <遵生八牋>.

1. 조요국(造蓼麴) <감저종식법(甘藷種植法)>

누룩 재료 : 찹쌀, 달여뀌, 밀가루
준비 물품 : 돗자리(고석), 자배기, 절구, 체, 종이봉지

누룩 빚는 법 :

1. 달여뀌를 뜯어다가, 절구에 넣고 절굿공이로 찧어 즙을 낸다.
2. 찹쌀을 백세하여 물에 담가 불렸다가, 뜨는 쌀을 건져내고 다시 씻어 건져서 물기를 뺀 후, 여뀌즙에 담가놓는다.
3. 찹쌀을 건져내어 마른 밀가루와 고루 섞고, 체로 쳐서 떨어지는 밀가루를 제거한 누룩밑을 만든다.
4. 누룩밑을 종이봉지에 담아 바람맞이에 매달아 띄우고 저장하는데, 한여름에 만들어 두 달이면 쓸 수 있다.
5. 요국을 이용하여 술을 빚으면 아주 전국술(醇)이 된다.

造寥麴

用糯米以蓼汁浸一宿漉出乾麪拌勻篩去浮麪紙囊貯之掛通風處盛夏爲之兩月可用造酒極醇.

2. 조요국(造寥麴) <고사신서(攷事新書)>

누룩 재료 : 찹쌀, 여뀌 우린 물, 밀가루, 종이봉투

누룩 빚는 법 :

1. 찹쌀을 물에 깨끗하게 씻어 말갛게 헹궈놓는다.

2. 여뀌를 채취하여 잎을 따서 물에 깨끗하게 씻었다가, 절구에 넣고 짓찧은 뒤, 적당량의 물에 담가 우린 즙을 준비한다.
3. 여뀌 우린 물에 씻어 준비한 찹쌀을 담가 하룻밤 불린다.
4. 다음날 찹쌀을 건져서 대충 물기를 빼서 밀가루를 고루 뒤섞고 (뜨는 것을) 체에 쳐서 제거한다.
5. 찹쌀을 2겹으로 만든 여러 개의 한지 봉투에 담아 주둥이를 묶고, 끈을 달아 바람이 잘 드나드는 곳에 매달아 놓는다.
6. 한여름에 만들었으면 2달 후에 거두어들이면 술을 빚을 수 있는데, 술맛이 매우 진하다.

造蓼麴

用糯米以蓼汁浸一宿漉出乾麪拌匀篩去浮麪紙囊貯之掛通風處盛夏爲之兩月可用造酒極醇.

3. 조요국(造蓼麴) <고사십이집(攷事十二集)>

누룩 재료 : 찹쌀, 여뀌 우린 물, 밀가루, 종이봉투

누룩 빚는 법 :
1. 찹쌀을 물에 깨끗하게 씻어 말갛게 헹궈놓는다.
2. 여뀌를 채취하여 잎을 따서 물에 깨끗하게 씻었다가, 절구에 넣고 짓찧은 뒤, 적당량의 물에 담가 우린 즙을 준비한다.
3. 여뀌 우린 물에 씻어 준비한 찹쌀을 담가 하룻밤 불린다.
4. 다음날 찹쌀을 건져서 대충 물기를 빼서 밀가루를 고루 뒤섞고 (뜨는 것을) 체에 쳐서 제거한다.
5. 찹쌀을 2겹으로 만든 여러 개의 한지 봉투에 담아 주둥이를 묶고, 끈을 달

아 바람이 잘 드나드는 곳에 매달아 놓는다.
6. 한여름에 만들었으면 2달 후에 거두어들이면 술을 빚을 수 있는데, 술맛이 매우 진하다.

造蓼麴
用糯米以蓼汁浸一宿漉出乾麪拌勻篩去浮麪紙囊貯之掛通風處盛夏爲之兩月可用造酒極醇.

4. 조요곡법(造蓼麯法) <군학회등(群學會騰)>

찹쌀을 여뀌즙에 하룻밤 담갔다가 걸러 마른 밀가루와 혼합한다. 체로 쳐 밀가루 찌꺼기를 제거하고 종이 자루에 담아 바람이 통하는 곳에 매달아 둔다. 한여름에 만들어 2달이면 쓸 수 있는데 이 누룩으로 술을 빚으면 술맛이 아주 진하다.

造蓼麯法
用糯米以蓼汁浸一宿漉出乾麪拌勻篩去浮麪紙囊貯之掛通風處盛夏爲之兩月可用造酒極醇.

5. 조요곡법(造蓼麯法) <농정회요(農政會要)>

누룩 재료 : 찹쌀 3말, 밀가루 3되, 달인 여뀌즙 3말(여뀌잎 30kg, 물 6말)
준비 물품 : 누룩틀, 자배기, 절구, 절굿공이, 종이봉투, 새끼

누룩 빚는 법 :
1. 여뀌 3말을 베어다 절구에 넣고 짓찧은 후, 면보로 싸고 쥐어짜서 즙을 내고

찌꺼기를 제거한 후, 물 6말에 풀어놓는다.
2. 찹쌀을 씻어 건져서 여뀌즙에 하룻밤 불린 후, 물에 뜨는 쌀은 건져 버리고, 체나 소쿠리에 밭쳐 물기를 빼놓는다.
3. 찹쌀의 물기가 빠지면 찹쌀에 밀가루를 골고루 입힌 후, 체에 한 번 쳐서 여분의 밀가루를 제거한다.
4. 종이봉투를 두 겹으로 만들어 밀가루 묻힌 누룩밑을 담아 채우고, 끈으로 주둥이를 단단히 묶는다.
5. 누룩밑을 바람이 들고 따뜻한 곳에 매달아 둔다.
6. 2개월가량 지난 후에 종이봉투를 풀어보면 쌀알에 곰팡이가 자라는데, 균사가 번식하면서 덩이 모양으로 뭉쳐 있으면 발효가 끝난 것이다.

* 누룩방문에 "찹쌀을 여뀌즙에 하루 저녁 담갔다가 꺼내 건져서 밀가루와 섞어 체에 내려 위에 뜨는 것을 버리고 두꺼운 종이 부대에 담아 바람이 잘 통하는 곳에 여름에는 2달 걸어두면 쓸 수 있는데, 술을 빚으면 매우 순하다." 고 하였다.

造蓼麯法

用糯米以蓼汁浸一宿漉出乾麵拌勻篩去浮麪紙囊通風處盛夏爲之兩月可用造酒極醇.

6. 조요국(造蓼麴) <산림경제(山林經濟)>

누룩 재료 : 찹쌀, 여뀌 우린 물, 밀가루

준비 물품 : 돗자리(고석), 자배기, 절구, 체, 종이봉지

누룩 빚는 법 :

1. 찹쌀을 물에 깨끗하게 씻어 말갛게 헹궈놓는다.
2. 여뀌를 채취하여 잎을 따서 물에 깨끗하게 씻었다가, 절구에 넣고 짓찧은 뒤, 적당량의 물에 담가 우린 즙을 준비한다.
3. 여뀌 우린 물에 씻어 준비한 찹쌀을 담가 하룻밤 불린 후 (뜨는 것을) 체에 쳐서 제거한다.
4. 다음날 찹쌀을 건져서 대충 물기를 빼서 밀가루를 고루 뒤섞는다.
5. 찹쌀을 2겹으로 만든 여러 개의 한지 봉투에 담아 주둥이를 묶고, 끈을 달아 바람이 잘 드나드는 곳에 매달아 놓는다.
6. 한여름에 만들었으면 2달 후에 거두어들이면 술을 빚을 수 있는데, 술맛이 매우 진하다.

造蓼麴

用糯米, 以蓼汁浸 一宿漉出. 以乾麪拌匀 篩去浮麪 紙囊貯之. 掛當風處. 盛夏爲之. 兩月可用 造酒極醇. <神恩>.

7. 요국방(蓼麴方) <임원십육지(林園十六志)>

누룩 재료 : 찹쌀 3말, 밀가루 3되, 달인 여뀌즙 3말(여뀌잎 30kg, 물 6말)
준비 물품 : 누룩틀, 자배기, 절구, 절굿공이, 종이봉투, 새끼

누룩 빚는 법 :
1. 여뀌를 많이 베어다 절구에 넣고 짓찧은 후, 면보로 싸고 쥐어짜서 즙을 내고 찌꺼기를 제거한 후, 물 6말에 풀어놓는다.
2. 찹쌀을 씻어 건져서 여뀌즙에 하룻밤 불린 후, 물에 뜨는 쌀은 건져 버리고, 체나 소쿠리에 밭쳐 물기를 빼놓는다.
3. 찹쌀의 물기가 빠지면 찹쌀에 밀가루를 골고루 입힌 후, 체에 한 번 쳐서 여

분의 밀가루를 제거한다.

4. 종이봉투를 두 겹으로 만들어 밀가루 묻힌 누룩밑을 담아 채우고, 끈으로 주둥이를 단단히 묶는다.
5. 누룩밑을 바람이 들고 따뜻한 곳에 매달아 둔다.
6. 2개월가량 지난 후에 종이봉투를 풀어보면 쌀알에 곰팡이가 자라는데, 균사가 번식하면서 덩이 모양으로 뭉쳐 있으면 발효가 끝난 것이다.

蓼麴方

用糯米以蓼汁浸一宿漉出以乾麪拌匀篩去浮厚紙厚紙㑀盛之掛通風処盛夏爲之兩月可用造酒極醇. <臞仙神隱書>.

8. 조요곡법(造蓼麯法) <증보산림경제(增補山林經濟)>

누룩 재료 : 찹쌀 3말, 밀가루 3되, 달인 여뀌즙 3말(여뀌잎 30kg, 물 6말)
준비 물품 : 누룩틀, 자배기, 절구, 절굿공이, 종이봉투, 새끼

누룩 빚는 법 :

1. 여뀌를 많이 베어다 절구에 넣고 짓찧은 후, 면보로 싸고 쥐어짜서 즙을 내고 찌꺼기를 제거한 후, 물 6말에 풀어놓는다.
2. 찹쌀을 씻어 건져서 여뀌즙에 하룻밤 불린 후, 물에 뜨는 쌀은 건져 버리고, 체나 소쿠리에 밭쳐 물기를 빼놓는다.
3. 찹쌀의 물기가 빠지면 찹쌀에 밀가루를 골고루 입힌 후, 체에 한 번 쳐서 여분의 밀가루를 제거한다.
4. 종이봉투를 두 겹으로 만들어 밀가루 묻힌 누룩밑을 담아 채우고, 끈으로 주둥이를 단단히 묶는다.
5. 누룩밑을 바람이 들고 따뜻한 곳에 매달아 둔다.

6. 2개월가량 지난 후에 종이봉투를 풀어보면 쌀알에 곰팡이가 자라는데, 균사가 번식하면서 덩이 모양으로 뭉쳐 있으면 발효가 끝난 것이다.

造蓼麯法

用糯米以蓼汁浸一宿漉出乾麪拌勻篩去浮麪紙囊貯之掛通風處盛夏爲之兩月可用造酒極醇.

9. 조요곡법(造蓼麯法) <학음잡록(鶴陰雜錄)>

누룩 재료 : 찹쌀, 여뀌즙, 밀가루, 종이봉투

누룩 빚는 법 :

1. 찹쌀을 백세하여 넓은 그릇에 담아놓는다.
2. 여뀌를 채취하여 물에 깨끗하게 씻어 절구에 찧어 자루에 담고 짜서 즙을 취한다.
3. 여뀌즙에 씻은 쌀을 담가 하룻밤 불렸다가 건져낸다.
4. 여뀌즙에 불린 쌀을 마른 밀가루와 혼합한 후, 밀가루가 쌀 표면에 달라붙으면, 체에 쳐서 나머지 밀가루는 털어낸다.
5. 준비한 2~3겹의 종이봉투에 밀가루 묻힌 쌀을 담고, 끈으로 묶어놓는다.
6. 종이봉투에 담은 누룩밑을 바람이 통하는 선반이나 시렁에 매달아 둔다.
7. 한여름에 만들어 2달이면 쓸 수 있는데, 이 누룩으로 술을 빚으면 술맛이 아주 진하다.

造蓼麯法

用糯米以蓼汁浸一宿漉出乾麪拌勻篩去浮麪紙囊貯之掛通風處盛夏爲之兩月可用造酒極醇.

1. 조유하주법(造流霞酒法) <색경(穡經, 搜聞補錄)>

누룩 재료 : 멥쌀 1말, 암, 볏짚 또는 솔잎
준비 물품 : 자배기, 맷돌, 체, 쳇다리, 암, 솔잎(볏짚), 풀, 종이봉투, 광주리, 종이

누룩 빚는 법 :

1. 정2월 중에 쓰려면, 멥쌀 1말을 (백 번 씻어서 말갛게 헹군 다음, 새 물에 담가 불렸다가, 다시 살짝 씻어서 말갛게 헹군 후) 건져서 물기를 뺀다.
2. 불린 쌀을 절구나 맷돌에 갈아 곱게 빻거나, 방앗간에 가져가 세말한다(고운 가루를 만든다).
3. 쌀가루를 두 주먹으로 쥐어 단단히 뭉치는데 거위알 크기로 만든다.
4. 짚으로 만든 둥구미에 볏짚으로 칸막이를 하여 암(발효시키는 그릇)을 만들고, 칸마다 조밀하게 5~6개씩 놓는다.
5. 다시 볏짚이나 솔잎으로 위를 덮고 대체로 따뜻한 방 안에 놓아둔다.
6. 7일이 지나면 암(盦)을 열고 뒤집어 주고, 또 7일이 지나면 다시 뒤집어 놓길 반복하여 21일이 지난 후에 꺼내서 위에 있는 볏짚을 걷어낸다.
7. 한 덩어리를 3조각 정도로 부수어 광주리에 담아놓고 두꺼운 종이로 덮어 햇볕에 내다 말린다.

造流霞酒法

正月旬前白米一斗百洗浸水一宿漉出作細末調水成團大如鴨卵於槀(圖)內用槀秸作隔盦養每隔鋪五六團密盖安置溫室中過七日披啓翻覆之又七日又翻覆之三七日後取出剝去上黁皮其一團破作三片盛以筐筥上覆厚紙日中曝乾至三月初杵末……

2. 조유하주 우법 <색경(穡經, 搜聞補錄)>

누룩 재료 : 멥쌀 1말, 암, 볏짚 또는 솔잎
술 재료 : 멥쌀 3말, 누룩가루 3되

누룩 빚는 법 :

1. 정 2월 중에 쓰려면, 멥쌀 1말을 (백 번 씻어서 말갛게 헹군 다음, 새 물에 담가 불렸다가 다시 살짝 씻어서 말갛게 헹군 후) 건져서 물기를 뺀다.
2. 불린 쌀을 절구나 맷돌에 갈아 곱게 빻거나, 방앗간에 가져가 세말한다(고운체에 한두 번 쳐서 내린다).
3. 쌀가루를 두 주먹으로 쥐어 주먹밥처럼 단단히 뭉치는데, 거위알 크기로 만든다.
4. 짚으로 만든 둥구미에 볏짚으로 칸막이를 하여 암(盦, 발효시키는 그릇)을 만들고, 칸마다 조밀하게 5~6개씩 놓는다.
5. 다시 볏짚이나 솔잎으로 위를 덮고 대체로 따뜻한 방 안에 놓아둔다.
6. 7일이 지나면 암을 열어 뒤집어 주고, 또 7일이 지나면 다시 뒤집어 놓길 반복하여, 21일이 지난 후에 꺼내서 위에 있는 볏짚을 걷어낸다.
7. 한 덩어리를 3조각 정도로 부수어 광주리에 담아놓고 두꺼운 종이로 덮어 햇볕에 내다 말린다.

造流霞酒 又法

正二月中用白米一斗百洗(杵/作)末之團如鴨卵用稻藁松葉相間入藁(圖)內密囊盦爵過七日後取出剝去上皮曝乾成麯.

3. 유하주국방(流霞酒麴方) <임원십육지(林園十六志)>

–정월용(1월에 빚는 술)

누룩 재료 : 멥쌀 1말, 풀, 솔잎

준비 물품 : 자배기, 맷돌(절구), 체, 쳇다리, 종이상자, 솔잎, 풀, 종이봉투

누룩 빚는 법 :

1. 정월에 멥쌀 1말을 백세하여 하룻밤 물에 불렸다가 (다시 씻어 헹궈서) 작말한다.
2. 쌀가루에 물을 골고루 뿌려서 (체에 한 번 내린 뒤) 큰 오리알처럼 크게 주먹으로 단단히 쥐어 (누룩밑을 만들어) 놓는다.
3. (나무상자나 종이상자 또는 가마니에 풀잎과 솔잎을 켜켜로 깔고) 누룩밑을 놓은 뒤, 다시 솔잎과 풀로 덮어서 7일간 띄운다.
4. 누룩밑에 (누른 곰팡이가 피었으면) 들어내서 껍질을 벗겨내고, 햇볕에 완전히 건조시킨다.
5. 누룩을 (여러 겹 종이봉투에 담아두었다가) 3월 초에 술 빚을 때 사용한다.

流霞酒(麴)方

正月用白米一斗百洗作末調水成團大鴨卵用藁草松葉相間盦養過七日後取出刺去上皮曝乾.

1. 이화주국(梨花酒麴) <감저종식법(甘藷種植法)>

누룩 재료 : 멥쌀(1말), 솔잎(2말)

누룩 빚는 법 :

1. 정월 첫 해일 3일 전에 멥쌀을 백세하여 물에 담가 불렸다가 (다시 고쳐 씻어 헹궈서) 세말한다(고운 가루로 빻는다).
2. 쌀가루를 가는체에 내려서 물을 치지 말고, 큰 달걀 크기로 단단히 뭉쳐서 누룩밑을 빚는다.
3. 독 안에 솔잎과 함께 켜켜이 묻어 방 윗목의 따뜻하지 않은 곳에 두어 띄운다.
4. 7일 만에 누룩밑을 꺼내고 돗자리나 베보자기 위에 펼쳐서 반나절 동안 볕에 말렸다가, 다시 솔잎에 묻어 재차 띄운다.
5. 다시 7일 후에 (누룩이 다 띄워졌으면) 햇볕에 내어 바짝 말려서 예의 방법대로 하여 종이봉투에 담아 갈무리해 두었다가 배꽃이 필 때부터 여름까지 사용한다.
6. 술 빚을 때 가루로 빻고, 깁체에 내려서 고운 가루를 만들어 사용한다.

梨花酒(麴)

正月上亥前期三日百洗白米浸水出細末細篩不用水揑作塊大於鷄卯於甕中訟葉作隔層鋪置房上不煖處七日出鋪草席或生布上晒乾半日又埋松葉又如是一次後出晒令極乾收藏置紙囊.

2. 이화주곡(梨花酒麯) <고사신서(攷事新書)>

누룩 재료 : 멥쌀(1말), 솔잎(2말)

누룩 빚는 법 :

1. 정월 첫 해일 3일 전에 멥쌀을 아주 많이 깨끗하게 씻어 담가 불렸다가 (다시 고쳐 씻어 헹궈서) 세말한다(고운 가루로 빻는다).
2. 쌀가루를 물을 치지 말고 체에 내려서, 달걀 크기로 단단히 뭉쳐서 누룩밑을 빚는다.
3. 독 안에 솔잎을 깔고 켜켜이 묻어 방 윗목의 따뜻하지 않은 곳에 두어 띄운다.
4. 누룩밑을 7일 만에 꺼내고 돗자리나 베보자기 위에 펼쳐서 반나절 동안 볕에 말렸다가, 다시 솔잎에 묻어 재차 띄운다.
5. 다시 7일 후에 (누룩이 다 띄워졌으면) 햇볕에 내어 반나절 동안 바짝 말렸다가, 갈무리해 두고 배꽃이 필 때부터 여름까지 사용한다.
6. 술 빚을 때 가루로 빻고, 깁체에 내려서 고운 가루를 만들어 사용한다.

梨花酒(麯)

正月上亥前期三日百洗白米浸水出細末細篩不用水揑作塊大於鷄卯甕中訟葉作隔層鋪置房上不煖處七日出鋪草席晒乾半日又埋松葉又如是一次晒今極乾藏置紙囊梨花開後經夏皆可釀.

3. 이화주국(梨花酒麴) <고사십이집(攷事十二集)>

누룩 재료 : 멥쌀(1말), 솔잎(2말)

누룩 빚는 법 :

1. 정월 첫 해일 3일 전에 멥쌀을 아주 많이 깨끗하게 씻어 담가 불렸다가 (다시 고쳐 씻어 헹궈서) 세말한다(고운 가루로 빻는다).
2. 쌀가루를 물을 치지 말고 체에 내려서, 달걀 크기로 단단히 뭉쳐서 누룩밑

을 빚는다.
3. 독 안에 솔잎을 깔고 켜켜이 묻어 방 윗목의 따뜻하지 않은 곳에 두어 띄운다.
4. 누룩밑을 7일 만에 꺼내고 돗자리나 베보자기 위에 펼쳐서 반나절 동안 볕에 말렸다가, 다시 솔잎에 묻어 재차 띄운다.
5. 다시 7일 후에 (누룩이 다 띄워졌으면) 햇볕에 내어 반나절 동안 바짝 말렸다가, 갈무리해 두고 배꽃이 필 때부터 여름까지 사용한다.
6. 술 빚을 때 가루로 빻고, 깁체에 내려서 고운 가루를 만들어 사용한다.

梨花酒(麴)

正月上亥前期三日百洗白米浸水出細末細篩不用水揑作塊大於鷄卯甕中訟葉作隔層鋪置房上不煖處七日出鋪草席晒乾半日又埋松葉又如是一次晒今極乾藏置紙囊梨花開後經夏皆可釀.

4. 이화주누룩 <규중세화>

누룩 재료 : 멥쌀 2말 5되

누룩 빚는 법 :
1. 이월 초순에 멥쌀 2말 5되를 백세하여 (물에 담가 불렸다가, 다시 씻어 헹궈서 물기를 뺀 후) 가늘게 작말한다(고운 가루로 빻는다).
2. 쌀가루를 냉수를 뿌려가며 반죽하여, 체로 쳐서 수분을 맞춘다.
3. 쌀가루 반죽을 두 손으로 쥐어서 오리알만 한 크기로 단단히 뭉쳐서 누룩밑을 빚는다.
4. 누룩밑을 볏짚으로 층층이 싸되, 수세로 격지 두어 공석으로 덮어 허청에 둔다.

5. (7일 후에 뒤집어 놓고, 14일 후에 또 뒤집어 놓고) 띄우기 시작한 지 21일 만에 꺼낸다.
6. 누룩 빛깔이 누렇게 되었으면 좋으니, 거죽(껍질)은 벗겨버리고 그릇에 담아 보자기로 덮어 햇볕에 내어 말린다.

이화주(누룩)

이월 초승에 백미 두 말 닷 되 백세작말 가늘게 하야 냉수 반죽하야 오리알 같이 쥐여 짚으로 층층이 싸고 수세 격자 두어 공석에 쌓아 허청에 두어 삼칠일 후 보면, 빛이 누렇게 되었으면 좋으니라. 거죽은 버리고 다려 그릇에 담고 보로 덮허 볕에 말리어……

5. 배꽃술(누룩) <규합총서(閨閤叢書)>

누룩 재료 : 멥쌀 1말, 솔잎 1말

누룩 빚는 법 :

1. 정월 첫 해일 3일 전에 멥쌀 1말을 백세하여 (물에 담갔다가, 다시 씻어 건져서 물기를 뺀 후) 고운 가루로 빻아서 고운체에 내린다.
2. 쌀가루에 물을 치지 말고 축축한 김에 달걀만 하게 손으로 쥐어서 단단하게 만든다.
3. 시루나 오목한 그릇에 솔잎을 두툼하게 깔고, 그 위에 밑누룩을 서로 닿지 않게 한 켜 놓고 다시 솔잎을 덮는 방법으로 밑누룩과 솔잎을 켜켜로 쌓고, 맨 위에 솔잎을 한 켜 두툼하게 덮는다.
4. 밑누룩 안친 그릇을 덥지 않은 방에 두고 7일 만에 누룩을 꺼낸다.
5. 햇볕이 좋은 날 멍석 위에 반나절쯤 말렸다가 다시 솔잎에 묻어 전과 같이 하여 1주일쯤 2차 발효시킨다.

6. 7일 후, 솔잎을 걷어내고 햇볕에 바짝 말렸다가 거두어들이고, 종이 주머니에 담아 보관하여 두고 사용한다.

배꽃술(누룩)
누룩 만들 때 덜 쥐면 단단하지 못하고, 너무 꼭꼭 쥐면 가운데가 썩어 푸른 곰팡이가 박하기 쉽다.

6. 이화주누룩 <김승지댁주방문(金承旨宅廚方文)>

누룩 재료 : 멥쌀(1말), 솔잎(2말)

누룩 빚는 법 :

1. 이화 질 때에 멥쌀을 희게 쓿어 물에 담가 3일간 불렸다가 (다시 고쳐 씻어 헹궈서) 찧는다(작말한다).
2. 쌀가루를 가는체에 내리되, 친 뒤로는 이밥(주먹밥)처럼 만들어 벌어지지 않게 한다(물을 치지 말고 주먹밥 크기로 단단히 뭉쳐서 누룩밑을 빚는다).
3. 소라에 솔잎을 많이 하여 누룩밑을 켜켜이 묻어 (방 윗목의) 덥도 차도 않은 곳에 두어 띄운다.
4. 2일 만에 누룩밑을 꺼내어 바깥에 있는 것은 가운데로 오게 하고 밑에 있는 것은 위로 가게 하여, 다시 솔잎에 묻어 재차 띄운다.
5. 다시 7일 후에 (누룩이 다 떠서) 속이 노랗게 곰팡이가 피었으면 잘 뜬 것이고 붉은 곰팡이 피었으면 술이 쓰다.
6. 누룩을 햇볕에 내어 바짝 말려서 겉면을 깎아버리고, 찧어 깁체로 쳐서 사용한다.

니화쥬(누룩)

니화 질 째의 ᄇᆡᆨ미를 희게 쓸허 사흘 담갓다가 씨허 ᄀᆞ는체로 쳐서 치되 는이 아니케 치여 솔닙흘 만히 ᄒᆞ여 쇼ᄅᆡ ᄀᆞᆺ흔 ᄃᆡᄃᆞ 노코 버래 노흔 후 력의 덥도 ᄎᆞ도 아닌 ᄃᆡ 두고 이틀이ᄂᆞ 되거든 ᄀᆞ루로 간 긔ᄉᆞᆫ 가온디로 노코 밋틔 거ᄉᆞᆫ 우후로 올녀 고쳐 씨어 일칠이나 ᄒᆞᆫ 후 써뇌 보면 쇽이 노라ᄒᆞ면 (잘 쓰)고 븕고 곰팡 쓰면 슐이 쓰고 독치 아니ᄒᆞ니라. 다 쓰고 겨여 볏에 바ᄅᆡ여 우글거 ᄇᆞ리고 씨혀 깁체로……

7. 이화국법(梨花麴法) <농정회요(農政會要)>

누룩 재료 : 멥쌀(1말), 솔잎(2말)

누룩 빚는 법 :

1. 정월 첫 해일 3일 전에 멥쌀을 백세하여 물에 담가 불렸다가 (다시 고쳐 씻어 헹궈서) 세말한다(고운 가루로 빻는다).
2. 쌀가루를 체에 내려서 물을 치지 말고, 달걀 크기로 단단히 뭉쳐서 누룩밑을 빚고, 독 안에 솔잎에 켜켜이 묻어 방 윗목의 따뜻하지 않은 곳에 두어 띄운다.
3. 7일 만에 꺼내고 돗자리나 베보자기 위에 펼쳐서 반나절 동안 볕에 말렸다가, 다시 솔잎에 묻어 재차 띄운다.
4. 다시 7일 후에 햇볕에 내어 한나절 바짝 말려서 건조시킨다.
5. 누룩은 칼로 껍질을 깎아내거나 솔질하여 곰팡이를 제거하여 갈무리해 두었다가, 술 빚을 때 가루로 빻고, 깁체에 내려서 고운 가루를 만들어 사용한다.

梨花(麴)法

正月上亥前期三日　白米百洗浸水出細末細篩中不用水　捺作塊大於鷄卵瓮中

以松葉作隔層鋪置房上不暖處七日出鋪草席或生布上晒乾半日又埋松葉又如是一次後出 晒令極乾藏置紙囊 梨花開後經夏皆可釀之.

8. 이화주(누룩) <봉접요람>

누룩 재료 : 멥쌀, 쑥, 빈 섬 여러 장

누룩 빚는 법 :

1. 2월에 멥쌀을 가장 많이 쓿어(백세하여) 2일간 물에 담가 불렸다가, 그 이튿날 (다시 씻어 건져서) 물기를 빼지 말고, 가루로 빻는다.
2. 쌀가루를 고운체에 한 번 쳐서 내린 후, 쌀가루를 한 주먹씩 쥐고 오리알처럼 단단하게 뭉쳐 누룩밑을 만든다.
3. 누룩밑을 솔잎에 묻되, 누룩밑이 서로 닿지 않게 늘어놓는다.
4. 다시 솔잎으로 덮고 (빈 섬에 담아 따뜻한 온돌에 놓아두고, 빈 섬으로 덮어준다.)
5. 7일 후에 누룩곰팡이가 누렇게 피었으면 꺼내어 햇볕에 내어 2~3일간 바짝 건조시킨다(누룩곰팡이가 보이지 않으면 다시 뒤집어 놓고 7일을 더 띄운다).
6. 3월에 배꽃이 막 피려 하고 아직 피지 않았을 때, 누룩을 가루를 내어 다시 흰 모시나 고운 베에 내려 고운 가루를 마련한다.

니화쥬(누룩)

이월의 ᄡᆞᆯ ᄀᆞ장 ᄡᆞᆯ허 잇틀이나 블의(불려) 건져 씨 빅믈(어떤 물도) 말고 그저 쥐여 솔닙헤 닐웨들(를) ᄣᅴ워 누록이 누룻ᄃᆞᆫ ᄒᆞ거든 ᄆᆡ이 바래여 삼월의 비ᄌᆞᄃᆡ……

9. 이화주국(梨化酒麴) <산가요록(山家要錄)>

–쌀 15말 빚이

누룩 재료 : 멥쌀 5말, 쑥, 빈 섬 여러 장

누룩 빚는 법 :

1. 2월 상순에 멥쌀 5말을 (백세하여) 하룻밤 물에 담가 불렸다가, 그 이튿날 (다시 씻어 건져서) 물기를 빼지 말고, 곱게 가루를 내어 물을 잘 조절하여 섞어놓는다.
2. 쌀가루를 고운체에 한 번 쳐서 내린 후, 쌀가루를 한 주먹씩 쥐고 단단하게 뭉쳐 오리알처럼 누룩밑을 만든다.
3. 누룩밑을 쑥에 묻되, 쑥대의 길이에 맞추어 서로 닿지 않게 늘어놓는다.
4. 다시 쑥으로 덮고, 빈 섬에 담아 따뜻한 온돌에 놓아두고, 빈 섬으로 덮어준다.
5. 7일 후에 뒤집어 7일을 놓아두었다가, 다시 뒤집어 놓고 7일을 더 띄운다.
6. 누룩 빚은 지 21일 후에 꺼내서 거친 껍질을 제거하고, 덩어리 하나를 3~4 조각으로 깨서 상자에 담아 홑보자기로 덮어둔다.
7. 날이 맑고 햇볕이 좋으면 매일 볕을 쬐어 말린다.
8. 배꽃이 막 피려 하고 아직 피지 않았을 때, 누룩을 가루를 내어 다시 흰 모시나 고운 베에 내려 고운 가루를 마련한다.

梨化酒麴

二月初 亦可 米十五斗. 二月上旬日 白米五斗 浸水經宿 翌日 細末重篩 以水量意和合 堅實作塊 形如鴨卵 裹以蒿草 如裹卵形 隨草長短裹盡 合盛于空石置之溫突 以空石覆之. 七日後飜置 二七日又飜置 三七日出 卽消去麤皮 一塊破作三四片 盛于笥 覆以單袱 每日淸明曝晒. 梨花欲開未開時 作末重篩 白苧細布更篩.

10. 이화주곡(梨花酒麴) <산림경제(山林經濟)>

누룩 재료 : 멥쌀(1말), 솔잎(2말)

누룩 빚는 법 :

1. 정월 첫 해일 3일 전에 멥쌀을 아주 많이 깨끗하게 씻어 담가 불렸다가 (다시 고쳐 씻어 헹궈서) 세말한다(고운 가루로 빻는다).
2. 쌀가루를 물을 치지 말고 달걀 크기로 단단히 뭉쳐서 누룩밑을 빚고, 독 안에 솔잎에 켜켜이 묻어 방 윗목의 따뜻하지 않은 곳에 두어 띄운다.
3. 7일 만에 꺼내고 돗자리나 베보자기 위에 펼쳐서 반나절 동안 볕에 말렸다가, 다시 솔잎에 묻어 재차 띄운다.
4. 다시 7일 후에 (누룩이 다 띄워졌으면) 햇볕에 내어 바짝 말려서 예의 방법대로 하여 갈무리해 두었다가 배꽃이 필 때부터 여름까지 사용한다.
5. 술 빚을 때 가루로 빻고, 깁체에 내려서 고운 가루를 만들어 사용한다.

梨花酒(麴)

正月上亥日。前期三日。百洗白米。浸水出細末細篩。不用水捏作塊。大如鷄卵。於瓮中。松葉作隔層。鋪置房上不暖處。七日出鋪草席。或生布上。晒乾半日。又埋松葉。又如是一次後。出晒令極乾。藏置紙囊。梨花開後。經夏皆可釀之.

11. 이화주조국법(梨化酒造麴法) <수운잡방(需雲雜方)>

누룩 재료 : 멥쌀 5말, 쑥, 빈 섬 여러 장

누룩 빚는 법 :

1. 배꽃이 필 무렵에 멥쌀을 (백세하여) 하룻밤 물에 담가두었다가, 그 이튿날 다시 씻어 헹궈서 세말한다(고운 가루로 빻는다).
2. 쌀가루에 물을 잘 조절하여 뭉쳐질 만큼 되면, 깁체로 체질한다.
3. 쌀가루를 한 주먹씩 쥐고 단단하게 뭉쳐, 오리알처럼 덩어리를 만든다.
4. 다북쑥으로 계란 꾸러미처럼 만들고, 누룩밑을 한 개씩 싸되, 풀 길이에 따라 싼다.
5. 다 싸맨 누룩밑을 빈 섬(공석)에 담아놓는다.
6. 7일 후에 뒤집어 14일을 놓아두었다가, 다시 뒤집어 21일을 둔다.
7. 누룩 빚은 지 21일 후에 꺼내서 황백색의 곰팡이가 피어 있으면, 바로 꺼내서 잠깐 바람을 쏘였다가, 저장해 두고 쓴다.

梨花酒造麴法

當梨花開時白米多少任意百洗浸水經宿細細作末重篩以水酒少許合和極力堅作塊如鴨卵大箇箇蒿草裹如雞卵裹空石入置七日後飜置三七日後見其色黃白相雜則出暫法風藏置用之.

12. 이화주누룩 <술방>

누룩 재료 : 멥쌀 1말, 솔잎, 시루나 단지

누룩 빚는 법 :

1. 정월 첫 해일에 멥쌀 1말 백세하여 물에 담갔다가, 다시 씻어 작말한다.
2. 쌀가루에 물을 주지 말고 손으로 쥐어서 달걀보다 크게 단단히 뭉친다.
3. 시루나 단지에 솔잎을 넣고, 그 속에 밑누룩을 격지격지 켜켜로 넣는다.
4. 시루나 단지 위를 덮고, 덥지도 차지도 않은 방에 두고 7일간 띄운다.

5. 이화곡을 내어 햇볕에 반나절 동안 말린 다음, 다시 솔잎에 묻어둔다.
6. 술 빚기 2~3일 전에 누룩을 꺼내고 솔이나 칫솔로 누룩 표면을 닦아 먼지나 곰팡이를 털어내고, 절구에 넣어 공이로 쳐서 가루로 빻는다.
7. 겹체로 쳐서 미숫가루처럼 고운 가루를 내려 쓴다.

니화쥬누룩
니화쥬는 정월 첫 해일 전 삼일에 백미 백세하여 담가다가 세말하여 물 주지 말고 뭉쳐 덩이 지여 겨란보다 크게 맨드러 솔입으로 격지두어 덥지 아나한 방의 칠일 만에 볏희 반일을 말이와 또 솔입희 장여다가 니화 핀 후 비즈되……

13. 이화주(누룩) <양주방>*

누룩 재료 : 찹쌀 1말, 누룩 5되, 떡 삶은 물, 누룩(멥쌀 5말, 볏짚 3묶음)

누룩 빚는 법 :
1. 정월 보름날 희게 쓿은 멥쌀 5말을 깨끗이 씻고 또 씻어(백세하여) 물에 담가 하룻밤 불렸다가 (다시 씻어 헹궈서) 물기를 빼지 말고 건져서 가루를 만든다.
2. 쌀가루를 체에 두 번 내려서, 아주 된 반죽하여 오리알만 하게 단단히 쥐어서 만든다.
3. 더운 방이나 실내에 볏짚으로 배 싸듯이 싸고, 빈 섬에 누룩이 서로 닿지 않게 한 켜 놓고, 볏짚으로 덮어놓는다.
4. 7일 만에 누룩을 뒤집어 주고, 다시 7일 만에 위아래를 바꾸어 주고 띄우되, 또 7일 만에 꺼낸다.
5. 누룩에 곰팡이가 고루 피어 있으면, 껍질을 걷어내고 서너 조각을 내어 설기

(석작, 바구니)에 담아 햇볕에 바짝 말렸다가, 종이봉투에 담아 보관해 둔다.

니화쥬(누록)

졍월 망일 졈미 오 두 ᄇᆡᆨ셰ᄒᆞ야 담가 밤 재와 작말ᄒᆞ야 두벌 쳐 물을 알마초 마라 ᄇᆞ을의 알만치 ᄃᆞᆫᄃᆞᆫ이 쥐여 씌우ᄃᆡ 물이 눅으면 잘못 쓰ᄂᆞ니 쥐기 어려울지라도 물을 마라게 ᄒᆞ야 녀러히 쥐여 집흐로 ᄇᆡᆨ 싸드시 싸 공셕의 집흘 격지 두어 너허 더운 방의 노코 공셕으로 덥허다가 이칠일 의 뒤여 노코 삼칠일의 즉시 ᄂᆡ야 더러운 겁질 벗기고 ᄒᆞ나흘 서너 조각의 짜려 쉶의 다마다 볏ᄒᆡ 말뇌야 두엇다가 니화 필 ᄣᅢ예 ᄀᆞ느리 작말ᄒᆞ고.

14. 이화주(누룩) 우일방 <양주방>*

누룩 재료 : 멥쌀 2말, 솔잎(1짐), 큰 시루 2개

누룩 빚는 법 :

1. 희게 쓿은 멥쌀 2말을 물에 깨끗이 씻고 또 씻어 2일 정도 물에 담가 불렸다가, 다시 씻어 헹궈서 체에 내려서 고운 가루를 만든다.
2. 쌀가루를 체에 내리면서 즉시 두 손으로 단단히 쥐어서 달걀 크기만 한 누룩밑을 만든다.
3. 시루에 솔잎을 격지로 깔고, 누룩밑이 서로 닿지 않게 안치고, 다시 솔잎으로 덮어놓는다.
4. 7일 만에 노랗게 떴으면 배꽃술누룩(이화곡)을 꺼내고, 누룩 껍질을 벗겨내고 밤낮으로 햇볕에 바짝 말려서 법제해 둔다.
5. 법제한 배꽃술누룩(이화곡)은 종이봉투에 담아 보관해 둔다.

니화쥬(누룩) 우일방

ᄇᆡᆨ미 ᄒᆞᆫ 말 ᄇᆡᆨ셰ᄒᆞ야 이틀이나 담가다가 ᄡᅵᆺ 붓거든 마이 ᄀᆞ늘게 작말ᄒᆞ야 ᄎᆞ ᄂᆞᆫ 죽죽 계란만치 ᄃᆞᆫᄃᆞᆫ이 쥐여 숑엽의 격지 두어 실뇌 재여 칠일 후 노ᄅᆞ게 ᄯᅥᆺ 거든 ᄡᅳ더 쥬야로 ᄇᆞ라여……

15. 이화주누룩법 <양주방(釀酒方)>

누룩 재료 : 찹쌀(1말), 솔잎

누룩 빚는 법 :

1. 배꽃 필 때에 찹쌀을 희게 쓿어(도정을 많이 하여) 물에 담갔다가 낮에 담갔으면 이튿날 식후에 다시 씻어 건져 방아 찧되, 건진 즉시 찧는다.
2. 쌀가루를 체에 내린 후, 두 손으로 단단히 쥐어 오리알 크기의 누룩밑을 만든다.
3. 바람 없는 마루에 알맞은 오장이에 솔잎 깔고 누룩을 놓아 널어놓는다.
4. 누룩은 솔잎으로 격지 두어 깔고 덮되, 좌우 옆의 누룩에 닿지 않게 한다.
5. 누룩 뜰 때 오장이가로 나오지 않도록 하고, 3~4일 지나 꺼내어 속을 만져보면 누룩 김이 씌었거든 낱낱이 솔잎을 뜯어 햇볕에 널어 말린다.
6. 그때에 날이 더우면 잘 뜨고 날이 차면 더디 뜨니, 자주 내어 나뭇가지로 두드려보아 깨지지 않고, 누룩에서 나는 뜨거운 김으로 알 수 있다.
7. 막대로 죄없이 두드려 깨트려서 볕에 말리되, 하루 동안에는 다 말릴 수 없으니, 가장 더운 방에 널어 완전히 말린다.
8. 누룩은 종이봉투에 담아두고, 여름 술 빚을 때에 가는체에 쳐서 사용한다.

이화주누룩법

배꽃 필 때에 찹쌀을 희게 쓿어(도정을 많이 하여) 물에 담갔다가 낮때에 담갔으면 이튿날 식후에 다시 씻어 건져 방아 찧으되, 건진 즉시 찧어야 좋다.

물 빠진 후에 찧으면 주미가 좋지 아니하니, 그리 찧어 체에 쳐서 내린다. 체에 내린 쌀가루를 오리알만치 두 손으로 단단히 쥐어 누룩밑을 만든다. 바람 없는 마루에 알맞은 오장이에 솔잎 깔고 누룩 놓아 널어놓는다. 이와 같이 하기를 누룩 없도록 솔잎 격지 두어 다 한 후에 이득이 펴 좌우 옆이 누룩에 닿지 아니하게 한다. 누룩 뜰 때 오장이가에 내어놓지 말고, 사나흘 지나거든 내어 속을 만져보면 누룩 김이 씌였거든 낱낱이 딸여 볕에 널어 말리라. 그때에 날이 더우면 수히 뜨고 날이 차면 더기 뜨니, 자주 내어보아 나무로 난이라 따려보아 누룩 김으로 아느니라. 너무 오래두어 푸른 김이 씌면 좋지 아니하니라. 그때 혹 날이 궂어 절이 마르지 아니하면 묵에 좀이 많이 나느니라. 구러거든 막대로 죄없이 하야 가장 더운 방에 널어 죄 말리라. 본디 하루 볕에는 못다 마르니라. 더운 방에 널어 말리어 그리하여 넣어두고 여름 술 때에 가른 이체에 쳐서 술 빚느니라.

16. 이화주에 누룩 넣는 법 <양주방(釀酒方)>

누룩 재료 : 멥쌀 적당량, 솔잎, 바가지

누룩 빚는 법 :

1. 멥쌀을 (백세하여) 물에 담갔다가, 3일 만에 (다시 씻어 헹군 후) 건져서 절구에 찧어 가루로 빻는다.
2. 쌀가루를 (고운체에 쳐서 거친 가루를 제거한 후) 두 손으로 꼭 쥐어서 계란 크기로 단단히 뭉쳐 누룩밑을 만든다.
3. 바가지에 솔잎을 격지격지 놓아가면서 누룩밑을 묻고 재워서, 술독에 넣어 놓는다.
4. 세이레(21일) 후에 누룩을 꺼내어 보아, 겉면이 노랗게 띄워졌으면 들어내어 솔잎을 제거한다.

5. 누룩을 따려(껍질과 곰팡이를 벗겨내고), 바람이 들고 햇볕이 드는 곳에 내어 10여 일 건조시킨다.
6. 누룩의 색이 바래고 냄새가 달아났으면 고운 가루로 빻아 고운체에 한 번 내려서 사용한다.

* 누룩방문 말미에 “독은 구들에나 마루에나 놓고 하라. 삼해주는 땅을 파고 묻으면 좋으니라.”고 언급한 내용이 생경하다.

니화쥬의 누록 넛ᄂᆞᆫ 법

ᄡᆞᆯ 담갓다가 ᄉᆞ흘 만의 건저 절헤 ᄡᅵ허야 아오ᄂᆞ니라 계란만식 쥐여 솔립 격지두어 박아지의 ᄌᆡ와 독의 너허둣다가 세일헤 지나거든 내여보면 노라케 ᄡᅧᆺᄂᆞ니라. 그제야 ᄯᆞ려 밤낫 십여 일 ᄇᆞ라여 비지라. 독은 구들의나 마로의나 너코 ᄒᆞ라. 삼ᄒᆡ쥬ᄂᆞᆫ ᄯᆞ흘 파고 무드면 죠흐니라.

17. 이화주곡 <언서주찬방(諺書酒饌方)>

누룩 재료 : 멥쌀 5말, 맷돌, 고운체, 볏짚, 공석(가마니), 석작, 홑보자기

누룩 빚는 법 :

1. 정월 보름날 멥쌀 5말을 백세하여, 새 물에 헹궈낸다.
2. 씻은 쌀을 다시 새 물에 담가서 밤재워 불린다.
3. 다음날 불린 쌀을 한 번 더 (씻어) 헹궈서 뜨물이 없이 한 다음, 물기를 빼서 가루로 빻는다.
4. 쌀가루를 체로 쳐서 내린 후, 다시 물을 알맞게 쳐서 한 번 더 내린다.
5. 쌀가루를 두 손으로 쥐어서 오리알만 한 크기로 단단히 뭉쳐서 누룩밑을 빚는다.

6. 누룩밑을 볏짚으로 싸되, 배 싸듯 하여 공석에 짚으로 격지격지 묻어 더운 구들에 놓고 공석으로 덮어준다.
7. 7일 후에 뒤집어 놓고, 14일 후에 또 뒤집어 놓고, 띄우기 시작한 지 21일 만에 꺼낸다.
8. 즉시 더러운 껍질을 벗기고, 한 덩어리를 서너 조각으로 깨어 석작에 담아 놓는다.
9. 홑보자기로 석작을 덮어놓고 날마다 햇볕에 내어 말려둔다.

니화쥬(곡)

정월 보롬날 ᄇᆡᆨ미 단 말을 ᄇᆡᆨ 번 시서 ᄃᆞᆷ갓다가 밤자거ᄃᆞᆫ ᄀᆞᄅᆞ ᄆᆡᆫ드라. 두볼 처셔 ᄆᆞᆯ을 알마초 ᄆᆞ라 올히알 마곰 ᄃᆞᆫ;이 쥐오ᄃᆡ ᄆᆞᆯ 곳 만ᄒᆞ면 덩이 소개 ᄑᆞ른 뎜 잇고 ᄆᆞᆯ 곳 져그면 덩이 ᄇᆞᆺ기 편;티 아니코 ᄃᆞᆫ;티 아니면 마시 됴티 아니ᄒᆞ니라. 딥흐로 ᄡᆞ되 ᄇᆡ ᄡᆞᄃᆞᆺ ᄒᆞ야 공셕의 딥흐로 격지 두어 더운 구들에 노코 공셕으로 더퍼 닐웨 후에 뒤혀 노코 두닐웬 만의 ᄯᅩ 뒤혀 노코 세닐웬 만의 내야 즉이 더러온 겁질 벗기고 ᄒᆞᆫ 덩이ᄅᆞᆯ 서너희 ᄲᅡ려 셝의 다마 홋보흐로 더퍼 날마다 변희 내여 ᄆᆞᆯ뢰야 ᄃᆞᆺ다가 빗곳 ᄑᆡ려 ᄒᆞᆯ 제 작말ᄒᆞ야 ᄀᆞᄂᆞ리 처……

18. 이화주곡방(梨花酒曲方) <역주방문(曆酒方文)>

누룩 재료 : 멥쌀, 솔잎, 시루(단지)

누룩 빚는 법 :
1. 정월 첫 해일에 멥쌀 3되를 하룻밤 담가 불려놓는다(물에 백 번 씻어 매우 깨끗하게 헹군 뒤, 새 물에 담가 하룻밤 불린다).
2. 이튿날 불린 쌀을 (다시 씻어 말갛게 헹궈서) 건져서 작말한다(가루로 빻

는다).

3. 쌀가루를 가는체로 쳐서 내린 다음, 손으로 오리알처럼 뭉쳐서 누룩밑을 만든다.
4. 시루나 작은 단지에 솔잎을 깔고, 그 위에 이화곡밑을 안치고, 그 위에 다시 솔잎을 덮는 방법으로 격지격지 놓되, 서로 닿지 않게 쌓는다.
5. 누룩은 7일쯤 지나서 겉면에 누른빛을 띠고 잘 뜨워졌으며 반쯤 말라 있으면, 찬 곳으로 옮겨두어야 한다.

梨花酒(曲)方

正月上亥一白米三升浸之經宿後極出作末(亏)以細篩篩過以手挼磨作壞間松葉隔之過七日見之皎(作)蒸成而己半乾移置冷處.

19. 행주음선 이화주국(行廚飲膳 梨花酒麴)

<오주연문장전산고(五洲衍文長箋散稿)>

누룩 재료 : 멥쌀(3되), 솔잎, 단지(시루 또는 상자)

누룩 빚는 법 :

1. 정월 상순 첫 해일 3일 전에 멥쌀을 백세하여 물에 담갔다가, 다시 씻어 헹궈서 물기를 뺀다.
2. 쌀가루에 (물을 치지 말고) 체에 한 번 내린 다음, 쌀가루를 쥐어서 달걀 크기만 하게 단단히 뭉쳐서 누룩밑을 빚는다.
4. 항아리에 솔잎을 두텁게 깔고, 그 위에 누룩밑을 격지격지 놓고, 다시 솔잎으로 덮는다.
5. 누룩밑이 서로 닿지 않도록 하고, 사이사이에도 솔잎을 넣어 켜켜이 쌓는다.
6. 덥지 않은 곳(봄 날씨 정도 되는 따뜻한 곳이나 방)에 두고 7~8일가량 띄

운다.

7. 발효가 끝난 누룩은 표면에 노랗거나 (연두색) 꽃(곰팡이)이 피어 있으므로, 밖에 내놓아 반나절 동안 햇볕을 쬐어 살균, 건조시킨다.
8. 누룩을 다시 전과 같이 솔잎에 묻어 한 차례 더 발효시킨 뒤 꺼내어 건조시키고, 솔로 곰팡이를 털어낸다.
9. 이화국을 햇볕을 쬐여 여러 날 법제하여 종이봉투에 담아두고, 배꽃이 필 때 절구나 방망이를 이용하여 빻고, 고운체에 내려서 고운 가루로 만들어 사용한다.

* 주방문 말미에 "이 누룩을 덩어리로 만드는 때에 누룩가루가 너무 말라 있으면 누룩이 단단하지 않고, 너무 젖어 있으면 속이 썩는다. 누룩을 띄웠을 때 누룩에 파랗고 검은 점이 생기면 쓰지 마라. 누룩 만들 때에는 적당하게 환을 만들어라."고 하였다.

行廚飮膳(梨花酒) 辨證說

정월 상순 해일 3일 전에 백미를 백세하여 담갔다가 곱게 빻아서 체에 내려 물을 섞지 않고 가루를 모아서 덩어리를 계란 크기로 만들어 항아리 안에 소나무잎을 겹층으로 쌓아서 묻고 덥지 않은 곳에 두었다가 7일이 되어 소나무잎을 들어내고 볏짚위에 펴 놓는다 반나절 햇볕을 쬐어 말려서 전번과 같이 소나무잎에 묻어놓기를 한 차례 한 뒤에 꺼내어 햇볕에 쬐어 극히 말려서 종이봉투나 베푸대에 담아둔다. 이듬 해 배꽃이 핀 후 여름을 경과하는 시기에 술을 빚어도 된다.

20. 하절이화주곡 <온주법(醞酒法)>

누룩 재료 : 멥쌀, 백자잎, 상

누룩 빚는 법 :

이화곡을 많이 하여 하절 술로 쓰되, 하절이거든 상 위에 짚을 깔고 그 위에 백자잎이나 솔잎을 펴고, 그 누룩(밑)을 격지격지 놓고, 백자잎으로 많이 덮어 띄워 곰팡이 노랗게 뜨거든 꺼내어 말리어 정히 작말하여 항에 넣어 더운 방에 두고 쓰되, 하절주도 점미 3말 백세하여 예삿술 놓아 익게 쪄 이 누룩 3되를 넣으라."고 하였으므로, 예사술 빚듯 방문을 작성하였다.

니화국(하졀)

니화국을 만히 ᄒᆞ야 하졀듀의 쓰ᄃᆡ 하졀의 이어든 상 우ᄒᆡ 집흘 ᄭᆞᆯ고 집 우ᄒᆡ ᄇᆡᆨᄌᆞ닙이나 솔닙히나 펴고 그 누록을 그 닙과 격지 노코 우희 ᄇᆡᆨᄌᆞ닙흘 만이 덥허 남글 지쥴어 ᄯᅴ워 웃법ᄃᆡ로 ᄆᆞᆯᄂᆡ여 졍히 작말ᄒᆞ야 항의 너허 더온 방의 두고 쓰ᄃᆡ 하젼쥬도 졈미 서 말 ᄇᆡᆨ셰ᄒᆞ야 녜ᄉᆞ 술 ᄂᆞ되 닉게 ᄶᅧ 이 누록 서 되를 너흐라.

21. 이화국법 <온주법(醞酒法)>

누룩 재료 : 멥쌀 1말, 솔잎, 공석 1장

누룩 빚는 법 :

1. 정이월 사이에 멥쌀 1말 백세하여 (물에 담가 불렸다가, 다시 씻어 건져서 물기를 뺀 후) 작말한다(고운 가루로 빻는다).
2. 쌀가루를 손으로 쥐어 오리알만 한 크기로 단단히 뭉쳐서 누룩밑을 빚는다.
3. 공석(볏짚으로 만든 가마니) 안에 묻어(솔잎을 깔고 그 위에 서로 닿지 않게 놓고 다시 솔잎으로 덮어) 7일간 (덥지도 차지도 않은 따뜻한 곳에 두고) 띄운다.
4. 7일 만에 누룩밑을 꺼내어 노랗게 떴으면(곰팡이가 많이 피었으면) 겉면을

긁어 껍질을 벗겨내고 햇볕에 내어 건조시킨다.

5. 완성된 누룩은 (두세 겹으로 된 종이봉투에 담아) 바람이 잘 통하고 서늘한 곳에 두고 사용한다.

니화국법

정이월 간의 ᄇᆡᆨ미 일두 ᄇᆡᆨ셰작말ᄒᆞ야 오리알갓치 죄야겨 공셕 안희 송녑 격(지) 만히 노하ᄃᆡ 여허 칠일 후 노라게 쓰거든 내여 우흘 글거 ᄇᆞ리고 양건ᄒᆞ야 두고 쓰ᄂᆞ니라.

22. 이화국 또 한 법 <온주법(醞酒法)>

누룩 재료 : 멥쌀, 솔잎, 거적(왕겨 가마니)

누룩 빚는 법 :

1. 9월과 10월에 일기가 서늘하고 춥지 않을 때, 멥쌀을 백세하여 물에 담가 하룻밤 불렸다가, 다시 씻어 건져서 물기를 뺀 후 작말한다(가루로 빻는다).
2. 쌀가루를 손으로 쥐어 오리알만 한 크기로 단단히 뭉쳐서 누룩밑을 빚는다.
3. 거적(왕겨 가마니) 안에 솔잎을 많이 깔고 그 위에 서로 닿지 않게 놓고 덮어서 묻는데, 한꺼번에 많이 쌓으면 밑에 놓인 것을 (썩거나 쉬거나 하여) 사용하지 못한다.
4. 누룩밑을 묻은 거적을 시렁 위에 올려놓고 띄운다.
5. (7일 만에) 누룩밑을 꺼내어 누룩 표면이 노랗게 떴으면(곰팡이가 많이 피었으면) 꺼내어 그릇에 엷게 펴서 베로 덮어놓고 20여 일 햇볕에 내어 건조시킨다.
6. 완성된 누룩은 (두세 겹으로 된 종이봉투에 담아) 바람이 잘 통하고 서늘한 곳에 두고 사용한다.

니화국법 쏘 ᄒᆞᆫ 법

구십월의 일긔 서늘ᄒᆞ고 어지 아닐 ᄯᆡ ᄇᆡᆨ미ᄅᆞᆯ ᄇᆡᆨ세ᄒᆞ야 ᄒᆞ르밤 담가다가 다시 씨서 작말ᄒᆞ야 오리알만치 쥐야겨 셤의 격지 숑녑 만히 노하 시렁의 언저다가 우히 노라ᄒᆞ거든 ᄂᆡ라 불그면 되지 아니ᄒᆞᄂᆞ니 셤의 ᄌᆞ일 제 너무 ᄃᆞᆺ거이 ᄌᆞ이면 ᄆᆡᆺ티 거술 못 쓰ᄂᆞ니라. 밤ᄂᆞᆽ마곰 ᄯᅳ더 그ᄅᆞ싀 담아 엽게 너러 뵈로 덥허 쥬야 이십 일이나 바ᄅᆡ여 쓰라.

23. 이화주누룩법 <음식디미방>

누룩 재료 : 멥쌀 1말, 볏짚, 빈 가마니

누룩 빚는 법 :

1. 멥쌀 3말을 백세하여(아주 많이 깨끗하게 씻어 하룻밤 담가 불렸다가) 다시 고쳐 씻어 헹궈서 (물기를 뺀 후) 세말한다(고운 가루로 빻는다).
2. 쌀가루를 한 주먹 크기로 쥐어 단단히 뭉친다(오리알 크기만 하게 누룩밑을 만든다).
3. (쌀가루가 말라서 뭉쳐지지 않으면 날물을 적당량 뿌려서 뒤적여 주고 체에 한 번 내린다.)
4. 누룩밑을 짚으로 싸고 공석(빈 가마니)에 넣어, 더운 구들방에 놓아 띄우는데, (3~4일 또는 7일 간격으로) 자주 뒤집어 주어 누렇게 띄운다.
5. (누룩이 다 띄워졌으면) 쓸(술 빚을 때) 때 누룩의 껍질을 벗겨내고 작말하여(가루로 빻아) 사용한다.

* 누룩을 띄우는 시기나 만드는 구체적인 방법이 언급되어 있지 않다. 방문 말미에 "처음에 누룩밑을 만들 때 (쌀가루에) 물을 많이 섞으면 썩어 좋지 아니하다."고 하였다.

니화쥬누룩법

ᄇᆡᆨ미 서 말을 ᄇᆡᆨ셰ᄒᆞ여 믈에 ᄒᆞᄅᆞ밤 자여 고쳐 시서 셰말ᄒᆞ여 주먹마곰 ᄆᆡᆼ그라 집흐로 ᄡᆞ고 공셕으로 담마 더운 구돌에 두고 ᄌᆞ로 두의여 누러케 ᄯᅳ면 죠ᄒᆞ니라. ᄲᆞᆯ 제 겹질 벗기고 작말ᄒᆞ라. 처엄의 ᄆᆡᆫ들 제 믈을 만이 ᄒᆞ면 석어 죠치 아니ᄒᆞ니라.

24. 이화주(누룩) <음식방문니라>

누룩 재료 : 멥쌀(3되), 솔잎, 단지(시루 또는 상자)

누룩 빚는 법 :

1. 배꽃이 필 때 이화곡을 작말하고 (장만한다.)
2. 멥쌀(3되)을 깨끗이 씻어(백세하여) 물에 담가 불렸다가, 다시 씻어 건져서 물기가 빠지면 작말한다(가루로 빻는다).
3. 쌀가루에 (물을 치지 말고) 배(梨) 크기만 하게(두 주먹 크기로) 단단히 뭉쳐서 누룩밑을 빚는다.
4. (시루나 단지, 바구니에) 솔잎을 두텁게 깔고, 그 위에 누룩밑을 격지격지 놓고, 다시 솔잎으로 덮는다.
5. 누룩밑이 서로 닿지 않도록 하고, 사이사이에도 솔잎을 넣어 켜켜이 쌓는다.
6. (봄 날씨 정도 되는 따뜻한 곳이나 방에 두고, 7~8일가량) 띄운다.
7. 발효가 끝난 누룩은, 표면에 노랗거나 (연두색) 꽃(곰팡이)이 피어 있으므로, 밖에 내놓아 햇볕을 쬐어 살균, 건조시킨다.
8. 누룩을 솔로 곰팡이를 털어내고 (여러 날 법제하여) 절구나 방망이를 이용하여 빻고, (고운체에 내려서 고운 가루로) 준비한다.

이화쥬(누룩)

이화 필 ᄣᆡ 누륵을 작말ᄒᆞ고 쌀 정히 쓸허 쓰셔 담가다가 작말ᄒᆞ여 ᄇᆡ만치 쥐여 솔닙 격지 노하 ᄣᆡ 여러 날 후 노른 ᄭᅩᆺ 안거든 볏티 말ᄅᆡ여……

25. 이화주(곡) <이씨(李氏)음식법>

누룩 재료 : 멥쌀 5말, 볏짚(10단)

누룩 빚는 법 :

1. 정월 15일에 멥쌀 5말을 백세하여 물에 담가 하룻밤 불렸다가 (다시 씻어 건져서 물기를 뺀 후) 가루로 빻아서 고운체에 내린다.
2. 쌀가루에 물을 알맞게 쳐서 고루 섞고, 축축한 김에 오리알만 하게 손으로 단단히 쥐어서 밑누룩을 만든다.
3. 시루나 오목한 그릇에 볏짚을 두툼하게 깔고, 그 위에 밑누룩을 서로 닿지 않게 격지격지 놓고, 다시 볏짚을 덮고, 다시 거적(빈 가마니)으로 덮어놓는다.
4. 밑누룩 안친 그릇을 더운 방에 두고, 7일 만에 누룩을 꺼내었다가, 다시 볏짚에 묻어 전과 같이 하여 14일쯤 2차 발효시킨다.
5. 띄우기 시작한 지 21일이 지나면 볏짚을 걷어내고, 즉시 꺼내어 겉껍질을 벗겨 낸다.
6. 누룩은 3조각으로 부숴서 행담(싸리나 대오리로 엮은 작은 상자)에 담아 햇볕에 바짝 말렸다가, 거두어들여서 종이 주머니에 담아 보관하여 두고 사용한다.

니화쥬(곡)

정월 보름날 ᄇᆡᆨ미 닷 말 ᄇᆡᆨ셰ᄒᆞ야 당가다가 밤ᄌᆡ와 작말ᄒᆞ야 다시 ᄂᆡ여 물을 알마초 셕거 부부여 오리알마치 단단히 쥐어 물이 눅으면 잘못 되난이 쥐기 어려워도 잘 쥐어 집흐로 격지을 노코 더운 방 거젹으로 더퍼 칠일 후 숀 뒤어 이칠일 후 또 뒤어 숨칠일 되거든 즉시 닉여 더어운 웃 컵질 벳기고 ᄒᆞ나 흘 셰 죠각의 닉여 힝담에 담아 볏에 말려 두어다가 니화 필 ᄶᅥᆨ에 곱게 장말 ᄒᆞ야……

26. 이화주국방(梨花酒麴方) <임원십육지(林園十六志)>

–일명(一名) 백설향(白雪香)

누룩 재료 : 백미 1말, 송엽, 돗자리(베보자기)

누룩 빚는 법 :

1. 배꽃이 필 무렵 멥쌀을 (백세하여) 물에 담가 불렸다가, 다시 씻어 건져서 물기를 뺀 후) 아주 고운 가루로 빻는다.
2. 쌀가루에 물을 치지 말고 고운체에 내려놓는다.
3. 쌀가루를 두 주먹으로 쥐어 달걀 크기로 단단히 뭉쳐서 누룩밑을 빚는다.
4. 한갓진 곳에 항아리를 놓고, 그 안에 솔잎을 깔고 그 위에 누룩밑을 펼쳐놓고, 다시 솔잎으로 덮는 방법으로 켜켜이 묻는다.
5. 누룩밑을 안친 항아리는 방 가장자리의 따뜻하지 않은 곳에 1주일간 두었다가, 꺼내어 돗자리 또는 생포(生布) 위에다 널어 햇볕에 반나절 말린다.
6. 다시 솔잎을 깔고 그 안에 묻어 한 차례 더 띄웠다가, 다시 꺼내어 햇볕에 바짝 말려 종이봉투에 보관해 두고 배꽃이 필 때(여름이 지난 후에도 가능) 사용한다.

梨花酒(麴)方

一名白雪香 正月上亥或上旬白米浸水漉細末細篩不用水 捏作塊大如鷄卯於甕中用以松葉作隔層鋪放房內不暖處七日出鋪草薦或生布上晒乾半日又埋松葉如是者再次後晒令極乾藏置紙囊.

27. 이화주곡(梨花酒麯)

<조선무쌍신식요리제법(朝鮮無雙新式料理製法)>

누룩 재료 : 멥쌀(1말), 솔잎, 독

누룩 빚는 법 :

1. 정월 첫 해일(또는 상순) 3일 전에 흰쌀(멥쌀 1말)을 백세하여 하룻밤 담가 불렸다가, 다시 씻어 건져 물기를 빼지 말고 그대로 가루로 빻는다.
2. 쌀가루를 물을 치지 말고 체에 내린 후, 오리알만 한 크기로 단단히 뭉쳐 누룩밑을 빚는다.
3. 독에 솔잎과 누룩밑을 격지격지(차곡차곡, 층층이) 묻어 방에 덥지 않게 하여 둔다.
4. 7일 만에 누룩밑을 꺼내고 삿자리나 헝겊 조각에 펴놓아 반나절쯤 햇볕에 건조시킨 다음, 다시 앞서와 같이 솔잎 속에 묻어놓는다.
5. 이와 같은 방법으로 2회 정도 반복한 후, 꺼내어 햇볕에 다시 내어 바짝 말린다.
6. 건조시킨 누룩은 종이봉투에 담아 보관한다.

리화주(곡) (梨花酒, 白雪香)

정월 첫 해일이나 혹 상순(上旬)에 사흘 전 기하야 흔쌀을 백 번 씨서 물에 당가 곱게 작말하야 물 치지 말고 반죽하야 게란 만큼식 덩어리를 지여 독 속에 솔립흘 격거 노아 칭칭이 펴고 다 느은 후에 방 속에 덥지 안은 데 두엇다가 니레 만에 끄내여 삿재리나 헌겁 조각에 펴노아 반나졀쯤 볏헤 말려 쏘 솔립헤 무도 노코 이러케 두어 번 한 후에 내여 밧삭 말으거든 종희주머니에 느코……

28. 이화주국방문 <주방(酒方)>*

누룩 재료 : 멥쌀 많이, 솔잎, (빈 섬)

누룩 빚는 법 :

1. 배꽃이 필 때에 흰쌀(멥쌀 1말)을 무수히 씻어 불렸다가 (다시 씻어 건져 물기를 빼지 말고) 그대로 가루로 빻는다.
2. 쌀가루를 물을 치지 말고 체에 내린 후, 오리알만 한 크기로 단단히 뭉쳐 누룩밑을 빚는다.
3. 빈 섬에 솔잎과 누룩밑을 격지격지 묻어 방에 덥지 않게 하여 둔다.
4. (7일 만에) 누룩밑을 꺼내어 누룩꽃이 속속들이 피었으면 삿자리나 헝겊 조각에 펴놓아 여러 날 햇볕에 건조시킨다.
5. 이와 같은 방법으로 2회 정도 반복한 후, 꺼내어 햇볕에 다시 내어 바짝 말린다.
6. 건조시킨 누룩은 가루로 빻고 모시베에 밭쳐서 고운 가루를 만든 다음, 종이봉투에 담아 보관한다.

이화주국방문

이 술의 누룩법은 배꽃이 바야흐로 피거든 무희 쌀을 하며 적으면 짐작하여 백세작말하여 제물에 주기를(쥐기를) 오라알만치 쥐어 솔잎에 재워 피워 속속들이 누르거든 내어 말리워 찧어 모시베에 내려서 쓰되, 술을 달게 하려 하거든 한 말에 누룩 다섯 되씩 넣고 떡도 찹쌀을 반을 섞어서 하고, 쓰게 하려거든 하고 모호로 하라.

29. 이화주곡(梨花酒麯) <주방문(酒方文)>

누룩 재료 : 멥쌀 2말, 볏짚, 섬

누룩 빚는 법 :

1. 정이월에 멥쌀 1말을 백세하여(물에 깨끗이 씻어 담가 불린 뒤, 건져서 물기를 뺀 후) 작말하되(가루로 빻되) 지극히 곱게 빻는다.
2. 쌀가루에 물을 적당히 섞어 체에 내려서 오리알만 하게 단단히 쥐어 누룩밑을 빚는다.
3. 누룩밑을 볏짚에 달걀 싸듯 하여 섬에 넣어 더운 방에 7일간 두어 띄운다.
4. 7일 후에 누룩밑을 뒤집어 위치를 바꾸어주고, 다시 7일간 띄운다.
5. 7일 후에 누룩밑을 뒤집어 위치를 바꾸어주고, 다시 7일간 띄운 다음, 꺼내어 겉의 껍질을 (칼로) 깎아 벗겨내어 이화곡을 준비한다.
6. 이화곡을 햇볕 잘 들고 바람이 통하는 곳에 모두 내어 날마다 거풍하여 법제한다.
7. 법제한 이화곡을 가루로 빻고 다시 체로 쳐서 고운 가루를 만들어 준비한다.

니화쥬(곡) (梨花酒)

졍이월의 ᄇᆡᆨ미 두 말 닷 되 ᄀᆞ장 시어 우려 작말 지극이 ᄒᆞ여 믈 알맛게 섯거 올히알마곰 든든히 쥐여 집픠 계란 ᄊᆞ듯 ᄒᆞ여 셤의 너허 더운 방의 더퍼 둣다가 닐웬 만의 고텨 뒤녀코 ᄯᅩ 닐웬 만의 뒤녀코 ᄯᅩ 닐웬 만의 내여 밧겁딜 갓가 조케 ᄒᆞ여 며조 버히듯 서너 편의 버혀 쉵의 다마 날마다 거풍ᄒᆞ여 작말 다시곰 처……

30. 이화주(곡)법 <주방문조과법(造果法)>

누룩 재료 : 멥쌀(5되)

누룩 빚는 법 :

1. 2월에 멥쌀을 도정을 가장 많이 하여 (백세하여) 물에 담가 2일간 불렸다가, 다시 씻어 헹궈서 작말한다.
2. 쌀가루에 다른 물을 치지 말고, 손으로 단단히 쥐어서 (달걀 크기만 한 누룩밑을) 빚는다.
3. 누룩밑을 솔잎에 켜켜로 묻어 따뜻한 곳에 두고 7일간 띄운다.
4. 누룩밑이 누룻누룻하게 곰팡이가 피었으면, 솔잎을 걷어내고 햇볕에 내어 말린다.

니화쥬(곡)법

이월의 쌀 ᄀᆞ장 쓸허 잇틀이나 블의(불려) 건져 씨 빅믈(어떤 물도) 말고 그저 쥐여 솔닙헤 닐웨들(를) 띄워 누록이 누룻ᄃᆞᆫᄒᆞ거든 믜이 바래여……

31. 이화곡(梨花麯) <주찬(酒饌)>

누룩 재료 : 멥쌀 1말, 솔잎 2말, 시루 2개

누룩 빚는 법 :

1. 멥쌀 1말을 백세하여 물에 담가 하룻밤 침지하였다가, 다음날 (다시 씻어 건져서 물기를 뺀 후) 세말한다.
2. 쌀가루가 마르기 전에 한 주먹 크기로 단단히 뭉친다.

3. 시루에 솔잎을 두툼히 깔고, 그 위에 뭉친 덩어리를 올려놓는다.
4. 다시 솔잎으로 두툼하게 덮는 방법으로, 솔잎에 켜켜로 묻어서 7일간(21~28일간) 띄운다.

梨花(麯)

梨花發時精白米一斗浸之翌日作細末濕潤其時如拳作塊以松葉層層鋪盛於甑置凉處七日後披開待乾其外皮別置後亂搗作正末.

32. 이화주곡법(梨花酒麯法) <증보산림경제(增補山林經濟)>

누룩 재료 : 멥쌀(1말), 솔잎(2말)

누룩 빚는 법 :

1. 정월 첫 해일 3일 전에 멥쌀을 백세하여 물에 담가 불렸다가 (다시 고쳐 씻어 헹궈서) 세말한다(고운 가루로 빻는다).
2. 쌀가루를 체에 내려서 물을 치지 말고, 달걀 크기로 단단히 뭉쳐서 누룩밑을 빚고, 독 안에 솔잎에 켜켜이 묻어 방 윗목의 따뜻하지 않은 곳에 두어 띄운다.
3. 7일 만에 꺼내고 돗자리나 베보자기 위에 펼쳐서 반나절 동안 볕에 말렸다가, 다시 솔잎에 묻어 재차 띄운다.
4. 다시 7일 후에 햇볕에 내어 한나절 바짝 말려서 건조시킨다.
5. 누룩은 칼로 껍질을 깎아내거나 솔질하여 곰팡이를 제거하여 갈무리해 두었다가, 술 빚을 때 가루로 빻고, 깁체에 내려서 고운 가루를 만들어 사용한다.

梨花酒(麯)法

正月上亥前期三日 白米百洗浸水出細末細篩中不用水 捏作塊大於鷄卯甕中以訟葉作隔層鋪置房上不暖處七日出鋪草席或生布上晒乾半日又埋松葉又如是一次後出 晒令極乾藏置紙囊 梨花開後經夏皆可釀之.

33. 이화주곡(梨花酒麯) <침주법(浸酒法)>

–너 말 빚이

누룩 재료 : 멥쌀 2말, 솔잎

누룩 빚는 법 :

1. 메꽃(배꽃)이 반만 피었을 때에 멥쌀 2말을 백세하여 하룻밤 물에 담가 불렸다가, 다시 씻어 건져서 물기를 뺀 후 가루로 빻는다.
2. 쌀가루를 두 손으로 단단히 쥐어 (오리알 크기의) 누룩밑을 만든다.
3. (시루나 단지에) 솔잎을 깔고 그 위에 누룩밑을 서로 닿지 않게 놓고, 다시 솔잎으로 덮는 방법으로 격지격지 놓아 띄운다.
4. 누룩을 띄운 지 3~4일이 지나 노란 곰팡이가 피었으면 꺼내어 긁어낸다.
5. 다시 누룩을 솔잎에 격지격지 묻어 띄우고, 푸른곰팡이가 피었으면 꺼내어 (가장 띄엄띄엄 놓아) 밤낮으로 햇볕에 말리고 이슬을 맞힌다.
6. 법제를 마친 누룩은 여러 겹으로 만든 종이봉투에 넣어 보관해 두고, 필요할 때 꺼내어 가루로 빻아 사용한다.

이화주곡(梨花酒麯)

너 말. 메꽃이 반만 필 적에 메백미 두 말 일백 번 물에 씻어 하룻밤 재워 가루 만들라. 속은 메조같이 쥐어 솔잎을 격자 놓아 띄워 노른 곰팡이 피거든 긁어버리고 또 솔잎에 띄우면 푸른 동녹이 피거든 내어 가장 속게 뜨려 밤낮을 말리었다가 사월이어나 오월이어나 유월이어나……

34. 이화주곡(梨花酒麯) <침주법(浸酒法)>

–한 말 빚이

누룩 재료 : 멥쌀, 볏짚, 공석

누룩 빚는 법 :

1. 정월 초열흘에 멥쌀을 많고 적고를 가리지 말고 백세하여 하룻밤 물에 담가 불렸다가, 다시 씻어 건져서 (물기를 빼지 말고) 가루로 빻는다.
2. 쌀가루를 (빻은 즉시) 두 손으로 단단히 쥐어 (뭉쳐서 오리알 크기의) 누룩 밑을 만든다.
3. 누룩밑을 볏짚으로 싸고, 다시 공석으로 싸서 (시렁에 올려놓고) 띄운다.
4. 누룩을 띄운 지 3일이 지나서 꺼내어 볕에 말려두었다가 (두세 겹으로 된 종이봉투에 담아 서늘하고 통풍이 잘되는 곳에 보관한다.)

이화주곡(梨花酒麯)

한 말. 정월 초열흘 내 백미를 적게나 많게나 ○○○○대로 백세하여 하루밤 재워 가루 빻아 물 ○○○○오 쥐어 덩이를 만드라 나락짚에 싸 공석에 싸가 나에 드라 두었다가 사흘 만에 내어 말리어 두었다가……

35. 또 이화곡(梨花麯) <침주법(浸酒法)>

–닷 되 빚이

누룩 재료 : 멥쌀 5되, 종이(한지), 솔잎, 작은 상자

누룩 빚는 법 :

1. 정월 초돌날 멥쌀 5되를 돌 없이 일어 잘 씻어 물에 담가 불렸다가, 다시 씻어 건져서 (물기를 빼지 말고) 가루로 빻는다.
2. 쌀가루를 손으로 단단히 쥐어 (오리알 크기) 덩어리의 누룩밑을 만들어놓는다.
3. 누룩밑을 낱낱이 종이에 싸서 오자미를 엮고 (작은 상자에) 솔잎을 깔고, 그 위에 오자미에 싼 누룩밑을 깔고, 사이사이에 솔잎을 채워 넣는다.
4. 누룩밑을 (담은 상자는) 바람이 잘 통하고 햇볕이 드는 곳(선반)에 달아(얹어) 두고 발효시킨다.
5. 누룩은 3월 그믐에서 4월 초승에 배꽃이 필 때 꺼내되, 누룩 빛깔이 누렇거든 말려서 사용한다.

* 누룩방문에 '이화주'라고 하였으나, 이화곡 방문이다.

또 이화곡(又 梨花麯)

정월 초돌날 백미 닷 되를 돌 없이 좋이 씻어 불거든 찧어 쥐어 낫마동 종이에 싸 매어 오자미를 맞게 엿거 먼저 솔잎을 깔고 그 우에 그 누룩을 깔고 사이사이 깔아 해 드는데 다라 두었다가 삼월 그믐 사월 초승에 배꽃 필 때 내되 빛이 누르거든 말리워 쓰라.

36. 이화주곡(梨花酒麯) <한국민속대관(韓國民俗大觀)>

누룩 재료 : 멥쌀(5~6되)

누룩 빚는 법 :

1. 복숭아꽃이 활짝 필 때, 멥쌀을 (물에 여러 번 깨끗하게 씻어 불렸다가, 다시 씻어 건져서 물기가 다 빠지기 전에) 아주 고운 가루로 빻는다.

2. 쌀가루에 물을 적당량 뿌려서 고루 섞은 뒤, 중간체에 한 번 쳐서 내린 후 곧 바로 한 움큼씩 쥐어 오리알 크기로 단단히 뭉쳐 누룩밑을 만든다.
3. 볏짚으로 만든 빈 섬 속에 누룩밑을 서로 닿지 않게 넣어 채운다.
4. 누룩밑을 담은 섬을 더운 방에 두고 7일간 띄웠다가, 꺼내어 누룩의 위치를 바꾸어 넣고, 재차 7일간 띄운다.
5. 7일 후에 누룩(이화곡)을 꺼내고, 솔을 이용하여 누룩에 붙어 있는 볏짚과 먼지, 곰팡이를 털어낸다.
6. 누룩을 곱게 분쇄한 후에 고리짝에 담아, 햇볕에 내어 완전히 건조시켜서 나쁜 냄새를 없애고 하얗게 바랜다.

이화주곡(梨花酒麯)

여기에 쓰이는 누룩은 복숭아(배)꽃이 필 때, 백미를 가루 내어 누룩을 만들고, 빈 섬에 담아서 띄워둔다. 백미 한 말을 잘 씻어서 가루 내고 물송편을 만들어 잘 익게 삶아서 건져낸 다음, 곱게 풀어서 식힌다. 여기에 여러 번 곱게 친 누룩가루 두서너 되를 잘 섞어서 함께 빚어 넣는다. 누룩은 고울수록 좋고, 분량은 두 되를 넣을 경우는 오래 두어도 물(술)이 변하지 않는다.

37. 이화주곡(梨花酒麯) <한국민속대관(韓國民俗大觀)>

누룩 재료 : 멥쌀 2말 5되

누룩 빚는 법 :

1. 음력 정월 또는 이월에 멥쌀 2말 5되를 물에 여러 번 깨끗하게 씻어 (불렸다가, 다시 씻어 건져서 물기가 다 빠지기 전에) 아주 고운 가루로 빻는다.
2. 쌀가루에 물을 적당량 뿌려서 고루 섞은 뒤, 중간체에 한 번 쳐서 내린 후 곧 바로 한 움큼씩 쥐어 오리알 크기로 단단히 뭉쳐 누룩밑을 만든다.

3. 볏짚을 (한 움큼 쥐어지는 대로) 달걀 꾸러미처럼 엮고, 그 안에 누룩밑을 서로 닿지 않게 넣어 채운다.
4. 공석에 볏짚 꾸러미를 넣고, 더운 방에 두고 7일간 띄운다.
5. 7일 후에 볏짚 꾸러미의 위치를 바꾸어 넣고, 7일간 띄운다.
6. 7일 후에 누룩(이화곡)을 꺼내고, 솔을 이용하여 누룩에 붙어 있는 볏짚과 먼지, 곰팡이를 털어낸다.
7. 누룩을 서너 조각으로 파쇄한 후에 고리짝에 담아, 햇볕에 내어 완전히 건조시켜서 나쁜 냄새를 없애고 하얗게 바랜다.

이화주곡(梨花酒麯)

정이월에 백미 두 말 닷 되를 여러 번 씻어 건진 다음에 아주 고운 가루를 만든다. 여기에다 물을 알맞게 섞어 오리알 만하게 단단히 뭉쳐서 지푸라기로 계란 꾸러미 엮듯이 하여 섬에 넣어 더운 방에서 띄운다. 이레 후에 고쳐서 넣고 다시 띄우며, 또 이레 후에는 꺼내어 먼지와 티를 털어서 깨끗이 하여 메주 베듯이 서너 조각으로 쪼갠 다음, 고리짝에 담아 매일 햇볕을 쬐어서 냄새를 없앤다.

38. 이화주국(梨花酒麴) <해동농서(海東農書)>

누룩 재료 : 멥쌀(1말), 솔잎(2말)

누룩 빚는 법 :

1. 정월 첫 해일 3일 전에 멥쌀을 백세하여 물에 담가 불렸다가 (다시 고쳐 씻어 헹궈서) 세말한다(고운 가루로 빻는다).
2. 쌀가루를 체에 내려서 물을 치지 말고, 달걀 크기로 단단히 뭉쳐서 누룩밑을 빚고, 독 안에 솔잎에 켜켜이 묻어 방 윗목의 따뜻하지 않은 곳에 두어

띄운다.

3. 7일 만에 꺼내고 돗자리나 베보자기 위에 펼쳐서 반나절 동안 볕에 말렸다가, 다시 솔잎에 묻어 재차 띄운다.
4. 다시 7일 후에 햇볕에 내어 한나절 바짝 말려서 건조시킨다.
5. 누룩은 칼로 껍질을 깎아내거나 솔질하여 곰팡이를 제거하여 갈무리해 두었다가, 술 빚을 때 가루로 빻고, 깁체에 내려서 고운 가루를 만들어 사용한다.

梨花酒(麴)

正月上亥前期三日 百洗白米浸水出細末細篩不用水 捏作塊大於鷄卵甕中松葉作隔層鋪置房上不暖處七日出鋪草席或生布上曬乾半日又埋松葉又如是一次後出 曬令極乾藏置紙囊 梨花開後經夏皆可釀之.

1. 죽엽주(국)법 <현풍곽씨언간주해(玄豊郭氏諺簡注解)>

누룩 재료 : 여뀌(한 움큼), 통밀(5되), 물(2되)

누룩 빚는 법 :

1. 4월에 여뀌를 뜯어 방아에 찧어 물과 섞어 항아에 담아 1개월간 방치해 놓는다.
2. 1개월 후에 여뀌와 물을 체에 밭쳐 찌꺼기를 버리고 여뀌즙액만 취한다.
3. 통밀을 씻어 말린 후에 맷돌에 갈아 가루를 내고, 통밀가루와 섞고 치대어 반죽을 한다.
4. 반죽을 누룩틀에 채워 다지고, 발로 단단히 밟아 누룩밑을 만든다.
5. 누룩밑을 틀에서 빼내고, 살짝 건조시킨 후에, 볏짚이나 약쑥에 묻어 7일~15일간 띄운다.
6. 누룩을 꺼내서 겉면을 솔로 털어내고, 햇볕에 내어 건조와 탈취를 시킨다.
7. 술 빚기 3~4일 전에 거칠게 빻아 법제를 한 후, 다시 고운 가루로 빻는다.

듀엽주(국)법

ᄉᆞ워레 엿귀롤 뜨더 방하애 지허 므레 섯거 항의 녀헛다가 ᄒᆞᆫᄃᆞᆯ 마늬 그 무롤 처예 바타 그 믈로 기우레 섯거 누룩 드듸어 띄워 ᄆᆞᄅᆞᆫ 후에……

1. 조진면곡법(造眞麵麯法) <농정회요(農政會要)>

누룩 재료 : 흰 밀가루 1말, 물 1되, 원반형 또는 방형,
준비 물품 : 누룩틀, 면보자기, 자배기, 바가지, 물동이, 멍석, 짚(말린 쑥)

누룩 빚는 법 :

1. 통밀을 물에 깨끗하게 씻어 잠깐 불렸다가, 건져서 볕에 내어 건조시킨다.
2. 통밀을 맷돌에 3~4회 갈아 분쇄한 후, 고운체로 쳐서 흰 밀가루만 취한다.
3. 물을 뿌려가면서 뒤섞은 뒤, 수분을 고르게 하기 위해 중간체로 쳐서 손으로 쥐어 보아 풀어지지 않을 정도이면 된다.
4. 누룩틀에 베보자기를 깔고 밀가루 반죽을 채우는데, 물을 적게 넣은 까닭에 건조되기 쉬우므로 서둘러야 한다.
5. 채운 밀가루 반죽 위에 면보를 덮고 발로 단단히 디뎌서 누룩밑을 만든다.
6. 잘 디뎌진 누룩밑을 균열이 생기지 않도록 조심스레 틀에서 빼낸다.
7. 발효법은 바깥에 멍석을 깔고 그 위에 펼쳐놓은 뒤 볏짚을 두텁게 덮어 뜨거운 햇볕 아래에서 행하나, 일반 제법으로도 가능하다.

* 누룩방문에 "밀가루는 단단하게 반죽해야 하고, 덩어리는 작고 납작해야 한다. 띄우는 법은 위(造麴 俗法)와 같다."고 하였다.

造眞麵麯法

麵要剛搜圓要小而薄(掩)法上同(造麴 俗法).

2. 조진면곡법(造眞麵麯法) <증보산림경제(增補山林經濟)>

밀가루는 단단하게 반죽해야 하고, 덩어리는 작고 납작해야 한다. 띄우는 법은

위(造麴 俗法)와 같다.

造眞麵麯法

麵要剛搜圓要小而薄(淹)法上同(造麴 俗法).

1. 천리주국(千里酒麴) <오주연문장전산고(五洲衍文長箋散稿)>

누룩 재료 : 천선자 · 천오 · 관중 각 1냥, 감국꽃 3전, 진피 5전, 감초 1전, 찹쌀 1되, 소주 5사발, 꿀, 생우유기름

누룩 빚는 법 :

1. 천선자 · 천오 · 관중 각 1냥과 감국꽃 3전, 진피 5전, 감초 1전을 한데 합하고, 맷돌에 갈아 가루를 만든다.
2. 찹쌀 1되를 깨끗하게 씻어 불렸다가 다시 건져 헹군 후, 소주 5사발과 함께 끓여서 죽을 쑨다.
3. 죽을 그릇에 펴 담고, 식기를 기다린다.
4. 식은 죽에 간 약재가루를 고르게 섞어서 병에 넣고, 단단히 밀봉하여 21일이 지난 후 꺼내어 건조시킨다.
5. 완성된 누룩 1되를 노랗게 볶아서, 꿀을 끓여서 타서 환을 짓는데, 앵도알만 하게 크게 만든다.
6. 환에 생우유기름을 발라서 금박으로 옷을 입혀서 저장해 둔다.

千里酒麴

다시 달리 누룩 빚는 법으로 신이한 '천리주국'이 있다. 누룩은 천선자, 천오, 관중, 각 1냥과 감국꽃 3전, 진피 5전, 감초 1전을 가루 내고, 찹쌀 1되 소주 5사발로 죽을 쑤어서 식은 다음에 갈은 약가루를 고르게 섞어서 병에 넣고 단단히 봉해서, 삼칠일 된 후 꺼내서 위에 누룩 1되를 노랗게 볶아서 꿀을 끓여서 타서 환을 짓는데, 앵도알만 하게 크게 만들어 생우유기름을 환에 발라서 금박으로 옷을 입혀서 저장해 두어라. 누룩을 쓸 때에 물 한 잔을 팔팔 끓여 백비탕에 환약 1개를 넣으면 바로 술이 된다.

1. 내국향온국(內局香醞麴) <감저종식법甘藷種植法>

누룩 재료 : 보리 1말, 녹두 1홉, 물 2되

누룩 빚는 법 :

1. 보리 1말을 물에 깨끗이 씻어 볕에 말렸다가, 맷돌에 갈아 가루를 낸다.
2. 녹두 1홉을 물 2되에 담가 불렸다가, 맷돌에 갈아 녹두가루물을 만든다.
3. 보릿가루에 녹두가루물을 골고루 쳐가면서 치대어 반죽한다.
4. 반죽한 것은 누룩틀에 넣고 발로 디뎌서 성형한 뒤, 볏짚이나 쑥잎을 깔고 위를 덮어서 따뜻한 곳에서 띄운다.
5. (누룩 띄울 때 2~3일 간격으로 위아래, 좌우 위치를 바꾸어 주길 3~4차례 반복한다.)
6. (누룩을 띄운 지 21일가량 지나 발효가 끝난 누룩을 꺼내어, 햇볕 들고 바람이 잘 통하는 곳에 다시 세워쌓기 하여, 10일가량 건조, 숙성시킨다.)
7. (햇볕에 내놓아 살균시키고 곰팡이 냄새를 제거한 뒤, 종이봉투에 담아 두고 필요할 때 재차 법제하여 쓴다.)

內局香醞麴

造麴以麥磨之不篩其末每一圓入一斗碎菉豆一合調和造作.

2. 내국향온국(內局香醞麴) <고사신서(攷事新書)>

–內局法釀(궁중의 내국에서 술 빚는 법)

누룩 재료 : 통밀가루 1말, 녹두가루 1홉

누룩 빚는 법 :

1. 보리를 갈아 체에 거르지 말고 통밀가루를 매 1두레 만드는데, 보리 1말이 들어간다.
2. 맷돌이나 절구에 파쇄한 녹두가루 1홉으로 디딘다.
3. 누룩을 디디는 방법은 여느 방문과 같다.

內局香醞(麴)

造麴以麥磨之不篩其末每一圓入一斗碎菉豆一合調和造作.

3. 향온주국(香醞酒麴) <고사십이집(攷事十二集)>

–내국법양(內局法釀)

누룩 재료 : 보리 1말, 밀 10말(두레), 녹두가루 1홉

누룩 빚는 법 :

1. 보리를 갈아 체에 거르지 말고 통밀가루를 매 1두레 만드는데, 보리 1말이 들어간다.
2. 맷돌이나 절구에 파쇄한 녹두가루 1홉으로 디딘다.

* 누룩을 디디는 방법은 여느 방문과 같다.

香醞酒(麴)

造麴以麥磨之不篩其末每一圓入一斗碎菉豆一合調和爲之.

4. 소주국(燒酒麴) <고사십이집(攷事十二集)>

누룩 재료 : 보리 1말, 녹두 1홉

누룩 빚는 법 :

1. 보리 1말을 물에 깨끗이 씻어 볕에 말렸다가, 맷돌에 갈아 가루를 낸다.
2. 보리 한 두레당 녹두가루 1홉을 물 2되에 담가 불렸다가, 맷돌에 갈아 녹두가루물을 만든다.
3. 보릿가루에 녹두가루물을 골고루 쳐가면서 치대어 반죽한다.
4. 반죽한 것은 누룩틀에 넣고 발로 디뎌서 성형하여 누룩밑을 만든 뒤, 볏짚이나 쑥잎을 깔고 위를 덮어서 따뜻한 곳에서 발효시킨다.
5. 누룩 띄울 때 2~3일 간격으로 위아래, 좌우 위치를 바꾸길 3~4차례 반복한다.
6. 누룩을 띄운 지 21일가량 지나 발효가 끝난 누룩을 꺼내어, 햇볕 들고 바람이 잘 통하는 곳에 다시 세워쌓기 하여, 10일가량 건조, 숙성시킨다.
7. 발효가 끝나 누룩이 완성되었으면, 햇볕에 내놓아 살균시키고 곰팡이 냄새를 제거한 뒤, 종이봉투에 담아두고 필요할 때 재차 법제하여 쓴다.

燒酒(麴)

釀法 如香醞 而麴則以二斗爲限 香醞三瓶二鐥燒出一瓶承露時以芝草一兩細切置于瓶口則紅色濃(深).

5. 내국향온국법(内局香醞麴法) <고사촬요(故事撮要)>

누룩 재료 : 보리 1말, 녹두 1홉

누룩 빚는 법 :

1. 보리 1말을 물에 깨끗이 씻어 볕에 말렸다가, 맷돌에 갈아 가루를 낸다.
2. 보리 한 둘레당 녹두가루 1홉을 물 2되에 담가 불렸다가, 맷돌에 갈아 녹두가루물을 만든다.
3. 보릿가루에 녹두가루물을 골고루 쳐가면서 치대어 반죽한다.
4. 반죽한 것은 누룩틀에 넣고 발로 디뎌서 성형하여 누룩밑을 만든 뒤, 볏짚이나 쑥잎을 깔고 위를 덮어서 따뜻한 곳에서 발효시킨다.
5. 누룩 띄울 때 2~3일 간격으로 위아래, 좌우 위치를 바꾸길 3~4차례 반복한다.
6. 누룩을 띄운 지 21일가량 지나 발효가 끝난 누룩을 꺼내어, 햇볕 들고 바람이 잘 통하는 곳에 다시 세워쌓기 하여, 10일가량 건조, 숙성시킨다.
7. 발효가 끝나 누룩이 완성되었으면, 햇볕에 내놓아 살균시키고 곰팡이 냄새를 제거한 뒤, 종이봉투에 담아두고 필요할 때 재차 법제하여 쓴다.

內局香醞(麴)法

造麴以麥磨之不篩其末每一圓入一斗碎菉豆一合調和造作.

6. 향온주국(香醞酒麴) <군학회등(群學會騰)>

누룩 재료 : 밀 1말, 녹두 1홉

누룩 빚는 법 :

1. 통밀(보리)을 맷돌에 갈아 체에 거르지 말고 가루를 준비하는데, 매 1두레 만드는데 밀이나 보리 1말이 들어간다.
2. 맷돌이나 절구에 파쇄한 녹두가루 1홉을 준비한다.

* 누룩을 디디는 방법은 여느 방문과 같다.

香醞酒(麴)

造麴以麥磨之不篩其末每一圓入一斗碎菉豆一合調和爲之.

7. 내국향온곡(內局香醞麯) <민천집설(民天集說)>

누룩 재료 : 누룩 : 통밀 1말, 녹두가루 1홉

누룩 빚는 법 :

1. 보리를 갈아 체에 거르지 말고 그대로 준비하는데, 누룩을 매 1두레 만드는 데 보리 1말이 들어간다.
2. 맷돌이나 절구에 파쇄한 녹두가루 1홉으로 디딘다.

* 누룩을 디디는 방법은 여느 방문과 같다.

內局香醞(麯)

造麯時磨麥不之篩每一圓入一斗及碎菉豆一合調和造曲.

8. 내국향온곡(內局香醞麯) <민천집설(民天集說)>

누룩 재료 : 통밀 1말, 녹두가루 1홉

누룩 빚는 법 :

1. 보리를 갈아 체에 거르지 말고 그대로 준비하는데, 누룩을 매 1두레 만드는데 보리 1말이 들어간다.
2. 맷돌이나 절구에 파쇄한 녹두가루 1홉으로 디딘다.

* 누룩을 디디는 방법은 여느 방문과 같다.

內局香醞(麯)
造麯時磨麥不之篩每一圓入一斗及碎菉豆一合調和造曲.

9. 내국향온국법(內局香醞麴法) <산림경제(山林經濟)>

누룩 재료 : 보리 1말, 녹두 1홉

누룩 빚는 법 :
1. 보리 1말을 물에 깨끗이 씻어 볕에 말렸다가, 맷돌에 갈아 가루를 낸다.
2. 녹두 1홉을 물 2되에 담가 불렸다가, 맷돌에 갈아 녹두가루물을 만든다.
3. 보릿가루에 녹두가루물을 골고루 쳐가면서 치대어 반죽한다.
4. 반죽한 것은 누룩틀에 넣고 발로 디뎌서 성형한 뒤, 볏짚이나 쑥잎을 깔고 위를 덮어서 따뜻한 곳에서 발효시킨다.
5. 누룩 띄울 때 2~3일 간격으로 위아래, 좌우 위치를 바꾸어주길 3~4차례 반복한다.
6. 누룩을 띄운 지 21일가량 지나 발효가 끝난 누룩을 꺼내어, 햇볕 들고 바람이 잘 통하는 곳에 다시 세워쌓기 하여, 10일가량 건조, 숙성시킨다.
7. 햇볕에 내놓아 살균시키고 곰팡이 냄새를 제거한 뒤, 종이봉투에 담아 두고 필요할 때 재차 법제하여 쓴다.

內局香醞(麴)法

造麴以麥磨之 不篩其末 每一圓入一斗 碎菉豆一合 調和造作.

10. 내의원 향온곡 빚는 법 <언서주찬방(諺書酒饌方)>

누룩 재료 : 통밀가루 1말, 녹두가루 1홉, 물(2~3되), 누룩틀, 면보자기, 맷돌, 볏짚, 쑥잎

누룩 빚는 법 :

1. 누룩을 만들되, 통밀을 (물에 깨끗이 씻어 건져서 말렸다가) 맷돌에 갈아 가루를 치지 말고 그릇에 담아놓는다.
2. 녹두를 (물에 깨끗이 씻어 건져서 물기를 뺀 후) 맷돌에 갈아 가루를 만들어 그릇에 담아놓는다.
3. 밀가루 1둘레에 1말씩 하는데, 녹두가루를 1홉씩 섞고, (물 2~3되를 섞어) 고루 치대어 반죽한다.
4. 물에 적셔 꼭 짜서 젖은 면보를 누룩틀에 깔아놓는다.
5. 밀가루 반죽을 누룩틀에 나눠 담아 채우고, 발로 단단히 디뎌 애누룩을 만든다.
6. 곳간에 볏짚을 깔고, 그 위에 쑥잎을 덮은 뒤, 디뎌서 만든 1말 분량의 애누룩을 격지격지 놓고, 그 위에 쑥잎과 볏짚을 차례로 덮어준다.
7. 위와 같은 방법으로 켜켜로 쌓아서 3~5일 후에 한 번씩 위치를 바꿔준다.
8. 누룩을 띄우기 시작한 지 21일 정도 되면, 누룩에 붙어 있는 지저분한 것을 뜯어내고 햇볕에 내어 2~3일간 반복하여 말린다.
9. 술 빚기 2~3일 전에 거칠게 빻아 햇볕에 말렸다가, 저녁때 이슬을 맞혀서 덮어놓고, 이튿날 다시 햇볕에 내어 말리길 반복한다.

ᄂᆡ의원 향온곡 빈ᄂᆞᆫ 법
누록을 ᄆᆞᆫᄃᆞ로ᄃᆡ 밀흘 ᄀᆞ라 ᄀᆞᆯᄅᆞᆯ ᄎᆞ디 말고 ᄆᆡ ᄒᆞᆫ 두레예 ᄒᆞᆫ 말식 ᄒᆞᄃᆡ 녹두 ᄉᆡᄅᆞ ᄒᆞᆫ 홉식 조차 섯거 드듸라.

11. 향온주(곡) <음식디미방>

누록 재료 : 통밀가루 1말, 녹두가루 1홉, 물(2~3되), 누룩틀, 면보자기, 맷돌, 볏짚, 쑥잎

누룩 빚는 법 :

1. 통밀을 물에 깨끗하게 씻어 물기를 뺀 뒤, 맷돌에 갈아 체질하지 않은 그대로의 1두레(10말)를 준비한다.
2. 녹두를 맷돌에 갈거나 절구에 빻아 만든 가루 1홉을 준비한다.
3. 통밀가루와 녹두가루를 한데 섞고, 적당량의 물(밀가루 된 되로 1말)을 주면서 치대어 반죽을 한다.
4. 누룩틀에 밀가루 반죽을 채워 넣고, 발로 단단히 디뎌서 (볏짚이나 약쑥잎에 묻어두고) 예의 방법대로 띄운다.
5. 누룩이 다 띄워졌으면, 겉에 묻은 초재를 털어내고 햇볕에 내어 법제를 하여, 보관해 두고 (그때마다 다시 법제하여) 사용한다.

향온쥬(곡)
누록 ᄆᆡᆫᄃᆞᆯ 밀흘 ᄀᆞ라 ᄀᆞᆯᄅᆞᆯ ᄎᆞ디 말고 ᄆᆡ양 ᄒᆞᆫ 두레예 ᄒᆞᆫ 말식 녀코 ᄉᆡᆼ은 녹두 ᄒᆞᆫ 홉식 석거 ᄆᆞᆫᄃᆞᄂᆞ니라

12. 향온곡법(香醞麯法) <의방합편(醫方合編)>

누룩 재료 : 통밀가루 1말, 녹두가루 1홉

누룩 빚는 법 :

1. 통밀을 맷돌에 갈아 체질하지 않은 그대로의 밀을 한 두레당 1말을 준비한다.
2. 녹두를 맷돌에 갈거나 절구에 빻아 만든 가루 1홉을 준비한다.
3. 통밀가루와 녹두가루에 적당량의 물을 뿌려주면서 치대어 반죽을 한다.
4. 누룩틀에 밀반죽을 채워 넣고 디뎌서 예의 방법대로 발효시킨다.

香醞(麯)法

造麴以麥磨之不篩其末每圓入一斗碎菉豆一合調和造作.

13. 향온주국방(香醞酒麴方) <임원십육지(林園十六志)>

-내국법양(內局法釀)

누룩 재료 : 보리 1말, 녹두 1홉

누룩 빚는 법 :

1. 보리(밀) 1말을 물에 깨끗이 씻어 볕에 말렸다가, 맷돌에 갈아 가루를 만들어 체에 치지 않는다.
2. 보리(밀) 1말에 녹두가루 1홉을 섞어(물 2되에 담가 불렸다가, 맷돌에 갈아 녹두가루물을 만든 후, 녹두가루물을 골고루 쳐가면서) 치대어 반죽한다.
3. 반죽한 것은 누룩틀에 넣고 발로 디뎌서 성형하여 누룩밑을 만든다(볏짚이나 쑥잎을 깔고 위를 덮어서 따뜻한 곳에서 발효시킨다).

4. (누룩 띄울 때 2~3일 간격으로 위아래, 좌우 위치를 바꾸길 3~4차례 반복한다.)
5. (누룩을 띄운 지 21일가량 지나 발효가 끝난 누룩을 꺼내어, 햇볕 들고 바람이 잘 통하는 곳에 다시 세워쌓기 하여, 여러 날 건조, 숙성시킨다.
6. (완성된 향온국은 종이봉투에 담아 두고 필요할 때 재차 법제하여 쓴다.)

香醞酒(麴)方
內局法釀. 造麴法磨麥不篩其末每一圓入一斗碎菉豆一合調和踏麴釀法.

14. 내국향온곡(內局香醞麯) <주찬(酒饌)>

누룩 재료 : 통밀가루 1말, 녹두가루 1홉

누룩 빚는 법 :
1. 통밀을 맷돌에 갈아 체질하지 않은 그대로의 밀을 한 두레당 1말을 준비한다.
2. 녹두를 맷돌에 갈거나 절구에 빻아 만든 가루 1홉을 준비한다.
3. 통밀가루와 녹두가루에 적당량의 물을 뿌려주면서 치대어 반죽을 한다.
4. 누룩틀에 밀반죽을 채워 넣고 디뎌서 예의 방법대로 발효시킨다.

內局香醞(麯)
造麯以麥磨之竝末作圓每一圓一斗式碎綠豆一合式調合造作.

15. 내국향온국법(內局香醞麴) <치생요람(治生要覽)>

누룩 재료 : 보리 1말, 녹두 1홉

누룩 빚는 법 :

1. 보리(밀) 1말을 물에 깨끗이 씻어 볕에 말렸다가, 맷돌에 갈아 가루를 낸다.
2. 보리(밀) 한 둘레당 녹두가루 1홉을 물 2되에 담가 불렸다가, 맷돌에 갈아 녹두물을 만들어 보릿가루에 골고루 쳐가면서 치대어 반죽한다.
3. 반죽한 것은 누룩틀에 넣고 발로 디뎌서 성형하여 누룩밑을 만든 뒤, 볏짚이나 쑥잎을 깔고 위를 덮어서 따뜻한 곳에서 발효시킨다.
4. 누룩 띄울 때 2~3일 간격으로 위아래, 좌우 위치를 바꾸길 3~4차례 반복한다.
5. 누룩을 띄운 지 21일가량 지나 발효가 끝난 누룩을 꺼내어, 햇볕 들고 바람이 잘 통하는 곳에 다시 세워쌓기 하여, 10일가량 건조, 숙성시킨다.
6. 발효가 끝나 누룩이 완성되었으면, 햇볕에 내놓아 살균시키고 곰팡이 냄새를 제거한 뒤, 종이봉투에 담아 두고 필요할 때 재차 법제하여 쓴다.

內局香醞(麴)法

帶麵麩一斗和菉豆末一合造麴.

16. 내국향온국(內局香醞麴) <학음잡록(鶴陰雜錄)>

누룩 재료 : 보리 1말, 녹두 1홉

누룩 빚는 법 :

1. 밀 1말을 물에 깨끗이 씻어 볕에 말렸다가, 맷돌에 갈아 가루를 낸다.
2. 밀 1말당 녹두 1홉을 맷돌에 갈아놓는다(녹두물을 만든다).
3. 밀가루를 체에 치지 말고, 녹두가루물을 골고루 쳐가면서 치대어 반죽한다.
4. 반죽한 것은 누룩틀에 넣고 발로 디뎌서 성형하여 누룩밑을 빚는다(볏짚이나 쑥잎을 깔고 위를 덮어서 따뜻한 곳에서 발효시킨다).

5. (누룩밑을 띄울 때 2~3일 간격으로 위아래, 좌우 위치를 바꾸어주길 3~4차례 반복한다.)
6. (누룩밑을 띄운 지 21일가량 지나 발효가 끝난 누룩을 꺼내어, 햇볕 들고 바람이 잘 통하는 곳에 다시 세워쌓기 하여, 10일가량 건조, 숙성시킨다.)
7. (햇볕에 내놓아 살균시키고 곰팡이 냄새를 제거한 뒤, 종이봉투에 담아 두고 필요할 때 재차 법제하여 쓴다.)

內局香醞(麴)

造麴以麥磨之不篩其末每一圓入一斗碎菉豆一合調和爲之.

17. 내국향온국법(內局香醞麴法) <해동농서(海東農書)>

누룩 재료 : 보리 1말, 녹두 1홉

누룩 빚는 법 :

1. 보리 1말을 물에 깨끗이 씻어 볕에 말렸다가, 맷돌에 갈아 가루를 낸다.
2. 보리 한 둘레당 녹두가루 1홉을 물 2되에 담가 불렸다가, 맷돌에 갈아 녹두가루물을 만든다.
3. 보릿가루에 녹두가루물을 골고루 쳐가면서 치대어 반죽한다.
4. 반죽한 것은 누룩틀에 넣고 발로 디뎌서 성형하여 누룩밑을 만든 뒤, 볏짚이나 쑥잎을 깔고 위를 덮어서 따뜻한 곳에서 발효시킨다.
5. 누룩 띄울 때 2~3일 간격으로 위아래, 좌우 위치를 바꾸길 3~4차례 반복한다.
6. 누룩을 띄운 지 21일가량 지나 발효가 끝난 누룩을 꺼내어, 햇볕 들고 바람이 잘 통하는 곳에 다시 세워쌓기 하여, 10일가량 건조, 숙성시킨다.
7. 발효가 끝나 누룩이 완성되었으면, 햇볕에 내놓아 살균시키고 곰팡이 냄새

를 제거한 뒤, 종이봉투에 담아두고 필요할 때 재차 법제하여 쓴다.

內局香醞(麴)法

造麴以麥磨之不篩其末每一圓入一斗碎菉豆一合調和作(麴).

1. 조홍곡법(造紅麴法) <농정회요(農政會要)>

누룩 재료 : 찹쌀 1말, 누룩 2근, 물(3말), 멥쌀 1석 5말
준비 물품 : 돗자리(고석), 자배기, 시루

누룩 빚는 법 :

1. 찹쌀 1말을 물에 깨끗이 씻어서 새 물에 담가 불린 후, 다시 씻어 건져서 시루에 안쳐서 고두밥을 짓는다.
2. 쪄서 식힌 고두밥에 홍국 2근과 물(3말)을 합하고, 고루 버무려 술밑을 빚는다.
3. 술밑을 술독에 담아 안치고, 겨울에는 7일(여름에는 4일, 봄가을에는 5일)쯤 발효시킨다.
4. 술밑을 동이에 쏟아 붓고, 손으로 박박 비벼서 풀같이 묽은 술밑을 만든다.

멥쌀 1석 5말을 씻어서 물에 하룻밤 담갔다가, 다시 씻어 건져서 물기를 뺀 후, 시루에 안쳐서 고두밥을 짓는다.

5. 고두밥이 익었으면 퍼내서 15등분으로 나누고, 누룩밑 3근을 합하고 잘 비비고 주물러서 고루 섞인 누룩밑을 만든다.
6. 누룩밑을 넓은 그릇에 담아 한 곳에 두고, 헝겊을 덮어놓는다.
7. 누룩밑이 발효되면서 뜨거워지면 헝겊을 벗겨내고, 재빨리 한 덩어리를 만든다.
8. 헝겊을 덮어두었다가, 다음날 아침에 3등분하여 놓았다가, 2시간 후에 다시 5등분하여 놓는다.
9. 다시 2시간 정도 지난 후에 한 무더기를 만들어 헝겊을 덮어놓는다.
10. 다시 2시간 정도 지나면 15등분하여 놓았다가, 따뜻해지면 다시 한 무더기로 뭉쳐서 헝겊으로 덮어놓는다.
11. 이와 같이 한두 차례 반복한 후, 3일째 되는 날 큰 통에 물을 길어다 붓는다.
12. 대나무로 만든 키에 만들어둔 누룩을 담아서 5~6분쯤 축여서 흠뻑 적신다.

13. 다시 한 무더기를 만든 후, 앞의 방법과 같이 2시간 정도 지나면 15등분 하여 놓았다가, 따뜻해지면 다시 한 무더기로 뭉쳐서 헝겊으로 덮어놓는다.
14. 4일째 되는 날에 대나무로 만든 키에 만들어둔 누룩을 담아서 5~6분쯤 축여서 흠뻑 적셔지면, 다시 한 무더기를 만든다.
15. 만약 누룩이 반은 가라앉고 반은 뜨면 다시 앞의 방법에 따라 한 차례를 더 하고 또 적신다.
16. 만약 모두 뜨면 다 된 것이니, 꺼내 볕에 말려두는데, 속속들이 붉은 것을 생황(生黃)이라고 한다.

* 누룩방문 머리에 "<본초강목>에 실려 있지 않은 방법으로 근래 사람들이 기이하고 새로운 방법으로 누룩을 만드는데, 그 방법은 이렇다."라고 하였다. 또 방문 말미에 "속속들이 붉은 것을 생황(생황)이라고 하니 술, 식초, 젓갈에 넣으면 선홍색을 띠는 것이 아주 좋다. 속속들이 붉지 않은 것은 좋지 않다."고 하였다.

造紅麯法

紅麹本草不載法出近世亦奇術也其法曰.粳米一石五斗水淘浸一宿作飯分作十五處入麯母(酒非麯不生故云麯母)三斤搓揉令匀併作一处以帛密覆熱則去帛攤開 覺溫急堆起又密覆次日日中又作三堆過一時分作五堆再一時合作一堆又過一時分作十五堆稍溫又作一堆如此數次第三日用大桶盛新汲水以竹籮盛麹作五六分蘸濕完又作一堆如前法作一次第四日如前又蘸若麹半沈半浮再依前法作一次又蘸若盡浮則成矣取出日乾收之其米過心者謂之生黃入酒及酢醢中解紅可愛未過心者不佳入藥以陳久者良.

2. 홍국제방(紅麴諸方) <오주연문장전산고(五洲衍文長箋散稿)>

누룩 재료 : 찹쌀 1말, 홍국 2근, 물(3말), 멥쌀 1석 5말
준비 물품 : 돗자리(고석), 자배기, 헝겊

누룩 빚는 법 :

1. 찹쌀 1말을 물에 깨끗이 씻어서 새 물에 담가 불린 후, 다시 씻어 건져서 시루에 안쳐서 고두밥을 짓는다.
2. 쪄서 식힌 고두밥에 홍국 2근과 물(3말)을 합하고, 고루 버무려 술밑을 빚는다.
3. 술밑을 술독에 담아 안치고, 겨울에는 7일(여름에는 4일, 봄가을에는 5일)쯤 발효시킨다.
4. 술밑을 동이에 쏟아 붓고, 손으로 박박 비벼서 풀같이 묽은 술밑을 만든다.
5. 멥쌀 1석 5말을 씻어서 물에 하룻밤 담갔다가, 다시 씻어 건져서 물기를 뺀 후, 시루에 안쳐서 고두밥을 짓는다.
6. 고두밥이 익었으면 퍼내서 15등분으로 나누고, 누룩밑 3근을 합하여 잘 비비고 주물러서 고루 섞인 누룩밑을 만든다.
7. 누룩밑을 넓은 그릇에 담아 한 곳에 두고, 헝겊을 덮어놓는다.
8. 누룩밑이 발효되면서 뜨거워지면 헝겊을 벗겨내고, 재빨리 한 덩어리를 만든다.
9. 헝겊을 덮어두었다가, 다음날 아침에 3등분하여 놓았다가, 2시간 후에 다시 5등분하여 놓는다.
10. 다시 2시간 정도 지난 후에 한 무더기를 만들어 헝겊을 덮어놓는다.
11. 다시 2시간 정도 지나면 15등분하여 놓았다가, 따뜻해지면 다시 한 무더기로 뭉쳐서 헝겊으로 덮어놓는다.
12. 이와 같이 한두 차례 반복한 후, 3일째 되는 날 큰 통에 물을 길어다 붓는다.
13. 대나무로 만든 키에 만들어둔 누룩을 담아서 5~6분쯤 축여서 흠뻑 적신다.

14. 다시 한 무더기를 만든 후, 앞의 방법과 같이 2시간 정도 지나면 15등분 하여 놓았다가, 따뜻해지면 다시 한 무더기로 뭉쳐서 헝겊으로 덮어놓는다.
15. 4일째 되는 날에 대나무로 만든 키에 만들어둔 누룩을 담아서 5~6분쯤 축여서 흠뻑 적셔지면, 다시 한 무더기를 만든다.
16. 만약 누룩이 반은 가라앉고 반은 뜨면, 다시 앞의 방법에 따라 한 차례를 더 하고 또 적신다.
17. 만약 모두 뜨면 다 된 것이니, 꺼내어 볕에 말려 두는데, 속속들이 붉은 것을 생황(生黃)이라고 한다.

紅麴諸方 辨證說

내가 전에 홍국과 단국의 여러 법에 대하여 변증하였다. 그러나 서로 자세한 것과 대략한 것이 있다. 그러므로 지금 또 변증하여 정정하고자 한다.

<천공개물방>에서 말하기를, 무릇 단국 한 종류의 법은 근대에 나온 것이다. 그 뜻은 냄새가 나고 썩어서 변하여 신기한 것이고, 그 방법은 기운이 깨끗하게 변화한 것이다. 세간에 생선과 고기가 가장 잘 썩고 부패하는 것인데 누룩물을 진흙처럼 얇게 펴서 바르면(薄施塗沫), 능히 그 바탕을 단단히 하여 무더위 중에도 열흘이 지나고 몇 날이 지나도록 구더기와 파리가 감히 근접을 못하고, 색과 맛이 처음과 달라지지 않으니 아마도 기이한 약이다.

<천공개물방>에서 말하기를, "무릇 단국 제조법은 올벼쌀을 일찍 베는데 구애되지 않고 절굿공이로 매우 세밀하고 곱게 찧어서 7일 동안 물에 담근다. 그 기운과 냄새가 고약해서 냄새를 맡을 수 없으면 쌀을 취해서 흐르는 물에 넣고 깨끗이 씻는데, 반드시 자연의 물(山河流水)을 쓴다. 큰 강물을 쓰는 것이 불가해서 깨끗이 씻은 후에도 악취가 아직 없어지지 않으면 시루에 넣고 다시 밥을 찌면 변하여 꽃향기가 심히 난다. 무릇 쌀을 쪄서 밥을 할 때에 처음 한 번은 반생해서 그치고 다 익지 않도록 해서 솥에서 꺼내어 찬물로 한 번 씻고 밥이 차거울 때 다시 쪄서 푹 익힌다. 푹 익은 후 몇 섬을 함께 한 무더기로 언덕을 쌓고 국신 2근을 섞어서 밥을 익도록 익혀서 여러 명이 재빠르게 섞는다. 처음 익었을 때부터 식을 때까지 고르게 섞어라. 국신에 밥을

넣고 오래 두어 밥이 다시 따뜻해지기를 기다리며 살피면 국신이 되는 것이다. 밥에 국신을 섞은 후에 기울여 비단(그물) 속에 넣고 백반수에 한 번 지나간 뒤에 여기저기 나누어 대그릇에 담고, 밥시렁에 올려놓고 바람을 쐬운다. 이것은 바람의 힘으로 되는 것이지 물과 불은 공이 없다. 누룩밥을 소반에 담을 적에는 매 소반마다 약 5되를 담는다. 그 집들이 의당 높고 커서 기와 위에 더운 기운이 들어 뜨겁게 하는 것을 막고 방의 정면은 마땅히 남쪽을 향하고 서쪽은 막았다. 햇빛을 한번 쬘 때에 중간에 약 3차례 뒤집어 섞는다. 살피는 사람은 7일 동안 밥시렁 밑에 앉거나 누워서 살피는데, 잠자다가 한밤중에 감히 자주 일어나지 못하기 때문이다. 처음에는 설백색(雪白色)이다가 하루 이틀 지나면 흑색이 된다. 흑색이 갈색이 되고 갈색이 홍색, 홍색이 지극해지면 다시 갈황색이 된다. 바람 가운데서 마술처럼 변하는 것을 목격하고 이름을 생황국이라 하였다. 그 가치는 사람이 만든 모든 누룩 중에 갑절이 된다. 무릇 흑색이 갈색이 되고 갈색이 자색, 자색이 홍색, 홍색이 지극해지면 황색으로 변하면 다시 물에 넣는다. 이 누룩을 만들 때에는 손을 깨끗이 씻고 지극히 청결하게 하여 티끌이라도 더럽거나 찌끼가 있으면 실패하게 되는 일이다."고 하였다.

<방중이물리소지>에 홍국모법은 "흰쌀을 쪄서 끈적거리는 밥 1말 위에 곱절의 누룩을 섞어서 술 빚는 법과 같이 해서 독에 넣고 겨울에 7일, 춘추에 5일, 여름에 3일이면 술처럼 익는다. 동이에 넣고 풀리게 갈아서 매번 갱미 한 말에 다만 이 모국을 두 되 쓴다. 이 하나의 모국 재료로 홍국 한 섬 반을 만들 수 있다."고 하였다. 위에 누룩을 곱으로 쓰는 것은, 그것이 홍국모의 누룩이기 때문이다. 이른바 국모방은 술 담그는 것과 근본적으로 다를 게 없으니 발효하는 것이다.

<소지제홍국방(小識製紅麴方)>에서 "한 섬 반의 멥쌀밥을 열다섯 곳으로 나누어 국모 세 근을 넣고 비단으로 싸서 주물러서 열이 나면 펼쳐서 흔들어 놓고, 따뜻하면 급히 무더기로 쌓고 일어나면 다시 빽빽하게 싼다. 다음날 아침에 다시 세 무더기로 만들고 한때가 지나면 다시 다섯 무더기로 나누고 다시 한때가 지나면 한 무더기로 쌓고, 또 한때가 지나면 열다섯 무더기로 나

누어 조금 더워지면 또 한 무더기로 쌓는다. 이와 같이 하기를 수차례 해주고 제3일째에 큰 나무통에 새로 길어온 물을 담아서 대나무로 만든 키에 누룩을 담아서 5~6개로 나누어 습기가 잠기게 해서 다시 한 무더기 짓기를 위의 법과 같이 한다. 제4일에도 전과 같이 또 담가서 만약 누룩이 반이 잠기고 반이 뜨면, 다시 앞의 법에 의해 누룩 만드는 것처럼 해서 또 담그고 다 뜨면 완성된 것이다. 햇볕에 말리고 거두어 쌀이 과심된 것을 일러 생황이라고 한다. 술이나 젓갈에 넣으면 곱고 붉은색이 아름답다. 하루에 홍국을 만드는데 갱미를 끓여 푹 익혀서 잘 익은 밥에 붉은 영지즙을 끓여서 담가서 덩어리를 만들어 가운데 한 구멍을 상하로 뚫어서 날규엽으로 덮고 깔기를 3~5일 하여, 쌀이 빨갛게 되면 다시 지초 달인 즙을 조금씩 부어주거나 담그고, 이에 날규잎으로 다시 덮어서 빨간색이 나오도록 해서 햇볕을 쬐기를 7~8일 하면 만들 수 있으니, 국모는 즉 붉은 지초와 날규잎으로 많이 싸서 된 것으로, 이 다음 깨끗한 누룩은 이 방법으로 근세에 나온 것이다."고 하였다.

<소지소전방>은 또 "<본초강목>의 이시진이 전하는 바는, 이 방문과 더불어 대동소이하다." 했는데, 내가 얘기한 국모방에서 벗어나지 않는바 다시 붉은 지초로 염색한다는 설은 없다.

이빈호의 <본초강목> 왈 "홍국은 <본초강목>에는 실리지 않았으니, 그 법은 근세에 나온 것이다."고 하고, 그 법에 의하면 "멥쌀 1석 5두를 물에 일구고 담가서 하룻밤 재워 밥을 짓고, 15곳으로 나누어 국모 3근을 넣고 주물러서 다함께 주물러 한 곳에 넣어 베보자기에 넣고 꼭꼭 덮어서 다음날 중에 또 3무더기로 나누고 하루 지나면 5무더기로 나누고, 다시 하여 한 무더기로 만들고, 하루가 지나면 다시 15무더기로 나누고, 조금 따뜻해지면 또 한 무더기로 만드는데, 이와 같이 하기를 수차례 하고, 제3일째에 대나무통에 새 물을 길어 와 담고, 대나무키에 누룩을 담아서 5~6분 잠기게 하여 젖으면, 또 한 무더기로 하는데, 전에 법과 같이 한다. 다음 제4일째는 전과 같이 물에 담그는데 누룩이 반은 잠기고 반이 뜨면, 다시 하던 법에 의지한다. 다음날 다시 담가서 다 뜨면 완성된 것이다. 완성이 되면 꺼내어 햇볕에 말려서 거두어들이는데, 과심한 것을 일러 생황이라 하고, 술이나 젓갈 식해에 넣

으면 선홍색이 매우 붉고 아름다우나, 미과심한 것은 예쁘지가 않다. 약에 쓰려면 오래 묵혀야 한다."고 하였다.

좋은 방은 복산사가 말하기를 "지나오면서 서금에서 만든 홍국이고 복주길전이 최고 붉다. 그 국모는 사현에서 나온 것이고, 지금 홍국은 장경에서 왔는데, 만부에 이르러 서울에 이르렀다. 그러나 그 제법은 알지 못한다."고 하였다.

그래서 자세히 생각해서 변증을 한다. 이것은 차로 마실 뿐만 아니라, 술로 빚어 마셨고, 방부제로도 사용했으니, 참으로 음선가(飮膳家)의 보물이다. 무릇 홍국을 만드는 사람은 이 방법으로 기준을 삼아라.

3. 홍국 변증설(紅麴 辯證說) <오주연문장전산고(五洲衍文長箋散稿)>

누룩 재료 : 멥쌀 1섬 5말, 대나무키, 큰 동이, 헝겊, 공석, 풀

누룩 빚는 법 :

1. 흰 멥쌀 1섬 5말을 물에 일어 담가 하룻밤 재워놓는다.
2. 이튿날 쌀을 (씻어 건져서 물기를 빼서) 고두밥 지어 (15등분하여) 펼쳐놓는다,
3. 누룩밑(麴母) 3근을 따뜻한 고두밥에 뿌리고 비비고 치대어 한데 모은다.
4. 무명천으로 덮어 띄우다가, 더워지면 무명천을 벗기고 헤쳐 두었다가, 더운 기운이 나가면 급히 한데 모아 다시 꼭 덮어놓는다.
5. 다음날 오시쯤 3무더기로 나누고, 1시간쯤 지나서 5무더기로 나눈다.
6. 또 1시간쯤 지나 15무더기를 만들고, 조금 덥거든 또 1무더기로 뭉쳐놓는다.
7. 이렇게 반복하기를 2차례 하였다가, 3일 만에 대나무키에 누룩밑을 담아놓는다.
8. 큰 통에 물을 길어다가, 대나무키를 물에 담가서 5~6분쯤 물을 적시고, 다

시 1무더기로 다져놓는다.
9. 다음날 오시쯤 누룩밑을 3무더기로 나누고, 1시간쯤 지나서 5무더기로 나눈다.
10. 또 1시간쯤 지나서 15무더기를 만들고, 조금 덥거든 또 1무더기로 뭉쳐놓는다.
11. 홍국 만든 지 4일째 되는 날 큰 통에 물을 길어다가, 대나무키에 누룩밑을 담고 물에 담가서 5~6분쯤 물을 적시고, 다시 1무더기로 다져놓는다.
12. 만일 누룩밑이 반쯤 잼기고 반쯤 되거든 다시 전법과 같이 하여, 또 한 차례를 짓고 또 축이기를 반복한다.
13. 누룩이 다 뜨게 되면 다 된 것이니, 내어 햇볕에 말려둔다.

홍국 변증설(紅麴 辯證說)

홍국을 만드는 것은, 멥쌀 백미 1석 5두를 취하여 깨끗이 일고 씻어 물에 하룻밤 담그고, 다음날 불을 때서 찌기를 80%만 익혀서 열다섯 군데로 나누어 매 한 군데마다 누룩을 2되씩 넣어서 손으로 비비고 주무르기를 충분히 해서 고르게 한 후, 그것을 한 무더기로 쌓아서 겨울에는 비단과 베보자기 등으로 그것을 덮고, 위에 풀로 짚자리를 만들어 펴서 완전히 쌓아놓고, 완전히 떠나지 말고 때때로 무더기가 찬지 더운지를 살펴서 만약에 뜨거워지면 흔들어서 무너뜨린다.
만약에 대단히 뜨거운 것을 깨닫게 되면, 바로 덮은 것들을 제거하고 무더기를 헤치고 약간 따뜻하게 되면, 바로 마땅히 급하게 처음에 덮었던 것처럼 하고, 위아래 따뜻한 것이 중간 정도 되면 움직이지 말아라. 이렇게 하려면 하루 저녁 자면 안 되고, 일찍이 그 사람으로 하여금 잘 살피고 돌아보아라. 다음날 한나절에 세 무더기로 나누어 한때를 지나게 하고, 또 한두 시진을 지나면 5무더기로 나누고, 또 한두 시진을 지나면 문득 한 무더기를 짓고, 또 한두 시진이 지나면 다시 15군데로 나눈다. 나눈 후에 조금 뜨겁지 않은 것을 깨닫게 되면, 또 함께 모아 한 무더기로 만들어 한두 시간을 기다려 무더기가 뜨겁게 되면, 또 나누고 열기를 수차례 해라. 셋째 날이 되면, 큰 대나무

통에 새로 우물물을 길어서 채우고, 대나무키에 누룩을 5~6몫으로 나누어 담고 매우 잘 섞어서 물에 담가, 습기가 닿게 하면 문득 위로 건져 올려서 다시 모두 한 무더기로 조금 뜨거워지면, 전에 방법대로 해서 흩고 모으기를 십 수 곳에 한 후에 2~3시진이 되면 다시 한 군데로 모으고, 한두 시진이 지나면 다시 흩어놓고 제4일에는 누룩을 5~7곳으로 나누어 대나무키에 담고, 위의 방법에 의지해서 정화수에 담그고, 그 누룩이 저절로 뜨고 가라앉지 않고 반만 뜨고 반만 가라앉으면, 다시 전법에 의지해서 쌓았다가 헤치기를 하루하고, 다음날 다시 새 물을 길어와 물속에 담가서 저절로 다 뜨게 되면, 햇볕을 쬐어서 말려 술 빚는 데 쓴다.

또 쓰는 법은 전에 변증한 것 중에 자세하게 보인다. 대저, 홍국은 중원으로부터 우리나라 동만부(關西州府)에 유입되어 서울로 왔다. 다만, 차로 마실 줄만 알고 그 용처가 많다는 것을 아는 이가 없다. 다시 술을 빚을 때 다른 누룩과 쓰는 것을 알지 못했다. 이 누룩으로 '동양주'를 빚었는데, 우리나라에서 이름이 났다. 지금 아울러 그것을 변증했다.

4. 홍국방(紅麴方) <임원십육지(林園十六志)>

누룩 재료 : 찹쌀 1말, 누룩 2근, 물 (3말), 멥쌀 1석 5말
준비 물품 : 돗자리(고석), 자배기, 시루

누룩 빚는 법 :

1. 찹쌀 1말을 물에 깨끗이 씻어서 새 물에 담가 불린 후, 다시 씻어 건져서 시루에 안쳐서 고두밥을 짓는다.
2. 쪄서 식힌 고두밥에 홍국 2근과 물(3말)을 합하고, 고루 버무려 술밑을 빚는다.
3. 술밑을 술독에 담아 안치고, 겨울에는 7일(여름에는 4일, 봄가을에는 5일)

쯤 발효시킨다.
4. 술밑을 동이에 쏟아 붓고,손으로 박박 비벼서 풀같이 묽은 술밑을 만든다.
멥쌀 1석 5말을 씻어서 물에 하룻밤 담갔다가, 다시 씻어 건져서 물기를 뺀 후, 시루에 안쳐서 고두밥을 짓는다.
5. 고두밥이 익었으면 퍼내서 15등분으로 나누고, 누룩밑 3근을 합하고 잘 비비고 주물러서 고루 섞인 누룩밑을 만든다.
6. 누룩밑을 넓은 그릇에 담아 한 곳에 두고, 헝겊을 덮어놓는다.
7. 누룩밑이 발효되면서 뜨거워지면 헝겊을 벗겨내고, 재빨리 한 덩어리를 만든다.
8. 헝겊을 덮어두었다가, 다음날 아침에 3등분하여 놓았다가, 2시간 후에 다시 5등분하여 놓는다.
9. 다시 2시간 정도 지난 후에 한 무더기를 만들어 헝겊을 덮어놓는다.
10. 다시 2시간 정도 지나면 15등분하여 놓았다가, 따뜻해지면 다시 한 무더기로 뭉쳐서 헝겊으로 덮어놓는다.
11. 이와 같이 한두 차례 반복한 후, 3일째 되는 날 큰 통에 물을 길어다 붓는다.
12. 대나무로 만든 키에 만들어둔 누룩을 담아서 5~6분쯤 축여서 흠뻑 적신다.
13. 다시 한 무더기를 만든 후, 앞의 방법과 같이 2시간 정도 지나면 15등분하여 놓았다가, 따뜻해지면 다시 한 무더기로 뭉쳐서 헝겊으로 덮어놓는다.
14. 4일째 되는 날에 대나무로 만든 키에 만들어둔 누룩을 담아서 5~6분쯤 축여서 흠뻑 적셔지면, 다시 한 무더기를 만든다.
15. 만약 누룩이 반은 가라앉고 반은 뜨면 다시 앞의 방법에 따라 한 차례를 더 하고 또 적신다.
16. 만약 모두 뜨면 다 된 것이니, 꺼내어 볕에 말려두는데, 속속들이 붉은 것을 생황(生黃)이라고 한다.

* 누룩방문에 '누룩밑 만드는 방법'이라고 하여 "찹쌀 1말에 좋은 붉은 누룩 2근을 쓴다. 찹쌀을 깨끗이 씻어 일어 지에밥을 쪄서 술 만드는 법과 같이 물에 넣어 고루 반죽하여 독에 넣는다. 겨울에는 7일, 여름에는 4일, 봄가을에

는 5일쯤 되어 술이 익을 정도를 넘지 않는 것을 기준으로 한다. 동이에 넣고 문질러서 물기는 풀같이 한다."고 하고, "이 술밑을 가지고 품질이 좋은 붉은 누룩 1섬 5말을 만들 수 있다. 백미 1석 5말을 씻어서 물에 하룻밤 담갔다 밥을 짓는다. 15등분으로 나누어 누룩밑 3근을 넣는다."고 하였다. <거가필용>을 인용하였다.

* 누룩방문에 "잘 비비고 주물러서 고르게 하여 한 곳에 두고 헝겊으로 덮어둔다. 뜨거우면 헝겊을 치우고 헤쳐 놓았다가 따뜻해지면 빨리 무더기를 만들어 다시 덮어둔다. 다음날 정오쯤에 다시 3무더기로 나누고 1시각 정도 지나서 다시 5무더기로 나눈 후, 1시각(1~2시간) 정도 지나서 다시 한 번 합쳐서 1무더기를 만들고 1시각 정도 지나면 15무더기로 나누어서 따뜻해지면 다시 1무더기로 만들기를 두어 번 한다. 3일째 되는 날에 큰 통에 새로 길은 물을 담고 대나무로 만든 키에 만들어둔 누룩을 담아서 5~6분쯤 축여서 습기가 흠뻑 적셔지면 다시 한 무더기를 만들고 앞의 방법과 같이 해준다. 4일째 되는 날에는 앞과 같이 또 적신다. 만약 누룩이 반은 가라앉고 반은 뜨면 다시 앞의 방법에 따라 한 차례를 하고 또 적신다. 만약 모두 뜨면 다 된 것이니 꺼내 볕에 말려둔다. 속속들이 붉은 것을 생황(생황)이라고 하니 술, 식초, 젓갈에 넣으면 선홍색을 띠는 것이 아주 좋다. 속속들이 붉지 않은 것은 좋지 않다."고 하였다. <본초강목>을 인용하였다.
* 누룩방문에 "붉은 누룩을 만들 때 가장 중요한 것은 처음에 헝겊을 덮을 때 차고 더운 정도를 살피는 것이다. 겨울에는 헝겊으로 덮고 그 위에 두꺼운 거적으로 덮어두고 아래에는 풀을 깐다. 이때에 뜨거우면 열이 나서 상하므로, 덮어놓은 덮개를 벗기고, 더운 것이 알맞으면 건드리지 않는다. 온도를 맞추기 위해서는 밤에 자지 말고 항상 들여다보아야 한다."고 하였다. <거가필용>을 인용하였다.

저자의 의견 : "누룩은 술과 식초를 빚는 재료가 된다. 중국 사람들은 누룩으로 장과 젓갈도 담그니 술과 식초 빚는 데만 쓰임이 한정되지는 않는다."고 하였다.

紅麴方

白粳米一石五斗水淘浸一宿作飯分作十五處入麴毋三斤[居家必用凡造紅麴皆先造麴毋其法白糯米一斗用上等好紅麴二斤先將糯米淘淨烝熟作飯用水拌合如造酒法搭和句下甕冬七日夏三日春秋三日不過以酒熟爲度入盆中擂爲稠糊相似每粳米一斗止用麴每二升此一料毋可造上等紅麴一石五斗 搓揉令勻併作一处以帛密覆熱則去帛攤開覺溫急堆起又密覆次日日中又作三堆過一時分作五堆再一時合作一堆又過一時分作十五堆稍溫又作一堆如此數次第三日用大桶盛新汲水以竹籮盛麴作五六分蘸濕完又作一堆如前法作一次第四日如前又蘸若麴半沈半浮再依前法作一次又蘸若盡浮則成矣取出日乾收之其米過心者謂之生黃入酒及酢醢中解紅可愛未過心者不佳. <本艸綱目> 造紅麴緊要在最初覆帛時覰冷熱如何冬天造者以布帛物蓋之上用厚薦壓定下用艸鋪作底全在此時勤覰如熱則燒壞了若覺大熱便取去覆蓋如溫熱得中勿勤此一夜不可睡常令照顧. <居家必用> ○按已上諸麴皆爲酒料酢需華人則用以釀醬醃醢不但爲酒酢之用而已也若服食家用香藥造麴者另見<醞醅之類>.

5. 홍국(紅麴) <조선무쌍신식요리제법(朝鮮無雙新式料理製法)>

누룩 재료 : 멥쌀 1섬 5말, 대나무키, 큰 동이, 헝겊, 공석, 풀

누룩 빚는 법 :

1. 흰 멥쌀 1섬 5말을 물에 일어 담가 하룻밤 재워놓는다.
2. 이튿날 쌀을 (씻어 건져서 물기를 빼서) 고두밥 지어 (15등분하여) 펼쳐놓는다,
3. 누룩밑(麴毋) 3근을 따뜻한 고두밥에 뿌리고 비비고 치대어 한데 모은다.
4. 무명천으로 덮어 띄우다가, 더워지면 무명천을 벗기고 헤쳐 두었다가, 더운 기운이 나가면 급히 한데 모아 다시 꼭 덮어놓는다.

5. 다음날 오시쯤 3무더기로 나누고, 1시간쯤 지나서 5무더기로 나눈다.
6. 또 1시간쯤 지나 15무더기를 만들고, 조금 덥거든 또 1무더기로 뭉쳐놓는다.
7. 이렇게 반복하기를 2차례 하였다가, 3일 만에 대나무키에 누룩밑을 담아놓는다.
8. 큰 통에 물을 길어다가, 대나무키를 물에 담가서 5~6분쯤 물을 적시고, 다시 1무더기로 다져놓는다.
9. 다음날 오시쯤 누룩밑을 3무더기로 나누고, 1시간쯤 지나서 5무더기로 나눈다.
10. 또 1시간쯤 지나서 15무더기를 만들고, 조금 덥거든 또 1무더기로 뭉쳐놓는다.
11. 홍국 만든 지 4일째 되는 날 큰 통에 물을 길어다가, 대나무키에 누룩밑을 담고 물에 담가서 5~6분쯤 물을 적시고, 다시 1무더기로 다져놓는다.
12. 만일 누룩밑이 반쯤 쟁기고 반쯤 되거든 다시 전법과 같이 하여, 또 한 차례를 짓고 또 축이기를 반복한다.
13. 누룩이 다 뜨게 되면 다 된 것이니, 내어 햇볕에 말려둔다.

* 누룩방문에 "그 쌀이 심(心)에 지난 것을 생황(生黃)이라 하나니, 술과 초와 젓 담그는 데 넣으면 신선하게 붉은 것을 가히 사랑할 것이니, 심에 지나지 못한 것은 좋지 못하나니라. 약에 넣는 것은 오래 묵을수록 좋으니라. 홍국에 제일 긴요한 것은, 처음에 헝겊 덮을 때에 차고 더운 것을 잘 볼지니, 겨울에 만든 것은 헝겊으로 덮고, 그 위에 두꺼운 공석 같은 것으로 덮고 아래는 풀로 깔아 밑을 만들지니 전수이 이때를 놓치지 말고 삼가 보아서 만일, 더운즉 살과 삭아(燃消)지나니 만일 크게 더웁거든 곧 덮었던 것을 벗기고 더운 것을 꼭 맞추고 움직이지 말라. 이 하로밤은 잠자지 말고 항상 들여다볼 것이니라. 이 위 모든 누룩이 다 술과 초에 넣어 쓰나 지나 사람은 장 담그는 데나 젓 담그는 데도 이 (법을) 쓰나니라."고 하였다.

홍국(紅麴)

흔 멥쌀 한 섬 닷 말을 물에 이러 당근 지 하로밤 만에 밥 지여 열다섯에 별려 노코, 누룩 밋(麴母) 서 근을 느어 밀고 치며 부벼서 한 곳에 지여 헌겹으로 덥헛다가, 더웁거든 곳 헌겹을 벗기고 헷쳐 더운 긔운을 내면서 급히 무데기를 일으켜서 다시 씩 덥고, 그 이튼날 오시쯤 지나서 세 무데기를 만들고, 또 한시쯤 지나서 또 닷섯 무데기를 만들고, 또 한시쯤 지나서 또 열다섯 무데기를 만드럿다가, 조곰 더웁거든 또 한 무데기를 만들지니, 이러케 하기를 두엇 차례를 한 지 사흘 만에 큰 통에 물을 새이로 기러다다 붓고, 대키(竹箕)에 만드럿든 누룩을 담아서 오륙분쯤 추켜서, 또 한 무데기에 내기를 전법과 가티 하야 한 차례를 짓고, 나흘 되든 날 전과 가티 취기되, 만일 누룩이 반썸 징기고 반썸 되거든 다시 전법과 가티 하야, 또 한 차례를 짓고 또 취겨서 만일 다 쓰게 되면 다 된 것이니, 내여 볏헤 말려 두나니라. 그 쌀이 심(心)에 지난 것을 생황(生黄)이라 하나니, 술과 초와 젓당그는데 느으면 신선하게 붉은 것을 가이 사랑할 것이니, 심(心)에 지나지 못한 것은 조치 못하니라. 약에 늣는 것은 오래 묵을스록 조흐니와, 홍국에 뎨일 긴요한 것은 처음에 흔겹 덥흘 째에 차고 더운 것을 잘 볼지니, 겨울에 만드는 것은 헌겹으로 덥고 그 위에 둑거운 공석 가튼 것으로 덥고 아레는 풀로 싸라 밋을 만들지니, 전수이 이쌔를 노치지 말고 상가 보아서 만일 더운즉 살뫄 삭아(燃消) 니나니, 만일 크게 더웁거든 곳 덥헛든 것을 벗기고 더운 것을 씩 마추고 움즈기지 말며, 이 하로밤은 잠자지 말고 항상 드려다볼 것이니라. 이 위 모든 누룩이 다 술과 초에 느어 쓰나, 지나 사람은 장 담드는 데나 젓 당그는 데도 다 쓰나니라.

1. 홍백진약(紅白潪藥) <농정회요(農政會要)>

누룩 재료 : 찹쌀 1말, 약재 5통, 청피 · 관계 · 사인 · 생강잎 · 수유 · 관요 각 2근, 진피 · 황백 · 향부자 · 창출 · 말린 감국화 · 행인 각 1근, 강황 · 박하 각 반근, 여뀌즙 2~5되, 생강물 2근

누룩 빚는 법 :

1. 찹쌀 1말을 깨끗이 씻어 불린 뒤, 건져서 맷돌에 여러 차례 갈아서 매우 고운 가루로 빻는다.
2. 준비한 분량의 약재를 절구에 찧거나 맷돌에 갈아 고운 가루로 만들고, 저울에 달아 1근 4냥씩 나누어놓는다.
3. 찹쌀가루 1말과 약재가루를 한데 섞는다.
4. 여뀌와 생강을 절구에 찧어 베보자기로 싸고, 꼭 짜서 찌꺼기를 제거한 만든 즙을 맑게 가라앉혀서 맑은 즙을 찹쌀가루 1말에 골고루 뿌려 섞는다.
5. 재료가 골고루 섞이도록 절구에 넣고 여러 차례 찧는다.
6. 반죽을 단단히 뭉친 다음, 한가운데를 오목하게 눌러 누룩밑을 만든다.
7. 누룩밑을 짚으로 싸서 대자리에 펴서 띄운 지 4일 후 청백색의 곰팡이가 자랐으면, 볏짚을 걷어내고 새로운 풀(짚)로 다시 싸서 덮는다.
8. 7일 후에 다 띄워진 누룩을 광주리에 담아, 바람이 통하는 서늘한 곳에 매달아 두었다가, 습기 많은 밤에 이슬을 맞추어 21일간 건조시킨다.
9. 술 빚기 2~3일 전에 법제하여 사용한다.

紅白潪藥

用草菓五箇靑皮官桂砂仁良薑葉茱萸光烏各二斤陳皮黃栢香附子蒼朮乾于甘菊花杏仁各一斤薑黃薄荷各半斤每藥料共稱一斤配糯米粉一斗簌蓼二斤咸五斤水薑二斤搗汁和淸石末一斤四兩如常法盦之上料更加畢撥丁香細辛三頼益智丁皮砂仁(各四兩).

1. 황증방(黃蒸方) <임원십육지(林園十六志)>

–일명 맥황(一名 麥黃)

누룩 재료 : 통밀

준비 물품 : 시루, 채반, 돗자리, 맷돌(절구)

누룩 빚는 법 :

1. 7월 중에 밀을 물에 깨끗하게 씻어 잠깐 불렸다가, 절구에 찧거나 맷돌에 갈아서 가루로 빻는다.
2. 통밀가루를 물로 반죽하여 둥글납작한 반대기(떡)를 짓고, 시루에 안쳐서 쪄낸다.
3. 반대기를 차게 식혀놓는다.
4. 채반에 돗자리를 깔고, 그 위에 찐 반대기를 늘어놓은 다음, 헝겊으로 덮어서 채반째 시렁 위에 올려놓는다.
5. 1주일 후에 밀밥에 노란 곰팡이가 피면 꺼내서 헝겊을 걷어내고 햇볕에 말리되, 절대로 까부르지 않는다.

黃烝方

一名麥黃.　七月中取生小麥細磨之以水溲丙烝之氣脯好熟便下之攤令冷布置覆蓋成就一如 麥䴷法亦勿颺之慮其所損. <齊民要術>. 磨小麥粉拌水和成餅痲葉裏待上黃衣曬. <唐本艸>.

2. 황증방(黃蒸方) <임원십육지(林園十六志)>

–일명 맥황(一名 麥黃)

누룩 재료 : 통밀

준비 물품 : 시루, 채반, 돗자리, 맷돌(절구)

누룩 빚는 법 :

1. 6~7월 중에 밀을 물에 깨끗하게 씻어 잠깐 불렸다가, 절구에 찧거나 맷돌에 갈아서 가루로 빻는다.
2. 쌀이나 통밀을 물에 깨끗하게 씻어 불렸다가, 가루를 만든다.
3. 쌀이나 통밀가루를 물로 반죽하여 둥글납작한 반대기(떡)를 짓고, 시루에 안쳐서 쪄낸다.
4. 반대기를 차게 식혀놓는다.
5. 채반에 돗자리를 깔고, 그 위에 찐 반대기를 늘어놓은 다음, 삼잎으로 덮어서 채반째 시렁 위에 올려놓는다.
6. 1주일 후에 밀밥에 노란 곰팡이가 피면 꺼내서 삼잎을 걷어내고 햇볕에 말리되, 절대로 까부르지 않는다.

* 황증방 머리에 "북쪽 사람들은 소맥을 남쪽 사람들은 멥쌀을 사용한다."고 하였다. <본초습유>를 인용하였다.

黃蒸方

北人以小麥南人以粳米六七月作之生絲塵者佳. <本艸拾遺>.

3. 황증방(黃蒸方) <임원십육지(林園十六志)>

–일명 맥황(一名 麥黃)

누룩 재료 : 통밀

준비 물품 : 시루, 채반, 돗자리

누룩 빚는 법 :

1. 6월 중에 밀을 물에 깨끗하게 씻어 항아리에 넣고, 물을 붓고 담가 불린다.
2. 물 위에 뜨는 것을 걷어내고, 매일 물을 바꾸어주길 7일간 반복하면 밀이 시어진다.
3. 시어진 밀을 씻어 건져서 물기를 빼고, 시루에 안쳐서 푹 찐다.
4. 그릇(시루)에 뚜껑을 덮어 시렁 위에 올려놓는다.
5. 1주일 후에 밀밥에 노란 곰팡이가 피면 꺼내서 햇볕에 말려 도꼬마리잎을 제거하되, 절대로 까부르지 않는다.

黃蒸方

六月內取小麥淘去浮者水浸烈日曬每朝換水至第七日漉出控乾烝熟覆蓋黃上曬乾造酢用. <居家必用>.

1. 조곡길일법(造麯吉日法) <군학회등(群學會騰)>

1. 신미, 을미, 경자일, 그리고 제, 만, 개, 성일이다. 육갑 순으로 돌아온다
2. 삼복중에 누룩을 만들면 벌레가 생기지 않는다. 초복 뒤가 가장 좋고, 중복 후 말복 전이 다음으로 좋다
3. 오행상의 목일에 누룩을 만들면 쉰다

* 명리가(命理家)들이 쓰는 용어로 십이신(十二神 : 定, 執, 破, 危, 成, 收, 開, 閉, 建, 除, 滿, 平)이 용사(用事)하는 날을 일자에 배열한 것.
* 이외 다른 기록에는 "每朔 造麯吉日(매달 초하루는 누룩 만드는 길일이다)." 라고 하여 <양주(釀酒)> 편에 나온다.

造麯吉日法

辛未·乙未·庚子 又 除·滿·開·成日. 三伏中合麯 不生蟲. 初伏後最隹 中伏後 末伏前 次之. 木日造麯 則酸.

2. 조국길일(造麴吉日) <사시찬요초(四時纂要抄)>

* '조국길일'이라 하여 "누룩 디디기 좋은 날은 신미(辛未) · 을미(乙未) · 경자(庚子)일이다. 또 좋은 날은, 제(除) · 만(滿) · 개(開) · 성(成)일이다. 삼복중에 누룩을 디디면 벌레가 안 꾄다." "누룩을 디디는 시기는 초복 후가 가장 좋고, 중복 후 말복 전은 그 다음이다. 목일(木日)에 누룩을 디디면 술맛이 시다." 고 하였다.

造麴(吉日)

造麴初伏後最佳中伏候末伏前次之小麥不拘多小磨擣取造麴麴劣致酒味薄率麥十斗取麵二斗爲惟留麴先浸菉豆取汁取蘝蓼(달여뀌)與菉豆汁和造日未

出時溲麴欲剛量是日人力可踏溲之不可經宿踏欲極堅每團用蓮葉蒼耳葉密0懸當風通凉處至十月收之造麴良好全在剛溲堅踏若不剛溲雖欲堅踏濃潰而出若不堅踏麴力頓失不能殺米.

3. 조주길일(造酒吉日) <산림경제(山林經濟)>

1. <고사촬요(故事撮要)>를 인용하여, "정묘(丁卯) · 경오(庚午) · 계미(癸未) · 갑오(甲午) · 기미(己未)일이다."고 하였다. 또 <거가필용(居家必用)>과 <고사촬요>를 인용하여 "봄에는 기(箕), 여름에는 항(亢), 가을에는 규(奎), 겨울에는 위(危)일이 좋다. 또 만(滿) · 성(成) · 개(開)일이 좋으나, 멸몰일(滅沒日)은 꺼린다. 무자일(戊子日) · 갑진일(甲辰日)과 정유일(丁酉日)을 꺼린다." 고 하였다.
2. 그리고 <거가필용>과 <신은지>를 인용하여 "매달 술 빚기 좋은 날은, 누룩 디디고 초 빚기 좋은 날과 같다."고 하였다.

造酒吉日

丁卯·庚午·癸未·甲午·己未日. <故事撮要>.

春邸箕, 夏亢, 秋奎, 冬危. <必用>, <古事> 又宜滿·成·開日 忌滅沒日. 忌戊子日·甲辰又忌丁酉. (杜康死日 必用).

每朔造醞酒吉日造醋麴同(必用, 神恩).

4. 초, 누룩 디디기 좋은 날(造醞酒醋麴吉日) <산림경제(山林經濟)>

정월의 정묘(丁卯) · 을유(乙酉) · 정유(丁酉) · 갑진(甲辰) · 정미(丁未) · 병진(丙辰) · 기미일, 2월의 기사(己巳) · 정사(丁巳)일, 3월의 기사(己巳) · 병자(丙子) · 경자(庚子) · 을사(乙巳)일, 4월의 을축(乙丑) · 정묘(丁卯) · 정축(丁丑) · 신묘(辛卯) · 을묘(乙卯)일, 5월의

병인(丙寅)·갑신(甲申)·경신(庚申)일, 6월의 임신(壬申)·무인(戊寅)·기묘(己卯)·정유(丁酉)·기유(己酉)일, 7월의 경오(庚午)·무자(戊子)·무술(戊戌)·경술(庚戌)일, 8월의 기사(己巳)·정해(丁亥)·계사(癸巳)·기해(己亥)일, 9월의 신사(辛巳)·무자(戊子)·병신(丙申)·무신(戊申)·신해(辛亥)·경신(庚申)일, 10월의 정묘(丁卯)·갑술(甲戌)·기묘(己卯)·계미(癸未)·갑오(甲午)·경자(庚子)·기미(己未)일, 11월의 을축(乙丑)·무인(戊寅)·갑신(甲申)·을미(乙未)·임인(壬寅)·무신(戊申)·갑신일(甲申日), 12월의 정묘(丁卯)·임신(壬申)·기묘(己卯)·갑신(甲申)·경자(庚子)·임인(壬寅)·을묘(乙卯)·경신(庚申)일이다.

造醞酒醋麴吉日

正月 丁卯·乙酉·丁酉·甲辰·丁未·丙辰·己未, 二月 己巳·丁巳, 三月 己巳·丙子·庚子·乙巳, 四月 乙丑·丁卯·丁丑·辛卯·乙卯, 五月 丙寅·甲申·庚申, 六月 壬申·戊寅·己卯·丁酉·己酉, 七月 庚午·戊子·戊戌·庚戌, 八月 己巳·丁亥·癸巳·己亥, 九月 辛巳·戊子·丙申·戊申·辛亥·庚申, 十月 丁卯·甲戌·己卯·癸未·甲午·庚子·己未, 十一月 乙丑·戊寅·甲申·乙未·壬寅·戊申·甲申, 十二月 丁卯·壬申·己卯·甲申·庚子·壬寅·乙卯·庚申.

5. 조곡길일(造麯吉日) <산림경제촬요(山林經濟撮要)>

1. 길일(누룩 디디기 좋은 날) : 신미(辛未)·을미(乙未)·경자(庚子)일이다. 또 좋은 날은 제(除)·만(滿)·개(開)·성(成)일이다. <고사촬요>
   삼복중에 누룩을 디디면 벌레가 안 꾄다.
2. 누룩을 디디는 시기는 초복 후가 가장 좋고, 중복 후 말복 전은 그 다음이다. 목일(木日)에 누룩을 디디면 술맛이 시다.
3. 무릇 술맛의 진하고 박한 것은 누룩 디디는 데 달려 있다."고 하면서, "누룩을 잘 디디는 비결은 전적으로 되게 반죽하여 꼭꼭 밟는 데에 있으니, 만약 반죽이 되지 않으면 꼭꼭 밟으려고 해도 물기가 있어 뭉그러져 나오고, 꼭꼭

디디지 않으면 누룩 기운이 이내 없어져 쌀을 이겨내지 못한다."고 하였다. 또 "누룩을 단단하게 디디려면, 그날 디딜 만한 인력(人力)을 헤아려야 한다. 반죽한 것은 하루 재워서 더 디딜 수 없기 때문이다."고 하였다.

造麯吉日

辛未·乙未·庚子 又除滿開成日. 三伏中合麯不生虫初伏後最佳中伏末伏前次之, 木日造麯則酸.

6. 조곡길일(造麯吉日) <해동농서(海東農書)>

1. 삼복중에 누룩을 만들면 벌레가 생기지 않는다
2. 초복 뒤가 가장 좋고, 중복 후 말복 전이 다음으로 좋다.

造麯吉日

三伏中合麯不生虫. 初伏後最佳中伏末伏前 次之.

부록

문헌별 찾아보기

주방문 수록 문헌 및 내용

1. 〈간본규합총서(刊本閨閤叢書)〉 1869년, 한글 활자본, 빙허각(憑虛閣) 이씨(李氏) 원찬(原撰)

- 주방문 (7종) : 1. 연엽주 2. 화향입주법 3. 두견주 4. 일년주 5. 약주 6. 과하주 7. 소주
- 기타 (2종) : 1. 술 빚는 길일 2. 술 신맛 구하는 법

2. 〈감저종식법(甘藷種植法)〉 1766년, 한문 필사본, 유중임(柳重臨)

- 주방문 (33종) : 1. 작주부본(作酒腐本) 2. 택수(澤水) 3. 중원인양호주법(中原人釀好酒) 4. 백로주(白露酒) 5. 소곡주(少麯酒) 6. 약산춘(藥山春) 7. 약산춘(藥山春 一方) 8. 호산춘(壺山春) 9. 호산춘(壺山春 一法) 10. 삼해주법(三亥酒法) 11. 내국향온법(內局香醞法) 12. 백자주(栢子酒) 13. 호도주(胡桃酒) 14. 도화주(桃花酒) 15. 도화주(桃花酒 一云) 16. 연엽주(蓮葉酒) 17. 경면녹파주(鏡面綠波酒) 18. 벽향주(碧香酒) 19. 하향주(荷香酒) 20. 이화주(梨花酒) 21. 청서주(淸暑酒) 22. 일일주(一日酒) 23. 삼일주(三日酒) 24. 과하주(過夏酒) 25. 과하주(過夏酒 一方) 26. 화향입주방(花香入酒方) 27. 화향입주방(花香入酒 一方) 28. 오가피주(五加皮酒) 29. 오가피주(五加皮酒 別法) 30. 무술주(戊戌酒) 31. 주중지약법(酒中漬藥法) 32. 구주불비법(救酒不沸法) 33. 구산주법(救酸酒法)
- 누룩 (1종) : 1. 조요국(造蓼麴)
- 기타 (2종) : 1. 식면후욕음주(食麵後欲飮酒) 2. 조주법(造酒法)

3. 〈고려대규합총서(高麗大閨閤叢書, 異本)〉 1800년대 초엽, 한글 활자본, 저자 미상, 고려대학교 소장본

- 주방문 (18종) : 1. 구기주 2. 오가피주 3. 화향입주방 4. 도화주 5.연엽주 6. 두견주 7. 소국주 8. 과하주 9. 백화주(자제신증) 10. 감향주 11. 송절주 12. 송순주 13. 호산춘 14. 삼일주 15. 일일주 16. 박문주 17. 녹파주 18. 오종주방문
- 기타 (11종) : 1. 각국 술 이름(諸國酒名) 2. 옛 후비(后妃)가 만든 주명(酒名) 3. 술 이름 소사(酒小史) 4. 갱기(羹器) 5. 음론(飮論) 6. 술 빚는 길일 7. 술 못 빚는 날 8. 음주금기 9. 성주

불취 10. 단주방 11. 모든 술이 깨고 병이 들지 않는 약방문

4. 〈고사신서(攷事新書)〉 1771년, 한문 판각인쇄본, 서명응(徐命膺)

- 주방문 (50종) : 1. 백로주(百露酒) 2. 소국주(少麴酒) 3. 약산춘(藥山春) 4. 약산춘 별법(藥山春 別法) 5. 호산춘(壺山春) 6. 삼해주(三亥酒) 7. 향온주(香醞酒) 8. 백자주(栢子酒) 9. 호도주양법(胡桃酒釀法) 10. 도화주(桃花酒) 11. 연엽주(蓮葉酒) 12. 녹파주(綠波酒) 13. 벽향주(碧香酒) 14. 하향주(荷香酒) 15. 이화주(梨花酒) 16. 청서주(淸暑酒) 17. 부의주(浮蟻酒) 18. 청감주(淸甘酒) 19. 포도주(葡萄酒) 20. 백주(白酒) 21. 일일주(一日酒) 22. 삼일주(三日酒) 23. 잡곡주(雜穀酒) 24. 지주(地酒) 25. 내국홍로주(內局紅露酒) 26. 노주(露酒) 27. 노주소독(露酒消毒) 28. 계당주(桂當酒) 29. 자주(煮酒) 30. 자주 우법(煮酒 又法) 31. 과하주(過夏酒) 32. 과하주 우법(過夏酒 又法) 33. 밀주(密酒) 34. 밀주 우법(密酒 又法) 35. 화향입주(花香入酒) 36. 화향입주 우법(花香入酒 又法) 37. 오가피주(五加皮酒) 38. 오가피주 우법(五加皮酒 又法) 39. 천문동주(天門冬酒) 40. 구기자지복법(枸杞子漬服法) 41. 구기자주 별법(枸杞子酒 別法) 42. 국화주(菊花酒) 43. 국화주 우법(菊花酒 又法) 44. 석창포주(石菖蒲酒) 45. 백화주(百花酒) 46. 지황주(地黃酒) 47. 무술주(戊戌酒) 48. 주중지약법(酒中漬藥法) 49. 구주불비법(救酒不沸法) 50. 구산주법(救酸酒法)
- 누룩 (2종) : 1. 조국법(造麴法) 2. 조요국(造蓼麴)
- 기타 (2종) : 1. 식면후음주(食麪後飮酒) 2. 취하지 않는 법

5. 〈고사십이집(攷事十二集)〉 1737년경/1787년경, 한문 판각인쇄본, 서명응(徐命膺)

- 주방문 (42종) : 1. 향온주(香醞酒) 2. 백로주(百露酒) 3. 녹파주(綠波酒) 4. 녹파주 우법(綠波酒 又法) 5. 벽향주(碧香酒) 6. 약산춘(藥山春) 7. 약산춘 별법(藥山春 別法) 8. 소국주(少麴酒) 9. 부의주(浮蟻酒) 10. 자주(煮酒) 11. 자주 우법(煮酒 又法) 12. 지주(地酒) 13. 밀주(密酒) 14. 밀주 우법(密酒 又法) 15. 호산춘(壺山春) 16. 삼해주(三亥酒) 17. 도화주(桃花酒) 18. 연엽주(蓮葉酒) 19. 과하주(過夏酒) 20. 과하주 우법(過夏酒 又法) 21. 하향주(荷香酒) 22. 백주(白酒) 23. 이화주(梨花酒) 24. 청감주(淸甘酒) 25. 일일주(一日酒) 26. 삼일주(三日酒) 27. 소주양법(燒酒釀法) 28. 소주양법 우법(燒酒釀法 又法) 29. 관서감홍로(關西甘紅露) 30. 관서계당주 양법(關西桂糖酒 釀法) 31. 무술주(戊戌酒) 32. 송액주(松液酒) 33. 송절주(松節酒) 34. 문장주(文章酒) 35. 문장주 우법(文章酒 又法) 36. 구기주(枸杞酒) 37. 구기주 우법(枸杞酒 又法) 38. 국화주(菊花酒) 39. 국화주 우법(菊花酒 又法) 40. 창포

주(菖蒲酒) 41. 문동주(虋冬酒) 42. 백자주(栢子酒)

- 기타 (1종) : 1. 식면후음주법(食麵後飮酒法)

6. 〈고사촬요(故事撮要)〉 1554/1613년, 한문 초간본, 어숙권 편·박희현 증보

- 주방문 (24종) : 1. 부의주(浮蟻酒) 2. 백로주(白霞酒) 3. 백로주(白霞酒, 旨酒法) 4. 하향주(荷香酒) 5. 청감주(淸甘酒) 6. 호도주(胡桃酒) 7. 백자주(栢子酒) 8. 자주(煮酒) 9. 홍로주(紅露酒) 10. 내국향온법(內局香醞法) 11. 구산주법(救酸酒法) 12. 구주법(救酒法) 13. 도화주(桃花酒) 14. 도화주 일운(桃花酒 一云) 15. 소곡주(小麯酒) 16. 약산춘(藥山春) 17. 과하주(過夏酒) 18. 청서주(淸暑酒) 19. 약주(藥酒) 20. 송순주(松荀酒) 21. 도소주(屠蘇酒) 22. 노주소독방(露酒消毒方) 23. 송엽주(松葉酒) 24. 구황주(救荒酒)
- 기타 (2종) : 1. 식면후음주(食麵後飮酒) 2. 이앓이 않는 법

7. 〈구황촬요(救荒撮要)〉 명종 9년, 한문 판각본, 명종 명(命)

- 주방문 (1종) : 1. 천금주법(千金酒法, 븕나모술비즐법)

8. 〈구황보유방(救荒補遺方)〉 현종 원년(1660년), 한문 판각본, 신속(申洬)

- 주방문 (2종) : 1. 적선소주방(謫仙燒酒方) 2. 적선소주 우방(謫仙燒酒 又方)

9. 〈군학회등(群學會騰, 博海通攷)〉 1800년대 중엽, 한문 판각인쇄본, 저자 미상

- 주방문 (35종) : 1. 작주부본법(作酒腐本法) 2. 구산주법(救酸酒法) 3. 변탁주위청주법(變濁酒爲淸酒法) 4. 수잡주법(收雜酒法) 5. 화향입주법(花香入酒法) 6. 지약주중법(漬藥酒中法) 7. 일일주법(一日酒法) 8. 일일주법 우법(一日酒法 又法) 9. 삼일주법(三日酒法) 10. 삼일주법 우법(三日酒法 又法) 11. 백자주법(栢子酒法) 12. 백자주법(栢子酒法)-한 말 빚이 13. 포도주법(葡萄酒法) 14. 상심주법(桑椹酒法) 15. 자주법(煮酒法) 16. 백화주법(百花酒法) 17. 도화주법(桃花酒法) 18. 하향주법(荷香酒法) 19. 하엽주법(荷葉酒法) 20. 연엽주법(蓮葉酒法) 21. 송순주법(松荀酒法) 22. 내국향온법(內局香醞法) 23. 벽향주법(碧香酒法) 24. 청서주법(淸暑酒法) 25. 지주법(地酒法) 26. 밀주법(蜜酒法) 27. 취로주견봉(聚露

酒堅封) 28. 노주소독법(露酒消毒法) 29. 두강주법(杜康酒法) 30. 신선고본주법(神仙固本酒法) 31. 백화춘법(白花春法) 32. 죽력고법(竹瀝膏法) 33. 이강고법(梨薑膏法) 34. 추모주법(秋麰酒法) 35. 중원인작호주법(中元人作好酒法)

- 누룩 (6종) : 1. 조곡길일 2. 조곡법 3. 조곡법 속법 4. 미곡법 5. 녹두곡법 6. 요곡법
- 기타 (4종) : 1. 조주길일 2. 매삭조곡조양길일법 3. 택수법 4. 음주예병법

10. 〈규중세화〉 기미 납월 초록, 한글 붓글씨본, 저자 미상, 완주 대한민국술박물관 소장본

- 주방문 (21종) : 1. 이퇴백 효주법 2. 칠일주 3. 삼일주 4. 삼해주법이라 5. 이적선 효주 6. 송순주방문 7. 송엽주 솔방울법 8. 호산춘주 9. 유감주 한법 10. 두견주 11. 이화주 12. 석탄향주법이라 13. 소곡주법 14. 백일주방문 15. 상방문 16. 점주법 17. 효주 18. 효주(별법) 19. 백화주법 20. 과하주법 21. 백일주법
- 누룩 (1종) : 이화곡

11. 〈규합총서(閨閤叢書)〉 1815년경, 한글 붓글씨 필사본, 빙허각(憑虛閣) 이씨(李氏)

- 주방문 (19종) : 1. 구기자술(枸杞酒) 2. 복사꽃술(桃花酒) 3. 연잎술(蓮葉酒) 4. 와송주(臥松酒) 5. 꽃향기 술에 들이는 법(花香入酒法) 6. 포도술(葡萄酒) 7. 배꽃술(梨花酒) 8. 진달래꽃술 9. 소국주(少麴酒) 10. 과하주(過夏酒) 11. 감향주(甘香酒) 12. 일일주(一日酒) 13. 삼일주(三日酒) 14. 신증 송절주(新增 松節酒) 15. 송순주(松荀酒) 16. 호산춘(壺山春) 17. 신술 고치는 법 18. 술이 더디 괴거든 19. 소주독 없애는 법
- 기타 (4종) : 1. 술 빚기 좋은 날 2. 꺼리는 날 3. 술 먹은 뒤 먹지 말아야 할 것(酒後食忌) 4. 소줏불 난 데

12. 〈김승지댁주방문(金承旨宅廚方文)〉 1860년, 한글 필사본, 김승지댁(金承旨宅) 친모(新母)

- 주방문 (23종) : 1. 사철소주 주방문 2. 소국주 3. 내주방문 4. 찹쌀청주법 5. 두견주법 6. 백환주법 7. 녹자주방문 8. 삼월주법 9. 건조향주법 10. 소주 되날(괴는) 법 11. 황금주법 12.

적성소주법 13. 보리소주법 14. 부의주법 15. 치황주법 16. 감향주법 17. 니화주방문 18. 소자주 19. 송엽주방문 20. 절주방문 21. 도화주법 22. 청명주방문 23. 백화주방문

13. 〈농정찬요(農政纂要)〉 1817년/1877년, 한문 필사본, 저자 미상

- 주방문 (7종) : 1. 조주착취법(造酒搾取法) 2. 무양주법(无讓酒法) 3. 청감주법(淸甘酒法) 4. 수잡주방(收雜酒方) 5. 구기자지주법(拘杞子漬酒法) 6. 치산주방(治酸酒法) 7. 채오가피주(菜五加皮酒)
- 기타 (2종) : 1. 조곡법(造麯法) 2. 조주길일(造酒吉日)

14. 〈농정회요(農政會要, 治膳編)〉 1830년경, 한문 필사본, 최한기

- 주방문 (81종) : 1. 중원인작호주법(中原人作好酒法) 2. 작주부본방(作酒腐本方) 3. 백하주법(白霞酒法) 4. 백하주 지주방(白霞酒 旨酒方) 5. 백하주 우방(白霞酒 又方) 6. 백하주 우방(白霞酒 又方) 7. 삼해주법(三亥酒法) 8. 삼해주 우방(三亥酒 又方) 9. 삼해주 우방(三亥酒 又方) 10. 도화주법(桃花酒法) 11. 도화주 우방(桃花酒 又方) 12. 연엽주법(蓮葉酒法) 13. 소곡주법(少麯酒法) 14. 소곡주 속법(少麯酒 俗法) 15. 약산춘법(藥山春法) 16. 약산춘법 우방(藥山春法 又方) 17. 경면녹파주법(鏡面綠波酒法) 18. 경면녹파주 우방(鏡面綠波酒 又方) 19. 경면녹파주 우방(鏡面綠波酒 又方) 20. 벽향주법(碧香酒法) 21. 벽향주 우방(碧香酒 又方) 22. 벽향주 별법(碧香酒 別法) 23. 부의주(浮蟻酒) 24. 지주(地酒) 25. 일일주(一日酒) 26. 일일주 일운(一日酒 一云) 27. 일일주 우방(一日酒 又方) 28. 삼일주(三日酒) 29. 삼일주 우법(三日酒 又法) 30. 칠일주법(七日酒法) 31. 칠일주법(七日酒法) 32. 사절칠일주방(四節七日酒方) 33. 잡곡주(雜穀酒) 34. 송순주방(松笋酒方) 35. 과하주(過夏酒) 36. 과하주 우방(過夏酒 又方) 37. 과하주 우방(過夏酒 又方) 38. 노주이두방(露酒二斗方) 39. 소주다출방(燒酒多出方) 40. 소맥소주법(小麥燒酒法) 41. 하향주법(荷香酒法) 42. 이화주법(梨花酒法) 43. 청감주법(淸甘酒法) 44. 포도주법(葡萄酒法) 45. 포도주 우법(葡萄酒 又法) 46. 포도주 우법(葡萄酒 又法, 蜜酒) 47. 감주법(甘酒法) 48. 하엽주법(荷葉酒法) 49. 추모주법(秋麰酒法) 50. 모미주법(麰米酒法) 51. 백자주법(栢子酒法) 52. 백자주 우법(栢子酒 又法) 53. 호도주법(胡桃酒法) 54. 와송주법(臥松酒法) 55. 죽통주법(竹筒酒法) 56. 소자주법(蘇子酒法) 57. 죽력고법(竹瀝膏法) 58. 이강고법(梨薑膏法) 59. 백화주법(百花酒法) 60. 화향입주방(花香入酒方) 61. 화향입주방(花香入酒方)-주배 62. 화향입주방(花香入酒方)-유자피 63. 주중지약법(酒中漬藥法) 64. 두강주방(杜康酒方) 65. 두강

주 우방(杜康酒 又方) 66. 도원주(桃源酒) 67. 향설주(香雪酒) 68. 납주(臘酒) 69. 건창홍주(建昌紅酒) 70. 오향소주(五香燒酒) 71. 산우주(山芋酒) 72. 황정주(黃精酒) 73. 백출주(白朮酒) 74. 지황주(地黃酒) 75. 창포주(菖蒲酒) 76. 양고주(羊羔酒) 77. 천문동주(天門冬酒) 78. 송화주(松花酒) 79. 국화주(菊花酒) 80. 오가피삼투주(五加皮三透酒) 81. 하월수중양주법(夏月水中釀酒法)

◆ 누룩 (12종) : 1. 조진면곡법(造眞麵麯法) 2. 조요곡법(造蓼麯法) 3. 조녹두곡법(造菉豆麯法) 4. 조미곡법(造米麯法) 5. 백곡법(白麯法) 6. 내부비전곡방(內附秘傳麯方) 7. 연화곡(蓮花麯) 8. 조홍곡법(造紅麯法) 9. 조신곡방(造神麯方) 10. 양능곡(襄陵麯) 11. 홍백지약(紅白漬藥) 12. 동양주곡(東陽酒麯)

◆ 기타 (8종) : 1. 주(酒) 2. 주 속법(酒 俗法) 3. 노주소독방(露酒消毒方) 4. 변탁주위청주법(變濁酒爲淸酒法) 5. 수잡주법(收雜酒法) 6. 구주불비방(救酒不沸方) 7. 구산주법(救酸酒法) 8. 음주방병법(飮酒防病法)

15. 〈달생비서(達生秘書)〉 1918년, 한문 필사본, 황찬(黃瓚), 국립중앙박물관 소장본

◆ 주방문 (32종) : 1. 조하주(糟下酒) 2. 두림주(豆淋酒) 3. 총시주(蔥豉酒) 4. 포도주(葡萄酒) 5. 상심주(桑椹酒) 6. 구기주(枸杞酒) 7. 지황주(地黃酒) 8. 무술주(戊戌酒) 9. 송엽주(松葉酒) 10. 송절주(松節酒) 11. 창포주(菖蒲酒) 12. 녹두주(鹿頭酒) 13. 고아주(羔兒酒) 14. 밀주(密酒) 15. 춘주(春酒) 16. 무회주(無灰酒) 17. 병자주(餠子酒) 18. 황련주(黃連酒) 19. 국화주(菊花酒) 20. 천문동주(天門冬酒) 21. 섬라주(暹羅酒) 22. 홍국주(紅麴酒) 23. 동양주(東陽酒) 24. 금분로(金盆露) 25. 산동 추로백(山東 秋露白) 26. 소주 소병주(蘇州 小瓶酒) 27. 남경 금화주(南京 金華酒) 28. 회안 녹두주(淮安 菉豆酒) 29. 강서 마고주(江西 麻姑酒) 30. 소주(燒酒) 31. 자주(煮酒) 32. 이화주(梨花酒)

◆ 기타 (1종): 1. 조(糟)

16. 〈동의보감(東醫寶鑑, 雜方/穀部/內傷編)〉 1611년/1613년, 한문 판각인쇄본, 허준

◆ 주방문 (14종) : 1. 구기자주(拘杞子酒) 2. 지황주(地黃酒) 3. 천문동주(天門冬酒) 4. 무술주(戊戌酒) 5. 신선고본주(神仙固本酒) 6. 포도주(葡萄酒) 7. 밀주(密酒) 8. 계명주(鷄鳴酒) 9. 계명주 우방(鷄鳴酒 又方) 10. 백화춘(白花春) 11. 자주(煮酒) 12. 작주본(作酒本) 13. 조홍소주법(造紅燒酒法) 14. 지약주법(漬藥酒法)

◆ 누룩 (2종) : 1. 조신국(造神麴) 2. 조반하국법(造半夏麴法)
◆ 기타 (9종) : 1. 주(酒) 2. 주(酒) 3. 소주독(燒酒毒) 4. 제주품(諸酒品) 5. 주상(酒傷) 6. 음주금기(飮酒禁忌) 7. 주독변위제병(酒毒變爲諸病) 8. 주병치법(酒病治法) 9. 성주령불취(聖酒令不醉)

17. 〈민천집설(民天集說)〉 1752년/1822년, 한문 필사본, 두암노인(斗庵老人), 편집(編輯) 백치일인중(白痴逸人重) 교(較)

◆ 주방문 (50종) : 1. 작주본 2. 소곡주 3. 소곡주 별법 4. 호산춘 5. 호산춘 별법 6. 삼해주 7. 내국향온 8. 내국향온 우법 8. 내국향온 우법 10. 부의주 11. 부의주 우법 12. 청감주 13. 청감주(양을 적게 하는 법) 14. 점감주 15. 일일주 16. 삼일주 17. 잡곡주 18. 잡곡주 우법 19. 지주 20. 칠일주 21. 칠일주 우방 22. 오칠주 23. 과하주 24. 석탄향 25. 석탄향 우방 26. 자주 27. 홍로주 28. 백자주 29. 호도주 30. 백하주 31. 하향주 32. 화향주 33. 화향주 우법 34. 백화주 35. 국화주 36. 지황주 37. 오가피주 38. 무술주 39. 신선고본주 40. 도소주 41. 녹주두 42. 송엽주 43. 적선소주 44. 두강주 45. 소곡주 46. 방문주 47. 황감주 48. 삼오로주 49. 구주불비법 50. 구주산법
◆ 누룩 (1종) : 1. 조신곡법
◆ 기타 (1종) : 1. 선취법

18. 〈반찬ᄒᆞᄂᆞᆫ등속(饌饍繕册)〉 계축(癸丑) 납월(臘月) 24일 (1913년 12월 24일), 한글 필사본, 진주 강씨 가문

◆ 주방문 (3종) : 1. 과(하)주 2. 연잎술 3. 약주

19. 〈방서(方書)〉 1867년, 한문 필사본, 신석근

◆ 주방문 (1종) : 1. 조주법

20. 〈보감록(寶鑑錄)〉 저술 연대 미상, 한글 붓글씨본, 저자 미상

◆ 주방문 (13종) : 1. 감향주 2. 감향주 우일방 3. 감향주 또 일방 4. 과하주 5. 과하주 또 6.

구기주 7. 두견주법 8. 도화주 9. 삼일주 10. 송순주 11. 송순주 일법 12. 송절주 13. 오가피주법

◆ 기타 (1종) : 1. 술 빚는 길일

21. 〈봉접요람〉 저술 연대 미상, 한글 필사본, 한산이씨, 한복려 소장본

◆ 주방문 (11종) : 1. 두견주법 2. 삼칠주법 3. 과하주법 4. 부원주법 5. 유하주법 6. 송순주법 7. 절주법 8. 석탄향법 9. 경양(액)춘법 10. 녹두누룩술법 11. 황금주법 12. 하양(향)주법 13. 번주법 14. 소곡주법 15. 호산춘법 16. 삼일주법 17. 녹파주법 18. 진상주법

◆ 누룩 (1종) : 1. 녹두누룩

22. 〈부인필지(夫人必知)〉 1915년, 한글 필사본, 빙허각(憑虛閣) 이씨(李氏) 원찬(原撰)

◆ 주방문 (13종) : 1. 구기주법 2. 도화주법 3. 연엽주법 4. 와송주법 5. 국화주법 6. 두견주법 7. 소곡주법 8. 과하주법 9. 감향주법 10. 일일주법 11. 삼일주법 12. 송절주법 13. 소주(소주독 없애는 법)

◆ 기타 (1종) : 1. 신 술 (고치는 법)

23. 〈사시찬요초(四時纂要抄)〉 성종(1469~1494년), 한문 활자본, 강희맹 편저

◆ 주방문 (2종) : 1. 조곡법(造麯法) 2. 국화주(菊花酒)

24. 〈산가요록(山家要錄)〉 1450년경, 한문 필사본, 전순의

◆ 주방문 (65종) : 1. 주방(酒方) 2. 취소주법(取燒酒法) 3. 향료 지주(香醪 旨酒) 4. 옥지춘(玉脂春) 5. 이화주(梨化酒) 6. 송화천로주(松化天露酒) 7. 삼해주(三亥酒) 8. 벽향주(碧香酒) 9. 벽향주 우법(碧香酒 又法) 10. 아황주(鵝黃酒) 11. 아황주 우법(鵝黃酒 又法) 12. 녹파주(綠波酒) 13. 유하주(流霞酒) 14. 두강주(杜康酒) 15. 죽엽주(竹葉酒) 16. 여가주(呂家酒) 17. 연화주(蓮花酒) 18. 황금주(黃金酒) 19. 진상주(進上酒) 20. 유주(乳酒) 21. 절주(節酒) 22. 사두주(四斗酒) 23. 오두주(五斗酒) 24. 육두주(六斗酒) 25. 구두주(九斗酒) 26. 모

미주(牟米酒) 27. 삼일주(三日酒) 28. 칠일주(七日酒) 29. 칠일주 우법(七日酒 又法) 30. 점주(粘酒) 31. 무국주(無麴酒) 32. 소국주(小麴酒) 33. 신박주(辛薄酒) 34. 하절삼일주(夏節三日酒) 35. 하일절주(夏日節酒) 36. 과하백주(過夏白酒) 37. 손처사하일주(孫處士夏日酒) 38. 하주불산법(夏酒不酸法) 39. 부의주(浮蟻酒) 40. 급시청주(急時淸酒) 41. 목맥주(木麥酒) 42. 맥주(麥酒) 43. 향온주조양식(香醞酒造釀式) 44. 사시주(四時酒) 45. 사절통용육두주(四節通用六斗酒) 46. 상실주(橡實酒) 47. 상실주 우용(橡實酒 又用) 48. 하숭사절주(河崇四節酒) 49. 자주(煮酒) 50. 예주(醴酒) 51. 예주 우방(醴酒 又方) 52. 예주 우방(醴酒 又方) 53. 예주 우방(醴酒 又方) 54. 예주 우방(醴酒 又方) 55. 삼미감향주(三味甘香酒) 56. 감주(甘酒) 57. 감주 우방(甘酒 又方) 58. 감주 우방(甘酒 又方) 59. 점감주(粘甘酒) 60. 점감주 우방(粘甘酒 又方) 61. 유감주 우방(乳甘酒 又方) 62. 과동감백주(過冬甘白酒) 63. 목맥소주(木麥燒酒) 64. 수주불손훼(收酒不損毁) 65. 기주법(起酒法)

◆ 누룩 (4종) : 1. 양국법(良麴法) 2. 양국법 우방(良麴法 又方) 3. 조국법(造麴法) 4. 조국법 우방(造麴法 又方)

25. 〈산림경제(山林經濟, 治善)〉 1715년경, 한문 활자본, 홍만선

◆ 주방문 (40종) : 1. 작주부본법(作酒腐本法) 2. 백로주(白露酒) 3. 소곡주(少麯酒) 4. 약산춘(藥山春) 5. 약산춘 일방(藥山春 一方) 6. 호산춘(壺山春) 7. 삼해주(三亥酒) 8. 내국향온법(內局香醞法) 9. 柏子酒釀法(백자주양법) 10. 호도주양법(胡桃酒釀法) 11. 도화주(桃花酒) 12. 연엽주(蓮葉酒) 13. 경면녹파주(鏡面綠波酒) 14. 경면녹파주 우방(鏡面綠波酒 又方) 15. 벽향주(碧香酒) 16. 하향주(荷香酒) 17. 이화주(梨花酒) 18. 청서주(淸暑酒) 19. 부의주(浮蟻酒) 20. 청감주(淸甘酒) 21. 포도주(葡萄酒) 22. 백주(白酒) 23. 일일주(一日酒) 24. 삼일주(三日酒) 25. 잡곡주(雜穀酒) 26. 지주(地酒) 27. 내국홍로주(內局紅露酒) 28. 노주이두방(露酒二斗方) 29. 노주소독방(露酒消毒方) 30. 자주(煮酒) 31. 자주 일방(煮酒 一方) 32. 과하주(過夏酒) 33. 과하주 일방(過夏酒 一方) 34. 밀주(蜜酒) 35. 밀주 일방(蜜酒 一方) 36. 화향입주법(花香入酒法) 37. 화향입주법 일방(花香入酒法 一方) 38. 주중지약법(酒中漬藥法) 39. 구주불비법(救酒不沸法) 40. 구산주법(救酸酒法)

◆ 누룩 (1종) : 1. 조국(造麴)

◆ 기타 (4종) : 2. 조주길일(造酒吉日, 술 빚기 좋은 날) 3. 술과 초, 누룩 디디기 좋은 날 4. 택수(澤水) 41. 식면후음주법(食麵後飮酒法)

26. 〈산림경제촬요(山林經濟撮要, 造酒諸方)〉 1800년대 중엽, 한문 필사본, 저

자 미상

◆ 주방문 (17종) : 1. 작주부본법(作酒腐本法) 2. 삼해주법(三亥酒法) 3. 삼해주법 우방(三亥酒 又方) 4. 도화주법(桃花酒法) 5. 소곡주법(少麯酒法) 6. 소곡주 속법(少麯酒 俗法) 7. 약산춘법(藥山春法) 8. 경면녹파주법(鏡面綠波酒法) 9. 칠일주법(七日酒法) 10. 칠일주법(七日酒法) 11. 사절칠일주법(四節七日酒法) 12. 잡곡주법(雜穀酒法) 13. 송순주법(松笋酒法) 14. 과하주법(過夏酒法) 15. 포도주법(葡萄酒法) 16. 수잡주법(受雜酒法) 17. 구산주법(救酸酒法)

◆ 누룩 (2종) : 1. 조미곡법(造米麯法) 2. 조국(造麴)

◆ 기타 (1종) : 1. 음주 후 꺼릴 것

27. 〈색경(穡經, 搜聞譜錄)〉 1676년, 한문 필사본, 박세당

◆ 주방문 (3종) : 1. 조유하주법(造流霞酒法) 2. 유하주 우법(流霞酒 又法) 3. 조점주법(造粘酒法)

◆ 누룩 (1종) : 1. 조신국법(造神麴法)

28. 〈수운잡방(需雲雜方)〉 1500년대 초엽, 한문 필사본, 김유

◆ 주방문 (63종) : 1. 삼해주(三亥酒) 2. 삼오주(三午酒) 3. 사오주(四午酒) 4. 벽향주(碧香酒) 5. 만전향주(滿殿香酒) 6. 두강주(杜康酒) 7. 벽향주(碧香酒) 8. 칠두주(七斗酒) 9. 소곡주(小麯酒) 10. 감향주(甘香酒) 11. 백자주(栢子酒) 12. 호도주(胡桃酒) 13. 상실주(橡實酒) 14. 하일약주(夏日藥酒) 15. 우 하일약주(又 夏日藥酒) 16. 하일청주(夏日淸酒) 17. 하일점주(夏日粘酒) 18. 우 하일점주(又 夏日粘酒) 19. 우 하일점주(又 夏日粘酒) 20. 소국주 우법(小麴酒 又法) 21. 진맥소주(眞麥燒酒) 22. 녹파주(綠波酒) 23. 일일주(一日酒) 24. 도인주(桃仁酒) 25. 백화주(白花酒) 26. 유하주(柳霞酒) 27. 이화주조국법(梨化酒造麴法) 28. 오두주(五斗酒) 29. 오두주(五斗酒) 30. 감향주(甘香酒) 31. 백출주(白朮酒) 32. 정향주(丁香酒) 33. 십일주(十日酒) 34. 동양주(冬陽酒) 35. 보경가주(宝卿家酒) 36. 동하주(冬夏酒) 37. 남경주(南京酒) 38. 진상주(進上酒) 39. 별주(別酒) 40. 이화주(梨花酒) 41. 우 이화주(又 梨花酒) 42. 우 벽향주(又 碧香酒) 43. 삼오주(三午酒) 44. 삼오주 일법(三午酒 一法) 45. 오정주(五精酒) 46. 송엽주(松葉酒) 47. 포두주(葡萄酒) 48. 우 포도주(又 葡萄酒) 49. 애주(艾酒) 50. 황국화주(黃菊花酒) 51. 건주법(乾酒法) 52. 지황주(地黃酒) 53. 예주(醴

酒) 54. 예주 별법(醴酒 別法) 55. 황금주(黃金酒) 56. 세신주(細辛酒) 57. 아황주(鵝黃酒) 58. 도화주(桃花酒) 59. 경장주(瓊漿酒) 60. 칠두오승주(七斗五升酒) 61. 우 오두오승주(又 五斗五升酒) 62. 백화주(百花酒) 63. 향료방(香醪方)

29. 〈술 만드는 법〉 1800년대 말엽, 한글 필사본, 저자 미상

◆ 주방문 (19종) : 1. 사절주 2. 삼일주 3. 일일주 4. 사시통음주 5. 사절소곡주 6. 두견주 7. 두광주 8. 청명주 9. 오병주 10. 방문주 11. 여름지주 12. 니화주 13. 부의주 14. 송령주 15. 삼선주 16. 청감주법 17. 벽향주 18. 감주법 19. 십일주

30. 〈술방〉 저술 연대 미상, 한글 필사본, 저자 미상, 박록담 소장본

◆ 주방문 (34종) : 1. 과하주 2. 과하주 별법 3. 과하주 별법 4. 하향주 5. 이화주 6. 청감주 7. 포도주 8. 하엽주 9. 소자주 10. 백화주 11. 두강주 12. 두강주 별법 13. 죽력고 14. 이강주 15. 삼일주 16. 삼일주 별법 17. 칠일주 별법 18. 칠일주 별법 19. 사절칠일주 20. 가을보리술 21. 가을보리술 별법 22. 화향입주법 23. 유자 넣는 법 24. 술이 잘못되거나 괴지 아니할 때 25. 술이 시면 고치는 법 26. 도화주 27. 연엽주 28. 약산춘 29. 약산춘 별법 30. 경면녹파주 31. 벽향주 32. 지주 33. 송순주 34. 소곡주

31. 〈술방문〉 1801/1861년간, 한글 붓글씨 필사본, 저자 미상, 국립중앙박물관 소장

◆ 주방문 (7종) : 1. 송순주법(松荀酒法) 2. 백화주법(百花酒法) 3. 향훈주방문(香薰酒方文) 4. 진종주법(珍種酒法) 5. 석탄주법(惜呑酒法) 6. 홍나주법 7. 두견주방문(杜鵑酒方文)

32. 〈술 빚는 법〉 1800년대 말엽, 한글 필사본, 저자 미상, 국립중앙박물관 소장

◆ 주방문 (11종) : 1. 과하주방문 2. 방문주 3. 백일주방문 4.소국주방문 5. 두견주 6. 또 과하주방문 7. 송절주 8. 송순주 9. 또 방문주 10. 삼일주 11. 일일주

33. 〈승부리안주방문〉 저술 연대 미상, 한글 붓글씨본, 저자 미상

◆ 주방문 (12종) : 1. 송순주방문 2. 삼일주방문 3. 과하주방문 4. 옥지춘법 5. 석탄향주 6. 옥정주법 7. 혼돈주법 8. 오가피주방문 9. 소자주방문 10. 백수환동법 11. 구기주법 12. 감향주법

34. 〈시의전서(是義全書)〉 1800년대 말엽, 한글 필사본, 저자 미상, 홍정 소장

◆ 주방문 (19종) : 1. 소곡주 별방 2. 과하주 별방 3. 방문주 별방 4. 벽향주 5. 녹파주 6. 성탄향 7. 황감주 8. 신상주 9. 두견주 10. 송순주 11. 두강주 12. 두강주 일방 13. 삼일주 14. 삼일주 일방 15. 삼해주 16. 회산춘 17. 일년주 18. 과하주 19. 청감주

35. 〈약방〉 저술 연대 미상, 한글 붓글씨본, 저자 미상, 완주대한민국술박물관 소장

◆ 주방문 (4종) : 1. 술방문 2. 술방문 별법 3. 술방문 우법 4. 술방문 우법

36. 〈양주(釀酒)〉 저술 연대 미상, 한글 붓글씨본, 저자 미상, 전주전통술박물관 소장

◆ 주방문 (13종) : 1. 삼해주 2. 호산춘 3. 세심주 4. 부의주 5. 과하주 6. 보름주 7. 백하주 8. 감주 9. 점주 10. 절주 11. 절세주 12. 육두주 13. 오승주

37. 〈양주방〉* 1837/1800년대 말엽, 한글 필사본, 전라도 지방, 저자 미상

◆ 주방문 (83종) : 1. 두견주 2. 소국주 3. 소국주 우일방 4. 삼해주 5. 회일주 6. 청명주 7. 청명향 8. 포도주 9. 백화주 10. 당백화주 11. 백하주 12. 백하주 일법 13. 절주 14. 시급주 15. 일일주 16. 오호주 17. 삼일주 18. 육병주 19. 오병주 20. 오병주 우일방 21. 부의주 22. 부의주 일법 23. 부의주 일법 24. 무술주 25. 무술주 우일방 26. 삼합주 27. 조엽주 28. 합엽주 29. 자주 30. 녹파주 31. 세심주 32. 소백주 33. 백단주 34. 벽향주 35. 죽엽주 36. 송엽주 37. 도화주 38. 매화주 39. 층층지주 40. 황금주 41. 사절주 42. 오두주 43. 과하주 44. 선초향 45. 니화주 46. 니화주 우일방 47. 신도주 48. 방문주 49. 향노주 50. 하향주 51. 점주 52. 감향주 53. 백수환동주 54. 경향옥액주 55. 송순주 56. 천금주 57. 출주 58. 창포주 59. 창포주 우일방 60. 창포주 우일방 61. 일두사병주 62. 서김법 63. 녹파주 우일방 64. 황감주 65. 사시주 66. 소주만히나는 법 67. 동파주 68. 백화춘 69. 송엽주(송령주) 70. 숑엽

주 71. 소자주 72. 오갑피주 73. 혼돈주 74. 구기자주 75. 옥노주 76. 만년향 77. 호산춘 78. 집성향 79. 구기자주 80. 방문주 우일방 81. 오미자주 82. 석술 83. 소소국주

- 누룩 (4종) : 1. 배꽃술누룩 2. 백수환동주누룩 3. 또 한 가지 배꽃술누룩 4. 경향옥액주 누룩

38. 〈양주방(釀酒方)〉 1700년대 후기, 한글 필사본, 저자 미상, 연민선생 소장본

- 주방문 (42종) : 1. 니화주법 2. 일해주법 3. 삼해주법 4. 청명주법 5. 별향주법(여덟 말 빚이) 6. 소국주법(엿 말 빚이) 7. 소국주법(닷 말 빚이) 8. 소국주법(너 말 빚이) 9. 소국주법(서 말 빚이) 10. 하절주법(한 말 빚이) 11. 노송주법(닷 되 빚이) 12. 백하주법(서 말 빚이) 13. 하향주법(한 말 빚이) 14. 합주법(한 말 빚이) 15. 향감주법(한 말 빚이) 16. 백점주법(두 말 빚이-여름에 쓰는 법) 17. 삼일주법(한 말 빚이-여름에 빚느니라) 18. 사절주법(한 말 빚이) 19. 백노주법(서 말 빚이) 20. 향노주법(일곱 말 닷 되 빚이) 21. 점주법(한 말 두 되 빚이) 22. 청감주법(한 말 빚이) 23. 과하주법 24. 감향주법 25. 유화주법(일곱 말 닷 되 빚이) 26. 죽엽주법(엿 말 빚이) 27. 도화주법 28. 백일주법(닷 말 빚이) 29. 작주법 30. 뉴직주법 31. 급용주법 32. 보리소주법 33. 속주법 34. 니화주의 누룩 넣는 법 35. 회산춘법 36. 사절주법 37. 가로밑 아니하고 빚는 약주법 38. 백화주법 39. 니금하는 법 40. 백일주법 41. 두견주법 42. 오병주법
- 누룩 (2종) : 1. 이화주 누룩법 2. 이화주의 누룩 넣는 법

39. 〈양주집(釀酒集)〉 저술 연대 미상, 한글 필사본, 저자 미상, 박록담 소장본(사본)

- 주방문 (40종) : 1. 소국주(小菊酒) 2. 녹파주(綠波酒) 3. 점미녹파주(粘米綠波酒) 4. 삼오주(三午酒) 5. 사오주(四午酒) 6. 삼해주(三亥酒) 7. 우 삼해주(又 三亥酒) 8. 우우 삼해주(又又 三亥酒) 9. 과하주(過夏酒) 10. 하시절품주(夏時節品酒) 11. 하시주(夏時酒) 12. 하향주(霞香酒) 13. 벽향주(碧香酒) 14. 우 벽향주(又 碧香酒) 15. 서향주(暑香酒) 16. 감향주(甘香酒) 17. 백화주(白花酒) 18. 우 백화주(又 白花酒) 19. 우우 백화주(又又 白花酒) 20. 죽엽주(竹葉酒) 21. 황금주(黃金酒) 22. 백오주(百五酒) 23. 백일주(百日酒) 24. 백자주(栢子酒) 25. 우 백자주(又 栢子酒) 26. 약백자주(藥栢子酒) 27. 호도주(胡桃酒) 28. 일일주(一日酒) 29. 삼일주(三日酒) 30. 칠일주(七日酒) 31. 사시주(四時酒) 32. 삼양주(三釀酒) 33. 삼두주(三斗酒) 34. 오병주(五瓶酒) 35. 일두육병주(一斗六瓶酒) 36. 소주(燒酒) 37. 피모소주(皮牟(麰)燒酒) 38. 모미주(牟(麰)米酒) 39. 우 모미주(又 牟(麰)米酒) 40. 우 피모소주

(又 皮牟(麰)燒酒)

40. 〈언서주찬방(諺書酒饌方)〉 저술 연대 미상, 한글 필사본, 저자 미상, 박록담 소장본

◆ 주방문 (38종) : 1. 백하주(白霞酒) 2. 백하주 별법(白霞酒 別法) 3. 삼해주(三亥酒) 4. 옥지주(玉脂酒) 5. 이화주(梨花酒) 6. 벽향주(碧香酒) 7. 벽향주(碧香酒) 또 별법 8. 유하주(流霞酒) 9. 유하주 우법(流霞酒 又法) 10. 두강주(杜康酒) 11. 아황주(鵝黃酒) 12. 죽엽주(竹葉酒) 13. 연화주(蓮花酒)-일명 무국주 14. 소국주(小麴酒) 15. 우 소국주(又 小麴酒) 16. 모미주(麰米酒) 17. 추모주(秋麰酒) 18. 세신주(細辛酒) 19. 향온 빚는 법(香醞釀酒法) 20. 내의원 향온 빚는 법 21. 점주(粘酒) 22. 감주(甘酒) 23. 서김 만드는 법 24. 하일절주(夏日節酒) 25. 하숭의 사시절주 26. 하숭의 사시절주(별법) 27. 하절삼일주(夏節三日酒) 28. 하일불산주(夏日不酸酒) 29. 부의주(浮蟻酒) 30. 부의주 우방(浮蟻酒 又方) 31. 하향주(荷香酒) 32. 합자주(榼子酒) 33. 삽주뿌리술 34. 소주 많이 나게 고는 법(燒酒多出法) 35. 밀소주 36. 쌀 한 말에 지주 네 병 나는 술법(米一斗旨酒四甁出酒法) 37. 자주(煮酒) 38. 신 술 고치는 법

◆ 누룩 (3종) : 1. 누룩 만드는 법 2. 누룩 만드는 법 (또 한 법) 3. 누룩 만드는 법 (또 한 법)

41. 〈역주방문(曆酒方文)〉 1800년대 중엽, 한문 필사본, 저자 미상, 윤용진 소장

◆ 주방문 (43종) : 1. 세신주(細辛酒) 2. 신청주(新淸酒) 3. 소곡주방(小曲酒方) 4. 백자주방(栢子酒方) 5. 백화주방(百花酒方, 白花酒) 6. 녹파주방(綠波酒方) 7. 백파주방(白波酒方) 8. 진상주(進上酒) 9. 옥지주방(玉脂酒方) 10. 옥지주 우방(玉脂酒 又方) 11. 과하주방(過夏酒方) 12. 벽향주방(碧香酒方) 13. 삼해주방(三亥酒方) 14. 삼오주방(三午酒方) 15. 과하주방(過夏酒方) 16. 하향주방(夏香酒方) 17. 감하향주방(甘夏香酒方) 18. 편주방(扁酒方) 19. 이화주방(梨花酒方) 20. 향온주방(香醞酒方) 21. 삼일주방(三日酒方) 22. 소주방(燒酒方) 23. 추모주(秋麰酒) 24. 삼일주방(三日酒方) 25. 백화주방(百花酒方) 26. 백화주방(百花酒方) 27. 유화주방(柳花酒方) 28. 두강주방(杜康酒方) 29. 아황주방(鵝黃酒方) 30. 연화주방(蓮花酒方) 31. 오가피주방(五加皮酒方) 32. 소자주방(蘇子酒方) 33. 죽엽주방(竹葉酒方) 34. 송엽주방(松葉酒方) 35. 모소주방(牟燒酒方) 36. 모소주방 우방(牟燒酒方 又方) 37. 삼칠소곡주방(三七小曲酒方) 38. 일야주방(一夜酒方) 39. 광제주방(광제주방) 40. 백화주방(百花酒方) 41. 자주방(煮酒方) 42. 모소주방(牟燒酒方) 43. 소곡주방(小曲酒方)

42. 〈오주연문장전산고(五洲衍文長箋散稿)〉 1850년, 한문 필사본, 이규경

- 주방문 (22종) : 1. 양주(釀酒) 2. 천야홍주방(天冶紅酒方) 3. 계명주(鷄鳴酒) 4. 계명주(鷄鳴酒) 5. 구기오가피삼투주(枸杞五加皮三骰酒) 6. 장춘법주(長春法酒) 7. 제화향입주(諸花香入酒) 8. 남번소주 번명 아리걸(南番燒酒 番名 阿里乞) 9. 청명주(淸明酒) 10. 도소주(屠蘇酒) 11. 구작양주 잡주(口嚼釀酒 咂酒) 12. 비주(飛酒) 13. 준순주(浚巡酒) 14. 아랄길주 황주(阿剌吉酒 黃酒) 15. 경각화준순주(頃刻花浚巡酒) 16. 동양주(東陽酒) 17. 동양주(東陽酒) 18. 제홍국 국모(製紅麴 麴母) 19. 천리주(千里酒) 20. 비선주(飛仙酒) 21. 백수환동주(白首還童酒) 22. 청매자주(靑梅煮酒)
- 누룩 (12종) : 1. 주국(酒麴) 2. 홍국제방(紅麴諸方) 3. 단국(丹麴) 4. 법국(法麴) 5. 약국(藥麴) 6. 천리주국(千里酒麴) 7. 비선국(飛仙麴) 8. 경각화준순주국(頃刻花浚巡酒麴) 9. 백수환동주국(白首還童酒麴) 10. 백수환동주국 일법(白首還童酒麴 一法) 11. 동양주국(東陽酒麴) 12. 동양주국(東陽酒麴)
- 기타 (2종) : 1. 고인주량설(故人酒量說) 2. 주명 고·로·약 칭 '상'(酒名 膏·露·藥' 稱 '霜')

43. 〈온주법(醞酒法)〉 1700년대 후기, 한글 필사본, 의성김씨 종가 소장

- 주방문 (51종) : 1. 술법 2. 서왕모유옥성향주 3. 계당주 4. 녹두주(녹되주) 5. 삼해주 6. 삼해주 우법 7. 삼해주 우법 8. 니화주 9. 니화주 또 한 법 10. 니화주 또 한 법 11. 하절니화주 12. 과하주 13. 포도주 14. 국화주 15. 지황주 16. 천문동주 17. 오가피주 18. 송엽주 19. 지주 20. 녹파주 21. 감향주 22. 사절주 23. 향감주 24. 정향극렬주 25. 적선소주 26. 청명주 27. 지주 28. 소자주 29. 감점주 30. 감점주 또 한 법 31. 감점주 또 한 법 32. 연엽주 33. 연엽주 또 한 법 34. 과하점미주 35. 구기자주 36. 오호주 37. 급주 38. 하절삼일주 39. 하향주 40. 창출주 41. 소주 많이 나는 법 42. 정향주 43. 석향주 44. 밤세향주 45. 절주 46. 신방주 47. 안정주 48. 청명불변주 49. 소국주 50. 백자주 51. 사미주
- 누룩 (3종) : 1. 니화국법 2. 니화국법 또 한 법 3. (조국법)
- 기타 (1종) : 1. (장과 술 아니하는 날)

44. 〈요록(要錄)〉 1680년경, 한문 필사본, 저자 미상, 고대 신암문고 소장

- 주방문 (29종) : 1. 이화주(梨花酒) 2. 감향주(甘香酒) 3. 향온방(香醞方) 4. 백자주(栢子酒) 5. 삼해주(三亥酒) 6. 자주(煮酒) 7. 우방 자주(又方 煮酒) 8. 벽향주(碧香酒) 9. 소국주(小

麴酒) 10. 하향주(夏香酒) 11. 하일주(夏日酒) 12. 하일청주(夏日淸酒) 13. 연해주(燕海酒) 14. 무시주(無時酒) 15. 칠일주(七日酒) 16. 일일주(一日酒) 17. 급주(急酒) 18. 죽엽주(竹葉酒) 19. 송자주(松子酒) 20. 송엽주(松葉酒) 21. 애주(艾酒) 22. 오정주(五精酒) 23. 황화주(黃花酒) 24. 황금주(黃金酒) 25. 출주(朮酒) 26. 국화주(菊花酒) 27. 인동주(忍冬酒) 28. 점주법(粘酒法) 29. 오가피주(五加皮酒)

45. 〈우음제방(禹飮諸方, 각식 술방문)〉 1890년경, 한글 필사본, 연안이씨, 동춘당가 소장본, 대전선사박물관

◆ 주방문 (25종) : 1. 송순주 2. 호산춘 3. 청화주 4. 청화주 5. 두견주 6. 추향주 7. 송순주 8. 삼해주 9. 소주삼해주 10. 일년주 11. 녹파주 12. 청명주 13. 화향주 14. 송화주법 15. 점감주 16. 감향주 17. 황정주 18. 황구주 19. 감향주 20. 삼칠주 21. 보리소주 22. 이화주 23. 방문주 24. 구일주 25. 백일주

46. 〈윤씨(尹氏)음식법(饌法)〉 1854년, 한글 필사본, 윤씨

◆ 주방문 (4종) : 1. (인동주) 2. 도인주 3. 국화주 방문 4. 송엽주 방문

47. 〈음식디미방(閨壼是議方)〉 1670년, 한글 필사본, 정부인 안동장씨, 경북대학교 도서관 소장본

◆ 주방문 (50종) : 1. 순향주 2. 삼해주 3. 삼해주 4. 삼해주 5. 삼해주 6. 삼오주/사오주 7. 사오주 8. 이화주법 9. 이화주법 10. 이화주법 11. 이화주법 12. 점감청주 13. 감향주 14. 송화주 15. 죽엽주 16. 유화주 17. 향온주 18. 하절삼일주 19. 삼일주 20. 사시주 21. 소곡주 22. 일일주 23. 백화주 24. 동양주 25. 절주 26. 벽향주 27. 남성주 28. 녹파주 29. 칠일주 30. 벽향주 31. 두강주 32. 절주 33. 별주 34. 행화춘주 35. 하절주 36. 시급주 37. 과하주 38. 점주 39. 점감주 40. 하향주 41. 부의주 42. 약산춘 43. 황금주 44. 칠일주 45. 오가피주 46. 차주법 47. 소주 48. 밀소주 49. 찹쌀소주 50. 소주
◆ 누룩 (2종) : 1. 주국방문 2. 이화주 누룩법

48. 〈음식방문(飮食方文, 술방문)〉 1800년대 중엽, 한글 필사본, 저자 미상

◆ 주방문 (16종) : 1. 소곡주 2. 보혈익기주 3. 연수향춘주 4. 부의주 5. 사절주 6. 오병주 7. 황감주 8. 하향주 9. 감향주 10. 청감주 11. 이화주 12. 석탄향 13. 목욕주(닥주/저주) 14. 삼일주 15. 동과주 16. 호산춘

49. 〈음식방문니라〉 신묘년(1891년 추정, 이월), 한글 붓글씨본, 문동(文洞), 조응식가 소장본

◆ 주방문 (17종) : 1. 화향입주법 2. 두견주법 3. 소국주법 4. 감홍(향)주법 5. 송절주법 6. 송순주법 7. 송순주법 일방 8. 송순주법 또 일방 9. 과하주법 10. 삼일주법 11. 삼칠주법 12. 팔선주법 13. 삼오주법 14. 녹타주법 15. 선표향법 16. 매화주법 17. 쟘(감)절주법

50. 〈음식보(飮食譜)〉 1600년대 후기~1700년대 초엽, 한글 필사본, 숙부인 진주정씨(石崖先生 夫人) 수필(手筆)

◆ 주방문 (12종) : 1. 삼해주법 2. 청명주법 3. 청명주 별법 4. 백화주법 5. 매화주법 6. 두강주법 7. 백병주 바삐 빚는 법 8. 진향주방문 9. 단점주방문 10. 과하주법 11. 오병주법 12. 소국주방문

51. 〈음식책(飮食冊)〉 1838년/1898년경, 한글 필사본, 저자 미상

◆ 주방문 (6종) : 1. 약주의 지주 방문주로 담그는 법 2. 합주 하는 법 3. 송순주 하는 법 4. 감홍주 하는 법 5. 우 감주 6. 감홍로 하는 법

52. 〈의방합편(醫方合編, 釀酒方〉 저술 연대 미상, 한문 활자본, 저자 미상, 국립중앙박물관 소장

◆ 주방문 (23종) : 1. 녹파주(綠波酒) 2. 녹파주 별법(綠波酒 別法) 3. 벽향주(碧香酒) 4. 부의주(浮蟻酒) 5. 일일주(一日酒) 6. 잡곡주(雜穀酒) 7. 화향입주법(花香入酒法) 8. 오가피주(五加皮酒) 9. 무술주(戊戌酒) 10. 노인우가 적선소주(老人尤佳 謫仙燒酒) 11. 송순주(松筍酒) 12. 소곡주(少曲酒) 13. 백하주(白霞酒) 14. 호산춘(壺山春) 15. 청감주(淸甘酒) 16. 향온법(香醞法) 17. 도소주(屠蘇酒) 18. 홍로주(紅露酒) 19. 자주법(煮酒法) 20. 백자주(柏子

酒) 21. 청감주(淸甘酒) 22. 하향주(荷香酒) 23. 노주소독방(露酒消毒方)

53. 〈이씨(李氏)음식법〉 1800년대 말, 한글 필사본, 저자 미상

◆ 주방문 (15종) : 1. 신도주 2. 송순주 3. 두견주 4. 이화주 5. 일년주 6. 소국주 7. 상원주 8. 감향주 9. 송절주 10. 오갈피주 11. 창출주 12. 무술주 13. 절통소주 14. 동파주 15. 청향주신방

54. 〈임원십육지(林園十六志, 온배지류/미료지류)〉 1827년간, 한문 필사본, 서유구, 고려대본(高麗大本)/대판본(大板本)

◆ 주방문 (230종) : 1. 봉양법(封釀法) 2. 수중양법(水中釀法) 3. 상조법(上槽法)-대판본 4. 수주법(收酒法)-대판본 5. 자주법(煮酒法)-대판본 6. 조주본방(造酒本方) 7. 조부본방(造腐本方) 8. 조부본방 일법(造腐本方 一法) * 이류(酏類) : 1. 백하주방(白霞酒方) 2. 백하주 우방(白霞酒 又方) 3. 백하주 우방(白霞酒 又方) 4. 향온주방(香醞酒方) 5. 녹파주방(綠波酒方) 6. 녹파주 우방(綠波酒 又方) 7. 녹파주 일방(綠波酒 一方) 8.벽향주방(碧香酒方) 9. 벽향주 일방(碧香酒 一方) 10. 벽향주 우방(碧香酒 又方) 11. 유하주방(流霞酒方) 12. 소국주방(小麴酒方) 13. 소곡주 속법(少麯酒 俗法) 14. 부의주방(浮蟻酒方) 15. 동정춘방(洞庭春方) 16. 경액춘방(瓊液春方) 17. 죽엽춘방(竹葉春方) 18. 인유향방(麟乳香方) 19. 석탄향방(惜呑香方) 20. 벽매주방(辟霾酒方) 21. 오호주방(五壺酒方)-고려대본 22. 하향주방(荷香酒方) 23. 향설주방(香雪酒方) 24. 벽향주방 이법(碧香酒方 異法) * 주류(酎類) : 1. 호산춘방(壺山春方) 2. 호산춘 우방(壺山春 又方) 3. 잡곡주방(雜穀酒方)-고려대본 4. 두강춘방(杜康春方)-고려대본 5. 무릉도원주방(武陵桃源酒方) 6. 동파주방(東坡酒方)-고려대본 * 향양류(香釀類) : 1. 도화주방(桃花酒方) 2. 도화주 일운(桃花酒 一云) 3. 송로양방(松露釀方) 4. 송화주방(松花酒方)-고려대본 5. 松笋酒方(고려대본) 6. 죽엽청방(竹葉淸方) 7. 하엽청방(荷葉淸方) 8. 연엽양방(蓮葉釀方) 9. 연엽양 일방(蓮葉釀 一方) 10. 령주방(酃酒方)-고려대본 11. 국화주방(菊花酒方) 12. 만전향주방(滿殿香酒方) 13. 밀온투병향방(蜜醞透甁香方) 14. 밀주방(蜜酒方) 15. 화향입주방(花香入酒方) 16. 화향입주 우방(花香入酒 又方) * 과라양류(菓蓏釀類) : 1. 송자주방(松子酒方) 2. 송자주 우방(松子酒 又方) 3. 핵도주방(核桃酒方) 4. 상실주방(橡實酒方) 5. 산사주방(山査酒方) 6. 포도주방(葡萄酒方) 7. 포도주 일방(葡萄酒 一方) 8. 포도주 우방(葡萄酒 又方) 9. 포두주 우우방(葡萄酒 又又方) 10. 감저주방(甘藷酒方) * 이양류(異釀類) : 1. 이양류(異釀類) 2. 청서주방(淸暑酒方) 3. 봉래

춘방(蓬來春方) 4. 신선벽도춘방(神仙碧桃春方) 5. 와송주방(臥松酒方) 6. 죽통주방(竹筒酒方) 7. 지주방(地酒方) 8. 포양방(抱釀方)-고려대본 * 시양류(時釀類) : 1. 약산춘방(藥山春方) 2. 약산춘 일운(藥山春 一云) 3. 삼해주방(三亥酒方) 4. 삼해주 우방(三亥酒 又方) 5. 삼해주 노주방(三亥酒 露酒方) 6. 춘주방(春酒方)-고려대본 7. 상시춘주법(常時春酒法) 8. 속미주방(粟米酒方)-고려대본 9. 법주방(法酒方)-고려대본 10. 청명주방(淸明酒方) 11. 삼구주방(三九酒方)-고려대본 12. 서미법주방(黍米法酒方)-고려대본 13. 당량주방(當梁酒方)-고려대본 14. 갱미주방(秔米酒方)-고려대본 15. 납주방(臘酒方) 16. 칠석주방(七夕酒方)-고려대본 17. 분국상락주방(笨麴桑落酒方)-고려대본 18. 동미명주방(冬米明酒方)-고려대본 * 순내양류(旬內釀類) : 1. 순내양류(旬內釀類) 2. 일일주방(一日酒方) 3. 일일주 우방(一日酒 又方) 4. 계명주방(鷄鳴酒方)-고려대본 5. 삼일주방(三日酒方) 6. 삼일주 일방(三日酒 一方) 7. 삼일주 우방(三日酒 又方) 8. 하삼청방(夏三淸方) 9. 백화춘방(白花春方) 10. 두강주방(杜康酒方)-고려대본 11. 두강주 우방(杜康酒 又方)-고려대본 12. 칠일주방(七日酒方) 13. 칠일주 속법(七日酒 俗釀)-고려대본 14. 칠일주 일방(七日酒 一方)-고려대본 15. 사절칠일주방(四節七日酒方) 16. 계명주방(鷄鳴酒方)-고려대본 17. 계명주 우법(鷄鳴酒 又法)-고려대본 * 제차류(醍醝類) : 1. 천태홍주방(天台紅酒方) 2. 건창홍주방(建昌紅酒方) 3. 하동이백주방(河東頤白酒方)-고려대본 4. 백주방(白酒方) 5. 백주 일방(白酒 一方) 6. 왜백주방(倭白酒方) * 앙료류(醠醪類) : 1. 이화주방(梨花酒方) 2. 집성향방(集聖香方) 3. 추모주방(秋麰酒方) 4. 모미주방(麰米酒方) 5. 백료주방(白醪酒方)-고려대본 6. 분국백료주방(笨麴白醪酒方) * 예류(醴類) : 1. 감주방(甘酒方) 2. 청감주방(淸甘酒方) 3. 왜예주방(倭醴酒方) 4. 왜예주 별방(倭醴酒 別方) 5. 왜미림주방(倭美淋酒方) * 소로류(燒露類) : 1. 소주총방(燒酒總方) 2. 내국홍로방(內局紅露方) 3. 노주이두방(露酒二斗方) 4. 절주방(切酒方) 5. 관서감홍로방(關西甘紅露方) 6. 관서계당주방(關西桂糖酒方) 7. 죽력고방(竹瀝膏方) 8. 이강고방(梨薑膏方) 9. 적선소주방(謫仙燒酒方) 10. 삼일로주방(三日露酒方) 11. 모미소주방(麰米燒酒方)-고려대본 12. 소맥노주방(小麥露酒方) 13. 교맥노주방(蕎麥露酒方) 14. 이모로주방(耳麰露酒方) 15. 송순주방(松笋酒方) 16. 과하주방(過夏酒方) 17. 과하주 일방(過夏酒 一方) 18. 과하주 우방(過夏酒 又方) 19. 오향소주방(五香燒酒方) 20. 포도소주방(葡萄燒酒方) 21. 감저소주방(甘藷燒酒方)-고려대본 22. 천리주방(千里酒方)-고려대본 23. 왜소주방(倭燒酒方)-고려대본 24. 소주다취로법(燒酒多取露法) 25. 소로잡법(燒露雜法) 26. 소번황주법(燒燔黃酒法) * 의주제법(醫酒諸法) : 1. 치주불배법(治酒不醅法) 2. 요산주법(拗酸酒法) 3. 해백주산법(解白酒酸法)-고려대본 4. 치주변미방(治酒変味方)-고려대본 5. 치산박주작호주방(治酸薄酒作好酒方) 6. 탁주위청주방(濁酒爲淸酒方) 7. 치다수주법(治多水酒法)-고려대본 8. 치로주화염법(治露酒火焰法)-고려대본 * 부록 약양제품(藥釀諸品) : 1. 도소주(屠蘇酒) 2. 도소주 일방(屠蘇酒 一方) 3. 장춘주(長春

酒) 4. 신선주(神仙酒) 5. 고본주(固本酒) 6. 오수주(烏鬚酒) 7. 신선고본주(神仙固本酒) 8. 준순주(俊巡酒) 9. 유학주(愈瘧酒) 10. 홍국주(紅麴酒) 11. 거승주(巨勝酒) 12. 호마주(胡麻酒) 13. 오가피주(五加皮酒) 14. 선로비주(仙露脾酒) 15. 의이인주(薏苡仁酒) 16. 천문동주(天門冬酒) 17. 백령등주(百靈藤酒) 18. 소자주(蘇子酒) 19. 백출주(白朮酒) 20. 지황주(地黃酒) 21. 우슬주(牛膝酒) 22. 당귀주(當歸酒) 23. 창포주(菖蒲酒) 24. 구기주(枸杞酒) 25. 구기주(枸杞酒) 26. 인삼주(人蔘酒) 27. 서여주(薯蕷酒) 28. 복령주(茯苓酒) 29. 국화주(菊花酒) 30. 황정주(黃精酒) 31. 상실주(桑實酒) 32. 상심주(桑椹酒) 33. 밀주(蜜酒) 34. 요주(蓼酒) 35. 강주(薑酒) 36. 장송주(長松酒) 37. 회향주(茴香酒) 38. 축사주(縮砂酒) 39. 사근주(沙根酒) 40. 인진주(茵蔯酒) 41. 청호주(靑蒿酒) 42. 백부주(百部酒) 43. 해조주(海藻酒) 44. 선묘주(仙茆酒) 45. 통초주(通草酒) 46. 남등주(南藤酒) 47. 천금주(千金酒) 48. 송액주(松液酒) 49. 송절주(松節酒) 50. 백엽주(柏葉酒) 51. 송지주(松脂酒) 52. 초백주(椒柏酒) 53. 죽엽주(竹葉酒) 54. 괴지주(槐枝酒) 55. 우방주(牛蒡酒) 56. 마인주(麻仁酒) 57. 자근주(柘根酒) 58. 화사주(花蛇酒) 59. 호골주(虎骨酒) 60. 미골주(麋骨酒) 61. 녹두주(鹿頭酒) 62. 녹용주(鹿茸酒) 63. 무회주(戊灰酒) 64. 양고주(羊羔酒) 65. 올눌제주(膃肭臍酒) 66. 백화주(百花酒) 67. 주중지약법(酒中漬藥法) * 상음잡법(觴飮雜法) : 1. 음주방병법(飮酒防病法) 2. 음주불취법(飮酒不醉法) 3. 음주즉취법(飮酒卽醉法) 4. 논화동음법(論華東飮法) 5. 논음저(論飮儲)

- 누룩 (23종) : 미료지류(味料之類)/국얼(麴糵) : 총론(總論) 1. 맥국법(麥麴法) 2. 맥국법(麥麴法) 3. 맥국법(麥麴法) 4. 맥국법(麥麴法) 5. 맥국법(麥麴法) 6. 면국방(麪麴方) 7. 백국방(白麴方) 8. 백국방(白麴方) 9. 미국방(米麴方) 10. 미국방(米麴方) 11. 내부비전국방(內府秘傳麴方) 12. 연화국방(蓮花麴方) 13. 금경로국방(金莖露麴方) 14. 양양국방(襄陽麴方) 15. 요국방(蓼麴方) 16. 여국방(女麴方) 17. 맥완법(麥䴷法) 18. 황증방(黃蒸方) 19. 황증방(黃蒸方) 20. 황증방(黃蒸方) 21. 홍국방(紅麴方) 22. 수납조법(收臘糟法) 23. 조얼방(造糵方)
- 주례총서(酒禮叢書) : 1. 연기(緣起) 2. 총론(總論)
- 양주잡법(釀造雜法) : 1. 논국품(論麴品) 2. 치국법(治麴法) 3. 치주재법(治酒材法) 4. 택수법(擇水法)
- 수주의기(收酒宜忌) : 1. 수주불훼법(收酒不毁法) 2. 수로주법(收露酒法) 3. 수잡주법(收雜酒法) 4. 잡기(雜忌)

55. 〈잡지(雜誌)〉 저술 연대 미상, 한문 붓글씨본, 저자 미상, 한복려 소장본

- 주방문 (1종) : 1. 구기자술

56. 〈정일당잡지(貞一堂雜識)〉 1856년, 한글 필사본, 정일당

- 주방문 (4종) : 1. 하일청향죽엽주 2. 사절소국주 3. 연일주 4. 부의주

57. 〈조선고유색사전(朝鮮固有色辭典)〉 1930년대, 일본어 활자인쇄본, 일본인 키타카와

- 주방문 (7종) : 1. 삼해주(三亥酒) 2. 약주(藥酒) 3. 탁주(濁酒) 4. 소주(燒酎) 5. 백주(白酒) 6. 과하주(過夏酒) 7. 도소주(屠蘇酒)
- 누룩 (1종) : 1. 곡자(麯子)

58. 〈조선무쌍신식요리제법(朝鮮無雙新式料理製法)〉 1936년간, 한글 활자본, 이용기

- 주방문 (85종) : 1. 술밑 만드는 법(造酒法) 2. 술 담글 때 알아둘 일 3. 곡미주(麯米酒) 4. 송순주(松荀酒) 5. 우 송순주(又 松荀酒) 6. 백로주(白露酒) 7. 우 백로주(又 白露酒) 8. 삼해주(三亥酒) 9. 우 삼해주(又 三亥酒) 10. 이화주(梨花酒) 11. 도화주(桃花酒) 12. 연엽양(蓮葉釀) 13. 호산춘(壺山春) 14. 경액춘(瓊液春) 15. 동정춘(洞庭春) 16. 봉래춘(蓬來春) 17. 송화주(松花酒) 18. 우 송화주(又 松花酒) 19. 죽엽춘(竹葉春) 20. 죽통주(竹筒酒) 21. 집성향(集成香) 22. 석탄향(惜呑香) 23. 하삼청(夏三淸) 24. 청서주(淸暑酒) 25. 자주(煮酒) 26. 매화주(梅花酒) 27. 연화주(蓮花酒) 28. 유자주(柚子酒) 29. 포도주(葡萄酒) 30. 우 포도주(又 葡萄酒) 31. 우 포도주(又 葡萄酒) 32. 우 포도주(又 葡萄酒) 33. 두견주(杜鵑酒) 34. 과하주(過夏酒) 35. 우 과하주(又 過夏酒) 36. 우 과하주(又 過夏酒) 37. 우 과하주(又 過夏酒) 38. 우 과하주(又 過夏酒) 39. 향설주(香雪酒) 40. 무릉도원주(武陵桃源酒) 41. 동파주(東坡酒) 42. 법주(法酒) 43. 송자주(松子酒) 44. 송자주(松子酒) 45. 감저주(甘藷酒) 46. 칠일주(七日酒) 47. 우 칠일주(又 七日酒) 48. 우 칠일주(又 七日酒) 49. 백료주(白醪酒) 50. 부의주(浮蟻酒) 51. 잡곡주(雜穀酒) 52. 신도주(新稻酒) 53. 백화주(百花酒) 54. 백화주(百花酒) 55. 삼알주(三日酒) 56. 우 삼일주(又 三日酒) 57. 우 삼일주(又 三日酒) 58. 혼돈주(混沌酒) 59. 청주(淸酒) 60. 탁주(濁酒) 61. 우 탁주(又 濁酒) 62. 합주(合酒) 63. 모주(母酒) 64. 감주(甘酒) 65. 임금주(林檎酒, 능금술) 66. 계피주(桂皮酒) 67. 생강주(生薑酒) 68. 소주 고는 법 69. 또 소주 고는 법 70. 또 소주 고는 법 71. 또 소주 고는 법 72. 또 소주 고는 법 73. 또 소주 고는 법 74. 소주특방(燒酒特方) 75. 우 소주특방(又 燒酒特方) 76.

출소주(秫燒酒) 77. 옥촉서소주(玉蜀黍燒酒) 78. 감홍로(甘紅露) 79. 이강고(梨薑膏) 80. 죽력고(竹瀝膏) 81. 상심소주(桑椹燒酒) 82. 상심소주(桑椹燒酒) 83. 우담소주(牛膽燒酒) 84. 상심소주(桑椹燒酒) 85. 관서감홍로(關西甘紅露)

- 누룩 (9종) : 1. 보리누룩/맥국(麥麴) 2. 밀누룩(小麥麴) 3. 밀누룩(小麥麴) 시속법(時俗法) 4. 흰누룩(白麴) 5. 쌀누룩(米麴) 6. 또 쌀누룩(米麴) 7. 내부비전국(內府秘傳麴) 8. 홍국(紅麴) 9. 누룩 만드는 법(造麯法)
- 기타 (2종) : 1. 술 담그는 날(造酒日) 2. 양주기일(釀酒忌日)

59. 〈주방(酒方)〉* 1800년대 초엽, 한글 필사본, 저자 미상, 이씨 소장본

- 주방문 (18종) : 1. 감주법 2. 청감주법 3. 일두주방문 4. 녹파주방문 5. 백화주방문 6. 박향주방문 7. 소국주방문 8. 삼일주방문 9. 칠일주방문 10. 백일주방문 11. 이화주방문 12. 과하주방문 13. 백하주방문 14. 백하주방문(또 한 법) 15. 구가주방문 16. 별소주방문 17. 보리소주방문 18. 백하주법

60. 〈주방(酒方)〉 1827년(1887년), 한글 한문 혼용필사본, 수구산부여해(壽扣山富如海), 임용기 소장본

- 주방문 (14종) : 1. 삼해주방문(三亥酒方文) 2. 두강주방문 3. 일일주방문(一日酒方文) 4. 삼합주방문(三合酒方文) 5. 구일주방문(九日酒方文) 6. 삼칠주방문(三七酒方文) 7. 별향주방문(別香酒方文) 8. 호산춘주이방문 9. 별춘주방문(別春酒方文) 10. 연엽주방문(蓮葉酒方文) 11. 도화주방문(桃花酒方文) 121. 황금주방문(黃金酒方文) 13. 녹파주방문(綠波酒方文) 14. 아소국주방문

61. 〈주방문(酒方文)〉 1600년대 말엽, 한글 필사본, 하생원, 서울대 가람문고 소장

- 주방문 (30종) : 1. 과하주(過夏酒) 2. 백화주(白花酒) 3. 삼해주(三亥酒) 4. 벽향주(碧香酒) 5. 합주(合酒) 6. 닥주(楮酒) 7. 절주(節酒) 8. 자주(煮酒) 9. 소주(燒酒) 10. 점주(粘酒) 11. 점주 우법(粘酒 又法) 12 연엽주(蓮葉酒) 13. 감주(甘酒) 14. 감주 우일법(甘酒 又一法) 15. 급청주(急淸酒) 16. 송령주(松鈴酒) 17. 급시주(急時酒) 18. 무곡주(無麯酒) 19. 이화주(梨花酒) 20. 보리주(麰酒) 21. 보리소주(麰燒酒) 22. 일일주(一日酒) 23. 서김법(酵法) 24. 단술누룩법(甘酒麯造法) 25. 술맛 그르치지 않는 법 26. 신 술 고치는 법 27. 소주 별방(燒酒

別方) 28. 일해주(一亥酒) 29. 하향주 30. 청명주(淸明酒)

62. 〈주방문조과법(造果法)〉 1925년(계해년 정월), 한글 붓글씨 필사본, 가야촌, 한복려 소장

- 주방문 (23종) : 1. 벽향주법(팔두오승 빚이) 2. 벽향주법(삼두 빚이) 3. 세신주방 4. 삼해주(열 말 비지법) 5. 니화주법 6. 단점주법(甘粘酒) 7. 딱술법(楮酒) 8. 소자주법 9. 백화주(엿 말 비지법) 10. 구도주(엿 말 비지법) 11. 구도주(엿 말 비지법) 12. 니화주법 13. 하향주법 14. 술이 시거든(救酸酒法) 15. (화향입주법) 16. (급청주법) 17. 쌀보리소주법 18. 쌀보리소주법 19. 겉보리소주법 20. 백화주법(열두 말 빚이) 21. 백화주법(열 말 빚이) 22. 합주법 23. 백화주(서 말 비지법)
- 기타 (10법) : 10법

63. 〈주방문초(酒方文抄)〉 저술 연대 미상, 한문 활자본, 저자 미상

- 주방문 (6종) : 1. 과하주법(過夏酒法) 2. 백화주법(白花酒法) 3. 백하주법(白河酒法) 4. 오병주법(五甁酒法) 5. 청명주법(淸明酒法) 6. 하일두강주법(夏日杜康酒法)

64. 〈주식방(酒食方, 延世大閨壼要覽)〉 1896년간, 한글 필사본, 저자 미상, 연세대학교 소장본

- 주방문 (1종) : 1. 천일주법

65. 〈주식방(酒食方, 高大閨壼要覽)〉 1800년 초·중엽, 한글 필사본, 저자 미상, 고려대 신암문고 소장

- 주방문 (30종) : 1. 중원인호작주법 2. 소곡주법 3. 과하주법 4. 백일주법 5. 부의주법 6. 부럽주 7. 소주 많이 나는 법 8. 보리술법 9. 일일주법 10. 국화주법 11. 송국주법 12. 청주법(청명주법) 13. 백화주 14. 호산춘 15. 삼해주 16. 삼칠일주 17. 삼칠일주(우법) 18. 소자주 19. 사절주 20. 연엽주 21. 칠일주법 22. 벽향주 23. 벽향주법 24. 칠일주 25. 별향주 26. 노산춘 27. 과하주 28. (감주) 29. 감향주 30. 감향주 우법

66. 〈주식방문〉 저술 연대 미상, 한글 붓글씨본, 저자 미상

◆ 주방문 (2종) : 1. 합주방문 2. 아달두견주방문

67. 〈주식시의(酒食是儀)〉 1900년경, 한글 필사본, 저자 : 연안이씨, 동춘당가 소장본, 대전선사박물관

◆ 주방문 (8종) : 1. 구기자주법 2. 감향주법 3. 별약주법이라 4. 화향입주방 5. 두견주 6. 점감주 7. 감향주 8. 송순주

68. 〈주정(酒政)〉 1800년대 말엽, 한문 붓글씨본, 저자 미상

◆ 주방문 (9종) : 1. 소국주(小麴酒) 2. 소국주(小麴酒) 3. 아소국주(兒小麴酒) 4. 백일주(百日酒) 5. 두강주(杜康酒) 6. 방문주(方文酒) 7. 방문주(方文酒) 8. 방문주 소주(方文酒 燒酒) 9. 두견주방(杜鵑酒方)

69. 〈주찬(酒饌)〉 1800년대 말엽, 한문 필사본, 저자 미상

◆ 주방문 (80종) : 1. 과하주(過夏酒) 2. 삼해주(三亥酒) 3. 소곡주(少麯酒) 4. 과하주(過夏酒) 5. 과하주(過夏酒) 6. 과하주(過夏酒) 7. 소국주(小麴酒) 8. 황금주(黃金酒) 9. 일일주(一日酒) 10. 하절불산주(夏節不酸酒) 11. 사시절주(四時節酒) 12. 사시절주(四時節酒) 13. 이화주(梨花酒) 14. 백하주(白霞酒) 15. 오가피주(五加皮酒) 16. 황감주(黃柑酒) 17. 하향주(荷香酒) 18. 청감주(淸甘酒) 19. 절주(節酒) 20. 청주(菁酒) 21. 천금주(千金酒) 22. 소자주(蘇子酒) 23. 창포주(菖蒲酒) 24. 송엽주(松葉酒) 25. 송순주(松荀酒) 26. 송엽주(松葉酒) 27. 송순주(松荀酒) 28. 두견주(杜鵑酒) 29. 도화주(桃花酒) 30. 도화주(桃花酒) 31. 도인주(桃仁酒) 32. 지황주(地黃酒) 33. 오향주(五香酒) 34. 삼합주(三合酒) 35. 구기주(枸杞酒) 36. 도소주(屠蘇酒) 37. 지골주(地骨酒) 38. 육일주(六日酒) 39. 진상주(進上酒) 40. 석탄향(石炭香) 41. 두강주(杜康酒) 42. 선령비주(仙灵脾酒) 43. 호산춘(壺山春) 44. 녹용주(鹿茸酒) 45. 연일주(連日酒) 46. 송계춘(松桂春) 47. 광릉춘(廣陵春) 48. 부겸주(浮兼酒) 49. 천문동주(天門冬酒) 50. 방문주(方文酒) 51. 도화춘(桃花春) 52. 경액춘(瓊液春) 53. 은화춘(銀花春) 54. 지황주(地黃酒) 55. 백화춘(白花春) 56. 별 백화주(別 白花酒) 57. 추포주(秋葡酒) 58. 백탄향(白灘香) 59. 내국향온(內局香醞) 60. 홍로주(紅露酒) 61. 백자주(栢子酒) 62. 부

의주(浮蟻酒) 63. 낙산춘(樂(藥)山春) 64. 청서주(淸暑酒) 65. 구황주(救荒酒) 66. 신선고본주법(神仙固本酒法) 67. 적선소주(謫仙燒酒) 68. 진향주(震香酒) 69. 주방(酒方) 70. 주방별법(酒方 別法)-조소주 71. 무술주(戊戌酒) 72. 경감주(瓊甘酒) 73. 백화춘(白花春) 74. 왕감주(王甘酒) 75. 하절청주(夏節淸酒) 76. 하절이화주(夏節梨花酒) 77. 예주(醴酒) 78. 시급주(時急酒) 79. 자주법(煮酒法) 80. 작주부본법(作酒腐本法)

70. 〈쥬식방문〉 저술 연대 미상, 한문 활자본, 저자 미상

◆ 주방문 (6종) : 1. 백화춘 술방문 2. 삼해주방문(三亥酒方文) 3. 송순주법 4. 연일주법 5. 청명주방문(梅岐方文) 6. 칠일주법

71. 〈증보산림경제(增補山林經濟)〉 1767년, 한문 필사본/활자본, 유중임(柳重臨)

◆ 주방문 (77종) : 1. 작주부본방(作酒腐本方) 2. 백하주법(白霞酒法) 3. 백하주법 우방(白霞酒法 又方) 4. 백하주 우방(白霞酒 又方) 5. 백하주 우방(白霞酒 又方) 6. 삼해주법(三亥酒法) 7. 삼해주법 우방(三亥酒法 又方) 8. 삼해주 우방(三亥酒 又方) 9. 도화주법(桃花酒法) 10. 도화주법 우방(桃花酒法 又方) 11. 연화주법(蓮葉酒法) 12. 소곡주법(少麯酒法) 13. 소곡주 속법(少麯酒 俗法) 14. 별소곡주방(別少麯酒方) 15. 소곡주 별법(少麯酒 別法) 16. 비시소곡주방(非時少麯酒方) 17. 약산춘법(藥山春法) 18. 약산춘법 우방(藥山春法 又方) 19. 경면녹파주법(鏡面綠波酒法) 20. 경면녹파주법 우방(鏡面綠波酒法 又方) 21. 경면녹파주법 우방(鏡面綠波酒法 又方) 22. 방문주 별법(方文酒 別法) 23. 벽향주법(碧香酒法) 24. 벽향주법 우방(碧香酒法 又方) 25. 벽향주법 별법(碧香酒法 別法) 26. 부의주(浮蟻酒) 27. 지주(地酒) 28. 일일주(一日酒) 29. 일일주 우방(一日酒 又方) 30. 삼일주(三日酒) 31. 삼일주법 우법(三日酒法 又法) 32. 칠일주법(七日酒法) 33. 칠일주법(七日酒法) 34. 사절칠일주방(四節七日酒方) 35. 잡곡주(雜穀酒) 36. 송순주방(松笋酒方) 37. 송순주 본법(松筍酒 本法) 38. 송순주법(松筍酒法) 39. 송순주법(松筍酒法) 40. 과하주(過夏酒) 41. 과하주 우방(過夏酒 又方) 42. 과하주 우방(過夏酒 又方) 43. 노주이두방(露酒二斗方) 44. 소주다출방(燒酒多出方) 45. 소맥소주법(小麥燒酒法) 46. 노주소독방(露酒消毒方) 47. 하향주법(荷香酒法) 48. 절주방(節酒方) 49. 이화주법(梨花酒法) 50. 청감주법(淸甘酒法) 51. 포도주법(葡萄酒法) 52. 감주법(甘酒法) 53. 하엽주법(荷葉酒法) 54. 추모주법(秋麰酒法) 55. 모미주법(麰米酒法) 56. 백자주법(栢子酒法) 57. 호도주법(胡桃酒法) 58. 와송주법(臥松酒法) 59. 죽통주법(竹筒酒法) 60. 소자주법(蘇子酒法) 61. 죽력고법(竹瀝膏法) 62. 이강

고법(梨薑膏法) 63. 백화주법(百花酒法) 64. 화향입주방(花香入酒方) 65. 화향입주방(花香入酒方) 66. 화향입주방(花香入酒方) 67. 주중지약법(酒中漬藥法) 68. 두강주방(杜康酒方) 69. 두강주방 우방(杜康酒方 又方) 70. 백자주법(栢子酒法) 71. 변탁주위청주법(變濁酒爲淸酒法) 72. 수잡주법(收雜酒法) 73. 구주불비방(救酒不沸方) 74. 구산주법(救酸酒法) 75. 하월수중양주법(夏月水中釀酒法) 76. 중원인작호주법(中原人作好酒法) 77. 조주제법(造酒諸法)

- 누룩 (8종) : 1. 조곡길일(造麯吉日) 2. 조곡방(造麯方) 3. 조곡방 속법(造麯方 俗法) 4. 조진면곡법(造眞麵麯法) 5. 조요곡법(造蓼麯法) 6. 조녹두곡법(造菉豆麯法) 7. 조미곡법(造米麯法) 8. 조주길일(造酒吉日)
- 기타 (2종) : 1. 음주방병법(飮酒防病法) 2. 택수(擇水)

72. 〈치생요람(治生要覽)〉 1691년, 한문 필사본, 저자 미상

- 주방문 (15종) : 1. 내국향온 2. 홍로주 3. 청감주 4. 하향주 5. 백하주 6. 부의주 7. 송엽주 8. 도화주 9. 청서주 10. 소국주 11. 과하주 12. 약산춘 13. 구황주 14. 송순(주) 15. 천금주

73. 〈침주법(侵酒法)〉 저술 연대 미상, 한글 필사본, 저자 미상, 한복려 소장본

- 주방문 (49종) : 1. 삼일주 2. 세향주 3. 녹하주 4. 삼해주 5. 유감주 6. 세신주 7. 백화주 8. 남경주 9. 처화주(처하주) 10. 닥주(저주) 11. 구과주 12. 니화주(이화주) 13. 보리주법 14. 국화주 15. 적선소주 16. 송순주 17. 녹파주 18. 또 녹파주 19. 찹쌀녹파주(점미녹파주) 20. 부점주 21. 삼일주 22. 또 삼일주 23. 칠일주 24. 일두주 25. 산주 26. 감주 27. 하향주 28. 삼칠주 29. 니화주(이화주) 30. 또 니화주 31. 청하주 32. 송엽주 33. 애엽주 34. 소주 35. 뉴하주(유하주) 36. 뫼속주(매속주) 37. 부의주 38. 진상주 39. 향온주 40. 홍소주 41. 백자주 42. 소주 43. 보리소주 44. 삼일주 45. 무시절주 46. 육두주 47. 삼두주 48. 청감주 49. 감주
- 누룩 (1종) : 1. 누룩법

74. 〈태상지(太常志)〉 고종 10년(1873년), 한문 필사본, 이근명(李根命)

- 주방문 (2종) : 1. 양주(釀酒) 2. 울금주(鬱金酒)
- 누룩 (1종) : 1. 조국(造麴)

75. 〈학음잡록(鶴陰雜錄)〉 1800년대 말엽, 한문 필사본, 鶴陰(?)

◆ 주방문 (21종) : 1. 백로주 2. 백로주(지주 빚는 법) 3. 소곡주 4. 약산춘 5. 약산춘 우방 6. 호산춘 7. 호산춘 우방 8. 삼해주 9. 내국향온 10. 백자주 11. 호도주 12. 도화주 13. 도화주 우방 14. 연엽주 15. 지황주 16. 오가피주 17. 오가피주 우방 18. 무술주 19. 천문동주 20. 구기주 21. 창포주
◆ 누룩 (2종) : 1. 조곡법 2. 조요국
◆ 기타 (1종) : 3. 양주법(택수)

76. 〈한국민속대관(韓國民俗大觀)〉 1985년간, 한글 활자본, 고려대 민족문화연구소 발행

◆ 주방문 (41종) : 1. 이화주(梨花酒) 2. 이화주(梨花酒) 3. 이화주(梨花酒) 4. 이화주(梨花酒) 5. 하절 별법 이화주(梨花酒) 6. 약주(藥酒) 7. 백하주(白霞酒) 8. 소곡주(小麯酒) 9. 하향주(荷香酒) 10. 부의주(浮蟻酒) 11. 청명주(淸明酒) 12. 감향주(酣香酒) 13. 절주(節酒) 14. 방문주(方文酒) 15. 석탄주(惜呑酒) 16. 법주(法酒) 17. 호산춘(壺山春) 18. 송자주(松子酒) 19. 백자주(柏子酒) 20. 포도주(葡萄酒) 21. 두견주 22. 원시적 증류법(는지) 23. 고리 이용법 24. 노주(露酒) 25. 감홍로(甘紅露) 26. 이강고(梨薑膏) 27. 도소주(屠蘇酒) 28. 과하주(過夏酒) 29. 사마주(四馬酒) 30. 청명주(淸明酒) 31. 유두음(流頭飮) 32. 국화주(菊花酒) 33. 와송주(臥松酒) 34. 죽통주(竹筒酒) 35. 지주(地酒) 36. 청서주(淸署酒) 37. 송하주(松下酒) 38. 전주(煎酒) 39. 소자주(蘇子酒) 40. 오가피주(五加皮酒) 41. 구기주(枸杞酒)
◆ 누룩 (1종) : 1. 생곡(生麯)

77. 〈해동농서(海東農書)〉 1799년, 한문 필사본, 서호수(徐浩修)

◆ 주방문 (43종) : 1. 작주부본방(作酒腐本方) 2. 백하주(白霞酒) 3. 소곡주(少麯酒) 4. 약산춘(藥山春) 5. 약산춘 우일방(藥山春 又一方) 6. 호산춘(壺山春) 7. 삼해주법(三亥酒法) 8. 내국향온법(內局香醞法) 9. 백자주양법(栢子酒釀法) 10. 호도주양법(胡桃酒釀法) 11. 도화주(桃花酒) 12. 도화주 일방(桃花酒 一方) 13. 연엽주(蓮葉酒) 14. 경면녹파주(鏡面綠波酒) 15. 경면녹파주 일방(鏡面綠波酒 一方) 16. 벽향주(碧香酒) 17. 하향주(荷香酒) 18. 이화주(梨花酒) 19. 청서주(淸暑酒) 20. 부의주(浮蟻酒) 21. 부의주 일방(浮蟻酒 一方) 22. 청감주(淸甘酒) 23. 포도주(葡萄酒) 24. 백주(白酒) 25. 삼일주(三日酒) 26. 일일주(一日酒) 27. 잡

곡주(雜穀酒) 28. 지주(地酒) 29. 내국홍로주양법(內局紅露酒釀法) 30. 노주소독방(露酒消毒方) 31. 노주이두방(露酒二斗方) 32. 자주(煮酒) 33. 자주 우법(煮酒 又法) 34. 과하주(過夏酒) 35. 과하주 우방(過夏酒 又方) 36. 밀주(密酒) 37. 밀주 우법(密酒 又法) 38. 화향입주방(花香入酒方) 39. 화향입주 우법(花香入酒 又法) 40. 주중지약법(酒中漬藥法) 41. 구주불비법(救酒不沸法) 42. 구산주법(救酸酒法) 43. 중원인양호법(中原人釀好酒)

- 누룩 (2종) : 1. 조곡길일(造麯吉日) 2. 조곡(造麯)
- 기타 (4종(: 1. 조주길일(造酒吉日) 2. 조주기일(造酒忌日) 3. 택수(擇水) 4. 식면후음주(食麵後飮酒)

78. 〈현풍곽씨언간주해〉 1602년~1650년, 한글 필사본(번역본), 곽주 가

- 주방문 (2종) : 1. 죽엽주(두엽쥬법) 2. 포도주(보도쥬법)

79. 〈홍씨주방문〉 1800년대, 한글 필사본, 저자 미상

- 주방문 (37종) : 1. 옥녹주 2. 옥녹주 별법 3. 백수환동주 4. 동파삼일주 5. 부의주 6. 황구주 7. 소곡주 별방문 8. 성탄향 9. 선초향주 10. 벽향주 11. 녹파주 12. 약주 13. 백일주 별법 14. 청명주방문 15. 절주 16. 호산춘 17. 백일주법 18. 백일주 19. 삼해주 20. 두강주 21. 일일주 22. 사월주 23. 백화춘 24. 홀도주(혼돈주) 25. 황금주 26. 사절소주법 27. 송순주법 28. 송순주 29. 과하주 30. 국화주방문 31. 도화주 32. 두견주방문(8말 빚이) 33. 두견주 추후별방문(3말 5되 빚이) 34. 두견주 추후별방문(7말 5되 빚이) 35. 백화주 36. 만전향주 37. 도화주(4말 빚이)

80. 〈활인심방(活人心方)〉 1400년대 초엽, 한문 필사본, 퇴계(退溪) 이황(李滉) 수적본(手蹟本)

- 주방문 (3종) : 1. 저령주 2. 지황주 3. 무술주

81. 〈후생록(厚生錄)〉 1767년(영조 43) 이전, 한문 활자본, 신중후(辛仲厚)

- 주방문 (7종) : 1. 일일주법(一日酒法) 2. 일일주법 우법(一日酒法 又法) 3. 삼일주(三日酒)

4. 잡곡주방(雜穀酒方) 5. 중원인작호주(中原人作好酒) 6. 적선주방(謫仙酒方) 7. 청감주방(淸甘酒方)

82. 〈조선상식문답(朝鮮常識問答, 風俗)〉 1948년간, 한글 활자본, 최남선

1. 약주란 말은 무슨 뜻입니까? 2. 조선술의 유명한 것은 무엇이 있습니까?(관서감홍로, 전주 이강고, 전라도 죽력고) 3. 누룩

83. 기타

* <동국세시기(東國歲時記)> 1849년, 홍석모

1. 정월 : 세주·도소주 2. 상원 : 이롱주(치롱주) 3. 봄철가주(과하주·소주·두견주·도화주·송순주·소주(공릉삼해주)·관서감홍로·벽향주·해서 이강주·호남 죽력고·계당주, 호서의 노산춘주, 유듀국)

* <성호사설(星湖僿說, 萬物門)> 조선 숙종대, 이익, 국립중앙도서관·규장각

1. 주(酒) 2. 주재(酒材) 3. 오재·삼주(五齊三酒) 4. 명수(明水) 5. 오곡(五穀) 6. 부백(浮白) 7. 회주(灰酒) 8. 도량(度量) 9. 주기보(酒器譜) 10. 곡명(穀名) 11. 향음주례(鄕飮酒禮)

* <조선세시기(朝鮮歲時記)> 1916년~1917년, 장지연, 매일신보

1. 신춘명주(춘주류) : 1. 도화춘 2. 이화춘 3. 두견춘 4. 송순춘 5. 소국춘
2. 과하주·소곡주류 : 1. 평양의 감홍로 2. 벽향주 3. 해서의 이강고 4. 호남 및 영남의 죽력고 5. 계당주 6. 호서의 노산춘 7. 서향로 8. 사마주

* <임하필기(林下筆記, 春明逸史)> 1871년(고종 8 탈고, 1961년 영인), 임하려(1871), 서울대학교 규장각 소장본

향음주례(鄕飮酒禮)를 행하다